i+ Interactif de Chenelière Éducation, le nouveau standard de l'enseignement

- **Créer** des préparations de cours et des présentations animées.
- **Partager** des annotations, des documents et des hyperliens avec vos collègues et vos étudiants.
- **Captiver** votre auditoire en utilisant les différents outils performants.

Profitez dès maintenant des contenus spécialement conçus pour ce titre.

i+ Interactif

Créer | Partager | Captiver

Mc Graw Hill Education

CHENELIĒRE ÉDUCATION

3048-M ISBN 978-2-7651-0744-6

CODE D'ACCÈS ÉTUDIANT

SIG-11879-3631315-F8A8

VOUS ÊTES ENSEIGNANT ?
Communiquez avec votre représentant pour recevoir votre code d'accès permettant de consulter les ressources pédagogiques en ligne exclusives à l'enseignant.

http://mabibliotheque.cheneliere.ca

SYSTÈMES D'INFORMATION DE GESTION

Paige Baltzan
Daniels College of Business, University of Denver

Cameron Welsh
Haskayne School of Business, University of Calgary

Adaptation française

Daniel Chamberland-Tremblay
Université de Sherbrooke

Thang Le Dinh
Université du Québec à Trois-Rivières

Éliane Moreau
Université du Québec à Trois-Rivières

Elaine Mosconi
Université de Sherbrooke

Systèmes d'information de gestion

Traduction et adaptation de: *Business Driven Information Systems,
4th Edition* de Paige Baltzan et Cameron Welsh © 2015 McGraw-Hill
Ryerson (ISBN 978-1-259-03081-9)

© 2015 TC Média Livres Inc.

Conception éditoriale: Sylvain Ménard
Édition: Guy Bonin
Coordination: Isabelle Chartier et Julie Pinson
Traduction: Mélanie Caillierez, Serge Paquin et Laurence Perron
Révision linguistique: Ginette Laliberté
Correction d'épreuves: Christine Langevin
Conception graphique: Liz Harasymczuk
Conception de la couverture: Marie Roques
Impression: TC Imprimeries Transcontinental

Source iconographique

Couverture: © OJO Images Ltd/Alamy

**Catalogage avant publication
de Bibliothèque et Archives nationales du Québec
et Bibliothèque et Archives Canada**

Baltzan, Paige

   [Business driven information systems. Français]

   Systèmes d'information de gestion

   Traduction de la 4e édition canadienne de: Business driven information systems.
Comprend un index.
ISBN 978-2-7651-0744-6

   1. Gestion – Informatique. 2. Technologie de l'information – Gestion.
3. Gestion de l'information. 4. Gestion de l'information – Canada.
I. Welsh, Cameron. II. Chamberland-Tremblay, Daniel. III. Le Dinh,
Thang . IV. Moreau, Éliane . V. Mosconi, Elaine.
VI. Titre. VII. Titre: Business driven information systems. Français.

HD30.2.B3414 2015   658.4'038011   C2014-942813-8

5800, rue Saint-Denis, bureau 900
Montréal (Québec) H2S 3L5 Canada
Téléphone: 514 273-1066
Télécopieur: 514 276-0324 ou 1 800 814-0324
info@cheneliere.ca

ISBN 978-2-7651-0744-6

Dépôt légal: 2e trimestre 2015
Bibliothèque et Archives nationales du Québec
Bibliothèque et Archives Canada

Imprimé au Canada

2 3 4 5 6 ITIB 20 19 18 17 16

Gouvernement du Québec – Programme de crédit d'impôt pour l'édition de livres – Gestion SODEC.

Ce projet est financé en partie par le gouvernement du Canada 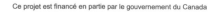 |  Canada

PAIGE BALTZAN

Paige Baltzan enseigne au Département d'information d'entreprise et d'analytique d'affaires du Daniels College of Business de l'Université de Denver. Elle détient un B.S.B.A. spécialisé en comptabilité et systèmes d'information de gestion de l'Université d'État de Bowling Green (Ohio), ainsi qu'une maîtrise en administration spécialisée en systèmes d'information de gestion de l'Université de Denver. Coauteure de plusieurs ouvrages, dont *Business Driven Technology*, *Essentials of Business Driven Information Systems*, *I-Series*, elle a aussi contribué à la rédaction de *Management Information Systems for the Information Age*. Avant d'occuper un poste à l'École de commerce Daniels en 1999, madame Baltzan a travaillé plusieurs années pour une grande entreprise de télécommunications et une firme de consultants internationale, où elle a participé à des missions auprès de la clientèle aux États-Unis, en Amérique du Sud et en Europe.

CAMERON WELSH

Adjoint à l'enseignement à la Haskayne School of Business de l'Université de Calgary, Cameron Welsh enseigne les systèmes d'information de gestion. Depuis qu'il occupe un poste à la Haskayne School of Business, monsieur Welsh est aussi un des spécialistes des systèmes d'information de gestion de l'école. Pendant ces années, il a donné les cours d'introduction à l'analytique d'affaires qui sont destinés aux étudiants de premier cycle en administration des affaires, les cours d'introduction aux systèmes d'information ainsi que des cours à option avancés de systèmes d'information de gestion ; ces derniers cours portaient sur des questions allant des problèmes de gestion aux projets de systèmes d'information de gestion sur le terrain proposés par l'école. Monsieur Welsh a travaillé plusieurs années dans le commerce de détail et a aussi fondé une entreprise familiale. En tant que chercheur et consultant, ses domaines de prédilection sont la mise au point de mesures de rendement, la gouvernance, l'apprentissage mixte et l'apprentissage en ligne. Cameron Welsh travaille également à titre de conseiller technique auprès de divers organismes à but non lucratif.

Daniel Chamberland-Tremblay, Ph. D., est professeur au Département de systèmes d'information et méthodes quantitatives de gestion de la Faculté d'administration de l'Université de Sherbrooke. Il est codirecteur du Pôle de recherche en intelligence stratégique et multidimensionnelle d'entreprise (PRISME) et directeur intelligence du Pôle d'intelligence d'entreprise (PIE). Ses intérêts de recherche sont liés à l'intelligence d'affaires, à l'intelligence compétitive et à l'intelligence géospatiale.

Thang Le Dinh, Ph. D., est professeur agrégé en systèmes d'information de l'Université du Québec à Trois-Rivières (UQTR). Il est fondateur et codirecteur du Laboratoire de recherche et d'intervention sur le développement de l'entreprise dans les pays en développement. Ses intérêts de recherche portent sur la science des services, la gestion des connaissances, la transformation numérique et les technologies de l'information et de la communication (TIC) pour le développement.

Éliane M.-F. Moreau, Ph. D., est professeure agrégée en systèmes d'information de l'Université du Québec à Trois-Rivières (UQTR). Elle est directrice du comité de programme du B.A.A., responsable du programme Gestion des affaires électroniques dans les PME et membre de l'Institut de recherche sur les PME (INRPME). Ses intérêts de recherche touchent la planification stratégique, les systèmes d'aide à la décision intelligents et de gestion des connaissances, les réseaux et la capacité d'absorption des entrepreneurs ainsi que la performance.

Elaine Mosconi, Ph. D., est professeure au Département de systèmes d'information et méthodes quantitatives de gestion de la Faculté d'administration de l'Université de Sherbrooke. Elle est membre du Pôle de recherche en intelligence stratégique et multidimensionnelle d'entreprise (PRISME). Ses recherches sont liées à la gestion et au partage des connaissances, à la performance décisionnelle, à l'intelligence d'affaires et aux médias sociaux dans les organisations.

Les initiatives d'affaires doivent être soigneusement prises en compte avant d'amorcer les discussions sur la façon dont la technologie et les systèmes d'information favorisent les décisions d'affaires fructueuses; elles doivent ensuite servir à orienter ces discussions. Le postulat selon lequel ces initiatives doivent infléchir les choix faits en matière de systèmes d'information est au cœur du présent ouvrage, *Systèmes d'information de gestion* (4e édition canadienne). Puisque celui-ci traite d'abord des besoins des entreprises, puis des systèmes d'information qui viennent combler ces besoins, il offre la base de connaissances qui permettra aux étudiants d'atteindre l'excellence en affaires. Que le diplôme obtenu porte sur la gestion d'exploitation, la fabrication, les ventes, le marketing, les finances, la gestion des ressources humaines, la comptabilité ou toute autre discipline relative au monde des affaires, *Systèmes d'information de gestion* est conçu de manière que les étudiants comprennent le rôle des systèmes d'information dans l'amélioration du fonctionnement d'une entreprise.

Parmi les objectifs d'affaires couramment associés aux projets se rapportant aux systèmes d'information, on trouve la réduction des coûts, l'accroissement de la productivité, la fidélisation et la satisfaction de la clientèle, la création d'avantages concurrentiels, la rationalisation des chaînes d'approvisionnement et l'expansion dans le monde. L'obtention de tels résultats n'est pas aisée. La mise en œuvre d'un système comptable ou d'un plan de marketing nouveau est peu susceptible d'engendrer une croissance à long terme ou une baisse des coûts à la grandeur d'une entreprise. Une organisation doit prendre des initiatives qui la touchent dans son ensemble si elle veut atteindre des objectifs importants comme une réduction des coûts. Les systèmes d'information jouent un rôle crucial dans la mise en œuvre de telles initiatives, car ils facilitent les communications et accentuent l'importance accordée à l'intelligence d'affaires. Toute personne désirant poursuivre une carrière fructueuse en affaires, que ce soit dans le domaine de la comptabilité, des finances, de la gestion des ressources humaines ou de la gestion d'exploitation, doit comprendre les éléments fondamentaux des systèmes d'information décrits dans le présent ouvrage.

Nous avons connu beaucoup de succès dans l'enseignement des systèmes d'information de gestion parce que nous démontrons la corrélation entre le monde des affaires et les systèmes d'information. Les étudiants qui acquièrent une bonne compréhension de cette corrélation reconnaissent toute l'importance de ce cours, même lorsqu'il est question d'entreprises non traditionnelles. À cet effet, des exemples ont été ajoutés à cette quatrième édition, notamment la mise en contexte du chapitre 3, intitulée « *Moneyball*: plus qu'une simple question de joueurs », ainsi que la première étude de cas du chapitre 7, intitulée « Le PGI et l'analytique apportent le succès à l'Allemagne en Coupe du monde ». Ces exemples soulignent la façon dont les systèmes d'information et l'analytique sont utilisés non seulement pour gérer les données concernant la clientèle et la vente de billets, mais aussi pour évaluer la performance des joueurs sur le terrain. Le recrutement des joueurs et l'étude de leur comportement ne dépendent plus uniquement de l'observation; ces processus comportent maintenant l'analyse quantitative des données produites par les joueurs pendant leur performance et la comparaison de ces données avec des valeurs cibles. Les méthodes comprennent la saisie d'information à partir de capteurs installés sur le corps des joueurs ou même sur la balle. Les données recueillies sont analysées pour aider le joueur et l'équipe dans son ensemble à améliorer ses performances. Le fait de proposer de tels exemples aide les étudiants à comprendre que les systèmes d'information peuvent être exploités pour améliorer les affaires dans tous les domaines.

Les étudiants retiennent 10 % de ce qu'ils lisent, 80 % de leurs expériences vécues et 90 % de ce qu'ils enseignent à d'autres. L'approche axée sur les entreprises part des concepts difficiles et souvent intangibles liés aux systèmes d'information de gestion. Ces concepts sont portés à l'attention des étudiants, puis ils sont appliqués de manière concrète afin d'en approfondir la compréhension. Grâce à un enseignement des systèmes d'information de gestion axés sur les entreprises, ces derniers gagnent en crédibilité et sont source d'intérêt et de stimulation. De plus, les étudiants détenant ou non un diplôme sont sensibilisés aux possibilités qu'offrent les systèmes d'information.

À titre d'enseignants, nous avons contacté des personnes évoluant dans ce domaine pour que celles-ci nous aident à comprendre quelles sont les compétences et les connaissances recherchées au moment d'embaucher du personnel au sein de leurs entreprises. Nous leur avons posé la question suivante : « Quelles sont les compétences de l'entreprise idéale et du diplômé idéal en systèmes d'information de gestion ? » À partir des réponses reçues, nous avons dressé une liste des compétences les plus prisées. En voici quelques exemples :

- la pensée critique ;
- une bonne compréhension des traits fondamentaux du monde des affaires ;
- une approche des affaires fondée sur les processus ;
- une bonne compréhension de différentes compétences-clés en systèmes d'information de gestion.

Une telle démarche, en plus des suggestions des réviseurs, nous a permis de poser les balises nécessaires à la mise au point de cette quatrième édition.

LE FORMAT, LES CARACTÉRISTIQUES ET LES TRAITS MARQUANTS

Systèmes d'information de gestion expose les analyses les plus actuelles, présente les concepts avec clarté et permet aux étudiants de prendre une part active à leur propre apprentissage. La nature dynamique des systèmes d'information exige que tous les étudiants, et plus particulièrement les étudiants en administration, connaissent bien les technologies tant actuelles qu'émergentes. Abordant des sujets complexes, les étudiants ont besoin d'explications claires et concises afin de bien saisir les concepts qu'ils utiliseront tout au long de leur carrière. Cet ouvrage, parce qu'il propose aux étudiants un grand nombre d'études de cas, d'exercices, de projets et de questions qui éclairent les concepts étudiés, permet tant aux enseignants qu'aux étudiants de vivre une expérience d'apprentissage unique.

- **Le public visé :** *Systèmes d'information de gestion* est destiné aux étudiants inscrits au baccalauréat ou aux premiers cours de maîtrise en systèmes d'information de gestion, ces cours étant obligatoires dans de nombreux programmes de gestion et d'administration des affaires à titre de connaissances communes que doivent acquérir tous les diplômés en administration.
- **La structure logique :** Les étudiants et les enseignants bénéficieront d'un texte bien structuré où les sujets s'enchaînent logiquement d'un chapitre à l'autre. Chaque terme est expliqué avant d'être abordé en contexte dans un chapitre ; il est aussi défini dans le glossaire détaillé situé à la fin de l'ouvrage. Chaque chapitre comprend une mise en contexte, une introduction, des objectifs d'apprentissage, des études de cas et des questions proposées sous la rubrique « Mes décisions d'affaires ».
- **Des explications approfondies :** Chacune des questions fait l'objet d'un traitement complet. Les explications sont formulées afin que les étudiants comprennent les idées exposées et soient en mesure de les rattacher à d'autres concepts.

- **Une solide base théorique:** Le présent ouvrage s'appuie sur la théorie et la pratique actuelles en ce qui concerne les systèmes d'information pertinents dans le monde des affaires. Les références au sujet des revues universitaires et professionnelles citées sont présentées dans les notes en fin de chapitre. Sont également proposés des textes pertinents qui favorisent un apprentissage d'une portée plus large.

- **De la matière qui suscite des discussions:** Tous les chapitres contiennent une sélection variée d'études de cas et d'activités individuelles et collectives en vue de résoudre des problèmes liés à l'emploi des systèmes d'information en entreprise. Trois études de cas détaillées sont décrites à la fin de chaque chapitre afin d'étayer la matière étudiée. Ces études de cas incitent les étudiants à examiner les concepts qui ont été abordés et à les appliquer dans une situation susceptible de se produire en entreprise. Différentes personnes au sein d'une entreprise interprètent les mêmes faits selon un point de vue qui leur est propre, et les études de cas exposées vont amener les étudiants à considérer certains de ces points de vue. Dans la quatrième édition, les mises en situation et études de cas comprennent onze nouveaux exemples et trois exemples révisés.

- **Des thèmes intégrateurs:** Plusieurs thèmes récurrents ajoutent un caractère intégrateur à la matière. Parmi ces thèmes figurent les techniques et les méthodes à valeur ajoutée, l'éthique et la responsabilité sociale, la mondialisation et l'acquisition d'un avantage concurrentiel. L'étude de tels sujets est indispensable pour comprendre pleinement les stratégies qu'une entreprise doit élaborer, formuler et ensuite mettre en œuvre. En plus du traitement de ces questions dans les divers chapitres, le présent ouvrage contient de nombreuses illustrations mettant en relief les pratiques adoptées en entreprise.

REMERCIEMENTS DE L'ÉDITION ORIGINALE ANGLAISE

Je tiens à remercier mon coauteur et les auteurs de l'édition précédente pour leur travail acharné, qui a constitué une excellente base sur laquelle j'ai édifié cette quatrième édition canadienne. Je remercie plus particulièrement Irene Herremans, de l'Université de Calgary, Graham McFarlane et les autres membres du MIS Industry Advisory Council de la Haskayne School of Business ainsi que mon mentor, Ron Murch, qui m'a prodigué de précieux conseils et idées présentés dans certains des cas figurant dans cette quatrième édition canadienne. J'aimerais également remercier les réviseurs qui, à plusieurs occasions, ont émis des idées pertinentes et apporté des suggestions d'amélioration très précises. Je suis également reconnaissant à l'équipe de McGraw-Hill Ryerson, notamment Sarah Fulton, James Booty et Jessica Barnoski, ainsi qu'à mon réviseur, Rodney Rawlings. Je souhaite aussi remercier Laura McJannet de m'avoir présenté à James et proposé le projet *Systèmes d'information de gestion*.

Cameron

Liste des réviseurs de la quatrième édition canadienne

Jennifer Percival, University of Ontario Institute of Technology
Anteneh Ayanso, Brock University
Norman Shaw, Ryerson University
Sheri Adekola, Sheridan Institute of Technology
Bernie Warren, Thompson Rivers University
Gokul Bhandari, University of Windsor
Barbara Eddy, Sheridan Institute of Technology

La réalisation de l'ouvrage que nous avons le plaisir de vous présenter n'aurait pu être rendue possible sans le soutien de nombreux contributeurs et partenaires.

AVANT-PROPOS DE L'ADAPTATION FRANÇAISE

Le rôle des systèmes d'information dans l'organisation a donné lieu à une mutation fondamentale. L'accélération des processus d'affaires, grâce à la mise en réseau des entreprises et à l'appui à la prise de décision, prend désormais le pas sur l'archivage et l'automatisation des transactions. Aujourd'hui, la conduite des affaires doit déterminer les orientations technologiques que mettent en œuvre les chefs de services informatiques.

L'imbrication étroite des technologies de l'information aux affaires de l'organisation nécessite que chaque intervenant de la hiérarchie, de la haute direction aux opérateurs, comprenne les liens entre ses propres activités, celles des autres unités d'affaires de l'organisation et les systèmes d'information qui les soutiennent.

Le présent ouvrage, dans son adaptation française, sert d'introduction aux systèmes d'information dans une perspective centrée sur les affaires. Le lecteur est guidé dans l'apprentissage des notions fondamentales de la gestion des technologies de l'information d'une organisation. Ce faisant, il peut développer sa compréhension des processus organisationnels, découvrir l'importance des systèmes d'information et être à même de porter un jugement critique sur le choix et l'utilisation actuels et futurs de ces systèmes.

Face à la mondialisation des marchés, aux changements effrénés de l'environnement d'affaires et à la course à l'innovation, l'expert doit dorénavant gérer l'information comme un actif organisationnel et se doter de pratiques et de systèmes qui lui procureront un avantage concurrentiel pour atteindre ses objectifs d'affaires. En s'imprégnant des concepts de la gestion des systèmes d'information sous l'angle de la conduite des affaires, le lecteur jette les assises qui lui permettront de comprendre et de bâtir les organisations agiles et performantes de demain.

REMERCIEMENTS DE L'ADAPTATION FRANÇAISE

Tout d'abord, nous souhaitons remercier l'équipe dynamique de la maison d'édition Chenelière Éducation qui, grâce au travail de Sylvain Ménard (éditeur-concepteur), de Guy Bonin (éditeur) et de Mélanie Caillierez, Serge Paquin et Laurence Perron (traducteurs), a offert l'encadrement administratif et technique nécessaire au processus d'édition. Nous désirons également souligner la participation active d'Isabelle Chartier, Julie Pinson et d'Isabelle Lacroix (chargées de projet), de Ginette Laliberté (réviseure linguistique) et de Christine Langevin (correctrice d'épreuves) dont le travail a contribué à assurer la qualité de cette publication. Leur engagement et leurs conseils avisés ont permis de mener à bien ce projet, et ce, dans les conditions favorables dont celui-ci a bénéficié.

Nous souhaitons également témoigner toute notre reconnaissance à nos universités d'appartenance, soit l'Université de Sherbrooke pour Daniel et Elaine, et l'Université du Québec à Trois-Rivières pour Éliane et Thang, qui nous ont permis de chapeauter ce projet et nous ont accordé leur confiance dans sa réalisation. Leur soutien constant et leurs encouragements nous ont permis de mener à terme sans heurt cette ambition commune dans une optique de collaboration et d'apport mutuel.

Enfin, notre collaboration dans le processus d'adaptation de l'ouvrage en langue française nous a permis de garantir la rigueur scientifique de ce projet qui saura sans aucun doute en assurer le succès et en fera, nous l'espérons, un nouvel outil pédagogique incontournable dans le domaine qui est le nôtre.

Cordialement,

L'équipe d'adaptation de l'ouvrage en langue française :

Daniel Chamberland-Tremblay, Université de Sherbrooke, Faculté d'administration

Thang Le Dinh, Université du Québec à Trois-Rivières, Département des sciences de la gestion

Éliane Moreau, Université du Québec à Trois-Rivières, Département des sciences de la gestion

Elaine Mosconi, Université de Sherbrooke, Faculté d'administration

3 CHAPITRE

Les données, l'information et la connaissance

OBJECTIFS D'APPRENTISSAGE

3.1 Préciser, dans le cas des données transactionnelles et de l'information analytique, les caractéristiques qui ont une valeur déterminante; souligner l'importance, pour une organisation, d'avoir à sa disposition de l'information et des données pertinentes et de grande qualité.

3.2 Distinguer la gestion des connaissances des systèmes de gestion des connaissances.

3.3 Expliquer l'intelligence d'affaires et ses répercussions sur la manière dont les organisations prennent des décisions dans le monde actuel des affaires.

3.4 Décrire ce qu'est un système de collaboration et la façon dont celui-ci joue un rôle dans la collaboration structurée et non structurée.

3.5 Expliquer les différences entre les divers types de systèmes de collaboration, par exemple le logiciel de travail en groupe, les systèmes de gestion du contenu et les systèmes de gestion du flux de travail; souligner les avantages de chacun de ces systèmes.

MA PERSPECTIVE

Le présent chapitre porte sur les données et l'information, ainsi que sur leur importance relative aux yeux des organisations. Il permet de différencier les données, l'information, la connaissance de même que l'utilisation des données pour l'intelligence d'affaires. Ce chapitre examine également la façon dont de nombreuses organisations s'efforcent de trouver des moyens d'aider leurs employés, leurs clients et leurs partenaires à accéder à l'information qui leur est nécessaire, l'objectif visé étant de partager, d'utiliser et d'intégrer cette information dans les activités quotidiennes. Ces actions permettent aux entreprises d'accomplir leur travail, d'encourager le partage et la formulation de nouvelles idées qui mèneront au développement d'innovations, à l'amélioration des habitudes de travail et à de meilleures pratiques.

Pour y parvenir, l'utilisation de systèmes d'information s'avère cruciale. Ces systèmes peuvent faciliter l'accès à l'information et sa circulation dans l'entreprise, ce qui contribue à une meilleure gestion et à la croissance souhaitée.

L'objectif principal du présent chapitre est de présenter la manière dont les systèmes d'information peuvent aider une organisation à tirer profit du pouvoir de l'information en fournissant des mécanismes efficaces pour l'accès, le partage et la compréhension de l'information ainsi que la collecte de données. Cette présentation inclut aussi l'accès à l'information structurée et à l'information non structurée, de même que l'utilisation de celles-ci.

En tant qu'étudiant dans un domaine lié aux affaires, vous devez être conscient de la façon dont les systèmes d'information, particulièrement les systèmes de gestion des connaissances, peuvent améliorer les résultats financiers en faisant usage du pouvoir de l'information. La compréhension de l'utilité des outils d'accès et de partage de l'information est très utile. Vous serez ainsi en mesure d'évaluer les possibilités que ces outils vous offrent et de reconnaître la nécessité d'encourager leur utilisation dans les entreprises afin d'assurer leur réussite.

Ma perspective

Située à la première page de chaque chapitre, cette rubrique indique clairement aux étudiants de quelle façon la matière couverte dans le chapitre est pertinente pour eux, à titre d'étudiants en administration.

La mise en contexte du chapitre

Pour stimuler l'intérêt des étudiants, chaque chapitre commence par une mise en contexte. Une organisation ou un concept qui a fait ses preuves dans le monde des affaires est mis en évidence. Cette rubrique sert à étoffer les concepts à l'aide d'exemples pertinents d'entreprises remarquables. L'analyse d'un cas se poursuit tout au long du chapitre où figure l'organisation ou le concept dont il est question.

Objectifs d'apprentissage

La description de ces objectifs met l'accent sur la matière que les étudiants doivent apprendre et pouvoir communiquer après l'étude du chapitre.

Mise en contexte

Le *moneyball*: plus qu'une simple question de joueurs

Billy Beane était le directeur général de l'équipe Athletics d'Oakland en 2002 et en 2003, lorsque les A's se sont hissés jusqu'aux séries éliminatoires, alors que leur masse salariale ne représentait qu'un tiers de celle des Yankees de New York. Comment Beane y est-il parvenu? En bâtissant une équipe de joueurs sous-estimés. Beane recherchait des joueurs dont les performances de frappe et sur base étaient élevées. Ces données, exprimées en pourcentage, étaient considérées statistiquement comme de bons prédicteurs de réussite à l'offensive. Les joueurs recherchés avaient des attentes salariales basses, car ils souhaitaient prioritairement faire partie de l'équipe durant les séries éliminatoires. C'est ainsi que Beane a fait entrer l'analytique et la sabermétrie (approche statistique du baseball développée à partir des données de la Society for American Baseball Research) dans le monde du baseball. Beane a-t-il mieux réussi que d'autres directeurs généraux? A-t-il révolutionné le baseball ou le sport? C'est ce qu'on va voir[1].

Autrefois, vendre des billets à d'autres personnes qu'aux plus fidèles partisans des Hurricanes ne relevait pas de la science. Les décisions prises relativement au moment de lancer une promotion ou un forfait de billets étaient basées sur l'instinct, lequel s'appuyait sur les tendances que l'équipe de direction décelait lorsque l'équipe gagnait ou perdait. En 2005, les Hurricanes ont mis en œuvre une nouvelle technologie relative à la billetterie permettant à l'équipe de suivre tous les achats effectués par les partisans individuels. Cependant, ce n'est qu'au moment où l'équipe a commencé à employer divers algorithmes et technologies d'analytique de données que Nowicki et les membres de son équipe sont parvenus à se servir des données pour obtenir un meilleur aperçu du comportement des partisans. Nowicki a d'ailleurs relevé ceci: «Nous possédions des années et des années de données téléchargées dans notre système, mais nous ne les avions pas vraiment explorées dans l'optique d'analyser en détail nos clients. Nous avons donc commencé à créer un profil des détenteurs de billets à l'aide des

Le retour sur la mise en contexte

Situées à la fin de chaque section, des questions suscitant la réflexion permettent d'établir un lien entre la mise en contexte du chapitre et les concepts importants qui y sont définis.

RETOUR SUR LA MISE EN CONTEXTE

Le *moneyball*: plus qu'une simple question de joueurs

1. À votre avis, quelles données seraient importantes pour le directeur commercial d'une équipe de votre sport professionnel préféré?

2. En quoi votre réponse serait-elle différente s'il était question du directeur général de cette même équipe?

3. Quels types de données constitueraient des mesures intéressantes pour la détermination des futurs joueurs de votre ligue sportive préférée?

4. Au cours des prochaines années, comment envisagez-vous le rôle principal de l'intelligence d'affaires appliquée au sport (*sports analytics*) dans votre ligue sportive préférée?

Résumé

Ces brèves sections offrent un aperçu clair des idées essentielles abordées dans le chapitre et soulignent l'importance de celles-ci dans le monde des affaires.

RÉSUMÉ

Ce chapitre visait à présenter un aperçu détaillé des différentes technologies de télécommunications utilisées dans les organisations de nos jours. On a notamment abordé la VoIP, les réseaux d'entreprise, la sécurité des réseaux, le Wi-Fi et les technologies mobiles. Les organisations utilisent ces technologies dans les applications des systèmes d'information qu'elles mettent au point. En tant qu'étudiant dans un domaine lié aux affaires, vous devez comprendre les technologies disponibles et la façon dont les entreprises peuvent en tirer parti dans leurs opérations stratégiques quotidiennes et à long terme. Plus précisément, on a décrit dans ce chapitre:

- Les différents types de réseaux et leur rôle dans le partage de données.

  Il existe notamment des réseaux de type RL, RE et RM. Les réseaux permettent aux organisations de partager des données avec les clients et les fournisseurs. C'est ce partage de données, et non l'infrastructure de réseau en soi, qui présente le plus d'avantages pour les entreprises. En ce sens, les réseaux sont des facteurs de succès pour les entreprises.

- L'utilisation des réseaux et des télécommunications en entreprise, notamment la VoIP, le réseautage des entreprises, l'accroissement de la vitesse des affaires et la façon de relever les défis associés à la protection des réseaux d'entreprise.

  La VoIP favorise l'élaboration et le déploiement de nouvelles applications d'affaires et permet de réaliser des économies substantielles, ainsi que des gains de productivité pour les organisations et des améliorations de service pour les clients. Les infrastructures de réseau comme les RVA et les RPV allègent le fardeau des organisations lorsqu'il s'agit de mettre en place leurs propres infrastructures de réseau. De plus, elles contribuent à surmonter de nombreux obstacles liés à l'utilisation des technologies de télécommunications conventionnelles. Les organisations doivent bien sécuriser leurs réseaux, qui sont une cible de choix pour les méfaits et la fraude.

Trois études de cas par chapitre

Chaque chapitre présente trois études de cas qui illustrent les multiples façons dont diverses organisations et entreprises renommées ont mis en œuvre avec succès un grand nombre des concepts décrits dans cet ouvrage. Tous les cas proposés sont actuels et favorisent le recours à la pensée critique. Les profils d'entreprise sont particulièrement intéressants et pertinents pour les étudiants, et susciteront des débats en classe. Des questions à débattre suivent chaque étude de cas.

Mes décisions d'affaires

Ces petits projets axés sur un scénario aident les étudiants à se concentrer sur la prise de décisions en lien avec les éléments traités dans chaque chapitre.

TABLE DES MATIÈRES

CHAPITRE 8
La gestion des opérations et de la chaîne d'approvisionnement

CHAPITRE 9
La gestion de la relation client

Les systèmes d'information de gestion

1 PARTIE

La première partie de cet ouvrage décrit l'utilisation actuelle des systèmes d'information de gestion qu'utilisent la plupart des organisations pour gérer bon nombre de leurs activités. Qu'il s'agisse de commander ou de livrer des biens, d'interagir avec la clientèle ou de mener d'autres activités d'affaires, les systèmes d'information de gestion forment souvent l'infrastructure permettant d'exercer ces activités. Ainsi, les entreprises peuvent demeurer concurrentielles dans un monde en rapide évolution, notamment pour faire des affaires dans Internet. Elles ont tout intérêt à s'adapter rapidement aux innovations et aux progrès technologiques, car leurs concurrents ne manqueront pas de leur damer le pion !

Aussi fascinante que soit la technologie, les entreprises prospères ne la considèrent pas comme une fin en soi. Une entreprise doit avoir une bonne raison d'affaires pour mettre en œuvre des outils technologiques. Recourir à une solution technologique uniquement parce qu'elle est disponible ne reflète pas une saine stratégie d'affaires.

La partie 1 vise à vous faire connaître les nombreuses possibilités découlant de l'étroite corrélation entre le monde des affaires et les technologies. Les stratégies et les processus d'affaires doivent toujours orienter les choix technologiques. S'il arrive parfois que l'émergence d'une nouvelle technologie suscite une réorientation stratégique, les systèmes d'information ont surtout pour rôle de soutenir les stratégies et les processus d'affaires existants.

1 CHAPITRE

Les systèmes d'information et la stratégie d'affaires

MA PERSPECTIVE

Ce premier chapitre présente tout d'abord ce qu'est un système d'information et de quelle façon il s'insère dans les pratiques des entreprises et les activités organisationnelles. Il donne ensuite un aperçu du fonctionnement des organisations dans un milieu concurrentiel, puis souligne la nécessité pour celles-ci de définir et de redéfinir constamment leurs stratégies d'affaires dans le but d'acquérir un avantage concurrentiel. Agir ainsi permet aux organisations de survivre et de prospérer. Un système d'information s'avère un catalyseur des efforts déployés par une organisation pour connaître le succès dans un milieu concurrentiel.

À titre d'étudiant dans un domaine lié aux affaires, vous devez bien connaître la relation étroite entre la gestion des affaires et les systèmes d'information. Vous devez d'abord comprendre le rôle d'un système d'information dans la conduite quotidienne des affaires, puis bien saisir la capacité d'un système d'information à soutenir et à mettre en œuvre des initiatives d'entreprise et des stratégies d'affaires globales. La lecture du présent chapitre vous permettra d'obtenir une vision claire de la nature d'un système d'information de gestion, des éléments fondamentaux qui le composent et d'une stratégie d'affaires.

Mise en contexte

Les technologies de l'information aident la Liquor Control Board of Ontario à se transformer

La Liquor Control Board of Ontario

La Liquor Control Board of Ontario (LCBO) était auparavant une société d'État assez banale et peu portée sur la technologie. Elle s'est transformée en un détaillant canadien moderne et professionnel, ainsi que l'a souligné le vice-président des technologies de l'information, Hugh Kelly, dans le magazine *ComputerWorld Canada* en 2009. Les technologies et les systèmes d'information font maintenant partie intégrante de l'entreprise, avec des sites comme www.lcbo.com et www.vintages.com, un système de gestion d'entrepôt, des systèmes de prévisions et de réapprovisionnement, ainsi qu'un intranet. Le résultat : des ventes records en 2011-2012 et en 2012-2013. L'efficience opérationnelle est un facteur-clé expliquant les dividendes sans précédent que la LCBO a obtenus. « La croissance nette des ventes s'explique par les éléments suivants : la tendance des consommateurs à se tourner davantage vers des produits de qualité supérieure ; les fortes ventes dans les nouvelles succursales ; l'ensemble de produits variés et intéressants qui sont offerts et un marketing efficace », analyse Bob Peter, président-directeur général de la LCBO. En 2011-2012, « un bon contrôle des dépenses et une bonne gestion des stocks nous ont aussi permis de tirer parti d'une hausse des ventes en dollars et de surpasser le dividende de l'année précédente en dépit d'une situation économique plus difficile ». En 2012-2013, « malgré un contexte économique peu favorable pour la vente au détail, la LCBO a obtenu de tels résultats grâce à une saine gestion des dépenses, à un contrôle minutieux des produits et des stocks, et aux améliorations apportées au réseau des succursales », selon Bob Peter[1].

La LCBO a aussi réalisé, en 2011-2012, sa treizième campagne annuelle de responsabilité sociale, dont la popularité a été intensifiée par le fait d'avoir relevé le défi Home Bartending Challenge (www.deflatetheelephant.com). Réalisée sous la forme d'un concours de photos dans Facebook et de publicités télévisées diffusées durant l'été et la période des fêtes, cette campagne, baptisée *Deflate the Elephant*,

encourageait les citoyens à dissuader leurs invités de prendre le volant après avoir bu de l'alcool.

Vintages

L'entreprise Vintages est un détaillant bilingue de vins haut de gamme et de spiritueux de choix (www.vintages.com/fr/index_fr.shtml). Elle a mis en marché quelque 5 000 produits nouveaux et uniques pour les consommateurs ontariens à l'aide du réseau de la LCBO. Avec plus de 600 succursales et un site Web, Vintages présente à sa clientèle 125 nouveaux produits sur une base bihebdomadaire, tout en conservant en stock les produits favoris des consommateurs dans sa collection Les essentiels.

Les commandes en ligne sont livrées à une succursale locale, de sorte que la LCBO peut continuer à exercer ses responsabilités sociales en ne vendant pas d'alcool aux mineurs. Pour rendre ce système opérationnel, la LCBO a fait affaire avec Robocom Systems International afin de maintenir un inventaire des produits en temps réel qui interagit directement avec le système de gestion d'entrepôt de l'entreprise. Selon M. Kelly, « si le système indique que 10 bouteilles sont disponibles et qu'une commande de 2 bouteilles est ensuite enregistrée, ce système indiquera que seulement 8 bouteilles demeurent à la disposition du prochain client ». Par ailleurs, il est essentiel que le système de paiement par carte de crédit soit conforme aux Payment Card Industry Data Security Standards (PCI DSS). Un processus d'affaires doit aussi garantir que lorsqu'une commande est enregistrée, les produits commandés sont enlevés de l'entrepôt et expédiés jusqu'à la succursale la plus proche du domicile du client. Un courriel est automatiquement envoyé au client, et la carte de crédit débite le paiement effectif de la transaction.

LCBO

Le site www.lcbo.com a été réorganisé pour mieux satisfaire sa clientèle. On souhaitait que la LCBO soit présente dans les médias sociaux et que le site soit mieux adapté aux besoins spécifiques de ses divers clients. Les initiatives prises en ce sens sont montrées aux clients présents dans les succursales, grâce à des kiosques interactifs munis d'écrans plats et conçus dans le but de mieux informer la clientèle au sujet de ses achats et de susciter une rétroaction immédiate. Aujourd'hui, les clients sont en mesure d'effectuer une recherche sur mesure de produits spécifiques et de déterminer quelles succursales ont ces produits en stock. Non seulement le site Web sert de plaque tournante pour les promotions spéciales de la LCBO, mais on y offre également des balados tel le Decoding Wine Labels, tiré de sa LCBO Wine 101: Video Podcast Series. Sont également proposées des recettes de cocktails, des suggestions de repas et de boissons ainsi que des idées de cadeaux d'entreprise. L'engagement de la LCBO à assumer ses responsabilités sociales est réaffirmé dans une section particulière du site.

La chaîne d'approvisionnement

Les clients peuvent consulter directement www.vintages.com et www.lcbo.com. Toutefois, ils ne peuvent voir ce qui se passe en coulisse, là où la technologie joue un rôle-clé dans la nouvelle LCBO. Des systèmes comme le système de gestion d'entrepôt lui donnent diverses possibilités : distribuer des produits, même en quantité inférieure à une caisse complète ; savoir si une bouteille dans une caisse est brisée ; connaître précisément le niveau des stocks afin que lorsqu'un client commande une bouteille de vin, l'entreprise puisse en assurer rapidement la livraison. D'autres systèmes permettent à la LCBO de prévoir l'état des stocks et de les regarnir en temps opportun, selon l'information sur les ventes en succursales qui est transmise au siège social.

LCBO 2.0

L'entreprise gère ses communications internes au moyen d'un intranet étendu, ce qui permet de réduire les coûts financiers et écologiques associés à l'emploi de formulaires et de notes de service en papier. L'intranet, principal outil de communication de l'entreprise, sert à l'envoi de bulletins, de notes électroniques et de rapports de dépenses. Il contribue aussi à alléger la tâche du personnel lors de l'envoi aux médias des rapports de la LCBO.

Les applications

La LCBO offre l'application LCBO on the Go aux utilisateurs d'un BlackBerry ou d'un iPhone pour que ces derniers puissent effectuer une recherche dans les stocks de la LCBO, repérer la succursale la plus proche et fureter parmi les produits offerts à l'aide de leur téléphone intelligent. Elle dispose aussi de l'application Deflate the Elephant SpeakUp, pour iPhone, qui aide les hôtes à envoyer des rappels amicaux pour prévenir la conduite en état d'ébriété et qui contient des recettes de cocktails sans alcool. La LCBO prête également son concours à la nouvelle application mobile de Natalie MacLean sur les vins, grâce à laquelle les utilisateurs peuvent fouiller parmi les 150 000 vins offerts partout au pays et connaître le niveau des stocks dans les succursales les plus proches[2].

1.1 Le système d'information en entreprise

Le rôle d'un système d'information en entreprise

Voici quelques faits :

- La production du film *Avatar* s'est étalée sur 4 ans et a coûté 450 millions de dollars.
- Le vrai nom de Lady Gaga est Stefani Joanne Angelina Germanotta.
- Les annonceurs déboursent 2,6 millions de dollars pour diffuser une publicité de 30 secondes pendant le Super Bowl[3].

Un fait est la confirmation ou la validation d'un événement ou d'un objet. Autrefois, les individus prenaient généralement connaissance des faits en consultant des livres. Aujourd'hui, il leur suffit d'utiliser un écran tactile ou quelques touches de clavier pour tout trouver, où qu'ils soient et en tout temps. Nous vivons à l'ère de l'information, où des quantités infinies de faits sont disponibles pour quiconque sait utiliser un ordinateur. L'impact des technologies de l'information sur le milieu des affaires est comparable à celui de la presse à imprimer sur l'édition ou de l'électricité sur la productivité. La création d'entreprises par des étudiants d'université était un phénomène pratiquement inexistant avant l'ère de l'information. Aujourd'hui, il n'est pas rare de lire l'histoire d'un étudiant en gestion qui a lancé, depuis sa résidence universitaire, une entreprise dont la valeur a rapidement atteint plusieurs millions de dollars : Mark Zuckerberg (Facebook), Michael Dell (Dell Computers) et Bill Gates (Microsoft). On pourrait croire que seuls les étudiants versés en technologies de pointe peuvent affronter avec succès la concurrence à l'ère de l'information, ce qui n'est pas tout à fait vrai. De nombreux dirigeants d'entreprise se sont donné des possibilités exceptionnelles en associant la puissance de l'ère de l'information aux méthodes d'affaires traditionnelles. Les entreprises suivantes données en exemple ne sont pas des entreprises technologiques :

- Amazon, dont l'objectif d'affaires initial était de vendre des livres, alors qu'elle vend maintenant presque de tout (*voir la figure 1.1*) ;
- Netflix, dont l'objectif d'affaires est de louer des vidéos ;
- Zappos, dont l'objectif d'affaires est de vendre des chaussures, des sacs, des vêtements et des accessoires.

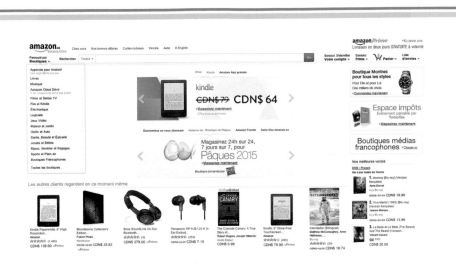

FIGURE 1.1

Amazon.ca

Au départ, Jeff Bezos, le fondateur d'Amazon, a saisi l'occasion de modifier les habitudes d'achat de livres des consommateurs. Il s'est appuyé sur les puissantes ressources de l'ère de l'information pour mouler l'offre selon les goûts de chaque consommateur. Ainsi, il a accéléré le processus de paiement et virtuellement ouvert des millions de minuscules librairies virtuelles. Chacune de celles-ci propose un éventail beaucoup plus large de livres à un coût moindre que les librairies traditionnelles. Le succès de son modèle d'affaires original l'a incité à doter Amazon d'un grand nombre d'autres types de produits. D'un autre côté, les fondateurs de Netflix et de Zappos ont fait de même en ce qui concerne respectivement les vidéos et les chaussures. Tous ces entrepreneurs étaient des professionnels des affaires et non des experts en technologie. Toutefois, ils en savaient assez au sujet de l'ère de l'information pour en appliquer les principes à un domaine d'affaires particulier et créer des entreprises novatrices, qui sont maintenant les chefs de file de grands secteurs économiques. Les étudiants qui comprennent les affaires ainsi que toute la puissance de l'ère de l'information vont créer leurs propres créneaux d'affaires et peut-être même ouvrir de nouveaux secteurs d'activité, comme l'ont fait les cofondateurs de Twitter, Jack Dorsey, Evan Williams, Biz Stone et Noah Glass, ainsi que le fondateur de Facebook, Mark Zuckerberg. L'objectif fondamental du présent ouvrage est de vous transmettre le savoir permettant d'affronter la concurrence à l'ère de l'information.

L'impact des systèmes d'information sur les activités d'affaires

Il n'est pas facile d'obtenir des résultats tels que la réduction des coûts, l'amélioration de la productivité et la croissance. La mise en œuvre d'un nouveau système de comptabilité ou d'un plan de marketing ne permet pas de produire une croissance à long terme ou de diminuer les coûts pour l'ensemble d'une organisation. Une entreprise prend des initiatives globales en vue d'atteindre des objectifs d'affaires généraux, comme une réduction des coûts.

Culture de l'information fonctionnelle	Le personnel utilise l'information comme un moyen d'exercer de l'influence ou du pouvoir sur d'autres. Par exemple, un directeur des ventes refuse de partager l'information avec le Service du marketing. Ce dernier doit alors consulter le directeur des ventes chaque fois qu'une nouvelle stratégie de ventes est mise au point.
Culture du partage de l'information	Les membres du personnel de tous les services se font mutuellement confiance pour utiliser l'information (notamment au sujet des problèmes et des échecs) afin d'améliorer le rendement.
Culture de la recherche de l'information	Les membres du personnel de tous les services cherchent de l'information pour mieux faire face à l'avenir et être en mesure de suivre les tendances actuelles et les nouvelles orientations.
Culture de la découverte de l'information	Les membres du personnel de tous les services accueillent favorablement de nouvelles idées à propos d'une crise et de changements radicaux, et cherchent des moyens de créer des avantages concurrentiels.

TABLEAU 1.4

Différentes cultures de l'information présentes au sein des organisations

Les rôles et les responsabilités d'un système d'information de gestion

Les membres du personnel d'une organisation doivent collaborer étroitement à la mise au point d'initiatives stratégiques qui procurent des avantages concurrentiels. Une bonne compréhension de la structure de base d'un Service des systèmes d'information (y compris les titres de fonction, les rôles et les responsabilités) aide une organisation à former une équipe cohérente à l'échelle de toute l'entreprise. Les SIG constituent un domaine fonctionnel relativement nouveau : dans la plupart des organisations, ces systèmes ne se sont véritablement implantés que depuis une quarantaine d'années. Les titres de fonction, les rôles et les responsabilités qui en découlent varient souvent d'une organisation à l'autre. Néanmoins, une tendance observée consiste à élever au niveau stratégique certains postes des SIG au sein d'une organisation.

Le **directeur des systèmes d'information** est un poste de cadre dont le titulaire est chargé de la planification et de la gestion stratégiques de haut niveau des systèmes d'information associés à la création, au stockage et à l'utilisation de l'information par une entreprise. Il supervise toutes les utilisations des systèmes d'information et s'assure de leur conformité stratégique avec les objectifs de l'entreprise. À ce titre, il doit avoir une compréhension profonde de ce que sont les systèmes d'information et les affaires. Grâce à sa connaissance détaillée de ces systèmes, il peut saisir en quoi ces derniers vont favoriser les affaires dans le but d'atteindre les objectifs fixés. Cela signifie que le directeur des systèmes d'information doit avoir une vision claire de toutes les facettes d'une organisation, en plus d'une perception aiguë des capacités de ces systèmes. Il doit aussi être capable d'expliquer aux membres du personnel les avantages liés aux systèmes d'information, par exemple la façon dont ces derniers peuvent faciliter la mise au point de nouveaux produits et services afin d'accroître le rendement du capital investi par l'entreprise.

En raison de l'importance stratégique de leurs fonctions, de plus en plus de directeurs des systèmes d'information jouent un rôle-clé dans l'équipe dirigeante. Les principales fonctions d'un directeur des systèmes d'information sont décrites ci-après.

- Gestionnaire : assurer la réalisation, dans les délais prévus et selon le budget établi, de tous les projets liés aux systèmes d'information.

- Dirigeant : veiller à ce que la vision stratégique associée aux systèmes d'information soit conforme à la vision stratégique générale de l'organisation.

- Communicateur : promouvoir et communiquer la stratégie des systèmes d'information par l'établissement et le maintien de relations étroites entre les membres de la direction.

Bien que tous les postes de directeur des systèmes d'information partagent certains éléments des rôles précités, les fonctions de son titulaire peuvent varier. Ces variations portent, d'une part, sur la gestion du temps et la façon de résoudre les problèmes et, d'autre part, sur l'influence exercée dans son organisation. Par exemple, les directeurs des systèmes d'information canadiens et américains interrogés indiquent qu'ils consacrent la plus grande partie de leur temps de travail aux rencontres avec les dirigeants de l'entreprise, ainsi qu'au travail effectué avec les fournisseurs de systèmes d'information et les partenaires d'affaires en dehors des systèmes d'information. D'un autre côté, des sondages ont révélé qu'une grande partie du travail des directeurs des systèmes d'information américains est axée sur la planification stratégique. Des directeurs des systèmes d'information au Canada et aux États-Unis sont d'avis que la conformité des systèmes d'information à la stratégie globale de l'entreprise constitue une priorité de gestion fondamentale. Les directeurs des systèmes d'information canadiens semblent toutefois avoir davantage progressé pour amener leurs partenaires d'affaires à partager la responsabilité des investissements en systèmes d'information, ce qui devrait avoir un effet positif direct sur la conformité dont il est question. Les directeurs des systèmes d'information américains estiment que les plus grandes entraves à leur efficacité résident dans les attentes irréalistes ou inexistantes des entreprises et dans l'inadéquation des budgets prévus.

Bien que le poste de directeur des systèmes d'information relève des systèmes d'information, son titulaire ne doit pas se préoccuper uniquement de ces systèmes. Dans les études annuelles qu'effectuent des entreprises et des associations industrielles comme CIO Magazine, Gartner et Forrester, les directeurs des systèmes d'information placent toujours au sommet de leurs priorités annuelles la nécessité d'attirer et de fidéliser de nouveaux clients, et de réduire les coûts pour l'entreprise. Le tableau 1.5 indique les trois activités prioritaires d'un directeur des systèmes d'information selon les résultats de l'enquête effectuée par CIO Magazine en 2014[6].

Activités porteuses de changement	Activités d'un service ou d'un centre de coûts
Favoriser l'innovation en affaires	Améliorer le fonctionnement des technologies de l'information
Cultiver des relations d'affaires en technologies de l'information	Mettre au point de nouveaux systèmes
Définir une stratégie d'affaires	Maîtriser les coûts des technologies de l'information

TABLEAU 1.5

Résultats de l'étude effectuée par CIO Magazine au sujet des trois activités prioritaires d'un directeur des systèmes d'information[7]

Le **directeur des techniques informatiques** est chargé d'assurer le débit, la vitesse, la précision, la disponibilité et la fiabilité des technologies de l'information d'une organisation. Il est directement responsable du maintien de l'efficience des ressources en technologies de l'information affectées aux systèmes d'information dans toute l'organisation. La plupart des directeurs des techniques informatiques ont une connaissance élargie de toutes les dimensions des technologies de l'information, y compris les matériels, les logiciels et les télécommunications. En général, le directeur des techniques informatiques relève du directeur des systèmes d'information.

Le **chef de la sécurité** est chargé d'assurer la sécurité des systèmes d'information et de mettre au point des stratégies et des mesures de protection techniques contre les attaques de pirates et de virus informatiques. Le rôle d'un chef de la sécurité a gagné de l'importance au cours des dernières années, en raison du grand nombre de ces attaques. La plupart des chefs de la sécurité doivent connaître en détail les réseaux et les télécommunications, car c'est par le biais d'ordinateurs reliés en réseau que les pirates et les virus informatiques parviennent généralement à pénétrer dans un système d'information.

Le **chef de la protection des renseignements personnels** est chargé de veiller à ce que l'utilisation de l'information au sein d'une organisation soit conforme à l'éthique et aux lois en vigueur. Le poste de chef de la protection des renseignements personnels est le plus récent à s'être ajouté à l'ensemble des hauts dirigeants en systèmes d'information. Il y a peu de temps, 150 des 500 plus grandes entreprises figurant au classement de la revue *Fortune* ont ajouté ce poste à leur liste des cadres supérieurs. De nombreux chefs de la protection des renseignements personnels ont acquis une formation d'avocat, de sorte qu'ils peuvent mieux comprendre les questions juridiques souvent complexes découlant de l'utilisation de l'information et des technologies de l'information.

Le **gestionnaire des connaissances** est chargé de la collecte, du maintien et de la diffusion des connaissances d'une organisation. Il conçoit les processus et les systèmes d'information qui facilitent pour tous la réutilisation des connaissances. Ces systèmes créent les répertoires des documents, des méthodes, des outils et des pratiques de l'organisation, et ils établissent les méthodes de filtrage de l'information. Le gestionnaire des connaissances doit constamment faire appel à la contribution du personnel pour tenir à jour les systèmes d'information. Il peut directement exercer une influence positive sur les résultats de l'organisation s'il parvient à réduire la courbe d'apprentissage des nouveaux employés ou de ceux qui assument un nouveau rôle.

Des études menées à l'Institute for Intellectual Capital Research, situé à Hamilton (Ontario), indiquent que le poste de gestionnaire des connaissances est voué à se généraliser en entreprise. L'Institute a interrogé 53 agences de recrutement de cadres au Canada et aux États-Unis au sujet de leur perception concernant l'embauche des gestionnaires des connaissances. Près des trois quarts des répondants ont affirmé qu'ils s'attendaient à ce que la recherche de candidats pour le poste de gestionnaire des connaissances augmente significativement dans l'avenir[8].

Tous les postes et toutes les responsabilités en systèmes d'information qui viennent d'être décrits jouent un rôle crucial dans le succès d'une organisation. Si chacun de ces postes n'est pas toujours occupé par un titulaire dans de nombreuses organisations, il doit être pourvu par un dirigeant assumant les responsabilités liées à tous les domaines concernés. Les personnes responsables des systèmes d'information et des questions relatives à ces systèmes dans une entreprise doivent offrir l'aide et les conseils nécessaires à son personnel.

Les lacunes dans les compétences au Canada

Outre les postes de direction en SIG, les possibilités d'emploi dans ce domaine ou en technologies de l'information et de la communication (TIC) au Canada seront intéressantes au cours des prochaines années, notamment pour ceux ayant à la fois des compétences en affaires et des compétences techniques.

Selon le Conseil des technologies de l'information et des communications, quelque 106 000 postes en TIC devront être pourvus au Canada entre 2011 et 2016, ce qui ne manquera pas de causer des problèmes sérieux et tenaces dans toutes les régions du Canada, en raison de la combinaison unique de compétences en affaires et de compétences techniques qui est recherchée. Les plus grandes pénuries toucheront les postes de directeur de l'exploitation des systèmes informatiques, de directeur d'entreprise de télécommunications, et d'analystes et de consultants en systèmes d'information. Selon le rapport de cet organisme, « ces pénuries vont s'aggraver, du fait que les employeurs recherchent des personnes ayant des compétences de pointe ou possédant une combinaison particulière d'expérience dans le domaine et d'expertise en TIC ». Malgré ces pénuries, l'offre va excéder la demande pour certains types de postes. On peut citer les postes de programmeur informatique, de concepteur en média interactif, de technicien de réseau informatique et d'agent de soutien aux utilisateurs. Dans ces secteurs, les programmeurs qui utilisent Java, .NET ou des applications en progiciel de gestion intégrée (PGI), comme SAP et PeopleSoft, seront toujours fortement en demande.

L'organisme a aussi noté que les diplômés ayant acquis de l'expérience au moyen d'un programme d'alternance travail-études ou d'un stage auront un avantage distinctif sur les diplômés issus d'un programme traditionnel qui n'ont pas mis leurs connaissances en pratique dans le contexte d'un emploi en TIC. La combinaison de compétences techniques et d'une connaissance des affaires est essentielle, comme le souligne le rapport :

> Au cœur du problème de la pénurie de compétences, on trouve une non-concordance qui perdure entre les compétences que recherchent les employeurs, d'une part, et les compétences et l'expérience de travail (ou son absence) de nombreuses personnes à la recherche d'un emploi, d'autre part. Au cours de la dernière décennie, les employeurs ont fait preuve d'une insatisfaction croissante envers les professionnels en TIC qui possédaient les compétences techniques appropriées, mais qui ne disposaient pas de compétences non techniques ou d'une expérience de travail pertinente en entreprise. Il en a résulté l'apparition d'un nouveau profil de compétences, qui comprend des compétences techniques, des compétences non techniques (capacité de travailler en équipe, compétences en communications, etc.) et des compétences contextuelles, c'est-à-dire une bonne compréhension des besoins et des procédés des entreprises auxquels sont appliquées les ressources en TIC. À la fin de la dernière décennie (voire auparavant), ce profil de compétences élargi était devenu la nouvelle norme pour les employeurs souhaitant pourvoir des postes en TIC[9].

Le rapport relève aussi que les ensembles de compétences que recherchent les employeurs se répartissent en deux catégories assez précises :

> Deux types de profils de compétences sont en demande. Le premier associe les compétences en TIC à une bonne compréhension des processus d'affaires, y compris le contexte spécifique dans lequel se trouve une entreprise ou une organisation. Le second combine les compétences en TIC avec les compé-tences techniques qui sont importantes dans un autre domaine, tel un secteur ou une industrie en particulier[10].

Un des grands défis à relever aujourd'hui consiste à maintenir une communication efficace entre le personnel de l'exploitation et le personnel des technologies de l'information. Le tableau 1.6 montre l'importance de la communication pour les dirigeants des systèmes d'information. Le personnel de l'exploitation possède une expertise dans des domaines fonctionnels comme le marketing, la comptabilité, les ventes, etc. Le personnel des systèmes d'information, pour sa part, détient une expertise technologique. Malheureusement, il y a souvent un manque de communication entre ces deux catégories de personnel. Le personnel de l'exploitation manie son propre vocabulaire, fondé sur son expérience et son expertise, tandis que le personnel des systèmes d'information emploie un vocabulaire rempli d'acronymes et de termes techniques. La communication entre le personnel de l'exploitation et le personnel des systèmes d'information doit être bidirectionnelle pour être efficace : chaque partie doit faire l'effort nécessaire pour comprendre l'autre (y compris au moyen de la communication écrite et orale).

En même temps, une organisation doit définir des stratégies assurant l'intégration de son personnel des systèmes d'information aux diverses fonctions d'affaires. Trop souvent, le personnel des systèmes d'information est écarté des réunions stratégiques, sous prétexte qu'il ne comprend pas la gestion des affaires et ne procurera donc aucune valeur ajoutée. Une telle situation est éminemment risquée. Le personnel des systèmes d'information doit comprendre la gestion des affaires pour que l'organisation puisse déterminer les technologies qui lui seront bénéfiques (ou néfastes). En fournissant un petit effort de communication, le personnel des systèmes d'information peut donner des indications sur les fonctions pertinentes disponibles dans un système d'information, ce qui peut rendre nettement plus fructueuse une réunion portant sur les moyens d'améliorer le service à la clientèle. En collaborant, le personnel de l'exploitation et le personnel des systèmes d'information acquièrent la capacité de créer des avantages concurrentiels, de réduire les coûts et de rationaliser les processus d'affaires.

C'est au directeur des systèmes d'information qu'incombe la responsabilité d'assurer des communications efficaces entre le personnel de l'exploitation et le personnel des systèmes d'information. Il n'en demeure pas moins que chaque employé se doit de communiquer avec efficacité sur le plan personnel.

Le tableau 1.7 (*voir la page suivante*) donne un aperçu des salaires annuels médians et des salaires médians avec bonus qui étaient versés pour des emplois en systèmes d'information à Calgary (Alberta), en février 2014. Il indique aussi le nombre moyen d'années d'expérience d'une personne commençant à occuper l'un ou l'autre de ces postes, ainsi que l'ont rapporté les Services des ressources humaines de différentes entreprises.

TABLEAU 1.6

Compétences essentielles des dirigeants en technologies de l'information et leur signification[11]

Compétence	Signification
Communications	La capacité de communiquer et d'influencer à tous les niveaux
Connaissance des affaires	La nécessité de comprendre de quelle façon ils peuvent favoriser la croissance de leur entreprise, plutôt que de se limiter à réduire les coûts et à accroître l'efficience
Innovation et créativité	La vision qui distingue un directeur de l'informatique d'un directeur des technologies de l'information plus traditionnel : innovation, créativité, flair et esprit d'entreprise
Leadership	L'aptitude à inspirer et à motiver leurs équipes, et à pousser ces dernières afin qu'elles atteignent des résultats remarquables
Connaissance du domaine	Une connaissance pratique des traits fondamentaux de la technologie, afin de prendre les bonnes décisions stratégiques sur le déploiement et l'exploitation des technologies de l'information

Le secteur des chaînes d'alimentation au détail est fortement concurrentiel. Si Loblaw, Sobeys et Métro rivalisent de nombreuses façons, ces entreprises s'efforcent surtout de l'emporter sur leurs concurrents en baissant les prix. La plupart d'entre elles offrent des programmes de fidélisation qui accordent des rabais spéciaux à leurs clients. Les clients bénéficient de prix plus bas, alors que le supermarché recueille une information utile sur les habitudes d'achat des clients en vue de définir des stratégies de prix et de placement de produits plus efficaces. À l'avenir, on doit s'attendre à voir les chaînes de supermarchés recourir aux systèmes technologiques sans fil pour suivre les déplacements des clients en magasin et noter les produits achetés, dans le but de déterminer le placement de produits et les stratégies de prix. Un tel système procurera un énorme avantage concurrentiel à la première chaîne de supermarchés qui le mettra en œuvre.

Puisque les marges bénéficiaires sont faibles dans le domaine de l'alimentation au détail, les supermarchés insèrent des éléments d'efficience dans leurs chaînes d'approvisionnement et ils établissent avec leurs fournisseurs des partenariats d'information accessibles par un système d'information, comme celui qui existe entre Walmart et ses fournisseurs. Contacter les fournisseurs au moyen des réseaux de télécommunications, plutôt qu'avec des systèmes basés sur l'utilisation du papier, rend le processus d'approvisionnement plus rapide, moins coûteux et plus précis. Il s'ensuit des prix plus bas pour les clients et une rivalité accrue entre les concurrents existants.

Les trois stratégies génériques : créer une cible d'affaires

Dès que l'attrait relatif d'un secteur est établi et qu'une organisation décide d'en faire partie, elle doit formuler une stratégie d'entrée dans ce nouveau marché. Une organisation peut adopter une des trois stratégies génériques de Porter dans ce cas : une domination par les coûts, une domination par la différenciation ou une stratégie ciblée. Une stratégie générale vise un grand segment de marché, tandis qu'une stratégie ciblée vise un marché à créneaux. Une stratégie ciblée est axée soit sur le coût, soit sur la différenciation. Tenter d'appliquer toutes les stratégies dans l'espoir de dominer sur tous les fronts risque d'être catastrophique, car il devient difficile de projeter une image cohérente dans tout le marché. Selon Porter, il est préférable qu'une organisation n'adopte qu'une des trois stratégies génériques illustrées dans la figure 1.8.

La figure 1.9 décrit l'utilisation des trois stratégies génériques. La matrice y apparaissant explique la nature des relations entre les stratégies (domination par les coûts ou domination par la différenciation) et la segmentation du marché (grand marché ou marché restreint).

- Hyundai suit une stratégie de domination par les coûts. Elle offre des véhicules à prix moindres, dans chaque gamme spécifique de modèles, qui plaisent à un grand bassin d'acheteurs potentiels.

- Audi applique une stratégie de domination par la différenciation, selon laquelle sa série A est offerte à plusieurs niveaux de prix. La différenciation d'Audi réside dans la sécurité, et elle offre ses différents modèles Quattro (plus haut de gamme que Hyundai) à des prix qui conviennent à un bassin d'acheteurs large et stratifié.

- Kia a adopté une stratégie plus ciblée de domination par les coûts. Elle offre surtout des véhicules à prix moins élevés dans les niveaux inférieurs des gammes de modèles.

- Tesla utilise la stratégie de différenciation la plus ciblée dans ce secteur.

L'analyse de la chaîne de valeur : cibler les processus d'affaires

Lorsqu'une organisation entre dans un nouveau marché en s'appuyant sur l'une des trois stratégies génériques de Porter, elle doit comprendre, accepter et appliquer avec succès sa stratégie d'affaires. Tous les éléments de l'organisation contribuent au succès (ou à l'échec) de la stratégie choisie. Les processus d'affaires de l'organisation et la chaîne de valeur qu'ils créent jouent un rôle primordial dans la mise en œuvre de la stratégie. Le tableau 1.8 associe les cinq forces et les trois stratégies génériques de Porter engendrant des stratégies d'affaires pour chaque segment[13].

FIGURE 1.8

Trois stratégies génériques
de Porter

Stratégie de coût

Coût moins élevé　　　Coût plus élevé

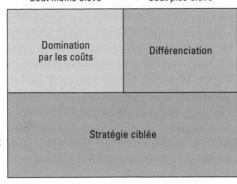

	Coût moins élevé	Coût plus élevé
Grand marché	Domination par les coûts	Différenciation
Marché restreint	Stratégie ciblée	

Échelle de la concurrence

FIGURE 1.9

Trois stratégies génériques
de Porter dans le secteur
de l'automobile

Stratégie de
domination par les coûts　　　Stratégie de
différenciation

Grand marché

Marché restreint

TABLEAU 1.8

Stratégies génériques et
forces concurrentielles

Forces concur-rentielles	Stratégies génériques		
	Domination par les coûts	**Différenciation**	**Stratégie ciblée**
Pouvoir du client	La capacité d'offrir des prix plus bas à de puissants acheteurs	Les grands acheteurs ont un pouvoir de négociation plus faible en raison du petit nombre de solutions de rechange à proximité.	Les grands acheteurs ont un pouvoir de négociation plus faible en raison du petit nombre de solutions de rechange.
Pouvoir du fournisseur	Davantage à l'abri des puissants fournisseurs	Plus grande capacité de transférer aux clients les hausses de prix des fournisseurs	Les fournisseurs ont un certain pouvoir en raison des faibles volumes, mais une entreprise axée sur la différenciation est en meilleure position pour transférer les hausses de prix des fournisseurs.
Menace de substituts	Possibilité de pratiquer des prix bas pour se protéger contre les substituts	Les clients s'attachent aux traits de différenciation, ce qui atténue la menace des substituts.	Les produits spécialisés et les compétences essentielles procurent une protection contre les substituts.
Menace de nouveaux entrants	La capacité de baisser les prix en représailles dissuade les entrants potentiels.	La fidélité de la clientèle peut décourager les entrants potentiels.	Une stratégie ciblée favorise le développement de compétences essentielles qui peuvent agir comme barrières à l'entrée.
Rivalité	Plus grande capacité de concurrence fondée sur les prix	Fidélisation à une marque, pour dissuader les clients de s'intéresser aux produits des concurrents	Les concurrents ne peuvent satisfaire les besoins de la clientèle axés sur la différenciation.

5. Laquelle des cinq forces de Porter la LCBO souhaite-t-elle utiliser pour établir et maintenir son avantage concurrentiel ?

6. À quoi ressemble la chaîne de valeur primaire de la LCBO ? Décrivez-la à l'aide d'exemples précis de sa chaîne de valeur.

7. Laquelle des trois stratégies génériques la LCBO a-t-elle adoptée ?

8. En quoi la situation de monopole de la LCBO influe-t-elle sur son utilisation des cinq forces de Porter ? sur son utilisation des trois stratégies génériques ?

RÉSUMÉ

L'objectif de ce premier chapitre était double.

1. Présenter une introduction aux systèmes d'information en entreprise :
   a) décrire les éléments essentiels d'un système d'information ;
   b) expliquer les rôles et les responsabilités au sein d'un système d'information de gestion (SIG) ;
   c) préciser les effets que les systèmes d'information peuvent avoir sur la carrière future des étudiants et présenter les possibilités de carrière en technologies de l'information et de la communication (TIC) au Canada.

2. Exposer en quoi un système d'information peut aider une entreprise à maintenir un avantage concurrentiel :
   a) Il importe que l'entreprise connaisse bien les différentes forces qui déterminent si elle doit ou non faire son entrée dans un nouveau secteur ; elle doit aussi comprendre de quelle façon utiliser un système d'information pour réduire ou accroître les forces en question.
   b) L'entreprise doit définir des stratégies et savoir utiliser un système d'information pour ajouter de la valeur aux activités qui peuvent l'aider à atteindre ses objectifs stratégiques.

ÉTUDE DE CAS 1.1

Effectuer un achat à crédit avec un appareil mobile

Ce cas porte sur l'avantage concurrentiel que procure l'utilisation d'une technologie de l'information spécifique (appareil mobile) pour améliorer la stratégie d'affaires d'une entreprise.

Google Wallet

Le 19 septembre 2011, le Google Wallet, un système de paiement par téléphone mobile, a été lancé aux États-Unis. L'utilisateur du Google Wallet peut y insérer les données de toutes ses cartes de crédit et de débit, ainsi que des offres de rabais et des cartes-cadeaux, puis, au moment de faire des achats, y accéder avec son téléphone intelligent simplement en l'appuyant sur un terminal de paiement spécia-lement activé. Pour ce faire, il doit disposer d'un appareil Android activé par communication en champ proche (CCP) et doté d'une puce de sécurité qui exécute le plus récent système d'exploitation d'Android. Grâce au Google Wallet, l'utilisateur peut faire ses achats en magasin, en ligne et envoyer de l'argent à sa famille ou à ses amis. Google Wallet comporte des fonctions de détection des fraudes et d'envoi instantané d'un avis de transaction qui sont opérationnelles 24 heures sur 24 et 7 jours sur 7. De plus, le Plan de protection des achats du Google Wallet couvre 100 % des transactions non autorisées admissibles qui sont faites avec Google Wallet.

L'application mobile de CIBC avec la carte suretap™ SIM de Rogers

Au Canada, grâce à un partenariat établi entre CIBC, Rogers Communication et Telus, il est maintenant possible d'effectuer des paiements au moyen de l'application de paiement mobile de CIBC, pour des achats de moins de 50 $ portés sur une carte de crédit. Cette option de paiement, qui associe le téléphone de l'utilisateur à sa carte de crédit, est offerte dans des milliers d'endroits au pays, y compris des stations-services et des épiceries.

Pour utiliser la nouvelle application de paiement mobile de CIBC, il faut avoir:

- une carte de crédit admissible de CIBC;
- un Samsung Galaxy Note II™ de Rogers ou TELUS, un HTC One™, un Samsung Galaxy S4™ ou un Samsung Galaxy S III™ avec communication en champ proche (CCP) de Rogers ou TELUS, ou encore un BlackBerry® Q10, un BlackBerry® Z10 ou un BlackBerry® Bold™ 9900 avec CCP de Rogers (ou TELUS, éventuellement);
- un forfait de données et une carte suretap™ SIM activée de Rogers Communications ou de TELUS.

L'application de paiement mobile de CIBC est dotée de multiples couches de protection et de sécurité, ce qui rend son utilisation aussi sûre que celle d'une carte de crédit de CIBC. Les dispositifs de sécurité sont les suivants:

- la possibilité de verrouiller l'application de paiement mobile de CIBC à l'aide d'un code optionnel;
- la protection du détenteur de la carte en cas de transactions non autorisées;
- une technologie de cryptage fiable qui stocke les données de la carte de crédit dans la puce électronique du téléphone intelligent[14].

Questions

1. À l'aide des cinq forces de Porter, décrivez les barrières à l'entrée de cette nouvelle technologie ainsi que les frais de changement de fournisseur qui lui sont associés.

2. De quelle stratégie générique de Porter cette technologie novatrice relève-t-elle?

3. Décrivez la chaîne de valeur associée à l'utilisation du téléphone cellulaire comme méthode de paiement.

4. Quels types de problèmes de réglementation pourraient résulter de l'emploi d'une telle technologie?

ÉTUDE DE CAS 1.2

Ce cas présente différentes stratégies d'affaires fructueuses qu'ont appliquées des gestionnaires novateurs.

Des gestionnaires novateurs

Le marché a reconnu plusieurs gestionnaires novateurs au Canada et à l'étranger qui ont montré qu'ils possèdent le talent, la vision et la capacité de repérer d'excellentes occasions d'affaires (*voir le tableau 1.9 à la page suivante*).

Bruce Poon Tip, G Adventures

En 1990, Bruce Poon Tip a lancé G Adventures (www.gadventures.com), convaincu que d'autres voyageurs partageaient son désir de connaître d'authentiques aventures dans le monde réel. G Adventures est un voyagiste présent dans plus d'une centaine de pays qui se spécialise dans les forfaits d'aventures en petits groupes. L'entreprise affiche des recettes de 100 millions de dollars par année. Mise sur pied dans l'appartement de Bruce à Toronto, elle a connu une croissance remarquable: si, à ses débuts, elle n'employait que son fondateur et offrait seulement quelques voyages en Amérique latine, elle regroupe aujourd'hui plus de 300 employés et propose des centaines de forfaits d'aventures sur les 7 continents. Grâce à l'acquisition de technologies de l'information pour son entreprise, à des décisions audacieuses, comme l'achat d'un navire d'expédition en Antarctique, à de solides partenariats d'affaires et à des stratégies de marketing novatrices, Bruce est parvenu à se tailler un créneau de marché unique. G Adventures tire parti du fait qu'elle satisfait les besoins d'un marché non exploité au moyen de technologies Web. Ces technologies permettent aux clients de définir sur mesure leur voyage, grâce aux soins avisés d'un planificateur de déplacement personnalisé. Les clients peuvent fureter parmi les possibilités de voyages offertes à l'aide d'un outil de recherche novateur qui classe les voyages selon la destination, les activités prévues (sorties culturelles, vélo, kayak, marche, descente de rivière), le style de voyage (actif, confortable, exploratoire, familial, culinaire), la durée et les dates[15].

Jeffrey Immelt, General Electric (GE)

En mai 2013, Jeffrey Immelt expliquait à son auditoire pourquoi l'innovation en matière de logiciels revêt une importance cruciale pour l'avenir de GE. Il a prédit que «l'Internet du consommateur» céderait sa place à «l'Internet industriel». Selon lui, la prochaine décennie sera le théâtre de changements fondamentaux dans tout ce que nous accom-

TABLEAU 1.9

Gestionnaires
novateurs

Bruce Poon Tip, G Adventures	■ Ce gestionnaire a constaté que les besoins d'un segment de marché (les amateurs de voyages d'aventures) n'étaient pas satisfaits par l'industrie du voyage. ■ Il a tiré parti des avantages des technologies de l'information Web pour s'insérer dans le marché et réaliser des opérations commerciales.
Jeffrey Immelt, General Electric (GE)	■ Il a réorienté l'activité de GE en procédant à des acquisitions majeures dans les domaines des soins de santé, du divertissement et du financement commercial. ■ Il a instauré une culture plus diversifiée, plus globale et plus axée sur le service à la clientèle.
Steve Reinemund, PepsiCo	■ Il a mis sur pied un leadership fort et diversifié, ayant aidé PepsiCo à exploiter de nouveaux marchés. ■ Il a obtenu une croissance soutenue supérieure à 10 % grâce à des innovations productives et à un marketing astucieux.
Philip Knight, Nike	■ Il a transformé une icône du design et du marketing, qui était instable et s'appuyait sur des effets de mode, en une entreprise plus conviviale pour les actionnaires.

plissons. « Il existe d'énormes possibilités d'affaires dans l'utilisation de logiciels pour anticiper les besoins en entretien d'équipement industriel. Prenons le cas d'un moteur à réaction d'avion. Il est muni d'une vingtaine de capteurs qui enregistrent des données continues en temps réel (température, rendement du moteur, etc.). Si, à partir de ces données, je peux modéliser un résultat intéressant pour les consommateurs – comme une baisse de la consommation de carburant –, cela représente vraiment beaucoup d'argent pour mes clients. Une baisse de la consommation de carburant de 1 % vaut des centaines de millions de dollars pour une compagnie aérienne. »

Internet industriel se sert de l'analytique de données volumineuses pour repérer les changements et offrir des « résultats garantis », comme le dit Jeffrey. Il peut s'agir ici de la réduction du temps d'indisponibilité non planifié, de l'accroissement du rendement du carburant, d'une productivité accrue, de machines plus intelligentes et de services plus lucratifs. Ces derniers, selon Jeffrey, représentent autant de possibilités d'affaires très prometteuses pour GE. Comme le résume bien Jeffrey, « dites à un gestionnaire de l'industrie pétrolière que vous pouvez lui faire économiser 1 % sur des coûts quelconques au moyen d'un logiciel, et ce gestionnaire va demeurer votre ami pour la vie ».

Jeffrey a pris un engagement financier massif, et GE a investi des centaines de millions de dollars dans cet effort. L'entreprise a embauché un grand nombre de mathématiciens et de spécialistes des données pour approfondir l'analytique des données volumineuses.

« Depuis des années, certains disent à des entreprises comme GE qu'elles ne peuvent être présentes dans le marché des logiciels, précise Jeffrey. Nous sommes trop lents. Nous sommes gros et léthargiques. Mais vous savez quoi ? Nous tenons énormément à être les meilleurs dans les marchés où nous sommes présents. Et c'est un combat à mort que nous livrons pour demeurer pertinents aux yeux de

nos clients. » En d'autres termes, selon Jeffrey, Internet industriel est le futur moteur des activités de GE dans le secteur des services[16].

Steven Reinemund, PepsiCo

Steven Reinemund a fait de PepsiCo un géant de l'alimentation et des boissons ayant atteint une valeur de 27 milliards de dollars. « Pour être un chef de file dans les produits de consommation, il est crucial de compter sur des leaders qui représentent la population que nous desservons », a souligné Steven, qui a formé un groupe dirigeant diversifié, chargé de définir la vision stratégique de l'entreprise. Steven joue aussi un rôle très important de mentor et de personne-ressource auprès de ses employés, et il exige que tous les cadres dirigeants fassent de même. Le résultat : un bénéfice net constamment supérieur à 10 % et des ventes fiables à un moment où bon nombre des produits-phares de l'entreprise – les croustilles et les boissons gazeuses – font l'objet de critiques en raison de leurs effets possibles sur l'obésité chez les enfants et sur la santé en général[17].

Philip Knight, Nike

Philip Knight, qui a commencé par vendre des espadrilles japonaises stockées dans le coffre de sa voiture, a édifié le colosse de 14 milliards de dollars qu'est devenu Nike dans le domaine du sport. Philip et son équipe ont transformé l'équipement de sport de haut niveau en articles dernier cri ; ils ont modifié à jamais les règles du marketing s'y rapportant grâce à d'énormes contrats de promotion et à une publicité omniprésente. Par la suite, tout aussi soudainement, Nike a perdu le cap. Au début des années 2000, les jeunes ont cessé de rêver aux espadrilles dernier cri, et l'image de l'entreprise a subi un dur coup à cause de ses pratiques de travail. Les ventes ont baissé, et les profits se sont envolés.

C'est alors que s'est amorcée la seconde phase des efforts de Philip. Il a réorganisé l'équipe dirigeante et a embauché pour des postes-clés des personnes issues de l'extérieur de l'entreprise, chargées de superviser les finances et les gammes de vêtements. Philip a consacré plus d'énergie à la mise au point de nouveaux systèmes d'information. Aujourd'hui, le bénéfice net de Nike est plus stable et dépend moins des effets de mode : en 2004, il a augmenté de 1,2 milliard de dollars[18].

Questions

1. Choisissez une des entreprises décrites dans ce cas et expliquez comment elle améliorerait sa situation en recourant aux services d'un directeur des systèmes d'information, d'un directeur des techniques informa-tiques et d'un chef de la protection des renseignements personnels.

2. Pourquoi est-il important que tous les domaines fonction-nels de G Adventures coopèrent ? Donnez un exemple de ce qui se produirait si le Service du marketing de G Adventures ne coopérait pas avec le Service des ventes.

3. Pourquoi les systèmes d'information sont-ils importants pour une organisation comme G Adventures ?

4. Laquelle des cinq forces de Porter est la plus importante pour Nike ?

5. Laquelle des trois stratégies génériques la société PepsiCo applique-t-elle ?

6. Expliquez ce qu'est la chaîne de valeur et de quelle façon une entreprise comme GE peut l'utiliser pour améliorer son fonctionnement.

ÉTUDE DE CAS 1.3

Apple : la fusion de la technologie, des affaires et du divertissement

Ce cas traite d'Apple et de la mise au point fructueuse d'une gamme de produits.

Tirer parti de l'iPod

Depuis que des millions d'iPod sont entre les mains des consommateurs, beaucoup de personnes ont trouvé des fa-çons de tirer parti du produit. John Lin a créé un prototype de télécommande pour l'iPod et l'a apporté à Macworld, où il a eu du succès. Quelques mois plus tard, l'entreprise de Lin avait reçu la bénédiction d'Apple et l'engagement de celle-ci à lui offrir de l'espace d'étalage dans ses magasins de vente au détail. « C'est comme ça qu'Apple soutient l'économie iPod », explique Lin.

Dans le marché que domine l'iPod, des centaines d'entreprises ont mis au point des accessoires de tout type, allant des chargeurs de piles destinés à être branchés dans une voiture jusqu'aux sacs Fendi. Eric Tong, vice-président de Belkin, un fabricant de câbles et de périphériques, estime que 75 % de tous les propriétaires d'un iPod achètent au moins un accessoire vendu entre 10 $ et 250 $. Parmi les accessoires d'iPod les plus populaires, on peut citer les haut-parleurs et les socles de chargeur, les écouteurs haut de gamme, les émetteurs FM, les supports d'iPod et les prises pour les appareils photos numériques.

Tirer parti de l'iPhone

Regarder une personne utiliser son iPhone est une expé-rience intéressante, car il se peut qu'elle ne soit pas engagée dans une conversation téléphonique. Elle peut, par exemple, jouer à un jeu, vendre des actions, regarder une émission de télévision ou même faire des affaires au moyen d'une version mobile du logiciel de gestion des relations avec la clientèle provenant de Salesforce.com. Apple a pris la brillante déci-sion stratégique de laisser d'autres entreprises offrir des logiciels pour l'iPhone, si bien que moins de 6 mois plus tard, plus de 10 000 applications avaient été créées.

Au début, des développeurs comme Jeff Holden, de Pelago Inc., une entreprise de réseautage social, étaient convaincus qu'ils devaient s'inspirer de la croyance popu-laire concernant la façon de fonder une grande entreprise de logiciels promise à une croissance rapide : insérer ses pro-grammes dans le plus grand nombre possible de plateformes et d'appareils. Toutefois, après avoir fait ses calculs, Holden en a tiré une conclusion d'affaires intéressante : les 13 mil-lions de propriétaires d'un iPhone avaient déjà téléchargé plus d'applications que les autres propriétaires d'un télé-phone cellulaire, soit 1,1 milliard ! Pour des entrepreneurs, la mise au point d'un programme pour l'iPhone ouvrait automatiquement les portes d'un marché sensiblement plus grand. « Pourquoi créerais-je quoi que ce soit pour autre chose que l'iPhone ? », s'est interrogé Holden. On peut néan-moins se demander s'il s'agit encore d'une saine stratégie aujourd'hui.

Tirer parti de l'iPad

L'iPad est une tablette électronique qui permet à son utilisa-teur de télécharger des applications, de vérifier ses courriels ou d'écouter de la musique en appuyant simplement sur un écran tactile. Tant l'iPhone que l'iPad peuvent accomplir des tâches multiples. L'utilisateur peut, par exemple, lire une page Web tout en téléchargeant son courriel par l'intermédiaire des réseaux sans fil. L'apparition de l'iPad a entraîné une expansion simultanée de l'éventail des accessoires. Puisque l'iPad comprend un écran, mais pas un clavier séparé ni un emplacement de carte mémoire ni une prise pour carte d'extension, on pourrait dire qu'il a été spécifiquement conçu pour recevoir des accessoires. Beaucoup de propriétaires d'un iPad le modifient d'une façon ou d'une autre, que ce soit à des fins de décoration ou de protection intégrale. Le protecteur d'écran iPad Clear Armor, la housse de livre iPad Antique, le clavier sans fil iPad et le support de luxe iPad Joule sont quelques-uns de ces accessoires.

Apple a toujours eu le dessus avec l'iPod sur ses principaux rivaux qui fabriquent le baladeur MP3, et l'entreprise continue à rendre ses produits attrayants pour les consommateurs, tout en offrant des éléments complémentaires comme des jeux et des applications. Pour l'iPhone, Apple a mis au point une application unique dénommée « Siri », un système d'activation vocale qui reconnaît des commandes vocales. Siri peut accomplir les fonctions les plus diverses, qu'il s'agisse d'appeler un contact, de créer un courriel ou de localiser rapidement un téléphone perdu au moyen du service Find my Phone (Trouve mon téléphone).

Apple offre aussi un service appelé « iCloud ». L'iCloud est en mesure de recueillir tout le contenu, y compris des vidéos, des photos, des chansons, des livres, etc., provenant d'appareils comme l'iPod, l'iPad et l'iPhone, et de le regrouper en lieu sûr dans « le nuage ». Les clients d'Apple n'ont plus à se soucier de sauvegarder leurs applications ou leurs données, parce que tout est automatiquement téléversé et stocké dans l'iCloud lorsqu'ils utilisent un appareil d'Apple. Dans un secteur axé sur la technologie et en évolution rapide, où les concurrents ne tardent jamais à l'imiter, Apple subit une pression incessante pour créer de nouveaux produits et des produits dérivés de produits établis. Apple tente de préserver son avantage concurrentiel en se concentrant sur les domaines-clés décrits ci-après.

- **La priorité à la clientèle:** Apple donne la priorité à la satisfaction de sa clientèle et s'assure que cette dernière soit étroitement associée à la mise au point de produits et d'applications.

- **Les ressources et les capacités:** Apple investit toujours beaucoup en R et D afin de mettre à profit de nouveaux outils technologiques, de meilleures installations et des infrastructures en nuage.

- **La vision stratégique:** Apple veille à la concordance ferme de sa vision, de sa mission, de ses objectifs d'affaires et de son leadership en affaires.

- **La stratégie de marque:** Apple est le chef de file en fidélisation à la marque, car elle fait l'objet d'un véritable culte avec son image de produits authentiques.

- **La qualité d'abord:** Apple maintient un engagement remarquable en ce qui a trait à la qualité[19].

Questions

1. Êtes-vous d'accord ou non avec l'affirmation selon laquelle iTunes et les applications pour l'iPhone et pour l'iPad procurent à Apple un avantage concurrentiel? Assurez-vous de bien justifier votre réponse.

2. Pourquoi les données, l'information, l'intelligence d'affaires et les connaissances sont-elles importantes pour Apple? Donnez un exemple de chacun en ce qui concerne l'iPad.

3. Faites l'analyse de l'entreprise Apple à partir du modèle des cinq forces de Porter.

4. Laquelle des trois stratégies génériques Apple applique-t-elle?

5. De quelle force de Porter la création de l'iPhone par Apple relève-t-elle?

MES DÉCISIONS D'AFFAIRES

1. L'analyse de la concurrence

Cheryl O'Connell est propriétaire d'un petit magasin haut de gamme de vêtements pour femmes, dénommé Excelus. Les affaires d'Excelus sont prospères depuis de nombreuses années, surtout grâce au flair de Cheryl, qui sait anticiper les besoins et les désirs de sa fidèle clientèle et lui offrir un service personnalisé. Cheryl n'accorde aucune valeur aux systèmes d'information et refuse d'investir des capitaux dans quelque chose qui n'améliorera pas directement son résultat net. Formulez une proposition décrivant les possibilités ou menaces concurrentielles que Cheryl pourrait ne pas voir si elle n'adopte pas un système d'information. N'oubliez pas d'inclure une analyse faite selon le modèle des cinq forces de Porter, et indiquez laquelle des trois stratégies génériques Cheryl devrait appliquer.

2. L'application des trois stratégies génériques

Dans le présent chapitre, plusieurs des entreprises montrées en exemple mettent en œuvre une stratégie de domination par la différenciation afin de ne pas se retrouver dans une position où elles doivent concurrencer leurs rivaux uniquement sur la base des prix. En équipe, choisissez un secteur d'activité et effectuez une comparaison entre deux entreprises: l'une qui affronte la concurrence sur la base des prix et l'autre qui a adopté une stratégie de domination par la différenciation rendue possible grâce à l'utilisation novatrice des systèmes d'information. Parmi les secteurs d'activité possibles, songez aux boutiques de vêtements, aux épiceries, aux compagnies aériennes et aux ordinateurs personnels. Préparez un exposé à présenter en classe sur les façons dont l'entreprise utiliserait un système d'information pour se distinguer et concurrencer le fournisseur à faible coût. Au préalable, assurez-vous en classe que chaque équipe choisit un secteur d'activité différent.

3. L'utilisation des mesures d'efficience et d'efficacité

Vous êtes le directeur général d'un hôpital général de 500 lits, spécialisé dans les soins de courte durée. Le Service des systèmes d'information de l'hôpital est chargé d'exploiter les applications qui facilitent tant les tâches administratives (comme la comptabilité relative aux patients) que les applications médicales (tels les dossiers médicaux). Vous souhaitez obtenir l'assurance que votre Service des systèmes d'information est d'une grande qualité, comparativement à celui des hôpitaux similaires. Quelles mesures devriez-vous demander à votre directeur des systèmes d'information d'utiliser pour confirmer ce que vous souhaitez vérifier? Indiquez le raisonnement sous-jacent associé à l'utilisation de chacune des mesures suggérées. En outre, déterminez en quoi les relations mutuelles entre les mesures d'efficience et les mesures d'efficacité peuvent favoriser l'atteinte de vos objectifs.

4. Établir des relations d'affaires

Vous travaillez chez Synergistics Inc., une nouvelle entreprise dont la spécialité consiste à aider les entreprises à établir des relations internes fructueuses. Vous venez d'être promu au poste de directeur principal du Service des relations entre l'exploitation et les systèmes d'information. Dans votre service, les ventes ont fléchi au cours des 10 dernières années pour diverses raisons, y compris l'éclatement de la bulle technologique boursière, les récents événements économiques et une stratégie d'affaires mal expliquée au personnel. La première tâche au moment de votre entrée en fonction est de préparer un rapport exposant ce qui suit:

- les raisons fondamentales de l'écart entre les systèmes d'information et la conduite des affaires;
- les stratégies que vous pouvez adopter pour convaincre l'entreprise qu'il s'agit là d'un domaine ayant une importance cruciale pour son succès;
- les stratégies que l'entreprise peut appliquer pour obtenir des synergies entre les deux domaines.

5. Déterminer les structures organisationnelles des systèmes d'information de gestion

Vous êtes le président-directeur général d'une nouvelle entreprise de télécommunications. Celle-ci emploie actuellement 50 personnes, mais prévoit en compter quelque 3 000 d'ici la fin de l'année. Votre première tâche consiste à déterminer la façon dont vous allez structurer votre organisation. Vous portez d'abord votre attention sur la structure organisationnelle du Service des SIG. Vous devez réfléchir à l'embauche possible d'un directeur des systèmes d'information, d'un chef de la protection des renseignements personnels, d'un chef de la sécurité, d'un directeur des techniques informatiques et d'un gestionnaire des connaissances, et, le cas échéant, à la forme que revêtira la structure hiérarchique. Vous devez aussi définir les responsabilités de chaque poste de direction. Après avoir compilé cette information, préparez un exposé décrivant la structure organisationnelle du Service des SIG.

6. Le modèle des cinq forces

Votre équipe travaille pour une petite société de placement qui se spécialise en investissements dans les systèmes d'information. Une nouvelle entreprise, Geyser, vient de mettre en marché un système d'exploitation qui devrait concurrencer les systèmes d'exploitation de Microsoft. L'entreprise qui vous emploie a investi beaucoup de capitaux dans Microsoft. Votre patron, Jan Savage, vous demande de procéder à une analyse selon le modèle des cinq forces de Porter pour Microsoft, afin que l'investissement de votre entreprise dans Microsoft soit à l'abri du risque.

NOTES DE FIN DE CHAPITRE

1. LCBO sales top $4.7 billion in 2011-12. (2012). Repéré le 16 mars 2015 à www.newswire.ca/fr/story/975691/lcbo-sales-top-4-7-billion-in-2011-12; La LBCO remet un dividende record de 1,7 milliards de dollars au gouvernement de l'Ontario. (2013). Repéré le 4 février 2014 à www.lcbo.com/content/lcbo/fr/corporate-pages/about/media-centre/news/2013-06-17.html

2. Ruffolo, Rafael. (2009). Vintage technology, inside the LCBO: How it powers the Liquor Control Board of Ontario. *ComputerWorld Canada*; About vintages. (2011). Repéré le 16 mars 2015 à www.vintages.com/about_vintages.shtml; New technology allows you to scan 150,000 wines at LCBO. (s.d.). Repéré le 20 juillet 2011 à www.ourhometown.ca/lifestyle/LF0026.php

3. Interesting facts. (s.d.). Repéré le 16 mars 2015 à www.interestingfacts.org

4. Longley, Dennis et Shain, Michael. (1985). *Dictionary of information technology* (2ᵉ éd.). Macmillan Press, p. 164.

5. Hill, Charles W. L. et Gareth, R. Jones. (2008), *Strategic management: An integrated approach* (8ᵉ éd.). Boston, Mass : Houghton Mifflin.

6. Nash, Kim. (2014). State of the CIO 2014: The great schism. Repéré le 16 mars 2015 à www.cio.com/article/744601/State_of_the_CIO_2014_The_Great_Schism

7. *Ibid.*

8. Bontis, Nick. (2002). The rising star of the chief knowledge officer. *Ivey Business Journal, 66*(4), p. 20.

9. Information and Communications Technology Council. (2011-2016). Outlook for human resources in the ICT labour market.

10. *Ibid.*

11. McCue, Andy. (2011). Five skills you need to be CIO: the skills that pay the bills. Repéré le 20 juillet 2011 à www.silicon.com/management/cio-insights/2007/08/06/five-skills-you-need-to-be-cio-39167994/

12. Canada salary calculator. Repéré le 16 mars 2015 à www.canadavisa.com/canada-salary-wizard.html

13. Porter, Michael E. (1980). *Competitive strategy: Techniques for analyzing industries and competitors.* New York, NY : The Free Press.

14. CIBC mobile payment™ app. Repéré le 16 mars 2015 à www.cibc.com/ca/features/mobile-payment.html ; Google wallet. Repéré le 16 mars 2015 à www.google.com/wallet/index.html

15. Wahl, Andrew. (2006). The next best managers. *Canadian Business, 79*(20), p. 66 ; Znaimer, Libby. (2006). Adventures come with the territory. *Financial Post: Weekend, National Post.* p. FW8.

16. Paczkowski, John. (2013). GE CEO Jeff Immelt's big data bet. Repéré le 16 mars 2015 à http://allthingsd.com/20130529/ge-ceo-jeff-immelts-big-data-bet

17. The best managers. (2005). *Businessweek* (3915).

18. Innovative managers. (2005). *Businessweek.*

19. Apple profit surges 95 percent on iPod sales. Yahoo! News. Repéré le 16 mars 2015 à www.freerepublic.com/focus/f-news/1560689/posts ; Apple's iPod success isn't sweet music for record company sales. Bloomberg.com. Repéré le 16 mars 2015 à http://quote.bloomberg.com/apps/news?pid5nifea&&sid5aHP5Ko1pozM0 ; Repéré le 7 juin 2007 à www.apple.com/iphone ; Repéré le 7 juin 2007 à http://news.cnet.com/NikeiPod1raises1RFID1privacy1%20concerns/2100-1029_3-6143606.html

Les décisions, les données, l'information et l'intelligence d'affaires

PARTIE 2

La partie 2 de cet ouvrage explore les composantes de données et d'information des systèmes d'information (SI). La plupart des gens envisagent ces systèmes strictement selon un paradigme technologique, mais dans les faits, le pouvoir et l'influence des SI n'est pas tant le résultat de sa nature technique que de ce que cette infrastructure technique véhicule, abrite et soutient: l'information.

L'objectif est donc de souligner le point précité et de sensibiliser les étudiants à l'importance de l'information pour la réussite de l'entreprise. Comprendre l'importance de l'information est une leçon fondamentale. Les entreprises qui gèrent bien l'information à titre de ressource-clé organisationnelle ont un avantage certain sur les concurrents qui la négligent. Le fait de traiter l'information comme un actif de l'entreprise peut être une source de succès en affaires. En bref, cette partie traite du concept d'information et met en évidence le rôle de celle-ci dans la réussite de l'entreprise.

Dans cette partie, nous abordons en premier lieu les types de décisions que prennent les entreprises et la façon dont les SI peuvent aider les organisations à prendre ces décisions et à en mesurer la pertinence. Nous explorons notamment les différents types d'intelligence artificielle qui peuvent soit prendre des décisions, soit soutenir la prise de décision. Ensuite, nous évoquons l'importance des processus d'affaires et la façon dont les entreprises peuvent s'y prendre pour concevoir un bon processus d'affaires susceptible de contribuer à soutenir le processus de décision.

Par la suite, la discussion porte sur la façon dont les organisations s'y prennent pour partager et utiliser l'information. Nous décrivons notamment comment les organisations peuvent s'assurer que les employés ont accès à l'intelligence d'affaires et compétitive dont ils ont besoin, qu'ils partagent cette information et en tirent le meilleur parti en la transformant sous forme de connaissance. Quand les employés sont outillés de cette connaissance, ils ont la capacité de proposer des innovations, de concevoir des meilleures pratiques et d'élaborer des nouveaux produits et services pour l'entreprise.

Enfin, nous expliquons que les organisations doivent gérer adéquatement les données transactionnelles stockées dans les bases de données relationnelles, et que ces données peuvent être transformées en informations analytiques grâce à la mise en place d'entrepôts de données à l'échelle de l'entreprise. Ainsi, les entreprises peuvent explorer les données et trouver l'intelligence d'affaires et compétitive qui est étudiée dans le chapitre 1.

Le niveau stratégique

Au niveau stratégique, les membres de la haute direction élaborent les stratégies, les buts et les objectifs globaux de l'organisation, dans le contexte du plan stratégique de l'entreprise. Ils surveillent également les résultats de l'organisation sur le plan stratégique et son positionnement dans l'environnement politique, économique et concurrentiel. Les décisions stratégiques sont des **décisions non structurées,** qui interviennent dans des situations où il n'y a ni procédures ni règles pour orienter les décideurs vers le bon choix. Elles sont rares, extrêmement importantes et généralement liées à la stratégie de l'entreprise à long terme. Il s'agit par exemple de la décision de pénétrer un nouveau marché ou une nouvelle industrie au cours des trois prochaines années. Pour ce type de décision, les cadres se fient à de nombreuses sources d'information, ainsi qu'à leurs connaissances personnelles, pour trouver des solutions.

La prise de décision et la résolution de problèmes dans le monde électronique d'aujourd'hui englobent des solutions à grande échelle, axées sur les possibilités et guidées par une vision stratégique. Dans ce contexte, l'utilisation de « recettes » prédéfinies pour la prise de décision ne fonctionnera tout simplement pas. D'ailleurs, dans les très réputés programmes de perfectionnement de la haute direction offerts au Canada, la prise de décision et la résolution de problèmes sont au cœur de l'enseignement, et elles sont considérées comme des compétences essentielles pour le perfectionnement professionnel des cadres dirigeants[8].

La mesure de la pertinence des décisions

Peter Drucker, célèbre écrivain en gestion, a dit un jour qu'on ne peut gérer ce qu'on ne mesure pas. Un **projet** est une activité temporaire qu'une organisation entreprend en vue de créer un produit ou un service, ou d'obtenir un résultat unique. Par exemple, la construction d'une nouvelle station de métro est un projet, tout comme le fait qu'un cinéma veuille adopter un programme informatique en vue d'émettre des billets en ligne. Comment les gestionnaires mesurent-ils l'avancement de projets d'affaires complexes comme ceux-ci ?

Les paramètres d'un projet permettent d'évaluer les résultats afin de déterminer s'il atteint ses objectifs. Parmi ces paramètres, citons les facteurs-clés de succès et les indicateurs-clés de performance. Les **facteurs-clés de succès (FCS)** sont les étapes essentielles qu'une entreprise doit franchir pour atteindre ses buts et ses objectifs et pour mettre en œuvre ses stratégies (*voir la figure 2.3*). Les **indicateurs-clés de performance (ICP)** sont les mesures quantifiables et comportant une cible qu'une entreprise utilise pour évaluer sa progression vers la maîtrise des FCS. Les ICP sont plus spécifiques que les FCS.

Il est important de comprendre la relation entre les FCS et les ICP. Les FCS sont des éléments essentiels au succès de la stratégie d'une entreprise. Les ICP permettent d'évaluer la progression des FCS à l'aide de mesures quantifiables et l'atteinte de cibles. Un FCS peut comporter plusieurs ICP. Bien sûr, ces deux catégories varient en fonction de l'entreprise et de l'industrie. Par exemple, le FCS d'une université est d'améliorer le taux de diplomation. Parmi les ICP permettant de mesurer ce FCS, citons :

- les notes moyennes par matière et par sexe ;
- le taux d'abandon par sexe et par programme d'étude ;
- le taux de diplomation moyen par sexe et par programme d'étude ;
- le temps alloué au tutorat par sexe et par programme d'étude.

Les ICP peuvent servir à des mesures internes ou externes. La **part de marché,** ou proportion du marché détenue par une entreprise, est un ICP externe courant. On la calcule en divisant les ventes de l'entreprise par les ventes totales du marché. La part de marché est la mesure de la performance externe d'une entreprise par rapport à celle de ses concurrents. Par exemple, si les ventes totales (revenus) d'une entreprise sont de 2 millions de dollars et que les ventes totales du marché sont de 10 millions, l'entreprise a capturé 20 % du marché ou une part de marché de 20 %.

Le **rendement du capital investi (RCI),** qui désigne la rentabilité d'un projet, est un ICP interne courant. On le mesure en divisant la rentabilité par les coûts d'un projet. Cela semble facile, et c'est le cas lorsque les projets sont tangibles et contenus au sein d'un seul service. Toutefois, pour les projets intangibles qui franchissent les frontières du service (comme les projets en SI de gestion), le RCI est difficile à mesurer. Imaginons qu'on essaie

FIGURE 2.3

Définitions et exemples des FCS et des ICP

Facteurs-clés de succès (FCS)	**Indicateurs-clés de performance (ICP)**
Étapes essentielles qu'une entreprise doit franchir pour atteindre ses objectifs et pour mettre en œuvre ses stratégies	Mesures quantifiables qu'une entreprise utilise pour évaluer sa progression vers la maîtrise des facteurs-clés de succès
▪ Créer des produits de bonne qualité ▪ Maintenir ses avantages concurrentiels ▪ Réduire le coût des produits ▪ Accroître la satisfaction de la clientèle ▪ Recruter et conserver les meilleurs employés	▪ Taux de rotation du personnel ▪ Proportion des appels au service d'assistance traités dans la première minute ▪ Nombre de retours de produits ▪ Nombre de nouveaux clients ▪ Dépense moyenne par client

de mesurer le RCI d'un extincteur. Si ce dernier ne sert pas, son RCI est faible. S'il permet d'éteindre un incendie qui aurait détruit l'édifice, son RCI est extrêmement élevé.

Créer des ICP pour mesurer le succès d'un projet en technologies de l'information (TI) présente des défis similaires. Pensons au système de courriels d'une entreprise. Comment les gestionnaires pourraient-ils suivre les coûts et les profits associés aux courriels de l'entreprise (et ce, par service)? La mesure du volume ne leur apprendrait rien sur la rentabilité, puisqu'un courriel pourrait rapporter un contrat de 1 million de dollars, tandis que 300 autres pourraient ne générer aucun revenu. Les services qui ne génèrent pas de revenus, comme les ressources humaines et les services juridiques, ont besoin des courriels, mais ils ne s'en servent pas pour réaliser des profits. C'est pourquoi beaucoup de gestionnaires utilisent des paramètres de haut niveau, comme les paramètres d'efficience et d'efficacité, pour mesurer les projets TI. Les **meilleures pratiques** sont les solutions ou méthodes de résolution de problèmes les plus efficaces qui ont été élaborées pour une organisation ou une industrie en particulier. La mesure des projets TI contribue à déterminer les meilleures pratiques d'une industrie.

Les paramètres d'efficience et d'efficacité

Les **paramètres d'efficience du SI** mesurent la performance en TI, comme le débit, la vitesse et l'accessibilité. Les **paramètres d'efficacité du SI** mesurent l'incidence des TI sur les processus et les activités de l'entreprise, notamment la satisfaction de la clientèle et le taux de conversion. En matière d'efficience, on s'intéresse à une utilisation optimale des ressources, tandis qu'en matière d'efficacité, on s'intéresse à la meilleure façon d'atteindre ses buts et objectifs. Peter Drucker propose une distinction intéressante entre l'efficience et l'efficacité. Faire les choses de la bonne façon relève de l'efficience; il s'agit d'obtenir le maximum de chaque ressource. Faire les bonnes choses relève de l'efficacité: se fixer les bons objectifs et veiller à ce qu'ils soient atteints. La figure 2.4 (*voir la page suivante*) montre quelques-uns des types courants de paramètres d'efficience et d'efficacité des TI. Les paramètres d'efficience et d'efficacité comptent parmi les ICP qui permettent de mesurer les projets en TI. Bien sûr, ces paramètres ne sont pas aussi concrets que la part de marché ou le RCI, mais ils permettent d'avoir une bonne idée de la performance d'un projet[9].

Une augmentation importante de la productivité découle généralement d'une augmentation de l'efficacité, qui dépend des FCS. Les paramètres d'efficience en TI sont beaucoup plus faciles à évaluer; c'est pourquoi les gestionnaires ont tendance à les privilégier, souvent de façon incorrecte, pour mesurer le succès des projets en TI. Imaginons qu'on mesure le succès des guichets automatiques bancaires (GAB). Dans le cas des paramètres d'efficience en TI, le gestionnaire quantifierait le nombre de transactions quotidiennes, le montant moyen par transaction et la vitesse moyenne de transaction pour déterminer le succès du GAB. Si ces paramètres donnent une bonne idée de la performance du système, ils ont le défaut d'omettre bon nombre des avantages

FIGURE 2.4

Types courants de paramètres
d'efficience et d'efficacité

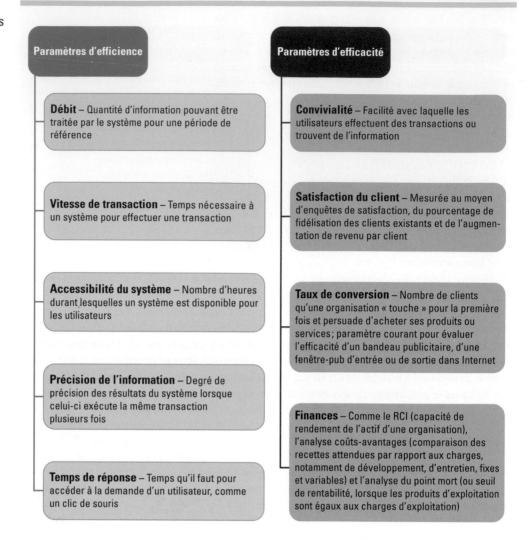

intangibles ou la valeur ajoutée associés à l'efficacité du GAB. Les paramètres d'efficacité en TI permettraient de dénombrer les clients qui ont choisi la banque en raison de l'emplacement ou de la convivialité de ses guichets automatiques. Les TI peuvent également mesurer la hausse de la satisfaction du client liée aux frais moindres ou aux services supplémentaires comme la vente de timbres ou de billets de cinéma, qui représentent un gain de temps ou une valeur ajoutée pour la clientèle. Être un bon gestionnaire, c'est savoir utiliser à son avantage la perspective des paramètres d'efficacité pour analyser tous les bénéfices associés à un projet en TI.

La corrélation entre les paramètres d'efficience et d'efficacité en technologies de l'information

L'efficience et l'efficacité sont liées. Toutefois, une bonne efficience n'est pas toujours synonyme d'une bonne efficacité, et inversement. Les paramètres d'efficience en TI concernent le SI en soi. S'il est important de surveiller ces paramètres d'efficience, ces derniers ne sont pas toujours un gage d'efficacité. On détermine les paramètres d'efficacité en TI d'après les stratégies et les objectifs de l'organisation. Il est essentiel de tenir compte des FCS de l'entreprise, comme la stratégie de domination globale par les coûts (par exemple, Walmart), ainsi que de ses ICP, comme augmenter de 10 % le nombre de nouveaux clients ou de réduire à six mois le cycle de mise au point des nouveaux produits. Dans le secteur privé, Canadian Tire évalue continuellement l'efficience et l'efficacité de ses projets en TI. Le maintien d'une accessibilité constante du site Web et d'une performance de débit optimale est un FCS pour Canadian Tire.

La figure 2.5 montre les corrélations entre l'efficience et l'efficacité. Idéalement, une organisation devrait bien fonctionner si elle se situe dans le coin supérieur droit du graphique, et gagner en efficience et en efficacité. Toutefois, un positionnement dans le coin supérieur gauche (efficacité minimale et efficience accrue) peut être en adéquation avec les stratégies spécifiques d'une organisation. D'une manière générale, se situer dans le coin inférieur gauche (efficience et efficacité minimales) n'est pas idéal.

Peu importe ce qui est mesuré, la façon utilisée pour prendre cette mesure et si c'est l'efficience ou l'efficacité qui entre en considération, les gestionnaires doivent établir des **valeurs cibles** ou valeurs de base que le système cherche à atteindre. L'**étalonnage** est un processus qui consiste à mesurer en continu les résultats du système, à les comparer à la performance optimale de celui-ci (valeurs cibles) et à déterminer les étapes et les procédures qui permettront d'en améliorer la performance. Les valeurs cibles permettent d'évaluer la performance dans le temps d'un projet en TI. Par exemple, si le système avait une valeur cible de 15 secondes pour le temps de réponse, le gestionnaire doit s'assurer que le temps de réponse continue à baisser jusqu'à ce qu'il atteigne cette valeur. Si le temps de réponse passe soudainement à une minute, le gestionnaire sait que le système ne fonctionne pas correctement, et il peut commencer à examiner les problèmes potentiels. Le fait de comparer continuellement les projets en TI à des valeurs cibles donne aux gestionnaires la possibilité d'avoir un effet de retour qui leur permet de contrôler le système.

FIGURE 2.5

Corrélations entre l'efficience et l'efficacité

Les types d'information

Comprendre les types de décisions que prennent les organisations et la façon d'en mesurer la pertinence est essentiel. Cependant, il faut également saisir la manière dont les organisations utilisent les données et l'information pour prendre des décisions. Il importe de différencier les données transactionnelles des informations analytiques (*voir la figure 2.6*). Les **données transactionnelles** incluent tous les faits bruts d'un processus d'affaires ou d'une unité de travail, et elles ont pour objectif premier de soutenir l'exécution des tâches opérationnelles quotidiennes. Parmi les événements pour lesquels on capture des données transactionnelles, citons l'achat d'actions, la réservation d'un billet d'avion ou le retrait d'espèces à un GAB.

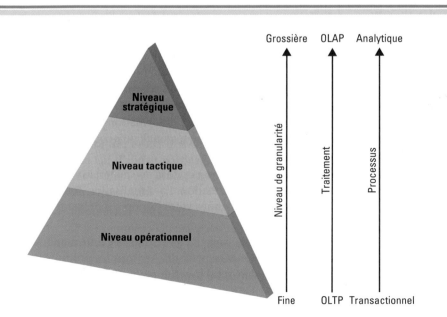

FIGURE 2.6

Niveaux d'information au sein d'une organisation

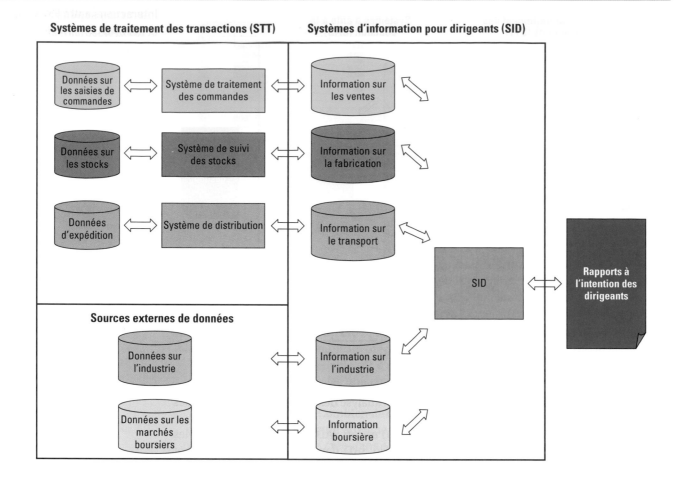

Systèmes de traitement des transactions (STT)   **Systèmes d'information pour dirigeants (SID)**

FIGURE 2.10

Interactions entre les STT et les SID

Les outils des SID, comme les tableaux de bord numériques, permettent aux cadres d'aller au-delà du simple rapport et d'utiliser l'information pour agir directement sur la performance de l'entreprise. Grâce aux tableaux de bord, les cadres peuvent réagir dès que l'information est disponible, et prendre des décisions, résoudre des problèmes et changer les stratégies sur une base quotidienne plutôt que mensuelle.

Le directeur des SI de Verizon Communications, Shaygan Kheradpir, suit plus de 100 SI majeurs sur un écran unique nommé « Le mur de Shaygan ». Grâce à un traitement en temps réel, le système produit toutes les 15 secondes un nouvel ensemble de graphiques sur la performance de Verizon, qui s'affiche sur un écran à affichage à cristaux liquides (ACL) géant dans le bureau de Kheradpir. Les 44 captures d'écran sont réitérées continuellement, toute la journée, tous les jours. Ce tableau de bord comprend plus de 300 mesures de la performance de l'entreprise réparties en 3 catégories : 1) le pouls du marché, qui mesure notamment les ventes quotidiennes, la part de marché et la perte d'abonnés ; 2) le service à la clientèle, qui évalue par exemple les problèmes résolus dès le premier appel, le temps d'attente au centre d'appels et la ponctualité des interventions de résolution de problèmes ; et 3) l'indicateur de coût, qui calcule entre autres le nombre de camions de réparation sur le terrain, le nombre de réparations menées à bien et la productivité du centre d'appels.

Kheradpir a mémorisé les écrans et sait en un coup d'œil si les graphiques suivent ou non la tendance attendue. Le système l'informe notamment sur le pourcentage d'appels de clients résolus par les systèmes vocaux, le nombre de camions de réparation sur le terrain et le temps nécessaire pour résoudre un problème de SI. Ce tableau de bord fonctionne de la même manière pour 400 gestionnaires à tous les niveaux de Verizon[13]. Les cadres doivent être attentifs, car tous les tableaux de bord ne traitent pas les données en temps réel ; ils peuvent les traiter par lots chaque nuit, chaque semaine ou chaque mois.

Notons que la classification STT, SAD et SID n'est que l'une des classifications des SI utilisés dans les organisations. On présente plus loin dans cet ouvrage d'autres classifications des

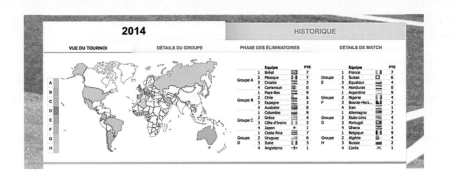

FIGURE 2.11

Tableau de bord de la Coupe
du monde de football

Source : www.qlik.com

FIGURE 2.12

Tableau de bord d'un
directeur des ventes d'une
entreprise pharmaceutique
française

Source : www.qlik.com

SI utilisés dans les organisations (par exemple, dans la partie 4, différents types de SI d'entreprise sont classés en fonction de leur fonctionnalité, comme la gestion des relations avec la clientèle, la gestion de la chaîne logistique et la planification des ressources de l'entreprise). Toutefois, la classification STT, SAD et SID permet de montrer la classe de systèmes qui fonctionne avec les données transactionnelles et celle qui fonctionne avec les informations analytiques. Elle permet également de présenter les utilisateurs typiques de ces systèmes et le rôle de ces systèmes en matière de prise de décision (*voir le tableau 2.1 à la page suivante*).

Le tableau 2.1 montre que la prise de décision se manifeste à tous les niveaux d'une organisation et que les différents types de SI peuvent faciliter différents types de prise de décision. Par exemple, un STT est utile pour prendre des décisions dans le cas des opérations, tandis que les autres types de SI conviennent davantage aux décisions de nature stratégique ou relevant de la direction.

Si chaque système convient à différents types de décisions et d'utilisateurs, il est important de comprendre que les différents systèmes de prise de décision doivent être bien intégrés pour mener à des décisions éclairées. Par ailleurs, les données saisies dans les STT doivent être exactes pour que les systèmes de prise de décision à des niveaux plus élevés soient fiables. On utilise souvent les données emmagasinées dans les STT pour alimenter les SAD et les SID. Il est donc impératif que les données transactionnelles saisies dans les STT soient sans défaut et qu'elles soient cohérentes dans toute l'entreprise. Sans quoi, les données erronées alimentant un SAD ou un SID pourraient conduire à des décisions malavisées de la part des gestionnaires et des analystes. L'organisation pourrait alors dévier de ses objectifs stratégiques, ce qui est peu souhaitable.

TABLEAU 2.1 | Différences entre le STT, le SID et le SAD

	Système de traitement des transactions (STT)	Système d'aide à la décision (SAD)	Système d'information pour les dirigeants (SID)
Type de données ou d'informations généralement saisies dans le système	Données transactionnelles	Données transactionnelles ou informations analytiques	Informations analytiques
Personne qui prend généralement la décision à l'aide de ce système	Commis ou analyste	Analyste ou gestionnaire	Cadre de la haute direction
Type de décision généralement traitée	Décision opérationnelle	Décision analytique ou tactique	Décision stratégique

L'intelligence artificielle

De nos jours, les entreprises utilisent l'intelligence artificielle pour aider leurs employés à prendre de meilleures décisions opérationnelles, administratives et stratégiques. Rivalwatch offre un service d'information stratégique s'appuyant sur l'intelligence artificielle qui permet aux organisations de suivre les offres de produit, les politiques de prix et les promotions de la concurrence en ligne. Les clients de Rivalwatch peuvent choisir les concurrents qu'ils souhaitent surveiller et l'information précise qu'ils veulent réunir, qu'il s'agisse des produits ajoutés, retirés ou en rupture de stock, des changements de prix, des coupons offerts ou des conditions de livraison spéciales. Les clients peuvent surveiller chaque concurrent, catégorie et produit sur une base quotidienne, hebdomadaire, mensuelle ou trimestrielle.

« Les affaires dans le cyberespace, ce n'est pas comme les affaires dans le monde traditionnel, parce qu'on est en concurrence avec le monde entier plutôt qu'avec le magasin situé au bout de la rue ou à quelques kilomètres », affirme Phil Lumish, vice-président des ventes et du marketing à Rivalwatch. « Avec le lancement de nouveaux produits et de nouvelles campagnes à un rythme effréné, les entreprises en ligne ont besoin de nouveaux outils pour surveiller la concurrence, et notre service a été conçu pour répondre à ce besoin [14]. »

Les SID commencent à utiliser l'intelligence artificielle pour favoriser la prise de décision stratégique non structurée. L'**intelligence artificielle (IA)** simule la réflexion et les comportements humains, comme la capacité à raisonner et à apprendre. Le but de l'IA est de construire un système capable d'imiter l'intelligence humaine.

Les **systèmes intelligents** comportent différentes applications commerciales d'IA. Il s'agit notamment de senseurs, de logiciels et d'appareils qui imitent et améliorent les capacités humaines, apprennent ou comprennent par expérience, tirent au clair des données ambiguës ou contradictoires, voire font appel au raisonnement pour résoudre des problèmes et prendre des décisions de façon efficace. Les systèmes intelligents peuvent par exemple améliorer la productivité dans les usines en surveillant l'équipement et en signalant à quel moment un entretien préventif est nécessaire. Les systèmes intelligents sont de plus en plus courants. En voici quelques exemples :

- À l'aéroport de Manchester en Angleterre, le robot nettoyeur Hefner AI informe les passagers des consignes de sécurité et de l'interdiction de fumer, tout en nettoyant jusqu'à 6094 mètres carrés de sol par jour. Des lecteurs laser et des capteurs ultrasonores l'empêchent d'entrer en collision avec les passagers.
- Le robot pompiste SmartPump de Shell permet aux automobilistes de rester dans leur voiture les jours de mauvais temps. Il peut faire le plein de toute voiture construite après 1987 munie d'un bouchon de réservoir spécial et d'un transpondeur monté sur le pare-brise qui indique au robot où insérer la pompe.

- Les entreprises telles que Walgreens, Amazon, The Gap et Staples utilisent des robots Kwa pour préparer les commandes dans leurs centres de distribution.

- Le robot pompier FireFighter AI peut éteindre les flammes dans les usines chimiques et les réacteurs nucléaires avec de l'eau, de la mousse, de la poudre ou du gaz inerte, permettant ainsi à l'opérateur humain de rester à distance du feu[15].

Les systèmes d'IA augmentent considérablement la rapidité et la cohérence de la prise de décision. Ils permettent de solutionner des problèmes même si les informations sont incomplètes, et de résoudre des questions complexes impossibles à dénouer au moyen de l'informatique conventionnelle. Il existe plusieurs catégories de systèmes d'IA, les cinq plus connues étant : 1) les systèmes experts (SE) ; 2) les réseaux neuronaux ; 3) les algorithmes génétiques ; 4) les agents intelligents ; et 5) la réalité virtuelle. La figure 2.13 présente des exemples de chaque type d'IA.

FIGURE 2.13

Exemples d'IA

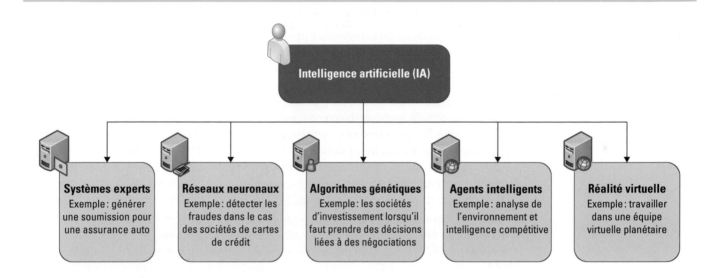

Les systèmes experts

Les **systèmes experts (SE)** sont des systèmes informatiques qui imitent les processus de raisonnement des experts pour résoudre des problèmes difficiles. L'expertise humaine est transférée au SE, et les utilisateurs peuvent avoir recours au SE pour obtenir des conseils ou des réponses spécifiques. La plupart des SE reflètent l'expertise de nombreux humains et peuvent donc effectuer une meilleure analyse qu'un seul expert. Généralement, le système inclut une base de connaissances établie à partir d'expériences accumulées et un ensemble de règles permettant le raisonnement automatique sur chaque situation particulière. Les SE les plus connus sont employés pour jouer aux échecs et établir des diagnostics en médecine. Les SE constituent la forme la plus utilisée d'IA dans le monde des affaires. Ils sont fort utiles quand les experts humains sont difficiles à trouver ou à retenir (ou lorsque leur rémunération est trop élevée pour l'entreprise).

Les réseaux neuronaux

Le **réseau neuronal,** qu'on appelle aussi **réseau de neurones artificiels,** est une catégorie d'IA qui cherche à imiter le fonctionnement du cerveau humain. Les réseaux neuronaux sont utiles pour les décisions liées à la reconnaissance de configurations dans les données ou d'images, parce qu'ils peuvent apprendre à partir de l'information qu'ils traitent. Les réseaux neuronaux analysent de grandes quantités d'information afin d'établir des configurations et des caractéristiques dans des situations où la logique ou les règles sont inconnues. Parmi les capacités des réseaux neuronaux, citons :

- apprendre et s'adapter d'eux-mêmes aux nouvelles circonstances ;
- effectuer des traitements parallèles de masse ;

- fonctionner en l'absence d'information complète et bien structurée ;
- gérer de gros volumes d'information avec de nombreuses variables dépendantes ;
- analyser des relations non linéaires (on les appelle «systèmes avancés d'analyse de régression»).

Jusqu'ici, le plus gros problème des réseaux neuronaux est que les couches de neurones sont occultées ; il est difficile de voir comment le réseau neuronal apprend et comment les neurones interagissent. Les réseaux neuronaux plus récents ne cachent pas les couches intermédiaires. Avec ces systèmes, les utilisateurs peuvent ajuster manuellement les poids ou les connexions synaptiques, ce qui permet d'obtenir plus de souplesse et d'accroître le contrôle.

Le secteur financier utilise la technologie des réseaux neuronaux depuis longtemps ; voilà plus de 20 ans qu'il en explore les différentes formes. Ce secteur utilise les réseaux neuronaux pour examiner les demandes de prêt et créer des configurations ou profils de demandes, qui sont réparties en deux catégories : approuvées ou rejetées. D'autres secteurs lui ont emboîté le pas. Voici quelques exemples de réseaux neuronaux :

- Les médecins du Centre hospitalier pour enfants de l'est de l'Ontario utilisent un réseau neuronal pour les aider à surveiller les progrès des nouveau-nés. Le Centre hospitalier, en collaboration avec l'Université de Carleton, a passé plus de 10 ans à développer un système d'IA capable d'éplucher des tonnes de données pour y repérer des configurations typiques. Dans ce cas précis, les signes vitaux et autres renseignements médicaux sur les bébés sont enregistrés de façon numérique à un intervalle de quelques secondes et stockés dans l'une des bases de données médicales les plus complexes du pays. Les signes vitaux de nouveau-nés ayant des anomalies cardiaques, de poids et de pression artérielle sont analysés par le réseau neuronal pour prédire de manière fiable l'évolution de leur état de santé[16].
- Les banques utilisent les réseaux neuronaux pour trouver des occasions d'affaires dans les marchés financiers. En examinant en détail les données historiques des marchés financiers au moyen d'un logiciel de réseau neuronal, les gestionnaires financiers peuvent découvrir des coïncidences intéressantes ou de petites anomalies (qu'on appelle «inefficiences du marché»). Par exemple, on peut constater que lorsque les actions d'IBM montent, celles d'Unisys montent aussi ; ou qu'une obligation du Trésor se vend un cent de moins au Japon qu'au Canada. Ces bribes d'information peuvent avoir une incidence importante sur le résultat net d'une banque dans un marché financier compétitif.
- Les chercheurs travaillent activement à l'élaboration de systèmes de réseaux neuronaux destinés aux entreprises. Une équipe de recherche canadienne de l'Université de l'Alberta a conçu un SI de réseau de neurones artificiels, nommé Canadian Construction Claim Tracker (CCCT), afin de recueillir, de classer et d'analyser les réclamations en matière de construction au Canada. À partir des archives des cours provinciales et de la Cour suprême du Canada, les membres de l'équipe de recherche ont extrait 567 contrats afférents aux réclamations en matière de construction. À l'aide du CCCT, ils ont été en mesure de prédire l'issue des différends contractuels avec un taux de précision de 65 %. Dans la mesure où les chercheurs sont de plus en plus compétents pour élaborer des algorithmes de réseaux neuronaux, on s'attend à ce que le taux de précision augmente, même si l'on sait qu'il n'atteindra jamais 100 %. Les prévisions de décisions des tribunaux, par exemple, seront toujours influencées par des facteurs sociaux, politiques, culturels et environnementaux que les réseaux neuronaux auront du mal à évaluer[17].
- Les sociétés de vente par correspondance utilisent des réseaux neuronaux pour déterminer, parmi les consommateurs, ceux qui sont susceptibles (ou non) de commander à partir de leurs catalogues. Les sociétés qui adoptent des logiciels de réseaux neuronaux trouvent ces nouveaux logiciels efficaces et s'attendent à générer des millions de dollars en raffinant leurs listes d'envoi pour n'y inclure que les clients susceptibles d'acheter.
- La détection des fraudes utilise beaucoup les réseaux neuronaux. Visa, MasterCard et les compagnies d'assurance utilisent ces réseaux pour repérer les irrégularités dans les comptes individuels. MasterCard, par exemple, estime que les réseaux neuronaux permettent à l'entreprise d'économiser 50 millions de dollars par année.

On combine souvent la logique floue aux réseaux neuronaux pour exprimer des concepts complexes et subjectifs de façon à pouvoir simplifier le problème et appliquer des règles exécutées avec un certain degré d'exactitude[18]. La **logique floue** est une méthode mathématique qui permet de prendre en compte de l'information imprécise ou subjective. L'approche de base consiste à assigner des valeurs allant de zéro à un à de l'information vague ou ambiguë. Plus la valeur est élevée, plus elle est proche de un. La valeur zéro représente la non-appartenance, et la valeur un représente l'appartenance. Par exemple, la logique floue est utilisée par les machines à laver, qui déterminent par elles-mêmes la quantité d'eau à utiliser ou la durée du lavage (elles continuent jusqu'à ce que l'eau soit propre). Dans les domaines comptables et financiers, la logique floue permet d'analyser des informations ayant des valeurs financières subjectives (par exemple, des éléments d'actif incorporel comme le fonds commercial) dont il est important de tenir compte dans une analyse économique.

Les algorithmes génétiques

Un **algorithme génétique** est un système d'IA qui imite le processus d'évolution de la loi du plus fort afin de générer des solutions toujours meilleures à un problème. Il s'agit en fait d'un système d'optimisation : l'algorithme génétique trouve la combinaison d'intrants qui donne les meilleurs résultats.

Les algorithmes génétiques conviennent aux environnements décisionnels dans lesquels des milliers voire des millions de solutions sont possibles. Ils peuvent trouver et évaluer des solutions avec beaucoup plus de possibilités, plus rapidement et de manière plus approfondie que les humains. Les organisations font face à des environnements décisionnels pour tous les types de problèmes qui exigent des techniques d'optimisation. On peut citer les exemples suivants :

- Les dirigeants recourent aux algorithmes génétiques pour déterminer dans quelle combinaison de projets l'entreprise devrait investir tout en tenant compte de facteurs fiscaux complexes.

- Les sociétés d'investissement utilisent des algorithmes génétiques pour prendre les décisions liées à la négociation.

- Les sociétés de télécommunications se servent des algorithmes génétiques pour établir la configuration optimale des câbles de fibre optique dans un réseau pouvant comporter jusqu'à 100 000 points de raccordement. L'algorithme génétique évalue des millions de configurations de câbles, et il choisit celle qui utilise le moins de câbles[19].

Les agents intelligents

Un **agent intelligent** est un SI qui utilise une base de connaissances pour prendre des décisions et accomplir des tâches précises en respectant les intentions de l'utilisateur. Les agents intelligents ont généralement une représentation graphique, comme «Sherlock Holmes», pour désigner un agent de recherche d'information.

L'un des exemples les plus simples d'agent intelligent est le robot magasineur. Un **robot magasineur** est un logiciel qui parcourt plusieurs sites Web de détaillants en vue d'offrir une comparaison de l'offre de chaque détaillant, notamment le prix et la disponibilité des produits. De plus en plus souvent, les agents intelligents gèrent la majorité des achats et des ventes Internet d'une entreprise ; ils se chargent également des processus, par exemple lorsqu'il faut trouver des produits, marchander les prix et exécuter des transactions. Les agents intelligents ont aussi la capacité d'assurer tous les achats et les ventes de la chaîne logistique.

Les agents intelligents trouvent également des applications dans l'analyse de l'environnement et l'intelligence compétitive. Par exemple, l'agent peut retenir le type d'information sur la concurrence que l'utilisateur veut suivre, parcourir continuellement le Web à la recherche de cette information, puis alerter l'utilisateur lorsqu'un événement important se produit.

Qu'est-ce que les systèmes de transport de marchandises, les centres de distribution de livres, le marché des jeux vidéo, une épidémie de grippe et une colonie de fourmis ont en commun ? Ce sont tous des systèmes adaptatifs complexes qui ont des caractéristiques communes et qui utilisent les systèmes multiagents et la modélisation à base d'agents pour résoudre des problèmes. En observant des composantes de l'écosystème, comme une colonie de fourmis ou d'abeilles, les ingénieurs en IA peuvent utiliser des modèles matériels et logiciels

FIGURE 2.20

Modèle d'amélioration du
processus d'affaires

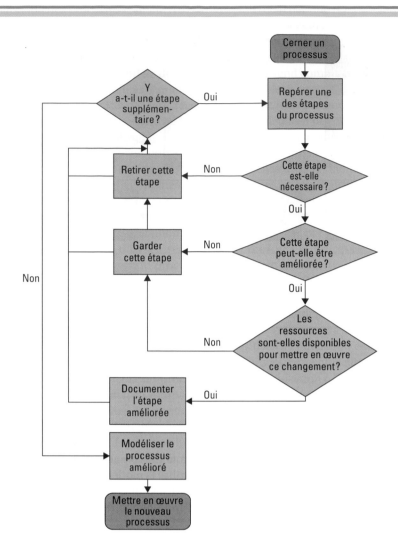

un certain nombre de projets sur lesquels travaillait son équipe. « J'avais 10 minutes pour faire mon exposé, et 20 à 30 pages de documentation détaillée à présenter. Évidemment, c'était impossible d'y parvenir en si peu de temps. » Kendrick a utilisé des modèles de processus d'affaires pour présenter ses projets. « Je crois que les gens comprennent mieux les images que les mots », explique-t-il. Il a appliqué cette idée à son exposé en utilisant Visio de Microsoft pour créer des modèles de processus d'affaires et des graphiques illustrant son texte de 30 pages. « C'était une méthode efficace pour que les gens s'intéressent à mes projets et voient rapidement l'importance de chacun », dit-il. Les modèles de processus ont fonctionné, et Kendrick a immédiatement reçu l'approbation d'aller de l'avant avec tous ses projets. Les figures 2.21 à 2.25 (*voir les pages suivantes*) montrent des exemples de modèles de processus d'affaires.

L'amélioration des processus d'affaires

Le **flux de travaux** englobe les tâches, activités et responsabilités requises pour réaliser chaque étape d'un processus d'affaires. Lorsque les gestionnaires comprennent le flux de travaux, les attentes des clients et l'environnement concurrentiel, ils disposent des ingrédients nécessaires pour concevoir et évaluer de nouveaux processus d'affaires en vue de maintenir leur avantage lorsque les circonstances internes ou externes changent.

Les nouveaux processus d'affaires doivent être efficaces (permettre d'obtenir les résultats escomptés) et efficients (consommer le moins de ressources possible pour atteindre ce résultat). Ils doivent aussi être souples ou adaptables et appuyer le changement dans la mesure où les clients, les tendances du marché et la technologie changent. Lorsqu'on apporte des changements

FIGURE 2.21

Modèle de processus de vente en ligne

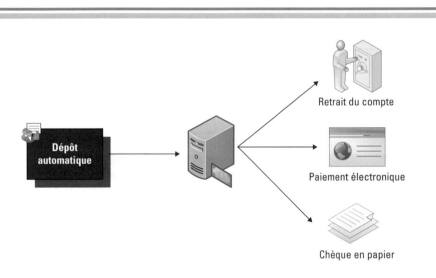

FIGURE 2.22

Modèle de processus de services bancaires en ligne

aux processus d'affaires, il faut tenir compte de la capacité de changement de l'entreprise, et des domaines où ces changements seront le plus profitables. Comment une entreprise sait-elle si elle doit faire le grand saut consistant à modifier ses processus d'affaires-clés ? Trois conditions doivent être remplies pour savoir qu'il est temps de procéder à la modification d'un processus d'affaires :

1. Le marché auquel le processus était initialement destiné a connu un changement important.

2. Les processus-clés de l'entreprise sont bien en deçà des références de l'industrie.

3. Pour retrouver son avantage concurrentiel, l'entreprise doit surpasser ses concurrents pour ce qui est des facteurs cruciaux[29].

Pour demeurer concurrentielles sur le marché électronique d'aujourd'hui, il est essentiel pour les entreprises de perfectionner leurs processus d'affaires, car les clients exigent de meilleurs produits et services. Lorsque les clients n'obtiennent pas ce qu'ils veulent d'un fournisseur, ils ont accès à une foule d'autres possibilités à l'aide d'un simple clic de souris. L'**amélioration des processus d'affaires** vise à comprendre et à mesurer les processus actuels et à apporter des améliorations en conséquence sur le plan de la performance.

Les processus d'affaires devraient guider les choix de SI, et non l'inverse. Les entreprises qui choisissent des SI, puis essaient de mettre en œuvre des processus d'affaires basés sur ceux-ci tendent à échouer. Les processus d'affaires devraient être fondés sur les stratégies et

FIGURE 2.30

Principales raisons d'adopter
la GPA

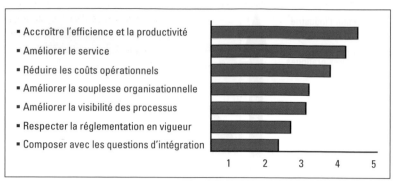

- Accroître l'efficience et la productivité
- Améliorer le service
- Réduire les coûts opérationnels
- Améliorer la souplesse organisationnelle
- Améliorer la visibilité des processus
- Respecter la réglementation en vigueur
- Composer avec les questions d'intégration

Échelle de 1 à 5, où 1 signifie «pas important» et 5, «très important».

d'autres aspects du processus. La GPA peut profiter à une organisation en mettant les processus à jour en temps réel, en réduisant les dépenses, en automatisant des décisions-clés et en améliorant la productivité. La GPA permet non seulement l'exécution plus efficiente d'un processus d'affaires, mais elle fournit aussi des outils pour mesurer la performance, repérer les possibilités d'amélioration, et apporter des changements facilement en vue de tirer parti de ces possibilités. Ces outils permettent de:

- réunir les processus, les gens et l'information;
- faire tomber les barrières entre les services de l'entreprise et de trouver des personnes responsables des processus;
- gérer les processus d'affaires au sein et en dehors de l'entreprise avec les fournisseurs, les partenaires d'affaires et les clients;
- regarder les systèmes selon une perspective horizontale, ou intégrée, plutôt que verticale, ou spécialisée[35].

La gestion des processus d'affaires: un processus collaboratif

Une bonne solution de GPA exige la collaboration de deux grandes parties. D'une part, dans la mesure où les solutions de GPA traversent les frontières de l'application et du système, elles ont souvent besoin d'être sanctionnées et mises en œuvre par les responsables des SI; d'autre part, les produits de la GPA sont des outils opérationnels que les responsables des opérations doivent posséder. C'est pourquoi on se demande souvent qui, entre le responsable des SI ou celui du volet affaires, devrait être responsable du choix d'une nouvelle solution de GPA.

Le déploiement réussi d'une GPA dans une organisation nécessite une collaboration des responsables du volet affaires et des gestionnaires des SI. Les deux parties doivent participer à l'évaluation, au choix et à la mise en œuvre d'une solution de GPA. Les gestionnaires des SI doivent connaître les déclencheurs d'activités économiques qui sous-tendent les processus, tandis que les gestionnaires des opérations doivent comprendre l'incidence que la solution de GPA pourrait avoir sur cette infrastructure. D'une manière générale, les entreprises qui ont déployé avec succès des solutions de GPA sont celles dont les unités d'affaires et de SI ont collaboré dans un esprit de cohésion.

Toutes les entreprises ont avantage à mieux connaître leurs principaux processus d'affaires, à les analyser en vue de trouver les aspects à améliorer, et à mettre en œuvre ces améliorations. On a développé avec succès des applications de la GPA pour améliorer la résolution des problèmes d'affaires complexes des moyennes et grandes entreprises. Comme tous les projets de mise en œuvre à grande échelle, les solutions de GPA sont plus fructueuses dans les entreprises qui possèdent une bonne compréhension de leurs SI, et dont la direction est disposée à adopter une nouvelle approche. Les solutions de GPA dépendent directement du processus d'affaires et des propriétaires de l'entreprise[36].

Les solutions de GPA efficaces permettent aux propriétaires d'entreprise de gérer beaucoup d'aspects du SI au moyen de règles qu'ils élaborent et maintiennent. Les entreprises qui ne peuvent ni appuyer ni gérer les changements culturels et organisationnels n'obtiendront peut-être pas beaucoup de résultats positifs de la GPA.

Les risques et les avantages de la gestion des processus d'affaires

Lorsqu'une organisation envisage d'adopter la GPA, elle doit avoir conscience des risques inhérents à la mise en œuvre de ces systèmes. Parmi les facteurs qui font échouer les projets de GPA, certains n'ont rien à voir avec les SI, mais tout à voir avec les personnes. Un projet de GPA exige que l'entreprise apporte des changements culturels et organisationnels pour soutenir la nouvelle approche de gestion, indispensable à la réussite du projet. Là où 10 chefs de secteur contrôlaient 10 segments d'un processus de bout en bout, c'est désormais un groupe qui entreprend la mise en œuvre d'une solution de GPA dans tous ces secteurs. L'étendue des responsabilités est consolidée, et chacun est responsable de tout le processus, et non pas d'un seul morceau du casse-tête.

L'avantage de la GPA, c'est qu'il ne s'agit pas uniquement d'une solution de SI : c'est aussi une solution d'affaires. La GPA est une nouvelle approche pour gérer les processus et favoriser une amélioration continue et proactive. La nouvelle structure organisationnelle et les rôles créés pour soutenir la GPA contribuent à optimiser les avantages pour garantir le succès.

Le directeur des TI d'une grosse société de services financiers parle de son expérience d'utilisation d'une solution de GPA pour améliorer le processus du centre d'aide pour les applications de l'entreprise. « Avant la GPA, le centre d'aide pour les applications était un processus manuel caractérisé par des lacunes, des erreurs humaines, sans responsabilité personnelle. De plus, ce processus n'avait aucune visibilité. Il n'y avait aucun moyen de suivre les requêtes, puisque tout était manuel. Le niveau de satisfaction des utilisateurs professionnels était extrêmement bas. La solution de GPA présentait l'avantage d'automatiser, d'exécuter, de gérer et de surveiller le processus en temps réel. Le plus gros défi technique lors de la mise en œuvre était de s'assurer que le groupe d'utilisateurs était autonome. Si l'entreprise a reconnu que l'organisation des SI était indispensable, elle souhaitait pouvoir maintenir et mettre en œuvre toute modification nécessaire au processus sans trop se fier aux SI. Elle envisage la gestion des processus comme un moyen d'habiliter les utilisateurs professionnels à maintenir, à contrôler et à surveiller le processus[37]. »

RETOUR SUR LA MISE EN CONTEXTE

Les systèmes d'information améliorent les processus d'affaires de Grocery Gateway

5. À quoi ressemble le processus de commande client de Grocery Gateway ?

6. Décrivez la façon dont le site Web client de Grocery Gateway soutient les processus d'affaires de Grocery Gateway.

7. Décrivez la façon dont le logiciel de gestion de flotte de Descartes a amélioré les processus d'affaires de la logistique de Grocery Gateway.

8. Quelle est l'incidence du processus d'affaires sur l'expérience client ? sur le résultat net de l'entreprise ?

9. Quels autres SI Grocery Gateway pourrait-elle utiliser pour améliorer ses processus d'affaires ?

10. Commentez la nécessité de l'intégration des différents types de SI dans le cas de Grocery Gateway. Selon vous, quels sont les avantages de l'intégration pour les différents processus d'affaires de l'entreprise ? Quels sont les défis potentiels de cette intégration ?

RÉSUMÉ

L'objectif de ce chapitre était d'expliquer les concepts de prise de décision et de processus d'affaires. On a abordé la capacité des systèmes d'information (SI) à soutenir la prise de décision à tous les niveaux de l'entreprise, et pour tous les types de décisions. On a expliqué les différences entre les types de prise de décision et les données transactionnelles, les informations analytiques, les systèmes de traitement de transactions (STT), les systèmes d'aide à la décision (SAD), les systèmes d'information pour dirigeants (SID) et l'intelligence artificielle (IA). On a aussi vu que les SI sont d'excellents véhicules pour évaluer les processus d'affaires et mettre en œuvre les processus d'affaires améliorés. On a parlé de la refonte des processus d'affaires (RPA) et de sa capacité à produire des résultats positifs sur les opérations d'une organisation.

Après avoir lu ce chapitre, vous devriez connaître en détail les types de SI de prise de décision qu'on trouve dans les organisations. Vous devriez mieux comprendre comment les SI et les processus d'affaires améliorent la prise de décision liée à la performance organisationnelle, tout comme la façon dont les processus d'affaires intègrent les SI et améliorent l'efficience et l'efficacité organisationnelle.

L'investissement dans l'amélioration, la RPA ou la GPA devrait être abordé comme tout autre investissement lié aux SI. Pour que la mise en œuvre soit réussie et génère un bon rendement du capital investi, il faut bien planifier le projet, établir des objectifs clairs, éduquer les personnes qui devront changer d'état d'esprit une fois que le système sera en place et maintenir le soutien de la direction. Les organisations doivent voir plus loin quand elles mettent en œuvre des améliorations des processus d'affaires et réaliser que ce n'est pas un projet ponctuel. La gestion et l'amélioration des processus d'affaires de bout en bout sont difficiles et exigent plus qu'un effort isolé. C'est en surveillant et en améliorant continuellement les principaux processus d'affaires qu'on garantit les améliorations de la performance dans toute l'organisation.

ÉTUDE DE CAS 2.1

Les systèmes d'information sont indispensables au décollage de l'industrie du transport aérien au Canada

Ce cas met en valeur le rôle essentiel des SI de gestion des revenus dans le fonctionnement de l'entreprise et leur utilisation en matière d'aide à la décision.

Interrogé sur la dépendance de l'industrie canadienne du transport aérien par rapport aux SI, Stephen Smith ne bronche pas. Ce cadre chevronné compte plus de 25 années d'expérience au service de compagnies aériennes comme Air Canada, Zip Air, WestJet, Air Ontario et Air Toronto. Smith sait que l'industrie du transport aérien est depuis longtemps un grand utilisateur des SI. Il convient de noter que les compagnies telle Air Canada transportent plus de 20 millions de passagers par année sur 200 000 vols. « Autrefois, le système pour répertorier les données des passagers et les réservations sur les vols se faisait sur des feuilles qu'on fixait au moyen d'un clou. Ce système fonctionnait à l'époque, mais il ne serait plus efficace aujourd'hui. Les SI informatisés sont indispensables. »

Pensons-y. Sur le plan des processus, il faut pour chaque vol un appareil, avec x sièges en classe économique et y, en classe affaires. Ensuite, il faut y associer les noms, les numéros de dossier et les renseignements concernant le paiement pour générer un billet. Ce billet doit ensuite être remis à un agent d'embarquement, qui le fait suivre au Service de comptabilité, qui enregistre le revenu, car à ce stade, le revenu est gagné.

Lorsqu'on lui demande comment font les compagnies aériennes pour optimiser les revenus générés sur chaque vol, Smith explique que les compagnies aériennes comptent largement sur les SI de gestion des revenus. « Les compagnies aériennes, Air Canada y compris, investissent énormément dans les systèmes de gestion des revenus. Ces systèmes font des prévisions de la demande pour un vol à différents niveaux de tarifs en se basant sur la demande historique. Sans ordinateurs, cette tâche serait quasiment impossible. »

Pourquoi ? En raison de la prolifération des données. Pour un gros transporteur aérien qui offre des centaines de liaisons et des classes tarifaires multiples, la modélisation mathématique requise dépasse les capacités de l'être humain. Les compagnies aériennes investissent des millions de dollars pour construire et entretenir des systèmes de gestion des revenus afin de gérer l'énorme quantité de données qui doit être traitée. Avec des centaines ou des milliers de départs par jour, il est essentiel que les compagnies aériennes disposent de systèmes de gestion des revenus rapides et précis pour déterminer les stocks à écouler selon la demande et les prévisions de vols.

Ce besoin de gérer les revenus est devenu une nécessité depuis la déréglementation du transport aérien au Canada. Depuis cette déréglementation, les transporteurs sont libres de fixer leurs propres tarifs. Plutôt que d'essayer de remplir les avions, les compagnies essaient désormais d'optimiser leurs revenus. Ainsi, pour couvrir leurs dépenses et réaliser des profits, elles ne visent plus simplement des vols pleins, elles cherchent à attirer suffisamment de clients qui paient plus cher[38].

Les systèmes de gestion des revenus sont des SI utilisés par les compagnies aériennes pour calculer le nombre de sièges par classe tarifaire qui sont offerts sur certains segments d'un vol à moment donné. Ce calcul tient compte de la demande actuelle, des données historiques et des événements ponctuels qui ont une incidence sur les demandes de voyage. Selon Smith, « le processus de gestion des revenus est une forme extrêmement complexe de contrôle des revenus qui, à partir des tendances de réservation historiques, tente de prévoir la demande de passagers pour un vol, et ce que ces derniers sont disposés à payer. Le scénario idéal, c'est lorsqu'un passager se présente à la dernière minute, qu'il y a un siège libre, et qu'il est disposé à payer le montant que la compagnie aérienne demande pour ce dernier siège ».

Avec l'avènement du Web, il devenu aisé pour les clients de comparer, en quelques clics de souris, les tarifs de la concurrence. Les compagnies aériennes en ont bien conscience. Désormais, elles sont forcées de paramétrer des tarifs concurrentiels dans leurs systèmes de gestion des revenus. Si un tarif est trop élevé, un client potentiel achètera auprès du concurrent ; si un tarif est trop bas, la compagnie aérienne perdra un revenu potentiel[39].

Ces systèmes de gestion des revenus doivent aussi fixer les niveaux de surréservation. Stephen Smith explique : « Certaines personnes ne prennent tout simplement pas leur vol. Environ 10 % des passagers ne se présentent pas. Ces défections forcent les compagnies aériennes à surréserver les vols, sans quoi elles perdraient 10 % de leurs revenus. Et pour la plupart des compagnies aériennes, cela deviendrait non rentable très rapidement. »

De plus, si l'on tient compte des vols annulés, des personnes qui modifient leur réservation, des retards et des réacheminements, la logique des systèmes de gestion des revenus devient très vite extrêmement complexe. Cette complexité est exacerbée si l'on tient compte du fait que les systèmes de revenus doivent aussi composer avec les différentes structures tarifaires des divers types de passagers. En général, il existe deux types de passagers : ceux qui doivent absolument prendre ce vol, et ceux qui sont disposés à changer de vol, de jour, voire de destination. Parmi les exemples du premier type, citons les personnes en voyage d'affaires ou qui ont un rendez-vous médical. Parmi les exemples du second type, citons les personnes qui partent en vacances ou qui vont rendre visite aux amis et à la famille. De toute évidence, les personnes du premier groupe sont disposées à payer davantage pour leur vol, dans la mesure où la commodité du vol vers leur destination ce jour-là à cette heure-là est bien plus importante que le coût du vol. Les personnes du second groupe s'intéresseront plutôt au vol le moins cher, peu importe le jour ou l'heure de départ (et avec raison) ; en fait, les vacanciers changeront même de pays en fonction du prix du vol. De plus, les membres du premier groupe réservent généralement peu de temps avant le départ, car les entreprises planifient rarement les voyages d'affaires un mois à l'avance. Ils restent rarement la fin de semaine et veulent pouvoir changer de vol si les plans sont modifiés (ce qu'ils font fréquemment). Le second groupe est totalement différent : ce sont des personnes qui planifient leur vol beaucoup plus longtemps à l'avance, qui restent la fin de semaine et qui changent rarement de plan.

C'est pourquoi les compagnies aériennes ont conçu différents niveaux de tarifs et différentes exigences pour les obtenir. La gestion des revenus doit tenir compte de ces exigences. Le premier tarif est le « plein tarif classe économique », soit le maximum qu'un passager peut payer pour un siège en classe économique, mais qu'il peut acheter jusqu'à la dernière minute et qui lui permet de changer de vol sans pénalité. On trouve aussi les tarifs 3 jours à l'avance, 7 jours à l'avance et 14 jours à l'avance, chacun comportant des tarifs variables au sein de sa catégorie, selon les modalités de modification, d'annulation et d'autres conditions particulières. On peut imaginer que tenir cet inventaire pour chaque vol, à raison de 660 vols pendant 365 jours (la plupart des compagnies aériennes font l'inventaire des vols jusqu'à une année à l'avance) serait impossible sans l'aide de systèmes informatisés.

Pour gérer ces différents scénarios tarifaires, les compagnies aériennes ont mis en place des blocs tarifaires et les ont « emboîtés » dans des groupes plus vastes. Cette décision permet, par exemple, à un tarif 3 jours (normalement plus cher qu'un tarif 7 jours) de se vendre au-delà du nombre prévu pour le bloc, s'il reste des tarifs 7 jours non vendus. Lorsque le taux de réservation dépasse le niveau prévu, on clôt l'inventaire des tarifs plus bas, dans la mesure où le vol se remplit plus vite que prévu. De la même manière, lorsque le taux de réservation est inférieur au niveau prévu, on élargit l'inventaire des tarifs plus bas, dans la mesure où le vol se remplit moins vite que prévu. Cette analyse a lieu pour chaque vol, chaque jour de l'année et à chaque heure, sans quoi les compagnies aériennes pourraient se retrouver à vendre plus de billets qu'elles n'ont de sièges ou, à l'inverse, à vendre trop peu de billets pendant l'année.

Cette complexité a encore été élevée d'un cran. Les clients les plus fidèles des compagnies aériennes (par exemple, les passagers Elite ou Super Elite d'Air Canada) peuvent désormais réserver un vol même si celui-ci est déjà surréservé ou que tous les billets d'un groupe tarifaire ont déjà été vendus. La compagnie aérienne récompense ainsi ses clients les plus fidèles en leur offrant quelque chose qui n'est pas offert à tous.

À l'avenir, les compagnies aériennes espèrent pouvoir établir une grille tarifaire pour chaque client, d'après ses habitudes d'achat et sa loyauté envers la compagnie aérienne. Ce n'est qu'une autre tentative, dans une industrie à coûts fixes, de fidéliser la clientèle. Considérant que presque chaque dollar de revenu se répercute sur le résultat net de la compagnie aérienne, plus un client voyage avec une compagnie aérienne, plus cette compagnie génère des revenus. L'exemple typique est la décision d'Air Canada de mettre en place un entrepôt de données dans le but de peaufiner son marketing différencié. Cet entrepôt fournit à la compagnie une plateforme évolutive pour améliorer la gestion de la relation client et les applications d'analyse financière[40].

Outre la gestion des revenus, la comptabilité des revenus est cruciale pour une compagnie aérienne, car on ne peut tenir compte des revenus qu'une fois que le passager a pris son vol. C'est un autre domaine pour lequel, depuis la disparition des billets papier (la plupart du temps, on n'utilise plus de billets), les systèmes informatiques doivent être capables d'associer le client au tarif qui a été payé, pour s'assurer que toutes les étapes du processus client ont été validées et que le montant payé peut finalement être pris en compte dans les revenus.

Stephen Smith résume sa pensée sur la dépendance de l'industrie du transport aérien à l'égard des SI : « Comme vous pouvez l'imaginer, la capacité de prévoir la demande des passagers pour un vol, et ce, à tous les niveaux de tarifs, est un processus très complexe qui n'avait jamais été envisagé à l'époque où les gens comptaient les talons des cartes d'embarquement pour établir l'inventaire de leur vol. C'est pourquoi je peux vous assurer que les SI sont devenus absolument essentiels aux opérations quotidiennes d'une compagnie aérienne. On ne reviendra pas au papier. »

Questions

1. Quels sont les avantages pour une compagnie aérienne d'utiliser un système de gestion des revenus ?

2. Les systèmes de gestion des revenus constituent-ils un avantage concurrentiel ou tout simplement une nouvelle nécessité dans l'industrie du transport aérien d'aujourd'hui ?

3. Quel type de décision peut-on prendre à l'aide d'un système de gestion des revenus ?

4. Le système de gestion des revenus est-il un STT, un SAD ou un SID ?

5. Le système de gestion des revenus décrit dans ce cas contiendrait-il des données transactionnelles ou des informations analytiques ?

6. Quels types de paramètres un cadre d'une compagnie aérienne voudrait-il voir sur un tableau de bord numérique qui affiche de l'information sur les revenus ?

7. En quoi l'IA pourrait-elle améliorer l'utilisation d'un système de gestion des revenus d'une compagnie aérienne pour l'aide à la décision ?

ÉTUDE DE CAS 2.2

Tirer parti de la gestion des processus d'affaires et éviter les écueils

Ce cas illustre le potentiel et les risques associés aux initiatives de GPA.

John, PDG d'une grande société canadienne qui distribue du matériel de forage pour le pétrole et le gaz naturel dans le monde entier, a récemment cherché sur le Web des exemples d'entreprises qui utilisaient la GPA. L'autre jour, il a soumis à sa directrice des SI, Sheila, un certain nombre d'exemples où l'utilisation de la GPA est une réussite.

Après en avoir discuté et avoir fait quelques recherches supplémentaires, ils ont dressé une liste des domaines dans

lesquels ils estimaient que la GPA pouvait être utile. Ils ont mandaté une petite équipe pour creuser davantage ces domaines et déterminer s'il était possible que la GPA permette d'améliorer les processus d'affaires et si elle pouvait être mise en œuvre avec succès. Ils ont aussi dressé une liste des actions qui semblaient s'opposer à la réussite de ce projet.

L'externalisation mondiale

Les organisations, dans l'espoir de réduire les coûts de la main-d'œuvre qualifiée et de faire le travail plus rapidement en faisant exécuter les tâches 24 heures sur 24, 7 jours sur 7, redistribuent les processus de travail à une main-d'œuvre mondiale. La partie délicate consiste à déterminer les tâches à redistribuer mondialement et celles qui doivent demeurer locales. C'est pourquoi beaucoup d'organisations ont recours à la GPA pour faire ces choix. Selon un rapport de l'industrie, le fait que les entreprises se tournent vers la GPA pour déterminer les emplois qui doivent demeurer au sein de l'entreprise et ceux qui peuvent être externalisés mondialement suscitera un regain d'intérêt pour la GPA[41].

La gestion des documents

Beaucoup d'organisations disposent de programmes de gestion des documents pour composer avec la grande quantité de documents papier de leurs entreprises. Historiquement parlant, cette fonction concernait surtout le stockage à long terme des contrats, des factures et des conventions d'achat. Aujourd'hui, toutefois, on a une conception plus globale de la fonction de gestion des documents, à savoir une gestion des documents à toutes les étapes de leur cycle de vie, de la création à la suppression en passant par l'utilisation et le stockage. Selon un rapport de l'industrie, la GPA permet une nette amélioration de la gestion des documents si ces derniers sont associés à chaque étape d'un processus d'affaires. Donc, plutôt que de se soucier d'avoir à stocker un contrat après qu'il a été signé, approuvé et conclu en bonne et due forme, on crée un document contractuel au début des négociations, et on le maintient à chaque étape de son cycle de vie. Dans ce rapport, les entreprises sont invitées à élaborer des programmes de gestion des documents qui sont étroitement liés aux processus d'affaires sous-jacents de l'entreprise ; et il précise que la GPA est le bon outil pour y parvenir[42].

La gestion de la chaîne logistique

Les tendances du marché montrent que les chaînes logistiques complexes requièrent une solide intégration des processus. Une chaîne logistique complexe relie plusieurs fournisseurs de biens et de services pour créer, distribuer et vendre des produits finis. Cette complexité exige que les SI de gestion de la chaîne logistique soient automatiquement reliés aux autres applications, que ces dernières soient internes ou externes à l'entreprise, et qu'ils exécutent les fonctions nécessaires pour mener à bien un processus d'affaires spécifique[43].

Les problèmes potentiels

Si la GPA présente des avantages potentiels, certains experts de l'industrie invitent à la prudence et citent cinq écueils qui amenuisent les chances de réussite d'un projet de GPA[44] :

1. *Mésestimer la portée du projet.* En général, cet écueil est attribuable à une surestimation des attentes quant à l'amélioration des processus d'affaires (attentes qui sont inévitablement déçues) ou à une sous-estimation de la complexité, du temps et des coûts inhérents à la modification des processus d'affaires existants. L'entreprise est-elle prête à changer ? A-t-elle les ressources nécessaires pour mettre en œuvre ce changement ? Combien de temps faudra-t-il pour concrétiser ce changement ? Voilà le genre de questions qui déterminent les raisons pour lesquelles un projet de RPA réussit ou échoue.

2. *Négliger la réalisation ou la demande d'approbation d'une solide analyse de rentabilisation pour le projet.* En l'absence d'une analyse adéquate et de l'assentiment des principaux intervenants d'une initiative de refonte des processus, le projet a plus de chances d'échouer. La diligence et l'assentiment favorisent une mise en œuvre réussie du projet de RPA. De plus, cette analyse permet de guider la mise en œuvre du projet et d'évaluer si le projet est sur la bonne voie.

3. *Négliger la détermination et la mobilisation d'un commanditaire pour le projet.* Le soutien de la haute direction ou l'assentiment d'un puissant commanditaire pour le projet est indispensable pour tenir à distance les personnes qui s'opposent à un projet d'amélioration des processus d'affaires.

4. *Ignorer la détermination et la gestion adéquate des parties intéressées dans le projet.* L'assentiment et la mobilisation des parties intéressées sont essentiels, tout comme le soutien des autres personnes de l'organisation pour lancer le projet et le maintenir à flot en période de turbulence.

5. *Bâcler, voire ignorer, la tâche essentielle de documenter et d'analyser le processus actuel avant de concevoir le processus à venir.* Si l'on ne saisit pas totalement la raison d'être de certains éléments dans un processus existant, le processus nouvellement élaboré peut comporter de graves erreurs de conception ou des omissions.

Questions

1. En quoi la GPA peut-elle contribuer à améliorer l'externalisation mondiale ?

2. Quelles autres activités d'affaires sont d'excellentes candidates pour la GPA ?

3. À votre avis, quel est le plus important des cinq écueils ? Pourquoi ?

4. Selon vous, parmi les cinq écueils, quel est celui auquel les organisations font face le plus souvent ? Pourquoi ?

5. Quel est l'avantage de considérer la GPA comme un projet plutôt que comme un type d'activité ordinaire ?

Actionly : gérer la marque en ligne

Ce cas illustre l'utilisation de la gestion de marque dans Internet.

Les données foisonnent dans Internet ! Des tonnes et des tonnes de données ! Par exemple, on crée chaque année plus de 152 millions de blogues, ainsi que 100 millions de comptes Twitter qui génèrent 25 milliards de micromessages (*Tweets*); on envoie 107 billions de courriels et l'on regarde 730 milliards d'heures de vidéo sur YouTube. Le secteur des médias sociaux est de loin l'un des secteurs à la croissance la plus rapide et l'un des plus influents du moment. Les entreprises essaient tant bien que mal de comprendre l'incidence de ce secteur sur les plans financier et stratégique.

Les données sont précieuses pour toute entreprise, et les données dans Internet sont uniques dans la mesure où cette information provient directement des clients, des fournisseurs, des concurrents et même des employés. Tandis que le secteur des médias sociaux prend son essor, les entreprises peinent à suivre le clavardage à propos de leurs biens et services sur les différents sites des médias sociaux, tels Facebook, Twitter, Flickr, LinkedIn, Yelp, Google, les blogues, etc.

Quand il y a un problème, il y a toujours une solution potentielle, et Actionly a choisi de s'attaquer au problème de la surabondance des données. Actionly surveille de multiples canaux des médias sociaux à l'aide d'un service de suivi qui cherche des mots-clés spécifiques à certaines industries, marques, entreprises et tendances. Les clients d'Actionly choisissent des mots-clés à surveiller, comme une marque, un nom de produit, un terme de l'industrie ou un concurrent. Actionly recueille constamment des données auprès des canaux des médias sociaux et les transfère dans un tableau de bord numérique balancé. Le tableau de bord numérique suit l'information désirée, comme les tendances du marché, des entreprises particulières, les marques concurrentes, des industries complètes (par exemple, la technologie propre), en cherchant simultanément dans Twitter, Facebook, Google, YouTube, Flickr et les blogues. Après avoir terminé la recherche, Actionly utilise Google Analytics pour créer des graphiques et des diagrammes qui montrent la fréquence à laquelle le mot-clé est apparu dans les différents canaux. De plus, cet outil relie chaque canal au tableau de bord et attribue un sentiment « positif » ou « négatif », ce qui permet aux utilisateurs de l'outil de réagir aux commentaires.

Le modèle d'affaires d'Actionly met l'entreprise sur la voie de la réussite dans cette industrie émergente. Actionly a l'avantage du précurseur, car elle a été la première entreprise de gestion de marque en ligne à offrir ce service à ses clients. De plus, l'entreprise utilise son propre service pour s'assurer que sa marque demeure le numéro un sur les sites des médias sociaux. Actionly utilise Google Analytics pour contribuer à transformer les données recueillies auprès des différents sites des médias sociaux en précieuse intelligence compétitive. Son tableau de bord numérique surveille plusieurs paramètres-clés, comme ceux qui sont décrits ci-après.

La gestion de la réputation. Le tableau de bord numérique convivial d'Actionly permet aux clients d'observer et d'analyser les tendances des marques d'après des données historiques et des données continuellement mises à jour. Par exemple, un client peut voir des graphiques qui montrent les tendances-clés sur 30 jours pour des marques, des produits ou des entreprises spécifiques.

Le rendement social de l'investissement. En se connectant à Google Analytics à partir d'Actionly, l'utilisateur peut analyser la performance de sa campagne de micromessages Twitter ou de publications Facebook en vue de déterminer ceux qui réussissent et ceux qui échouent. Actionly analyse chaque publication et chaque clic pour assurer le suivi des pages vues, de l'information sur les visiteurs, des buts atteints, etc., par l'entremise de son tableau de bord numérique, ce qui permet à l'utilisateur de personnaliser les rapports de performance des publications quotidiennes.

L'analyse Twitter. Après avoir ajouté des comptes Twitter au tableau de bord numérique, l'utilisateur peut faire un zoom avant sur les données afin d'obtenir des graphiques des abonnés, des mentions et des nouvelles diffusions. Ce processus évite d'avoir à suivre manuellement plusieurs comptes Twitter, et il permet de voir les données sous forme de graphiques ou de les exporter dans Excel pour une analyse plus poussée.

Le suivi de campagne marketing. Si une entreprise lance une grosse promotion ou un concours, elle peut publier des messages sur différents comptes Facebook ou Twitter; tout ce que l'utilisateur a à faire, c'est de choisir les comptes Facebook ou Twitter qu'il veut utiliser et le moment pour le faire. Le suivi de campagne d'Actionly aide l'utilisateur à déterminer les publications les plus efficaces auprès de ses clients et à mesurer les paramètres comme les pages vues, les abonnements, les conversions et le revenu par publication. Actionly segmente même les données par publication, compte, campagne ou canal, ce qui permet à l'utilisateur de mesurer la performance dans le temps.

La performance par clic. Actionly suit la performance par heure et par jour de la semaine, ce qui permet à l'utilisateur de savoir quels sont les clics qui retiennent le plus l'attention. L'algorithme d'Actionly assigne automatiquement un sentiment aux micromessages. Ainsi, l'utilisateur peut filtrer immédiatement les publications positives, négatives ou neutres, et réagir rapidement à cette information.

L'analyse des sentiments. L'analyse des commentaires positifs et négatifs permet de se faire une idée de l'état de santé d'une marque dans le temps, ce qui permet à l'utilisateur d'essayer d'accroître le sentiment positif. Toutefois, la notation des sentiments n'est jamais fiable à 100 % en raison des complexités de l'interprétation, de la culture, du sarcasme et d'autres nuances de la langue. Par exemple, si Actionly suit un paramètre de façon incorrecte, cette situation peut être changée. Ainsi, les utilisateurs peuvent assigner le sentiment correspondant à chacun de leurs micromessages. L'utilisateur peut aussi choisir de recevoir des courriels d'alerte positive ou négative pour des mots-clés dès que le mot-clé est publié en ligne, pour contribuer à la gestion de marque et à la gestion de la réputation.

L'examen de la concurrence. Actionly suit l'information sur les concurrents en surveillant les sorties de nouveaux produits, les acquisitions ou les commentaires de clients. Cela permet à l'utilisateur d'être au courant des nouveaux venus sur le marché, des blogues liés au marché, des nouvelles ou des séminaires-webinaires en rapport avec l'industrie.

Trouver des leaders d'opinion. Le tableau de bord numérique d'Actionly permet à l'utilisateur d'entrer directement en contact avec des leaders d'opinion ou des personnes qui dirigent le bavardage en ligne au sujet des biens et services. Actionly repère les leaders d'opinion et détermine leur pertinence pour l'entreprise, la marque ou le produit. Ensuite, elle compile une liste de leaders d'opinion en se basant sur ceux qui ont le plus d'abonnés et qui ont été les plus actifs pour ces recherches spécifiques au cours des 30 derniers jours [45].

Questions

1. Définissez les trois principaux types de systèmes de prise de décision, et expliquez comment un client d'Actionly pourrait les utiliser pour exercer une intelligence compétitive.

2. Différenciez les informations transactionnelles des informations analytiques, et déterminez celles qu'Actionly utilise pour créer un tableau de bord numérique pour un client.

3. Illustrez le modèle de processus d'affaires utilisé par un client d'Actionly qui suit les micromessages sur Twitter.

4. Expliquez la RPA et la façon dont Actionly l'a utilisée pour créer son modèle d'affaires unique.

5. Formulez différents paramètres qu'Actionly utilise pour mesurer le succès de la campagne marketing d'un client.

MES DÉCISIONS D'AFFAIRES

1. Prendre des décisions

Vous assurez la vice-présidence des ressources humaines auprès d'une grosse société de conseil; un membre de cette dernière vous demande : « En quoi les SI peuvent-ils renforcer votre capacité à prendre des décisions au sein de notre organisation ? » Rédigez un rapport d'une page pour répondre à cette question difficile.

2. Le SAD et le SID

Le Dr Rosen dirige un important conglomérat de soins dentaires (Les Docteurs des dents) qui compte plus de 700 dentistes dans 4 provinces. Le Dr Rosen envisage d'acquérir un concurrent (Dentix), qui compte 150 dentistes dans 3 autres provinces. Avant de prendre la décision d'acquérir Dentix, le Dr Rosen doit tenir compte de plusieurs facteurs :

- le coût de l'acquisition de Dentix ;
- l'emplacement des cabinets de Dentix ;
- le nombre actuel de patients par dentiste, par cabinet et par province ;
- la fusion des deux entreprises ;
- la réputation professionnelle de Dentix ;
- les autres concurrents.

Expliquez les avantages, pour le Dr Rosen et Les Docteurs des dents, d'utiliser les SI pour prendre une décision d'affaires éclairée concernant l'acquisition potentielle de Dentix.

3. Trouver de l'information sur les SAD

Vous travaillez dans l'équipe des ventes auprès d'une petite entreprise de traiteur qui compte 75 employés et génère un chiffre d'affaires de 1 million de dollars par année. La propriétaire, Pam Hetz, veut savoir comment utiliser les SAD pour faire croître son entreprise. Pam a des connaissances de base au sujet des SAD, et elle aimerait en savoir plus sur les différents types de SAD qui existent, l'usage qu'on peut en faire dans une petite entreprise et les coûts associés aux différents systèmes. Sur le site www.dssresources.com, faites une recherche en groupe et préparez un exposé qui présente les systèmes en détail. Assurez-vous de répondre à toutes les questions de Pam dans votre exposé.

4. L'IA par rapport au STT, au SAD et au SID

Dans le cadre de votre nouveau poste d'analyste d'entreprise, votre supérieure, Amanda Krokosky-Gentry, vous a demandé de faire un exposé à l'équipe de direction des TI sur la différence entre l'IA et les STT, SAD et SID. Elle veut notamment savoir comment ces systèmes peuvent aider les utilisateurs à prendre des décisions et quels sont ceux qui facilitent une meilleure prise de décision. Préparez un exposé qui porte sur ces sujets.

1. www.grocerygateway.com/common/about.aspx, site consulté le 3 juillet 2011.
2. http://investing.businessweek.com/research/stocks/private/snapshot.asp?privcapId=2917, site consulté le 27 juin 2011.
3. Bryan, Scott. (2003, 22 septembre). The challenges confronting a successful e-business start-up: The Grocery Gateway story. Communication présentée à la DeGroote School of Business de l'Université McMaster.
4. www.grocerygateway.com/common/about.aspx, site consulté le 3 juillet 2011.
5. www.descartes.com/cases/cs_grocery_gateway.html, site consulté le 3 juillet 2011.
6. Kilby, Nathalie et Maton, Tim. (2006). Grocers fail to deliver online. *Marketing Week, 29*(19). p. 38-39. Repéré le 27 juin 2011 à http://executive.mcgill.ca/seminars/essential-management-skills; Ivey executive development decision making skills. (s.d.). Repéré le 27 juin 2011 à www.youtube.com/watch?v=utqa-FPIYfI; Kutarna, Henry L. (s.d.) The leadership skill set. Repéré le 27 juin 2011 à www.banffcentre.ca/departments/leadership/library/pdf/skill_set_6-7.pdf
7. The visionary elite. (2003, décembre). *Business 2.0*, p. S1-S5.
8. Ivey executive development decision making skills. (s.d.). Repéré le 27 juin 2011 à www.youtube.com/watch?v=utqa-FPIYfI; McGill Executive Institute. (s.d.). Repéré le 27 juin 2011 à http://executive.mcgill.ca/seminars/essential-management-skills; Kutarna, Henry L. (s.d.). The leadership skill set. Repéré le 27 juin 2011 à www.banffcentre.ca/departments/leadership/library/pdf/skill_set_6-7.pdf
9. Blanchard, Ken. (s.d.). Effectiveness vs. efficiency. *Wachovia Small Business*. Repéré le 9 juillet 2010 à www.wachovia.com
10. Boston Coach aligns service with customer demand in real time. Repéré le 4 novembre 2003 à www-935.ibm.com/services/au/index.wss/casestudy/igs/a1006084?cntxt=a1005848
11. Industry facts and statistics. (s.d.). *Insurance Information Institute*. Repéré en décembre 2005 à www.iii.org
12. Canadian Pacific Railway uses business objects to improve asset utilization. (2001, janvier). *Reuters Significant Developments*.
13. Koch, Christopher. (2004, 1er novembre). How Verizon flies by wire. *CIO Magazine*.
14. http://rivalwatch.com/solutions/index.php, site consulté le 3 juillet 2011.
15. McManus, Neil. (2003, janvier). Robots at your service. *Wired*. p. 59.
16. Orton, Marlene. (2005, 19 octobre). Health-care getting wired. *The Ottawa Citizen*. p. F2.
17. Chehayeb, Amir Camille et Al-Hussein, Mohamed. (2006). Using artificial neural networks for predicting the outcome of canadian construction litigated claims. *AACE International Transactions*. p. 18.1-18.6.
18. Begley, S. (2005, 8 mai). Software au naturel. *Newsweek*.
19. Bacheldor, Beth. (2003, 3 novembre). Steady supply. *Information Week*. Repéré le 27 juin 2011 à www.informationweek.com
20. www.columbia.com, site consulté le 3 juillet 2011.
21. What is BPR? (s.d.). Repéré le 4 juillet 2011 à http://searchcio.techtarget.com/definitions/business-process-reengineering; BPR online. (s.d.). Repéré le 4 juillet 2011 à www.prosci.com/mod1.html; Business process reengineering six sigma. (s.d.). Repéré le 9 juillet 2010 à www.isixsigma.com; SmartDraw.com. (s.d.). Repéré le 9 juillet 2010 à www.smartdraw.com
22. *Ibid.*
23. *Ibid.*
24. Hammer, Michael. (1996). *Beyond reengineering: How the process-centered organization is changing our work and our lives*. New York, NY: HarperCollins; Chang, Richard. (1996). *Process reengineering in action: A practical guide to achieving breakthrough results*. Quality improvement series. San Francisco, Calif.: Pfeiffer.
25. *Ibid.*
26. *Ibid.*
27. Harrington, H. James. (1997). *Business process improvement workbook: Documentation, analysis, design and management of business process improvement*. New York, NY: McGraw-Hill; Hammer, Michael. (1996). *Beyond reengineering: How the process-centered organization is changing our work and our lives*. New York, NY: HarperCollins.
28. *Ibid.*
29. Hammer, Michael. (1996). *Beyond reengineering: How the process-centered organization is changing our work and our lives*. New York, NY: HarperCollins; Chang, Richard. (1996). *Process reengineering in action: A practical guide to achieving breakthrough results*. Quality improvement series. San Francisco, Calif.: Pfeiffer.
30. Hammer, Michael. (1996). *Beyond reengineering: How the process-centered organization is changing our work and our lives*. New York, NY: HarperCollins.
31. Chang, Richard. (1996). *Process reengineering in action: A practical guide to achieving breakthrough results*. Quality improvement series; Harrington, H. James. (1997). *Business process improvement workbook: Documentation, analysis, design and management of business process improvement*. New York, NY: McGraw-Hill; Hammer, Michael. (1996). *Beyond reengineering: How the process-centered organization is changing our work and our lives*. New York, NY: HarperCollins; Hammer,

Michael et Champy, James. (1993). *Reengineering the corporation: A manifest for business revolution; government business process reengineering (BPR) readiness assessment*, General services administration; Real world process with Hammer and Company. Repéré le 4 juillet 2011 à www.hammerandco.com/HammerAndCompany.aspx?Id=19

32. *Ibid.*

33. *Ibid.*

34. *Ibid.*

35. *Ibid.*

36. Andersen, Bjorn. (1999). *Business quality improvement toolbox*. Milwaukee, WI: ASO Quality Press.

37. What is BPR? (s.d.). Repéré le 4 juillet 2011 à http://searchcio.techtarget.com/definition/business-process-reengineering; BPR online (s.d.). Repéré le 4 juillet 2011 à www.prosci.com/mod1.html; Business process reengineering six sigma. (s.d.). Repéré le 9 juillet 2011 à www.isixsigma.com; SmartDraw.com. (s.d.). Repéré le 9 juillet 2011 à www.smartdraw.com

38. Fray, Mark. Seat science. (2004, février). *Business Travel World*. p. 26-27.

39. Loew, Losef. (2004). Draining the fare swamp. *Journal of Revenue and Pricing Management, 3*(1). p. 18-25.

40. Air Canada selects Teradata Warehouse for revenue management analytics applications. (2006, 28 septembre). *Reuters Significant Developments*.

41. Watson, James, Patel, Jeetu et Chamber, Bill. (2008, novembre/décembre). Enterprise content management forecast 2009: Compliance and ediscovery, advanced search, sharepoint, and business process management dominate Christmas wish lists. *Infonomics, 22*(6). p. 44-49.

42. Desilva, Nishan et Vednere, Ganesh. (2008, novembre/décembre). Benefits and implementation of business-process-driven records management. *Infonomics, 22*(6). p. 52-55.

43. Keston, Geoff. (2008, octobre). Supply chain management market trends. *Market,* Faulkner Information Services.

44. Brasington, Bill. (2008, novembre/décembre). Implementing business process management: Five not-so-easy pieces. *Infonomics, 22*(6). p. 20-22.

45. www.actionly.com, site consulté le 16 mars 2014; www.socialmedia.biz/2011/01/12/top-20-social-media-monitoring-vendors-for-business, site consulté le 16 mars 2014; http://www.salesforcemarketingcloud.com/products/social-media-listening/, site consulté le 16 mars 2014; http://www.oracle.com/us/solutions/social/overview/index.html, site consulté le 16 mars 2014.

3 CHAPITRE

Les données, l'information et la connaissance

OBJECTIFS D'APPRENTISSAGE

3.1 Préciser, dans le cas des données transactionnelles et de l'information analytique, les caractéristiques qui ont une valeur déterminante ; souligner l'importance, pour une organisation, d'avoir à sa disposition de l'information et des données pertinentes et de grande qualité.

3.2 Distinguer la gestion des connaissances des systèmes de gestion des connaissances.

3.3 Expliquer l'intelligence d'affaires et ses répercussions sur la manière dont les organisations prennent des décisions dans le monde actuel des affaires.

3.4 Décrire ce qu'est un système de collaboration et la façon dont celui-ci joue un rôle dans la collaboration structurée et non structurée.

3.5 Expliquer les différences entre les divers types de systèmes de collaboration, par exemple le logiciel de travail en groupe, les systèmes de gestion du contenu et les systèmes de gestion du flux de travail ; souligner les avantages de chacun de ces systèmes.

MA PERSPECTIVE

Le présent chapitre porte sur les données et l'information, ainsi que sur leur importance relative aux yeux des organisations. Il permet de différencier les données, l'information, la connaissance de même que l'utilisation des données pour l'intelligence d'affaires. Ce chapitre examine également la façon dont de nombreuses organisations s'efforcent de trouver des moyens d'aider leurs employés, leurs clients et leurs partenaires à accéder à l'information qui leur est nécessaire, l'objectif visé étant de partager, d'utiliser et d'intégrer cette information dans les activités quotidiennes. Ces actions permettent aux entreprises d'accomplir leur travail, d'encourager le partage et la formulation de nouvelles idées qui mèneront au développement d'innovations, à l'amélioration des habitudes de travail et à de meilleures pratiques.

Pour y parvenir, l'utilisation de systèmes d'information s'avère cruciale. Ces systèmes peuvent faciliter l'accès à l'information et sa circulation dans l'entreprise, ce qui contribue à une meilleure gestion et à la croissance souhaitée.

L'objectif principal du présent chapitre est de présenter la manière dont les systèmes d'information peuvent aider une organisation à tirer profit du pouvoir de l'information en fournissant des mécanismes efficaces pour l'accès, le partage et la compréhension de l'information ainsi que la collecte de données. Cette présentation inclut aussi l'accès à l'information structurée et à l'information non structurée, de même que l'utilisation de celles-ci.

En tant qu'étudiant dans un domaine lié aux affaires, vous devez être conscient de la façon dont les systèmes d'information, particulièrement les systèmes de gestion des connaissances, peuvent améliorer les résultats financiers en faisant usage du pouvoir de l'information. La compréhension de l'utilité des outils d'accès et de partage de l'information est très utile. Vous serez ainsi en mesure d'évaluer les possibilités que ces outils vous offrent et de reconnaître la nécessité d'encourager leur utilisation dans les entreprises afin d'assurer leur réussite.

Mise en contexte

Le *moneyball*: plus qu'une simple question de joueurs

Billy Beane était le directeur général de l'équipe Athletics d'Oakland en 2002 et en 2003, lorsque les A's se sont hissés jusqu'aux séries éliminatoires, alors que leur masse salariale ne représentait qu'un tiers de celle des Yankees de New York. Comment Beane y est-il parvenu? En bâtissant une équipe de joueurs sous-estimés. Beane recherchait des joueurs dont les performances de frappe et sur base étaient élevées. Ces données, exprimées en pourcentage, étaient considérées statistiquement comme de bons prédicteurs de réussite à l'offensive. Les joueurs recherchés avaient des attentes salariales basses, car ils souhaitaient prioritairement faire partie de l'équipe durant les séries éliminatoires. C'est ainsi que Beane a fait entrer l'analytique et la sabermétrie (approche statistique du baseball développée à partir des données de la Society for American Baseball Research) dans le monde du baseball. Beane a-t-il mieux réussi que d'autres directeurs généraux? A-t-il révolutionné le baseball ou le sport? C'est ce qu'on va voir[1].

Attirer les partisans aux parties: la LNH

Chaque été, lorsque la Ligue nationale de hockey (LNH) fait paraître le calendrier de la saison de hockey à venir, le directeur des opérations de la billetterie des Hurricanes de la Caroline, Bill Nowicki, sait immédiatement quelles parties seront plus difficiles à vendre aux partisans pour diverses raisons. Une partie de football des Panthers de la Caroline peut avoir lieu à domicile le même jour ou il peut s'agir d'une partie contre une équipe dont le pouvoir d'attraction des partisans de la région de Raleigh, en Caroline du Nord, est faible. Certaines parties sont tout simplement moins populaires. Étant donné que les Hurricanes n'ont pas le même bastion de partisans que les Maple Leafs de Toronto ou les Canucks de Vancouver, ils ont besoin d'un petit coup de pouce pour remplir les gradins. À cette fin, les Hurricanes, comme d'autres équipes sportives de niveau professionnel en Amérique du Nord, utilisent bon nombre de logiciels et de technologies de l'analytique de données. Ces outils sont également employés par des compagnies d'assurance pour débusquer les fraudeurs ou par de grandes entreprises pour repérer de nouvelles tendances commerciales.

Autrefois, vendre des billets à d'autres personnes qu'aux plus fidèles partisans des Hurricanes ne relevait pas de la science. Les décisions prises relativement au moment de lancer une promotion ou un forfait de billets étaient basées sur l'instinct, lequel s'appuyait sur les tendances que l'équipe de direction décelait lorsque l'équipe gagnait ou perdait. En 2005, les Hurricanes ont mis en œuvre une nouvelle technologie relative à la billetterie permettant à l'équipe de suivre tous les achats effectués par les partisans individuels. Cependant, ce n'est qu'au moment où l'équipe a commencé à employer divers algorithmes et technologies d'analytique de données que Nowicki et les membres de son équipe sont parvenus à se servir des données pour obtenir un meilleur aperçu du comportement des partisans. Nowicki a d'ailleurs relevé ceci: « Nous possédions des années et des années de données téléchargées dans notre système, mais nous ne les avions pas vraiment explorées dans l'optique d'analyser en détail nos clients. Nous avons donc commencé à créer un profil des détenteurs de billets à l'aide des critères démographiques à notre disposition en vue de dresser un portrait précis de ceux qui achètent nos billets. » À l'heure actuelle, les Hurricanes peuvent observer un partisan et déterminer certains renseignements démographiques. Par exemple, si un partisan donné réside dans un rayon de 50 km du PNC Arena, qu'il perçoit un certain revenu et qu'il assiste à cinq parties de hockey par saison, l'équipe est en mesure de personnaliser l'offre faite à ce consommateur. Selon Nowicki, « nous pouvons ensuite vous comparer à ce profil et voir où vous vous situez, ce qui permet aux représentants d'effectuer des ventes de manière plus efficace et de suivre des pistes de vente de clients réels. Les représentants évitent ainsi de perdre du temps et de solliciter inutilement. Nous visons des personnes précises avec des produits précis[2] ».

Attirer les partisans aux parties: la NBA

Le Magic d'Orlando figure parmi les équipes ayant le plus grand chiffre d'affaires de la NBA (National Basketball Association), bien qu'il se trouve au vingtième rang des franchises. L'équipe accomplit un exploit en étudiant le marché de la revente de billets, ce qui lui permet de mieux fixer les prix des billets. Elle prévoit aussi quels titulaires d'un abonnement risquent de déserter les gradins l'année suivante (et les persuade d'y renoncer). Elle analyse également la concession et la vente de produits en vue de s'assurer que l'organisation dispose de ce que les partisans désirent chaque fois que ces derniers entrent dans l'aréna. Le club a même utilisé l'analytique pour aider les entraîneurs à former la meilleure équipe possible. « Notre plus gros défi consiste à personnaliser l'expérience des partisans. Heureusement, l'analytique nous aide à gérer tout cela d'une manière plutôt musclée. Ainsi, le Magic a recours à l'analytique pour diriger l'équipe de basketball en analysant l'efficacité de certains alignements. Un peu comme l'approche *Moneyball*, si vous voulez », explique Alex Martins, le président-directeur général du Magic[3].

Mettre les bons joueurs sur le jeu

Les équipes sportives professionnelles n'utilisent pas uniquement ces outils logiciels en vue de déterminer le prix des sièges ou le moment d'offrir une promotion, mais suivent plutôt l'exemple de Beane et se tournent vers l'analytique pour les aider à repérer des recrues potentielles, à savoir quel salaire offrir à un agent libre ainsi qu'à prédire la façon dont un joueur donné performera dans diverses situations.

L'analytique fait également son entrée dans la NFL (National Football League). En 2013, les Ravens de Baltimore et les Jaguars de Jacksonville ont annoncé la création d'un service d'analytique, puis les Buffalo Bills ont fait de même. En 2012, les 49ers de San Francisco ont utilisé une application conçue par SAP, l'entreprise allemande qui conçoit et vend des logiciels, pour aider leurs recruteurs universitaires à l'occasion de la période de repêchage annuel.

Selon Rishi Diwan, vice-président et directeur de la gestion de produits sportifs à la société SAP, la technologie développée à l'intention de la NFL et des 49ers permet aux recruteurs universitaires de consigner de l'information portant sur une recrue potentielle pendant qu'ils regardent une partie ou un entraînement. Cette information peut être consultée instantanément au guichet de l'équipe. L'application relève certains points de données mesurables à propos de chacun des joueurs. Les points de données comprennent des éléments comme le temps requis pour parcourir 40 verges, les statistiques de la saison précédente ou la taille des mains du joueur. Le système compare ensuite ces données à celles des joueurs partants qui jouent dans la NFL. Toujours selon Diwan, « chaque position présente des données particulières à analyser. De nos jours, si vous effectuez une recherche, vous obtenez une liste de joueurs ainsi qu'un tableau de chiffres. Les équipes doivent traiter tous ces chiffres, les retenir et les comparer à ceux des autres joueurs. Il n'existait aucune façon simple d'y parvenir ». Diwan croit que la prochaine étape consiste à créer des algorithmes qui permettront de déterminer si une mesure donnée, ou la combinaison de diverses mesures, par exemple parcourir 40 verges en 4,28 secondes, constitue un facteur de réussite dans le monde du football professionnel[4].

Les nouveaux défis

Toutefois, l'adoption de ce type de technologie présente certains défis au sein d'une organisation. Diwan affirme que « lorsque vous vous penchez sur une technologie ainsi que sur son utilisation dans le sport, il s'agit davantage d'un changement culturel que de la capacité à traiter un aussi grand volume de données. Vous pouvez avoir recours à l'analytique autant que vous le désirez, mais si personne ne la comprend, personne ne l'utilisera. Dans le monde du sport, s'il est souvent question d'intuition et d'expérience, de nombreux facteurs doivent être considérés avant de pouvoir faire accepter une nouvelle technologie ».

Il s'agit d'ailleurs d'une partie des raisons pour lesquelles des événements comme la MIT Sloan Sports Analytics Conference existent. L'analytique sportive porte principalement sur les joueurs et des facteurs déterminants tels que ceux-ci : déterminer les joueurs qui doivent être repêchés, ceux qu'il faut faire jouer et ceux qui peuvent être surpayés. La plupart des statistiques portent sur la performance d'un joueur donné, mais, en définitive, ce qui compte le plus est le rendement de l'équipe et non les individus qui la composent. Il reste à souhaiter que grâce aux conférences comme celle qui a été tenue au MIT (Massachusetts Institute of Technology), des progrès puissent être faits en vue de déterminer et de peaufiner les prochaines étapes de mise en application de ces mesures au profit des équipes selon un alignement donné.

Malgré la réussite des A's d'Oakland de Billy Beane, l'acceptation par les entraîneurs, les gestionnaires et les propriétaires d'équipes sportives de prendre des décisions basées sur des données et sur l'analytique est bien plus lente que la progression de la technologie. La plupart des équipes ne tirent pas pleinement avantage des données qu'elles possèdent. De plus, le fait que les liens ne soient pas favorisés entre les analystes du rendement des joueurs et de l'équipe et ceux qui se penchent sur l'analytique restreint les résultats que peut obtenir l'équipe. Or, il pourrait être préférable de faire travailler ces analystes ensemble et de prioriser la résolution des problèmes sur lesquels ils travaillent. Cela pourrait également améliorer la communication au sein de l'organisation. En effet, les entraîneurs et les directeurs généraux continueront d'affirmer que l'analytique est inutile dans le monde du sport à moins que les analystes parviennent à leur expliquer les analyses qu'ils effectuent et les résultats qu'ils obtiennent en termes clairs et propres au monde du sport. Aux conférences comme la MIT Sloan Sports Analytics Conference, les entraîneurs et les directeurs généraux soutiennent que si vous ne connaissez rien au baseball (au basketball ou au soccer), jamais vous ne parviendrez à faire comprendre l'analytique aux preneurs de décisions[5].

3.1 Les données, l'information, la connaissance et l'intelligence d'affaires

Introduction

Les données et l'information sont puissantes. Elles permettent à une organisation de savoir si ses activités actuelles sont productives, d'estimer l'efficacité des opérations à venir et de planifier celles-ci. Le fait de posséder les données et l'information pertinente, et de savoir comment s'en servir, offre des perspectives nouvelles. De plus, la capacité de comprendre, d'assimiler, d'analyser et de filtrer les données et l'information s'avère déterminante quant à la réussite de tout professionnel évoluant dans le secteur industriel.

Toutefois, il est important de faire la distinction entre les données et l'information. À cet effet, les **données** représentent les faits bruts qui décrivent les caractéristiques d'un événement. Les caractéristiques d'une vente, par exemple, peuvent comprendre la date, le numéro de l'article vendu de même que sa description, la quantité commandée, le nom du client ou les détails de l'envoi. L'**information,** quant à elle, correspond aux données converties en un contexte pertinent et utile. Ainsi, l'information portant sur une vente pourrait comprendre l'article le plus vendu, celui le moins vendu, le meilleur client ainsi que le moins bon client.

Les données et l'information organisationnelles

L'usine européenne de Ford fabrique plus de 5 000 véhicules par jour, véhicules qu'elle vend dans plus de 100 pays partout dans le monde. Tous les éléments de chaque modèle doivent se conformer aux normes européennes complexes, notamment à celles qui sont relatives à la sécurité des passagers, à la protection des piétons et de l'environnement. Ces normes dictent chaque étape de fabrication à la société Ford, de la conception des véhicules à la production finale. En outre, l'entreprise doit obtenir chaque année des milliers d'homologations prouvant qu'elle respecte les normes en vigueur. Négliger la moindre norme empêcherait l'entreprise de vendre le véhicule, ce qui entraînerait un arrêt de la chaîne de production et, possiblement, des pertes pouvant atteindre plus de 1 400 000 $ par jour. Ford a donc conçu l'Homologation Timing System (HTS) à partir d'une base de données relationnelle, qui aide l'entreprise à faire un suivi des normes à respecter et à les analyser. D'ailleurs, la fiabilité et l'excellent rendement du HTS ont permis de réduire considérablement les risques de non-conformité[6].

Les données et l'information se trouvent partout au sein d'une organisation. Lorsque les employés abordent un sujet d'affaires important, ils doivent être en mesure d'obtenir et d'analyser toutes les données et l'information disponible sur le sujet afin de pouvoir prendre la meilleure décision possible. Les données et l'information organisationnelles existent à divers paliers ainsi que dans des formats et granularités différents. La **granularité** renvoie au degré de précision caractérisant des données ou de l'information. À une extrémité du spectre, la granularité est brute, c'est-à-dire que les données ou l'information sont sommaires ; à l'autre extrémité se trouve la granularité fine, ce qui signifie que les données ou l'information sont très détaillées. En ce sens, si des employés emploient un système de gestion de la chaîne d'approvisionnement dans le processus de prise de décision, ils découvriront que leurs fournisseurs envoient des données et de l'information à divers paliers sous diverses formes et dont la granularité varie. Un fournisseur pourrait envoyer des données détaillées sous la forme d'une feuille de calcul provenant d'un tableur, un autre pourrait faire parvenir une information sommaire sous la forme d'un document Word et un troisième, de l'information agrégée à partir de données stockées dans une base de données. Les employés doivent donc être en mesure d'établir une corrélation entre les divers paliers, formats et degrés de granularité des données et de l'information lorsqu'ils prennent des décisions d'affaires.

La collecte, la compilation, le triage et l'analyse réussis des données et de l'information provenant de divers paliers et transmis sous des formes et à des degrés de granularité différents donnent une bonne idée de la performance d'une organisation. De plus, examiner attentivement les données et l'information organisationnelles pourrait donner lieu à des résultats excitants et inattendus, par exemple l'accès possible à de nouveaux marchés, de nouvelles façons d'approcher les clients et même de faire des affaires, tout simplement. La figure 3.1 (*voir la page suivante*) présente les divers types de données et d'information qu'on peut trouver au sein d'une organisation.

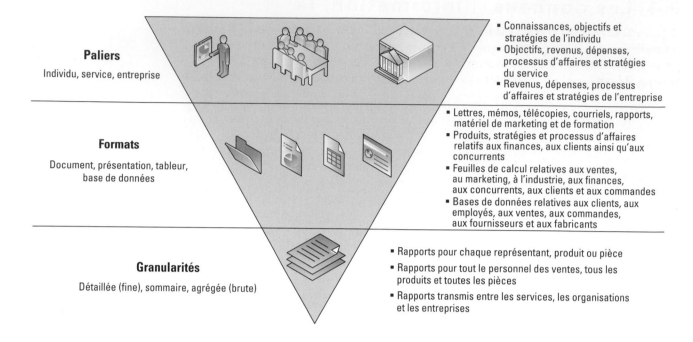

Paliers

Individu, service, entreprise

- Connaissances, objectifs et stratégies de l'individu
- Objectifs, revenus, dépenses, processus d'affaires et stratégies du service
- Revenus, dépenses, processus d'affaires et stratégies de l'entreprise

Formats

Document, présentation, tableur, base de données

- Lettres, mémos, télécopies, courriels, rapports, matériel de marketing et de formation
- Produits, stratégies et processus d'affaires relatifs aux finances, aux clients ainsi qu'aux concurrents
- Feuilles de calcul relatives aux ventes, au marketing, à l'industrie, aux finances, aux concurrents, aux clients et aux commandes
- Bases de données relatives aux clients, aux employés, aux ventes, aux commandes, aux fournisseurs et aux fabricants

Granularités

Détaillée (fine), sommaire, agrégée (brute)

- Rapports pour chaque représentant, produit ou pièce
- Rapports pour tout le personnel des ventes, tous les produits et toutes les pièces
- Rapports transmis entre les services, les organisations et les entreprises

FIGURE 3.1

Paliers, formats et granularité des données et de l'information organisationnelles

Samsung Electronics a étudié en détail plus de 10 000 rapports provenant de ses revendeurs afin de cerner les occasions ratées ou perdues au profit des concurrents. Cette analyse a permis de découvrir que 80 % des ventes perdues ont eu lieu dans une seule unité d'affaires, soit l'industrie des soins de santé. Samsung a également découvert que 40 % des ventes perdues dans cette unité commerciale l'ont été au profit d'un concurrent en particulier. Avant de procéder à cette analyse, Samsung évoluait aveuglément sur le marché. Ensuite, armée de cette information, l'entreprise a changé sa stratégie de vente dans le domaine des soins de santé de manière à déployer une stratégie qui permettait de travailler plus proche des fournisseurs de matériel informatique en vue de reconquérir les clients perdus[7].

Ce ne sont pas toutes les entreprises qui réussissent à bien gérer les données et l'information. Par exemple, l'entreprise Orvis, qui habille et équipe ses clients depuis 1856, est la plus vieille entreprise de vente par correspondance aux États-Unis. Orvis éprouvait de la difficulté à comprendre les besoins de ses clients en raison d'une croissance naturelle des circuits commerciaux et des gammes de produits. À quoi ressemble l'entreprise aujourd'hui ? Orvis offre une gamme de produits complète, de l'attirail de pêche traditionnel à l'ameublement pour la maison en passant par les accessoires canins et les sacs à dos de voyage. Les circuits commerciaux d'Orvis se sont agrandis et comptent des millions de clients qui reçoivent le catalogue du magasin sur une base annuelle, des clients qui peuvent maintenant faire leurs achats en ligne et d'autres qui se déplacent dans les 93 points de vente aux États-Unis et en Grande-Bretagne. Avec son approche de vente à circuits multiples, Orvis voulait avoir une vue d'ensemble des clients afin de mieux les comprendre. Le problème, toutefois, résidait dans le fait qu'Orvis se fiait à un ensemble complexe d'outils que peu de membres de l'organisation comprenaient. L'administration a donc dû remplacer une série de systèmes patrimoniaux fragmentés par un outil qui couvrirait l'ensemble des circuits. Ce changement a d'abord nécessité le développement de nouvelles bases de données de marketing pour la mise en correspondance des données disponibles afin de pouvoir utiliser de nouveaux outils d'analyse et ainsi offrir un meilleur soutien à la nouvelle clientèle d'Orvis[8].

Outre le fait de devoir comprendre comment les données et l'information peuvent se distinguer selon le palier, le format et la granularité, il est important de saisir certaines autres caractéristiques qui permettent de déterminer la valeur des données et de l'information. Ces caractéristiques sont le type (transactionnel ou analytique), l'actualisation et la qualité des données ou de l'information.

La valeur des données transactionnelles et de l'information analytique

Tel qu'on l'a mentionné précédemment, il existe une différence entre les données transactionnelles et l'information analytique. D'un côté, les **données transactionnelles** englobent toute l'information contenue dans un seul processus d'affaires ou une seule unité de travail et servent d'abord à faciliter l'exécution des tâches opérationnelles quotidiennes. Les organisations enregistrent et stockent les données transactionnelles dans des bases de données et les utilisent ensuite lorsqu'elles réalisent des tâches opérationnelles ou prennent des décisions répétitives. Parmi celles-ci, on peut citer l'analyse quotidienne du chiffre d'affaires et l'établissement d'un calendrier de production pour évaluer le niveau de stocks à conserver.

D'un autre côté, l'**information analytique** englobe toutes les données transactionnelles sommaires ou agrégées dont l'objectif principal est de soutenir l'exécution des tâches d'analyse de plus haut niveau. L'information analytique est utilisée lors de la prise de décisions *ad hoc* (sur mesure) comme celles qui portent sur la construction d'une nouvelle usine de production, par exemple, ou sur l'embauche de personnel pour les ventes. La figure 3.2 présente les divers types de données transactionnelles et d'information analytique.

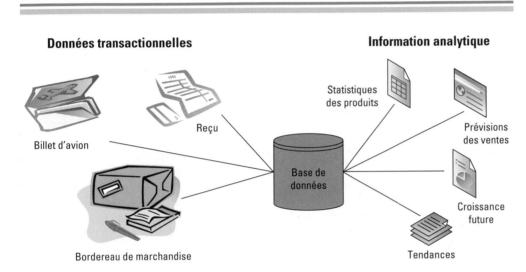

FIGURE 3.2

Données transactionnelles et information analytique

La valeur des données et de l'information actuelles

L'importance de l'actualité des données et de l'information peut varier selon la décision à prendre. Certaines décisions nécessitent des données et de l'information hebdomadaires ou mensuelles, alors que d'autres requièrent des données et de l'information sur une base quotidienne. L'actualité représente donc une caractéristique qui dépend du contexte. Dans certains domaines, les données et l'information qui datent de quelques jours peuvent s'avérer tout à fait pertinentes, alors que dans d'autres sphères, celles qui sont immédiates peuvent devenir pratiquement inutiles. C'est le cas des données des centres d'appels du 911, celles des courtiers en Bourse et des banques qui nécessitent des données et de l'information consolidées et mises à jour chaque seconde, jour et nuit, tous les jours. D'autres organisations comme les compagnies d'assurance et les entreprises de construction peuvent se contenter de données et d'information quotidiennes, voire hebdomadaires.

Les **données en temps réel** correspondent aux données immédiates et à jour. L'**information en temps réel** désigne de l'information immédiate et à jour. Un **système en temps réel** donne de l'information en temps réel en réponse à des demandes d'information. Bon nombre d'organisations ont recours à des systèmes en temps réel en vue d'exploiter des données d'entreprise transactionnelles. Par exemple, un sondage mené auprès de 1 500 directeurs des systèmes d'information, effectué par Gartner Group, a démontré que ces systèmes, qui analysent les données et les étalonnent pour mesurer leur performance en temps réel, se situent au sommet des priorités lorsqu'il est question d'investissements futurs[9]. La demande croissante de données et d'information en temps réel est attribuable au besoin de l'organisation de prendre des décisions toujours plus rapides et efficaces, de conserver un niveau de stocks peu élevé, d'accroître l'efficacité opérationnelle et d'effectuer un suivi plus étroit de la performance. Cependant, l'actualité des données et de l'information est relative. Or, les organisations recherchent des données et de l'information actuelle afin de prendre des décisions éclairées. Les données et l'information doivent également être actuelles pour répondre aux besoins des employés. Si ces derniers ne peuvent traiter des données et de l'information que sur une base horaire ou quotidienne, il s'avère inutile d'en recueillir en temps réel. En outre, l'industrie des paiements connaît actuellement un changement de ses besoins d'affaires en ce qui concerne le traitement des paiements en temps réel. Traditionnellement, les banques recueillaient les paiements et les traitaient par lots. Les nouvelles réalités de l'économie mondiale soulèvent des questionnements quant à l'amélioration de la gestion du risque lié aux paiements, surtout en ce qui a trait à la liquidité, à la fraude et au blanchiment d'argent. Résultat, des banques centrales comme la Reserve Bank of Australia changent leur réglementation et exigent des banques qu'elles passent au traitement des paiements en temps réel afin qu'elles sachent ce qui se passe au service des paiements en tout temps et non 24 heures plus tard. Ces mesures ont également été favorisées par la pression qu'exercent les nouvelles formes de concurrence dans l'industrie des paiements ainsi qu'à la demande des actionnaires des banques qui souhaitent que ces dernières réduisent leurs dépenses. L'entretien d'ordinateurs centraux désuets qui effectuent un traitement des paiements par lots, dont les coûts sont élevés, constitue un des éléments visés par ces mesures de diminution des coûts[10].

La plupart des gens demandent des données et de l'information recueillies en temps réel sans toutefois comprendre un des plus grands pièges que cela représente, soit le changement constant. Imaginez un instant le scénario suivant : trois gestionnaires se rencontrent en fin de journée pour discuter d'un sujet d'affaires. Chacun a recueilli des données et de l'information à un moment différent de la journée pour dresser un portrait de la situation. Or, les trois portraits risquent d'être différents en raison du décalage temporel des trois collectes de données. De plus, leur opinion quant au problème à régler peut différer, car les données et l'information sur lesquelles ils basent leur analyse de la situation changent continuellement. Ainsi, l'approche en temps réel pourrait, dans le cas présent, non seulement ne pas accélérer le processus de décision, mais elle risque même de le ralentir.

L'actualité des données et de l'information doit donc être évaluée pour chaque décision d'affaires. En effet, quelle organisation voudrait employer des données et de l'information en temps réel pour, en fin de compte, prendre une mauvaise décision plus rapidement ?

La valeur de la qualité des données et de l'information

Lorsqu'il est question de la valeur de la qualité des données et de l'information, on pense souvent à la manière de recueillir des données et de l'information de grande qualité. Ce point sera abordé un peu plus loin dans la section. Il convient également de se pencher sur la façon de transmettre ces données pour que celles-ci aient leur juste valeur. L'entreprise Swisscom Event & Media Solutions, par exemple, est un fournisseur de réseaux de communication intégrés temporaires utilisés dans des réunions, des colloques et d'autres événements particuliers. L'équipe chargée des événements à la société Swisscom doit mettre en place des réseaux complexes en peu de temps. Les gestionnaires ont remarqué que cela posait bon nombre de défis liés à l'information, car les membres de l'équipe n'étaient pas en mesure d'accéder aux données et à l'information de qualité qui étaient présentes dans leurs systèmes. Voici quelques exemples de ces défis : tâches et mises à jour difficiles à suivre, processus qui consomme beaucoup de temps en recherche d'information, production de rapports de conformité des données à la loi Sarbanes-Oxley (SOX) trop longue, partage difficile de l'information, particulièrement avec les intervenants qui ne sont pas des employés de l'entreprise.

La difficulté résidait non seulement dans la reconnaissance et la collecte des données de qualité, mais également dans la transmission de ces données à la bonne personne et au bon moment, de manière à ce que Swisscom puisse tirer parti de la qualité de l'information[11].

Par ailleurs, la pertinence des décisions d'affaires n'a d'égal que la qualité des données et de l'information utilisées pour prendre les décisions en question. Le tableau 3.1 présente les cinq caractéristiques des données et de l'information de qualité : l'exactitude, la complétude, la cohérence, l'unicité et l'actualité. La figure 3.3, quant à elle, met l'accent sur l'absence de ces caractéristiques dans un ensemble de données.

TABLEAU 3.1

Caractéristiques des données
et de l'information de qualité

Exactitude	Les valeurs sont-elles toutes exactes ? Par exemple, le nom est-il écrit sans fautes ? Le montant d'argent est-il noté correctement ?
Complétude	Certaines valeurs sont-elles manquantes ? Par exemple, l'adresse est-elle complète, comprend-elle le nom de la rue, de la ville, de la province et le code postal ?
Cohérence	L'information agrégée ou sommaire concorde-t-elle avec l'information détaillée ? Par exemple, le champ du total correspond-il à la somme des champs individuels ?
Unicité	Chaque élément (transaction, entité ou événement) est-il présenté une seule fois ? Par exemple, certains noms de clients apparaissent-ils deux fois ?
Actualité	L'information est-elle actuelle en ce qui concerne les exigences opérationnelles ? Par exemple, l'information est-elle mise à jour sur une base hebdomadaire, quotidienne ou horaire ?

La figure 3.3 présente divers problèmes que posent des données de piètre qualité, notamment ceux qui sont décrits ci-après.

ID	Nom	Prénom	Adresse	Ville	Province	Code postal	Téléphone	Télécopieur	Adresse courriel
113	Smith		116 Lakewood Pl SE	Calgary	AB	T2J 4T7	(403) 777-1258	(403) 777-5544	ssmith@yahoo.ca
114	Jones	Jeff	645	Calgary	AB	T2M 3X5	(403) 666-6868	(403) 666-6868	(403) 666-6868
115	Roberts	Jenny	507 Cantrell Dr SW	Calgary	AB	T2W 2K9	527-1122	759-5654	jr@msn.ca
116	Robert	Jenny	507 Cantrell Dr SW	Calgary	AB	T2W 2K9	527-1122	759-5654	jr@msn.ca

1. Donnée manquante (aucun prénom)

2. Donnée incomplète (nom de rue manquant)

3. Donnée inexacte (adresse courriel invalide)

4. Doublon possible (noms semblables, adresses et numéros de téléphone identiques)

5. Donnée inexacte possible (les numéros de téléphone et de télécopieur sont-ils vraiment identiques ou s'agit-il d'une erreur ?)

6. Données incomplètes (indicatif régional manquant)

FIGURE 3.3

Exemples de données de
piètre qualité

1. Une donnée est manquante : le prénom du client n'est pas inscrit.

2. Une donnée est incomplète : l'adresse comporte uniquement un numéro, et le nom de rue est manquant.

3. Un exemple de donnée inexacte : le numéro de téléphone est inscrit dans le champ de l'adresse courriel.

4. Un doublon possible : le nom de deux clients ne présente qu'une légère différence d'orthographe. La similarité entre l'adresse et le numéro de téléphone des deux clients rend l'erreur fort probable.

5. La possibilité d'une donnée inexacte : les numéros de téléphone et de télécopieur sont identiques. Il peut arriver que ces numéros soient les mêmes, mais comme ce numéro est également inscrit dans le champ de l'adresse courriel, cela semble douteux.

6. L'incomplétude des données : les numéros de téléphone et de télécopieur ne présentent pas d'indicatif régional.

Comprendre comment surviennent les problèmes liés à la qualité des données permet aux organisations de les régler. Voici certaines sources de données et d'information de piètre qualité ou non vérifiées :

■ les clients, particulièrement ceux qui réalisent des transactions en ligne, peuvent entrer des données ou de l'information inexacte pour protéger leur confidentialité ;

- les données ou l'information provenant de divers systèmes dont les normes et formats de saisie de données divergent ;
- les employés qui saisissent des abréviations ou des données erronées par erreur ou pour économiser du temps ;
- les données externes et celles qui proviennent d'un tiers qui comportent des incohérences, des inexactitudes ou des erreurs.

Régler les inexactitudes attribuables à la source des données ou de l'information améliorera considérablement la qualité des données et de l'information organisationnelles ainsi que la valeur de celles-ci.

L'utilisation de données ou d'information de mauvaise qualité peut mener à de mauvaises décisions. Or, les mauvaises décisions peuvent non seulement faire perdre du temps, mais également coûter cher sur le plan monétaire et sur celui de la réputation. La pertinence d'une décision n'a d'égal que la qualité des données et de l'information utilisées pour prendre cette décision. Ainsi, une piètre qualité peut entraîner de graves conséquences, notamment :

- l'incapacité à suivre adéquatement sa clientèle, ce qui influe directement sur les initiatives stratégiques telles que la gestion de la relation client (GRC) et la gestion de la chaîne d'approvisionnement (GCA) ;
- la difficulté à reconnaître les meilleurs clients de l'organisation ;
- l'incapacité à reconnaître les occasions d'affaires et à déterminer les revenus gaspillés attribuables à des clients non existants et à des messages non délivrés ;
- la difficulté à suivre les revenus en raison des inexactitudes dans les factures ;
- l'incapacité à tisser des liens étroits avec la clientèle, ce qui accroît son pouvoir d'achat.

Les avantages des données et de l'information de bonne qualité

L'entreprise Lillian Vernon est un leader de la vente en ligne et par catalogue de cadeaux, de biens ménagers, d'articles pour enfants et d'accessoires de mode. Elle existe depuis plus de 50 ans, et son succès est attribuable à son service à la clientèle et à son objectif d'avoir les interactions les plus positives possible avec les clients. Le problème de l'entreprise ? Sa relation client souffrait du manque d'accès aux données de qualité des agents du Service à la clientèle. Cela a entraîné un manque d'efficacité dans l'interaction avec les clients, une attente prolongée de la clientèle et un mauvais service à la clientèle en général, suscitant ainsi l'insatisfaction des représentants du Service à la clientèle et une augmentation du taux de rotation de ceux-ci. Le défi de Lillian Vernon était le suivant : les représentants devaient avoir une vue d'ensemble du dossier des clients à tout moment. Ainsi, ils pouvaient mieux les aider avec leurs commandes. Résultat : une diminution du temps de traitement des appels d'au moins 17 minutes, en moyenne, une réduction de 50 % du temps de formation des représentants du Service à la clientèle et une diminution de la rotation du personnel[12].

EMCO Corporation, fondée à London, en Ontario, en 1906, sous le nom de l'Empire Brass Manufacturing Company Limited, est un des plus grands distributeurs dans l'industrie de la construction au Canada. L'entreprise emploie un logiciel de virtualisation développé par Antarctica Systems, une société de Vancouver, pour pouvoir consulter toutes ses données en un seul coup d'œil. Ce logiciel permet aux cadres supérieurs de consulter les données d'importance cruciale pour l'entreprise, dont le niveau des stocks et les marges de profit. Ces données apparaissent sur une carte interactive plutôt que dans un tableur. De plus, dès qu'un événement imprévisible est repéré, l'administration peut cliquer et zoomer sur ce point afin d'accéder à des données de niveau inférieur et ainsi de mieux analyser et comprendre les données sous-jacentes. De tels outils permettent aux entreprises comme EMCO de donner rapidement un sens aux données transactionnelles qu'elles recueillent, de cerner les questions problématiques et de prendre des décisions plus éclairées en réaction à un événement imprévisible[13].

Il existe de nombreux exemples d'entreprises qui se servent de données et d'information de bonne qualité en vue de prendre de judicieuses décisions stratégiques. Les données et l'information de qualité ne garantissent pas automatiquement que toutes les décisions prises seront bonnes, car, ultimement, la décision revient à un être humain. Les données et l'information de qualité garantissent toutefois que la base sur laquelle s'appuient les décisions est exacte. La réussite de l'organisation dépend donc de sa capacité à juger de la valeur réelle des données et de l'information de qualité ainsi que de sa capacité à en tirer profit.

La gouvernance des données

Les données constituent une ressource cruciale. Leurs utilisateurs doivent donc apprendre ce qu'ils peuvent faire ou non avec elles. Pour s'assurer qu'elle gère ses données de manière adéquate, l'entreprise doit se munir de politiques et de procédures particulières qui décrivent la gestion, la mise à jour et l'entretien des données ainsi que la façon d'accéder à celles-ci. Toute entreprise, de la plus grande à la plus petite, doit donc définir une politique en matière de gouvernance des données. La **gouvernance des données** correspond à la gestion d'ensemble de la disponibilité, de la convivialité, de l'intégrité et de la sécurité des données d'une entreprise. Ainsi, une entreprise qui met en œuvre un programme de gouvernance des données possède une politique qui détermine la personne responsable des divers aspects ou parties des données, notamment en ce qui concerne leur exactitude, leur accessibilité, leur cohérence, leur actualité et leur complétude. Cette politique doit aussi définir clairement les processus relatifs au stockage, à l'archivage, à la mise en mémoire et à la sécurité des données. Également, l'entreprise devrait mettre en place une série de procédures définissant le niveau d'accessibilité des employés aux données. Par la suite, elle devrait instaurer des mesures de contrôle et des procédures pour faire respecter la réglementation gouvernementale et la conformité avec les lois comme la loi Sarbanes-Oxley.

La connaissance

Dans la section précédente, les différences entre les données et l'information ont été expliquées. Les données ont été définies comme étant des « faits bruts » qui décrivent les caractéristiques d'un événement dont la date, le numéro d'un article ou une quantité commandée. L'information, quant à elle, a été décrite comme des données converties en un contexte pertinent et utile. En ce sens, l'information peut être considérée comme un ensemble de « données pertinentes ». Il peut s'agir, par exemple, du numéro d'identification de l'article le plus ou le moins vendu obtenu à partir des données de vente recueillies par une entreprise. Quant à la **connaissance,** il s'agit d'une information permettant de poser une action. Autrement dit, une information devient une connaissance lorsqu'elle peut être mise en pratique.

Par exemple, les menuisiers sont des personnes averties qui ont des connaissances en ce qui a trait au travail du bois. Ils peuvent rassembler toute l'information qu'ils ont recueillie au fil des ans et la mettre en pratique dans un but précis. Par contre, si un livre contenant toute l'information portant sur la menuiserie était remis à un néophyte, cette personne ne connaîtrait pas nécessairement mieux la menuiserie ; il n'est pas certain qu'elle pourrait construire quelque chose. Cette personne serait mieux informée, mais elle ne serait pas forcément plus éclairée en la matière à moins qu'elle réussisse à comprendre l'information contenue dans le livre et à la mettre en pratique.

Le but de cet exemple est de démontrer que même si vous possédez de l'information sur un sujet, cela ne fait pas de vous un expert. Pour être considérée comme telle, la personne doit comprendre l'information dont elle dispose, tirer des conclusions à partir de diverses bribes d'information et, surtout, être capable de mettre cette information en application.

À la lumière de cette explication, l'information peut être considérée comme l'élément fondamental ou le point de départ de la connaissance. La connaissance naît donc de la compréhension d'une information et de l'établissement de liens entre des faits hétéroclites, lorsque des conclusions sont tirées à partir de ceux-ci. L'information se trouve donc véritablement à la base du processus de création de nouvelles connaissances.

Il est important de comprendre ce qui distingue l'information de la connaissance, car cela soulève d'importantes questions au sein des organisations lorsque ces dernières tentent de tirer profit de l'information qu'elles recueillent. Par exemple, où la connaissance se situe-t-elle ? Est-elle stockée dans des bases ou des entrepôts de données ? dans des documents textuels, des rapports ou des courriels ? ou encore dans la tête des employés des organisations en question ?

Deux courants de pensée offrent des pistes de réponse à cette question. D'un côté, l'informaticien affirmerait que la connaissance est contenue dans des structures de données formalisées et qu'il existe maintenant des technologies, notamment l'intelligence artificielle et les agents intelligents, qui parviennent à comprendre le sens de l'information contenue dans ces structures formalisées ainsi qu'à agir en fonction de leur compréhension. De l'autre côté, l'humaniste ou l'érudit de l'information soutiendrait le contraire, à savoir que la connaissance réside dans l'être humain et que, même si les systèmes d'information peuvent stocker et traiter des données et de l'information, ce sont les utilisateurs qui interprètent l'information du système et lui donnent un sens.

Les deux points de vue sont valables, et il sera intéressant de voir comment les choses évolueront au fil des avancées de l'informatique au cours des décennies à venir. Cependant, les systèmes d'information actuels présentent une capacité limitée à transformer l'information en connaissance, et la plupart des organisations en sont conscientes. Par conséquent, ces dernières cherchent des moyens d'extraire l'information de leurs nombreux référentiels, collections de documents, documents dédiés à la clientèle et rapports de consultants afin de transformer cette information en connaissance.

La plupart des organisations ont découvert que la meilleure façon d'y parvenir est probablement d'aider leurs employés à accéder à l'information, à la partager et à l'utiliser. Les organisations savent que si l'information dort dans une base de données, un document ou des archives de courriels, cela ne contribue en rien à la création de connaissances. Elles commencent donc à comprendre que pour devenir un expert et agir de la sorte, elles doivent trouver des façons d'aider leurs employés à avoir accès à l'information nécessaire de manière aussi rapide et efficace que possible, à partager aisément cette information et à utiliser celle-ci dans leur travail.

Les types de connaissances

Toute information n'est pas précieuse. Les entreprises doivent être en mesure d'établir quelle information constitue un actif intellectuel. Les actifs intellectuels sont habituellement explicites ou tacites. En général, une **connaissance explicite** est tirée de tout ce qui peut être documenté, archivé et codifié, souvent avec l'aide de systèmes d'information. Les brevets, les marques déposées, les plans d'affaires, la recherche marketing et les listes de clients sont des exemples de connaissances explicites.

La **connaissance tacite** correspond à une connaissance non formalisée que possède une personne. La difficulté que pose la connaissance tacite relève de la capacité à reconnaître, à générer, à partager et à gérer les connaissances que possèdent les gens. Les technologies de l'information comme le courrier électronique, la messagerie instantanée et autres approches du genre peuvent faciliter la diffusion de connaissances tacites. Toutefois, le simple fait de devoir d'abord reconnaître ce type de connaissances constitue un obstacle majeur.

La gestion des connaissances

La **gestion des connaissances** correspond à la mise en contexte de l'information disponible favorisant les actions et les décisions efficaces. La gestion des connaissances est fondée sur la gestion et l'utilisation systématique et fonctionnelle des ressources informationnelles d'une organisation qui contiennent des connaissances ou en représentent. Ces ressources comprennent les individus (experts), les documents papier, les documents électroniques, les présentations, les feuilles de calcul ainsi que les données consolidées provenant des entrepôts de données.

La gestion des connaissances doit être comprise dans un contexte plus large. En effet, il s'agit du processus grâce auquel l'organisation génère de la valeur à partir de ses biens et actifs intellectuels. Le plus souvent, la création de valeur à partir de tels actifs nécessite la codification des connaissances des employés, des partenaires et des clients, ainsi que le partage de ce savoir-faire entre les employés, les services et même avec d'autres entreprises afin de mettre au point des meilleures pratiques. Cependant, la codification ne constitue pas toujours l'objectif premier de la gestion des connaissances. Souvent, les connaissances organisationnelles sont laissées aux experts et il s'avère préférable de cultiver et d'utiliser leur expertise sous cette forme plutôt que de tenter de documenter ou de codifier le savoir-faire de façon explicite et formelle.

Fait important à noter, la description précédente de la gestion des connaissances ne porte pas uniquement sur les systèmes d'information. La gestion des connaissances est souvent facilitée par les systèmes d'information, mais ces derniers ne correspondent pas à de la gestion des connaissances en soi. En effet, la gestion des connaissances a trait à la façon dont les entreprises cultivent et promeuvent certaines pratiques (comportements). Elles ont recours à des systèmes d'information qui les aide à extraire, à stocker, à ordonner et à tirer le meilleur parti de l'information qui circule au sein de l'entreprise en vue d'accroître les connaissances et le savoir-faire organisationnels et de les exploiter le mieux possible.

Prenons l'exemple simple du cadet (auxiliaire au golf) à titre de travailleur du savoir. Un bon cadet ne se limite pas à porter les bâtons de golf et à trouver les balles égarées. À la demande du golfeur, il peut donner à ce dernier de précieux conseils du type « le vent fait en sorte que le parcours du neuvième trou doit être considéré comme plus long de 15 verges ». Le bon conseil peut valoir au cadet un pourboire plus intéressant à la fin de la journée. Quant au golfeur, qui a tiré profit des conseils du cadet, il risque fort de revenir jouer sur ce terrain. Or, si un bon cadet de golf est prêt à partager ses connaissances avec d'autres cadets, ceux-ci pourraient tous gagner de meilleurs pourboires. Comment la gestion des connaissances pourrait-elle faire en sorte que cela se produise ? Le chef des cadets pourrait décider de récompenser les cadets qui partagent leurs connaissances en leur offrant un crédit sur la marchandise à vendre à la boutique du professionnel. Une fois qu'il aura recueilli les meilleurs conseils, le directeur du terrain pourrait les publier dans un carnet (ou les rendre accessibles à partir d'un appareil mobile, comme le BlackBerry, grâce à une application) qu'il distribuerait à tous les cadets. Un programme de gestion des connaissances bien conçu fait en sorte que tout le monde y gagne. Dans le cas présent, les cadets gagnent de meilleurs pourboires et obtiennent des rabais sur la marchandise, les golfeurs jouent mieux, car ils bénéficient de l'expérience collective des cadets, et les propriétaires du terrain de golf en profitent aussi parce qu'un meilleur pointage des golfeurs fait en sorte que ces derniers reviennent.

La gestion des connaissances dans le monde des affaires

Depuis les dernières années, la gestion des connaissances est devenue d'autant plus urgente pour les entreprises canadiennes que la retraite de millions de bébé-boumeurs est maintenant imminente. À leur départ à la retraite, les connaissances que ces personnes auront accumulées tout au long de leur carrière au sujet de leur emploi, de leur entreprise et de l'industrie partiront avec eux, à moins que les entreprises prennent les mesures nécessaires en vue de retenir ces connaissances. De plus, les directeurs des systèmes d'information qui ont signé des contrats d'externalisation doivent régler la question épineuse du transfert des connaissances des salariés à temps plein qui viennent de perdre leur emploi.

La connaissance peut constituer une ressource stratégique qui apporte un avantage concurrentiel à une organisation. La technologie de l'information facilite la gestion de la base de connaissances ; elle permet de mettre les gens en contact et de recueillir leur expertise de façon numérique. Le principal objectif de la gestion des connaissances est de s'assurer que les employés peuvent facilement accéder aux connaissances d'une entreprise, qu'il s'agisse de faits, de sources d'information et de solutions, et ce, en tout temps.

Une telle gestion des connaissances nécessite que l'organisation aille bien au-delà du simple partage de l'information contenue dans ses tableurs, ses bases de données et ses documents. Elle doit en effet inclure l'information spécialisée que possèdent ses intervenants. À cet effet, un **système de gestion des connaissances** permet la saisie, la conservation et la diffusion de connaissances (c'est-à-dire un savoir-faire) au sein d'une organisation, celle-ci devant déterminer l'information qui constitue une connaissance.

L'observation et la recherche de solutions communes représentent de meilleures pratiques visant à transférer et à recréer les connaissances tacites au sein d'une organisation. Dans bon nombre d'entreprises, la gestion des connaissances est assurée par le mentorat, celui-ci étant favorisé par l'observation et la recherche de solutions communes.

Dans le contexte d'une **observation,** des membres du personnel moins expérimentés observent les plus expérimentés pour mieux connaître le déroulement des tâches. Dorothy Leonard et Walter Swap, deux spécialistes de la gestion des connaissances, soulignent l'importance du partage des observations du novice avec l'expert afin d'approfondir le dialogue et de cristalliser le transfert de connaissances.

La **recherche de solutions communes** par l'expert et le novice constitue une autre approche judicieuse. Il arrive souvent que les gens ignorent la façon dont ils travaillent ou abordent un problème. Par conséquent, ces personnes ne sont pas en mesure de définir aisément des directives étape par étape. Le travail conjoint d'un expert et d'un novice sur un projet permet de mettre en lumière l'approche adoptée par l'expert. Ce qui distingue l'observation de la recherche de solutions communes est que la première approche est plus passive. Quant à la recherche de solutions communes, l'expert et le novice travaillent activement ensemble pour accomplir une tâche.

L'information est peu utile si elle n'est pas analysée et rendue accessible aux personnes pertinentes en temps opportun. Ces dernières vont intégrer l'information et créer des connaissances permettant des actions et la prise de décision. Ainsi, pour retirer la plus grande valeur possible des actifs intellectuels, la connaissance doit être transmise. Un système efficace de gestion des connaissances doit apporter les contributions suivantes:

- favoriser l'innovation en encourageant la libre circulation des idées;
- améliorer le service à la clientèle en rationalisant le temps de réponse;
- accroître les revenus en accélérant la commercialisation des produits et services;
- augmenter le taux de rétention des membres du personnel en reconnaissant la valeur de leurs connaissances;
- rationaliser les opérations et réduire leurs coûts en éliminant les processus redondants ou inutiles.

Une approche créative de la gestion des connaissances peut entraîner une augmentation de l'efficacité et des revenus dans pratiquement n'importe quelle fonction d'affaires.

Par exemple, un logiciel particulier aide Chevron/Texaco à améliorer la gestion des actifs de ses champs pétrolifères en permettant aux employés de diverses spécialités d'accéder et de partager facilement l'information dont ils ont besoin pour prendre des décisions éclairées. Les équipes de Chevron/Texaco sont formées de 10 à 30 personnes qui gèrent les actifs de l'entreprise, dont le matériel de forage, les pipelines et les installations d'un champ pétrolifère donné. Dans chaque équipe, des spécialistes des sciences de la Terre ainsi que des ingénieurs de divers domaines qui possèdent une expertise relativement à la production, aux réservoirs et aux installations travaillent de concert pour assurer le bon fonctionnement du champ pétrolifère. Les membres de l'équipe doivent communiquer entre eux en vue de prendre des décisions quant à la collecte et à l'analyse d'une énorme quantité d'information provenant de nombreux services. De plus, les membres des équipes peuvent examiner individuellement l'information recueillie.

Cette approche a permis à Chevron/Texaco d'augmenter sa productivité de 30 %, d'améliorer son rendement en matière de sécurité de 50 % ainsi que de réduire ses coûts d'exploitation de plus de deux milliards de dollars. Grâce à son système de gestion des connaissances, l'organisation a restructuré son commerce de vente d'essence au détail et pratique maintenant le forage de puits de pétrole et de gaz plus rapidement qu'avant et à moindre coût[14].

Toutes les organisations ne réussissent pas à gérer les connaissances comme Chevron/Texaco. De nombreux projets de gestion des connaissances ont échoué, ce qui a rendu bien des organisations réticentes à entreprendre la démarche. Cependant, la gestion des connaissances constitue une ressource efficace si elle est directement liée à des besoins et à des occasions d'affaires distincts. Un projet réussi de gestion se concentre généralement sur la création de valeur dans un domaine d'exploitation en particulier, ou même pour un seul type de transaction. Les entreprises devraient donc commencer par une seule tâche, idéalement par celle qui est la plus orientée vers les connaissances, et incorporer la gestion des connaissances dans une fonction professionnelle, le but étant d'aider les employés à améliorer la qualité de leur travail. Ensuite, il suffirait de passer à la deuxième fonction en ce qui concerne l'intensité des connaissances, etc. Par ailleurs, souligner même les plus modestes réussites grâce à la gestion des connaissances contribue à créer un climat de confiance, une base de crédibilité et de soutien pour les projets de gestion des connaissances à venir.

Les technologies de la gestion des connaissances

La gestion des connaissances ne constitue pas un concept uniquement axé sur la technologie. Les organisations qui mettent en œuvre un système de bases de données centralisé, un bulletin électronique, un portail Web ou tout autre outil collaboratif dans l'espoir d'avoir, de cette façon, implanté un système de gestion des connaissances perdent leur temps et gaspillent de l'argent.

Bien que l'outil ne fasse pas le système de gestion des connaissances, un tel système a toutefois besoin d'outils, à partir de simples logiciels de courriels jusqu'à des outils collaboratifs sophistiqués conçus spécialement pour la création et le soutien de communautés et la gestion des identités. De manière générale, les outils d'un système de gestion des connaissances appartiennent à une ou plusieurs des catégories suivantes :

- un référentiel de connaissances (bases de données);
- un outil d'expertise dans lequel intervient souvent une forme d'intelligence artificielle;
- une application de formation en ligne;
- une technologie de discussion et de clavardage;
- des outils de recherche et d'exploration de données.

Dans certains cas, de nouveaux outils développés et mis en œuvre ouvrent les frontières entre ces catégories. C'est notamment le cas d'OpenText Connectivity. Des entreprises ont tiré avantage de ce système, qui, pour Fairchild Seminconductor par exemple, permet à ses ingénieurs de régir la simulation de l'intégration de circuits. Ces derniers peuvent interrompre la simulation à tout moment, apporter des modifications, puis reprendre la simulation au lieu d'attendre la fin avant de faire les corrections nécessaires (ce qui peut prendre plusieurs jours). Ce système permet également à l'entreprise d'exploiter les centres de conception éloignés[15].

La gestion des connaissances à l'externe

Les entreprises cherchent également à acquérir des connaissances par l'entremise de sources externes. La forme la plus courante d'intelligence collective qui existe à l'extérieur d'une organisation est l'**externalisation ouverte** (*crowdsourcing*), laquelle renvoie à la sagesse du groupe. La théorie selon laquelle l'intelligence collective serait plus grande que la somme de ses parties circule depuis longtemps. Grâce aux outils Web 2.0, il devient possible d'avoir accès à cette force. Pendant de nombreuses années, les organisations ont cru que les meilleures idées provenaient des échelons les plus hauts de la hiérarchie. Les directeurs généraux ne collaboraient qu'avec les responsables des ventes et du marketing, les experts en assurance qualité ou les représentants itinérants. En suivant l'organigramme, on savait qui travaillait avec qui et jusqu'à quel échelon de la hiérarchie une suggestion ou une idée pouvait grimper. De nos jours, cette croyance est remise en question. En effet, les entreprises tirent parti de l'externalisation ouverte en mettant à contribution un plus vaste groupe d'intervenants en dehors du système.

Aujourd'hui, les gens peuvent demeurer en contact en tout temps, ce qui constitue le moteur de la collaboration. Les modes de communications d'entreprise traditionnels se limitaient aux conversations en personne et aux technologies unidirectionnelles des **communications asynchrones,** par exemple les communications comme le courriel où le message et la réponse n'arrivent pas en même temps. Les affaires 2.0 ont amené les **communications synchrones** ou les communications qui se produisent en même temps, par exemple la messagerie instantanée. Demandez à un groupe d'élèves de niveau postsecondaire quand ils ont parlé à leurs parents pour la dernière fois. Bon nombre d'entre eux vous répondront qu'ils leur ont parlé il y a moins d'une heure, alors qu'auparavant la réponse la plus courante aurait été « il y a quelques jours ». En affaires aussi, les liens continus deviennent une attente du monde de collaboration actuel.

L'analyse des réseaux sociaux

Les entreprises frustrées par les efforts de gestion des connaissances traditionnels cherchent à comprendre comment les connaissances circulent au sein de leur organisation. Or, l'analyse des réseaux sociaux peut justement les aider à y parvenir. L'**analyse des réseaux sociaux** constitue un processus de mise en correspondance des contacts (personnels ou professionnels) d'un groupe, en vue de déterminer ceux qui se connaissent mutuellement et ceux qui travaillent ensemble. En entreprise, ce type d'analyse offre un portrait clair de la façon dont les employés et les services, même les plus éloignés, travaillent de concert et peuvent aider les principaux spécialistes, par exemple ceux qui ont les connaissances nécessaires à la résolution d'un problème de programmation complexe ou dans le cas du lancement d'un nouveau produit.

Mars, le fabricant des friandises M&M, a eu recours à l'analyse des réseaux sociaux pour comprendre la circulation des connaissances au sein de son entreprise, reconnaître les personnes qui exercent une certaine influence, trouver qui prodigue les meilleurs conseils et analyser comment les employés partagent l'information. Également, l'unité centrale des technologies de l'information du gouvernement du Canada a employé l'analyse des réseaux sociaux pour déterminer quelles aptitudes retenir et perfectionner et quels employés, parmi les 40 % qui devaient prendre leur retraite dans les cinq prochaines années, possédaient les connaissances et l'expérience les plus importantes en vue d'entreprendre la transmission de celles-ci aux autres employés[16].

L'analyse des réseaux sociaux ne représente pas une solution de remplacement aux outils traditionnels de gestion des connaissances, soit les bases de données et les portails, mais elle peut servir de point de départ aux entreprises qui cherchent la meilleure façon d'entreprendre une initiative de gestion des connaissances. Lorsque l'analyse des réseaux sociaux est intégrée à une vaste stratégie de gestion des connaissances, elle peut aider les organisations à reconnaître leurs principaux spécialistes, puis à mettre en place des mécanismes, une communauté de pratique, par exemple, qui permet aux meneurs de transmettre leurs connaissances à leurs collègues. Pour savoir qui sont leurs experts, les organisations peuvent avoir recours à un programme informatique qui effectue un suivi des courriels et autres modes de communication numérique[17].

L'intelligence d'affaires et les données volumineuses

L'**intelligence d'affaires** correspond aux applications et aux moyens technologiques qui servent à rassembler de l'information, à assurer l'accès à celle-ci et à l'analyser pour soutenir la prise de décision des gestionnaires. Par exemple, dans le chapitre 7, l'intelligence d'affaires est décrite comme une composante élargie du progiciel de gestion intégré (PGI). Dans cette composante, les données transactionnelles sont recueillies, ordonnées, puis résumées sous forme d'information analytique. Ainsi, les outils analytiques servent à explorer et à comprendre cette information afin d'aider les gestionnaires et les analystes dans leurs processus de prise de décision. Une des premières références au concept d'intelligence d'affaires est citée dans le livre *L'art de la guerre* de Sun Tzu. L'auteur affirme que pour sortir gagnant d'une guerre, il faut connaître parfaitement ses propres forces et faiblesses, de même que celles de son adversaire. Le manque de connaissance de soi ou de l'ennemi peut coûter la victoire. Un certain courant de pensée établit d'ailleurs des parallèles entre les défis du monde des affaires et ceux de la guerre, plus particulièrement en ce qui a trait à la collecte d'information, à la reconnaissance des tendances et de la signification de l'information, ainsi qu'à la manière de réagir à l'information qui en résulte[18].

La plupart des organisations sont pratiquement incapables de comprendre leurs propres forces et faiblesses, encore moins celles de leurs adversaires, en raison de la quantité énorme de données et d'information organisationnelles qui sont inaccessibles à tous ceux qui ne travaillent pas au Service des systèmes d'information. Par exemple, les données et l'information organisationnelles comportent bien plus que de simples champs dans une base de données. Elles comprennent aussi la messagerie vocale, les appels des clients, les messages texte, les capsules vidéo ainsi que de nombreuses formes nouvelles de données comme les micromessages (*Tweets*) diffusés sur Twitter.

Les **données volumineuses** (*big data*) constituent l'ensemble des données qui sont recueillies auprès de diverses sources, dont les fournisseurs, les clients, les concurrents, les partenaires et les industries. Les technologies d'intelligence d'affaires analysent les données volumineuses pour reconnaître des modèles, des tendances et des relations en vue de prendre des décisions stratégiques. L'**analytique d'affaires** désigne le fait d'utiliser des techniques itératives et méthodiques pour explorer les données d'une organisation, en mettant l'accent sur l'analyse prédictive, appliquée et statistique. Les données volumineuses, l'intelligence d'affaires et l'analytique d'affaires constituent un marché en croissance au Canada et dans le monde. Il a été avancé qu'au cours des cinq prochaines années, un grand nombre de postes en analyse de données seront créés annuellement au Canada. La locution «données volumineuses», devenue populaire depuis environ un an, englobe une variété d'aspects: l'entreposage des données, l'analytique, l'intelligence d'affaires et la prise de décision. La figure 3.4 illustre une synthèse de ce que représentent les données volumineuses pour des fournisseurs de telles données de Calgary, en Alberta, dont IBM et Quattro Integration Group (rachetée par Deloitte en 2013). Cette figure illustre également à quel endroit certains termes pertinents s'insèrent dans le contexte actuel des données volumineuses[19].

FIGURE 3.4

Description visuelle des données volumineuses (*big data*)

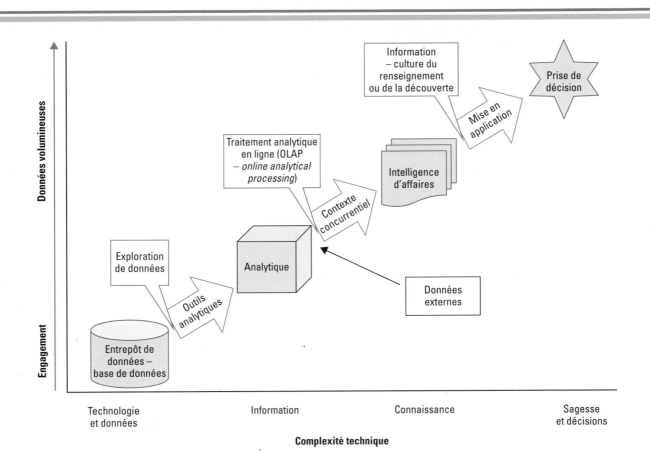

Les outils d'intelligence d'affaires permettent de transformer les données en information et en connaissance grâce à l'utilisation de méthodes d'exploration de données et d'autres percées relatives aux algorithmes. Les entreprises telles que SAP, Microsoft et Oracle continuent d'intégrer des outils analytiques à leurs PGI en vue de pouvoir concurrencer des entreprises comme SAS et de tirer davantage profit des données recueillies par leurs systèmes qui soutiennent la création et la gestion des données transactionnelles.

L'importance de la rapidité de la prise de décision et des données volumineuses

La tendance à la rapidité dans la prise de décision est là pour rester. En août 2013, Cisco Systems a annoncé l'abolition de 4 000 postes de cadres intermédiaires pour réduire la taille de ses équipes. La raison qui explique ce désir de réduire ses équipes? Accélérer la prise de décisions, puis mettre ces dernières en application. Auparavant, Cisco avait déjà annoncé la formation de conseils pour coordonner certaines parties de l'entreprise, mais elle est revenue sur sa décision, car les grandes équipes avaient une incidence négative sur la prise de décision[20].

Target analyse ses données depuis de nombreuses années dans le but d'attirer davantage de clients. Au cours des dernières années, l'entreprise s'est servie de ses données pour cibler les femmes au deuxième trimestre de leur grossesse (*voir le chapitre 9*). Dans le but de fidéliser les futures mamans et leur famille, l'entreprise envoie aux femmes enceintes des publicités liées à la grossesse qui visent à les attirer dans ses magasins et à créer des habitudes de consommation qui se poursuivront après la naissance de l'enfant. Une fois l'enfant au monde, les habitudes de consommation de ces clientes sont sujettes à évoluer. Comme ces mères, parfois épuisées, ont déjà pris l'habitude de faire leurs achats au magasin Target, elles achètent facilement d'autres articles que ceux dont le prix est réduit, surtout si les biens qui leur sont présentés sont pratiques[21].

L'intelligence d'affaires pour appuyer la prise de décision

Voici un scénario idéal : un directeur d'affaires révise les données historiques d'un client avant de se rendre à une réunion avec lui. Il se rend compte que son volume de commandes a grandement diminué. En analysant les données, il remarque que le client manquait de soutien relativement à un produit donné. Sans tarder, le directeur appelle l'équipe de soutien pour obtenir l'information à ce sujet. Il découvre que la partie qui pose problème peut être remplacée et que la pièce peut être livrée dans les 24 heures qui suivent. De plus, il apprend que son client a consulté le site Web et qu'il a fait une demande de renseignement à propos d'une nouvelle gamme de produits. Fort de cette information, le directeur est prêt pour une réunion très productive avec son client ; il comprend mieux les besoins de ce dernier et les obstacles à surmonter. Le directeur pourra donc aborder le sujet des nouvelles occasions de vente avec confiance.

Le problème : une abondance de données, mais un manque d'information

Pour de nombreuses entreprises, l'exemple précédent n'est qu'un rêve illusoire. En effet, tenter de recueillir l'information relative au client nécessiterait plusieurs heures, voire plusieurs jours de compilation de données. Avec la quantité innombrable de données disponibles, il s'avère étonnamment difficile pour les directeurs d'obtenir de l'information telle que le niveau des stocks, l'historique des commandes ou les renseignements relatifs à l'expédition. Les directeurs font parvenir leur demande de renseignement au Service de gestion des systèmes d'information où un employé est affecté à la compilation des nombreux rapports. Dans certains cas, cette tâche peut prendre plusieurs jours et, à ce moment-là, l'information obtenue est parfois désuète et l'occasion d'affaires, ratée. Bon nombre d'organisations se trouvent donc dans une situation épineuse : elles possèdent de nombreuses données, mais peu d'information. Par ailleurs, même à l'ère numérique, les directeurs ont du mal à transformer leurs données transactionnelles en intelligence d'affaires.

À mesure que les affaires accroissent leur dépendance à des systèmes pour la GRC et le PGI, les entreprises accumulent rapidement un volume énorme de données transactionnelles. Toutes les interactions entre les services ou entre l'entreprise et le monde extérieur (données historiques relatives aux transactions et données sur le marché externe) sont consignées dans un système d'information à des fins d'utilisation et d'accès futurs. À quelle vitesse les données se multiplient-elles, exactement ? Dans un rapport spécial de la revue *The Economist* portant sur la gestion de l'information, les auteurs ont conclu ce qui suit après avoir cité de nombreux exemples de la quantité faramineuse de données auxquelles il était possible d'avoir accès : «Le monde contient une quantité inimaginable d'information numérique qui augmente constamment et toujours plus vite. C'est ce qui explique qu'on soit capable de faire ce qui était impossible autrefois, notamment observer une tendance dans le monde des affaires, prévenir une maladie, lutter contre le crime, etc. Grâce à une gestion efficace des données, il est possible d'employer ces dernières pour débloquer de nouvelles sources de valeur économique, ouvrir de nouvelles voies en science et contraindre les gouvernements à rendre compte de leurs actes. Cependant, les données peuvent également engendrer de nouveaux problèmes. En effet, malgré l'abondance d'outils qui permettent d'extraire, de traiter et de partager toute cette information (capteurs, ordinateurs, téléphones cellulaires, etc.), le volume de données dépasse déjà l'espace de stockage disponible.» De plus, la valeur de l'industrie qui produit de l'information de grande qualité à partir de nombreuses données a été estimée, en 2010, à plus de 100 milliards de dollars américains. Elle continue d'augmenter de 10 % par année, un rythme près de deux fois plus rapide que celui de l'ensemble de l'industrie du logiciel. Il n'est donc pas étonnant que Microsoft, IBM, SAP et Oracle aient dépensé plus de 15 milliards de dollars américains pour acheter des agences qui se spécialisent dans l'analytique et la gestion de données[22]. Les données constituent pour l'entreprise une ressource stratégique et si cette dernière n'est pas utilisée, l'entreprise gaspille ses ressources.

On dit que les organisations se caractérisent par une abondance de données et une pauvreté de l'information. Le défi consiste donc à transformer les données en information utile. Une fois cette démarche accomplie, les employés pourront créer des connaissances à partir de l'information et l'utiliseront en vue d'accroître le rendement de l'entreprise.

La solution : l'intelligence d'affaires

Les décisions prises par les employés sont nombreuses et comprennent celles qui concernent l'information sur les services, les nouveaux produits ainsi que le soutien aux clients mécontents. Les employés peuvent prendre ces décisions en se basant sur des données, leur expérience, leurs connaissances ou, idéalement, une combinaison des trois. L'intelligence d'affaires permet aux gestionnaires de prendre de meilleures décisions. À cet effet, voici quelques exemples qui illustrent comment diverses industries tirent profit de l'intelligence d'affaires :

- les compagnies aériennes analysent les destinations vacances les plus populaires par rapport aux listes de vols actuels ;
- le milieu bancaire étudie l'utilisation de la carte de crédit par les clients et détermine la fréquence de non-paiement ;
- les soins de santé, où sont comparées les caractéristiques sociodémographiques de patients atteints d'une maladie grave ;
- les assurances veulent prévoir les montants des indemnités et des coûts des couvertures médicales ;
- les services policiers assurent le suivi des modèles de criminalité, des lieux les plus à risque et des comportements criminels ;
- le marketing, afin d'analyser les caractéristiques sociodémographiques des clients ;
- la vente au détail, qui englobe la prévision des ventes, des niveaux de stock et de la distribution ;
- la technologie dont l'objectif est de prévoir les pannes de l'infrastructure matérielle.

La figure 3.5 illustre comment les organisations qui ont recours à l'intelligence d'affaires peuvent trouver la réponse à de nombreuses questions et la solution à divers problèmes simplement en se posant la question «pourquoi?». La première étape consiste à analyser un rapport, par exemple les ventes effectuées en fonction du trimestre. Les gestionnaires analysent les données du rapport à la recherche d'une raison qui explique une augmentation ou une diminution des ventes. Une fois qu'ils comprennent pourquoi une succursale donnée ou un produit connaît une augmentation des ventes, ils peuvent partager l'information pour

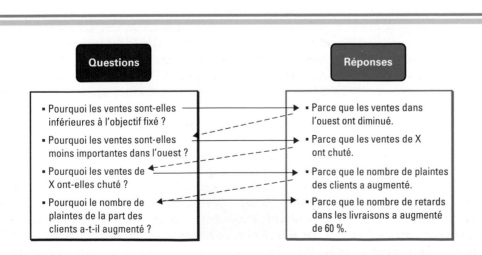

FIGURE 3.5

Répondre aux questions épineuses grâce à l'intelligence d'affaires tenter d'accroître les ventes à l'échelle de l'entreprise. S'il s'agit d'une diminution des ventes et que les gestionnaires parviennent à en trouver la cause, ils peuvent prendre les mesures nécessaires en vue de résoudre le problème. Voici quelques exemples de réponses qu'apporte l'intelligence d'affaires à des questions commerciales épineuses :

- Où se situait l'entreprise autrefois ? Une perspective historique fournit des variables importantes qui contribueront à reconnaître des tendances et des modèles.
- Où se situe l'entreprise maintenant ? Examiner la situation actuelle de l'entreprise permet aux gestionnaires de prendre les mesures nécessaires pour résoudre les problèmes avant que ceux-ci deviennent insurmontables.
- Où l'entreprise se dirige-t-elle ? L'orientation stratégique de l'entreprise revêt une importance cruciale dans la planification et la création de stratégies d'affaires solides.

Posez une question simple, « qui est mon meilleur client ? » ou « lequel de mes produits se vend le moins bien ? » par exemple, et il se pourrait que vous obteniez autant de réponses différentes que vous dirigez d'employés. Par contre, les bases de données, les entrepôts de données et les comptoirs de données peuvent vous fournir une source de données « fiables » qui vous aideront à répondre aux questions relatives aux clients, aux produits, aux fournisseurs, à la production, aux finances, à la fraude et même aux employés. Ces données peuvent également signaler aux gestionnaires les incohérences qui surviennent ou aider à trouver la cause et les répercussions des décisions qui touchent l'ensemble de l'entreprise. Toutes les unités d'affaires bénéficient de l'information supplémentaire qu'apporte l'intelligence d'affaires. Et vous, à titre d'étudiant dans un domaine lié aux affaires, tirerez profit de votre compréhension des systèmes d'information de gestion et de la façon dont ces derniers peuvent vous aider à prendre des décisions éclairées.

Les intelligences d'affaires opérationnelle, tactique et stratégique

Claudia Imhoff, présidente d'Intelligent Solutions Inc., croit qu'il est utile de diviser l'intelligence d'affaires en trois catégories : opérationnelle, tactique et stratégique. Lorsqu'on examine le spectre, de la forme opérationnelle à la forme stratégique en passant par la forme tactique, deux tendances apparaissent. D'abord, l'analyse devient de plus en plus complexe et ponctuelle, c'est-à-dire qu'elle est moins répétitive et prévisible, et qu'elle nécessite divers types et quantités d'informations. Ensuite, les risques liés à l'analyse et les répercussions positives de celle-ci augmentent. Donc, les demandes les plus stratégiques, souvent chronophages, suscitent moins souvent une création de valeur, mais lorsque tel est le cas, la valeur créée peut être impressionnante. La figure 3.6 illustre les différences entre les intelligences d'affaires de forme opérationnelle, tactique et stratégique[23].

FIGURE 3.6

Interactions entre les trois formes d'intelligences d'affaires pour l'atteinte d'un objectif commun

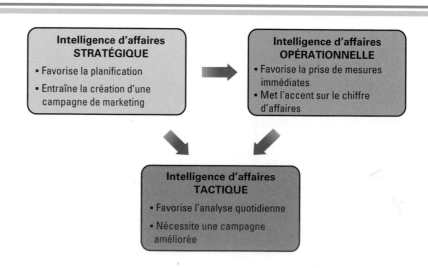

Ces trois formes d'intelligences d'affaires ne sont pas indépendantes les unes des autres. Au contraire, il est important de comprendre qu'elles doivent interagir, que les résultats issus de la forme stratégique sont intégrés à la forme tactique pour favoriser la prise de meilleures décisions stratégiques. Par exemple, l'intelligence d'affaires stratégique peut être utilisée au cours de la planification des étapes d'une campagne de marketing. Les résultats de ces procédures analytiques pourraient alors jeter les bases d'une nouvelle campagne qui cible des clients ou des caractéristiques sociodémographiques données. L'analyse quotidienne, donc opérationnelle de la campagne, servirait ensuite à la forme tactique de l'intelligence d'affaires pour apporter des modifications à la campagne, advenant que les résultats obtenus soient inférieurs à ceux qui étaient prévus. Le message doit-il être changé? Les niveaux de stocks suffisent-ils à maintenir le rythme des ventes? Chose certaine, l'effort de marketing devrait être augmenté. Ces résultats sont ensuite intégrés à l'intelligence d'affaires opérationnelle pour susciter une réaction immédiate, soit offrir un produit différent, optimiser le prix de vente du produit ou changer le message quotidien envoyé aux segments visés.

Pour qu'une telle synergie se concrétise, les trois formes d'intelligences d'affaires doivent être étroitement intégrées. En outre, le moins de temps possible doit être perdu lors du passage d'un environnement technologique à un autre. L'information et le déroulement des opérations doivent impérativement être transparents. TruServ, la société mère de True Value Hardware, a eu recours à un logiciel d'intelligence d'affaires pour accroître le rendement de ses opérations de distribution et réduire l'évaluation des stocks de 50 millions de dollars américains. Son Service de marketing s'est servi de l'intelligence d'affaires pour effectuer un suivi des résultats de la promotion des ventes et connaître, par exemple, les promotions les plus populaires selon la succursale ou la région. Maintenant que TruServ dresse des historiques dans des entrepôts de données, l'entreprise est en mesure de s'assurer que toutes les succursales maintiennent des stocks adéquats. De plus, elle est parvenue à obtenir un rendement positif du capital investi en cinq à six mois[24].

La valeur opérationnelle de l'intelligence d'affaires

Une des plus grandes compagnies d'assurance permet à ses clients d'accéder aux renseignements sur leur compte à partir d'Internet. Auparavant, elle faisait parvenir des rapports numérisés, sous forme de documents papier, à tous ses clients. La moindre erreur dans un rapport pouvait prendre un à deux mois à corriger, car le client devait d'abord recevoir le rapport, y relever l'erreur, puis aviser la compagnie d'assurance. Maintenant, les clients peuvent repérer une erreur en temps réel et aviser directement la compagnie par l'entremise de l'extranet, le tout en quelques jours seulement[25].

Richard Hackathorn, de Bolder Technologies, a tracé un graphique très intéressant qui démontre la valeur de l'intelligence d'affaires opérationnelle. La figure 3.7 présente les trois délais qui ralentissent la prise de décision, soit les délais associés aux données, à l'analyse et à la décision.

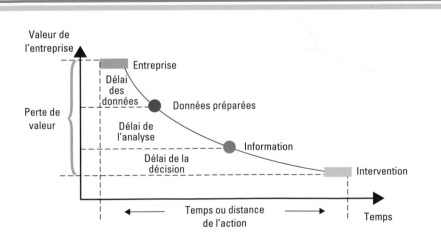

FIGURE 3.7

Délai entre un événement et une intervention

- Le **délai des données** correspond au temps nécessaire pour préparer des données transactionnelles en vue de leur analyse (c'est-à-dire l'extraction, la transformation et le nettoyage des données) et pour placer les données sommaires, agrégées et nettoyées (information analytique) dans un entrepôt de données. Cette tâche peut être très longue selon l'état initial des données transactionnelles.

- Le **délai de l'analyse** représente le temps qui s'écoule entre le moment où des données deviennent disponibles et le moment où l'analyse est terminée. Il dépend du temps que consacre l'entreprise à l'analyse. Généralement, on considère que le délai d'analyse correspond au temps que prend un humain pour effectuer l'analyse, mais ce type de délai peut être réduit grâce à l'utilisation d'outils analytiques automatisés comportant des seuils. Une fois les seuils dépassés, le personnel concerné est avisé ou les processus d'exception sont lancés sans qu'une quelconque intervention humaine ne soit nécessaire.

- Le **délai de la décision** est le temps nécessaire à un être humain pour comprendre les résultats d'une analyse et définir une action adéquate. Cette forme de délai est difficile à réduire, mais la capacité d'automatiser le processus décisionnel plutôt que de le confier à un être humain permet de diminuer grandement le délai de la décision en général. C'est d'ailleurs ce que font bien des entreprises avant-gardistes. Par exemple, au lieu d'aviser par courrier un de ses meilleurs clients qu'il a émis un chèque sans provision, ce qui peut prendre plusieurs jours, un système automatisé pourrait lui faire parvenir sans délai un courriel ou un message vocal pour l'informer de ce problème.

L'objectif est de réduire ces délais de manière à ce que l'influence exercée sur les clients, les fournisseurs, etc., soit plus rapide, plus interactive et mieux positionnée. Tel qu'on l'a mentionné précédemment, le meilleur moment pour influencer un client n'est pas lorsque ce dernier a quitté le magasin ou le site Web, mais bien quand il s'y trouve encore.

Par exemple, un client qui recherche de bons plans de voyage sur le Web risque fort d'être influencé par des messages opportuns à ce moment précis. Voici quelques exemples d'interventions qui peuvent être effectuées sans délai, alors que le client parcourt toujours le site:

- offrir un bon de réduction pour le voyage qui intéresse le client lorsque ce dernier effectue des recherches concernant les vols à prix abordables;

- fournir au client de l'information sur son achat, par exemple l'avertir qu'il doit faire une demande de visa;

- féliciter le client d'avoir atteint un nouvel échelon au programme des acheteurs assidus et lui offrir 10 % de rabais.

Le site Web constitue une autre excellente façon d'influencer un client, à condition que les interactions soient adéquates et opportunes. Voici quelques exemples:

- une bannière annonçant le produit le plus populaire lorsque le client ajoute un article à son panier d'achats;

- l'envoi d'une offre spéciale sur un article que le client vient tout juste de retirer de son panier;

- l'affichage d'instructions pertinentes quant à l'utilisation d'un produit, par exemple un avertissement que le produit ne doit pas être employé par ou pour des enfants de moins de trois ans[26].

L'innovation rapide des systèmes et des outils d'exploration de données permet aux employés à l'échelle de l'entreprise de mobiliser aisément les intelligences d'affaires opérationnelle, tactique et stratégique. En outre, grâce à la mise en place réussie d'un système d'intelligence d'affaires, une entreprise peut s'attendre à bénéficier de trois avantages: 1) un point d'accès unique pour tous les utilisateurs; 2) un accès à l'intelligence d'affaires pour tous les services de l'organisation; 3) une information mise à jour à la minute près pour tous.

Une solution d'intelligence d'affaires permet aux entreprises de débloquer l'information contenue dans leurs bases de données transactionnelles en offrant aux utilisateurs autorisés un seul point d'accès à l'information analytique stockée dans un entrepôt de données. Que l'information se trouve dans un entrepôt ou un comptoir de données, les utilisateurs peuvent produire des rapports et explorer l'information qui s'y trouve. Ainsi, les utilisateurs sont en mesure de mieux comprendre ce qui constitue le moteur de l'entreprise, et ce, sans avoir besoin de connaissances techniques des structures sous-jacentes de données. Les applications les plus utiles offrent le même service, mais possèdent également une interface graphique conviviale et peu technique.

Il existe diverses manières d'avoir recours à l'intelligence d'affaires. Un des plus grands avantages de celle-ci est la possibilité de l'employer à toutes les étapes de la chaîne de valeur. En effet, tous les services de l'entreprise peuvent tirer profit de la valeur de l'intelligence d'affaires, des ventes aux opérations en passant par le service à la clientèle.

Volkswagen AG se sert de l'intelligence d'affaires pour suivre, comprendre et gérer l'information qui circule dans tous ses services, aux finances, à la production, au développement, à la recherche, aux ventes et au marketing ainsi qu'au Service des achats. Les utilisateurs de tous les paliers de l'entreprise ont accès aux rapports des fournisseurs et des clients relativement aux demandes et aux négociations en ligne, au lancement de nouveaux véhicules de même qu'à la gestion et au suivi de la capacité des véhicules[27].

Le secret pour débloquer l'information est de fournir aux utilisateurs les outils nécessaires pour que ceux-ci obtiennent rapidement et facilement les réponses à leurs questions. Certains utilisateurs se satisferont de rapports standards mis à jour régulièrement comme ceux qui concernent les stocks, les ventes par canaux ou les statuts des clients. Par contre, les réponses que ces rapports fournissent peuvent soulever d'autres questions. Certains utilisateurs souhaiteront avoir un accès dynamique à l'information, car l'information trouvée dans les rapports standards suscite de nouvelles questions dont les réponses sont absentes des rapports clé en main.

Les utilisateurs passent 80 % de leur temps à évaluer les rapports standards et personnalisés, mais 20 % de leur temps est consacré à la recherche d'information qui ne figure pas dans le rapport original. Pour satisfaire ce besoin et éviter la frustration, le système d'intelligence d'affaires doit permettre aux utilisateurs d'effectuer eux-mêmes des recherches d'information ponctuelles à partir d'un entrepôt de données ou d'un comptoir de données de l'entreprise.

Pour les commerçants de MasterCard Worldwide, l'accès à l'intelligence d'affaires leur donne la chance d'examiner plus étroitement leurs affaires sur une base quotidienne. Les agences de publicité peuvent utiliser l'information diffusée dans l'extranet lorsqu'elles élaborent des campagnes publicitaires pour les commerçants. Pour ce qui est de l'autorisation, un centre d'appels peut extraire les transactions relatives à l'autorisation des titulaires de cartes MasterCard d'un entrepôt de données afin de réduire les risques de fraude. À long terme, et à mesure que les partenaires d'affaires demanderont de plus en plus de pouvoir accéder aux données du système, MasterCard s'attend à ce que son système accueille plus de 20 000 utilisateurs externes[28].

Les types d'avantages de l'intelligence d'affaires

La haute direction n'est plus prête à investir d'énormes sommes d'argent pour l'élaboration de systèmes d'intelligence d'affaires sans avoir de preuve que ces systèmes augmenteront de beaucoup ses résultats financiers. Ainsi, lorsqu'une entreprise analyse les répercussions de l'intelligence d'affaires sur les résultats financiers, elle doit non seulement évaluer les bénéfices d'affaires à l'interne, mais également les divers avantages que le déploiement de l'intelligence d'affaires devrait apporter à l'entreprise et à ses parties prenantes. Un moyen pratique de décortiquer ces nombreux avantages consiste à les séparer en quatre catégories, soit les avantages directs, indirects, imprévisibles et intangibles.

Les avantages quantifiables directs comprennent l'économie de temps lors de la production de rapports, la vente d'information aux fournisseurs, etc. En voici quelques exemples:

- La société Moët & Chandon, le producteur de champagne reconnu, a réduit ses dépenses liées aux systèmes d'information de 0,30 $ par bouteille à 0,15 $ par bouteille.
- Une des plus grandes compagnies d'assurance offre à ses clients un accès libre-service à la base de données de l'entreprise pour que ceux-ci puissent consulter leur dossier. De plus, l'entreprise ne leur envoie plus de rapport sous forme de document papier. Cette mesure permet à elle seule de faire économiser 400 000 $ en impression et en expédition par année à l'entreprise. Le rendement du capital investi total des trois dernières années s'élève à 249 %[29].

Les avantages quantifiables indirects peuvent être évalués grâce aux preuves indirectes – un meilleur service à la clientèle signifie qu'un client donné fera davantage affaire avec l'entreprise, et la différenciation des services permettra de recruter de nouveaux clients. En voici quelques exemples :

- Un client d'Owens & Minor a affirmé que l'accès à l'entrepôt de données de l'entreprise par l'entremise de son extranet constituait la principale raison pour laquelle il a confié au fournisseur de matériel médical de nouveaux mandats évalués à 44 millions de dollars.

- « Des représentants sont allés rencontrer les clients de TaylorMade dans des boutiques du professionnel et des chaînes de magasins d'articles de sport. Or, leurs rapports d'inventaire n'étaient pas à jour. Les représentants prenaient des commandes de bâtons, d'accessoires et de vêtements sans même être certains que les articles étaient prêts à être expédiés », a relevé Tom Collard, le directeur des systèmes d'information à la société TaylorMade. « La technologie a non seulement aidé TaylorMade à réduire les coûts associés au retard du travail dans la production de rapports, mais elle a également éliminé les efforts inutiles liés à la prise de commandes qu'il était impossible d'exécuter[30]. »

Les avantages imprévisibles constituent le résultat des découvertes des utilisateurs créatifs. En voici quelques exemples :

- Le système d'intelligence d'affaires relatif aux finances de l'entreprise Volkswagen a donné lieu à une découverte intéressante qui s'est soldée par l'obtention de considérables revenus. Les clients qui ont acheté un modèle particulier de la gamme de produits Audi présentaient un comportement de consommation complètement différent de ceux des autres voitures. Leur profil socioéconomique laissait croire que ce groupe recherchait des locations à long terme pour lesquelles il était prêt à verser un acompte plutôt substantiel. Or, l'information recueillie par l'entreprise a plutôt révélé que ces clients cherchaient de courtes locations et souhaitaient financer leur achat en grande partie par la location du véhicule. Forte de cette information, l'entreprise a lancé un nouveau programme alliant une courte location, un acompte substantiel et un taux de location concurrentiel et touchant particulièrement le modèle Audi en question. L'intérêt porté au nouveau programme a été immédiat et a permis de réaliser deux millions de dollars en nouveaux revenus.

- Peter Blundell, ancien directeur de la stratégie de connaissances à la société British Airways, ainsi que divers cadres se doutaient que le transporteur aérien souffrait des nombreuses fraudes de billets d'avion dont il était victime. Pour régler ce problème, Blundell et son équipe ont fait appel à l'intelligence d'affaires. « Une fois que nous avons analysé l'information en notre possession, nous avons découvert que ce type de fraude ne constituait en aucun cas un problème. Ce que nous pensions être un problème de fraude était en fait un problème de qualité de l'information et des procédures », a révélé Blundell. « L'intelligence d'affaires a donné lieu à tant d'occasions imprévues de pouvoir mieux comprendre notre entreprise ! » Blundell estime que le déploiement de l'intelligence d'affaires a entraîné des économies et de nouveaux revenus d'une valeur d'environ 100 millions de dollars au profit du transporteur aérien[31].

Les avantages intangibles comprennent l'amélioration de la communication à l'échelle de l'entreprise, l'augmentation de la satisfaction des utilisateurs qui deviennent plus autonomes ainsi que l'augmentation du partage des connaissances. En voici quelques exemples :

- Le Service des ressources humaines de l'ABN AMRO Bank a recours à l'intelligence d'affaires pour mieux comprendre ses effectifs en analysant l'information au sujet des variables telles que le sexe, l'âge, le mandat accordé et la rémunération. Grâce à ce partage du capital intellectuel, le Service des ressources humaines est maintenant plus en mesure de démontrer son rendement et sa contribution au succès de l'entreprise en entier.

- La société Ben & Jerry's, quant à elle, emploie l'intelligence d'affaires pour suivre, comprendre et gérer l'information provenant de milliers de consommateurs sur ses produits et sur les activités promotionnelles. Au moyen d'analyses quotidiennes des rétroactions de ses clients, Ben & Jerry's est maintenant en mesure de reconnaître les tendances et de modifier ses campagnes de marketing ainsi que ses produits pour répondre à la demande des consommateurs.

Les outils de visualisation de l'intelligence d'affaires

Informer, c'est accéder à un grand volume de données provenant de divers systèmes de gestion de l'information. L'infographie (information graphique) consiste à présenter une information sous forme graphique pour en faciliter la compréhension. L'infographie peut présenter les résultats d'une vaste analyse de données basée sur la recherche de modèles et de relations pour repérer tout changement, avec le temps, des variables examinées. La **visualisation de données** correspond à la capacité de visualiser des données afin que l'information soit communiquée avec clarté et efficacité. Les outils de visualisation des données (*voir la figure 3.8*) vont au-delà des diagrammes et des tableaux Excel et comprennent des techniques d'analyse sophistiquées telles que des diagrammes circulaires, des commandes, des instruments, des cartes, des chronogrammes, etc. Les outils de visualisation des données permettent de déceler des corrélations et des tendances dans les données qui passeraient autrement inaperçues. Le tableau de bord d'intelligence d'affaires permet un suivi de paramètres comme les facteurs déterminants de réussite et les indicateurs-clés de performance, puis intègre au système des capacités avancées, par exemple des commandes interactives, qui permettent aux utilisateurs de manipuler les données à des fins d'analyse et de prise de décision. La majorité des vendeurs de logiciels d'intelligence d'affaires offrent nombre d'outils de visualisation de données et de tableaux de bord d'intelligence d'affaires.

FIGURE 3.8

Infographie de France Nature Environnement portant sur le gaspillage alimentaire

Source : www.fne.asso.fr

Les tendances relatives aux outils d'aide à la prise de décision

La plus grande entreprise d'analytique demeure encore et toujours SAS, avec ses outils tel SAS Enterprise Miner, lequel est utilisé dans diverses tâches liées à l'analytique par des entreprises de nombreuses industries et même par des organisations à but non lucratif. Depuis quelques années, d'autres géants, comme Microsoft avec MS SharePoint ou SAP avec HANA, sont entrés dans le marché de l'analytique et des logiciels d'aide à la prise de décision. Microsoft a fait l'acquisition d'anciens chefs de file dans ce segment du marché, dont Great Plains et FRx Software, afin d'élargir leur clientèle de base. SAP, quant à elle, évalue à 35 % la part des ventes effectuées en analytique. De plus, il y a fort à parier que ce segment de l'entreprise connaîtra une croissance d'au moins 50 % au cours des prochaines années. Il y aurait aussi d'autres développements dans le domaine, notamment Deloitte, qui a acheté des sociétés d'experts-conseils à un marché spécialisé comme Quattro Integration Group, une des principales agences de mise en œuvre de SAP dans l'ouest du Canada qui se spécialise dans les données volumineuses des secteurs du pétrole et du gaz[32].

1. À votre avis, quelles données seraient importantes pour le directeur commercial d'une équipe de votre sport professionnel préféré?

2. En quoi votre réponse serait-elle différente s'il était question du directeur général de cette même équipe?

3. Quels types de données constitueraient des mesures intéressantes pour la détermination des futurs joueurs de votre ligue sportive préférée?

4. Au cours des prochaines années, comment envisagez-vous le rôle principal de l'intelligence d'affaires appliquée au sport (*sports analytics*) dans votre ligue sportive préférée?

3.2 La transmission de l'information, de la connaissance et de l'intelligence à l'échelle de l'organisation

Les systèmes de collaboration

Heineken a réduit son cycle des stocks de trois mois à quatre semaines pour la production et la distribution de bière, grâce à son système de collaboration. Ce système aide l'entreprise à prévoir la demande et à expédier les commandes, ce qui permet de diminuer grandement le niveau de ses stocks et de ses frais d'expédition, tout en augmentant ses ventes.

Depuis les dernières années, plusieurs aspects de la majorité des processus d'affaires ont changé (par exemple, la flexibilité, l'interconnectivité, le type de coordination, l'autonomie) en raison des conditions du marché et des modèles d'affaires. En outre, il n'est pas rare que l'information se trouve divisée physiquement dans divers systèmes, étant donné que de plus en plus d'organisations cherchent à conquérir le marché mondial. Cette situation crée un besoin d'infrastructures logicielles qui peuvent accueillir des systèmes de collaboration.

FIGURE 3.9

Recours à la collaboration entre les entreprises

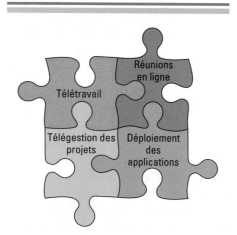

À cet effet, un **système de collaboration** est un ensemble d'outils fondés sur les technologies de l'information qui soutient le travail d'individus et d'équipes en facilitant le partage et la circulation de l'information. La collaboration permet d'accomplir des tâches de gestion telles que le télétravail, les réunions en ligne, le déploiement des applications et la télégestion des projets et des ventes (*voir la figure 3.9*).

Les systèmes de collaboration permettent en outre à des individus, à des équipes et à des organisations de tirer profit des idées et du talent du personnel, des fournisseurs, des clients et des partenaires ainsi que de s'appuyer sur ces idées et ce talent. Les systèmes de collaboration posent une série de défis uniques. Ces défis:

- comprennent des interactions complexes entre des individus qui se trouvent parfois à des endroits différents et souhaitent remplir diverses fonctions dans différentes disciplines;

- requièrent une flexibilité quant aux méthodes de travail ainsi que la capacité à inclure les autres rapidement et facilement;

- nécessitent la création et le partage rapides et faciles de l'information au sein de l'équipe.

La plupart des organisations collaborent avec d'autres entreprises à un moment ou à un autre. Prenons l'exemple d'une relation entre un fournisseur et son client, qu'on peut considérer comme un cycle de vie continu constitué d'activités d'engagement, de transaction, de gestion des commandes et de service. Il est rare que les entreprises excellent dans ces quatre disciplines, que ce soit du côté des processus d'affaires ou de la technologie. Or, les entreprises qui connaissent le plus grand succès reconnaissent leurs compétences de base et investissent dans celles-ci. En ce qui a trait aux compétences dans lesquelles elles excellent le moins, ces entreprises optent pour l'externalisation ou la collaboration. Un système de collaboration peut appartenir à l'une des deux catégories suivantes :

1. La **collaboration non structurée** : comprend l'échange de documents, le partage de tableaux blancs, l'utilisation de forums de discussion et l'envoi de courriels. Ces fonctions peuvent accroître le rendement personnel et réduire le temps consacré à la recherche d'information ou de réponses.

2. La **collaboration structurée** : comprend la participation commune à des processus d'affaires, comme le déroulement du travail, dans le contexte duquel le savoir est intégré sous forme de règles. Ce type de collaboration contribue à améliorer l'automatisation et l'acheminement de l'information.

Quel que soit l'emplacement ou le format, structuré ou non, de l'information, cette dernière doit être facilement et systématiquement accessible à ceux qui en ont besoin, et ce, partout, en tout temps et à partir de n'importe quel appareil. En outre, l'intégration des systèmes d'information permet d'offrir aux employés, aux partenaires, aux clients et aux fournisseurs la possibilité d'accéder au contenu, de le trouver, de l'analyser, de le gérer et d'y collaborer. La collaboration de ces intervenants peut être effectuée au moyen de divers formats, dans diverses langues et sur différentes plateformes. La capacité de Lockheed Martin à partager, en temps réel, de l'information complexe à l'échelle d'une vaste chaîne d'approvisionnement a grandement contribué à l'obtention d'un contrat de 19 milliards de dollars avec le département de la Défense américaine (DoD). Le mandat : construire 21 chasseurs furtifs supersoniques. Les règles d'approvisionnement du gouvernement américain exigent une communication efficace de la part des entrepreneurs d'un contrat de défense afin de s'assurer que les échéances sont respectées, que les coûts sont contrôlés et que les projets sont gérés tout au long du cycle de vie du contrat[33].

Dans la perspective de son obtention du contrat, l'usine de Fort Worth, au Texas, qui appartient à Lockheed, a mis au point un système de collaboration en temps réel qui permet d'établir un lien entre les partenaires, les fournisseurs et les clients du département de la Défense par l'entremise d'Internet. Cette plateforme rend possible le travail d'équipe en ce qui a trait à la conception du produit, aux tâches d'ingénierie de même qu'à la résolution des problèmes relatifs à la GCA et au cycle de vie. C'est Lockheed qui hébergera toutes les transactions et qui possédera l'information relative au projet. De plus, la plateforme fera en sorte que les chefs de projet du département de la Défense et de Lockheed pourront suivre chaque jour le déroulement du projet en temps réel. Il s'agit du premier projet de grande envergure octroyé par le département de la Défense qui présente une telle exigence. De plus, le contrat confié à la division de Lockheed et à ses partenaires, Northrop Grumman Corp. et BAE Systems, constitue la première étape d'un programme qui pourrait s'élever à 200 milliards de dollars pour la construction de 3 000 chasseurs à réaction sur une période de 40 ans.

Pour réussir et éviter d'être éliminée par la concurrence, toute entreprise doit prendre de nouvelles initiatives, résoudre ses problèmes, qu'ils soient mineurs ou majeurs, et tirer profit des importantes occasions qui s'offrent à elles. Pour y parvenir, l'entreprise choisit de former des équipes, des partenariats et des alliances lorsque l'expertise nécessaire dépasse la portée d'un individu ou d'une organisation unique. Ces groupes peuvent être formés à l'interne, donc à partir des employés de l'entreprise, ou à l'externe, soit avec d'autres organisations (*voir la figure 3.10 à la page suivante*).

Des entreprises de toutes tailles et de divers secteurs d'activité ont été témoins des avantages consistant à tirer profit de leurs actifs concernant les systèmes d'information en vue de procurer un avantage concurrentiel. Dans le passé, l'utilisation des systèmes d'information visait principalement l'augmentation de l'efficacité opérationnelle. Toutefois, l'avènement et

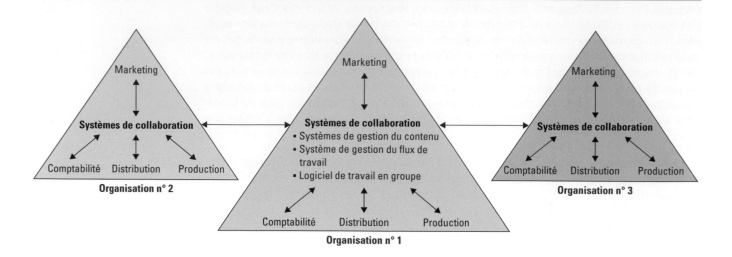

FIGURE 3.10

Collaboration au sein d'une organisation ou à l'externe

la propagation de l'informatique en réseau (Internet étant l'exemple le plus connu, mais non le seul) ont permis aux organisations de concevoir des systèmes grâce auxquels toutes sortes de communautés peuvent interagir. Le résultat final sera de permettre aux entreprises de transiger avec leurs clients, leurs partenaires d'affaires, leurs fournisseurs, les gouvernements, les agences de réglementation ou toute autre communauté pertinente relativement à leur exploitation ou à leur activité.

De la même façon que les organisations ont recours à des équipes internes, les entreprises forment de plus en plus souvent des alliances et des partenariats avec d'autres entreprises. La **compétence de base** d'une organisation correspond à la fonction de gestion ou au point fort d'une organisation, c'est-à-dire là où celle-ci est meilleure que tous ses concurrents. Research in Motion, renommée BlackBerry, jouit d'une excellente réputation en ce qui a trait à la recherche et au développement ainsi qu'à l'innovation, alors que les compétences de base de Bombardier Aéronautique touchent à la conception et à la fabrication de ses produits. Quant à la **stratégie axée sur la compétence de base,** il s'agit d'une stratégie qu'utilise une organisation qui décide de se concentrer spécifiquement sur ce qu'elle fait de mieux (sa compétence de base) et qui établit des partenariats et des alliances avec d'autres organisations spécialisées pour appliquer les processus d'affaires non stratégiques. Les alliances stratégiques permettent aux entreprises de générer des avantages concurrentiels. Les entreprises accèdent aux ressources d'un partenaire, notamment à son marché, à ses technologies et à ses membres. Faire équipe avec une autre entreprise ajoute des ressources et des capacités supplémentaires. Ainsi, le nombre de membres de l'équipe peut croître et prendre de l'expansion plus rapidement et efficacement. C'est surtout le cas des entreprises à croissance rapide qui dépendent de l'externalisation de nombreuses parties de leurs activités, et ce, dans le but de multiplier leurs ressources techniques et opérationnelles. Dans le processus d'externalisation, les entreprises gagnent du temps et voient leur rendement augmenter, car elles n'ont pas à élaborer leurs propres systèmes de A à Z. Elles sont donc libres de se concentrer sur l'innovation et leur domaine de spécialité.

Les systèmes d'information facilitent d'ailleurs la formation et la gestion de tels partenariats et alliances. À cet égard, le **partenariat d'information** représente la coopération entre des organisations qui décident d'intégrer leurs systèmes d'information pour offrir à leurs clients le meilleur de ce que chacune d'elles fait. L'arrivée d'Internet a d'ailleurs multiplié les occasions de partenariat et d'alliance pour les entreprises munies de systèmes d'information.

Par exemple, le partenariat d'information entre le gouvernement fédéral (Industrie Canada), des provinces et territoires (Ontario, Colombie-Britannique et Yukon) ainsi que des collectivités locales (ville de Kamloops, municipalité régionale d'Halton et ses deux municipalités Milton et Halton Hills, ainsi que la ville de Whitehorse) a simplifié l'obtention de permis par les petites et moyennes entreprises canadiennes. Ces partenaires ont travaillé de concert à l'élaboration de PerLE (permis d'exploitation d'entreprise), ou BizPal en anglais, une solution de centralisation à l'intention des entreprises qui souhaitent obtenir l'information nécessaire lorsqu'elles effectuent une demande de permis ou de licence, et ce, pour tous les paliers de gouvernement. Avant l'émergence de cette solution tout-en-un, les entreprises devaient impérativement saisir la même information à plusieurs reprises et effectuer divers paiements. En collaborant et en permettant le partage de l'information, ces partenaires gouvernementaux ont déployé avec succès une solution intégrée de systèmes d'information dont bénéficient les entreprises canadiennes en démarrage[34]. Les forces de cette collaboration résident dans l'intégration de divers systèmes, dont des systèmes de gestion du contenu, des systèmes de gestion du flux de travail et des logiciels de travail en groupe.

L'entreprise à vocation sociale, la collaboration et la gestion des connaissances

Si l'on jette un coup d'œil à la page Web d'IBM dédiée à sa vocation sociale, on trouve l'énoncé suivant qui porte sur les avantages de l'entreprise à vocation sociale et les raisons pour lesquelles les entreprises devraient adopter cette voie : « Lorsque vous inspirez votre main-d'œuvre à innover et à collaborer de façon plus productive, vous générez une valeur tangible pour votre entreprise. Lorsque vous allez au-devant des besoins de vos clients et leur faites vivre des expériences exceptionnelles, ces derniers apprécient grandement et deviennent des défenseurs de votre cause. Et quand vous intégrez vos processus d'affaires à l'aide des outils sociaux adéquats, vous vous assurez un avantage concurrentiel et explorez de nouvelles façons de faire des affaires. » Dans d'autres discussions, des auteurs relèvent les mêmes avantages que ceux qu'IBM a diffusés sur ses pages à vocation sociale relativement à la gestion des connaissances et à la collaboration.

La gestion des connaissances et la collaboration font principalement intervenir des individus et la technologie. De plus en plus, cependant, l'intelligence artificielle est mise en application dans la partie gestion des connaissances de l'équation. Autre tendance : l'utilisation d'applications d'affaires à vocation sociale pour aider l'entreprise et ses intervenants à collaborer et à partager facilement leurs connaissances. Des sociétés de conseil de grande envergure comme Accenture ont cerné un certain nombre d'outils qui contribueront, dans un avenir rapproché, à la progression des entreprises dans ce domaine. En voici quelques exemples :

1. les **Wikis** favorisent la gestion des connaissances thématiques, la collaboration et la création de contenu. Ce sont sont des plateformes Web de collaboration qui facilitent l'ajout, la suppression ou la modification du contenu en ligne par les utilisateurs ;

2. les outils sociaux, qui sont riches en profils d'utilisateurs, en forums de discussion, en espaces personnels, en rapports d'activités et en mises à jour de statut ;

3. les outils sémantiques, qui comprennent des outils de recherche multidimensionnelle, la navigation visuelle, l'analyse temporelle ainsi que des moteurs d'inférence axés sur les règles ;

4. les outils d'exploration de textes, qui comprennent l'absorption de documents, la reconnaissance de liaisons automatiques et la catégorisation automatique des pages qui sont toutes en externalisation ouverte pour une plus grande précision et efficacité d'entretien[35].

Les systèmes de gestion du contenu

Un **système de gestion du contenu** offre des outils pour gérer la création, le stockage, la mise à jour et la publication d'information dans un milieu de travail collaboratif. À mesure que la taille et la complexité d'un site Web augmentent, l'entreprise doit mettre en place des processus afin de s'assurer que tout se déroule sans anicroche. À un certain point, il devient logique d'automatiser ce processus et d'avoir recours à un système de gestion du contenu pour gérer le tout de façon efficace. Le marché des systèmes de gestion du contenu est complet et comprend la gestion des documents, des actifs numériques ainsi que du contenu Web. À cet effet, le tableau 3.2 (*voir la page suivante*) souligne les trois principaux types de systèmes de gestion du contenu. Parmi les plus grands fournisseurs de cet outil figurent notamment EM Corporation, Autonomy Interwoven, Percussion, OpenText et Oracle.

TABLEAU 3.2 | Principaux types de systèmes de gestion du contenu

Système de gestion électronique de documents (SGED)	Système qui permet la saisie, le stockage, la distribution, l'archivage et la disponibilité électroniques de documents. Le SGED optimise l'utilisation de documents sans avoir besoin d'un quelconque mode de publication. Il contient un référentiel de documents dont l'information porte sur une autre information. Le système effectue un suivi de l'historique de l'information contenue dans chacun des documents et de ses liens avec d'autres documents. Il existe toute une gamme de méthodes de recherche et de navigation pour faciliter la localisation des documents. Finalement, le SGED gère un contenu très structuré et réglementé, la documentation pharmaceutique, par exemple.
Système de gestion des contenus numériques (SGCN)	Système qui, bien qu'il soit semblable au SGED, traite généralement des fichiers binaires plutôt que des fichiers texte, comme les fichiers multimédias. Le SCGN met l'accent sur la manipulation et la conversion des fichiers, par exemple convertir un fichier GIF en JPEG.
Système de gestion du contenu Web (SGCW)	Système qui ajoute un niveau à la gestion électronique de documents et permet la publication de contenus dans des intranets et même dans des sites Web publics. Outre le fait de préserver le contenu en soi, le SGCW intègre souvent le contenu aux processus en ligne, dont les systèmes d'affaires en ligne.

Comptant deux hôpitaux, de nombreuses cliniques ainsi que divers centres de santé et de traitement, Summit Health, le plus grand fournisseur de soins de santé du comté de Franklin, en Pennsylvanie, cherchait à offrir une expérience Web personnalisée à ses clients. L'entreprise cherchait également un moyen de donner la possibilité à ses employés de mettre facilement à jour son site Web sans avoir besoin de ressources informatiques. La solution à laquelle Summit Health est arrivée comprenait d'abord un système de gestion du contenu qui lui permettait non seulement de lancer un nouveau site Web, mais qui incluait un certain nombre d'avantages tant pour les clients que pour le personnel interne. Ces avantages sont les suivants :

- la possibilité, pour les utilisateurs internes, de médiatiser le contenu du site ;
- une infrastructure technique améliorée pouvant accueillir de nouvelles fonctionnalités et, surtout, qui rend le site plus convivial ;
- un contenu entièrement mis à jour à l'aide d'outils tel un répertoire des fournisseurs amélioré ;
- un objectif principal qui vise l'augmentation des échanges avec les visiteurs au moyen d'outils interactifs comme l'outil pour effectuer la recherche d'un médecin, l'horaire des cours en ligne, la possibilité d'envoyer des cartes virtuelles aux patients, la commande en ligne d'articles de la boutique de cadeaux et la bibliothèque de soins de santé.

Selon Michele Zeigler, vice-présidente aux services d'information de Summit Health et responsable des technologies de l'information, « en favorisant l'appropriation du contenu dans toute l'organisation, nous rendons notre site de plus en plus opportun, précis et dynamique[36] ».

Les systèmes de gestion du flux de travail

Le **flux de travail** représente toutes les étapes ou les règles opérationnelles, du début à la fin, qui sont nécessaires à l'exécution des processus d'affaires. Le **système de gestion du flux de travail** facilite l'automatisation et la gestion des processus d'affaires et contrôle le déroulement du travail selon le processus concerné. Les activités professionnelles peuvent être effectuées en série (successivement) ou de façon parallèle (au même moment) et peuvent faire intervenir à la fois des individus et des systèmes informatiques automatisés. De plus, bon nombre de systèmes de gestion du flux de travail permettent de mesurer et d'analyser l'exécution des processus, car le flux de travail peut être défini et suivi. Ce système favorise l'automatisation d'un certain éventail de tâches de gestion et l'acheminement électronique de la bonne information à la bonne personne au bon moment. Les utilisateurs sont avertis qu'une tâche est en cours, et les gestionnaires peuvent suivre facilement le déroulement et les approbations par l'intermédiaire du système de gestion.

Il existe deux principaux types de systèmes de gestion du flux de travail : le premier est fondé sur la messagerie et le second, sur les bases de données.

Le **système de gestion du flux de travail fondé sur la messagerie** envoie des attributions de tâches par un système de courriel. Le système de gestion du flux de travail effectue un suivi automatique des tâches qui doivent être attribuées et, chaque fois qu'une étape est achevée, le système envoie automatiquement la tâche à la personne suivante. Par exemple, chaque fois qu'un membre de l'équipe termine une partie d'un projet, le système fait parvenir le document au membre suivant.

Le **système de gestion du flux de travail fondé sur les bases de données** stocke des documents dans un emplacement central et avertit les membres de l'équipe lorsque c'est à leur tour de se connecter pour travailler sur la partie du projet qui leur est attribuée.

Les deux types de systèmes de gestion du flux de travail contribuent à une présentation unifiée de l'information, à un meilleur travail d'équipe en offrant un soutien automatisé des processus ainsi qu'à la communication et à la collaboration des membres de l'équipe dans un environnement unifié.

Avant sa restructuration, Fraser Papers (qui porte maintenant le nom de Twin Rivers Paper Company) était un géant canadien dans le domaine de la foresterie qui évoluait dans tout le Canada et aux États-Unis. Étant l'un des plus grands producteurs de l'époque en produits papetiers de publication, l'entreprise avait des installations au Connecticut, dans le Maine, en Ohio, au Wisconsin, au Québec ainsi qu'au Nouveau-Brunswick. L'entreprise gérait plus de deux millions d'acres de forêt et exploitait une pépinière, de nombreuses scieries et diverses installations de défibrage. La participation de Fraser Papers dans la fabrication de produits papetiers, l'aménagement forestier et le défibrage a donné lieu à un environnement informatique exigeant pour lequel l'allégement du flux de travail est rapidement devenu une priorité.

La principale installation de l'entreprise, située dans le Maine, constitue un bon exemple de la nécessité de cet allégement. En effet, l'installation comptait 400 utilisateurs et produisait des milliers de documents essentiels tels que des chèques, des bons de commande, des factures ainsi que des documents relatifs aux fournisseurs et au contrôle des stocks. Or, lorsque l'entreprise a examiné plus en détail une partie du flux de travail, soit la production et l'impression de chèques, Fraser Papers a découvert que l'entreprise avait des besoins particuliers. Par exemple, pour la production de chèques destinés aux fournisseurs, l'entreprise devait composer avec plusieurs monnaies différentes. Les fournisseurs étaient principalement canadiens ou américains, mais l'entreprise transigeait également avec des fournisseurs internationaux ainsi qu'avec deux banques, l'une au Canada et l'autre aux États-Unis. Autre caractéristique du flux de travail : la nécessité de centraliser la production de chèques et de sécuriser le processus d'impression tout en permettant aux employés de continuer à faire leur travail et à produire des chèques pour les fournisseurs, des chèques de paie et des reçus de dépôt direct sans leur donner de tâches supplémentaires. Également, en raison de la nature même de l'entreprise, il s'avérait nécessaire de sécuriser l'impression des chèques de paie destinés à des endroits éloignés, d'éliminer les retards dans l'envoi de ces chèques aux employés ainsi que de réduire les frais d'expédition[37].

Le logiciel de travail en groupe

Le **logiciel de travail en groupe** est un logiciel qui favorise l'interaction et la dynamique de groupe, y compris la gestion d'agenda, l'ordonnancement et les visioconférences. Les entreprises peuvent avoir recours à cette technologie pour communiquer, coordonner, résoudre des problèmes, se faire concurrence ou négocier. Une technologie traditionnelle comme le téléphone peut être considérée de la même façon qu'un logiciel de travail en groupe. Toutefois, ce type de logiciel renvoie plutôt à une catégorie précise de technologies qui fonctionnent grâce aux réseaux informatiques modernes, notamment le courrier électronique, les forums, le visiophone et les salons de clavardage.

Les utilisateurs d'un logiciel de travail en groupe peuvent travailler ensemble en même temps (en mode synchrone) ou à des moments différents (en mode asynchrone) de même qu'au même endroit (en mode colocalisé) ou à des endroits différents (utilisé à distance).

À cet effet, la figure 3.11 (*voir la page suivante*) présente les types de technologies qui appartiennent aux quatre quadrants de la communication collaborative.

Le concept de logiciel de travail en groupe intègre plusieurs systèmes et fonctionnalités en une série commune de services ou en une seule application (client). De plus, le logiciel peut représenter une vaste gamme de systèmes et de modes d'intégration.

FIGURE 3.11

Technologies associées aux
quatre quadrants de la communication collaborative

	Même moment, logiciel « en mode synchrone »	**Moments différents,** logiciel « en mode asynchrone »
Même endroit, logiciel « en mode colocalisé »	Logiciel de présentation	Ordinateurs partagés
Endroits différents, logiciel « utilisé à distance »	Visiophone, clavardage	Courriel, flux de travail

Par rapport à un système d'exploitation mono-utilisateur, le logiciel de travail en groupe a pour avantages de :

- faciliter la communication (plus rapide, facile, claire et convaincante);
- favoriser le télétravail;
- réduire les coûts de transport;
- favoriser le partage de l'expertise;
- permettre de former des groupes d'individus partageant des intérêts lorsqu'il est impossible de rassembler physiquement un nombre suffisant de personnes;
- permettre d'économiser temps et argent relativement à la coordination d'un groupe de travail;
- faciliter la résolution de problèmes de groupe.

De nos jours, dans le monde des affaires, il existe de nombreux logiciels qui aident les entreprises dans leurs efforts de collaboration. Les principaux vendeurs de ce type de logiciels sont Microsoft, IBM et Oracle.

Allianz Suisse est l'une des plus grandes compagnies d'assurance de Suisse et compte environ 1 100 agents de vente indépendants répartis dans 70 bureaux aux quatre coins du pays. L'entreprise vend et entretient ses produits d'assurance à l'aide d'une application spécialement conçue pour fonctionner sur les ordinateurs portatifs locaux. Les données contenues dans ces ordinateurs sont synchronisées avec les serveurs du siège social de Zurich. Lorsque les agents vendent un produit, les formulaires adéquats sont remplis, soumis, puis traités à l'aide de cette application. Évidemment, les agents passent la majeure partie de leur temps sur la route à rencontrer des clients potentiels et actuels. Pour maximiser leur efficacité et leur efficience, les agents doivent pouvoir consulter les renseignements relatifs aux clients et l'horaire des rendez-vous à partir des serveurs de l'entreprise. Ils ont également besoin de pouvoir mettre à l'horaire de nouveaux rendez-vous alors qu'ils sont en déplacement et de synchroniser cette nouvelle information avec celle du serveur. Finalement, ils doivent pouvoir accéder à distance à leurs courriels. Lorsque les agents passent voir des clients, potentiels ou actuels, ils préfèrent ne pas avoir à transporter leur portable avec eux. C'est pourquoi la plupart d'entre eux possèdent leur propre tablette ou téléphone intelligent et comptent sur Allianz Suisse pour leur permettre de télécharger les coordonnées de leurs contacts, leurs horaires et leurs courriels directement à partir de ce type d'appareil. Selon Robert Spaltenstein, responsable du logiciel de travail en groupe de l'entreprise, « pour aider nos agents à alléger leurs méthodes de travail et leur permettre d'accéder à leur compte courriel Lotus Domino ainsi qu'à leurs données personnelles, nous avions besoin d'une solution fiable et sécuritaire de synchronisation en tout temps, en tous lieux, avec ou sans fil entre les appareils de nos agents et notre système Lotus Domino[38] ».

La visioconférence et la cyberconférence

La **visioconférence** correspond à l'ensemble des technologies de télécommunication inter-active qui permettent à des personnes situées dans des endroits éloignés d'interagir simul-tanément grâce à des transmissions vidéo et audio bidirectionnelles. Elle porte également le nom de «téléprésence» et constitue un type de logiciel de travail en groupe. La visiocon-férence se sert des télécommunications pour rassembler des individus qui se trouvent à des endroits différents à l'occasion d'une réunion. Il peut s'agir tout simplement d'une conversa-tion entre deux personnes dans des bureaux particuliers (point à point) ou entre plusieurs sites (multipoint) où, à chaque site, plus d'une personne se trouve dans une grande salle de réunion. Non seulement la visioconférence peut être utilisée pour la transmission audio et vidéo d'une conversation, mais elle peut servir au partage de documents, d'information affi-chée à l'ordinateur ainsi que de tableaux blancs[39].

La visioconférence analogique simple est apparue à l'époque de l'invention de la télévision. Le système de visioconférence de l'époque consistait en un circuit fermé de deux systèmes de télévision connectés par câble. Au cours des premiers vols spatiaux habités, la NASA a utilisé deux lignes de transmission radiofréquence (les ondes décimétriques et les ondes métriques), une dans chaque direction. Les chaînes de télévision utilisaient fréquemment ce type de visio-conférence dans des reportages en dehors des studios, par exemple. Ensuite, les liaisons mobiles par satellite grâce à des camionnettes particulières sont devenues usage courant.

La visioconférence fait partie des sites Web de réseautage en ligne qui aident les entre-prises à tisser des liens rapidement et efficacement sans avoir à se déplacer. Divers facteurs expliquent l'utilisation de la visioconférence en entreprise, dont les suivants[40] :

- Plus de 60 % de la communication en face à face est non verbale. Ainsi, un outil de com-munication enrichi telle la visioconférence permet la promotion de l'identité d'une per-sonne ou d'une équipe, d'un contexte ou d'une situation émotionnelle.

- Le travailleur moyen perdrait en moyenne 2,1 heures de temps de travail par jour, cette perte étant attribuable aux interruptions et à la communication inefficace.

- La plus récente technologie se prête bien aux conférences fiables et simples d'utilisation, ce qui favorise la collaboration dans les réunions.

- Les entreprises qui n'utilisent pas une technologie de communication moderne courent le risque de traîner derrière leurs concurrents[41].

La **cyberconférence** représente une combinaison de technologies audio, vidéo et de par-tage de documents servant à la création d'une salle de réunion virtuelle. En cyberconférence, les participants peuvent discuter dans le contexte d'une visioconférence ou utiliser la mes-sagerie textuelle en temps réel. Ils peuvent également annoter un document partagé de la même manière qu'ils utiliseraient un tableau blanc ou même visionner en direct la démons-tration d'un logiciel ou des capsules vidéo.

La caractéristique la plus surprenante de la cyberconférence est probablement sa simpli-cité. Il suffit que les utilisateurs créent un compte et téléchargent quelques fichiers de logiciels. Le principal avantage de la cyberconférence est qu'il n'est pas nécessaire que les participants disposent du même matériel informatique ou des mêmes logiciels. Chacun peut voir l'écran des autres participants, quelle que soit l'application utilisée (*voir la figure 3.12*)[42].

Bien que les communications vidéo de la cybercon-férence manquent de réalisme comparativement à la visioconférence, elles ont l'avantage de permettre la mobilité. Nul besoin d'être assis dans une salle de conférence pour prendre part à une cyberconférence. De plus, un nombre croissant d'entreprises offrent un service de cyberconférence, les chefs de file de l'industrie étant WebEx, Sametime, Skype et Elluminate Live! De plus, des produits comme Hangouts, de Google, et FaceTime, d'Apple, ont élargi les possibilités qu'offre la cybercon-férence. Il est maintenant possible de tenir une conférence en tous lieux grâce au logiciel offert à l'achat d'un appareil Android ou iOS.

FIGURE 3.12

Cyberconférence

Les portails d'entreprise

Afin de favoriser le partage et l'utilisation de l'information, de nombreuses organisations mettent en place des **portails d'entreprise,** souvent sous la forme d'une fonction du système de planification des ressources. Il s'agit d'interfaces de navigateur Web centralisé utilisées au sein d'une organisation pour y promouvoir la collecte, le partage et la diffusion de l'information[43]. Gartner décrit le portail d'entreprise comme étant un logiciel Web qui permet d'accéder à des sources d'information pertinentes et d'interagir avec celles-ci (par exemple, des documents, des rapports, des entrepôts de données ou des employés) en choisissant les publics cibles à l'échelle de l'entreprise, et ce, d'une façon hautement personnalisée[44].

Ces systèmes d'information offrent aux employés un chemin d'accès à l'ensemble du contenu, des services et des applications par un seul point d'accès. Contrairement aux sites divisés par services hébergés au moyen de l'intranet ou du réseau interne d'une entreprise, la principale raison d'être du portail d'entreprise est d'offrir un répertoire d'information transparent à l'échelle d'une organisation et non de servir de source distincte d'information. En ce sens, le portail d'entreprise fonctionne surtout comme une passerelle ou une plateforme de divers types d'information à l'intention des employés. Au cours des dernières années, de telles passerelles sont devenues nécessaires aux entreprises en raison de la multiplication des sites Web de leurs services et de leur désir d'offrir à leurs employés à la fois de l'information interne et externe portant sur l'entreprise. La figure 3.13 illustre un exemple de portail d'entreprise.

FIGURE 3.13

Portail d'entreprise de l'Université de Sherbrooke

Source : www.usherbrooke.ca

Le portail d'entreprise est une application qui permet aux organisations de débloquer de l'information stockée à l'interne ou à l'externe et d'offrir aux utilisateurs une passerelle unique vers l'information personnalisée dont ils ont besoin pour prendre des décisions d'affaires éclairées[45]. Le principal objectif du portail est d'aider les individus à naviguer dans l'information organisationnelle, alors que son objectif secondaire consiste à offrir un contenu unique. C'est ce qui le différencie des autres types de sites Web, notamment les sites externes ou départementaux dont l'objectif principal est de diffuser l'information et de faire en sorte que les visiteurs restent sur un site donné.

Les caractéristiques plus avancées du portail d'entreprise comprennent l'accès à des outils de productivité à l'intention des groupes de travail. Il peut s'agir du courriel, de calendriers, de logiciels de gestion de projets et du flux de travail, d'applications de production de rapports de dépenses et de réservations de voyages. Parmi ces caractéristiques, on peut aussi mentionner des fonctions plus spécialisées pour traiter les données transactionnelles. Ces dernières permettent aux utilisateurs de lire, de créer ou de mettre à jour directement les données d'entreprise par l'intermédiaire de l'interface du portail.

En plus des caractéristiques énoncées précédemment, le portail d'entreprise peut présenter de nombreux autres éléments qui favorisent le partage et l'utilisation de l'information et des connaissances (*voir la figure 3.14*), dont voici quelques exemples :

1. un utilitaire d'édition permet aux utilisateurs de publier et d'indexer directement l'information dans le portail ;

2. un utilitaire d'indexation automatique classe les éléments d'information publiés dans le portail à l'aide d'un algorithme ;

3. un utilitaire d'inscription communique et distribue l'information pertinente sur une base régulière à un utilisateur ou à un groupe d'utilisateurs donné ;

4. des agents intelligents sont en mesure de comprendre les préférences et le rôle des utilisateurs ; ils aident ces derniers à trouver de l'information pertinente et personnalisent la présentation sur l'interface Web de manière à ce que celle-ci soit la plus utile possible pour l'utilisateur.

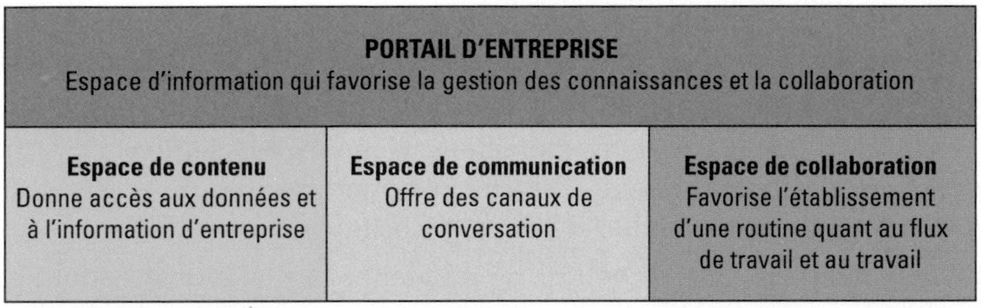

FIGURE 3.14

Portail d'entreprise servant à la gestion des connaissances et à la collaboration

PORTAIL D'ENTREPRISE
Espace d'information qui favorise la gestion des connaissances et la collaboration

Espace de contenu	Espace de communication	Espace de collaboration
Donne accès aux données et à l'information d'entreprise	Offre des canaux de conversation	Favorise l'établissement d'une routine quant au flux de travail et au travail

La messagerie instantanée

Le courriel constitue de loin l'application de collaboration la plus importante, mais les outils de collaboration en temps réel telle la messagerie instantanée créent une nouvelle dynamique de communication au sein des entreprises. La **messagerie instantanée (MI)** représente un type de service de communication qui permet à une personne de créer un salon de clavardage privé pour communiquer en temps réel avec une autre personne par Internet. La majorité des programmes de messagerie instantanée présentent une grande variété de fonctions, notamment les suivantes :

- la fonction « liens Web » permet de partager des connexions menant aux sites Web préférés ;
- la fonction « images » permet de regarder les images stockées dans l'ordinateur d'un autre utilisateur ;
- la fonction « sons » permet l'émission de sons ;
- la fonction « fichiers » permet de partager des documents en les envoyant directement à un autre utilisateur de la messagerie instantanée.
- la fonction « voix » permet de converser par l'entremise d'Internet plutôt que par téléphone ;
- la fonction « contenu multimédia » en temps réel permet de recevoir en temps réel, ou presque, les cotes de la Bourse et les actualités ;
- la fonction « messages instantanés » permet de recevoir sans délai les messages texte.

Les outils logiciels comme Sametime d'IBM unifient maintenant la communication d'entreprise avec sa plateforme en temps réel et son inclusion de MI ainsi que ses outils de cyberconférence et de collaboration mobile. Ces produits conçus pour le travail permettent à l'entreprise d'offrir une indication de présence, une messagerie instantanée sécurisée ainsi que la possibilité de tenir une cyberconférence. Ces produits donnent aux employés un accès immédiat à leurs collègues et aux renseignements portant sur l'entreprise, et ce, quel que soit le moment, l'endroit ou l'appareil utilisé.

Le principal obstacle à la collaboration entre les entreprises est d'ordre culturel. En effet, la collaboration rassemble des individus provenant de divers services, régions et entreprises qui présentent des aptitudes, une perception ainsi que des capacités différentes. Une stratégie de collaboration formelle permet donc de créer l'environnement qui convient et les systèmes adéquats à l'intention des membres des équipes en collaboration.

Le rôle des appareils mobiles

L'**apprentissage en mobilité** constitue une méthode d'enseignement fondée sur l'emploi de dispositifs informatiques portables sans fil, pour faciliter la mobilité et l'apprentissage électronique sans fil. Cette méthode fait sortir l'enseignement et l'apprentissage du cadre de la classe traditionnelle. Par ailleurs, le monde de l'enseignement se penche maintenant sur le rôle que jouent les appareils mobiles comme le téléphone intelligent et la tablette dans la gestion des connaissances. Dans des domaines traditionnels comme le commerce mobile ou l'administration mobile, le téléphone cellulaire n'est pas employé pour la gestion des connaissances, mais plutôt pour la gestion de l'information par l'entremise d'activités telles que la diffusion, le stockage et la recherche d'information. Selon la recherche bibliographique et d'études de cas effectuée par Mzwandile Shongwe, qui portait surtout sur l'utilisation du téléphone cellulaire dans la gestion des connaissances et l'apprentissage en mobilité, voici les tendances qui apparaissent :

- Les SMS (messages texte) sont principalement utilisés pour la diffusion et la recherche d'information, alors que la boîte de réception sert au stockage de l'information.

- Dans un contexte d'apprentissage en mobilité, le téléphone cellulaire est utilisé pour gérer l'information et les connaissances, par exemple pour créer ou transférer des connaissances, mais uniquement à des fins individuelles ou au sein d'un groupe.

- Les fonctions utilisées dans le contexte de l'apprentissage en mobilité sont les SMS, les messages multimédias (MMS), la caméra, la vidéo, le courriel, la cyberconférence et le service de clavardage[46].

RETOUR SUR LA MISE EN CONTEXTE

Le *moneyball* : plus qu'une simple question de joueurs

5. Comment une équipe sportive pourrait-elle intégrer la collaboration sociale à l'étape de repêchage des joueurs ?

6. Quelles technologies énoncées préalablement les recruteurs pourraient-ils utiliser afin de collaborer plus efficacement entre eux en vue du repêchage ?

7. À la place de Billy Beane, comment feriez-vous pour convaincre la direction générale de votre équipe que l'analytique sportive (*sports analytics*) est à la fois utile au point de vue du plan marketing et de la formation d'une meilleure équipe ?

Le présent chapitre a traité des diverses façons dont les systèmes d'information peuvent aider une entreprise à accéder à l'information, à la partager et à l'utiliser. Plus particulièrement, les sujets suivants ont été abordés :

- La façon dont les systèmes d'information peuvent aider les entreprises à transformer l'information en connaissances et à former des partenariats, des équipes et des alliances.

L'information se présente sous diverses formes et dans diverses tailles. Il peut s'agir de données structurées contenues dans une base de données transactionnelles, d'une information non structurée présente dans un document ou une note de service (document papier ou électronique) ou encore sous forme de pensées ou d'idées venant des employés. Les systèmes d'information permettent à l'entreprise de gérer ce large éventail d'information et d'en tirer profit. Bien qu'il s'agisse là d'une mission qui peut être exigeante et difficile, l'avantage qu'elle présente pour les entreprises est réel. Lorsque les employés accèdent à la bonne information au bon moment, ils peuvent l'utiliser pour innover en établissant de meilleures pratiques ou en concevant de nouveaux produits et services, ce qui s'avère avantageux non seulement pour l'entreprise, mais aussi pour les partenariats, les équipes et les alliances.

- La différence entre la gestion des connaissances et le système de gestion des connaissances.

La gestion des connaissances correspond à la gestion des actifs intangibles par lesquels l'entreprise génère de la valeur à partir des connaissances de ses employés et de l'information recueillie et stockée au sein de l'entreprise. La gestion des connaissances peut être effectuée grâce aux technologies de l'information ou non. Or, ces dernières facilitent la gestion de l'information. Comme les connaissances font partie intégrante des individus, ce sont les systèmes de gestion des connaissances, plutôt que les systèmes d'information et les bases de données en soi, qui aident ces personnes à comprendre l'information recueillie et stockée dans l'entreprise, de même qu'à l'associer à des experts qui sont en mesure de l'interpréter et de lui donner un sens.

- L'intelligence d'affaires, l'exploration de données, la visualisation de données et le lien qui unit l'intelligence d'affaires au référentiel d'entreprise.

L'intelligence d'affaires tire profit de l'information stockée dans les entrepôts et les comptoirs de données afin de procurer un avantage stratégique et de mettre en place des pratiques d'affaires plus efficaces. L'objectif de l'intelligence d'affaires est de fournir à l'entreprise des outils d'exploration de données fiables contenues dans les référentiels, qui peuvent être utilisés à diverses fins et qui permettent de répondre aux questions de l'entreprise. Ces questions portent notamment sur les clients, les produits, les chaînes d'approvisionnement, les inefficacités dans la production, les tendances financières, la fraude et même les employés. L'intelligence d'affaires peut également servir à mettre en évidence les anomalies grâce à des alertes, à offrir des modèles statistiques et de visualisation de même qu'à comprendre la relation de cause à effet des décisions sur l'entreprise.

- Le système de collaboration et le support offert à la collaboration structurée et non structurée.

Le système de collaboration est un système d'information qui soutient le travail de différentes équipes en facilitant le partage et la circulation de l'information. La collaboration peut être structurée, par exemple pour la coordination du flux de travail, ou non structurée, par exemple pour l'échange d'information sur une base ponctuelle dans les situations suivantes : un échange de documents, un forum de discussion ou un courriel.

- Les divers types de systèmes de collaboration, dont les systèmes de gestion du contenu ou du flux de travail, le logiciel de travail en groupe et les avantages concurrentiels de chacun.

Le système de gestion du contenu offre des outils pour gérer la création, le stockage, la mise à jour et la publication d'information dans un milieu de travail collaboratif. Le système de gestion du flux de travail facilite l'automatisation et la gestion des processus d'affaires et contrôle le déroulement du travail selon le processus concerné. Quant au logiciel de travail en groupe, il favorise l'interaction et la dynamique de groupe, y compris la gestion d'agenda, l'ordonnancement et les visioconférences. Ensemble, ces systèmes assurent une augmentation de l'efficacité et de l'efficience des méthodes de travail et du déroulement des activités coordonnées d'une entreprise.

À titre d'étudiant dans un domaine lié aux affaires, vous devez comprendre ces concepts, car vous travaillerez vous aussi en entreprise. Si vous saisissez l'importance de faciliter l'accès à l'information, de favoriser le partage de celle-ci de même que son utilisation au sein d'une entreprise (plus particulièrement grâce aux systèmes d'information), vous serez mieux préparé en vue d'aider l'organisation à travailler en collaboration et à promouvoir la génération, le partage et l'utilisation des connaissances à l'échelle de l'entreprise.

ÉTUDE DE CAS 3.1

La collaboration de DreamWorks Animation

Ce cas illustre l'utilisation d'un logiciel de collaboration au sein d'une entreprise.

Hewlett-Packard (HP) et DreamWorks Animation SKG (DreamWorks) ont été les premiers à mettre de l'avant l'idée du studio de collaboration pour simuler les réunions d'affaires face à face lorsque les interlocuteurs sont éloignés. Vyomesh Joshi, vice-président directeur à la société HP et Jeffrey Katzenberg, directeur général de DreamWorks, ont officiellement ouvert les portes du HP Halo Collaboration Studio de New York en 2005. Halo permet à des gens de partout de communiquer en personne dans un environnement vivant, et ce, en temps réel. Que les utilisateurs soient aux quatre coins du pays ou aux quatre coins du monde, ils peuvent voir et entendre les réactions physiques et émotionnelles des autres interlocuteurs au regard de la conversation et de l'information qui leur est transmise.

En donnant aux participants l'impression qu'ils sont vraiment dans la même pièce, le Halo Collaboration Studio a transformé la façon dont des entreprises comme PepsiCo, Advanced Micro Devices et DreamWorks communiquent avec des personnes du monde entier. Halo a accru de façon significative l'efficacité de l'équipe, a accéléré le processus décisionnel et a réduit les besoins relativement aux déplacements.

« Le HP Halo Collaboration Studio permet à des équipes éloignées de travailler de concert dans un contexte qui semble si réel que les participants ont l'impression qu'ils sont tous dans la même pièce », affirme Joshi. « Pour créer une telle expérience, HP a mis son expertise en science des couleurs, en traitement de l'image ainsi qu'en réseautage au profit de cette nouvelle catégorie de l'innovation. Nous considérons qu'il s'agit non seulement d'une technologie qui viendra bouleverser le marché de la visioconférence traditionnelle, mais qui change également la façon de travailler des gens, et ce, à l'échelle mondiale. »

Très tôt dans la production du film d'animation *Shrek 2*, DreamWorks a constaté un énorme rendement du capital investi qui était attribuable à l'utilisation de la technologie Halo. En effet, en reliant ses équipes californiennes de Glendale et de Redwood, l'entreprise DreamWorks est parvenue à accélérer bon nombre d'étapes dans la production du film.

« En 2002, alors que nous produisions *Shrek 2*, nous avons conclu que DreamWorks avait besoin que ses créateurs collaborent en personne, mais ces derniers étaient situés dans des villes différentes », raconte Katzenberg. « Comme nous étions insatisfaits des systèmes de visioconférence qui existaient alors, nous avons conçu notre propre solution de collaboration afin de répondre à nos besoins. HP a transformé ce système, qui est devenu Halo, une solution de communication des plus efficaces. » Ensuite, le système Halo est devenu la solution de téléprésence et de visioconférence que HP a offerte à ses clients jusqu'en 2011, année à laquelle l'entreprise en a vendu les droits à Polycom, un des chefs de file de l'industrie de la téléprésence et de la visioconférence.

La connexion Halo

Pour communiquer grâce à Halo, les entreprises doivent se procurer au moins deux ensembles Halo qui peuvent accueillir six personnes chacun. Dans chaque pièce, trois écrans plasma permettent aux participants de voir leurs collaborateurs dans une image grandeur nature. Les pièces sont équipées d'un système de son et d'éclairage de qualité studio, et les participants peuvent interagir par l'entremise d'une interface utilisateur simple qui ne nécessite que quelques clics de souris.

Un système complexe de contrôle du logiciel s'assure que les salles Halo sont intégrées facilement et parfaitement. Le système de contrôle produit également une image et un étalonnage précis, donc les participants se voient tels qu'ils sont réellement. En outre, un réseau spécialisé, le HP Halo Video Exchange Network, offre une expérience à haut débit aux retards imperceptibles entre les divers studios Halo.

Pour pouvoir assurer une connexion 24 heures par jour et éliminer les étapes d'exploitation et de gestion de l'environnement Halo par les entreprises, les services offerts par HP comprennent l'exploitation et la gestion du réseau, l'étalonnage et le diagnostic à distance, un service de conciergerie, une garantie sur le matériel ainsi qu'un service d'entretien et de réparation continus.

Les participants peuvent partager facilement et directement des documents et des données avec les personnes dans l'autre salle de réunion à l'aide de leur ordinateur bloc-notes grâce à un écran de collaboration situé au-dessus des écrans plasma. Les salles de réunion sont également munies d'une caméra sophistiquée, laquelle permet aux participants de faire un zoom avant sur les objets disposés sur une table, par exemple, révélant leurs plus menus détails et leurs teintes, de même qu'un téléphone qui permet de faire une conférence téléphonique avec d'autres personnes qui ne se trouvent pas dans une salle Halo.

« Nous croyons que Halo permet de tisser des liens qui ne peuvent tout simplement pas être créés avec les autres technologies que nous avons essayées auparavant », remarque Steve Reinemund, directeur général de PepsiCo. « Halo est l'un des meilleurs investissements que nous avons faits pour améliorer l'efficacité de l'entreprise et l'équilibre entre le travail et la vie privée de nos employés[47]. »

Questions

1. De quelle manière les entreprises qui utilisent Halo pourraient-elles s'en servir pour accroître leur efficacité ?

2. Expliquez comment une entreprise comme PepsiCo peut se servir de Halo pour générer un avantage concurrentiel au sein de l'industrie dans laquelle elle évolue.

3. Comment peut-on accroître la gestion des connaissances à l'aide d'un produit comme Halo ?

4. Pourquoi une entreprise comme DreamWorks, dont les activités ne sont pas principalement d'ordre informatique, s'intéresse-t-elle aux systèmes de collaboration ?

5. Nommez quelques problèmes de sécurité informatique liés à ce type de système d'information.

ÉTUDE DE CAS 3.2

La gestion du contenu d'entreprise à la société Statoil

Ce cas illustre l'utilisation et les avantages d'un système de gestion du contenu.

L'entreprise Statoil est un des plus grands exportateurs de pétrole brut et le deuxième plus important fournisseur de gaz naturel du marché européen. Elle compte environ 30 000 employés répartis dans plus de 40 pays. Située en Norvège, Statoil représente le plus grand opérateur du plateau continental norvégien et connaît une forte croissance sur le plan de la production internationale[48].

Depuis 2002, l'entreprise a adopté une stratégie de collaboration électronique. L'objectif de cette dernière est de créer une « base de connaissances » d'entreprise qui donne un accès général à un ensemble commun d'actifs numériques. De plus, cette base est utilisée pour appuyer les méthodes de travail et partager l'information entre Statoil et ses clients, employés et partenaires commerciaux.

L'accès à cette base de connaissances se fait par un portail d'information. Il est contrôlé au moyen d'une procédure consistant à vérifier le niveau d'échelon attribué à l'utilisateur qui veut en bénéficier. Par exemple, un client jouira d'un accès plus restreint à l'information contenue dans la base de connaissances que les employés de Statoil.

Le besoin d'une telle stratégie est né d'une surabondance d'information qui nuisait à l'entreprise. Fait courant pour bien des entreprises décentralisées, l'information de Statoil était dispersée dans nombre d'applications et de supports de stockage distincts. En fait, l'entreprise possédait plus de 5 500 bases de données.

À la source de la base de connaissances de Statoil se trouve la gestion du contenu, qui comprend la capacité à tenir compte d'un cycle de vie du contenu. L'entreprise peut donc composer efficacement avec la capture, la transformation, le stockage, la sécurité, la distribution, la recherche et la destruction possible des documents. Si Statoil a grandement bénéficié de la mise en place de telles pratiques en matière de gestion du contenu, l'entreprise a néanmoins fait face à de grandes difficultés.

Le plus gros obstacle avait trait à la façon dont le contenu était conservé dans l'ensemble de l'entreprise. Cette dernière possédait, sans exagérer, des milliers de bases de données hétérogènes nécessitant des applications intranet et extranet autonomes et plus de 800 bases de données contenant des documents archivés. Techniquement, toutes ces données étaient accessibles à l'ensemble de l'entreprise, mais personne n'était au courant, ce qui paraît logique. Ainsi, une grande partie du matériel n'avait jamais été incluse dans un système partagé et centralisé de gestion du contenu. Or, posséder un aussi grand volume de contenu hors d'un système centralisé de gestion du contenu entraîne des répercussions négatives sur l'archivage, la gestion des versions, la publication et le flux de travail.

Une autre difficulté surgissait lorsque les gens se servaient des dossiers de courriels personnels pour gérer les pièces jointes plutôt que de les publier une seule fois dans l'emplacement central où tous pouvaient y avoir accès. L'envoi de pièces jointes par courriel a ralenti le réseau et occupé un espace de stockage précieux. Si un document est versé dans un espace de stockage centralisé, nul besoin de le charger plus d'une fois. Par ailleurs, les autres peuvent le référencer au besoin.

Le stockage des fichiers dans leur format original s'est également avéré problématique lorsque ces derniers doivent être consultés de nouveau après quelques années. Ce défi est attribuable aux changements relatifs aux technologies des systèmes de gestion du contenu qui sont évolutives, contrairement au format des fichiers qui demeure inchangé. En revanche, la mise à jour du format pour que celui-ci soit compatible avec le système de gestion du contenu risque de rendre les fichiers inutilisables lors de leur recherche à partir de l'application qui les a créés à l'origine. La meilleure solution consiste à stocker le contenu dans un format indépendant.

Certaines des difficultés qu'a connues Statoil découlaient également du manque de routine intégrée qui avait la possibilité d'effacer l'information indésirable stockée dans les systèmes de production et d'archivage. Il y a donc une redondance de l'information stockée et une accumulation excessive de contenu. Pour nettoyer le contenu, Statoil a d'ailleurs dû créer une « campagne de nettoyage » pour inviter les employés à effacer toute information inutile.

Un autre défi portait sur les recherches. L'entreprise ne disposait d'aucune fonction de recherche intégrée qui permettait de récupérer des documents à partir des milliers de systèmes axés sur le contenu. Pourquoi ? Principalement parce que les diverses unités d'affaires utilisaient une taxinomie différente pour classer leur contenu et stockaient celui-ci dans des structures physiques différentes. Ainsi, la recherche d'information entre les unités était problématique, et ce, malgré les bonnes intentions de l'entreprise.

Même si ces défis représentaient autant d'obstacles à la gestion efficace de son contenu, Statoil a fait d'énormes progrès pour les surmonter. Jusqu'à maintenant, la stratégie de collaboration électronique a donné lieu à plusieurs réussites, dont les suivantes :

- une solution de base en matière de gestion du contenu ;
- l'archivage automatique ;
- le stockage à long terme du contenu à l'aide d'indices de données distincts ;
- l'automatisation du niveau de sécurité de l'information basée sur des métadonnées ;
- l'intégration des outils de bureautique standards déjà existants ;
- l'annuaire commercial ;
- la structure de portail commune ;
- les services de formation portant sur la solution de gestion du contenu ;
- la mise en place de lignes directrices en matière de gestion du contenu à l'intention des fournisseurs de solution (c'est-à-dire dans des projets avec des partenaires) ;
- la mise en place de modules de formation obligatoire en ligne à l'intention des employés.

En ce sens, Statoil a réussi à créer et à gérer une solution de gestion du contenu, peu importe que cette solution provienne de l'entreprise même ou de fournisseurs externes. L'entreprise est ainsi parvenue à automatiser le cycle de vie du contenu, de sa création à son archivage, l'information étant transmise au destinataire, quel que soit le moment, l'endroit ou le média utilisé[49].

Questions

1. À votre avis, pourquoi la gestion du contenu occupe-t-elle une place si importante dans la stratégie de Statoil ?

2. Expliquez l'utilité et l'importance, pour Statoil, de se servir d'un portail d'information afin de favoriser la gestion du contenu à l'échelle de l'entreprise.

3. À votre avis, dans quelle mesure la surabondance d'information que Statoil a connue est-elle courante dans les entreprises canadiennes ?

Bell Canada tire profit de ses connaissances

Ce cas illustre comment une entreprise peut utiliser un système de gestion des connaissances afin de permettre à ses employés d'être mieux informés dans le cadre de leurs fonctions.

Bell Canada est la plus grande compagnie de téléphone et de télécommunications au Canada. Elle sert à la fois les consommateurs et des clients commerciaux en leur offrant un service de télédiffusion et de câblodistribution, de téléphonie locale et interurbaine, de communication sans fil, d'Internet et de télévision satellite. Cette entreprise de télécommunications exerce ses activités dans un milieu hautement compétitif qui évolue à un rythme effréné. De nouveaux concurrents et des technologies innovatrices menacent constamment la place prépondérante qu'occupe Bell dans le marché canadien. Pour conserver une longueur d'avance sur la concurrence, Bell a compris qu'il est important de permettre à ses employés d'accéder facilement à l'information la plus actuelle possible.

Bell a donc bâti le Market Knowledge Centre (MKC), un outil d'apprentissage autodirigé à guichet unique conçu pour aider les employés de l'entreprise à atteindre un niveau de compétence élevé et favoriser le partage des connaissances au sein de Bell Canada. Le MKC fournit aux employés un accès facile à de l'information pertinente et de qualité à partir d'un forum dans lequel cette information peut être personnalisée, chargée, extraite, partagée, discutée, résumée ou intégrée à d'autres éléments d'information. Bell croit qu'un tel outil accroît les chances que les employés fassent des découvertes novatrices, s'ouvrent à de nouvelles perspectives et renforcent leur savoir-faire. De cette façon, Bell considère le portail comme un outil qui aide les employés à transformer l'information en connaissances.

Les objectifs du MKC sont les suivants:

- permettre à Bell de faire face aux défis concurrentiels du marché;
- enrichir les programmes d'embauche et de formation de l'entreprise;
- accroître l'alphabétisation numérique des employés;
- offrir aux employés des ressources qui contribueront à enrichir leurs connaissances et à accroître leurs compétences[50].

Bref, le MKC correspond à une bibliothèque numérique dans l'intranet de Bell Canada qui donne accès aux employés à de l'information fiable portant sur des thèmes relatifs à leurs champs d'intérêt ou à leurs tâches professionnelles. Les employés se rendent sur la page du MKC pour y lire les publications récentes provenant des experts internes ou des consultants. La documentation diffusée dans le MKC varie grandement, des télécommunications aux technologies en passant par les affaires, le marketing et la gestion. En outre, elle ne se limite pas à des documents textuels, mais comprend d'autres formes de documentation dont des audioconférences et des séances d'information ou des séminaires en direct. La beauté de cet outil? Chaque employé peut accéder à l'information directement à partir de son bureau. Les employés ne sont donc jamais contraints à cause de leur situation géographique, de l'indisponibilité d'un document ou des heures d'ouverture, qui sont des problèmes auxquels les employés font souvent face lorsqu'ils veulent accéder à la documentation papier archivée dans des bibliothèques d'entreprise traditionnelles.

De plus, le MKC peut être personnalisé en fonction des besoins d'un individu. Les employés peuvent donc modifier le MKC de manière à avoir accès à de la documentation portant sur des thèmes qui les intéressent. Pour ce faire, ils n'ont qu'à se créer des dossiers personnels. Ainsi, lorsqu'un utilisateur trouve un document qui suscite son intérêt, il peut lui apposer une étiquette ou l'ajouter à ses signets avant de le sauvegarder dans ses dossiers personnels et de l'annoter ou de le commenter en vue d'établir un ordre de lecture. Le MKC simplifie également les fonctions de recherche et de navigation. Les employés peuvent trouver des documents pertinents grâce à une recherche par mot-clé. Les utilisateurs finaux peuvent naviguer par catégorie (thème, auteur, date, etc.). Un tel centre permet donc aux employés d'avoir une idée du contenu disponible, comme s'ils circulaient dans une bibliothèque traditionnelle pour comprendre son fonctionnement, en trouvant au passage certains livres qui les intéressent.

Le MKC permet aux employés de Bell Canada de mieux faire leur travail en facilitant l'accès à l'information stratégique et tactique d'une grande importance dont ils ont besoin pour appuyer leurs projets. Une grande partie de cette information concerne la recherche. Compte tenu de l'évolution rapide de son environnement, l'entreprise comprend la nécessité d'offrir à ses employés des résultats de travaux de recherche actuels. Résultat: le contenu du portail est mis à jour quotidiennement, et ce dernier rend les plus récents résultats de recherche disponibles pour les employés, et ce, aussitôt qu'ils sont publiés. Les employés peuvent d'ailleurs s'inscrire à une infolettre hebdomadaire qui les tient au fait des derniers ajouts à la bibliothèque numérique. Cette forme de technologie de diffusion personnalisée (ou technologie du «pousser»), selon laquelle le MKC informe les utilisateurs finaux de récentes acquisitions, peut être ciblée de manière à ce que seule la nouvelle documentation qui correspond aux champs d'intérêt d'un utilisateur donné lui soit transmise.

La création du MKC a permis à l'entreprise de réaliser des économies. Le portail élimine les dépenses en double pour les rapports de consultants, les revues spécialisées et les documents de l'industrie qui circulent dans l'entreprise par des abonnements centralisés à des bases de données en ligne et à des journaux électroniques. Le MKC a également éliminé les besoins d'entretien et de personnel dans ses bibliothèques physiques de Montréal, de Toronto et d'Ottawa.

Ainsi, un personnel spécialement formé gère le MKC et s'assure que le portail reste à jour, actuel et solide lors du lancement des nouvelles versions (environ une fois tous les trois ans) de même qu'au moment de plus petites mises à jour qui apportent des améliorations graduelles de l'interface du portail et à la bibliothèque numérique. La version actuelle favorise la participation des utilisateurs en leur permettant de commenter les rapports qu'ils reçoivent du site et de discuter des découvertes dont ces rapports traitent. La nouvelle version compte également une mesure de trafic dans chacun des rapports afin que les utilisateurs puissent effectuer une recherche des rapports le plus souvent consultés. Voici quelques éléments qui ont été ajoutés au MKC :

1. Le système Google Mini (version réduite de Google Search Appliance) s'est avéré plus précis que l'outil de recherche utilisé auparavant.

2. Le fil d'actualité permet aux utilisateurs de s'abonner à un certain nombre de sources de nouvelles et de recevoir une fois par jour un condensé de l'actualité.

3. La page thématique, soit une compilation des plus importants éléments d'information dont dispose le MKC sur un sujet donné (généralement un dossier « chaud » de l'actualité).

Pour s'assurer que le MKC comble les besoins de l'entreprise, la satisfaction du client est évaluée régulièrement. Les rétroactions des employés sont également cruciales dans l'évaluation de l'utilité de cet outil et des améliorations requises. Pour effectuer ces évaluations, on peut interroger les utilisateurs finaux au moyen de sondages ou d'entretiens. On peut aussi analyser le journal de serveur du portail afin de comprendre le comportement lié à l'utilisation des employés occupant diverses fonctions et à la consultation des pages. Le personnel du soutien à l'information est également évalué.

Le MKC présente bien des avantages pour Bell Canada. Il permet une prise de décision plus éclairée, l'accroissement de la diffusion de la recherche et du matériel de l'entreprise, l'augmentation du degré de satisfaction des employés par l'apprentissage continu en ligne, des économies grâce à l'élimination des dépenses redondantes concernant la publication et la diffusion d'information, de même qu'à l'entretien de diverses bibliothèques physiques. De plus, le portail favorise la collaboration entre les services et les équipes de travail. Cet outil aide les employés à transformer l'information en connaissances, car il leur fournit un accès facile à une information pertinente de qualité. Or, les employés peuvent travailler avec cette information, la partager et en discuter avec les autres, ce qui accroît leur compréhension, de même que leur capacité à mettre cette compréhension en pratique[51].

Questions

1. À votre avis, l'utilisation d'une application de réseautage social deviendra-t-elle courante en entreprise dans quelques années ? Quels avantages cela présente-t-il ? Quels en sont les inconvénients ?

2. Pourquoi le courriel ne favorise-t-il pas la collaboration ? En quoi les technologies du Web 2.0 correspondent-elles davantage au travail collaboratif ?

3. Quel est l'avantage de développer un logiciel Web 2.0 à partir d'une solide plateforme sous-jacente de gestion du contenu d'entreprise ?

4. Quels facteurs contribuent au faible taux d'adoption actuel d'un logiciel de gestion du contenu par les entreprises ?

MES DÉCISIONS D'AFFAIRES

1. La collaboration grâce à l'intranet

myintranet.net est un chef de file mondial dans le domaine des solutions intranet en ligne. Son outil de collaboration en ligne est une solution à l'intention des petites entreprises et des petits groupes au sein de grandes entreprises qui cherchent à classer l'information, à partager des fichiers et des documents, à coordonner leurs calendriers, et ce, dans un environnement sécuritaire de type navigateur. myintranet.net a simplement ajouté un outil de cyberconférence et de gestion de travail en groupe à sa suite logicielle de collaboration. Expliquez pourquoi l'intégration de l'infrastructure s'avère cruciale au bon fonctionnement de la suite d'applications dans un tel environnement.

2. La collaboration pour une efficacité accrue

Au cours de la dernière année, vous avez travaillé pour une entreprise manufacturière en vue d'améliorer la gestion de sa chaîne d'approvisionnement grâce à la mise en œuvre de systèmes de planification des ressources et de

GCA. Pour une plus grande efficacité, vous recommandez à l'entreprise de se tourner vers un système de collaboration. L'entreprise doit partager des prévisions et des plans intelligents avec ses partenaires de la chaîne d'approvisionnement, réduire le niveau de ses stocks, améliorer son capital d'exploitation et diminuer les changements techniques. À la lumière des systèmes de collaboration qui vous ont été présentés dans le présent chapitre, lequel ou lesquels recommanderiez-vous pour satisfaire les besoins futurs de l'entreprise ?

3. Suivre le sens du flux de travail

Les organisateurs du Stampede de Calgary doivent planifier chaque année la tenue d'un événement de 10 jours de renommée internationale qui comprend des concours de rodéo. Ce rodéo inclut une fête foraine, des spectacles sur scène, des concerts, des courses de chars, des concours agricoles, des expositions des Premières Nations et des déjeuners à base de crêpes. Le Stampede compte une myriade de tâches allant de la publicité à la création de la programmation en passant par le travail avec des centaines de bénévoles pour organiser, chaque année au mois de juillet, le plus grand événement extérieur. Ce dernier attire annuellement plus de 1,2 million de visiteurs. Comme le déploiement de l'événement devient de plus en plus grand et complexe, les organisateurs du Stampede de Calgary ont décidé d'opter pour un système de gestion du flux de travail afin de mieux planifier et mener à bien cet événement. En fonction du travail à effectuer, quels éléments le système de gestion du flux de travail doit-il présenter et avec quelles tâches doit-il être en mesure de composer pour aider les organisateurs à gérer de manière efficace le Stampede de Calgary ?

4. La gestion de manuscrits

Une des revues les plus importantes spécialisées dans les systèmes d'information, l'*IS Quarterly Canada*, reçoit chaque année des centaines de manuscrits d'auteurs des quatre coins du monde qui souhaitent voir les résultats de leurs recherches publiées dans cette revue de prestige international. Vous avez été embauché par le rédacteur en chef de l'*IS Quartertly Canada* dans le but de concevoir un système de gestion du contenu visant à classer les manuscrits qui ont été soumis, à en effectuer le suivi, puis à examiner les processus mis en place. Chaque manuscrit reçu est d'abord soumis à un éditeur afin que celui-ci détermine si le document mérite d'être évalué. Le cas échéant, deux à trois examinateurs en reçoivent un exemplaire pour obtenir leurs commentaires. Une fois ces derniers reçus, l'éditeur prend soit la décision de rejeter le manuscrit, soit de demander des corrections ou d'accepter l'article aux fins de publication. L'éditeur peut évaluer de nouveau ou accepter tels quels les manuscrits révisés. Quels éléments et fonctions devrez-vous inclure dans votre système de gestion du contenu ? Justifiez votre réponse.

5. Le contrôle des connaissances

La société de conseil KnowIT est parmi les plus importantes dans le domaine de la gestion des technologies de l'information; son siège social est situé à Montréal, au Québec. Elle offre à ses clients des solutions à une foule de questions et de problèmes relatifs aux systèmes d'information. La société gère un dépôt de documents partagé qui n'est accessible qu'aux employés internes et aux consultants. Ce dépôt contient les solutions à d'anciens problèmes, des solutions de rechange courantes et des liens avec des ressources Web pratiques. La société gère également une base de données d'experts qui dresse le profil de chacun des employés et cerne leurs compétences et champs d'expertise.

KnowIT vous a embauché pour effectuer un contrôle des connaissances. Vous devez reconnaître les sources de connaissances tacites et explicites au sein de la société de même que les processus et activités en place qui favorisent la collecte, la rétention et la recherche de connaissances à l'échelle de l'entreprise. Dans votre évaluation, quels éléments devrez-vous examiner ? Quels obstacles pourraient nuire à la contribution des travailleurs, au partage de leurs connaissances avec les autres ? Ces obstacles sont-ils plus grands, moins grands ou aussi grands dans une société de conseil que dans toute autre entreprise ? Quelles mesures incitatives ou quels changements pourraient accroître la collecte, la rétention, le partage et l'utilisation des connaissances au sein de la société ?

NOTES DE FIN DE CHAPITRE

1. Van Zandt, Richard. (2006, 13 avril). Billy Beane's perfect draft. Repéré le 7 avril 2014 à http://baseballevolution. com/guest/richard/rvzbeane1.html; http://en.wikipedia.org/ wiki/Moneyball

2. Hartley, Matt. (2013, 3 septembre) How pro sports teams are using data analytics to draft better players. *Financial Post*. Repéré le 7 avril 2014 à http://business. financialpost.com/2013/09/03/pro-sports-teams-turning-to-dataanalytics-to-fill-seats/?__lsa=3f15-bfa8

3. www.sas.com/en_us/customers/orlando-magic.html

4. *Ibid.*; www.sas.com/en_us/industry/sports.html

5. Davenport, Thomas. (2014, 5 mars). Learning from analytics in sports in CIO Journal of *The Wall Street Journal.* Repéré le 7 avril 2014 à http://blogs.wsj.com/cio/2014/03/05/learning-from-analytics-in-sports/; Slusser, Susan. (2011, 17 septembre). Michael Lewis on A's «moneyball» legacy. Repéré le 7 avril 2014 à www.sfgate.com/athletics/article/Michael-Lewis-on-A-s-Moneyball-legacy-2309126.php

6. Ford's Vision. (s.d.). Repéré le 18 juin 2003 à http://donate.pewclimate.org/docUploads/Ford.pdf

7. Betts, Mitch. (2003, 14 avril). Unexpected insights. *Computerworld.* Repéré le 4 septembre 2003 à www.computerworld.com

8. Orvis uses Unica campaign, eMessage, and NetInsight to achieve greater customer intimacy–and record profits. (2010). Repéré le 15 août 2011 à http://ibm.com

9. Data mining: What general managers need to know. (1999, octobre). *Harvard Management Update.*

10. Real time payments processing: Reshaping the payments industry landscape. (s.d.). Repéré le 15 août 2011 à www.distra.com

11. Levinson, Meridith. (2001, mai). Harrah's knows what you did last night. *Darwin Magazine*; Harrah's entertainment wins TDWI's 2000 DW Award. Repéré le 10 octobre 2003 à www.hpcwire.com; Loveman, Gary. (2003, mai). Diamonds in the data mine. *Harvard Business Review.* p. 109; NCR–Harrah's Entertainment, Inc. (s.d.). Repéré le 12 octobre 2003 à www.ncr.com; Cognos and Harrah's Entertainment win prestigous Data Warehousing Award. (2002). Communiqué de presse. Repéré le 14 octobre 2003 à www.cognos.com; Nash, Kim. (s.d.). Casinos hit jackpot with customer data. Repéré le 14 octobre 2003 à www.cnn.com; Malone, Michael S. (2004, mars). IPO fever. *Wired.*

12. An exceptional customer experience each and every time. (2009). Repéré le 16 avril 2011 à www.jacada.com/customers/case-study_lillian-vernon.htm?AspxAutoDetectCookieSupport=1

13. More insight, better decisions. (2004, avril). *KMWorld.* (*13*)4. p. 6.

14. Knowledge Management Research Center. (s.d.). *CIO Magazine.* Repéré en décembre 2005 à www.cio.com/research/knowledge

15. http://connectivity.opentext.com/; Open text exceed on demand empowers Fairchild Semiconductor. (2011). Repéré le 6 septembre 2011 à http://connectivity.opentext.com/resource-centre/success-stories/Success_Story_Empowers_Fairchild_Semiconductor_to_Work_Faster_and_Smarter.pdf

16. Santosus, Megan. (2006, janvier). In the know. *CIO Magazine.*

17. *Ibid.*

18. The critical shift to flexible business intelligence. Utilisé avec permission; Imhoff, Claudia. (s.d.). Intelligent Solutions, Inc. What every marketer wants–and needs–from technology. Utilisé avec permission; Imhoff, Claudia. (2006, mai). Intelligent Solutions, Inc. Enterprise business intelligence. Utilisé avec permission; Dyche, Jill. Baseline Consulting Group. The business case for data warehousing. Utilisé avec permission.

19. Szott, Alvlin. (2013, mai). Cadre supérieur. IBM. Communication personnelle; Salazar, Guillermo. (2013, mai). Directeur général. Quattro Integration Group (maintenant directeur à la société Deloitte Canada). Communication personnelle. Laycock, Bill. (2013, avril). Directeur de la mercatique informatisée. ATB Financial Services. Communication personnelle; Galt, Virginia. (2013, 4 juillet). The fastest-growing job market you've never heard of. Repéré le 12 juillet 2013 à www.theglobeandmail.com/report-on-business/careers/career-advice/the-fastest-growing-job-market-youve-never-heard-of/article10505923

20. Stephan, Lawson. (2013, 14 août). Cisco to slash 4,000 jobs in bid to move faster. Repéré le 15 août 2013 à www.itworld.com/it-management/369162/cisco-slash-4000-jobs-bid-move-faster?source=ITWNLE_nlt_today_2013-08-15

21. Duhigg, Charles. (2012, 16 février). How companies learn your secrets. Repéré le 12 juillet 2013 à www.nytimes.com/2012/02/19/magazine/shopping-habits.html?pagewanted=all

22. Dossier «Data, data everywhere». (2010, 25 février). *The Economist.* Repéré le 24 août 2011 à www.economist.com/node/15557443

23. *Ibid.*

24. *Ibid.*

25. *Ibid.*

26. *Ibid.*

27. *Ibid.*

28. *Ibid.*

29. *Ibid.*

30. *Ibid.*

31. *Ibid.*

32. SAS software by industry. (s.d.). Repéré le 15 juillet 2013 à www.sas.com/industry/; McDonald, Kelly. (2013, mars). Gestionnaire conseil, stratégie et architecture technologiques, Deloitte. Communication personnelle; Hennesey, Sean. (2012, novembre). Directeur général. Quattro Integration Group (maintenant directeur à la société Deloitte). Communication personnelle; Deloitte acquiring Quattro Integration: Strengthens energy, resource capability. (2013, 8 juillet). *Edmonton Journal.* Repéré le 19 août 2013 à www.edmontonjournal.com/business/Deloitte+acquiring+Quattro+Integration+strengthens+energy/8629210/story.html

33. D-FW defense contractors show mixed fortunes since september 11. (2002). Repéré le 8 juin 2004 à www.bizjournals.com/dallas/stories/2002/09/09/focus2.htm; Konicki, Steve. (2000). Collaboration is cornerstone of $19B defense contract. Repéré le 8 juin 2004 à www.business2.com/content/magazine/indepth/2000/07/11/17966

34. Di Malo, Andrea. (2006, février). Joining up government across tiers: Canada's BizPal. *Gartner Industry Research*.

35. www.ibm.com/social-business/us/en/; Quast, Lisa. (2012, 20 août). Why knowledge management is important to the success of your company. Repéré le 15 aout 2013 à www.forbes.com/sites/lisaquast/2012/08/20/why-knowledge-management-is-important-to-the-success-of-your-company/; Transforming knowledge management and collaboration in the intelligence community. (2012). Repéré le 15 août 2013 à www.accenture.com/SiteCollectionDocuments/PDF/Accenture-Semantic-Wiki-PoV.pdf

36. FatWire content server helps Summit Health offer a personalized Web experience to their customers. (s.d.). Repéré le 26 août 2011 à www.fatwire.com/customers/industries/healthcare#tab2

37. Formtastic: Paper company cuts own paper consumption. (s.d.). Repéré le 26 août 2011 à www.quadrantsoftware.com/resources/success-stories/fraser-paper-success/; Fraser papers seeks bankruptcy protection. (2009, 18 juin). Repéré le 28 août 2011 à www.cbc.ca/news/business/story/2009/06/18/fraser-bankruptcy-protection.html; Vallely, Scott. (2010, 9 mars). Fraser paper to emerge with new name. Repéré le 28 août 2011 à http://psvallely.blogspot.com/2010/03/fraser-paper-to-emerge-with-new-name.htm

38. Customer success stories: Allianz Suisse. (2008). Repéré le 26 août 2011 à http://m.sybase.com/files/Success_Stories/Sybase_Allianz_SS_022108.pdf

39. Repéré le 23 juin 2010 à www.allconferenceservices.com/business-video-conferencing.html

40. *Ibid.*

41. *Ibid.*

42. *Ibid.*

43. Detlor, Brian. (2004). *Towards knowledge portals: From human issues to Intelligent agents.* dordrecht, The Netherlands: Kluwer Academic Publishers.

44. Gootzit, David. (2008). Key issues for enterprise portals. *Gartner Research*, numéro d'identification: G00154863.

45. Shilakes, C.C. et Tylman, J. (1998). *Enterprise information portals*. White Paper. New York, NY: Merrill Lynch.

46. Shongwe, Mzwandile. (2010). Can mobile phones be used for knowledge management? Présentation à la conférence de 2010 à la Moi University. Repéré le 29 août 2011 à www.mu.ac.ke/academic/schools/is/mu-conference2010/mzwandile.pdf; M-Learning and mobility. (s.d.). Repéré le 29 août 2011 à www.educause.edu/ELI/LearningTechnlologies/MLearningandMobility/12397

47. HP unveils Halo Collaboration Studio. (2005, 12 décembre). Repéré le 11 mai 2014 à www.hp.com; HP Halo telepresence and video conferencing solutions. (s.d.). Repéré le 11 mai 2014 à http://h71028.www7.hp.com/enterprise/cache/570006-0-0-31-338.html; Mullins, Robert. (2011, 1er juin). Polycom buys HP's Halo videoconferencing unit. Repéré le 11 mai 2014 à www.networkcomputing.com/unified-communications/polycom-buys-hps-halo-videoconferencing-unit/d/d-id/1098065

48. www.statoil.com, site consulté le 17 novembre 2009.

49. Munkvold, Bjorn Erik, Paivarinta, Tero, Hodne, Anne Kristine et Stangeland, Elin. (2006). Contemporary issues of enterprise content management: The case of Statoil. *Scandinavian Journal of Information Systems.* (*18*)2. p. 69-100. Repéré le 1er novembre 2009 à www.cs.aau.dk/SJIS/journal/volumes/volume18/no2/munkvoldetal-18-2.pdf; Korsvik, Kristian. (2010). Enterprise content management in practice: A case study in Statoil oil trading and supply. University of Agder.

50. Repéré le 1er novembre 2009 à www.conferenceboard.ca/education/best-practices/pdf/BellCanada.pdf

51. Repéré le 1er novembre 2009 à www.conferenceboard.ca/education/best-practices/pdf/BellCanada.pdf; Khalid, Jouamaa. (2009, 28 octobre). Chef divisionnaire adjoint. Market Knowledge Centre. Bell Canada. Communication personnelle par courriel.

4
CHAPITRE

Les bases, les entrepôts et l'exploration de données

OBJECTIFS D'APPRENTISSAGE

4.1 Comprendre la structure de la base de données relationnelle.

4.2 Décrire les avantages de stocker des données dans une base de données relationnelle.

4.3 Expliquer la façon dont les utilisateurs interagissent avec un système de gestion de bases de données ; décrire les avantages que présentent les sites Web axés sur les données ainsi que les principaux modes d'intégration des données et de l'information provenant des diverses sources de données d'une organisation.

4.4 Étudier les principes de base et les avantages de l'entrepôt de données.

4.5 Définir le concept d'exploration de données et expliquer le lien qui l'unit au concept d'entreposage de données.

MA PERSPECTIVE

Tel qu'il est expliqué dans le chapitre précédent, l'information constitue un actif intangible, une ressource organisationnelle cruciale qui permet aux entreprises de mener à bien leurs initiatives et leurs plans d'affaires. Les entreprises qui parviennent à gérer cette ressource-clé de la bonne façon possèdent un avantage concurrentiel, ce qui favorise leur réussite. Le présent chapitre constitue donc un survol des principes fondamentaux relatifs à la base de données ainsi que des étapes nécessaires à l'intégration des données stockées dans de multiples entrepôts de données ou dans des comptoirs de données (aussi connus sous le terme « magasins de données ») en un seul référentiel exhaustif et centralisé d'information agrégée.

À titre d'étudiant dans un domaine lié aux affaires, vous devez connaître les outils essentiels à la gestion de l'information de même que les types de questions auxquelles vous pouvez répondre à l'aide d'une base de données transactionnelle ou d'un entrepôt de données. Il importe de prendre conscience de la complexité du stockage de données transactionnelles dans une base de données relationnelle et des efforts requis pour transformer des données opérationnelles en information analytique agrégée utile. Vous devez également être conscient du pouvoir que représentent les données et l'information, ainsi que de l'avantage concurrentiel qu'un entrepôt de données peut procurer à une organisation en ce qui a trait à l'intelligence d'affaires. Tout en devenant plus compétitif dans le marché mondial, vous prendrez ainsi des décisions de gestion plus intelligentes et éclairées qui s'appuieront sur des données et de l'information pertinentes.

Mise en contexte

L'intelligence d'affaires à la société Netflix

À titre de consommateur, l'analytique ou l'intelligence d'affaires au travail font déjà partie de votre vie. Pour le réaliser, il suffit de visiter un site Web comme www.amazon.ca ou www.netflix.com, ou d'ouvrir une session et de créer une page personnalisée contenant divers éléments. Dans le même ordre d'idées, si vous allez régulièrement au casino et que vous êtes un membre Total Rewards à l'un des casinos de Caesars Entertainment, dès l'insertion de votre carte de membre dans une machine à sous, un préposé vous apportera rapidement votre boisson préférée. Les stratégies de segmentation de la clientèle qu'utilisent Best Buy ou les autres stratégies employées par RBC Groupe Financier afin de reconnaître les clients les plus rentables et de rentabiliser les autres clients sont d'autres exemples d'intelligence d'affaires. La plupart des entreprises ont recours aux bases de données ainsi qu'aux entrepôts de données pour recueillir et stocker vos données de recherche et d'achat ou pour suivre vos activités (connaître les boissons que vous commandez au casino, par exemple). À l'aide d'outils d'exploration de données et de stratégies d'intelligence d'affaires, ces entreprises transforment ensuite ces données en information susceptible d'améliorer leurs résultats.

Des frais de retard s'élevant à 40 $ pour Reed Hastings

Remontons le temps à l'époque où Netflix n'existait pas. Reed Hastings, cofondateur, directeur général de Netflix et ancien enseignant de mathématique, a dû payer des frais de retard de 40 $ à Blockbuster Video pour le film *Apollo 13*. C'est ce qui l'a poussé à réfléchir au modèle d'affaires des clubs vidéo. Pourquoi ces entreprises ne fonctionnent-elles pas de la même manière que les centres d'entraînement physique ? Pour un tarif fixe mensuel, le client peut avoir accès à un service aussi souvent (ou peu souvent) qu'il le désire. C'est ainsi qu'en 1997, armé de 750 millions de dollars américains provenant de la vente de son ancienne entreprise, Hastings a cofondé Netflix. En 2011, la société Netflix a étendu ses services à l'Amérique latine, notamment aux

Caraïbes, au Mexique ainsi que dans les pays d'Amérique centrale et d'Amérique du Sud. En janvier 2012, elle a lancé un service unique de lecture en transit au Royaume-Uni ainsi qu'en Irlande et, huit mois plus tard, le million d'abonnés était atteint. Au mois d'octobre de cette même année, Netflix s'est implantée en Norvège, au Danemark, en Suède ainsi qu'en Finlande, et depuis, l'entreprise a étendu ses services aux Pays-Bas et prévoit conquérir les marchés de l'Allemagne et de la France. De plus, en 2013, Netflix est devenue un « service télévisuel de lecture en continu (*streaming*) » aux États-Unis[1]. Au début de l'année 2014, l'entreprise comptait déjà 40 millions d'abonnés dont plus de 33 millions aux États-Unis et plus de 1 million au Canada. Il s'agissait du plus important service d'abonnement au monde dans le domaine du visionnement de films et d'émissions de télévision dans Internet.

La science et l'art derrière Netflix

La page personnalisée qui apparaît lorsque vous ouvrez une session sur le site Netflix n'est pas uniquement une question d'art. Comme tant d'autres entreprises qui ont, de nos jours, recours à l'intelligence d'affaires, notamment l'analytique, y compris Amazon, Caesars Entertainment, Capital One et les Patriots de la Nouvelle-Angleterre, Netflix est dirigée par un directeur des systèmes d'information fort d'une expérience en mathématique et en analytique. Ainsi, l'entreprise est fondée sur une importante culture scientifique qui joue un rôle prépondérant lorsqu'il s'agit de choisir les films qui seront distribués. Selon Tom Sarandos, responsable du contenu à la société Netflix, le choix des films constitue également un art : il est basé à 70 % sur la science et à 30 % sur l'art.

La question qui se pose ensuite est celle-ci : comment fonctionne le processus de sélection des films ? Avant de répondre à cette question, il faut comprendre que les recettes d'un film au cinéma ne sont représentatives que de la connaissance de l'existence d'un film. Elles ne se traduisent pas nécessairement en une demande pour ce film dans le monde de la location. Par ailleurs, les plus grands succès de salle et de capacités statistiques puissantes permettant la génération rapide d'une grande variété de modèles statistiques, l'analyse des hypothèses et la validation des modèles, de même que la comparaison des divers modèles pour déterminer lequel convient le mieux aux besoins d'affaires.

Kraft est à l'origine des marques très connues comme Oreo, Ritz, Delissio et Kool-Aid. L'entreprise a installé deux applications d'exploration de données pour s'assurer que chaque gamme d'aliments présente une saveur, une couleur, un arôme, une texture et une apparence constants. Une des applications analyse la constance des produits, alors que la seconde analyse la réduction de la variation des processus.

L'outil qui évalue la constance des produits, appelé «Sensory and Experimental Collection Application (SENECA)», collecte et analyse des données en attribuant une définition et une cote numérique précises aux aliments selon qu'ils sont tendres, sucrés, croquants ou crémeux, par exemple. Ensuite, SENECA élabore des modèles, bâtit un historique, dresse des prévisions et des tendances à partir des tests effectués auprès des consommateurs. Finalement, l'outil évalue les améliorations et les changements possibles à apporter aux produits.

Quant à l'application qui évalue la réduction de la variation des processus, elle s'assure que les aliments Kraft sont toujours constants relativement à leur saveur, couleur, arôme, texture et apparence, car le plus petit changement dans la préparation d'un aliment peut entraîner d'énormes disparités de goût. Elle évalue tous les procédés de fabrication, des directives de la recette à la forme et à la taille de la pâte à biscuit. Cette application peut donner lieu à de grandes économies pour chacun des produits de la marque. Ainsi, l'utilisation de techniques d'exploration de données dans un but de contrôle de la qualité et d'analyse par regroupement permet à Kraft de s'assurer que ses milliards de produits offerts aux consommateurs sont excellents à chaque bouchée[23].

L'analyse prédictive constitue une forme d'analyse statistique couramment utilisée. Ce type d'analyse repose sur des prédictions faites à partir d'une information en série chronologique. Quant à l'**information en série chronologique,** il s'agit de l'information horodatée rassemblée à une fréquence particulière. Voici quelques exemples d'informations en série chronologique : le nombre de visites d'un site Web sur une base horaire, les ventes effectuées sur une base mensuelle et le nombre d'appels par jour. L'exploration de données à l'aide d'un outil d'analyse prédictive permet aux utilisateurs de manipuler les séries chronologiques pour effectuer des activités prévisionnelles.

Lorsqu'on observe des tendances ou des variations saisonnières dans les données transactionnelles, il convient d'employer l'analyse prédictive en série chronologique afin de modifier les unités de temps, par exemple changer les données hebdomadaires en données mensuelles ou saisonnières ou encore les données horaires en données quotidiennes. Des entreprises basent leurs décisions relatives à la production, aux investissements et à l'affectation de personnel sur de multiples indicateurs économiques et de marché. Les modèles de prévision permettent à ces organisations de tenir compte de toutes sortes de variables lors du processus de prise de décision.

Nestlé Italiana fait partie du géant Nestlé S.A. et domine actuellement l'industrie alimentaire italienne. L'entreprise a amélioré sa prévision des ventes de 25 % grâce à sa solution d'exploration de données par l'analyse prédictive. Cette démarche a fait en sorte que les gestionnaires ont pu prendre des décisions objectives fondées sur des faits plutôt que des décisions subjectives basées sur l'intuition. Le calcul des prévisions des ventes de produits de confiserie saisonniers représente une tâche ardue dont l'importance est cruciale. Pendant la période de Pâques, Nestlé Italiana ne dispose que de quatre semaines pour commercialiser, livrer et vendre ses produits saisonniers. La période entourant la fête de Noël est un peu plus longue et dure de six à huit semaines, mais pour d'autres fêtes, comme la Saint-Valentin et la fête des Mères, les délais sont plus serrés et se situent autour de une semaine.

Les solutions d'exploration de données choisies par l'entreprise facilitent la collecte, l'organisation et l'analyse d'un grand volume de données en vue de produire des modèles qui cernent les tendances du marché et émettent des prévisions quant aux ventes de confiserie. L'intelligence d'affaires traite des données historiques de cinq ans et permet de distinguer les éléments importants de ceux qui sont anodins. L'outil sophistiqué d'exploration de données de Nestlé Italiana a été conçu de manière à prédire avec une exactitude de 90 % les ventes pour la fête des Mères. Ainsi, l'entreprise a bénéficié d'une réduction de ses stocks de 40 % et des modifications de ses commandes d'environ 50 %, le tout grâce à son outil d'analyse prédictive. La prévision des ventes de produits saisonniers de confiserie constitue maintenant un des domaines dans lesquels Nestlé Italiana excelle[24].

De nos jours, les fournisseurs tels que SAP Business Objects, Cognos, Microsoft et SAS offrent des solutions complètes de prises de décisions axées sur l'exploration de données. Ils continuent d'avancer et prévoient ajouter davantage de capacités d'analyse prédictive à leurs produits. Leur objectif est d'offrir aux entreprises une plus grande capacité de simulation basée sur leurs données internes et externes.

RETOUR SUR LA MISE EN CONTEXTE

L'intelligence d'affaires à la société Netflix

6. Pourquoi Netflix doit-elle nettoyer l'information contenue dans sa base de données transactionnelle ?

7. Choisissez une des trois formes courantes d'analyse par l'exploration de données et expliquez de quelle manière Netflix l'emploie pour générer de l'intelligence d'affaires.

8. Comment Netflix pourrait-elle se servir de l'intelligence d'affaires tactique, opérationnelle et stratégique ?

RÉSUMÉ

L'objectif de ce chapitre était de donner à l'étudiant dans un domaine lié aux affaires un aperçu détaillé des concepts de base de données, d'entrepôt de données et d'exploration de données. Plus particulièrement, les sujets suivants ont été abordés :

■ Les caractéristiques déterminantes de la valeur des données transactionnelles et de l'information analytique et de la nécessité, pour les organisations, de posséder des données et de l'information à jour et de grande qualité.

Les données transactionnelles sont les données contenues dans un seul procédé administratif ou une seule unité de travail. L'information analytique, quant à elle, représente l'information utile qui soutient l'exécution des tâches de gestion. Les entreprises ont besoin de données et d'information exactes, complètes, cohérentes, uniques (sans redondance) et à jour afin de favoriser l'efficacité et l'efficience opérationnelles. De plus, le fait, pour une entreprise, de s'assurer que ses données et son information sont opportunes et de grande qualité lui permet de prendre des décisions éclairées basées sur une information exacte et fiable, ce qui contribue ultimement à la génération d'intelligence d'affaires.

parient dans plusieurs de ses établissements. Décrivez les conséquences sur l'entreprise si celle-ci n'avait pas intégré les bases de données de chacun de ses établissements. Comment l'entreprise aurait-elle pu avoir recours à des bases de données distribuées ou à un entrepôt de données pour effectuer une synchronisation de l'information relative aux clients ?

4. Estimez les répercussions possibles sur l'entreprise d'une brèche dans la sécurité de l'information portant sur la clientèle.

5. Nommez trois types de comptoirs de données que Caesars pourrait souhaiter employer afin d'analyser sa performance opérationnelle.

6. Qu'adviendrait-il si Caesars ne nettoyait pas ses données avant de les charger dans son entrepôt de données ?

7. Décrivez l'analyse par regroupement, la détection d'association et l'analyse statistique, puis expliquez comment Caesars pourrait employer chaque approche pour avoir une meilleure vue d'ensemble de ses activités.

MES DÉCISIONS D'AFFAIRES

1. La base de données relationnelle

Vous avez été engagé par Vision, une jeune entreprise de la Colombie-Britannique évoluant dans le domaine du matériel récréatif. Holly Henningson, votre directrice, ne connaît pas les bases de données ni leur valeur pour l'entreprise. Elle vous demande de produire un rapport portant sur les principes fondamentaux des bases de données et de lui expliquer en détail ce qu'est une base de données relationnelle de même que les avantages concurrentiels qu'elle présente.

2. Les entités et les attributs

Martex inc. est un fabricant de matériel sportif qui se spécialise dans la production d'articles de course, de tennis, de golf, de natation, de basketball et d'aérobie. Martex est actuellement le fournisseur de quatre principaux vendeurs dont Sam's Sports, Total Effort, The Underline et Maximum Workout. Martex souhaite développer une base de données qui lui permettra d'ordonner ses produits offerts. En équipe, nommez les types d'entités, de classes d'entités, d'attributs, de clés et de relations que Martex devrait examiner au cours de l'élaboration de sa base de données.

3. L'intégration de l'information

Vous travaillez actuellement pour le service de transport public de la ville de Winnipeg. Ce service régit tout le transport en commun, y compris les autobus, le métro et le train. Chacun des services compte environ 300 employés et gère lui-même ses systèmes de comptabilité, de gestion des stocks, d'achats et de ressources humaines. Il s'avère difficile de créer des rapports qui touchent plusieurs services. De plus, une telle tâche nécessite généralement la collecte et la corrélation de données provenant de systèmes différents. En général, la production d'un bilan trimestriel et d'un état des résultats exige deux semaines de travail. Votre équipe a reçu le mandat de rédiger des recommandations relativement aux mesures que pourrait prendre le service de transport public de la ville de Winnipeg pour régler ses problèmes

de système et d'accès à l'information. Veillez à ce que votre rapport explique les diverses raisons pour lesquelles il est aussi difficile de produire des rapports ainsi que la façon dont vous prévoyez corriger la situation.

4. L'actualité des données et de l'information

L'actualité des données et de l'information constitue une préoccupation majeure pour toutes les organisations. Celles-ci doivent décider de la fréquence des sauvegardes et des mises à jour de l'entrepôt de données. En équipe, décrivez les exigences relatives à ces deux facteurs dans les cas suivants :

- un système d'information météorologique ;
- l'inventaire d'un concessionnaire automobile ;
- les prévisions relatives aux ventes de pneus ;
- les taux d'intérêt ;
- l'inventaire d'un restaurant ;
- l'inventaire d'un marché d'alimentation.

5. L'amélioration de la qualité des données et de l'information

HangUps Corporation conçoit et distribue des structures de rangement pour les placards. L'entreprise possède cinq systèmes distincts qui ont trait à l'enregistrement des commandes, aux ventes, à la gestion des stocks, à la livraison et à la facturation. Elle éprouve de graves problèmes de qualité quant à ses données et à l'information dont elle dispose. Des données ou des renseignements sont manquants, inexacts, redondants ou incomplets. L'entreprise souhaite implanter un entrepôt de données contenant l'information contenue dans les cinq systèmes transactionnels afin de l'aider à conserver une vue unique du client, à orienter les décisions d'affaires et à pratiquer l'analyse multidimensionnelle. Expliquez comment cette entreprise peut accroître la qualité de ses données et de son information au début des processus de conception et de développement de l'entrepôt de données.

1. Vitorovich, Lilly. (2012, 20 août). Netflix reaches 1 million membership milestone in UK, Ireland. *The Wall Street Journal*; Netflix watch instantly streaming coming to Norway, Denmark, Sweden and Finland this year. (s.d.). Repéré le 15 juillet 2013 à www.engadget.com/2012/08/15/netflix-watch-instantly-streaming-scandinavia/; Bloomberg. (s.d.). Netflix launches in Sweden, Denmark, Norway and Finland. Repéré le 15 juillet 2013 à www.bloomberg.com/article/2012-10-18/aqIpfZEcO.os.html; Netflix streaming heads to the Netherlands in late 2013. (s.d.). Repéré le 15 juillet 2013 à http://news.cnet.com/8301-1023_3-57590000-93/netflix-streaming-heads-to-the-netherlands-in-late-2013/; Hamel, Mathilde. (2014, 13 mars). Netflix bets on international expansion to keep growing. Repéré le 15 juillet 2013 à www.cnbc.com/id/101487231

2. Davenport, Thomas et Harris, Jeanne. (2007). *Competing on analytics: The new science of winning.* Boston, MA: Harvard Business Publishing Corporation; Davenport, Thomas, Harris, Jeanne et Morrison, Robert. (2010). *Analytics at work: Smarter decisions better results.* Boston, MA: Harvard Business Publishing Corporation; Media center (s.d.). Repéré le 10 août 2011 à https://signup.netflix.com/MediaCenter; Saba, Jennifer. (2011, 5 juillet). Netflix Inc. is expanding its online video service to 43 countries in Latin America and the Caribbean, sending its shares to an all-time high. Reuters US Edition. Repéré le 15 août 2011 à www.reuters.com/article/2011/07/05/us-netflix-idUSTRE7642VV20110705

3. Repéré le 15 août 2011 à http://searchsqlserver.techtarget.com/definition/database; repéré le 15 août 2011 à www.webopedia.com/TERM/D/database.html

4. Success stories in government using VERITAS software. (2001). Repéré le 15 août 2011 à http://sysdoc.doors.ch/VERITAS/quebec.pdf

5. Preliminary privacy impact assessment national integrated interagency information system (N-III–integrated query tool (IQT). (2011, 11 avril). Repéré le 15 août 2011 à www.cbsa-asfc.gc.ca/agency-agence/reports-rapports/pia-efvp/atip-aiprp/niii-eng.html

6. The Beer Store achieves high-performance processing targets to handle increased data volume from 440 stores. (2010, mars). Repéré le 24 août 2011 à www.oracle.com/us/corporate/customers/customersearch/index.html?xCountry=Canada; repéré le 10 mai 2014 www.thebeerstore.ca/about-us/did-you-know

7. Repéré le 15 août 2011 à http://searchsqlserver.techtarget.com/definition/database; repéré le 15 août 2011 à www.webopedia.com/TERM/D/database.html

8. Loveday, Lance et Niehaus, Sandra. (2008). *Web design for rOI: Turning browsers into buyers and prospects into leads.* Berkeley, CA: New Riders.

9. *Ibid.*

10. Oracle success stories. (s.d.). Repéré le 15 mai 2003 à www.oracle.com/successstories/army

11. Levinson, Meredith. (2007, 15 mai). The brain behind big bad burger and other tales of business intelligence. (2007, 15 mai). Repéré le 16 août 2011 à www.cio.com/article/109454/The_Brain_Behind_the_Big_Bad_Burger_and_Other_Tales_of_Business_Intelligence

12. Inmon, W. H. et Hackathorn, Richard D. (1994). *Using the data warehouse.* Mississauga, ON: John Wiley & Sons Canada.

13. Lands' End uses Unica campaign to implement customer-centric strategies. (2003-2009). Repéré le 16 août 2011 à www.unica.com

14. The Data Warehousing Institute. (s.d.). Renton, WA. Repéré le 10 mai 2014 à http://tdwi.org/articles/2009/11/10/qa-survey-shows-organizations-overly-optimistic-about-data-quality.aspx?sc_lang=en

15. Information to reporting to smarter operations: Performance management at Dr Pepper Snapple Group. (2009). Repéré le 16 août 2011 à www.ibm.com

16. Scotiabank mines data to generate leads. (s.d.). Repéré le 10 mai 2014 à www.sas.com/en_us/customers/scotiabank.html; http://bi.ruf.com/

17. The Data Warehousing Institute. Renton, WA. Question and answer: Survey shows organizations overly optimistic about data quality. (2009, 10 novembre). Renton, WA: The Data Warehouse Institute; repéré le 24 août 2011 à http://tdwi.org/articles/2009/11/10/qa-survey-shows-organizations-overly-optimistic-about-data-quality.aspx?sc_lang=en; Rhind, Graham. (2007). Poor quality data: The pandemic problem that needs addressing. *Postcode Anywhere.* Worcester, U.K. Repéré le 24 août 2011 à www.grcdi.nl/PCAwhitepaper.pdf

18. *Ibid.*

19. *Ibid.*

20. *Ibid.*

21. *Ibid.*; Whirlpool Corp. WHR, NY. Repéré le 24 août 2011 à http://investing.businessweek.com/research/stocks/earnings/earnings.asp?ticker=WHR:US

22. Imhoff, Claudia et Pettit, Ray. (2004). The critical shift to flexible business intelligence. Intelligent Solutions, Inc. Utilisé avec permission; Imhoff, Claudia et Pettit, Ray. (s.d.). What every marketer wants–and needs–from technology. Intelligent Solutions, Inc. Utilisé avec permission; Imhoff, Claudia. (2006, mai). Enterprise business intelligence. Intelligent Solutions, Inc. Utilisé avec permission; Dyche, Jill. (2005). The business case for data warehousing. Baseline Consulting Group. Utilisé avec permission.

23. *Ibid.*

24. *Ibid.*

25. Scouts Canada annual report. (2012-2013). Repéré le 10 mai 2014 à www.scouts.ca/sites/default/files/AR2012-13-Web-en.pdf

26. Weinberger, Joshua. (2005, janvier). *Customer relationship management*. (*9*)1. p. 45-46.

27. Google knows where you are. (2004, 2 février). *BusinessWeek*. Repéré le 28 octobre 2009 à www.google.com; Metz, Cade. (2013, 14 novembre). 8 years later, Google's book scanning crusade ruled "fair use". Repéré le 10 mai 2014 à www.wired.com/2013/11/google-2/

28. Levinson, Meredith. (2001, mai). Harrah's knows what you did last night. *Darwin Magazine*; Harrah's Entertainment wins TDWI's 2000 DW Award. (s.d.). Repéré le 10 octobre 2003 à www.hpcwire.com; Loveman, Gary. Diamonds in the data mine. *Harvard Business Review*. (2003, mai). p. 109; NCR–Harrah's Entertainment, Inc. (s.d.). Repéré le 12 octobre 2003 à www.ncr.com; Cognos and Harrah's Entertainment win prestigous Data Warehousing Award. Communiqué de presse. (2002). Repéré le 14 octobre 2003 à www.cognos.com; Nash, Kim. (s.d.). Casinos hit jackpot with customer data. Repéré le 14 octobre 2003 à www.cnn.com; Malone, Michael S. (2004, mars). IPO Fever. *Wired*.

Les affaires électroniques, les réseaux et les affaires mobiles

PARTIE 3

Dans la partie 3, nous examinons de quelle façon les entreprises se servent des différents réseaux, notamment le réseau Internet, pour tirer parti des affaires électroniques et des processus qui leur sont liés. L'influence des affaires électroniques est multidimensionnelle: elle englobe tant la transformation de secteurs entiers de l'économie que l'amélioration de l'efficacité et de l'efficience des processus d'affaires. Les médias évoquent souvent le fait que des entreprises comme Google, Amazon et Facebook ont transformé divers secteurs de l'économie ou en ont même créé de nouveaux. Toutefois, pour la plupart des entreprises, les affaires électroniques permettent surtout de soutenir leurs activités quotidiennes telles que les communications et les interactions avec les clients et les partenaires d'affaires; elles servent aussi à réduire le coût de ces activités. Dans de nombreux cas, les entreprises exploitent les avantages d'outils technologiques comme les téléphones cellulaires, les systèmes d'information géographique et l'identification par radiofréquence (IDRF). Aujourd'hui, grâce à ces outils technologiques, les entreprises et leurs employés sont plus mobiles et peuvent suivre à distance l'acheminement des biens. Dans le cas des entreprises de transport, celles-ci sont en mesure de planifier les trajets les plus efficaces et les plus rentables.

Cette partie traite d'abord de l'incidence d'Internet sur les affaires, à la lumière de l'avènement des affaires électroniques. Quel a été l'effet des affaires électroniques sur les entreprises, en ce qui concerne non seulement les communications avec les clients, mais aussi le cours normal des activités quotidiennes? Vous apprendrez aussi à connaître les différents modèles d'affaires électroniques et la façon de les appliquer.

Sont ensuite décrits les réseaux, les télécommunications et les éléments fondamentaux des outils technologiques mobiles. Il y est question de l'infrastructure sous-jacente des communications d'une entreprise, un facteur qui doit être compris et géré pour assurer la mise au point et l'entretien de systèmes d'information utiles et utilisables. Est également soulignée l'utilité croissante de ces outils technologiques pour les entreprises à mesure que celles-ci deviennent plus mobiles.

5 CHAPITRE

Le réseau Internet et les affaires électroniques

OBJECTIFS D'APPRENTISSAGE

5.1 Expliquer les différences entre une technologie de rupture et une technologie de continuité.

5.2 Décrire l'évolution d'Internet et du Web au fil des ans, et expliquer leur influence sur la conduite traditionnelle des affaires.

5.3 Étudier de quelle façon les services d'une organisation peuvent recourir aux affaires électroniques pour hausser les recettes ou réduire les coûts, et comment une organisation peut mesurer le succès émanant des affaires électroniques.

5.4 Comparer les modèles d'affaires électroniques.

5.5 Décrire les avantages et les difficultés propres au Web 2.0, ainsi que les nouvelles tendances qui se manifestent dans les affaires électroniques.

MA PERSPECTIVE

Les gestionnaires doivent comprendre l'importance de faire des affaires par Internet et savoir en quoi celui-ci a révolutionné le monde des affaires. Les affaires électroniques offrent de nouvelles possibilités de croissance et de nouvelles manières d'exercer des activités d'affaires qui étaient impossibles avant l'avènement d'Internet. Elles ne se limitent pas à donner aux organisations un moyen d'effectuer des transactions sur le Web : elles ont aussi la capacité d'établir et de maintenir des relations avec la clientèle, les partenaires d'approvisionnement et même le personnel, tant au sein des entreprises qu'entre elles.

À titre d'étudiant dans un domaine lié aux affaires, vous devez comprendre l'effet fondamental d'Internet sur la conduite des affaires. En tant que futur gestionnaire et travailleur du savoir organisationnel, il convient de connaître les avantages que les affaires électroniques peuvent apporter à une organisation et à votre propre carrière. De plus, il faut saisir les difficultés liées à l'adoption des technologies Web et l'incidence du Web 2.0 sur les communications. Vous devez connaître les diverses stratégies permettant à une organisation d'entreprendre des affaires électroniques, ainsi que les plus récentes tendances et méthodes de mesure de la performance électronique. Le présent chapitre s'intéresse à toutes ces questions ; il est une aide précieuse pour évoluer dans le marché mondial électronique actuel.

Mise en contexte

Pinterest : un babillard pour Internet

Pinterest est l'objet du plus récent engouement ayant saisi des millions de personnes dans le monde. Véritable réseau de médias sociaux visuels, Pinterest permet à ses utilisateurs de créer des « tableaux d'intérêt » où ils « épinglent » des trucs intéressants trouvés sur le Web. Voici quelques termes à connaître pour utiliser Pinterest :

- **Épinglette :** lien menant à une image provenant d'un ordinateur ou d'un site Web. Une épinglette peut comprendre des légendes de photo destinées à d'autres utilisateurs. Un utilisateur téléverse, ou « épingle », des photos ou des vidéos sur des tableaux.

- **Tableau :** les épinglettes sont affichées sur des tableaux, et les utilisateurs peuvent conserver plusieurs tableaux distincts. Ces derniers se prêtent à une catégorisation par activité ou champ d'intérêt, comme la cuisine, le bricolage, l'exercice physique, la musique, le cinéma, etc.

- **Réépinglage :** après avoir été épinglé, un élément peut être épinglé de nouveau par d'autres utilisateurs de Pinterest, ce qui favorise la diffusion virale de son contenu. C'est au moyen du réépinglage que les utilisateurs peuvent partager avec les amis et la famille les éléments qu'ils aiment.

Pour « épingler », un utilisateur n'a qu'à cliquer sur une photo ou une vidéo qui attire son attention. Il peut s'agir de téléverser des photos personnelles ou d'épingler de nouveau une photo ou une vidéo provenant d'un autre utilisateur. Lancée en 2010, Pinterest a déjà attiré plus de 10 millions d'utilisateurs, la majorité étant des femmes âgées de 25 à 54 ans. Des millions de personnes visitent le site Web chaque jour pour voir les nouveaux éléments qui sont susceptibles de les intéresser.

L'entreprise Pinterest est considérée comme un réseau social, mais, contrairement à d'autres réseaux sociaux comme Twitter et Facebook, elle est ouverte uniquement aux utilisateurs invités. Ainsi, les utilisateurs doivent « demander » à être invités avant d'accéder au site. Si la demande est acceptée, l'utilisateur peut entrer sur le site Web et inviter ses propres « amis » avec lesquels il a un lien établi sur les réseaux Facebook ou Twitter. La mission première de Pinterest est la suivante :

Relier tous les individus dans le monde au moyen des « choses » qu'ils trouvent intéressantes. Selon Pinterest, la recette, le livre favori ou le jouet préféré de quelqu'un peut révéler l'existence d'un lien commun entre deux personnes. Avec les millions de nouvelles épinglettes qui s'ajoutent chaque semaine, Pinterest établit des liens entre des personnes partout dans le monde selon les goûts et les intérêts qu'ils partagent.

À l'instar des utilisateurs des autres réseaux sociaux, les utilisateurs de Pinterest peuvent compiler la liste des personnes qu'ils veulent suivre. Un utilisateur peut lier un tableau Pinterest à un compte Facebook et ainsi y accéder instantanément pour voir rapidement lesquels de ses amis Facebook sont présents sur le réseau social. L'ajout de signets permet à l'utilisateur d'épingler des images à d'autres sites Web, comme l'image d'un livre offert par Renaud Bray ou un ensemble de grosses tasses vendu sur le site de Pier 1 Imports. L'image est automatiquement liée au site Web du détaillant et, si un autre utilisateur clique sur cette image, il recevra de l'information supplémentaire sur le produit ou service visé. Si un utilisateur épingle l'image spécifique d'une assiette ou d'un chandail, il peut ensuite ajouter le prix de l'objet dans la description, ce qui placera automatiquement une bannière publicitaire sur l'image et montrera le prix associé. Un utilisateur qui ne sait pas exactement ce qu'il veut n'a qu'à chercher un événement ou un thème précis, comme « fête pour un 21e anniversaire », et toutes sortes d'idées lui seront proposées. En fin de compte, Pinterest laisse les utilisateurs dépeindre une image visuelle. À titre d'exemple, imaginons qu'une planificatrice de mariages s'entretient avec une future mariée au sujet de son mariage imminent et que celle-ci lui dit qu'elle aimerait une cérémonie empreinte de « modernisme classique ». Si la planificatrice ignore la signification de cette expression, elle peut effectuer une visite rapide sur le site Pinterest, où elle trouvera toute une série de photos et de vidéos dont elle pourra s'inspirer pour planifier le déroulement de ce mariage.

La valeur commerciale de Pinterest
La communication visuelle

Pinterest est un des médias sociaux les plus populaires aujourd'hui. Offrant d'innombrables types de données utiles, allant des méthodes de nettoyage à des recettes en passant par des photos et des vidéos, ce site Web est très efficace pour partager tout élément visuel. Il ne s'agit pas ici d'un engouement éphémère : les entreprises commencent à utiliser Pinterest à des fins de marketing social.

Une des meilleures utilisations de Pinterest consiste à laisser les employés d'une entreprise se lancer dans la communication et le remue-méninges visuel. La communication visuelle est une nouvelle expérience pour beaucoup d'employés, et la locution « une image vaut mille mots » peut inspirer une entreprise pour exécuter de nombreuses tâches, de la fabrication de nouveaux produits à la transformation de processus d'affaires. En fait, maintes entreprises se servent de Pinterest pour obtenir une rétroaction directe de la part des employés, des clients et des fournisseurs, et ce, afin d'assurer le fonctionnement efficace et efficient de l'entreprise. Après avoir sollicité une rétroaction directe de ses clients, l'équipe du Service à la clientèle d'une entreprise a plus de facilité à régler un problème avant que celui-ci ne prenne de l'ampleur. En outre, offrir aux clients un nouveau moyen d'exprimer leurs idées et préoccupations au sujet de produits ou services procurera une rétroaction utile à toute entreprise. Les entreprises signalent généralement qu'elles ne répondent peut-être pas à tous les commentaires ou questions, mais qu'elles tiennent compte de toutes les préoccupations formulées, afin de démontrer qu'elles sont résolues à établir un lien avec leurs clients.

Stimuler le trafic Internet

Pinterest stimule le trafic Internet : c'est aussi simple que ça ! Bien que l'accès au réseau ne soit possible que sur invitation, Pinterest a déjà attiré plus de 10 millions d'utilisateurs en moins de 2 ans. Ce nombre semble peut-être modeste, comparativement aux gros réseaux que sont devenus Facebook, Twitter ou Google, mais il démontre néanmoins que l'auditoire est suffisant pour susciter un volume acceptable de trafic vers maintes entreprises. Les images épinglées par une entreprise devraient être liées à la page correspondante de son site Web, car les utilisateurs intéressés peuvent alors cliquer sur ces images pour en savoir davantage.

Pinterest stimule aussi le trafic Internet en attribuant un rang plus élevé en référencement : une entreprise apparaît de plus en plus haut dans les listes de recherche à mesure que les utilisateurs sont plus nombreux à placer des épinglettes sur leurs tableaux. L'établissement de liens est un des facteurs-clés que prennent en considération les moteurs de recherche, et à mesure que Pinterest gagne en popularité, ce média social devient de plus en plus digne de confiance.

Tant le nombre d'utilisateurs de Pinterest que la capacité de ce réseau à élever la position d'une entreprise dans la liste des résultats de recherche vont jouer un rôle important lorsque cette entreprise voudra accentuer sa visibilité et inciter les internautes à visiter son site Web. Selon les données provenant de Shareaholic, Pinterest a généré plus de renvois de référence vers les blogueurs que Google, YouTube et LinkedIn mis ensemble et seulement un peu moins que Twitter.

La valorisation de la marque

Pinterest est un extraordinaire outil de valorisation de la marque, car elle offre un endroit où les entreprises peuvent créer une présence et une communauté autour d'un produit, d'une idée, d'un événement ou d'une entreprise. Tout comme d'autres sites de réseautage social, Pinterest donne aux entreprises la possibilité de contacter ses propres clients, vendeurs, fournisseurs et même ses employés, puis de les amener à communiquer avec elles au sujet de leurs produits et services. Récemment, les Vikings du Minnesota, une équipe de football professionnel aux États-Unis, ont commencé à utiliser Pinterest pour canaliser l'intérêt de leurs partisans. Les Vikings ont utilisé des photos, des statistiques et même proposé des recettes les journées où l'équipe jouait !

Pinterest vient de déployer une application pour iPhone qui permet aux utilisateurs d'épingler instantanément sur leurs tableaux des photos et des vidéos qu'ils ont réalisées eux-mêmes. L'avantage concurrentiel unique de Pinterest se situe dans sa capacité à accueillir des milliards d'images et à rediriger les utilisateurs vers les sources appropriées à l'aide d'une interface conviviale.

Le dilemme de Pinterest

Depuis son apparition, Pinterest a été la cible de reproches provenant de sites comme Flikr, Photobucket et Instagram, à propos de la mention du nom des propriétaires des images épinglées. De nombreux utilisateurs craignent de faire l'objet de poursuites judiciaires à cause de l'usage inadéquat d'une image qu'ils ont épinglée.

Les conditions d'utilisation de Pinterest stipulent que, « si vous êtes le propriétaire de droits d'auteur, êtes autorisé à en représenter un ou à agir en vertu d'un droit exclusif relevant du droit d'auteur, vous devez signaler les présumées violations du droit d'auteur observées dans ou par l'entremise du site en remplissant l'Avis de violation présumée relevant du Digital Millennium Copyright Act (DMCA) et en l'envoyant à l'agent des droits d'auteur qu'a désigné Pinterest ».

Pour se protéger contre des procédures judiciaires de la part d'une tierce partie (comme celles d'auteurs alléguant la violation de leur droit d'auteur), Pinterest a intégré l'énoncé suivant dans sa clause d'indemnisation : « Vous acceptez de dédommager et de tenir non responsables Pinterest et ses cadres, directeurs, employés et agents, pour toutes réclamations, poursuites judiciaires, procédures, différends, exigences, responsabilités juridiques, dommages, pertes, frais et dépenses, y compris, entre autres, les frais judiciaires et les frais de comptabilité raisonnables (dont les frais judiciaires afférents à la défense contre des réclamations, des poursuites judiciaires ou des procédures entamées par une tierce partie), qui sont attribuables ou liés de quelque façon que ce soit : i) à votre accès aux services ou au contenu de Pinterest ou à leur utilisation, ii) à votre contenu d'utilisateur ou iii) à votre violation de l'une ou l'autre de ces conditions d'utilisation. »

Pinterest sait que la présence de beaucoup d'images épinglées constitue sans doute une violation du droit d'auteur, de sorte qu'elle tente de se protéger contre toutes les poursuites judiciaires résultant du fait que des utilisateurs enfreignent, délibérément ou non, la loi par l'entremise de son site[1].

5.1 Les affaires et Internet

Introduction

À une certaine époque, des vedettes comme Usher, Britney Spears et Justin Timberlake se sont servies de leur passage à des émissions de télévision (telles que *Star Search* ou *The Mickey Mouse Club*) pour sortir de l'obscurité et devenir célèbres. À l'ère d'Internet, le monde du divertissement en a aussi subi les effets : la révélation de nouveaux talents n'emprunte plus du tout les mêmes voies. À l'âge de 12 ans, Justin Bieber a commencé à publier sur YouTube ses propres vidéoclips maison, mais les experts dans ce domaine n'ont noté sa présence que lorsque le nombre de visionnements est passé de quelques centaines à des milliers, puis à des dizaines de milliers. Ensuite, à mesure que des initiés comme Usher et Justin Timberlake ont pris connaissance de ses prestations vidéo, Justin Bieber s'est mis à multiplier les publications de vidéos sur YouTube, ce qui a abouti à sa signature d'un contrat avec la maison de disques de Usher, Island Deft Jam Recordings. Dès leur parution, ses 2 premiers albums, *My World* et *My World 2.0*, se sont hissés au sixième et au premier rang, respectivement, au classement des 200 albums les plus populaires du palmarès. Bieber est d'ailleurs le plus jeune chanteur solo à atteindre le premier rang de ce classement depuis Stevie Wonder, en 1963[2].

Le Web 1.0 : une technologie de rupture

Fondée en 1937, la société Polaroid a produit le premier appareil photo à développement instantané à la fin des années 1940. L'appareil photo Polaroid est le résultat d'un des plus intéressants progrès technologiques survenus dans le domaine de la photographie. Grâce à cet appareil, les clients ne dépendaient plus du travail d'autres personnes pour obtenir leurs photos. La technologie en question était novatrice, et il s'agissait d'un produit haut de gamme. Polaroid s'est ensuite transformée en société ouverte et est devenue une des entreprises les plus éminentes de Wall Street : son action valait plus de 70 $ en 1997. Pourtant, en 2002, le prix de l'action n'étant plus que de 8 ¢, l'entreprise a fait faillite[3].

Comment une société comme Polaroid, qui disposait d'un produit technologique novateur et comptait sur une clientèle captive, a-t-elle pu faire faillite ? Ses dirigeants ont peut-être négligé de faire appel au modèle des cinq forces de Porter pour analyser la menace de produits ou services de substitution. Étant plus avisés, ils auraient pu noter deux menaces – le développement des pellicules en une heure et l'apparition des appareils photo numériques – qui allaient ravir à Polaroid sa part de marché. Ils auraient possiblement compris que leurs clients – des personnes voulant obtenir tout de suite leurs photos sans recourir aux services d'une tierce partie – seraient les premiers à vouloir faire développer leurs pellicules en une heure, puis à acheter un appareil photo numérique. On peut se demander si l'entreprise aurait trouvé le moyen de concurrencer le développement des pellicules en une heure et les nouveaux appareils photo numériques afin d'éviter la faillite.

La plupart des organisations font face au même dilemme : les critères sur lesquels une organisation fonde ses décisions d'affaires aujourd'hui sont susceptibles de causer des problèmes dans le futur. En d'autres termes, ce qui est optimal pour les affaires maintenant peut entraîner la ruine à long terme. Certains observateurs du monde des affaires ont une vision alarmante de l'avenir : le darwinisme numérique. Le **darwinisme numérique** signifie que les organisations ne pouvant s'adapter aux nouvelles demandes qui leur sont adressées à l'ère de l'information sont vouées à l'extinction[4].

La technologie de rupture et la technologie de continuité

Une **technologie de rupture** est une nouvelle façon de procéder qui ne satisfait pas initialement les besoins des clients existants. Elle tend à ouvrir de nouveaux marchés et à détruire les plus anciens. En revanche, une **technologie de continuité** donne un produit amélioré que les clients ont envie d'acheter, comme une voiture plus rapide ou un disque dur de plus grande capacité. Elle tend à donner des produits meilleurs, plus rapides et moins chers dans des marchés établis. Le plus souvent, les sociétés existantes déversent sur le marché les produits issus des technologies de continuité, mais elles ne sont pratiquement jamais les chefs de file dans les marchés qu'ont ouverts les technologies de rupture. La figure 5.1 présente des entreprises qui comptent sur une croissance future découlant de nouveaux investissements (technologie de rupture), ainsi que des entreprises qui se fient à une croissance future découlant des investissements en cours (technologie de continuité).

FIGURE 5.1

Rendement attendu à partir des technologies de rupture ou des technologies de continuité

Source : Figure reproduite avec l'autorisation de Harvard Business School Press, tirée de *The innovator's dilemma*. (1997). Boston, Massachusetts : Clayton Christensen. Copyright © 1997 Harvard Business School Publishing Corporation.

En général, une technologie de rupture s'insère dans le marché du bas de gamme et finit par déloger les concurrents du haut de gamme et leurs technologies régnantes. Sony offre l'exemple parfait d'une entreprise qui a fait son apparition dans le bas de gamme du marché et qui a ensuite réussi à déloger ses concurrents du haut de gamme. Au début, ce n'était qu'une entreprise minuscule qui fabriquait des radios transistors portatifs à piles que chacun pouvait porter sur soi. Le son produit par les radios transistors de Sony était de qualité médiocre, parce que les amplificateurs à transistors étaient de moins bonne qualité que les traditionnels tubes à vide, qui donnent un meilleur son. Mais les clients étaient prêts à oublier la qualité sonore pour obtenir les avantages d'un appareil portatif. Grâce à l'expérience et aux revenus que lui ont procurés les appareils portatifs, Sony a amélioré sa technologie pour produire des amplificateurs à transistors bas de gamme et peu coûteux qui étaient faciles à utiliser à la maison. L'entreprise a investi les bénéfices dégagés dans l'amélioration continue de cette technologie, qui n'a cessé de produire de meilleures radios[5].

The innovator's solution, de Clayton M. Christensen, décrit de quelle façon une entreprise bien établie peut tirer parti des technologies de rupture sans altérer les relations existantes avec ses clients, ses partenaires et les parties intéressées. Xerox, IBM, Sears et Kodak ont toutes écouté attentivement leurs clients existants, investi vigoureusement dans les technologies et cherché à dominer la concurrence, mais elles ont néanmoins perdu leur position dans le marché. Christensen affirme que ces entreprises ont peut-être trop mis l'accent sur la satisfaction des besoins actuels des clients. Elles auraient ainsi négligé d'adopter une nouvelle technologie de rupture qui satisferait les besoins futurs de leurs clients, ce qui a ensuite fait baisser leurs parts de marché. Le tableau 5.1 présente plusieurs entreprises qui ont lancé de nouvelles initiatives d'affaires en tirant profit des technologies de rupture[6].

TABLEAU 5.1

Entreprises ayant tiré profit des technologies de rupture[7]

Entreprise	Technologie de rupture
Apple	iPod, iPhone, iPad
Charles Schwab	Courtage en ligne
Hewlett-Packard	Ordinateur à microprocesseurs, imprimante à jet d'encre
IBM	Mini-ordinateur et ordinateur personnel
Intel	Microprocesseur bas de gamme
Intuit	Logiciel QuickBooks, logiciel TurboTax, logiciel Quicken
Microsoft	Logiciel de système d'exploitation
Oracle	Logiciel de base de données
Sony	Électronique grand public à transistors

Le réseau Internet et le Web : deux perturbateurs des affaires

Au tout début d'Internet, personne ne se doutait de l'ampleur future de ce réseau. Les sociétés d'informatique, tout comme les entreprises de téléphone et de câblodistribution, ne croyaient pas à la croissance fulgurante du réseau. Difficile d'accès et de fonctionnement, Internet semblait voué à demeurer un outil mystérieux aux mains du ministère de la Défense des États-Unis et des milieux universitaires. Mais il n'a cessé de prendre de l'expansion depuis. Ne concernant qu'une poignée d'utilisateurs au milieu des années 1960, il en comptait quelque 2,7 milliards à la fin de 2013 et faisait l'objet d'environ 2,1 milliards d'abonnements à large bande (*voir la figure 5.2 et la figure 5.3 à la page suivante*). Une grande partie de la hausse future du nombre de ses utilisateurs proviendra des pays en développement, où se maintiendra probablement la tendance. Celle-ci fera en sorte que des villages en Indonésie et en Inde auront accès à Internet avant d'avoir l'électricité[8]. Le tableau 5.2 (*voir la page suivante*) présente plusieurs des changements qu'Internet a apportés au monde des affaires.

L'évolution d'Internet et du Web

Durant la guerre froide, au milieu des années 1960, l'armée américaine a jugé qu'elle avait besoin d'un système de communications à l'épreuve des bombes : c'est ainsi qu'a vu le jour le concept initial d'Internet. Ce système devait relier les ordinateurs dans tout le pays et

FIGURE 5.2

Pénétration et croissance d'Internet dans le monde[9]

Source : Base de données de l'Union internationale des télécommunications (UIT) sur les indicateurs des technologies de l'information et de la communication (TIC) dans le monde

Note : * estimation
CEI – Communauté des États indépendants

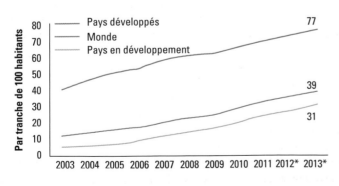

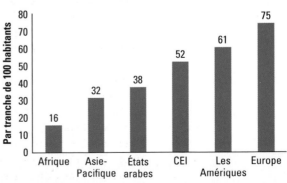

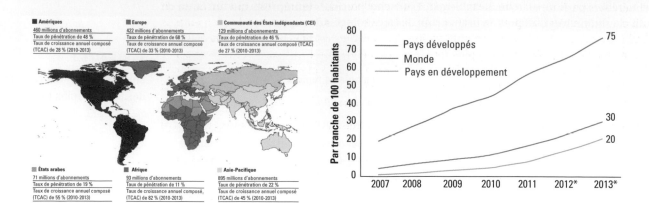

FIGURE 5.3

Pénétration et croissance des abonnements aux services mobiles à large bande dans le monde[10]

Source : Base de données de l'Union internationale des télécommunications (UIT) sur les indicateurs des technologies de l'information et de la communication (TIC) dans le monde

Note : * estimation

permettre la transmission de messages même dans l'éventualité où une grande partie du pays serait détruite. À l'époque, les seuls ordinateurs interreliés étaient ceux des groupes d'étude gouvernementaux et de quelques universités. Internet était essentiellement un système de communications militaires d'urgence exploité par l'Advanced Research Project Agency (ARPA), relevant du ministère de la Défense des États-Unis, et portait le nom de « réseau Arpanet ». Tel qu'il est défini aujourd'hui, **Internet** est un réseau public mondial de réseaux informatiques qui transmet l'information d'un utilisateur à un autre au moyen de protocoles informatiques communs. Un **protocole** est une norme qui détermine le format des données et les règles à suivre pendant la transmission.

TABLEAU 5.2 | Changements occasionnés par les affaires électroniques dans certaines industries[11]

Automobile	autoTRADER est le marché des voitures d'occasion au Canada, offrant des millions d'automobiles que cherchent à vendre des particuliers et des concessionnaires. Ce marché contribue à élever le chiffre d'affaires des concessionnaires de voitures d'occasion, car il dirige des millions de clients potentiels vers les concessionnaires et les particuliers participants.
Divertissement	L'industrie de la musique a été durement frappée par l'avènement des affaires électroniques : des vendeurs de musique en ligne comme iTunes comptent les téléchargements effectués en milliards par année. Incapables de concurrencer la musique en ligne, la majorité des magasins de disques ont fermé leurs portes. L'industrie du cinéma, qui brasse des milliards de dollars, sera le prochain grand secteur de divertissement qui éprouvera les effets du commerce électronique. Les magasins de location de vidéos disparaissent les uns après les autres, car ils ne peuvent concurrencer la diffusion en continu en ligne et les sociétés de location de films à la carte comme Netflix.
Édition	Grâce à Internet, toute personne peut publier du contenu en ligne. Traditionnellement, les maisons d'édition se tournaient vers un grand nombre d'auteurs et de manuscrits et choisissaient ceux qui étaient le plus susceptibles de réussir. Lulu a complètement transformé ce modèle en permettant l'autoédition et en offrant la possibilité d'imprimer du texte sur demande.
Éducation et formation	La formation médicale continue est coûteuse. Simplement demeurer au fait des progrès accomplis impose souvent de suivre des cours de formation et d'assister à des conférences. Aujourd'hui, l'éducation permanente dans de nombreux domaines est de plus en plus accessible en ligne : en 2016, plus de 50 % des médecins tiendront à jour leurs connaissances grâce à l'apprentissage en ligne. Des entreprises comme Cisco épargnent des millions de dollars en offrant une formation par Internet.
Services financiers	Presque toutes les sociétés ouvertes de services financiers électroniques, comme RBC Groupe financier, sont rentables. Le traitement des demandes de prêt hypothécaire en ligne coûte 50 % de moins pour les clients.
Vente au détail	Forrester Research prévoit que les ventes au détail électroniques vont connaître un taux de croissance annuel de 10 % jusqu'en 2014. Ces ventes avaient atteint une valeur de 18,9 milliards au Canada, en 2012[12].
Voyage	Expedia est l'une des plus grandes agences de voyages au Canada. La majorité des Canadiens passent par des sites de voyage en ligne pour planifier leurs vacances, et Expedia en est le chef de file, avec près de 15 % de l'activité dans ce secteur, soit plus que le total combiné de ses trois principaux concurrents. Au milieu de 2013, 57 % des ventes de voyages étaient faites en ligne[13].

Peu à peu, toutes les universités américaines qui recevaient un certain financement d'origine militaire se sont dotées d'ordinateurs Arpanet. Graduellement, Internet s'est transformé en un outil de communication pour les scientifiques. Les universitaires ayant été de plus en plus nombreux à adopter Internet, l'administration des systèmes est passée d'ARPA à la National Science Foundation. Des années plus tard, certaines entreprises ont commencé à se servir d'Internet, si bien que les responsabilités administratives afférentes ont fait l'objet d'un nouveau transfert. Aujourd'hui, aucun acteur n'est chargé à lui seul de faire fonctionner Internet; plusieurs entités assurent l'encadrement du réseau et définissent les normes à respecter:

- Internet Engineering Task Force (IETF): l'entité d'Internet chargée de la mise au point et de la gestion des protocoles;

- Internet Architecture Board (IAB): le groupe responsable de définir l'architecture globale d'Internet et d'offrir un encadrement et un suivi général à l'IETF;

- Internet Engineering Steering Group (IESG): le groupe assurant la gestion technique des activités de l'IETF et le traitement des normes relatives à Internet.

Nombreux sont ceux qui pensent qu'«Internet» et «Web» sont synonymes, mais ce n'est pas le cas. Dans les années 1960, 1970 et 1980, Internet était surtout utilisé pour le courrier électronique et le transfert de fichiers. Le réseau ne servait qu'à des activités non commerciales, et ses utilisateurs étaient des fonctionnaires, des chercheurs, des professeurs d'université et des étudiants. Le Web a changé la vocation et l'utilisation d'Internet.

Le **Web** (**World Wide Web ou WWW**) est un système hypertexte mondial qui se sert d'Internet comme mécanisme de transfert. Un **protocole de transfert hypertexte (HTTP)** désigne la norme Internet qui permet l'échange d'information sur le Web. Le HTTP donne aux auteurs Web la possibilité d'insérer des hyperliens dans des documents Web en définissant des adresses URL (*uniform resource locator*) ainsi que la façon de les utiliser pour accéder à toutes les ressources disponibles par Internet. Le HTTP définit le processus selon lequel un client Web, c'est-à-dire un navigateur, produit une demande d'information et la transmet à un serveur Web. Un tel serveur consiste en un programme conçu pour répondre aux demandes faites par HTTP et fournir l'information voulue. Dans un système hypertexte, les utilisateurs naviguent en cliquant sur un hyperlien inséré dans le document consulté, ce qui entraîne l'affichage d'un deuxième document dans la même fenêtre ou dans une autre fenêtre du navigateur. Le Web est rapidement devenu le média optimal pour la publication d'information dans Internet et constitue la plateforme de l'économie électronique. L'encadré 5.1 expose les raisons de la popularité et de la croissance des activités sur le Web.

Le Web est demeuré surtout axé sur le texte jusqu'en 1991, année où se sont produits deux événements qui allaient transformer le Web ainsi que la quantité et la qualité de l'information disponible (*voir le tableau 5.3 à la page suivante*). D'abord, Tim Berners-Lee a mis sur pied le premier site Web le 6 août 1991 (http://info.cern.ch/ – ce site a été archivé). Le site donnait des détails sur le Web, y compris la façon de créer un navigateur et d'établir un serveur Web. Il abritait aussi le premier répertoire Web dans le monde, car Berners-Lee allait par la suite conserver une liste de sites Web autres que le sien[14].

(*voir le tableau 5.3 à la page suivante*)

ENCADRÉ 5.1

Causes de la croissance du Web

- La révolution micro-informatique a donné aux simples citoyens la possibilité d'acheter un ordinateur.

- Les progrès réalisés dans la mise en réseau des matériels, des logiciels et des médias ont rendu possible la connexion peu coûteuse des ordinateurs d'entreprise à de plus grands réseaux.

- Des logiciels de navigation comme Internet Explorer de Microsoft et Netscape Navigator ont procuré aux utilisateurs une interface graphique d'emploi facile pour repérer, télécharger et afficher des pages Web.

- La vitesse, l'utilité et le faible coût du courrier électronique en ont fait un outil incroyablement populaire pour les communications personnelles et professionnelles.

- Une page Web de base est facile à créer et s'avère extrêmement souple.

- Les téléphones intelligents et d'autres appareils mobiles offrent un accès facile au Web à partir de n'importe quel endroit.

Facile à compiler	La recherche d'information sur des produits, des prix, des clients, des fournisseurs et des partenaires est plus rapide et plus facile à l'aide d'Internet.
Richesse accrue	La richesse de l'information renvoie à la profondeur et à l'ampleur de l'information transférée entre des clients et des entreprises. Ces derniers peuvent recueillir et repérer une information plus détaillée grâce à Internet.
Portée accrue	La portée de l'information renvoie au nombre de personnes avec lesquelles une entreprise peut communiquer à l'échelle mondiale. Les entreprises sont en mesure de partager l'information avec de nombreux clients dans le monde entier.
Contenu amélioré	Un des éléments-clés d'Internet réside dans sa capacité d'offrir du contenu pertinent et dynamique. Les acheteurs doivent avoir de bonnes descriptions de contenu pour effectuer des achats éclairés. D'un autre côté, les vendeurs se servent de ce contenu pour mettre en marché adéquatement leurs produits ou services et se démarquer de leurs concurrents. Le contenu présenté dans Internet et la description du produit permettent de s'assurer de la compréhension mutuelle des deux parties participant à la transaction. Ainsi, la portée et la richesse de ce contenu ont une incidence directe sur la transaction effectuée.

TABLEAU 5.3

Effet d'Internet sur l'information

Ensuite, Marc Andreessen a mis au point un nouveau programme informatique dénommé NCSA Mosaic (National Center for Supercomputing Applications à l'Université de l'Illinois) et en a fait cadeau aux utilisateurs! Le navigateur a facilité l'accès aux sites Web qui commençaient alors à apparaître. Peu après, certains sites Web se sont mis à diffuser non seulement du texte, mais aussi des fichiers sonores et vidéo. Ces pages, écrites en langage hypertexte (HTML), comportaient des liens permettant aux utilisateurs de passer rapidement d'un document à l'autre, même lorsque les documents en question étaient conservés dans des ordinateurs différents. Des navigateurs Web lisaient le texte en HTML et le convertissaient en une page Web[15].

En supprimant les contraintes de temps et de distance, Internet offre la possibilité de faire des affaires d'une manière qui était auparavant inimaginable. Le **fossé numérique** se creuse lorsque ceux qui ont accès à la technologie en tirent de grands avantages par rapport à ceux qui en sont privés. Par exemple, les habitants du village de Siroha, en Inde, doivent parcourir 8 km en vélo pour trouver un téléphone. Pour plus de 700 millions de personnes vivant en milieu rural en Inde, le fossé numérique faisait partie de leur mode de vie jusqu'à tout récemment. Media Lab Asia vend des services de téléphone et de courriel par l'entremise d'un kiosque mobile Internet monté sur un vélo, dénommé «infothelas». Le kiosque est muni d'un ordinateur équipé d'une antenne pour le service Internet et d'une pile spécialement conçue pour durer toute la journée. Plus de 2 000 villages ont acheté ce kiosque au coût de 1 200 $, et 600 000 autres villages se sont montrés intéressés. Il faut se rappeler ici que, même lorsque la technologie devient accessible, des différences culturelles et linguistiques peuvent constituer des obstacles empêchant de combler le fossé numérique. C'est pourquoi on a mis au point des interfaces informatiques qui n'exigent pas que les utilisateurs soient capables de lire du texte. Ces interfaces s'appuient plutôt sur des vidéos et des dessins animés où les personnages s'expriment dans différentes langues régionales, afin d'encourager les nouveaux utilisateurs illettrés d'un ordinateur ou d'un téléphone cellulaire à adopter ces outils technologiques[16].

Les fondements des affaires électroniques

En 1994, Jeff Bezos a transformé le monde de la vente de livres au détail lorsqu'il a mis sur pied Amazon. En 2001, Apple a mis en marché sa première version d'iTunes, et, en 2003, Tom Anderson et Chris DeWolfe ont lancé Myspace. Ces deux dernières innovations ont bouleversé le modèle d'affaires de la diffusion de musique qui était en vigueur depuis des décennies. iTunes constitue une nouvelle façon de diffuser et d'acheter de la musique, tandis que Myspace a offert à ses membres le réseautage social comme source d'information sur la scène musicale indépendante aux États-Unis. En 2004, l'entreprise Facebook a été créée à l'intention des étudiants d'université pour que ces derniers partagent des photos au sein d'un «réseau social». Aujourd'hui, Facebook compte plus de 1,23 milliard d'utilisateurs inscrits dans le monde; elle a changé le mode de communication et d'interaction des individus, comme le montrent les statistiques. Environ la moitié de ces utilisateurs se relient à Facebook durant une journée donnée, et chaque utilisateur a en moyenne 130 amis. Au total, les utilisateurs consacrent plus de 700 milliards de minutes par mois à Facebook[17].

En ce qui a trait aux entreprises, le plus grand avantage d'Internet est de leur permettre de faire des affaires avec n'importe qui, en tout temps et en tout lieu. Le **commerce électronique** désigne l'achat et la vente de biens et services effectués par Internet, c'est-à-dire uniquement les transactions faites en ligne. Dérivée de «commerce électronique», l'expression **affaires électroniques** renvoie à la conduite des affaires par Internet : non seulement l'achat et la vente, mais aussi le service à la clientèle et la collaboration avec des partenaires d'affaires. La principale différence entre le commerce électronique et les affaires électroniques réside dans le fait que celles-ci englobent également les échanges d'information en ligne. Par exemple, il peut s'agir d'un fabricant qui autorise ses fournisseurs à vérifier les calendriers de production, ou encore d'un établissement financier qui permet à ses clients de passer en revue leurs comptes bancaires, leur compte de carte de crédit et leur compte de prêt hypothécaire.

Les affaires électroniques se sont infiltrées dans toutes les dimensions de la vie quotidienne. Tant les individus que les organisations ont adopté les technologies Internet afin d'accroître leur productivité, d'en maximiser l'utilité et d'améliorer les communications en général. Des activités bancaires au magasinage et au divertissement, Internet fait désormais partie intégrante de la vie quotidienne de tous. La figure 5.4 donne des exemples d'industries faisant des affaires électroniques.

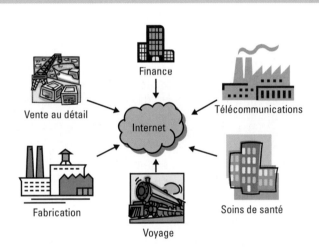

FIGURE 5.4

Aperçu des secteurs faisant des affaires électroniques

Source : Figure reproduite avec l'autorisation de Chris Anderson.

Les avantages liés aux affaires électroniques

L'expansion de la portée

L'accès facile à de l'information en temps réel est un des principaux avantages des affaires électroniques. Les entreprises se servent du Web pour étendre la **portée de l'information** diffusée, qui correspond au nombre de personnes dans le monde avec lesquelles elles peuvent communiquer. Grâce aux outils technologiques actuels, les entreprises augmentent aussi la **richesse de l'information** qu'elles diffusent sur le Web. La richesse de l'information désigne la profondeur et l'ampleur des détails dans un élément d'information textuelle, imagée, audio ou vidéo. Les acheteurs s'appuient sur la richesse de l'information pour effectuer des achats éclairés, alors que les vendeurs ont besoin de la portée de l'information pour mettre en marché leurs produits et se différencier de leurs concurrents.

Les affaires électroniques sont actives 24 heures sur 24 et 7 jours sur 7. Cette disponibilité permanente réduit directement les coûts de transaction, puisque les consommateurs ne sont plus obligés de consacrer beaucoup de temps à la recherche des produits qu'ils veulent acheter ou à des longs déplacements pour se les procurer. Les relations avec la clientèle sont meilleures à cause du cycle de livraison plus court, et le taux de satisfaction s'accroît, ce qui favorise les ventes.

Le site Web d'une entreprise peut être au cœur d'une stratégie de marketing et de communication efficiente. Par la promotion en ligne, l'entreprise est en mesure de cibler précisément ses clients, qu'ils habitent dans le voisinage ou à l'autre bout du monde. Un emplacement matériel comporte des contraintes d'espace et ne convient qu'aux clients pouvant s'y rendre, tandis qu'un magasin en ligne vise un marché mondial et attire une multitude de clients et de personnes voulant obtenir de l'information.

L'ouverture de nouveaux marchés

Les affaires électroniques sont parfaitement appropriées pour faire augmenter les ventes de produits de niche. La **personnalisation de masse** renvoie à la capacité d'une organisation d'adapter ses produits et services aux besoins spécifiques des clients. Par exemple, un client peut commander des M&M aux couleurs spéciales ou un produit affichant un message spécifique, par exemple « Marions-nous ». La **personnalisation** devient possible lorsqu'une entreprise connaît assez bien les goûts et les aversions d'un client pour pouvoir lui proposer des produits ou services qui sont susceptibles de lui plaire, surtout si elle configure son site Web en fonction des individus ou des groupes visés, à partir de leur profil, de leurs caractéristiques démographiques ou de leurs transactions antérieures. Amazon se sert de la personnalisation pour créer un portail unique pour chacun de ses clients.

Chris Anderson, rédacteur en chef de la revue *Wired*, estime qu'une stratégie de marché de niche en affaires électroniques se situe dans la **longue traîne,** c'est-à-dire la queue d'une courbe des ventes classique. Selon cette stratégie, des produits de niche peuvent relever d'un modèle d'affaires viable et rentable lorsqu'ils se vendent par commerce électronique. Dans les modèles de vente traditionnels, les propriétaires d'un magasin sont contraints par les limites de l'espace d'étalage au moment de choisir les produits à vendre. C'est pourquoi ils achètent généralement des produits qui plaisent aux masses ou qui leur sont nécessaires. Ainsi, le magasin est bien garni en produits courants, puisqu'il n'y a pas d'espace disponible sur les tablettes pour des produits de niche que seuls quelques clients vont acheter. Des entreprises électroniques comme Amazon et eBay ont supprimé les contraintes de l'espace d'étalage et offrent une quantité innombrable de produits.

Netflix constitue un excellent exemple de ce qu'est la longue traîne. On suppose ici qu'un club vidéo de quartier garde en stock environ 3 000 films, tandis que Netflix, exempte de toute contrainte d'espace d'étalage matériel, peut maintenir quelque 100 000 films en stock. Si l'on examine les données sur les ventes, on constate que la plus grande part des recettes des clubs vidéo provient de nouveaux films loués à la journée. De plus, les films moins récents, loués à quelques reprises par mois, rapportent moins que le coût de leur maintien en stock. Ainsi, la courbe des ventes de Rogers Plus prend fin au titre n° 3000 (*voir la figure 5.5*). Par contre, Netflix, sans contrainte d'espace, peut étirer sa courbe des ventes au-delà de la barre des 100 000 (et, avec les vidéos en continu, de celle des 200 000 ou plus, peut-être). En étirant sa courbe, Netflix accroît ses ventes, même si un titre n'est loué qu'à quelques reprises[18].

Les **intermédiaires** sont des agents, des logiciels ou des entreprises qui apportent une infrastructure d'échange pour mettre en contact les vendeurs et les acheteurs. L'avènement

FIGURE 5.5

Longue traîne

Source : Figure reproduite avec l'autorisation de Chris Anderson.

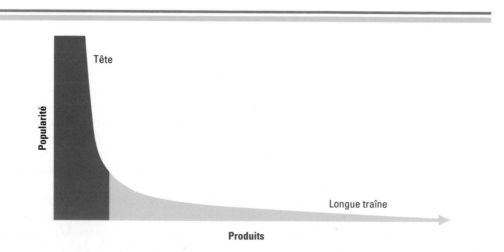

des affaires électroniques a suscité une **désintermédiation,** c'est-à-dire que des entreprises vendent en ligne leurs produits directement aux consommateurs, sans passer par aucun intermédiaire (*voir la figure 5.6*). Cette stratégie d'affaires raccourcit la durée du traitement des commandes et crée une valeur ajoutée, grâce à la diminution des coûts ou à l'amélioration du service à la clientèle qui en découle. La désintermédiation ayant touché les agents de voyages s'est manifestée lorsque les consommateurs ont commencé à faire eux-mêmes en ligne les réservations pour leurs vacances, souvent à un coût moindre. À la société Lulu, toute personne intéressée peut publier et vendre des livres à imprimer sur demande, de la musique en ligne et des calendriers faits sur mesure, de sorte que la présence d'une maison d'édition dans le processus est devenue superflue[19].

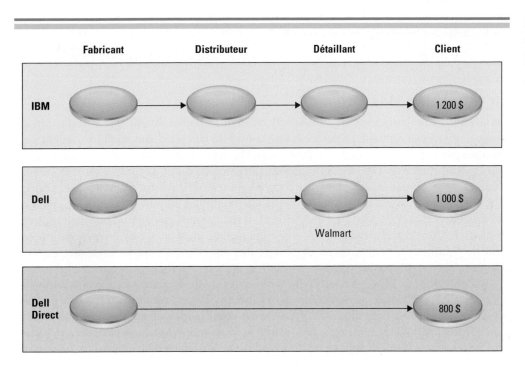

FIGURE 5.6

Valeur commerciale de la désintermédiation

On parle de **réintermédiation** lorsque des étapes sont jointes à la chaîne de valeur, parce que de nouveaux acteurs trouvent le moyen d'ajouter de la valeur au processus d'affaires. L'entreprise Levi Strauss a initialement cru que limiter toutes les ventes en ligne à son propre site Web constituait une bonne stratégie d'affaires. Quelques années plus tard, elle a compris qu'elle pourrait acquérir une part de marché beaucoup plus grande si elle autorisait tous les détaillants à vendre ses produits directement aux consommateurs. À mesure que les affaires électroniques ont pris de la maturité, il est devenu évident que, pour desservir certains marchés en gros volume, un certain degré de réintermédiation pouvait être souhaitable. Il suffit de donner ici en exemple le cas de Biddingo, un marché en ligne canadien qui permet à des fournisseurs de biens et services variés de prendre connaissance d'appels d'offres en provenance de différents organismes gouvernementaux canadiens. Ces derniers consacrent plus de 100 milliards de dollars par année à l'achat de divers produits et services et affichent plus de 1 000 appels d'offres sur le site www.biddingo.com à tout moment. Le marché informe quotidiennement les fournisseurs inscrits à Biddingo au sujet des nouveaux appels d'offres lancés. Ce système non seulement aide les organismes gouvernementaux à trouver les offres les plus concurrentielles de la part des fournisseurs inscrits en tant que vendeurs préqualifiés, mais il fait aussi connaître aux fournisseurs l'existence d'appels d'offres dont ils auraient peut-être tout ignoré autrement. Il s'agit d'un facteur important, puisque les appels d'offres d'origine gouvernementale ne demeurent généralement ouverts que de deux à trois semaines[20]. Le tableau 5.4 (*voir la page suivante*) présente certaines formes intermédiaires d'affaires électroniques et leurs fonctions. La **cybermédiation** désigne la création de nouveaux types d'intermédiaires qui n'auraient simplement pas pu exister avant l'apparition des affaires électroniques, y compris des sites de magasinage comparatif, comme Kelkoo, et des services d'agrégation de comptes bancaires, comme Citibank[21].

Type	Description	Exemples
Fournisseur de contenu	Il tire ses revenus de la fourniture de contenu numérique, comme des nouvelles, de la musique, des photos ou des vidéos.	Netflix, iTunes, CNN
Infomédiaire	Il donne une information spécialisée au nom de producteurs de biens et services et de leurs clients potentiels.	Edmunds, Bizrate, Bloomberg, Zillow
Marché en ligne	Il réunit des acheteurs et des vendeurs de produits et services.	Amazon, eBay, Priceline
Portail	Il exploite un site Web central pour que les utilisateurs accèdent à du contenu spécialisé et à d'autres services.	Google, Yahoo, MSN
Fournisseur de services	Il fournit des services comme le partage de photos et de vidéos, la sauvegarde et le stockage de copies en ligne.	Flickr, Mapquest, YouTube
Courtier en ligne	Il traite les ventes en ligne.	E*Trade, Charlesschwab, Fidelity

TABLEAU 5.4

Types d'affaires électroniques

La réduction des coûts

Les avantages opérationnels des affaires électroniques comprennent soit la réduction du temps et du travail humain qui devaient être consacrés aux processus d'affaires, soit la suppression pure et simple de certains d'entre eux. On peut songer ici à comparer le coût d'un envoi postal direct de 100 objets (le papier, l'affranchissement, la main-d'œuvre) au coût d'une campagne massive effectuée par courriel, ou encore à mettre en parallèle le coût de location d'un bureau et d'installation de lignes téléphoniques au coût du maintien à jour d'un site en ligne. Le passage à un modèle d'affaires électroniques peut supprimer de nombreux coûts traditionnellement associés aux communications, grâce à la mise en œuvre d'un système de substitution, comme Live Help, qui permet aux clients de clavarder en direct avec le personnel de soutien ou des ventes.

La réservation de billets d'avion coûte moins cher si elle est faite en ligne plutôt que par téléphone. La commande en ligne offre aussi la possibilité de fusionner un système de bons de commande avec le traitement et la livraison des commandes, de sorte que les clients peuvent vérifier l'état d'avancement de leur commande en tout temps. Les entreprises électroniques peuvent également attirer à peu de frais de nouveaux clients, au moyen d'un marketing novateur, et conserver les clients actuels, grâce à un service et à un soutien améliorés[22].

Un des avantages les plus intéressants des entreprises électroniques réside dans leurs faibles coûts de démarrage. Aujourd'hui, n'importe qui peut lancer une entreprise électronique s'il possède simplement un site Web et un bon produit ou service à offrir. Même un service de promenade de chiens peut en tirer des avantages s'il se transforme en entreprise électronique.

L'amélioration du fonctionnement

L'apparition des entreprises électroniques a eu un effet prononcé sur le service à la clientèle. Les communications sont devenues plus rapides, faciles et efficaces, car elles incitent les clients à en apprendre davantage au sujet du produit désiré. Les clients peuvent souvent se servir eux-mêmes, grâce à la richesse du contenu que seul un site Web peut offrir, et ainsi effectuer leurs achats et leurs paiements en ligne sans quitter leur foyer. Les entreprises peuvent aussi communiquer à l'aide du courriel et de messages spéciaux avec leurs clients les plus importants et leur proposer un accès privé par mot de passe à des sections spéciales du site concerné.

L'amélioration de l'efficacité

La simple mise en ligne d'un site Web ne crée pas à elle seule une entreprise électronique. Le site Web d'une entreprise doit être remarquable, être novateur, ajouter de la valeur et donner de l'information utile. En bref, il doit faire naître un sentiment d'appartenance et de collaboration.

Les mesures d'efficience des technologies de l'information, comme le nombre de visites à un site, ne révèlent pas tout. Par exemple, elles n'indiquent pas forcément un fort volume de ventes. De nombreux sites Web fréquemment visités suscitent fort peu de ventes. La meilleure façon de mesurer le succès d'une entreprise électronique consiste à mesurer l'efficacité des technologies de l'information, comme les recettes générées par les visites au site, le nombre de nouveaux clients issus de ces visites et la diminution des appels logés au Service à la clientèle par suite de ces visites.

L'**interactivité** favorise la mesure de l'efficacité par le dénombrement des interactions des visiteurs avec la publicité cible, y compris le temps consacré au visionnement de la publicité, le nombre de pages regardées et le nombre de visites répétées pour voir la publicité. Les mesures de l'interactivité ont grandement facilité la tâche des annonceurs, étant donné que les supports publicitaires traditionnels – les journaux, les revues, la radio et la télévision – se prêtent difficilement à la mesure de l'efficacité. L'encadré 5.2 présente les initiatives de marketing en affaires électroniques qui permettent aux entreprises d'étendre leur portée tout en mesurant l'efficacité[23].

ENCADRÉ 5.2 | Types d'initiatives de marketing en affaires électroniques

- Un **programme d'associés (ou d'affiliation)** permet à une entreprise de générer des commissions directes ou des commissions d'aiguillage lorsqu'un client en visite dans son site Web clique sur un lien menant au site Web d'un autre marchand. Par exemple, si un client dans le site Web de l'entreprise A clique sur une bannière publicitaire dans le site Web d'un autre vendeur, l'entreprise A touchera une commission d'aiguillage ou une commission directe lorsque le client effectuera la démarche souhaitée, ce qui signifie généralement faire un achat ou remplir un formulaire.

- Une **bannière publicitaire** est un encadré placé dans un site Web qui annonce les produits et services d'une autre entreprise, généralement une autre entreprise électronique. Elle contient habituellement un lien menant au site Web de l'annonceur. Les annonceurs peuvent mesurer à quelle fréquence des clients cliquent sur une bannière publicitaire et sont alors redirigés vers leurs sites Web respectifs. Le coût de la bannière publicitaire est souvent établi en fonction du nombre de clients qui cliquent sur la bannière publicitaire. Les services de publicité Web peuvent déterminer le nombre de fois que des utilisateurs ont cliqué sur la bannière publicitaire et ainsi obtenir des statistiques permettant aux annonceurs de savoir si les revenus tirés de la publicité sont ou non à la hauteur de son coût. Les bannières publicitaires sont analogues à des petites annonces en direct. Dénombrer les clics faits sur une bannière publicitaire est un excellent moyen de connaître l'efficacité d'une publicité dans un site Web.

- Un **clic publicitaire** permet le dénombrement des personnes qui visitent un site et cliquent sur une publicité les redirigeant vers le site de l'annonceur. Mesurer l'efficacité d'après les clics publicitaires garantit l'exposition à la publicité diffusée, mais ne certifie pas que le visiteur a aimé cette publicité, qu'il a consacré un certain temps à la regarder ou qu'il a été satisfait de l'information présentée.

- Un **témoin** est le petit fichier qu'un site Web dépose sur le disque dur d'un visiteur. Ce témoin contient de l'information sur le client et sur ses activités de navigation. L'emploi de témoins permet à un site Web de consigner les allées et venues des clients, le plus souvent sans que ces derniers le sachent ou qu'ils aient donné leur consentement à cette fin.

- Une **fenêtre-pub d'entrée** est une petite page Web contenant une publicité qui s'affiche à l'extérieur du site Web qu'a ouvert le navigateur. Une **fenêtre-pub de sortie** est un type de publicité incrustée que les internautes ne voient que lorsqu'ils quittent le site Web ayant été visité.

- Le **marketing viral** est une technique qui amène des sites Web ou des internautes à transmettre un message de marketing à d'autres sites Web ou internautes et qui peut ainsi engendrer une croissance exponentielle de la visibilité et de l'effet de ce message. À titre d'exemple de marketing viral fructueux, on peut mentionner Hotmail, qui fait la promotion de ses services et des messages de ses propres annonceurs dans les notes de courriel de tous ses utilisateurs. Le marketing viral incite les utilisateurs d'un produit ou service fourni par une entreprise électronique à encourager leurs amis à faire de même. Il représente un programme publicitaire de type bouche-à-oreille.

Le résultat optimal de toute publicité est de susciter un achat. Les organisations se servent de mesures pour établir les liens entre les recettes obtenues et le nombre de nouveaux clients, d'une part, et les sites Web ou les bannières publicitaires affichées, d'autre part. En utilisant les **données sur le parcours de navigation,** elles peuvent observer la configuration exacte de la navigation d'un client à l'intérieur d'un site. L'encadré 5.3 (*voir la page suivante*) met en évidence différents types de mesures concernant les parcours de navigation, alors que le tableau 5.5 (*voir la page suivante*) présente les définitions de mesures d'efficacité courantes relevant des données sur le parcours de navigation. Pour interpréter correctement de telles données, les gestionnaires tentent de déterminer des points de référence par rapport à d'autres entreprises. Par exemple, les consommateurs semblent visiter régulièrement leurs sites Web préférés et même y retourner à maintes reprises durant une période donnée[24].

ENCADRÉ 5.3

Mesures portant sur les
données du parcours
de navigation

- Nombre de pages vues (c'est-à-dire le nombre de fois qu'une page spécifique a été présentée à un visiteur)
- Récurrence des visites de sites Web, y compris la page de sortie la plus fréquente et le site Web précédent le plus fréquemment visité
- Durée de la visite du site Web
- Dates et heures des visites
- Nombre d'inscriptions effectuées par tranche de 100 visiteurs
- Nombre d'inscriptions abandonnées
- Caractéristiques démographiques des visiteurs inscrits
- Nombre de clients ayant un panier d'achat virtuel
- Nombre de paniers d'achat virtuels abandonnés

TABLEAU 5.5

Mesures du succès d'un
site Web

Mesures liées à la visite d'un site Web	
Adhésivité (durée de la visite)	Temps qu'un visiteur passe sur un site Web
Parcours brut d'une visite	Nombre total de pages auxquelles un visiteur est exposé durant une visite sur un site Web ou exposition totale à des pages Web durant une visite
Parcours d'une visite	Nombre total de pages uniques auxquelles un visiteur est exposé durant une seule visite sur un site Web ou exposition totale à des pages Web uniques durant une visite
Mesures liées au visiteur d'un site Web	
Visiteur non identifié	Aucune information disponible sur ce visiteur
Visiteur unique	Personne qui peut être reconnue et comptée une seule fois durant une période de temps donnée
Visiteur identifié	Internaute suivi par un marqueur d'identité

Les modèles d'affaires électroniques

Un **modèle d'affaires électroniques** représente une approche de la conduite des affaires électroniques par Internet. Les opérations commerciales électroniques sont effectuées par deux grandes entités: des entreprises et des consommateurs. Toutes les activités d'affaires électroniques se déroulent dans le contexte de l'un ou l'autre des deux types de relations d'affaires suivants: l'échange de produits et services entre des entreprises – interentreprises –, ou l'échange de produits et services avec des consommateurs – entreprise-consommateur (*voir la figure 5.7*).

La principale différence entre l'«interentreprises» et l'«entreprise-consommateur» réside dans la nature des clients: dans le premier cas, les clients sont d'autres entreprises; dans le deuxième, les clients sont des consommateurs. En somme, les relations interentreprises sont plus complexes et nécessitent plus de mesures de sécurité. Elles constituent aussi la force dominante dans les affaires électroniques, puisqu'elles représentent 80 % de toutes les affaires en ligne[25]. La figure 5.8 illustre tous les modèles d'affaires électroniques: les commerces électroniques interentreprises, entreprise-consommateur, consommateur-entreprise et interconsommateurs.

Le commerce électronique interentreprises (B2B)

Le terme **commerce électronique interentreprises (B2B)** s'applique aux activités des entreprises effectuant des achats et des ventes entre elles par Internet. L'accès en ligne aux données (y compris la date d'expédition prévue, la date de livraison et l'état de l'envoi) fournies par le vendeur ou un tiers fournisseur est généralement possible avec les modèles de type

Terme lié aux affaires électroniques	Définition
Commerce électronique interentreprises (B2B)	S'applique aux entreprises qui effectuent des achats et des ventes entre elles par Internet
Commerce électronique entreprise-consommateur (B2C)	S'applique à toute entreprise qui vend ses produits ou services aux consommateurs par Internet
Commerce électronique consommateur-entreprise (C2B)	S'applique à tout consommateur qui vend un produit ou service à une entreprise par Internet
Commerce électronique interconsommateurs (C2C)	S'applique à des sites offrant surtout des biens et services pour aider les consommateurs interagissant ensemble par Internet

	Entreprise	Consommateur
Entreprise	Interentreprises (B2B)	Entreprise-consommateur (B2C)
Consommateur	Consommateur-entreprise (C2B)	Interconsommateurs (C2C)

interentreprises. Les marchés électroniques reflètent l'avènement d'une nouvelle vague dans les modèles d'affaires électroniques interentreprises. Un **marché électronique** est une communauté d'affaires interactive qui offre un marché central où de nombreux acheteurs et vendeurs peuvent réaliser des activités d'affaires électroniques (*voir la figure 5.9 à la page suivante*). Un marché électronique propose des structures pour procéder à des échanges commerciaux, consolider des chaînes d'approvisionnement et créer de nouveaux circuits de vente. Il a pour objectif principal d'accroître l'efficience du marché en resserrant et en automatisant les relations entre les acheteurs et les vendeurs. Les marchés électroniques existants donnent un accès à divers mécanismes facilitant la vente et l'achat de presque tout, qu'il s'agisse de services ou d'objets matériels.

FIGURE 5.7

Modèles d'affaires électroniques de base

FIGURE 5.8

Modèles d'affaires électroniques

Commerce électronique interentreprises (B2B)

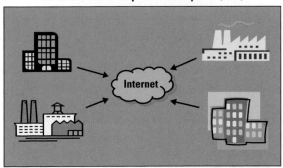

Commerce électronique entreprise-consommateur (B2C)

Commerce électronique consommateur-entreprise (C2B)

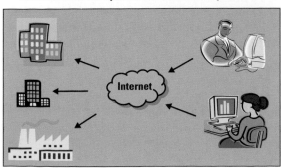

Commerce électronique interconsommateurs (C2C)

FIGURE 5.9

Aperçu d'un marché électronique interentreprises

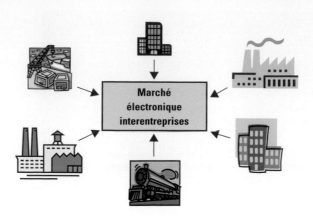

Le commerce électronique entreprise-consommateur (B2C)

L'expression **commerce électronique entreprise-consommateur (B2C)** s'applique aux activités de toute entreprise qui vend ses produits ou services aux consommateurs par Internet. L'entreprise électronique canadienne florissante Cyberflowers, située à Bolton (Ontario), est un détaillant de fleurs et de cadeaux spécialisés qui vend ses produits directe-ment aux consommateurs par Internet. Elle fait appel à un réseau de fleuristes pour l'exécution des commandes, livrées la journée même aux États-Unis et au Canada, et en deux jours ouvrables ailleurs dans le monde. Le site Web de l'entreprise offre aux consommateurs une boutique de fleurs et de cadeaux spécialisés en ligne. Dans le but de créer la «communauté de fleurs et de cadeaux en ligne la plus désirable» sur le Web, le site rend la navigation très facile et propose un contenu spécialisé intéressant. Par exemple, pour aider ses clients à envoyer le cadeau idéal à des personnes importantes dans leur vie, Cyberflowers met à leur disposition un large choix de produits, de l'information sur les idées et tendances les plus récentes et un service personnalisé, le tout à des prix abordables[26]. Cellie Gonsalves, la propriétaire de Cyberflowers, affirme qu'«Internet regorge de possibilités non exploitées pour les fleuristes [...]. Ce média est efficace pour satisfaire les besoins des acheteurs de fleurs». Par exemple, un consommateur peut visualiser 24 heures sur 24 des arrangements floraux à son écran d'ordinateur avant de choisir celui qu'il préfère, faire afficher les prix en dollars américains ou canadiens et demander de recevoir par courriel des rappels pour les futurs jours fériés et anniversaires[27]. Parmi les modèles d'affaires électroniques entreprise-consommateur les plus courants figurent la boutique électronique et le centre commercial virtuel.

Le commerce électronique consommateur-entreprise (C2B)

L'expression **commerce électronique consommateur-entreprise (C2B)** s'applique aux activités de tout consommateur qui vend un produit ou service à une entreprise par Internet. Comme exemple de ce modèle d'entreprise électronique, on peut mentionner Priceline, où un demandeur (ou un client) fixe le prix qu'il veut payer pour obtenir un billet d'avion ou réserver une chambre d'hôtel, et où un vendeur décide s'il accepte ce prix ou non. La demande d'entreprises électroniques de ce type augmentera au cours des prochaines années, parce que les clients cherchent à effectuer leurs transactions d'une manière simple et pratique et à payer moins cher. Le modèle consommateur-entreprise représente un renversement com-plet du modèle d'affaires traditionnel, selon lequel des entreprises offrent des biens et ser-vices aux consommateurs. La figure 5.10 présente des exemples des différents types d'activités entreprise-consommateur (B2C).

Le commerce électronique interconsommateurs (C2C)

L'expression **commerce électronique interconsommateurs (C2C)** s'applique aux activités des sites proposant surtout des biens et services pour aider les consommateurs qui interagis-sent ensemble par Internet. Le site Web d'enchères interconsommateurs en ligne le plus populaire dans Internet, eBay, met en relation des acheteurs et des vendeurs en échange d'une petite commission.

FIGURE 5.10

Types d'activités entreprise-consommateur (B2C)

Entreprise traditionnelle
Entreprise exploitée dans
un lieu matériel sans être
reliée à Internet,
par exemple T.J. Maxx

**Entreprise électronique et
traditionnelle**
Entreprise exploitée dans
un lieu matériel et par Internet,
par exemple Barnes & Noble

Entreprise virtuelle
Entreprise active seulement
dans Internet, dépourvue
de lieu matériel, par
exemple Google

Les communautés interconsommateurs en ligne, ou communautés virtuelles, interagissent par l'entremise de groupes de courriel, de forums de discussion Web ou de salons de clavardage. Les modèles d'affaires interconsommateurs sont axés sur les besoins des consommateurs et proposent toutes sortes de possibilités pour satisfaire la plupart de leurs besoins, qu'il s'agisse d'obtenir un prêt hypothécaire ou de se trouver un emploi. Ce sont des boutiques de troc mondiales reposant sur la communication entre consommateurs. Des communautés interconsommateurs comme Kickstarter et Kiva mettent en contact ceux qui veulent offrir des microprêts ou faire de petits investissements avec ceux qui ont besoin d'un microprêt ou d'un petit investissement. L'encadré 5.4 présente les différents types de communautés interconsommateurs qui ont du succès dans Internet.

- **Les communautés d'intérêt** – Des individus interagissent au sujet de questions spécifiques, comme le golf ou la philatélie.

- **Les communautés de relations** – Des individus se rencontrent pour partager diverses expériences de vie, comme le font des personnes atteintes du cancer, des personnes âgées ou des amateurs de voitures.

- **Les communautés imaginaires** – Des individus participent à des activités imaginaires, comme une partie de football virtuelle ou un affrontement seul à seul avec Michael Jordan, le célèbre joueur de basket-ball américain.

Les stratégies d'entreprise pour les affaires électroniques

Pour réussir dans le monde des affaires électroniques, une organisation doit maîtriser l'art des relations électroniques. Les moyens traditionnels d'attirer des clients, comme la publicité, les promotions et les relations publiques, sont tout aussi importants pour un site Web. Les principaux secteurs d'affaires qui tirent parti du commerce électronique sont les suivants : le marketing et les ventes, les services financiers, l'approvisionnement, le service à la clientèle et les intermédiaires.

Le marketing et les ventes

La vente directe a été le premier type d'affaires électroniques qui a vu le jour et qui a ouvert la voie à des opérations commerciales plus complexes. Des entreprises fructueuses comme eBay, Indigo, Dell et Travelocity ont stimulé la croissance dans ce secteur et ont démontré que les clients adoptaient la vente directe par l'entremise des entreprises électroniques. Les services du marketing et des ventes ont lancé quelques-unes des innovations les plus formidables en affaires électroniques.

Sears Canada a installé des écrans de 58 pouces permettant la communication par Skype dans 10 de ses magasins de vêtements de type « moderne » et prévoit en installer d'autres dans 25 magasins. Ainsi, les clients peuvent communiquer avec leurs « gourous de la mode » lorsque ceux-ci ne peuvent être physiquement présents avec eux. En 2010, Sears Canada a enregistré une hausse de 32 %, par rapport à l'année précédente, des ventes de marques dans les magasins dotés d'écrans Skype en ligne. L'entreprise envisage d'ailleurs d'accroître le nombre de points de vente disposant de la technologie Skype[28].

Les services financiers

Les sites Web de services financiers bénéficient d'une croissance rapide parce qu'ils aident les consommateurs, les entreprises et les établissements financiers à diffuser aisément une information plus détaillée que celle qui est accessible par d'autres voies. Les consommateurs dans les marchés d'affaires électroniques paient les produits ou services achetés à l'aide d'une carte de crédit ou en utilisant une des méthodes indiquées dans le tableau 5.6. Les paiements en ligne des entreprises diffèrent des paiements en ligne des consommateurs, car les entreprises ont tendance à effectuer de gros achats (de quelques milliers à plusieurs millions de dollars) et ne paient généralement pas avec une carte de crédit. Les entreprises font leurs paiements en ligne au moyen de l'échange de données informatisé (EDI). L'encadré 5.5 présente les différents types de paiements d'affaires en ligne. Les transactions entre entreprises sont complexes et requièrent souvent un certain degré d'intégration entre elles.

TABLEAU 5.6

Types de paiements en ligne des consommateurs

Cybermédiaire financier	Un **cybermédiaire financier** est une entreprise évoluant dans Internet qui facilite les paiements faits par Internet. PayPal est l'exemple le mieux connu de cybermédiaire financier.
Transfert de fonds électronique	Un **transfert de fonds électronique** est un mécanisme permettant l'envoi d'un paiement à prélever d'un compte de chèques ou d'un compte d'épargne. Il existe de multiples applications de transfert de fonds électronique, dont le transfert électronique par Interac.
Présentation et paiement électroniques des factures (PPEF)	La **présentation et le paiement électroniques des factures (PPEF)** forment un système qui permet l'envoi des factures par Internet. Le mécanisme utilisé (cliquer sur un bouton) facilite le paiement des factures. Des systèmes PPEF sont disponibles dans certaines banques ou par l'entremise de services en ligne comme epost et Quicken.
Portefeuille numérique	Un **portefeuille numérique** associe un logiciel et de l'information : le logiciel assure la sécurité de la transaction, et l'information comprend les données relatives au paiement et à la livraison (le numéro et la date d'expiration de la carte de crédit), comme dans le cas de RBC SecureCloud.

- L'**échange de données informatisé (EDI)** est un format standard servant à échanger des données d'affaires. Une organisation peut y recourir par l'entremise d'un réseau à valeur ajoutée. Un **réseau à valeur ajoutée (RVA)** est un réseau privé fourni par une tierce partie, qui permet l'échange d'information au moyen d'une connexion à grand débit. Un RVA accueille des catalogues électroniques (à partir desquels les commandes sont transmises), des transactions liées à l'EDI (les commandes effectives), des mesures de sécurité comme le cryptage et des boîtes aux lettres d'EDI.

- L'**échange informatisé de documents financiers** est un procédé électronique standard employé pour effectuer le paiement d'achats dans un marché interentreprises. Le National Cash Management Systems est un centre d'échanges automatisé aux États-Unis qui autorise la conciliation des paiements.

ENCADRÉ 5.5

Types de paiements d'affaires en ligne

De nombreuses organisations se tournent maintenant vers des fournisseurs de réseaux d'échanges électroniques pour bénéficier de meilleurs services de messagerie et de réseau par Internet. Un réseau d'échanges électroniques est un fournisseur de services qui gère des services de réseau. Il a pour rôle d'assurer des échanges d'information sur l'intégration interentreprises, une sécurité accrue, des niveaux de service garantis et l'aide aux postes de commande (*voir la figure 5.11*). Plus les réseaux d'échanges électroniques étendent leur portée et plus les entreprises électroniques deviennent nombreuses, plus la nécessité d'une bonne gestion des services commerciaux se fera sentir. En recourant à ces services, les organisations accélèrent la mise en marché et réduisent l'ensemble des coûts de développement, de déploiement et d'entretien associés à leurs infrastructures d'intégration.

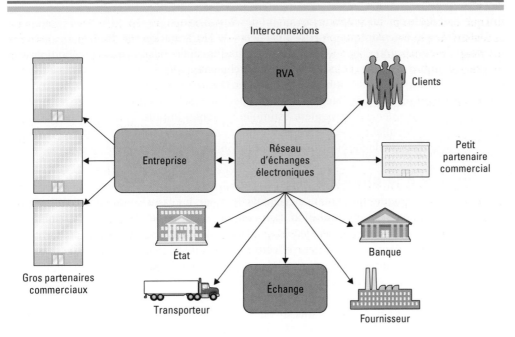

FIGURE 5.11

Schéma d'un réseau
d'échanges électroniques

Les opérateurs de marché à la société Vanguard Petroleum Corporation (États-Unis) passaient la plus grande partie de leurs journées au téléphone à prospecter le marché pour obtenir de l'information sur les prix et les volumes afin de conclure les meilleures transactions possible. Le processus était lent, monopolisait l'attention des opérateurs de marché sur une seule transaction à la fois et leur compliquait la tâche pour demeurer au fait des changements de prix incessants. Par exemple, le temps était demeuré froid durant tout un hiver, ce qui avait entraîné une forte hausse du prix du propane. Ce prix changeait si rapidement que Vanguard manquait diverses occasions d'acheter, de vendre et de réaliser des transactions parce qu'elle ne pouvait mener à terme qu'une seule transaction à la fois.

Pour résoudre ces difficultés et accélérer le processus, la société Vanguard a été l'une des premières à utiliser Chalkboard, un réseau d'échanges électroniques pour les marchés des produits de base qui fait maintenant partie de ChemConnect, un marché interentreprises. Vanguard se sert de Chalkboard pour soumettre des enchères et des offres à des centaines d'opérateurs de marché et exécuter simultanément diverses transactions à de multiples points de livraison. Vanguard effectue maintenant ses transactions en temps réel et est en mesure d'accéder à un plus large éventail d'acheteurs et de vendeurs[29].

L'approvisionnement

Les **fournitures d'entretien, de réparation et d'exploitation** (aussi dénommées **matières indirectes**) englobent des biens nécessaires à l'exploitation d'une organisation, mais qui ne sont pas liées aux activités d'affaires essentielles de l'entreprise. Parmi les fournitures d'entretien, de réparation et d'exploitation les plus courantes, on trouve les fournitures de bureau (stylos et papier), l'équipement, le mobilier, les ordinateurs et les pièces de rechange. Selon la conception traditionnelle des achats de fournitures d'entretien, de réparation et d'exploitation, un directeur du Service des achats qui recevait une demande écrite pour obtenir des biens devait alors fouiller dans plusieurs catalogues matériels pour trouver le bon produit au bon prix. Personne ne sera surpris d'apprendre que le coût administratif de l'achat indirect de biens excédait souvent la valeur unitaire du bien lui-même. Selon l'Organisation de coopération et de développement économiques (OCDE), les entreprises ayant des recettes supérieures à 500 millions de dollars dépensent environ 75 $ à 150 $ pour traiter une seule commande d'achat pour des fournitures d'entretien, de réparation et d'exploitation[30].

L'**approvisionnement en ligne** désigne l'achat et la vente interentreprises de biens et services par Internet. Le rôle de nombreuses applications d'approvisionnement en ligne est de donner à une organisation un accès direct à des catalogues de fournisseurs préautorisés et de traiter en ligne l'ensemble de la transaction d'achat. Grâce à l'accès à des catalogues électroniques, il est désormais beaucoup moins indispensable de vérifier le caractère opportun et l'exactitude de l'information provenant des fournisseurs.

Un **catalogue électronique** procure aux clients de l'information sur des biens et services offerts à la vente ou aux enchères dans Internet. Certains catalogues électroniques comportent un grand nombre d'articles, et les outils de recherche vont alors aider les acheteurs à trouver rapidement les articles qu'ils souhaitent se procurer. D'autres catalogues électroniques mettent l'accent sur la présentation des biens et les offres spéciales, de la même façon qu'un magasin de vente au détail est aménagé de manière à stimuler les achats impulsifs ou multiples. À l'instar d'autres aspects des affaires électroniques, il importe de faire concorder la configuration et la fonctionnalité d'un catalogue électronique avec les objectifs d'affaires d'une entreprise.

Le service à la clientèle

Les affaires électroniques permettent aux clients de se servir eux-mêmes, parce qu'elles combinent les capacités de communication d'un système traditionnel de réponse à la clientèle avec la richesse de contenu que seul le Web peut offrir : tout est disponible et opérationnel en permanence. Les clients peuvent donc effectuer leurs transactions sur le Web avec toute la facilité voulue, pendant que le personnel de soutien s'attaque à des problèmes plus complexes. Le Web permet également à une entreprise de donner un meilleur service à la clientèle par l'entremise du courrier électronique, de messages spéciaux et de mots de passe privés, c'est-à-dire un accès à des secteurs spéciaux du Web qui sont réservés aux meilleurs clients.

Vanguard gère des biens d'une valeur de 2 000 milliards de dollars et facture les tarifs les plus bas dans le domaine : 0,19 % de la valeur nette des biens, comparativement à une moyenne de 1,51 %. Pour maintenir ses tarifs aussi bas, Vanguard explique à ses investisseurs les meilleures façons d'utiliser le Web : une connexion au Web ne coûte à Vanguard que quelques sous[31].

Le service à la clientèle est l'activité d'affaires dans laquelle les contacts humains entre un acheteur et un vendeur sont les plus nombreux. Les stratèges en affaires électroniques s'aperçoivent que le service à la clientèle assuré par l'entremise du Web est un des secteurs des affaires électroniques les plus stimulants et les plus susceptibles d'être rentables. Le principal problème qu'affronte le Service à la clientèle d'une entreprise électronique concerne la protection du consommateur.

Les avantages et les difficultés en lien avec les affaires électroniques

Selon Internetworldstats, Internet relie plus de 2,4 milliards de personnes partout dans le monde. Des experts prédisent que l'utilisation d'Internet dans le monde triplera, ce qui permettra aux affaires électroniques d'accaparer une place encore plus grande dans l'économie mondiale. Au fur et à mesure que s'améliorera la conduite des affaires électroniques, les organisations en tireront des avantages et devront résoudre des difficultés. Le tableau 5.7 expose les avantages des affaires électroniques pour une organisation.

La présence d'Internet oblige les organisations à redéfinir entièrement leurs systèmes d'information. Un nombre croissant d'entreprises se servent déjà d'Internet pour rationaliser

TABLEAU 5.7

Avantages des affaires électroniques

Accès total	Une entreprise peut demeurer active 24 heures sur 24, 7 jours sur 7, toute l'année.
Fidélisation accrue de la clientèle	Les moyens supplémentaires de contacter la clientèle, de lui répondre et de communiquer avec elle contribuent à la fidéliser davantage.
Amélioration du contenu de l'information	Auparavant, les clients devaient commander des catalogues ou se rendre en personne dans un magasin pour pouvoir comparer les prix et les caractéristiques des produits. Les catalogues électroniques et les pages Web présentent aux clients une information à jour en temps réel sur les biens, les services et les prix.
Commodité accrue	Les affaires électroniques automatisent et améliorent bon nombre des activités inhérentes à une démarche d'achat.
Accroissement de la portée mondiale	Les entreprises, petites ou grandes, peuvent desservir de nouveaux marchés.
Diminution des coûts	Les coûts de la conduite des affaires par Internet sont sensiblement inférieurs à ceux qui sont attribués à des formes traditionnelles de communication à des fins commerciales.

leurs processus d'affaires, acquérir des biens, vendre des produits, automatiser le service à la clientèle et générer de nouveaux flux de rentrées. Si les avantages des systèmes d'affaires électroniques sont séduisants, il n'en demeure pas moins que la mise au point, le déploiement et la gestion de ces systèmes sont parfois difficiles. Malheureusement, le commerce électronique n'est pas une fonction qu'une entreprise peut simplement acheter telle quelle. Le tableau 5.8 décrit les difficultés liées aux affaires électroniques auxquelles une entreprise doit faire face.

TABLEAU 5.8

Difficultés liées aux affaires électroniques

Protection des consommateurs	Les consommateurs doivent être protégés contre les communications ou les produits (cadeaux) non sollicités, les produits illégaux ou nuisibles, l'insuffisance de l'information sur les biens ou leurs fournisseurs, l'atteinte à la confidentialité et la cyberfraude.
Renforcement des systèmes existants	La plupart des entreprises se servent déjà des technologies de l'information pour faire des affaires dans un contexte se situant en dehors d'Internet, comme le marketing, la gestion des commandes, la facturation, l'inventaire, la distribution et le service à la clientèle. Internet est un moyen nouveau et complémentaire de faire des affaires, mais il est impératif que les systèmes d'affaires électroniques intègrent les systèmes existants afin d'éviter la duplication des fonctions, et ce, sans nuire à la facilité d'utilisation, à la performance et à la fiabilité.
Accroissement de la responsabilité	Les affaires électroniques exposent les fournisseurs à des responsabilités inconnues, parce que le droit commercial dans Internet est vaguement défini et diffère d'un pays à l'autre. Internet et son utilisation pour les affaires électroniques ont soulevé beaucoup de questions éthiques, sociales et politiques, telles que le vol d'identité et la manipulation de l'information.
Sécurité	Internet offre un accès universel, mais les entreprises doivent protéger leurs biens contre une utilisation fautive, qu'elle soit accidentelle ou délibérée. La sécurité des systèmes ne doit cependant pas engendrer une complexité inhibitrice ni en réduire la souplesse. L'information sur la clientèle doit également être protégée contre une utilisation frauduleuse d'origine intérieure ou extérieure. Les systèmes de confidentialité doivent protéger les renseignements personnels vitaux en vue de la création de sites qui satisfont les besoins des clients et des entreprises. Une importante déficience se manifeste lorsqu'Internet est utilisé comme un outil de marketing. Soixante pour cent des internautes ne font pas confiance à Internet comme voie de paiement. De nombreuses personnes estiment qu'il est risqué de faire des achats par Internet. Cette question touche tant les entreprises que les consommateurs. Toutefois, grâce au cryptage et à la création de sites Web sûrs, la sécurité est de moins en moins une source de contraintes pour les entreprises électroniques.
Adhésion aux règles fiscales	Internet ne fait pas encore l'objet des mesures fiscales appliquées aux entreprises traditionnelles. Si la fiscalité ne doit pas dissuader les consommateurs de recourir aux canaux d'achat électroniques, elle ne doit pas non plus favoriser les achats par Internet au détriment des achats faits en magasin. Une politique fiscale devrait plutôt accorder le même traitement aux entreprises traditionnelles de vente au détail, aux entreprises de vente par correspondance et aux marchands qui évoluent dans Internet. Le marché Internet connaît une expansion rapide, mais il demeure largement à l'abri des formes de fiscalité traditionnelles.

La protection des consommateurs

Une organisation qui veut acquérir une position dominante en se dotant d'un avantage concurrentiel sous la forme d'un meilleur service à la clientèle doit non seulement déterminer la forme que revêtira ce service, mais aussi assurer la protection de ses clients. Toute organisation doit reconnaître que beaucoup de clients connaissent mal les choix numériques offerts, et certaines entreprises électroniques en sont très conscientes. Par exemple, Francis Cornworth, un élève de cinquième année au secondaire, âgé de 17 ans, a mis en vente sur eBay sa « virginité de jeune homme ». Son offre lui a valu une enchère factice de 10 millions de dollars. Pour sa part, Diana Duyser a vendu aux propriétaires d'un casino en ligne, sur eBay, la moitié d'un sandwich au fromage fondant qui présentait la silhouette de la Vierge Marie, pour la somme de 28 000 $ US. L'encadré 5.6 (*voir la page suivante*) souligne les différents types de protection pour les consommateurs[32].

Que les clients soient d'autres entreprises ou des consommateurs finaux, tous se soucient fortement du degré de sécurité de leurs transactions financières. Ce souci concerne tous les aspects de l'information électronique, mais surtout l'information relative aux paiements (par exemple, les numéros de cartes de crédit) et les paiements eux-mêmes, c'est-à-dire l'« argent électronique ». Une organisation doit prendre des décisions sur des questions telles que le cryptage, le protocole de sécurité SSL et les transactions électroniques sécurisées (*voir l'encadré 5.7 à la page suivante*).

Un des éléments-clés qui caractérisent les marchés électroniques est qu'ils offrent aux partenaires commerciaux non seulement la capacité de procéder à des transactions, mais

- Biens et communications non sollicités
- Biens, services et contenu illégaux ou nuisibles
- Information insuffisante au sujet des biens ou de leurs fournisseurs
- Atteinte à la confidentialité
- Cyberfraude

aussi un contenu dynamique et pertinent. Les premiers sites Web d'affaires électroniques proposaient des possibilités de magasinage axées sur des catalogues de produits. En raison du marché électronique complexe qui doit étayer les systèmes et les processus d'affaires existants, le contenu devient encore plus important pour les marchés électroniques. Les acheteurs ont besoin de disposer d'une bonne description du contenu pour effectuer des achats éclairés, alors que les vendeurs se servent du contenu pour mettre en marché leurs produits et se différencier de leurs concurrents. Le contenu présenté dans Internet et la description du produit permettent de s'assurer de la compréhension mutuelle des deux parties participant à la transaction. C'est pourquoi l'accessibilité, la facilité d'utilisation, l'exactitude et la richesse de ce contenu ont une incidence directe sur la transaction. Le tableau 5.9 présente les avantages et les inconvénients liés aux divers modèles de revenus dans le marché électronique.

- Le **cryptage** brouille l'information en transformant celle-ci en un message codé indéchiffrable pour quiconque ne possède pas la clé ou le mot de passe nécessaire. Les méthodes de cryptage reposent, par exemple, sur le mélange des lettres, le remplacement de lettres par d'autres lettres ou des chiffres, etc.

- Le protocole de **sécurité SSL** établit une connexion sûre et privée entre un ordinateur client et un serveur, crypte l'information et la transmet par Internet. La connexion est identifiée à l'aide d'une adresse de site Web comportant un « s » à la fin, par exemple https.

- Une **transaction électronique sécurisée** est un moyen de sécuriser des transmissions qui garantit qu'une transaction est sûre et légale. Analogue au processus de sécurité SSL, une transaction électronique sécurisée crypte l'information avant de la transmettre par Internet. De plus, l'identité du client est authentifiée avant de procéder à une transaction payée avec une carte de crédit. Cette méthode a été adoptée par de grandes entreprises pratiquant le commerce électronique telles que MasterCard, Visa, Netscape et Microsoft.

TABLEAU 5.9 | Avantages et inconvénients de divers modèles de revenus dans le marché électronique

Modèle de revenus	Avantages	Inconvénients
Frais de transaction	- Ces frais peuvent être directement liés à des économies de temps et d'argent. - Il s'agit d'une source de revenus importante lorsqu'un haut niveau de liquidité (volume de transactions) est atteint.	- Si les économies de temps ne sont pas complètement visibles, les consommateurs ne seront pas portés à recourir au système (incitation à effectuer des transactions non électroniques). - Les frais de transaction vont probablement baisser à la longue.
Droits de licence (redevances)	- Les consommateurs sont incités à effectuer de nombreuses transactions. - La personnalisation et l'intégration favorisent le maintien des participants.	- Des frais d'entrée représentent une barrière à l'accès pour les participants. - La différenciation des prix est complexe.
Frais d'inscription	- Les consommateurs sont incités à effectuer de nombreuses transactions. - La différenciation des prix est une possibilité. - Il est possible d'obtenir des revenus additionnels provenant de nouveaux groupes d'utilisateurs.	- Un prix forfaitaire est une barrière à l'accès pour les participants.

Modèle de revenus	Avantages	Inconvénients
Frais pour des services à valeur ajoutée	▪ L'offre de services peut être différenciée. ▪ La différenciation des prix est une possibilité. ▪ Il est possible d'obtenir des revenus additionnels provenant de groupes d'utilisateurs établis ou nouveaux (tierces parties).	▪ Il est fastidieux pour les clients d'évaluer constamment de nouveaux services.
Frais publicitaires	▪ Des publicités ciblées peuvent être perçues comme du contenu à valeur ajoutée par les participants. ▪ Les publicités sont faciles à mettre en œuvre.	▪ Le potentiel de revenus est limité. ▪ Des publicités tapageuses ou mal ciblées peuvent être des éléments perturbateurs sur le site Web.

RETOUR SUR LA MISE EN CONTEXTE

Pinterest : un babillard pour Internet

1. Considérez-vous Pinterest comme un type de technologie de rupture ou de technologie de continuité ?

2. Décrivez le modèle d'affaires électroniques et le modèle de revenus de Pinterest.

3. Qu'est-ce qu'un système ouvert (*voir le chapitre 12*) et comment Pinterest pourrait-elle en tirer parti ?

5.2 Le Web 2.0 et au-delà

Le Web 2.0

Les répercussions majeures du Web 2.0 commencent à peine à se faire sentir. Le **Web 2.0** est un ensemble de tendances économiques, sociales et technologiques qui forment collectivement la base de la nouvelle génération d'Internet : un média plus mûr et plus distinctif se caractérisant par la participation des utilisateurs, son ouverture et des effets de réseau. Si le terme évoque une nouvelle version du www, il ne renvoie toutefois pas à une mise à jour des spécifications techniques du Web. Il souligne plutôt les changements ayant mené les réalisateurs de logiciels et les utilisateurs finaux à se servir du Web en tant que plateforme. Selon Tim O'Reilly, «le Web 2.0 est la révolution d'affaires dans le secteur de l'informatique qui a été engendrée par le passage à l'utilisation d'Internet en tant que plateforme. C'est aussi une tentative visant à comprendre les règles qui assureront le succès à partir de cette nouvelle plateforme». L'encadré 5.8 (*voir la page suivante*) décrit le passage du Web 1.0 au Web 2.0[33].

Le Web 2.0 est dorénavant une force de transformation qui pousse des entreprises dans tous les domaines d'activité à adopter une nouvelle façon de faire des affaires. Celles qui tirent parti de l'avènement du Web 2.0 sont susceptibles d'acquérir l'avantage de la première dans leurs marchés respectifs. Quelle est l'origine de ce changement ? Voici quelques causes démographiques et technologiques de base.

▪ Des milliards de personnes dans le monde ont maintenant accès à Internet.

▪ Selon Morgan Stanley, plus de personnes accéderont au Web à l'aide d'un appareil mobile que d'un ordinateur de bureau en 2015. Déjà en 2013, 17,4 % des utilisateurs accédaient au Web par l'entremise d'un téléphone cellulaire, et la proportion atteignait 26,6 % en Asie[34].

▪ À la fin de 2013, 87,3 millions de ménages aux États-Unis bénéficiaient d'une connexion à large bande[35].

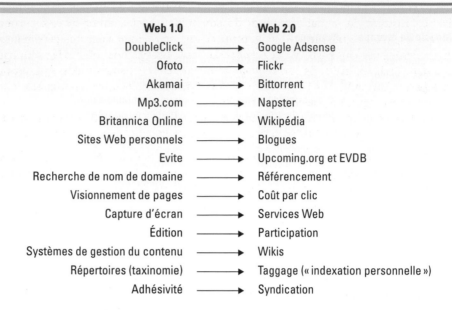

Web 1.0		Web 2.0
DoubleClick	⟶	Google Adsense
Ofoto	⟶	Flickr
Akamai	⟶	Bittorrent
Mp3.com	⟶	Napster
Britannica Online	⟶	Wikipédia
Sites Web personnels	⟶	Blogues
Evite	⟶	Upcoming.org et EVDB
Recherche de nom de domaine	⟶	Référencement
Visionnement de pages	⟶	Coût par clic
Capture d'écran	⟶	Services Web
Édition	⟶	Participation
Systèmes de gestion du contenu	⟶	Wikis
Répertoires (taxinomie)	⟶	Taggage (« indexation personnelle »)
Adhésivité	⟶	Syndication

Si l'on combine ces causes aux lois fondamentales des réseaux sociaux et aux enseignements tirés de la première décennie du Web, on obtient le Web 2.0, soit le Web intelligent et adapté à l'utilisateur de la nouvelle génération.

- À la fin de 2013, Facebook comptait 1,19 milliard d'abonnés et était le site le plus visité par les internautes américains. Il a surpassé Google avec 8,93 % de toutes les visites effectuées par des Américains à la fin de 2010.

- Google+ (https://plus.google.com), devenu disponible à la fin de juin 2011 sur invitation seulement, avait 540 millions d'utilisateurs actifs à la fin de 2013.

- Twitter lance 58 millions de gazouillis par jour en moyenne, comparativement à 224 lors de son inauguration[36].

L'application composite

Une application composite Web est un site Web ou une application Web qui utilise du contenu provenant de plusieurs sources pour créer un service entièrement nouveau. L'expression est généralement employée en relation avec la musique : mettre des paroles de Jay-Z sur une pièce de Radiohead donne un caractère nouveau à quelque chose de connu. La version Web d'une application composite permet aux utilisateurs de mélanger des données cartographiques, des photos, des vidéos, des nouvelles suivies, des billets de blogue, etc. Le contenu des applications composites est généralement tiré d'une interface de programmation d'applications, soit un ensemble de routines, de protocoles et d'outils servant à créer des applications logicielles. Une bonne interface de programmation d'applications facilite la mise au point d'un programme en lui apportant tous les éléments constitutifs : c'est un programmeur qui assemble ensuite ces éléments. La plupart des environnements d'exploitation, comme Windows de Microsoft, fournissent une interface de programmation d'applications afin que les programmeurs puissent créer des applications qui concordent avec l'environnement d'exploitation utilisé. Beaucoup de ceux qui veulent se familiariser avec les applications composites utilisent des interfaces de programmation d'applications de Microsoft, de Google, d'eBay, d'Amazon, de Flickr ou de Yahoo, ce qui a entraîné la création d'éditeurs d'applications composites. Un **éditeur d'applications composites** est un WYSIWYG (*what you see is what you get*) pour applications composites. Il offre une interface visuelle pour la création d'une application composite qui permet souvent à l'utilisateur de faire glisser et de déposer des points de données dans une application Web.

Qui aurait cru qu'un système d'information pourrait stimuler la vente de bananes ? Dole Organic appose désormais un code de ferme à trois chiffres sur chaque banane et crée une application composite à l'aide de Google Earth et de bases de données sur les bananes. Un acheteur attentif aux questions sociales et écologiques peut taper ce code sur le site Web de

Dole et connaître l'histoire de la bananeraie où ont poussé les bananes achetées. Le site raconte l'histoire de la bananeraie et de son milieu social, énumère ses certifications biologiques, affiche quelques photos et propose un lien menant à des images satellitaires de la bananeraie dans Google Earth. Les clients peuvent observer eux-mêmes la production et le traitement de leurs fruits, de l'arbre jusqu'à l'épicerie. Ils constatent ainsi que les bananes achetées ont été cultivées conformément aux normes biologiques en vigueur, dans une bananeraie écologique à vocation holistique.

D'IBM à Google et à E*Trade, les entreprises se rallient à la tendance consistant à associer et à assortir des logiciels issus de sources différentes[37]. En voici quelques exemples.

- Flyfishingmap donne de l'information sur la pêche à la mouche partout dans le monde, tant sur les lieux de pêche et les types de poissons que sur les services d'hébergement et de guide, etc. (interface de programmation d'applications de Google Maps).

- 25 Best Companies to Work For présente une carte des 100 meilleures entreprises pour lesquelles il est avantageux de travailler, selon la revue *Fortune* (interface de programmation d'applications de Google Maps).

- OpenKapow offre une plateforme de création d'interfaces de programmation d'applications Web, de nouvelles suivies et d'entrefilets en langage hypertexte à partir de n'importe quel site Web, ce qui élargit les possibilités d'applications composites au-delà des quelque 300 interfaces de programmation d'applications disponibles dans ProgrammableWeb.

- The Hype Machine combine des billets de blogue provenant d'un ensemble de blogues musicaux aux données de vente d'Amazon et aux spectacles à venir. The Hype Machine repère les chansons et les discussions affichées dans les meilleurs blogues sur la musique. Elle s'intègre à iTunes pour emmener les clients directement de la page Web à la chanson qui les intéresse. Si un client préfère effectuer un achat par l'entremise d'Amazon, The Hype Machine détermine la page où est offert le cédérom en question.

- Zillow propose des outils perfectionnés d'évaluation de maisons, avec une liste de 100 millions de maisons et des données détaillées sur des maisons comparables (interface de programmation d'applications de Microsoft Virtual Earth).

Le futur : le Web 3.0

Différentes significations ont été attribuées à l'expression **Web 3.0**, le but étant de décrire l'évolution de l'usage et des interactions du Web selon plusieurs voies distinctes. Parmi celles-ci, on peut citer la transformation du Web en une base de données, l'accessibilité du contenu par l'entremise de multiples applications hors navigateur, la mobilisation de technologies en intelligence artificielle ou la formation du Web sémantique. Le **Web sémantique** est une extension en évolution du World Wide Web dans laquelle le contenu Web peut être exprimé non seulement en langage naturel, mais aussi dans un format lisible et utilisable par des agents logiciels. Ces agents peuvent alors trouver, partager et intégrer plus facilement l'information. Il résulte de la conception du Web qu'a formulée le directeur de W3C, Tim Berners-Lee, qui le considère comme un média universel de données, d'information et d'échange de connaissances. Le débat se poursuit au sujet de la signification que revêt l'expression « Web 3.0 », mais beaucoup conviennent qu'elle englobe un ou plusieurs des éléments suivants :

1. la transformation du Web en une base de données ;
2. une voie évolutionniste vers l'intelligence artificielle ;
3. la réalisation du Web sémantique et d'une architecture axée sur le service ;
4. l'évolution vers le 3D[38].

La transformation du Web en une base de données

La première étape menant au Web 3.0 est l'émergence du Web guidé par les données, à mesure que des fichiers de données structurées sont publiés sur le Web en formats qui sont réutilisables et peuvent faire l'objet d'interrogations à distance. En raison de la croissance récente d'un langage d'interrogation normalisé pour la recherche dans des bases de données réparties sur le Web, le Web des données élève à un niveau supérieur l'intégration des données et l'interopérabilité des applications. Le Web des données permet aussi de relier les données entre elles et de les rendre aussi ouvertement accessibles que des pages du Web. Le Web des données constitue la première étape menant au Web sémantique. Dans la phase du Web des données, l'accent est mis sur l'accès aux données structurées à l'aide de bases de données. L'avènement du Web sémantique aura pour effet de rendre disponibles en formats courants non seulement les données structurées, mais aussi les données non structurées ou semi-structurées (par exemple, les pages Web, les documents ou le courriel).

Une voie évolutionniste vers l'intelligence artificielle

On a également utilisé l'expression « Web 3.0 » pour décrire une voie évolutionniste du Web qui aboutit à une intelligence artificielle capable de raisonner d'une façon presque humaine au sujet du Web. Quelques sceptiques jugent qu'il s'agit là d'une conception irréalisable. Toutefois, des entreprises comme IBM et Google mettent en œuvre de nouvelles technologies qui produisent une information étonnante, comme la prédiction de chansons à succès formulée grâce à l'extraction d'information située sur des sites musicaux universitaires Web. Certains se demandent aussi si la force motrice animant le Web 3.0 proviendra de systèmes intelligents ou si l'intelligence émergera d'une façon plus organique, à partir de systèmes englobant des personnes intelligentes, comme des services de filtrage collaboratifs tels que Delicious, Flickr et Digg, qui extraient un sens et un ordre du Web actuel et de ses interactions avec les utilisateurs[39].

La réalisation du Web sémantique et d'une architecture axée sur le service

Autre voie associée à l'intelligence artificielle : le Web 3.0 pourrait résulter d'une possible convergence du Web sémantique et d'une architecture axée sur le service. Une **architecture orientée services (AOS)** est une approche architecturale des systèmes d'information de gestion qui favorise l'intégration d'une entreprise en tant que tâches ou services répétables et liés. Elle représente essentiellement un ensemble de services qui communiquent entre eux, qu'il s'agisse de transmettre des données d'un service à un autre ou de coordonner une activité au sein d'un ou de plusieurs services. Des entreprises souhaitent intégrer les systèmes existants dans le but de soutenir les processus d'affaires qui couvrent toute la chaîne de valeur de leur entreprise. Parmi les principales raisons poussant à l'adoption d'une AOS, on peut mentionner le fait que celle-ci établit des liens entre les ressources informatiques et en favorise la réutilisation[40]. Certains estiment qu'une AOS peut aider les entreprises à réagir plus rapidement et de manière plus efficiente aux variations du marché. L'AOS est décrite plus en détail au chapitre 12.

L'évolution vers le 3D

Une autre voie possible menant au Web 3.0 est celle de la vision tridimensionnelle que met de l'avant le Web3D Consortium. Dans ce cas, le Web se transformerait en une série d'espaces 3D, ce qui refléterait un approfondissement du concept imaginé par Second Life. Il pourrait en résulter de nouvelles modalités de connexion et de collaboration au moyen d'espaces partagés en 3D.

L'accès à l'information dans Internet

Les organisations utilisent Internet pour accéder à l'information et la partager. Examinons le cas d'Énergie atomique du Canada limitée (EACL), qui fabrique les réacteurs nucléaires CANDU. Voulant que ses employés deviennent des ambassadeurs de l'énergie nucléaire et de son entreprise, la société d'État canadienne a déployé une solution intranet pour améliorer les communications entre ses quelque 3 200 employés dispersés dans de multiples lieux de travail. Avant l'amorce de ce projet, elle éprouvait les habituels problèmes de communication souvent présents dans une grande organisation :

- L'information et les nouvelles courantes n'étaient pas transmises avec régularité et en temps opportun.
- Les objectifs et les priorités d'affaires n'étaient pas clairement communiqués.
- La société d'État se fiait trop au courriel comme principal moyen de communication.

- L'information sur l'intranet n'était pas à jour ou pertinente, et elle était difficile à trouver. De plus, les utilisateurs devaient posséder certaines compétences techniques pour la publier.
- L'intranet ne relevait pas d'une structure de gestion officielle et élaborée, apte à en gérer les modifications et à y intégrer les multiples perspectives de toutes les parties concernées.

Selon son président-directeur général, André Robillard, le déploiement du nouvel intranet pour améliorer les communications à la société EACL a été couronné de succès uniquement parce qu'un intranet n'était pas considéré comme un élément technologique, mais plutôt comme un « système d'affaires qui soutenait l'entreprise ». À ce titre, les projets d'amélioration de l'intranet devaient faire partie d'une stratégie de communication plus ample pour l'entreprise, qui englobait les communications par courriel, les communications entre les employés et les cadres, ainsi que l'intranet[41].

Quatre outils courants donnent accès à l'information dans Internet : l'intranet, l'extranet, le portail et le kiosque.

L'intranet

L'**intranet** est une partie internalisée d'Internet, à l'abri de tout accès de l'extérieur, qui permet à une organisation de réserver à son seul personnel l'accès à l'information et aux logiciels d'application. C'est un outil indispensable pour présenter l'information sur l'organisation, car il constitue un emplacement central où le personnel est en mesure de trouver cette information. Il peut accueillir tous les types d'information relative à l'entreprise : avantages sociaux, horaires de travail, orientations stratégiques et répertoires du personnel. Dans maintes entreprises, chaque service a sa propre page Web dans l'intranet pour partager l'information la concernant. Bien qu'il ne soit pas toujours ouvert à Internet, un intranet permet aux organisations de donner accès aux ressources internes à partir d'outils Internet connus comme les navigateurs Web, les agrégateurs et le courrier électronique.

Publier dans un intranet est le dernier cri en matière d'édition électronique. Les entreprises obtiennent de très bons rendements pour leurs investissements en décidant de diffuser de l'information, comme des manuels pour le personnel ou des annuaires téléphoniques, dans un intranet plutôt que sur un support papier.

Bell Canada a établi un intranet destiné à ses employés en vue de faciliter la production, le partage et l'utilisation de l'information, ainsi que l'accès à cette information, dans toute l'entreprise. Le géant canadien des télécommunications exploite son intranet aux fins les plus diverses. Par exemple, c'est au moyen de l'intranet que les représentants du Service à la clientèle recueillent l'information sur les forfaits, les spécifications téléphoniques et les détails des promotions offertes, de sorte qu'ils donnent à leurs clients un service plus rapide et précis. Pour veiller à l'exactitude de l'information partagée avec les clients, quelque 500 employés de Bell Canada sont en mesure de mettre à jour le contenu dans l'intranet. Le contenu est disponible en anglais et en français, grâce aux fonctions de traduction du système de gestion du contenu d'Intranet. Le réseau intranet de Bell Canada est accessible aux représentants du Service à la clientèle de quatre divisions de l'entreprise et contribue à l'amélioration des communications entre ses utilisateurs[42].

L'extranet

L'**extranet** est un intranet disponible pour les alliés stratégiques (clients, fournisseurs et partenaires). De nombreuses entreprises se dotent d'un extranet lorsqu'elles comprennent l'utilité d'offrir à des personnes extérieures à l'organisation un accès à l'information présente dans un intranet et à des logiciels d'application, comme le traitement des commandes. Disposer d'un carrefour d'accès à l'information pour les employés, les partenaires, les vendeurs et les clients peut procurer un précieux avantage concurrentiel à toute organisation.

Walmart a créé un extranet destiné à ses fournisseurs, qui peuvent ainsi prendre connaissance de l'information détaillée sur les produits dans toutes les succursales de la chaîne. Un fournisseur qui se connecte à l'extranet de Walmart visualise des données sur les produits, par exemple l'état actuel des stocks, les commandes, les prévisions et les campagnes de marketing. De la sorte, tous les fournisseurs de Walmart sont à même de maintenir leurs chaînes d'approvisionnement, alors que les succursales sont assurées de ne jamais être à court d'un produit[43].

Le portail

«Portail» est un terme générique qui désigne une technologie donnant accès à de l'information. Un **portail** est un site Web qui offre un large éventail de ressources et de services, comme le courriel, des groupes de discussion en ligne, des moteurs de recherche et des centres commerciaux en ligne.

Il n'y a pas si longtemps, la seule façon de tirer un revenu quelconque des divers objets qu'on garde dans son garage était de procéder à une vente-débarras. Mais eBay a changé cela. Aujourd'hui, des dizaines de milliers de petites ou moyennes entreprises font d'eBay leur vitrine principale en matière de commerce électronique. Selon la légende, le premier article mis aux enchères sur eBay a été un pointeur laser défectueux ayant trouvé preneur pour 14,83 $, ce qui a prouvé qu'il y a toujours quelqu'un prêt à acheter à peu près n'importe quoi. Avec des transactions valant plusieurs milliards de dollars à son actif, eBay en a fait une démonstration plus convaincante que jamais.

Les portails sont à caractère général ou spécialisé. Parmi les grands portails généraux, on trouve Yahoo!, TheLoop et Canoe. Quant aux portails spécialisés, mentionnons Garden (pour les amateurs de jardinage) et Fool (pour les investisseurs).

Pratt & Whitney, un des plus importants fabricants de moteurs d'avion dans le monde, a économisé des millions de dollars à la suite de la mise en service de son portail de service après-vente. Les bureaux des ventes et du Service après-vente de Pratt & Whitney, dispersés un peu partout dans le monde, étaient auparavant reliés entre eux par des lignes spécialisées coûteuses. L'entreprise économise 2,6 millions de dollars par année depuis qu'elle a remplacé ces lignes par un accès Internet à haute vitesse. Le personnel du Service après-vente peut trouver l'information recherchée beaucoup plus rapidement qu'en utilisant les lignes spécialisées. L'entreprise estime que ce changement lui fera économiser huit millions de dollars par année de plus en «coûts de traitement et de substitution»[44].

Le kiosque

Un **kiosque** est un système informatique à accès public qui permet une navigation interactive pour obtenir de l'information. Dans un kiosque, le système d'exploitation de l'ordinateur a été dissimulé à la vue. Le programme installé, qui fonctionne en mode pleine page, propose quelques outils de navigation simples.

Désireuse de satisfaire les amateurs de lecture et de musique par une approche axée sur le service à la clientèle, Indigo Books & Music Inc., la plus grande chaîne de librairies au Canada, offre aux clients en magasin un accès à des kiosques Web. À l'aide des kiosques Web, les clients peuvent examiner et acheter des livres, des DVD, des vidéos, des cadeaux et de la musique, puis choisir la livraison à domicile ou au magasin et prendre connaissance des futurs événements prévus dans les divers magasins. L'entreprise exploite plus de 600 kiosques au Canada dans ses magasins Indigo et Chapters. Visant à faciliter les démarches des clients, Indigo dote constamment ses kiosques de navigation de nouvelles fonctions. On peut citer, par exemple, l'intégration de gammes de produits plus nombreuses ; la création de boutiques et de pages par catégorie ; la possibilité pour les clients de se servir de cartes de rabais, de gérer et de tenir à jour leur compte personnel. En outre, les kiosques ont entraîné une légère hausse des ventes et du taux de conversion de clients[45].

Les nouvelles tendances en affaires électroniques : le gouvernement électronique et le commerce mobile

Les modèles d'affaires récemment apparus qui permettent aux organisations de tirer parti d'Internet et de créer de la valeur ajoutée se trouvent aussi au sein du gouvernement électronique. Le **gouvernement électronique** fait appel à des stratégies et à des technologies pour transformer les différents ordres de gouvernement et améliorer la production de services et la qualité des interactions des citoyens-consommateurs avec tous les services gouvernementaux (*voir la figure 5.12*).

FIGURE 5.12

Modèles détaillés d'affaires électroniques

	Entreprise	Consommateur (citoyen)	Gouvernement
Entreprise	Commerce électronique interentreprises (B2B) CanBiotech	Commerce électronique entreprise-consommateur (B2C) Canadian Tire	Transactions entreprise-gouvernement (B2G) Lockheed Martin
Consommateur (citoyen)	Commerce électronique consommateur-entreprise (C2B) Priceline	Commerce électronique interconsommateurs (C2C) eBay	Transactions citoyen-gouvernement (C2G) CATCH (hamiltoncatch.org)
Gouvernement	Transactions gouvernement-entreprise (G2B) Canada Business Network	Transactions gouvernement-citoyen (G2C) Service Canada	Transactions intergouvernements (G2G) AUPE

Porte d'entrée officielle menant à toute l'information issue du gouvernement fédéral canadien, www.service.canada.gc.ca est l'agent catalyseur d'un gouvernement électronique en pleine croissance. Son puissant moteur de recherche et sa série toujours croissante de liens thématiques et de liens axés sur l'utilisateur permettent aux citoyens et aux entreprises, ainsi qu'aux visiteurs et aux personnes souhaitant immigrer au Canada, d'accéder à des millions de pages Web du gouvernement fédéral. Le tableau 5.10 présente des modèles spécifiques de gouvernement électronique.

TABLEAU 5.10

Modèles de gouvernement électronique

Transactions citoyen-gouvernement (C2G)	Ce modèle regroupe surtout les domaines où un citoyen interagit avec le gouvernement. Il comprend des espaces communautaires où les individus eux-mêmes peuvent afficher de l'information et des opinions au sujet du gouvernement et parler directement aux politiciens et aux dirigeants gouvernementaux.
Transactions gouvernement-entreprise (G2B)	Ce modèle comprend toutes les interactions gouvernementales avec les entreprises, qu'il s'agisse de l'achat de biens et services auprès des fournisseurs ou de l'information relative aux questions juridiques et commerciales qui est transmise par voie électronique.
Transactions gouvernement-citoyen (G2C)	Partout dans le monde, des gouvernements communiquent aujourd'hui avec les citoyens par voie électronique et leur transmettent de l'information mise à jour. Ils effectuent aussi en ligne le traitement des demandes de visas et de renouvellement des passeports et des permis de conduire, lancent en ligne des appels d'offres et proposent d'autres services en ligne.
Transactions intergouvernements (G2G)	Partout dans le monde, des gouvernements communiquent avec d'autres gouvernements par la voie électronique. Encore à ses premiers stades de développement, ce modèle d'affaires électroniques favorisera le commerce international et la recherche d'information, par exemple à propos des dossiers judiciaires de nouveaux immigrants. À l'échelle provinciale, l'échange d'information et le traitement en ligne des transactions amélioreront l'efficience.

Le commerce mobile

Aujourd'hui, les appareils mobiles reliés à Internet sont plus nombreux que les ordinateurs personnels. Le **commerce mobile** désigne un moyen d'acheter des biens et services par l'entremise d'un appareil sans fil et relié à Internet. La technologie émergente sous-tendant le commerce mobile prend la forme d'un appareil mobile doté d'un navigateur mobile Web, ou téléphone intelligent. S'appuyant sur de nouvelles technologies, le téléphone intelligent réunit les fonctions d'un télécopieur, du courriel et du téléphone et ouvre la voie à l'acceptation du commerce mobile par une force de travail elle-même de plus en plus mobile. La figure 5.13 donne un aperçu visuel du commerce mobile.

Selon l'entreprise spécialisée en recherches Strategy Analytics, le marché mondial du commerce mobile devrait atteindre une valeur de plusieurs centaines de milliards de dollars, avec des centaines de millions de consommateurs procédant à des milliards de transactions chaque année. En outre, les activités d'information comme le courriel, les nouvelles et les cotes de la Bourse vont se muer en transactions personnalisées, en réservations de billets d'avion en un seul clic, en enchères en ligne et en visioconférences[46].

Les organisations vont connaître de vastes changements qui auront des conséquences d'une portée plus considérable que tout ce qu'a apporté la révolution industrielle moderne au début des années 1900. L'informatique est la principale force motrice à l'origine de ces changements. Pour survivre, les organisations doivent reconnaître l'énorme puissance de la technologie, procéder aux changements organisationnels requis en conséquence et apprendre à fonctionner d'une façon complètement nouvelle.

Les médias sociaux et les affaires

On voit sans cesse des entreprises qui font de la publicité dans Facebook. Certaines ont leurs propres pages Facebook, d'autres sont actives dans Twitter et d'autres encore maintiennent leurs propres blogues à des fins de communications internes et externes. Toutefois, on peut se demander où en sont les affaires en matière de médias sociaux?

La société Enbridge, un chef de file en transport et distribution d'énergie, a mis sur pied un intranet qui a figuré, en 2010, parmi les 10 meilleurs intranets de la liste annuelle établie par Jakob Nielsen dans son Alertbox. Pourquoi Enbridge s'est-elle dotée d'un intranet ainsi reconnu? Selon le groupe Nielsen Norman, «la personnalisation est essentielle dans la démarche de l'équipe d'Enbridge en vue de diffuser l'information adéquate aux employés des

FIGURE 5.13

Aperçu de la technologie du commerce mobile

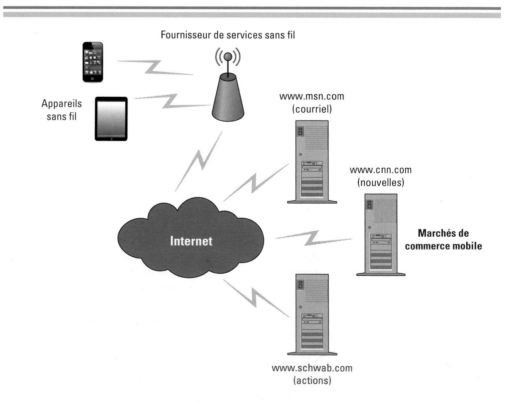

six unités opérationnelles de l'organisation. Les rédacteurs de contenu sont sous la gouverne d'un rédacteur en chef, qui veille à la qualité de ce contenu. L'équipe a créé un site "simple" pour les utilisateurs d'un appareil mobile, afin que ces derniers aient rapidement accès à l'information et aux applications les plus importantes ».

Dave Fleet, vice-président de Digital, Edelman Canada, une entreprise novatrice de relations publiques à l'échelle mondiale, a décrit dans son blogue personnel des tendances à surveiller du côté des médias sociaux. De plus, Fleet a énuméré les meilleures pratiques nécessaires pour qu'une entreprise puisse tirer parti de ces tendances. Voici quelques-unes des tendances les plus intéressantes : intégrer les médias sociaux à toutes les autres formes de communications d'entreprise et de fonctions opérationnelles ; utiliser le soutien social à la clientèle ; comprendre que son influence mûrit, qu'il ne s'agit plus de se faire connaître, mais bien d'offrir une expertise et un leadership éclairés, et que les médias sociaux peuvent être l'outil à employer à cette fin ; et comprendre que les impacts sociaux déterminent la réputation (il suffit de songer à BP et au golfe du Mexique en 2010, ou encore à la catastrophe nucléaire survenue à Fukushima, au Japon, en 2011). Pour voir la liste complète, on peut consulter le blogue de Dave Fleet à l'adresse http://davefleet.com.

Edelman réalise à l'échelle mondiale une enquête annuelle dénommée « Trust Barometer ». En 2011, il a constaté que la structuration de la confiance chez les individus se transformait, c'est-à-dire qu'ils examinaient des facteurs comme la transparence, l'engagement et le profit dans les messages qu'ils recevaient, afin de déterminer si ces messages sont dignes de confiance[47]. En plus de la modification touchant la structuration de la confiance, il a aussi observé, depuis quelques années, que le degré de confiance global des Canadiens est en déclin. Les entreprises doivent comprendre cette transformation ainsi que son impact sur l'utilisation des médias sociaux à des fins d'affaires.

L'avenir

Mozilla, l'organisation qui offre des outils comme Firefox et Thunderbird, compile également beaucoup de statistiques sur l'utilisation d'Internet. Selon les données de Mozilla recueillies en 2012, il y avait cette année-là 81 millions de nouveaux sites Web, un total de 634 millions de sites Web et 2,7 milliards d'utilisateurs d'Internet dans le monde. En outre, il y avait quelque 2,1 milliards d'abonnements à large bande en vigueur à la fin de 2013. Jusqu'à quel point les appareils mobiles se sont-ils répandus ? Selon l'Union internationale des télécommunications et l'ONU, sur les 7,1 milliards d'habitants dans le monde en 2013, 6 milliards avaient accès à un téléphone mobile (pour un total de 6,8 milliards d'abonnements dans le monde), alors que seulement 4,5 milliards avaient accès à une toilette.

En matière de croissance, soulignons qu'il a fallu 22 ans pour que le nombre d'utilisateurs d'Internet atteigne la barre des 2 milliards, alors qu'il ne faudra que 5 autres années pour en ajouter 2 autres milliards. Sur ces deux prochains milliards, 65 % se trouveront dans les pays en développement, et 50 % vivront sous le seuil de la pauvreté. En 2012-2013, ce sont des marchés émergents comme les Philippines, l'Indonésie et l'Inde qui ont connu la plus forte croissance. Les questions importantes sont alors les suivantes : à quoi ressemblera Internet dans cinq ans ? Quelles seront les langues prédominantes en usage ? Comment seront utilisés le Web et Internet ?

Le Brésil illustre bien l'utilisation actuelle d'Internet dans les pays en développement. Dans les bidonvilles de Rio et de Brasilia, on peut voir des maisons surmontées d'une antenne parabolique orientable. Ces antennes ne sont pas raccordées à des téléviseurs, mais elles assurent plutôt une connexion à Internet. Des voisins mettent en commun l'argent épargné en se privant d'un repas par semaine, afin de payer et de partager l'accès à Internet entre cinq ou six ménages. Pourquoi ? Dans un cas, parce que le propriétaire de la maison est un briqueteur et que, grâce à l'accès à Internet, il peut avoir un site Web pour son travail et attirer une clientèle plus aisée, ce qu'il ne pourrait faire si cette clientèle devait venir le rencontrer à son lieu de travail dans un bidonville.

Dans les pays en développement ou ailleurs, Internet permet de plus en plus à tous de choisir le moment et le lieu du visionnement d'une émission. Par exemple, Gary Kovacs, ancien président-directeur général de Mozilla, a indiqué que sa famille venait d'annuler son abonnement à la câblodistribution parce qu'elle peut capter par Internet toutes les émissions de télévision qu'elle veut regarder, et ce, au moment qui lui convient le mieux[48].

RETOUR SUR LA MISE EN CONTEXTE

Pinterest : un babillard pour Internet

4. Indiquez si Pinterest est un exemple du Web 1.0 (affaires électroniques) ou du Web 2.0.

5. Établissez un plan qui décrit de quelle façon une nouvelle entreprise pourrait tirer parti du Web 3.0, et formulez l'idée qui donnerait naissance au prochain grand site Web semblable à Pinterest.

6. Évaluez les difficultés qu'affronte Pinterest et indiquez de quelle façon l'entreprise peut se préparer en vue de les résoudre.

7. Comment les sites de réseautage social ont-ils utilisé les technologies pour transformer les modes de communication mutuelle des individus ?

RÉSUMÉ

Le présent chapitre a donné un aperçu sur la façon de faire des affaires par Internet. Pour réussir, il est essentiel de bien comprendre en quoi les technologies Internet ont révolutionné la façon dont les entreprises font des affaires. Celles-ci ont non seulement amélioré (et parfois remplacé) les moyens traditionnellement employés pour faire des affaires, mais aussi mis en relief de nouvelles initiatives à lancer et des possibilités d'affaires à explorer.

Le présent aperçu devait vous permettre de mieux comprendre les avantages et les difficultés propres à Internet, les tendances récentes qui se manifestent dans le marché ainsi que les divers modèles et stratégies que les organisations utilisent pour élargir la portée des affaires électroniques. Ayant acquis ces connaissances, vous serez en mesure de considérer la matière du présent manuel dans le contexte plus général des affaires électroniques : celui du marché mondial.

ÉTUDE DE CAS 5.1

La montée, la chute et la remontée des commandes passées sur le site Web de Canadian Tire

Ce cas illustre la façon dont une entreprise peut, au fil du temps, modifier et redéfinir l'emploi stratégique de son site Web entreprise-consommateur.

Le lancement du magasinage sur le site www.canadiantire.ca

En novembre 2000, Canadian Tire a été un des derniers grands détaillants au Canada à lancer son site d'achats entreprise-consommateur en ligne, www.canadiantire.ca. Au moment du lancement, dans la promotion, on soulignait que le site offrait un accès très pratique à l'information sur les produits et aux récompenses en argent Canadian Tire.

Par exemple, les clients pouvaient aller en ligne afin de visualiser et d'acheter des milliers de produits pour la maison, la voiture, les sports et les loisirs. De plus, le site offrait des avantages accessoires, comme la possibilité de faire emballer les produits achetés et de les faire livrer n'importe où au Canada, ou de chercher des produits de plusieurs façons (par catégorie de produits, mode de vie, fourchette de prix ou produit en solde). Parmi les caractéristiques à valeur ajoutée, on peut mentionner l'affichage de produits connexes sur les pages d'une requête de recherche et la présentation d'une information détaillée pour chaque produit visualisé : des photos en couleurs des produits, la description détaillée de leurs caractéristiques, des commentaires de clients, de l'information sur la garantie et les prix. Les articles en solde étaient surlignés en rouge. En outre, le site pouvait être personnalisé pour les consommateurs qui s'inscrivaient dans la section « Mon Canadian Tire » du site Web. Les clients pouvaient alors recevoir des récompenses en argent Canadian Tire lors de leurs achats, à l'instar des clients qui achètent des produits en personne dans les magasins Canadian Tire. L'entreprise avait dressé un inventaire spécialisé en vue d'exécuter les commandes en ligne grâce à une gestion des stocks en temps réel qui permettait aux clients de suivre en ligne le traitement de leurs commandes, de l'expédition jusqu'à la livraison à domicile. Si Canadian Tire a créé un site Web si étoffé et détaillé, c'est parce qu'elle croyait que son site entreprise-consommateur lui procurerait un avantage concurrentiel et stratégique sur ses concurrents, et notamment sur le géant de la vente au détail au Canada, Walmart Canada. Cette dernière s'était doté d'un site Web entreprise-consommateur affichant ses produits, mais ne les vendait pas en ligne à l'époque[49].

Le vent tourne

Plus tard, en 2009, Canadian Tire a modifié sa stratégie concernant son site entreprise-consommateur. L'entreprise a décidé de cesser de vendre ses produits sur le Web et de transformer ce dernier en un outil de recherche pour les consommateurs. Elle avait constaté que la plupart des clients se servaient simplement du site Web pour visualiser et chercher des produits, et comparer les prix, et qu'ils se rendaient ensuite à une succursale pour acheter les articles voulus. Le phénomène se comprend mieux lorsqu'on sait que, à ce moment-là, Canadian Tire possédait dans le pays plus de 450 succursales situées à 15 minutes en voiture de 85 % de la population canadienne. L'existence d'un si vaste réseau de succursales bien situées pour les consommateurs éliminait la nécessité d'acheter des produits sur le Web, notamment les produits de grandes dimensions comme les meubles de jardin, dont la livraison est onéreuse. Par ailleurs, l'entreprise s'est rendu compte que même les consommateurs qui habitaient loin d'une succursale étaient peu susceptibles de commander des produits en ligne, car les coûts de livraison rendaient très cher l'achat de produits. De même, elle a conclu qu'elle consacrait trop de ressources financières à la sous-traitance chargée d'exécuter les commandes faites sur le Web et à l'espace d'entreposage consacré exclusivement aux affaires en ligne.

Le paysage change encore

À la fin de 2011, après l'acquisition du Groupe Forzani par Canadian Tire, l'achat de Zellers par Target et certaines modifications des habitudes d'achat en ligne des Canadiens (à l'exemple de ceux qui commandaient des pneus sur un site Web américain et les faisaient livrer à un mécanicien au Canada pour que ce dernier les pose sur leur voiture), Canadian Tire a décidé de réexaminer sa stratégie Web[50]. De plus, c'est à ce moment-là que Walmart a inauguré son nouveau site Web de commerce électronique pleinement opérationnel, www.walmart.ca. Aujourd'hui, le site Web de Canadian Tire offre un modèle dit « Payez et ramassez » pour des articles de choix dans ses magasins. Grâce à ce modèle, un client peut acheter ces articles sur le site Web et aller les chercher à la succursale la plus proche de chez lui dès que celle-ci l'informe de la réception des articles en question. Ces articles sont ceux que Canadian Tire juge appropriés pour la vente, produits qui font partie de son programme « Payez et ramassez », et ils doivent être offerts dans la succursale que choisit le client. Une succursale peut aussi expédier des articles à des clients si elle applique une politique en ce sens.

Questions

1. Comment Canadian Tire peut-elle appliquer les mesures d'efficacité des affaires électroniques pour vérifier le rendement de son site Web entreprise-consommateur ?
2. Quelle était la stratégie initiale de Canadian Tire en ce qui concerne son site Web entreprise-consommateur ?
3. Pourquoi cette stratégie a-t-elle échoué ?
4. Quelle est la stratégie actuelle de Canadian Tire ? Pourquoi cette stratégie est-elle mieux adaptée au marché canadien ?
5. Expliquez les avantages et les difficultés que présentent les affaires électroniques pour Canadian Tire.

ÉTUDE DE CAS 5.2

Le site Web doté d'un système d'information géographique de la Ville de Hamilton

Ce cas montre que les technologies Web peuvent améliorer la façon traditionnelle de faire des affaires.

La Ville de Hamilton (Ontario) se sert d'un système d'information géographique dans presque tous ses services municipaux pour les projets de canalisations d'égout, de canalisations d'eau et d'aménagement routier, la planification urbaine et régionale, la préparation et les interventions en cas d'urgence, le développement économique, la fiscalité, les élections municipales et même le dépistage des risques pour la santé publique, comme le virus du Nil occidental. Un

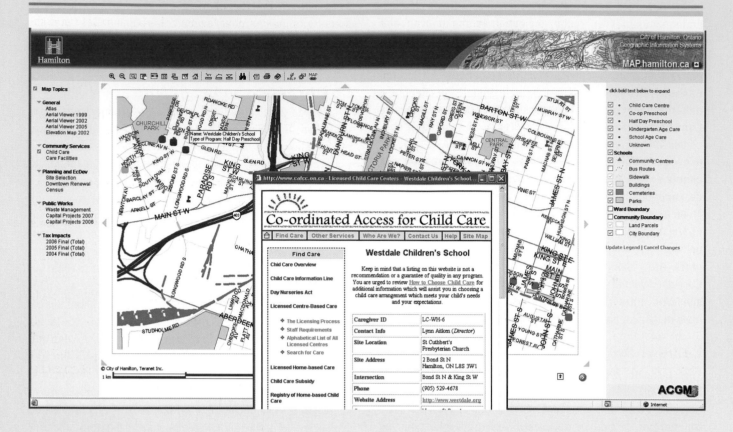

système d'information géographique comprend une base de données informatisée où est stockée l'information descriptive et cartographique numérisée au sujet des caractéristiques géographiques. Les citoyens peuvent recourir à ce système d'information géographique par l'entremise d'un site Web (www.map.hamilton.ca). Ce site leur donne la possibilité, entre autres, de localiser les services municipaux, de vérifier l'emplacement d'une adresse spécifique, de regarder des photos aériennes montrant l'utilisation du territoire, de mesurer des distances et des surfaces, d'obtenir des renseignements fiscaux et de l'information sur les biens immobiliers, etc. Par exemple, il permet aux parents de repérer l'information disponible sur les garderies dans la ville de Hamilton (*voir la figure 5.14*). Une entreprise peut faire appel à ce site pour montrer aux clients son propre emplacement et les autres services présents à proximité. Les promoteurs dans tous les pays du monde peuvent mettre à profit l'information figurant à www.map.hamilton.ca pour envisager des possibilités de développement[51].

Le site Web doté d'un système d'information géographique de la Ville de Hamilton assure la visualisation de 78 000 cartes par mois. L'exécution de cette tâche, sans le recours à un site Web, accaparerait une grande partie des ressources humaines et du temps de travail au sein de la fonction publique municipale. Le site Web de la Ville lui

permet de réduire sensiblement ses dépenses, car des milliers de citoyens ont accès aux cartes disponibles au moment qui leur convient. Les objectifs stratégiques définis par la Ville, lorsque celle-ci a décidé d'offrir ces cartes aux citoyens et les services associés (l'accès des citoyens aux cartes thématiques des impôts fonciers qui montrent les effets et les réévaluations des impôts, ainsi que les outils à employer pour examiner l'évaluation foncière municipale et les impôts fonciers à payer), consistaient à rationaliser les dépenses et à se servir des technologies pour améliorer les processus d'affaires. Les solutions découlant du système d'information géographique de la Ville contribuent justement à l'atteinte de ces objectifs, puisqu'elles améliorent le service à la clientèle, favorisent le développement économique et rendent plus efficient le travail des employés municipaux. Les cartes facilitent la communication et la collaboration entre les fonctionnaires municipaux et les citoyens : pendant qu'ils discutent au téléphone ou en ligne pour régler un problème, le fonctionnaire et le citoyen peuvent regarder simultanément la même carte ou la même image à leur écran. Parmi les prochains services cartographiques Web envisagés, pensons à des réponses aux questions suivantes : « Où investir à Hamilton ? », « Où est ma souffleuse ? », ou encore, au repérage d'un emplacement déterminé, comme celui de la bibliothèque, du parc ou des autres services municipaux les plus proches[52]. Toutefois, depuis que des technologies cartographiques Web encore plus récentes, comme Google Earth, ont aiguisé les attentes des utilisateurs finaux quant à l'apparence et au fonctionnement des outils cartographiques en ligne, la Ville songe désormais à rationaliser l'activité et l'utilisation du site. Selon James Rickert, superviseur des applications d'entreprise à la Ville de Hamilton, « nous tentons d'intégrer un nouvel outil technologique pour mieux répondre aux demandes des utilisateurs ».

La création d'un site Web doté d'un système d'information géographique marque la volonté de la Ville d'offrir aux citoyens de Hamilton un accès pratique et fiable à l'information et aux services disponibles par l'entremise d'un portail municipal (www.hamilton.ca). La Ville est en voie d'établir un cadre pour l'offre de services aux citoyens par toutes les voies disponibles, y compris le Web. Ce cadre définira les principes directeurs sous-tendant la mise au point d'une nouvelle stratégie Web, selon lesquels de nouveaux services améliorés et centrés sur la clientèle seront instaurés. Ces améliorations apportées au portail, de même que les projets de la Ville portant sur de futurs services cartographiques Web, témoignent de la nécessité constante et permanente d'être en phase avec le développement de nouvelles technologies, de satisfaire les attentes des utilisateurs finaux et de donner de l'information et des services de manière plus efficiente et efficace. Selon Rickert, ces améliorations nécessaires vont accaparer beaucoup de temps et d'énergie, car le travail à accomplir pour les concrétiser est « vaste et complexe, et il doit être mené à terme d'une façon qui évite toute confusion de la part des utilisateurs du portail »[53].

Questions

1. Comment la Ville utilise-t-elle la technologie pour atteindre ses objectifs stratégiques et réaliser ses activités stratégiques ?

2. Quels obstacles sont susceptibles d'entraver le déploiement des technologies ainsi que leur adoption et leur utilisation fructueuses ?

3. Comment la Ville peut-elle mettre à profit son système d'information géographique pour le commerce mobile ?

4. Quelle mesure de performance la Ville devrait-elle appliquer pour évaluer la viabilité et la vigueur de son site cartographique Web (http://map.hamilton.ca) ? du site de la Ville lui-même (www.hamilton.ca) ?

5. Pourquoi la Ville souhaite-t-elle élaborer une stratégie Web qui se veut conforme à des principes directeurs portant sur l'offre de services aux citoyens et couvrant aussi des moyens autres que le Web ?

ÉTUDE DE CAS 5.3

eBay : l'entreprise électronique suprême

Ce cas montre que les stratégies d'affaires électroniques d'eBay ont réussi, mais aussi que l'entreprise doit être constamment à l'affût pour s'adapter et réagir adéquatement à un marché en constante évolution.

Pierre Omidyar avait 28 ans lorsque, à l'occasion d'un congé de trois jours, il a entrepris de consigner le code machine originel de ce qui allait devenir une supermarque d'Internet : le site d'enchères eBay. Il considérait les enchères comme un mécanisme équitable pour favoriser le commerce par Internet, grâce auquel les vendeurs pourraient fixer leurs prix minimaux et les acheteurs pourraient ensuite déterminer la valeur marchande d'un article en haussant les enchères jusqu'au montant maximal qu'ils seraient prêts à payer. Un nouveau système de rétroaction allait permettre aux vendeurs et aux acheteurs de s'évaluer les uns les autres et ainsi de contribuer à prévenir la fraude en donnant à cette communauté les moyens de se régenter elle-même. « Je voulais vraiment donner à chacun la capacité d'être aussi un producteur. Il s'agissait de laisser les utilisateurs assumer la responsabilité d'édifier la communauté », expliquera Omidyar par la suite.

Le site a été inauguré le 4 septembre 1995, jour de la Fête du travail, sous le nom d'Auction Web, puis rapidement rebaptisé du nom de domaine du site, soit eBay (abréviation d'Echo Bay, la société de consultants d'Omidyar). Initialement gratuit, ce service est ensuite devenu payant pour couvrir les coûts relevant du fournisseur de services Internet.

Un marché viable

C'est ainsi que le site d'enchères Web d'Omidyar, www.ebay.com, a pris son envol. Il offrait un élément nouveau que recherchaient avidement ses utilisateurs : un marché viable et efficient pour une communauté forte reposant sur l'équité et la confiance. Un étudiant en photographie à la recherche d'un appareil photo d'occasion pouvait choisir parmi différents modèles disponibles au pays et compter sur la livraison rapide du produit acheté. Le propriétaire d'une boutique de vêtements d'époque pouvait vendre ses articles à des collectionneurs situés partout sur la planète. La communauté identifierait un utilisateur trompeur ou malhonnête et l'exclurait du marché.

Un nombre record d'entrepreneurs ont adopté eBay. Par exemple, selon une enquête menée pour eBay par ACNielsen International Research, 75 000 personnes vivaient des fruits de la vente d'articles sur eBay en 2002. Ensuite, au début de 2008, le site Web a annoncé qu'il comptait des centaines de millions d'utilisateurs inscrits, employait plus de 15 000 personnes et touchait des revenus de près de 7,7 milliards de dollars américains.

La valeur boursière de l'entreprise novatrice d'Omidyar a atteint deux milliards de dollars américains après trois ans, et la résilience de son site en tant que moteur économique était incontestable. Jeffrey Skoll, titulaire d'une maîtrise de l'Université de Stanford, a joint les rangs de l'entreprise en 1996, alors que le site était déjà rentable. En mars 1998, Meg Whitman en est devenue la présidente-directrice générale. En septembre 1998, eBay a lancé une émission publique fructueuse qui a fait d'Omidyar et de Skoll des milliardaires, seulement trois ans après le lancement d'eBay. Pour sa part, après une dizaine d'années passées à eBay, Whitman a décidé de se lancer en politique. Le 23 janvier 2008, l'entreprise a annoncé que Whitman quitterait ses fonctions le 31 mars suivant et que John Donahoe allait devenir le prochain président-directeur général.

Des entreprises commerciales par l'entremise d'eBay

Cette entreprise électronique a lancé plusieurs sous-entreprises commerciales qui créent une valeur ajoutée pour ses clients, comme les modes de paiement et les communications. Au fil des années, eBay a dû lancer et adapter ces entreprises afin de répondre à l'évolution du marché.

Une entreprise de paiement : PayPal

Fondée en 1998, PayPal, une filiale qu'eBay a achetée en 2002 au coût de 1,5 milliard de dollars américains, permet à toute personne ou entreprise ayant une adresse de courriel d'envoyer et de recevoir en ligne des paiements d'une façon sûre, rapide et facile. Le service de PayPal s'est appuyé sur l'infrastructure financière existante des comptes bancaires et des cartes de crédit et sur les systèmes exclusifs de prévention de la fraude les plus perfectionnés du monde pour élaborer une solution de paiement sûre et globale en temps réel. Selon Scott Thompson, le président de PayPal, l'avantage fondamental de l'entreprise par rapport aux systèmes de paiement rivaux se situe dans ses capacités de gestion de la fraude et sa portée mondiale.

PayPal est rapidement devenue un chef de file mondial en solutions de paiement en ligne, avec près de 112,3 millions de membres actifs partout dans le monde. Les vendeurs et les acheteurs actifs sur eBay, des détaillants en ligne, des

entreprises en ligne et des entreprises traditionnelles effectuent leurs transactions au moyen de PayPal. L'entreprise est accessible dans 190 marchés et accepte les paiements en 25 devises.

Pour stimuler la croissance de sa filiale et en faire une des plus grandes marques dans le monde, PayPal prévoit absorber Bill Me Later Inc., qui offre son propre service de paiement en ligne. Plusieurs marchands acceptent tant PayPal que Bill Me Later comme options de paiement distinctes, et PayPal veut procéder à la fusion stratégique de ces services pour proposer une option de paiement unique, afin d'en promouvoir l'adoption et l'utilisation. Selon John Donahoe, il n'y a que trois gagnants du côté des réseaux de paiement mondiaux (Visa, American Express et MasterCard), et il croit que la même situation se répétera dans l'univers du paiement en ligne : il n'y aura que quelques gagnants, voire un seul. PayPal tient beaucoup à prendre maintenant des mesures pour s'assurer de faire partie du groupe des gagnants. De plus, l'entreprise envisage de déployer une plateforme de développement ouverte qui laissera d'autres entreprises créer des applications Web qui acceptent les paiements faits par PayPal. L'entreprise estime que non seulement les marchands pourront ainsi expérimenter différentes façons d'accepter et de traiter les paiements en ligne, mais aussi que PayPal pourra réduire ses coûts de développement en permettant à des millions de développeurs dans le monde de créer des entreprises rentables et durables au moyen de PayPal.

Une entreprise de communication : Skype

Skype, une entreprise mondiale de communications Internet, offre à tous les internautes la possibilité d'effectuer des communications vocales gratuites, illimitées et de qualité supérieure à l'aide de son logiciel poste-à-poste novateur. Inaugurée en août 2003, Skype peut se vanter aujourd'hui de compter 299 millions d'utilisateurs.

En septembre 2005, eBay a fait l'acquisition de Skype pour environ 2,6 milliards de dollars américains, dans l'espoir que Skype rationaliserait et améliorerait les communications entre les vendeurs et les acheteurs au fur et à mesure de son intégration dans le marché d'eBay. Grâce à Skype, les acheteurs ont accédé à un moyen facile de parler rapidement aux vendeurs et d'obtenir l'information désirée, alors que les vendeurs ont pu établir des relations plus facilement. L'entreprise de vente aux enchères espérait que cette acquisition consoliderait son marché et sa plateforme de paiement mondiaux, que cela entraînerait la création de gammes d'activités d'affaires et ouvrirait la voie à d'importantes possibilités pour l'entreprise.

En avril 2009, eBay a fait part de son intention de vendre Skype, parce qu'elle voulait se recentrer sur sa principale activité d'affaires, le commerce électronique. Selon John

Donahoe, Skype était une «formidable entreprise auto-nome», mais elle présentait des «synergies limitées» avec eBay. Après avoir vendu Skype, eBay a pu axer ses efforts sur l'amélioration de son site de commerce électronique. Parmi les domaines d'expansion envisagés figure le commerce électronique international. Les activités hors Amérique du Nord représentent plus de la moitié des recettes d'eBay; elles offrent certainement des possibilités de croissance continue, même si la concurrence s'intensifie rapidement dans ce domaine.

eBay pourra-t-elle préserver son flair technologique?

Au début du Web, eBay a consacré la plupart de ses ressources à l'édification d'une infrastructure et d'un système d'enchères perfectionnés qui pourraient traiter de grandes quantités de visites et de transactions. Par la suite, elle s'est plutôt orientée vers des acquisitions et l'expansion de ses activités, comme en témoignent PayPal et Skype, au détriment de la production de nouveaux outils et éléments technologiques pour l'interface d'eBay. Aujourd'hui, la stratégie d'eBay consiste à se recentrer sur le commerce électronique. De nouveaux services ont été mis au point relativement à PayPal, comme l'ajout d'une application pour téléphone intelligent et la formation de partenariats avec des milliers de sites de vente Internet.

Certains analystes se demandent si eBay pourra revigorer son élégance technique à temps pour attirer des clients vers ses enchères en ligne et les conserver. Par exemple, beaucoup de clients déplorent qu'une recherche effectuée sur le site d'eBay ne donne pas des résultats aussi pertinents que ceux qui découlent d'une recherche faite par Google, et que les outils disponibles sur eBay ne rendent pas les interactions des utilisateurs aussi faciles que sur les sites de réseaux sociaux comme Facebook. Au sein de l'entreprise, certains membres du personnel d'eBay critiquent le processus de vérification fastidieux utilisé pour mettre à l'essai de nouvelles idées et estiment que cette façon de procéder entrave le lancement de solutions techniques novatrices.

En réponse, eBay a procédé à certains changements internes. Elle a embauché des personnes expérimentées ayant une connaissance pointue des moyens permettant de traduire les exigences des clients en solutions techniques. Elle a également restructuré l'organigramme pour assurer une meilleure synergie entre le savoir-faire technologique et les idées dans les diverses unités opérationnelles. Ces mesures visent la promotion d'une culture et d'un milieu internes qui sont ouverts et réceptifs au lancement d'innovations technologiques. Parmi les exemples de solutions techniques vouées à l'amélioration de l'expérience de consommation, on peut mentionner l'envoi d'un gadget logiciel sur les «rabais du jour», qui signale à l'attention des consommateurs l'existence de soldes de 24 heures pour certains produits, de même que l'ajout d'un bouton «Envoi d'un courriel à un ami» à côté de chaque article affiché dans eBay, qui propose aux clients un moyen simple de se remémorer les détails des rabais et de les rappeler à leurs amis[54].

Questions

1. Quel est le modèle d'affaires d'eBay et pourquoi a-t-il été si fructueux?

2. Quels changements ont été apportés à la stratégie d'eBay au fil des années?

3. eBay a longtemps été un marché électronique de biens d'occasion et d'objets de collection. Aujourd'hui, il s'agit progressivement d'un endroit où de grandes entreprises mettent aux enchères leurs produits. Pourquoi un vendeur de produits de marque chercherait-il à écouler ses produits et services sur eBay?

4. Quels sont les trois types d'enchères en ligne et lequel eBay utilise-t-elle?

5. Quelles sont les différentes méthodes de paiement en ligne mises à la disposition des consommateurs et des entreprises? Comment les clients d'eBay peuvent-ils tirer parti de ces méthodes?

6. Quelle mesure utiliseriez-vous si l'on vous embauchait afin d'évaluer l'efficience et l'efficacité du site Web d'eBay?

MES DÉCISIONS D'AFFAIRES

1. **Mobiliser la valeur concurrentielle d'Internet**
Dresser un inventaire physique a toujours été une activité coûteuse dans le monde des affaires. Le maintien de liens en temps réel avec les fournisseurs favorise l'atteinte de l'objectif classique de «rotation» des stocks. Internet offre de multiples possibilités de réduire radicalement les coûts de la conception, de la fabrication et de la vente de biens et services. E-mango, un marché électronique de fruits, doit tirer parti de ces possibilités, sans quoi il risque de perdre un avantage concurrentiel. Énumérez les désavantages qui vont toucher E-mango si ce marché ne s'appuie pas sur la valeur concurrentielle d'Internet.

2. La mise en œuvre d'un modèle d'affaires électroniques

Le Genius est un vélo de montagne révolutionnaire, doté d'une fourche avec suspension intégrale et amortisseur de chocs, qui se vend dans Internet. Le Genius a besoin d'une solution d'affaires électroniques qui facilitera la tâche du personnel interne pour diffuser, par l'entremise de son site Web, une information à jour et pertinente sur le produit. Pour satisfaire sa vaste clientèle, l'entreprise doit aussi présenter l'information dans plusieurs langues et faciliter plus d'un million de consultations du site par mois de la part des personnes intéressées en Amérique du Nord et en Europe. Décrivez le modèle d'affaires électroniques que vous utiliseriez pour mettre en marché le Genius dans Internet.

3. L'évaluation des capacités d'Internet

Sports Rentals est une petite entreprise privée de Calgary (Alberta) qui loue de l'équipement sportif. Elle se spécialise dans l'équipement de sports d'hiver, pour le ski, la planche à neige et la motoneige. Elle est en affaires depuis 20 ans et, pour la première fois, elle subit une baisse des locations. Le propriétaire demeure perplexe devant cette baisse. L'accumulation de neige a été remarquable au cours des deux dernières années, et les stations de ski ont ouvert leurs portes plus tôt et les ont fermées plus tard que durant la plupart des années précédentes. Des rapports indiquent que le tourisme en Alberta est en hausse, et l'apparition de programmes de fidélisation a engendré une hausse notable du nombre des skieurs locaux. Tout compte fait, les affaires devraient être florissantes. La seule cause de la baisse des ventes pourrait venir du fait que les gros détaillants comme Walmart et SportChek louent désormais de l'équipement de sports d'hiver. Le propriétaire de l'entreprise demande à votre équipe de l'aider à déterminer la meilleure façon d'utiliser Internet pour faire augmenter ses ventes et diminuer ses coûts afin de mieux concurrencer ces gros détaillants.

4. Les sites d'enchères en ligne

Vous travaillez pour une nouvelle entreprise électronique, eGoodMarket, un marché en ligne de vente de biens et services. L'entreprise propose une large gamme de produits et services qui permettent aux membres en ligne de vendre et d'acheter vite et sans difficulté leurs biens et services. Sa mission consiste à afficher une plateforme commerciale mondiale où quiconque peut mettre en marché à peu près n'importe quoi. Suggérez à eGoodMarket des moyens d'élargir la portée de son marché au-delà de celle de son concurrent, eBay.

5. Chacun a besoin d'une stratégie Internet

Une stratégie Internet résulte des motifs pour lesquels une entreprise veut « être en ligne ». Si une entreprise veut « être en ligne » parce que cela semble être une bonne démarche à l'heure actuelle ou parce que tout le monde le fait, le motif est discutable. Une entreprise doit déterminer la meilleure façon d'utiliser Internet en fonction de ses besoins spécifiques. Elle doit planifier sa vision de l'avenir et la manière optimale de se servir d'Internet pour concrétiser cette vision. Avant d'élaborer une stratégie, une entreprise doit d'abord naviguer sur le Web, observer si des entreprises similaires ont pris de l'ampleur et définir ce qui est le plus faisable, compte tenu d'un ensemble de ressources donné. Songez à une nouvelle possibilité d'affaires électroniques et répondez aux questions suivantes.

1. Pourquoi voulez-vous mettre en ligne votre entreprise ?
2. Quels avantages vous procurera le fait d'être en ligne ?
3. Quels effets votre présence dans Internet aura-t-elle sur votre personnel, vos fournisseurs et vos clients ?

6. À la recherche d'une technologie de rupture

SchedulesRUs est une grande entreprise qui crée des logiciels automatisant les horaires de rendez-vous et les dossiers des cliniques médicales ou dentaires. Elle détient 48 % des parts de son marché, emploie plus de 8 700 personnes et est présente dans 6 pays.

Vous êtes le vice-président du développement de produits à la société SchedulesRUs. Vous venez de lire *The innovator's dilemma*, de Clayton Christensen, et vous voulez déterminer les types de technologies de rupture dont vous pouvez tirer parti ou que vous devez garder à l'œil dans votre domaine. Consultez Internet pour repérer des types de technologies de rupture qui sont susceptibles de procurer à l'entreprise un avantage concurrentiel ou de la mettre en faillite. Préparez un exposé présentant les résultats obtenus.

7. À la recherche de l'innovation

Outre les technologies de rupture, il y a aussi des stratégies de rupture. Voici quelques exemples d'entreprises qui font appel à une stratégie de rupture pour acquérir un avantage concurrentiel.

- Ford. Le Modèle T d'Henry Ford était si peu cher qu'une grande proportion de la population qui, auparavant, n'avait pas les moyens d'acheter une voiture, a pu s'en procurer une.

- JetBlue. Alors que Southwest Airlines a initialement appliqué une stratégie de rupture d'un nouveau marché, JetBlue a plutôt adopté une approche fondée sur une stratégie de rupture du marché de bas de gamme. Sa viabilité à long terme dépend de la réaction des grandes compagnies de transport aérien, comme celle qu'ont eue des aciéries intégrées et des magasins à rayons à service complet.

- McDonald's. Le secteur de la restauration rapide a été un perturbateur hybride. Il a rendu si peu chère et si pratique l'option de manger au restaurant qu'il a créé une puissante vague de croissance dans le secteur de la restauration extérieure. Les premières victimes de McDonald's ont été les petits « restaurants du coin ».

■ Circuit City et Best Buy. Ces deux entreprises ont perturbé les services électroniques à la clientèle de magasins à service complet et de grands magasins d'escompte, ce qui les a poussées vers le haut de gamme dans le commerce de biens à plus forte marge

de profit. Circuit City représente aussi un exemple de ce qui peut arriver à une entreprise lorsque sa stratégie de rupture ne réussit pas à maintenir son avantage concurrentiel après une soixantaine d'années en affaires.

Il existe de nombreux autres exemples d'entreprises qui ont mis en œuvre une stratégie de rupture pour acquérir un avantage concurrentiel. En équipe, préparez un exposé décrivant trois autres entreprises qui ont appliqué une stratégie de rupture à cette même fin.

NOTES DE FIN DE CHAPITRE

1. Lunden, Ingrid. (2012, avril). Pinterest updates terms of service as it preps an API and private pinboards: More copyright friendly. *Tech Crunch*; McCloud, Chad. (2012, mai). What Pinterest teaches us about innovation in business. *Bloomberg Businessweek*; Palis, Courteney. (2012, 6 avril). Pinterest traffic growth soars to new heights: Experian report. *The Huffington Post*.

2. Popstar Justin Bieber is on the brink of stardom. (s.d.). Repéré le 19 juillet 2011 à http://abcnews.go.com/GMA/Weekend/teen-pop-star-justin-bieber-discovered-youtube/story?id=9068403 ; Justin Bieber tops billboard 200 with « My World 2.0 ». (s.d.). Repéré le 19 juillet 2011 à www.billboard.com/news/justin-bieber-tops-billboard-200-with-my-1004079496.story#/news/justin-bieber-tops-billboard-200-with-my-1004079496.story

3. Lashinsky, Adam. (2003, 20 janvier). Kodak's developing situation. *Fortune*. p. 176.

4. www.wired.com

5. Lashinsky, Adam. (2003, 20 janvier). Kodak's developing situation. *Fortune*. p. 176.

6. Christensen, Clayton. (2003). *The innovator's solution.* Boston, Massachusetts: Harvard Business Review Press.

7. *Ibid.*

8. Reproduction autorisée par Harvard Business School Press, tirée de Christensen, Clayton. (1997). *The innovator's dilemma.* Boston, Massachusetts: Harvard Business School Publishing Corporation. Copyright © 1997.

9. *Le monde en 2013 : données et chiffres concernant les TIC.* (2013, février). Genève, Suisse: Union internationale des télécommunications.

10. *Ibid.*

11. Repéré en octobre 2011 à www.newmediatrendwatch.com/world-overview/91-online-travel-market?start=1

12. Canadians spent $18.9B online in 2012, Stats Can says. (2013, 28 octobre). Repéré le 24 mars 2015 à www.cbc.ca/news/business/canadians-spent-18-9b-online-in-2012-statscan-says-1.2254150

13. Internet travel hotel booking statistics. (2013, 16 juin). Repéré le 23 mars 2014 à www.statisticbrain.com/internet-travel-hotel-booking-statistics

14. Repéré le 19 juillet 2011 à http://info.cern.ch/

15. Internet pioneers. (s.d.). Repéré le 19 juillet 2011 à www.ibiblio.org/pioneers/andreesen.html

16. Bagla, Gunjan. (2005, 1er mars). Bringing IT to rural India one village at a time. *CIO Magazine*; Martin, Max. (s.d.). Text-free software to bridge digital divide. Repéré le 19 juillet 2011 à http://indiatoday.intoday.in/site/story/Text-free+software+to+bridge+digital+divide/1/88480.html

17. Repéré le 19 juillet 2011 à www.facebook.com/press/info.php?statistics

18. Anderson, Chris. (2006). The long tail: Why the future of business is selling less of more. *Wired*. Repéré le 24 mars 2015 à www.longtail.com

19. Disintermediation. (s.d.). TechTarget. Repéré le 4 avril 2010 à http://whatis.techtarget.com/definition/0,,sid9_gci211962,00.html

20. Repéré le 19 juillet 2011 à www.biddingo.com/*.main?toPage=ScMenuWhatIs BnXP.jsp

21. Reintermediation. (s.d.). Repéré le 4 avril 2010 à www.pcmag.com/encyclopedia_term/0,2542,t=reintermediation&i=50364,00.asp

22. McCartney, Scott. You paid what for that flight? (2010, 26 août). *The Wall Street Journal*. Repéré le 24 mars 2015 à http://online.wsj.com/article/SB10001424052748704540904575451653489562606.html

23. The complete Web 2.0 dictionary. (s.d.). Repéré le 24 juin 2007 à www.go2web20.net; Web 2.0 for CIOs. (s.d.). Repéré le 24 juin 2007 à www.cio.com/article/16807 ; repéré en juillet 2006 à www.emarketer.com

24. *Ibid.*

25. Repéré en juillet 2010 à www.emarketer.com

26. Repéré le 19 juillet 2011 à www.cyberflowers.com/cyberflowers/about_us.php

27. Mali, Rolph. (2002, mars). Florists bloom online. *Canadian Florist Magazine*. Repéré le 19 juillet 2011 à http://florist.hortport.com/Past_Issues.htm?ID=778

28. Sears Canada introduces in-store Skype. (s.d.). Repéré le 19 juillet 2011 à www.powerretail.com.au/multichannel/sears-canada-introduces-in-store-skype/

29. Quinn, Frank. (s.d.). The payoff potential in supply chain management. Repéré le 15 juin 2003 à www.ascet.com

30. Repéré en juin 2005 à www.oecd.org

31. At-cost investing. (s.d.). Repéré le 19 juillet 2011 à https://personal.vanguard.com/us/whatweoffer; repéré le 26 mars 2014 à https://about.vanguard.com/who-we-are/fast-facts/

32. Watch your spending. (2004, 23 mai). *Businessweek.*

33. O'Reilly, Tim. (s.d.). What is Web 2.0: Design patterns and business models for the next generation of software. Repéré le 19 juillet 2011 à www.oreillynet.com/pub/a/oreilly/tim/news/2005/09/30/what-is-web-20.html; Web 2.0 for CIOs. (s.d.). *CIO Magazine.* Repéré le 19 juillet 2011 à www.cio.com/article/16807

34. Odel, Joli. (2010, 13 avril). New study shows the mobile Web will rule by 2015. Repéré le 23 mars 2014 à http://mashable.com/2010/04/13/mobile-Web-stats/; Fox, Zoe. (2013, 23 août). 17,4 % of global Web traffic comes through mobile. Repéré le 23 mars 2014 à http://mashable.com/2013/08/20/mobile-web-traffic/

35. Protalinski, Emil. (2013, 9 décembre). Over 70 % of US households now have broadband Internet access, with cable powering over 50 % of the market. Repéré le 23 mars 2014 à http://thenextWeb.com/insider/2013/12/09/70-us-households-now-broadband-internet-access-cable-powering-50-market/#!A3fHy

36. Facebook passes Google as most visited site of 2010. (s.d.). Repéré le 19 juillet 2011 à www.computerworld.com/s/article/9202938/Facebook_passes_Google_as_most_visited_site_of_2010; Google+ tops 10 million users, confirms CEO Larry Page. (s.d.). Repéré le 19 juillet 2011 à www.wired.co.uk/news/archive/2011-07-18/google-plus-ten-million-visitors; Number of active users at Facebook over the years. (s.d.). Repéré le 23 mars 2014 à http://news.yahoo.com/number-active-users-facebook-over-230449748.html; repéré le 23 mars 2014 à http://newsroom.fb.com/Key-Facts; Bulas, Jeff. (2013, 20 septembre). 12 awesome social media facts and statistics for 2013. Repéré le 23 mars 2014 à www.jeffbullas.com/2013/09/20/12-awesome-social-media-facts-and-statistics-for-2013/; Twitter Statistics. (2014, 1er janvier). Repéré le 23 mars 2014 à www.statisticbrain.com/twitter-statistics/

37. The complete Web 2.0 directory. (s.d.). Repéré le 19 juillet 2011 à www.go2Web20.net/; Web 2.0 for CIOs. (s.d.). Repéré le 19 juillet 2011 à www.cio.com/article/16807

38. Zelenka, Anne. (s.d.). The Hype Machine, best mashup of mashup camp 3. Repéré le 14 juin 2007 à www.gigaom.com/2007/01/18/the-Hype-Machine-best-mashup-of-mashup-camp-3/; repéré le 14 juin 2007 à www.webmashup.com/Insert New 25; repéré le 19 juillet 2011 à www.web3d.org/realtime-3d/

39. Zelenka, Anne. (s.d.). The Hype Machine, best mashup of mashup camp 3. Repéré le 14 juin 2007 à www.gigaom.com/2007/01/18/the-hype-machine-best-mashup-of-mashup-camp-3/; repéré le 14 juin 2007 à www.web-mashup.com/Insert New 25

40. *Ibid.*

41. Robillard, André R. et Ward, Toby. (2006, 29 mars). Turning the dream into reality: Harnessing people power to create a high productivity intranet. Toronto, Ontario : Information Highways Conference.

42. Bell Canada manages content for its call centre. (s.d.). *Transform Magazine.* Repéré le 26 février 2007 à www.transformmag.com/techselections/showArticle.jhtml?articleID=16101051

43. Johnson, Amy. A new supply chain forged. (2002, 30 septembre). *Computerworld.*

44. Pratt & Whitney. (2004, juin). *Businessweek.*

45. Case study: Indigo Books & Music Inc. (s.d.). Repéré le 26 février 2007 à www.microsoft.com/canada/casestudies/indigo.mspx

46. E-commerce taxation. (s.d.). Repéré le 19 juillet 2011 à www.icsc.org/srch/government/ ECommerceFebruary-2003.pdf

47. 2014 Edelman Trust Barometer findings. (s.d.). Repéré le 3 avril 2014 à http://edelman.ca/2014/01/30/2014-edelman-trust-barometer-canadian-findings/

48. The socioeconomic impact of the mobile Internet. (s.d.). Repéré le 15 mars 2014 à www.youtube.com/watch?v=1lUbyH2AOOg; Kovacs, Gary. (2013, 17 mai). The role and use of technology in the delivery of education. Conférence donnée à l'Université de Calgary; Daly, Jim. (2013, 2 janvier). The Internet has more than 2 billion users and it's just getting started. Repéré le 23 mars 2014 à www.fedtechmagazine.com/article/2013/01/internet-has-more-2-billion-users-and-its-just-getting-started

49. Fox, Jim. (2000, 11 décembre). Canadian Tire and Hudson's Bay: Latecomers to e-commerce game. *DSN Retailing Today.* p. 10 et 22.

50. Repéré le 9 mars 2014 à www.canadiantire.ca/en/instore-pickup.html?adlocation=HP_slmmb2_Affiliate_Product_Ecomm14311_en; Sorenson, Chris. (2011, 11 octobre). Canadian Tire's baffling strategy to sell you everything. Repéré le 9 mars 2014 à www.macleans.ca/economy/business/so-wrong-that-its-right/

51. Repéré le 19 juillet 2011 à http://map.hamilton.ca/maphamilton/GISServ/GISServices.aspx

52. Little, A. (2006, mars). Hamilton, Ontario, Canada, uses a GIS-enhanced Web site. *Public Management.* p. 34-35.

53. Rickert, James. (2009, 13 juillet). Communication personnelle.

54. Hof, Robert. (2004, 6 décembre). Pierre M. Omidyar: The Web for the people. *Businessweek*; Kane, Margaret. (s.d.). eBay picks up PayPal for 1,5 billion. *CNET News*. Repéré le 8 juillet 2002 à www.news.com; Blau, John. (s.d.). Are eBay and Skype a good fit? *InfoWorld*. Repéré le 19 juillet 2011 à www.infoworld.com/t/networking/are-ebay-and-skype-good-fit-073; Better ask: IRS may consider eBay sales as income. (2005, 27 mars). *USA Today*; Communiqué de presse d'eBay. (2008, 23 janvier). Repéré le 9 juillet 2009 à http://news.ebay.com/releasedetail.cfm?ReleaseID=289314; Crunchbase. (s.d.). Repéré le 9 juillet 2009 à www.crunchbase.com/person/john-donahoe; PayPal, (s.d.). Corporate fast facts. Repéré le 9 juillet 2009 à www.paypal-media.com/documentdisplay.cfm?DocumentID=2260; Wolfe, Daniel. (2009, 13 mars). eBay set to merge PayPal and Bill Me Later systems. *American Banker*. 174(49). p. 4; Reed, Brad. (2009, 20 avril). How the Skype spinoff could change the market. *Network World*. p. 12 et 14. Repéré le 9 juillet 2009 à www.networkworld.com; Fowler, Geoffrey A. et Ramstad, Evan. (2009, 16 avril). eBay looks abroad for growth—online auctioneer to buy korean site as it refocuses on e-commerce. *The Wall Street Journal*. p. B2; MacMillan, Douglas. (2009, 22 juin). Can eBay get its tech savvy back? *Businessweek*. p. 48-49.

6

CHAPITRE

Les télé-communications et les technologies mobiles

OBJECTIFS D'APPRENTISSAGE

6.1 Décrire les différents types de réseaux ainsi que leur rôle dans le partage de données.

6.2 Expliquer l'utilisation des réseaux et des télécommunications dans l'entreprise (c'est-à-dire la voix sur IP, la mise en réseau des entreprises, l'accroissement de la vitesse des affaires et les défis associés à la protection des réseaux d'entreprise).

6.3 Étudier les facteurs opérationnels qui incitent à employer les technologies mobiles, ainsi que les avantages et les inconvénients liés à l'utilisation des technologies cellulaires en entreprise.

6.4 Décrire la façon de se servir des technologies satellites en entreprise ; expliquer comment les services basés sur la localisation, la géolocalisation par satellite et le système d'information géographique contribuent à créer de la valeur pour l'entreprise.

6.5 Examiner les technologies Wi-Fi, WiMAX et d'identification par radiofréquence ; connaître leur utilisation en entreprise ainsi que les tendances des affaires mobiles.

MA PERSPECTIVE

Le rythme effréné des changements technologiques ne cesse de surprendre. Ce qu'on aurait considéré comme de la science-fiction il y a quelques années devient la normalité. Ce qui prenait des heures à télécharger avec une connexion de modem à composition automatique peut maintenant être transféré en quelques secondes avec une connexion sans fil (invisible), et ce, d'un ordinateur situé à des milliers de kilomètres. Le sans-fil s'impose de plus en plus et prendra bientôt toute la place. On est sur le point de basculer totalement dans l'informatique mobile, de poche, sans fil et omniprésente.

À titre d'étudiant dans un domaine lié aux affaires, vous devez saisir les concepts d'architecture de réseau et de technologie mobile pour comprendre comment utiliser les technologies de l'information en vue de soutenir vos décisions d'affaires. C'est une compétence essentielle pour un cadre, que vous soyez un novice ou un employé chevronné dans une entreprise faisant partie du classement Fortune 500. En vous familiarisant avec les différents concepts abordés dans ce chapitre, vous serez en mesure de mieux comprendre la façon dont les entreprises peuvent exploiter les technologies pour demeurer concurrentielles dans le monde mobile d'aujourd'hui.

Enfin, après avoir lu ce chapitre, vous devriez être capable d'analyser les architectures de réseau actuelles, de recommander les modifications à apporter aux processus d'affaires mobiles et d'évaluer les autres options de réseautage.

Mise en contexte

L'Ironman

La World Triathlon Corporation (WTC), propriétaire du Championnat du monde de triathlon Ironman, propose du rêve: le rêve, pour des athlètes d'endurance, de terminer l'Ironman, un type de course particulièrement éprouvant. La plus célèbre de ces courses, le Championnat du monde de triathlon Ironman, a lieu à Kailua-Kona, à Hawaï. Chaque automne, cet événement attire plus de 1700 des meilleurs athlètes d'endurance du monde. Ces derniers doivent parcourir 3,86 km à la nage, puis 180,25 km à vélo, avant de terminer par un marathon complet de 42,20 km – le tout, dans une même journée. Loin de tout, le parcours longe les flancs d'un volcan en activité et offre des vues à couper le souffle, mais le terrain est très accidenté, la chaleur est accablante et les vents sont changeants.

Jusqu'à récemment, il était difficile pour la famille et les amis des athlètes de savoir comment leur fils, sœur, ami ou collègue s'en sortait pendant la course. Même ceux qui pouvaient se payer le voyage jusqu'à Hawaï n'avaient aucune idée de la progression de leur proche. «En tant que spectateur, on voyait le départ, on voyait les athlètes disparaître, puis c'était à peu près tout jusqu'à la ligne d'arrivée», se rappelle Dave Scott, qui a fait son premier triathlon en 1976. Le Championnat du monde de triathlon Ironman a changé cette situation. Grâce à la technologie mobile, aux réseaux à longue portée WiMAX, aux points d'accès sans fil et à la technologie de chronométrage, l'Ironman transforme la façon dont le public et les athlètes vivent la course. En utilisant WiMAX pour activer des caméras situées le long du parcours, l'Ironman a relevé la barre pour la diffusion des sports professionnels. Il a également mis en place une technologie au sujet de laquelle beaucoup disent qu'elle contribuera à apporter le prochain milliard d'utilisateurs dans la communauté Internet.

Aujourd'hui, les gens du monde entier peuvent savoir où en est un athlète sur le parcours et la vitesse à laquelle il se déplace pour tous les événements Ironman et Ironman 70.3 (demi-Ironman). La WTC rend cette situation possible en utilisant le WiMAX pour fournir des connexions haute vitesse à large bande à différents points des parcours de 113 km ou de 126 km pour la centaine d'événements annuels de la WTC. L'entreprise utilise l'identification par radiofréquence (IDRF) pour suivre la progression des athlètes et les communications à haut débit afin de transmettre des vidéos de qualité professionnelle et d'autres données. L'information est accessible sur le site Web Ironman LIVE: www.ironman.com/triathlon/coverage/past.aspx#axzz308lMsmNH.

La première diffusion de la course de Kona

La mise en réseau du parcours de Kona présentait un défi similaire à celui des athlètes pendant la course. «C'est un parcours très accidenté sur une île où il y a un volcan en activité», explique Dan Gerson, directeur de production d'Ironman LIVE. «Il fait chaud, il y a du vent, et il n'y a aucune infrastructure. Si l'on arrive à déployer le WiMAX ici, on peut probablement le déployer n'importe où.» Airspan Networks a fourni l'infrastructure WiMAX en utilisant ses stations de base et ses stations d'abonné à haute performance pour créer un réseau fédérateur à haut débit capable de fournir le débit nécessaire à l'obtention d'une bonne qualité vidéo. L'équipe a installé sa station de base sur le toit de l'hôtel qui servait de ligne de départ et d'arrivée de la course, et qui se trouvait être un des points géographiques les plus bas de la course. L'équipe opérait sans visibilité directe, et la roche volcanique, qui est très poreuse, absorbait plus que tout autre type de roche les signaux sans fil.

Airspan a installé des relais sur les arêtes du volcan, le long de la route, sur les façades des immeubles et partout où c'était possible, pour assurer la fidélité des signaux. Lorsque certaines caméras devaient être situées à des endroits où il n'y avait pas d'électricité, on a installé des génératrices. C'était un déploiement sans fil dans tous les sens du terme, et une excellente démonstration de la viabilité de la technologie d'accès WiMAX. Les athlètes étaient filmés au moment où ils passaient devant les stations vidéo compatibles WiMAX équipées de caméras vidéo en réseau. Ces séquences étaient intégrées à la webémission en direct, ainsi que des entrevues préalables à la course, des commentaires, des images filmées à moto ou en hélicoptère, et d'autres contenus produits par l'équipe d'Ironman. La WTC produisait l'émission sur le site de l'événement dans un studio de production en direct qui transmettait en continu les données vidéo aux serveurs exploitant le site Web d'Ironman LIVE.

Outre ces technologies vidéo, on a utilisé d'autres technologies sans fil pour rapprocher les athlètes de leurs admirateurs. L'Ironman a notamment eu recours à une technologie IDRF, nommée « My Laps Champion Chip », pour suivre la progression de chaque athlète sur le parcours, optimiser la précision des données et renforcer la sécurité des athlètes. Tous les athlètes portaient un bracelet de cheville muni d'une étiquette IDRF ; lorsqu'un athlète franchissait un des 12 tapis de chronométrage disposés sur le parcours, l'étiquette IDRF transmettait l'information à un lecteur qui enregistrait le temps de l'athlète et relayait cette information à une base de données grâce au réseau sans fil. Quelques secondes plus tard, les données sur la progression de l'athlète étaient disponibles sur le site Web Ironman LIVE. Les spectateurs avaient alors accès à la cadence et au chronométrage de l'athlète dans le confort de leur foyer. Beaucoup de spectateurs sont restés sur le site Web pendant tout l'événement, pour surveiller la progression de leur athlète favori. Aujourd'hui, en Amérique du Nord, dans tous les événements Ironman, on continue à utiliser la technologie My Laps grâce à un fournisseur canadien : Sportstats.

La WTC a aussi mis en place huit points d'accès sans fil, dont cinq sur le parcours et à la ligne d'arrivée. On a équipé un café Internet d'ordinateurs bloc-notes et d'ordinateurs de poche, ce qui a permis d'avoir un accès sans fil aux renseignements sur l'événement et au site www.ironmanlive.com. On pouvait suivre la couverture en direct de l'événement d'Ironman LIVE sur deux écrans géants. Le personnel utilisait d'autres appareils bloc-notes et de poche pour gérer la course et accéder à l'information sur la progression de chaque athlète. Par exemple, si un athlète avait besoin de soins médicaux, les membres de l'équipe de soins de santé utilisaient un scanneur IDRF pour balayer son étiquette IDRF et accéder instantanément à son dossier médical et aux coordonnées de la personne à contacter sur place.

Les autres avantages

Cette utilisation innovante de l'informatique sans fil est un succès pour l'entreprise. Grâce à cette programmation captivante, la WTC s'est assurée le leadership en matière de retransmissions sportives. Ainsi, l'entreprise accroît son auditoire, ses revenus publicitaires et ceux de ses diffuseurs-hôtes, qui utilisent la programmation Ironman Triathlon de la WTC dans leurs émissions télévisées des événements. Un public plus large et une expérience améliorée pour les athlètes et leur famille conduisent, à terme, à une participation accrue aux triathlons Ironman et Ironman 70.3, aux dizaines de courses de qualification, et à la popularité grandissante de ce sport[1].

6.1 Les réseaux et les télécommunications

Introduction

Le changement est omniprésent dans le domaine des technologies de l'information (TI), mais il est particulièrement évident et spectaculaire dans le secteur des télécommunications et des réseaux. De nos jours, la plupart des systèmes d'information utilisent des réseaux numériques pour transmettre l'information sous forme de données, de graphiques, de vidéos et de voix. Des petites et grandes entreprises du monde entier se servent des systèmes en réseau pour localiser les fournisseurs et les acheteurs, négocier les contrats avec eux, et accroître la rapidité et la qualité des services offerts. Le développement perpétuel des capacités des téléphones intelligents et des tablettes compte parmi les facteurs qui justifient la nécessité de proposer des services continuellement améliorés et toujours plus rapides.

Par exemple, en 2014, CBC a offert à ses clients un accès sans précédent aux Jeux olympiques et paralympiques d'hiver de Sotchi sur CBC, TSN et Sportsnet, ainsi que sur le site www.cbc.ca et l'application CBC Sochi 2014. C'était une valeur ajoutée importante pour les clients de CBC, qui bénéficiaient d'un accès en direct et à la demande à tous les sites de compétition sur leur télévision, téléphone cellulaire, ordinateur et tablette. La majeure partie du contenu non télévisé provenait de fils dédiés qui assuraient une couverture continuelle sans montage des compétitions. Cela permettait aux clients de CBC d'avoir le plein contrôle sur leur expérience des Jeux olympiques et de regarder ce qu'ils voulaient à leur convenance. Cette offre bonifiait la couverture présentée aux Jeux olympiques de Vancouver en 2010, où Bell, le diffuseur-hôte, permettait aux partisans de hockey d'avoir accès à deux caméras avec vue centrée sur le joueur (pour chacun des joueurs de l'équipe) et à du contenu sur le hockey. Bell Mobilité offrait sept réseaux pour que les amateurs puissent regarder les événements en direct sur leur appareil mobile : ils avaient droit à une diffusion en continu et à du contenu vidéo Web exclusif[2].

Les **systèmes de télécommunication** permettent la transmission de données sur les réseaux publics ou privés. Un **réseau** est un système de communication, d'échange de données et de partage de ressources que l'on crée en reliant deux ordinateurs ou plus et en établissant des normes, ou protocoles, de sorte qu'ils puissent fonctionner ensemble. Les systèmes de télécommunication et les réseaux sont traditionnellement complexes, et il fut un temps où ils étaient inefficients. Toutefois, de nos jours, les entreprises peuvent disposer d'infrastructures de réseau modernes qui permettent aux employés comme aux clients de bénéficier d'une connectivité mondiale fiable. Dans le monde entier, les entreprises se tournent vers des solutions d'infrastructures de réseau qui offrent davantage de choix pour aborder le marché : des solutions de dimension mondiale. Il s'agit notamment du sans-fil, de la voix sur IP (VoIP) et de l'**identification par radiofréquence (IDRF)**. Dans ce chapitre, on examine en détail les principales technologies de télécommunication, de réseau et de sans-fil intégrées aux entreprises à l'échelle mondiale.

Les différents types de réseaux

Les réseaux peuvent être formés de deux ordinateurs ou d'un très grand nombre jusqu'au plus important : Internet. Les réseaux présentent deux principaux avantages : la capacité de communiquer et la capacité de partager. À la société Starbucks, la chaîne de cafés, la musique est le nouveau produit à la mode. Dans les cafés Starbucks, les clients peuvent télécharger sans fil de la musique sur iTunes, grâce au réseau de plus en plus perfectionné de l'entreprise.

De nos jours, les réseaux numériques d'entreprise combinent des réseaux locaux et des réseaux plus vastes comme Internet. Un **réseau local (RL)** est conçu de manière à relier entre eux des ordinateurs situés à proximité les uns des autres, comme dans un bureau, une école ou une maison. Les RL sont pratiques pour partager des fichiers, des données, des imprimantes, des jeux ou d'autres applications. Ils sont souvent reliés à d'autres RL et à Internet ou à des réseaux étendus. Un **réseau étendu (RE)** couvre une vaste zone géographique, comme un État, une province ou un pays. Les RE permettent de relier entre eux des réseaux plus petits, comme les RL et les réseaux métropolitains. Un **réseau métropolitain (RM)** est un grand réseau d'ordinateurs qui couvre généralement une ville.

L'utilisation de liens directs de communication de données entre une entreprise et ses fournisseurs ou ses clients (ou les deux) procure à l'entreprise un avantage stratégique. Le système de réservation pour lignes aériennes, appelé « Sabre », est un exemple classique d'un système d'information stratégique qui repose sur des communications assurées par un réseau. Le système Sabre a suscité des progrès technologiques dans l'industrie, dans des domaines comme la gestion des capacités, la fixation des prix, la programmation des vols, le fret, les opérations aériennes et l'affectation des équipages. Outre le fait d'avoir contribué à l'invention du commerce électronique (qu'on appelle aujourd'hui les « affaires électroniques ») pour l'industrie du voyage, Sabre Corporation est à l'origine de solutions innovantes qui ont défini (et continuent à révolutionner) le marché du voyage et du transport, comme dans le domaine de la réservation de voyages avec sa marque Travelocity[3].

Les fournisseurs Internet

Un **fournisseur de services Internet (FSI)** est une entreprise qui offre à ses clients (individus et entreprises) l'accès à Internet ainsi que d'autres services connexes, comme la conception de sites Web. Le FSI dispose de l'équipement et de l'accès aux lignes de transmission nécessaires en vue de bénéficier d'un point de présence Internet dans différentes zones géographiques. Les gros FSI possèdent leurs propres lignes louées à grande vitesse, ce qui leur permet d'être moins dépendants des fournisseurs de télécommunication et d'offrir un service de meilleure qualité à leurs clients. Parmi les gros FSI nationaux et régionaux, citons Bell Internet, Shaw, Telus, Rogers, Videotron et Cogeco.

Il est parfois fastidieux de faire un choix parmi les différents FSI. Il y en a des centaines au Canada : de très grandes sociétés au nom familier comme des entreprises unipersonnelles. Et bien que l'accès Internet soit perçu comme un service universel, dans les faits, il y a de grandes différences sur le plan des caractéristiques et de la performance selon les FSI. Les caractéristiques courantes sont l'hébergement, la disponibilité et le soutien.

Les **fournisseurs de services Internet sans fil** font aussi partie de la famille des FSI. Ce sont des FSI qui permettent aux abonnés de se connecter à un serveur à des points d'accès désignés qui utilisent une connexion sans fil. Ce type de FSI offre un accès à Internet et au Web depuis n'importe quel point de la zone de couverture autour d'une antenne. Il s'agit généralement d'une zone d'un rayon d'environ 1 km. La figure 6.1 donne un aperçu du fonctionnement de cette technologie.

Shaw, qui fournit un accès sans fil aux utilisateurs d'ordinateurs portables dans plus de 30 000 endroits dans l'ouest du Canada, est un exemple de FSI sans fil. Un service sans fil, nommé « Shaw Go WiFi », permet aux clients d'accéder à Internet grâce à un réseau sans fil dans des endroits pratiques lorsque ces personnes sont loin de chez eux ou du bureau[4].

FIGURE 6.1

Diagramme de l'accès sans fil

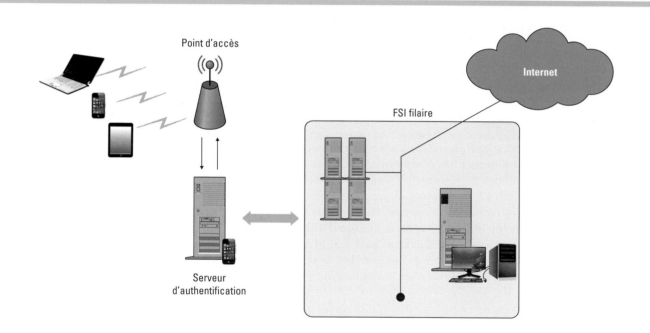

Les **fournisseurs de services en ligne** proposent toute une gamme de services uniques, comme leur propre version d'un navigateur Web. L'expression « fournisseur de services en ligne » permet de distinguer les FSI qui offrent un accès Internet et leur propre contenu en ligne, comme America Online (AOL), des FSI qui se contentent de connecter les utilisateurs à Internet, comme EarthLink. Pour accéder à Internet, on peut recourir soit à un fournisseur de services en ligne, soit à un FSI national, comme Bell Internet, soit à un FSI régional ou local.

Les **fournisseurs d'applications en ligne** offrent aux entreprises un accès Internet à des systèmes et à des services connexes sans que celles-ci aient à les installer sur chaque ordinateur. Avoir recours aux services d'un fournisseur d'applications en ligne revient à externaliser partiellement sa logique d'affaires. Lorsqu'une entreprise engage un fournisseur d'applications en ligne pour gérer ses logiciels, elle lui confie la responsabilité de la gestion, de l'entretien et de la mise à jour d'un système.

L'accord sur les niveaux de service compte parmi les ententes les plus importantes entre le client et le fournisseur d'applications en ligne. L'**accord sur les niveaux de service** définit les responsabilités spécifiques du fournisseur de services et établit les attentes du client. Il couvre notamment la disponibilité, l'accessibilité, la performance, l'entretien, la sauvegarde et la récupération, les mises à jour, la propriété de l'équipement, la propriété des logiciels et la confidentialité. Par exemple, un accord sur les niveaux de service peut stipuler que le fournisseur d'applications en ligne doit rendre le logiciel disponible et accessible de 7 h à 19 h du lundi au vendredi. L'accord peut également prévoir que si le système est inaccessible pendant plus de 60 minutes, il n'y aura pas de frais ce jour-là.

Les réseaux et le partage de données

Le principal avantage d'assurer des liens de communication de données entre une entreprise et ses fournisseurs ou ses clients est le partage de données. Par exemple, un RL ou un RE permet aux utilisateurs d'obtenir des données (s'ils en ont l'autorisation) provenant d'autres points du réseau. Néanmoins, c'est le partage de données (et non les liens de communication de données) qui profite le plus à l'entreprise. Autrement dit, les liens de communication des données (la technologie) permettent le partage des données, et c'est ce partage qui donne la possibilité aux entreprises d'être concurrentielles et florissantes. Par exemple, il est important que les gestionnaires soient en mesure de récupérer les prévisions de ventes globales dans les bases de données de l'entreprise pour créer des feuilles de calcul (ou tout autre programme utilisé à des fins d'analyse de valeur et de rentabilité) en vue de projeter l'activité future. Pour satisfaire leurs clients, les concessionnaires doivent être en mesure de localiser des modèles et des couleurs de véhicules particuliers, avec un équipement spécifique installé. Les gestionnaires à différents points de la chaîne d'approvisionnement doivent avoir des données précises et à jour sur le niveau et l'emplacement des stocks. Les comptables qui travaillent au siège social d'une entreprise doivent pouvoir récupérer les données agrégées sur les ventes et les dépenses de chacune des divisions de l'entreprise. Le directeur général, qui utilise un système d'information pour dirigeants, doit être capable d'accéder à des données actualisées sur les tendances des marchés. Les liens de communication de données favorisent ce type d'activité et aident les entreprises à gagner en compétitivité.

La voix sur IP

À l'origine, les appels téléphoniques par Internet avaient mauvaise réputation en raison de la piètre qualité des appels, de leur faible taux d'efficacité et des interfaces utilisateurs qui laissaient à désirer. Aujourd'hui, grâce à des technologies et à des infrastructures des TI revues et améliorées, les appels par Internet présentent une qualité similaire à celle des appels traditionnels. Beaucoup de consommateurs passent des appels par Internet grâce à la voix sur IP (VoIP). La **voix sur IP (VoIP)** utilise le protocole TCP/IP pour transmettre les communications vocales au moyen de lignes téléphoniques interurbaines.

Les normes de la VoIP favorisent le développement, l'interopérabilité entre les systèmes et l'intégration des applications. C'est tout un changement dans le cas d'une industrie qui compte sur des systèmes exclusifs pour que les clients continuent à payer les mises à jour et les nouvelles caractéristiques. La combinaison de la VoIP et des normes ouvertes devrait générer davantage de choix, une baisse des prix et de nouvelles applications.

Beaucoup d'entreprises de VoIP, notamment Vonage (Canada), Skype et Brama Telecom VoIP, permettent aux utilisateurs d'appeler au Canada et aux États-Unis moyennant un tarif fixe, et à l'étranger moyennant un tarif à la minute relativement bas[5]. Il faut avoir un accès Internet à large bande (*voir plus loin dans ce chapitre*), et il faut brancher les téléphones conventionnels à un adaptateur pour téléphone analogique, fourni par l'entreprise ou acheté à un tiers (comme D-Link ou Linksys), comme le montre la figure 6.2 (*voir la page suivante*). Dans le cas de Skype, on peut appeler directement les téléphones mobiles ou conventionnels à partir d'un ordinateur, d'une tablette ou d'un téléphone intelligent.

Dans la mesure où la VoIP utilise les infrastructures de réseau et d'Internet existantes pour acheminer les appels de façon plus efficiente et moins coûteuse que les services téléphoniques traditionnels, la VoIP permet aux entreprises de réaliser des économies substantielles, des gains de productivité et des améliorations de service.

Malheureusement, la VoIP utilise les mêmes voies que le trafic du réseau et d'Internet. Elle présente donc les mêmes vulnérabilités et elle est soumise aux mêmes menaces. À l'instar du trafic de données, le trafic VoIP peut être intercepté, capturé ou modifié. Toute menace qui

FIGURE 6.2

Diagramme de la connexion VoIP

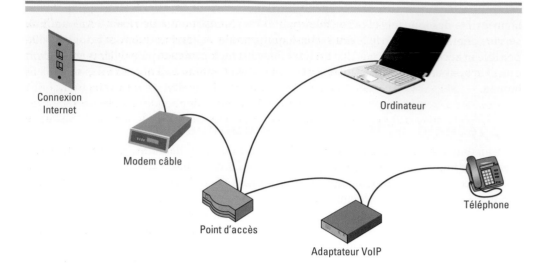

ralentit ou détériore un tant soit peu le service nuit aux affaires. C'est pour cette raison qu'il faut sécuriser le trafic VoIP.

Skype a longtemps été une des options de VoIP les plus populaires auprès des particuliers, et ce, essentiellement en raison de son faible coût. Aujourd'hui, Skype gagne aussi en popularité dans les milieux d'affaires. Microsoft a acheté Skype à la fin de 2011 et a inclus 60 minutes par mois d'appels aux lignes terrestres à sa suite Office 365.

Rip Curl est une des plus grandes marques d'équipements de surf et de planches à neige au monde. L'entreprise, qui compte plus de 1 200 employés et vend ses produits dans plus de 60 pays, doit relever des défis en matière de communication pour rester à l'affût des tendances mondiales de l'industrie, diffuser ses plans marketing à l'échelle mondiale, coordonner des événements et collaborer à des initiatives de conception dans de nombreuses régions. Les divisions finance et marketing de Rip Curl utilisent la messagerie instantanée et les appels vidéo de Skype depuis plusieurs années pour assurer le suivi des communications avec leurs collègues internationaux[6].

Le programme Skype comporte de nombreuses caractéristiques qui le rendent attrayant pour les utilisateurs d'affaires, comme le transfert d'appels et la possibilité de filtrer et de bloquer les appels indésirables. De plus, la fonction de conférence téléphonique de Skype permet d'avoir une conversation à plusieurs, en associant des participants qui utilisent Skype, un téléphone fixe ou un cellulaire.

Skype offre aux utilisateurs davantage qu'une simple communication vocale. Par exemple, les utilisateurs dont l'ordinateur est équipé d'une webcam peuvent tenir des visioconférences avec leurs collègues ou clients; autrement dit, de les voir sans avoir à voyager. Outre les fonctions intégrées au logiciel, il y a de nombreux modules d'extension utiles qu'on peut télécharger pour étendre la capacité et accroître la productivité de Skype[7].

Skype utilise aussi une fonction de transfert de fichiers qui facilite la collaboration entre collègues au téléphone; les utilisateurs peuvent envoyer des rapports, des photos ou d'autres fichiers qu'ils ont besoin de partager, et ce, sans limite de taille de fichier. Il est possible de désactiver cette fonction si l'administrateur ne souhaite pas que les utilisateurs puissent transférer des fichiers, pour des raisons de sécurité ou de confidentialité[8].

Le réseautage des entreprises

Selon le détaillant REI (Recreational Equipment Inc.), un tiers des clients qui achètent en ligne et ramassent en magasin font un autre achat pendant qu'ils sont dans le magasin. D'autres détaillants en ligne, comme Mountain Equipment Co-op, Future Shop et Canadian Tire offrent le ramassage en magasin grâce à leurs technologies d'intégration des stocks; Canadian Tire n'offre que le ramassage en magasin. Pour que celui-ci fonctionne bien, il faut un certain degré d'intégration des stocks. Il est essentiel que les données soient intégrées pour être en mesure d'informer le consommateur de la disponibilité des produits dans le magasin le plus proche[9].

Il y a une dizaine d'années, si l'on voulait se lancer dans les affaires électroniques, il fallait qu'une organisation individuelle développe toute l'infrastructure de réseau. Aujourd'hui, les chefs de file de l'industrie ont élaboré des produits et services Internet pour gérer de nombreux aspects des interactions avec les clients et les fournisseurs. Les clients s'attendent à une expérience d'achat sans faille, tout comme ils s'attendent à ce que les magasins soient propres et bien approvisionnés. Les détaillants intègrent leurs sites d'affaires électroniques à leurs systèmes de stocks et de points de vente afin de pouvoir accepter les retours en magasin de marchandise achetée en ligne, et de permettre aux clients d'acheter sur le Web et de ramasser en magasin.

Beaucoup d'entreprises, comme Best Buy, The Running Room et Canadian Tire, ont procédé à l'intégration de leurs magasins physiques et en ligne. Ces entreprises ont été rapides parce qu'elles avaient déjà en magasin une zone de ramassage de marchandise (généralement pour les articles volumineux comme les télévisions et les appareils ménagers) et parce que bien avant le Web, elles avaient mis en place des systèmes et des processus qui facilitaient le transfert d'une vente d'un magasin à un autre. Pour relever le défi de l'intégration des affaires électroniques, les organisations doivent mettre en place une infrastructure des TI sûre et fiable pour les systèmes essentiels à leur mission (*voir l'encadré 6.1*).

Le **réseau privé virtuel (RPV)** est une façon d'utiliser les infrastructures publiques de télécommunication (par exemple, Internet) pour fournir un accès sécurisé au réseau d'une organisation (*voir la figure 6.3*). Le **réseau à valeur ajoutée (RVA)** est un réseau privé, fourni par un tiers, qui permet d'échanger de l'information au moyen d'une connexion à haute capacité.

Les organisations qui font des affaires électroniques s'appuient largement sur les RPV, les RVA et autres liens consacrés à la gestion des échanges de données

ENCADRÉ 6.1

Caractéristiques des réseaux d'affaires électroniques

- Échange transparent de données avec les fournisseurs, les partenaires commerciaux et les clients
- Échange d'information fiable et sécurisé à l'interne et à l'externe par Internet ou d'autres réseaux
- Intégration de bout en bout et remise de messages dans des systèmes multiples, notamment les bases de données, les clients et les serveurs
- Puissance de traitement extensible et capacité de réseautage permettant de répondre à des exigences élevées
- Cadre d'intégration et de transaction pour les entreprises numériques et les entreprises traditionnelles qui souhaitent exploiter Internet pour n'importe quel type de commerce

FIGURE 6.3

Aperçu d'un RPV

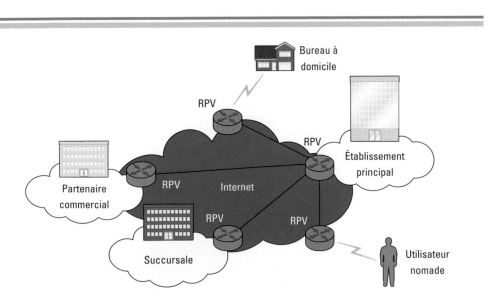

informatisées. Ces solutions traditionnelles sont toujours en cours de déploiement sur le marché, et il est probable que, pour beaucoup d'entreprises, elles auront un rôle stratégique au cours des années à venir. Toutefois, les technologies conventionnelles présentent de réels défis :

- elles ne gèrent que certains types de données d'affaires et ne contribuent pas à une structure intégrée de création de rapports ayant pour objet de dresser un tableau global des opérations ;

- elles n'apportent qu'un soutien limité à l'intégration des processus d'affaires en temps réel, qui sera essentielle sur la place de marché électronique ;

- elles sont relativement chères et complexes à mettre en œuvre, ce qui ne permet pas d'étendre ou de modifier les réseaux en réaction aux fluctuations du marché.

La vitesse des affaires accrue

La transmission peut se faire à différentes vitesses. La vitesse ne désigne pas tant la rapidité de déplacement du signal en kilomètres par heure que le volume de données pouvant être transmis par unité de temps. On utilise différents termes – bande passante, hertz (Hz), bits transmis par seconde (bits par seconde ou bit/s) – pour décrire la vitesse de transmission. La **bande passante** correspond à la différence entre la fréquence la plus haute et la fréquence la plus basse pouvant être transmises sur un support, et c'est une mesure de la capacité de ce support. Un hertz correspond à un cycle par seconde, tandis qu'un bit par seconde désigne le nombre de signaux transmis par seconde. Si chaque cycle envoie un signal qui transmet exactement un bit de données, ce qui est souvent le cas, tous ces termes sont identiques.

La notion de bande passante, ou de capacité, est importante dans les télécommunications. Par exemple, il faut environ 50 000 bits (des 0 et des 1) pour représenter une page de données. La transmission de cette page avec une ligne d'abonné numérique (*digital subscriber line* – DSL) de 128 000 bit/s (128 kbit/s) ne prendrait que 4 dixièmes de seconde. Pour les graphiques, il faut environ un million de bits par page. Cela prend environ 8 secondes avec une DSL de 128 kbit/s. La transmission de vidéo plein écran nécessite une énorme bande passante de 12 millions de bit/s ; il faut donc avoir recours à des techniques de compression de données pour envoyer un fichier vidéo au moyen du réseau téléphonique existant. La bande passante détermine les types de communications (voix, données, graphiques, vidéo plein écran) pouvant être raisonnablement transmis au moyen d'un support donné. Le tableau 6.1 présente les vitesses de transmission typiques qu'on trouve en entreprise à l'heure actuelle (*on aborde dans la section 6.2 certaines des technologies qui y sont mentionnées*). Le tableau 6.2 donne un aperçu du temps moyen requis pour télécharger selon des fonctions Internet spécifiques[10].

TABLEAU 6.1

Vitesse de transmission des télécommunications

Support de transmission	Vitesse typique
Paire torsadée – téléphone classique	14,4 kbit/s-56 kbit/s
Paire torsadée – téléphone numérique	128 kbit/s-1,544 Mbit/s
Paire torsadée – RL	10 Mbit/s-100 Mbit/s
Câble coaxial – RL	10 Mbit/s-1 Gbit/s
Sans fil – RL	6 Mbit/s-54 Mbit/s
Ondes radio – RE	50 kbit/s-100 Mbit/s
Satellite – RE	50 kbit/s-100 Mbit/s
Fibre optique – RE	100 Mbit/s-100 Gbit/s

Note : bit/s = bits par seconde ; kbit/s = millier de bits par seconde ; Mbit/s = million de bits par seconde ; Gbit/s = milliard de bits par seconde.

TABLEAU 6.2 | Temps moyen de téléchargement selon les fonctions Internet

Fonction Internet	Ligne commutée (56 K)	Satellite (512 K)	DSL (1 M)	Câble (5 M)	Sans-fil (5 M)
Un courriel	1 s	< 1 s			
Une page Web simple (25 K)	10 s	< 1 s			
Une chanson de 5 minutes (5 M)	15 min	2 min	1 min	40 s	
Un film de 2 heures (500 M)	20 h	4 h	2 h	70 min	

Internet haute vitesse, qui fut un temps un service onéreux et exotique exclusivement utilisé par les grandes entreprises, est aujourd'hui abordable et grand public. Le terme **large bande** fait généralement référence aux connexions Internet haute vitesse capables de transmettre des données à plus de 200 kbit/s, en comparaison avec la vitesse maximale de 56 kbit/s des accès par ligne commutée. Si l'accès traditionnel par ligne commutée (qui utilise la technologie téléphonique analogique classique) suffit à certains, d'autres ont besoin ou exigent des connexions beaucoup plus rapides issues des progrès technologiques. Le bon choix d'accès à Internet dépend des besoins de l'entreprise et des services disponibles. Le tableau 6.3 énumère certains des avantages et des inconvénients de la technologie à large bande disponible à l'heure actuelle[11].

TABLEAU 6.3 | Avantages et inconvénients de la technologie à large bande

Technologie	Vitesse de téléchargement typique (Mbit/s)	Vitesse de liaison montante typique (Mbit/s)	Avantages	Inconvénients
Ligne d'abonné numérique (DSL)	0,5-3	0,25-1	■ Bon taux de téléversement ■ Utilisation des lignes téléphoniques existantes	■ Vitesse variable selon la distance du central téléphonique ■ Téléchargements plus lents et onéreux que ceux qui sont offerts par d'autres entreprises
Câble	0,5-250	0,5-15	■ Utilisation des infrastructures de câble existantes ■ Équipement peu coûteux	■ Connexions partagées pouvant surcharger le système et ralentir la vitesse de téléversement
Ligne spécialisée TI/T3	1,5-3	1,5-3	■ Utilisation du câblage téléphonique existant	■ Diminution considérable de la performance selon la distance ■ Diaphonie fréquente
Fibre optique jusqu'au domicile	5-300	1-15	■ Transmission de données rapide ■ Longue durée de vie des infrastructures ■ Entretien minimal ■ Faibles coûts énergétiques	■ Peu répandue ■ Coûts de déploiement élevés (pour l'entreprise)
Sans fil fixe	0,5-12	0,5	■ Installation peu coûteuse, nul besoin de creuser sous terre	■ Interférences causées par la température, la topographie et l'électronique
Satellite	0,5-2	0,05	■ Couverture quasi universelle ■ Disponibilité dans des zones inaccessibles autrement	■ Service et équipement coûteux ■ Délais de téléversement et de téléchargement

La ville d'Olds, en Alberta, bénéficie du premier service Internet Gigabit au Canada. La Ville a déployé 1 000 Mbit/s de service Internet sur tout son territoire en construisant son propre réseau de fibre optique et en devenant son propre FSI. On s'attend à ce que 100 % des habitants et des entreprises de la ville aient accès au service d'ici la fin de 2014. Le coût mensuel du service sera de 57 $ à 90 $, selon que le service Internet est associé à des services de téléphone et de télévision Internet ou non[12].

Les réseaux d'entreprise et la sécurité

Les réseaux sont une cible de choix pour les méfaits et la fraude. Les organisations doivent se préoccuper de l'identification des utilisateurs et de l'autorisation d'accès au réseau, du contrôle de l'accès et de la protection de l'intégrité des données. L'entreprise doit identifier un utilisateur avant de lui donner accès à un réseau d'entreprise, et cet accès doit être adapté à la personne en question. Par exemple, une organisation peut permettre à des fournisseurs externes d'accéder à son réseau interne pour que ces derniers soient au fait des plans de production, mais elle doit veiller à ce qu'ils ne puissent consulter d'autres données, comme les documents financiers. De plus, une organisation doit préserver l'intégrité de ses données ; les utilisateurs ne devraient avoir le droit de modifier et de mettre à jour que certaines données clairement précisées. Ces problèmes sont exacerbés dans Internet, où il faut se préoccuper de la fraude, des achats non valides et du détournement des données de cartes de crédit.

Assurer la sécurité des réseaux n'est pas une mince affaire. La plupart des réseaux exigent une ouverture de session, avec un nom d'utilisateur et un mot de passe. Or, il y a beaucoup de gens qui choisissent des mots de passe faciles à deviner. Un bon mot de passe contient des chiffres, des lettres en majuscules et en minuscules, et quelques signes de ponctuation (lorsque c'est possible) comme mesure de sécurité supplémentaire. Toutefois, la sécurité des réseaux d'entreprise va bien au-delà des mots de passe. Parmi les approches courantes, citons le pare-feu, un ordinateur situé entre le réseau interne et Internet. Le pare-feu permet à des sites spécifiques d'accéder aux données internes, mais il tente aussi de détecter et de prévenir les accès non autorisés.

Pour des communications hautement sécurisées, l'expéditeur peut chiffrer les données, c'est-à-dire qu'il peut coder ces dernières. Ainsi, une personne qui ne dispose pas de la « clé » pour décoder ces données ne peut lire le message. Les approches de chiffrement sont nombreuses, et la puissance de chiffrement est controversée. Les approches les plus sécuritaires font appel à des clés plus longues, ce qui rend très difficile pour des intrus de les déchiffrer. Les gouvernements redoutent que les terroristes et les criminels aient accès à un chiffrement puissant que les forces de l'ordre ne puissent pas décoder. C'est pourquoi il y a des restrictions sur l'exportation des programmes de chiffrement.

Pour le commerce électronique, différents schémas permettent d'envoyer les données de cartes de crédit et d'autres modes de paiement sur le réseau de façon sécuritaire. Certains ont recours au chiffrement et d'autres, à diverses formes de certificats numériques ou d'argent électronique. Beaucoup d'entreprises craignent que les clients refusent de faire des transactions dans Internet de peur qu'on leur vole leur numéro de carte de crédit. La loi limite la responsabilité individuelle en cas d'utilisation abusive d'une carte de crédit à 50 $.

RETOUR SUR LA MISE EN CONTEXTE

L'Ironman

1. Pourquoi le partage des données en temps réel de la progression d'un athlète dans une course est-il important pour le Championnat du monde de triathlon Ironman ? En quoi l'utilisation des réseaux et des télécommunications par la WTC favorise-t-elle le partage de ces données ?

2. Comment la WTC se sert-elle des télécommunications et des réseaux pour renforcer son avantage concurrentiel dans l'industrie de la diffusion des sports professionnels ?

3. Quel usage la WTC pourrait-elle faire de la VoIP pour améliorer l'expérience de la famille et des amis qui regardent le triathlon ?

4. À quels inconvénients ou défis la WTC pourrait-elle faire face si elle met en œuvre les technologies à large bande ?

5. Quelles sont les questions de sécurité que la WTC doit potentiellement régler dans le contexte de l'utilisation des technologies de réseau ?

6.2 Les technologies mobiles

Les facteurs d'adoption des technologies mobiles

De nos jours, les exploitants de distributrices surveillent leurs machines grâce à la technologie sans fil. Pour ce faire, ils installent dans les machines du matériel et des logiciels spécialisés ainsi que la technologie sans fil. Le logiciel recueille les données sur les stocks, les ventes et la «santé de la machine» pour chaque distributrice et les transmet au centre des exploitants grâce à la technologie sans fil. Les données sont agrégées, transmises et stockées dans des installations distinctes. Grâce au logiciel client installé sur leur ordinateur, les gestionnaires et les membres du personnel des ventes peuvent accéder aux données sur un site Web sécurisé. Dans les entreprises comme City Vending Company, la direction bénéficie de la justesse des données recueillies, qu'il s'agisse des opérations quotidiennes ou du potentiel d'exploration des données (*voir le chapitre 4*). Ce type d'information est utile quand il est question d'installer de nouvelles distributrices. C'est aussi le cas lorsqu'on prévoit des emplacements où il serait opportun d'intégrer des distributrices offrant des produits de plusieurs fournisseurs, par exemple en face d'un magasin de détail ou d'un supermarché achalandé. Les fournisseurs peuvent aussi utiliser les données pour planifier le chargement des camions et leurs itinéraires[13].

L'essor rapide et généralisé de la technologie mobile au XXIe siècle a façonné un des plus gros marchés de la technologie après la révolution des ordinateurs dans les années 1980 et 1990. La connectivité sans attache, en tout temps et en tout lieu, a grandement perturbé le marché et la technologie. Elle a envahi presque tous les marchés de consommation de la planète. L'effet domino du succès de la technologie mobile a ouvert des possibilités d'innovation et de créativité dans la technologie, le marketing et la stratégie d'entreprise.

Des entreprises du monde entier adoptent la technologie mobile pour accroître la productivité, accélérer la diffusion sur le marché et réduire les coûts de fonctionnement. Les entreprises de détail, de distribution et de fabrication ne font pas exception. Pour les transmissions sans fil, on utilise des ondes radio (par exemple, la technologie cellulaire), des micro-ondes et des satellites. Les données sont transmises sur des bandes radio à haute fréquence pour ensuite être recueillies par des supports câblés.

United Parcel Service (UPS) et FedEx utilisent les technologies mobiles depuis des années, ce qui permet la circulation des données sur la répartition et les livraisons entre les messagers et les stations centrales. Le fameux mécanisme de suivi de FedEx, qui peut déterminer l'emplacement d'un colis grâce à son numéro de suivi, est basé sur un système sans fil de gestion des messagers.

On utilise souvent les termes «mobile» et «sans fil» comme des synonymes, mais, en réalité, ils désignent deux technologies distinctes. «Mobile» signifie que la technologie peut voyager avec l'utilisateur, mais pas forcément en temps réel; l'utilisateur peut télécharger des logiciels, des courriels et des pages Web sur son téléphone intelligent, son ordinateur portable ou un autre appareil mobile de lecture ou de référence. Les données recueillies en déplacement peuvent être synchronisées avec un ordinateur ou un serveur d'entreprise. «Sans fil», en revanche, fait référence à tout type d'opération électrique ou électronique qu'on accomplit sans utiliser de connexion «câblée». Le tableau 6.4 décrit les facteurs qui favorisent la croissance des technologies sans fil.

TABLEAU 6.4 | Facteurs favorisant la croissance des technologies sans fil

Accès universel aux données et aux applications	Les gens sont mobiles et ont plus que jamais accès aux données, mais ils doivent tout de même parvenir au point où ils peuvent accéder à toutes les données en tout temps, en tout lieu.
Automatisation des processus d'affaires	Les technologies sans fil ont la capacité de centraliser les données essentielles et d'éliminer les processus redondants.
Facilité d'utilisation, rapidité et capacité de faire des affaires 24/7/365	Lorsque leur vol a du retard, les passagers n'ont plus à se sentir coupés du monde ou du bureau. Grâce aux outils et aux solutions sans fil, comme un iPad ou un appareil Android, ils peuvent accéder à leurs données en tout temps, en tout lieu.

Les agences gouvernementales provinciales, comme le ministère des Transports, utilisent des appareils sans fil pour recueillir des données sur différents sujets : l'environnement routier, le suivi des stocks, les retards de circulation, la logistique et le traitement des formulaires : le tout, à partir d'un environnement mobile. L'industrie du transport se sert des appareils sans fil pour déterminer les emplacements actuels et le choix des itinéraires.

Les technologies mobiles transforment notre façon de vivre, de travailler et de jouer. Les appareils mobiles offrent toujours plus de fonctions, et les réseaux de téléphonie mobile évoluent constamment sur le plan de la vitesse et du débit (*on examine en détail les réseaux de téléphonie mobile dans la section suivante*). Ces technologies alimentent la création et l'adoption généralisées de façons innovantes de faire des affaires. Les futurs grands changements qui se produiront dans les milieux de travail, les industries et les organisations seront issus des technologies mobiles et sans fil. L'encadré 6.2 présente des exemples courants de technologies sans fil qui changent notre monde.

ENCADRÉ 6.2

Technologies mobiles qui changent le monde des affaires

- Le RL sans fil utilise des ondes radio plutôt que des câbles pour transmettre les données dans un RL.

- Les téléphones intelligents et les tablettes assurent la connectivité des applications portables et mobiles, personnelles et professionnelles.

- Les périphériques d'ordinateur sans fil se relient à un ordinateur au moyen d'une connexion sans fil ; il peut s'agir, par exemple, d'une souris, d'un clavier ou d'une imprimante sans fil.

- La télévision par satellite permet aux téléspectateurs de presque partout d'avoir accès à des centaines de chaînes.

- La technologie d'accès WiMAX sans fil à large bande permet d'étendre la couverture des réseaux sans fil à 48 km et de transférer de l'information, de la voix et de la vidéo plus rapidement que par câble. Cette technologie convient particulièrement aux FSI qui veulent s'implanter dans les zones à faible densité démographique, où le raccordement par câble ou DSL est trop coûteux.

- Le capteur de sécurité permet de détecter les intrusions et d'en avertir les utilisateurs. Ses détecteurs jumelés enregistrent les perturbations vibratoires et acoustiques (une vitre brisée) pour éviter les fausses alertes.

L'industrie du détail est très concurrentielle. Des entreprises non traditionnelles comme Amazon ont émergé avec l'avènement du Web, ce qui a amené les entreprises traditionnelles à repenser leur stratégie. La concurrence fait aussi baisser les marges bénéficiaires. La réussite d'un détaillant repose sur la gestion des stocks, le contrôle des coûts et un service à la clientèle proactif. Pour obtenir un avantage concurrentiel, de plus en plus de détaillants se tournent vers les applications mobiles en vue d'améliorer la productivité des travailleurs et l'efficience opérationnelle, et d'offrir un service à la clientèle partout, en tout temps. Par ailleurs, les applications mobiles facilitent le suivi des ventes, la gestion des stocks et des entrepôts, l'acheminement des marchandises provenant des expéditeurs ou le transfert de celles-ci des distributeurs aux clients. Dans la mesure où l'on peut recueillir de grandes quantités de données de façon automatique, on peut les analyser beaucoup plus rapidement et utiliser les résultats pour améliorer constamment les opérations et le service à la clientèle. Quand les entreprises cherchent à élaborer une stratégie mobile, il y a un certain nombre de questions importantes auxquelles elles doivent répondre avant de se lancer.

1. Quels sont les objectifs de l'entreprise ?
2. Comment les initiatives concernant les technologies mobiles peuvent-elles aider l'entreprise à atteindre ses objectifs ?
3. L'entreprise a-t-elle une stratégie mobile ? Si oui, qui en est responsable ? Sinon, qui en sera responsable ?
4. Qu'est-ce que l'entreprise cherche à mettre en œuvre pour les consommateurs (commerce mobile, marketing interactif mobile) et les employés (applications d'entreprise mobiles) ?

5. Quelles devraient être les expériences respectives des consommateurs et des employés ? Sont-elles différentes ? Si oui, en quoi le sont-elles et pourquoi ?

6. Quelles sont les caractéristiques sociodémographiques, en ce qui a trait aux technologies mobiles, des consommateurs et des employés de l'entreprise ?

Une fois que l'entreprise a répondu à ces questions et qu'elle a pris la décision d'adopter une stratégie mobile, certains facteurs doivent être considérés pour assurer l'efficacité de la stratégie. Les étapes de déploiement d'une telle stratégie sont décrites dans le tableau 6.5[14].

TABLEAU 6.5 | Étapes de déploiement d'une stratégie mobile

Étape	Description
Définir les risques	Pour procéder à une évaluation réaliste d'une stratégie mobile, les entreprises doivent définir des critères d'évaluation. Beaucoup d'entreprises envisagent la technologie et les applications de façon isolée, sans déterminer les risques potentiels pour l'organisation, que le projet soit entrepris ou non.
Connaître les limites de la technologie	Il est impératif que les entreprises examinent non seulement la capacité d'une technologie à fournir les fonctionnalités nécessaires, mais aussi les limites de celle-ci. Pour qu'une stratégie mobile soit couronnée de succès, il faut fixer des attentes réalistes, autant en ce qui concerne les ressources des TI pour déployer la solution que les utilisateurs finaux.
Protéger les données contre les pertes	Les entreprises doivent prendre des mesures immédiates et concrètes pour assurer la protection de leurs données. L'approche de la sécurité doit être plurielle et englober un ensemble de techniques couvrant tous les domaines d'exposition.
La conformité dans l'entreprise mobile	Le passage à la mobilité, avec beaucoup plus d'appareils « libres de vagabonder », occasionnera une augmentation des violations de données, dont certaines ne seront jamais découvertes ou le seront longtemps après les faits. Les entreprises doivent élaborer une stratégie de sécurité mobile avant que le problème ne devienne accablant.
Demeurer flexible et gérer le changement	Les entreprises ne doivent pas penser qu'une fois créée une stratégie mobile est un produit fixe ou fini. Compte tenu du rythme de changement rapide sur le marché (par exemple, les appareils, les types de connexion et les applications), il incombe à l'organisation de surveiller et de modifier régulièrement sa politique.

Quelques entreprises ont mis en œuvre une stratégie mobile spécifique. La plupart sont aux prises avec des projets individuels ou essaient de relier la mobilité à une stratégie des TI plus vaste. Les entreprises doivent élaborer une stratégie mobile adaptée aux particularités inhérentes à l'informatique mobile. Cette stratégie doit exploiter un certain nombre d'utilisations dans différents secteurs d'activité de l'entreprise. Le but étant de maximiser le rendement du capital investi, de normaliser les architectures et les plateformes et de fournir l'infrastructure la plus sûre en vue d'éliminer (autant que possible) les pertes de données et les brèches de sécurité extrêmement coûteuses qui sont associées aux affaires mobiles. Les dirigeants qui ont une bonne compréhension des différents types de technologies mobiles (technologies cellulaires, technologies satellites, technologies sans fil) seront davantage en mesure d'équiper adéquatement leur main-d'œuvre.

L'utilisation des technologies cellulaires en entreprise

Les passagers d'Air Canada et de WestJet peuvent monter dans un avion en utilisant un téléphone intelligent ou un autre appareil mobile plutôt qu'une carte d'embarquement en papier. Il leur suffit de montrer un code que la compagnie aérienne a envoyé sur leur appareil mobile. Ce code à barres bidimensionnel, un assemblage de carrés et de rectangles, contient le nom du passager et l'information sur le vol. Un agent de porte confirme l'authenticité du code à barres à l'aide d'un numériseur à main ; les passagers doivent tout de même présenter une pièce d'identité avec photo. La carte d'embarquement électronique fonctionne aussi aux portes d'embarquement. Si la pile de son téléphone cellulaire ou d'un autre appareil mobile faiblit, le passager peut obtenir une carte d'embarquement en papier auprès d'un kiosque ou d'un agent du Service à la clientèle[15]. Square est un autre exemple. De nos jours, beaucoup de petites entreprises qui cherchent des façons d'accepter les paiements mobiles peuvent utiliser Square. Le lecteur Square se branche dans un appareil mobile iOS ou Android. L'entreprise peut ainsi accepter les paiements par carte de crédit en tout lieu, si elle dispose d'une connexion au réseau Internet. Square offre aussi d'autres fonctionnalités. Le lecteur Square est gratuit, et il en coûte au commerçant 2,75 % par glissement de carte, sans autres frais ni minimums mensuels[16].

En moins de 20 ans, le téléphone mobile est passé d'un équipement rare et cher réservé à l'élite du monde des affaires à un article personnel répandu et peu onéreux. Plusieurs pays, notamment le Royaume-Uni, comptent plus de téléphones mobiles que d'habitants. En Chine, il y a plus de 1,2 milliard de comptes actifs de téléphonie mobile. La Russie affiche le plus haut taux de pénétration du téléphone mobile au monde, à 155,5 %. Le nombre total d'abonnés au téléphone mobile dans le monde était estimé à 6 milliards à la fin de 2013, et l'on s'attend à ce qu'il atteigne 7,3 milliards en 2014. L'Afrique subsaharienne connaît un fort taux de croissance des abonnés au téléphone cellulaire en raison de la disponibilité des services prépayés et de facturation à l'utilisation. Avec les cellulaires prépayés, les abonnés sont libres de tout engagement à long terme, ce qui a contribué à alimenter la croissance du téléphone mobile en Afrique et sur d'autres continents[17].

Les téléphones cellulaires utilisent des ondes radio pour communiquer avec des antennes radio (ou tours) situées dans des zones géographiques adjacentes qu'on appelle des « cellules ». Le téléphone cellulaire transmet un message téléphonique à la cellule locale ; ce message passe d'antenne en antenne, ou de cellule en cellule, jusqu'à ce qu'il atteigne la cellule de sa destination, où il est acheminé au téléphone du destinataire. Tandis qu'un signal cellulaire voyage d'une cellule à l'autre, un ordinateur qui surveille les signaux des cellules passe la conversation à un canal radio assigné à la cellule suivante. Dans le système de téléphonie cellulaire numérique typique d'une ville canadienne, l'opérateur de téléphone cellulaire reçoit de nombreuses fréquences à utiliser. L'opérateur divise la ville en cellules. Généralement, une cellule couvre un territoire de 26 km². On représente les cellules sous forme d'hexagones sur une grande grille hexagonale (*voir la figure 6.4*). Chaque cellule est dotée d'une station de base composée d'une tour et d'un petit édifice qui abrite l'équipement radio[18].

FIGURE 6.4

Aperçu de la technologie cellulaire

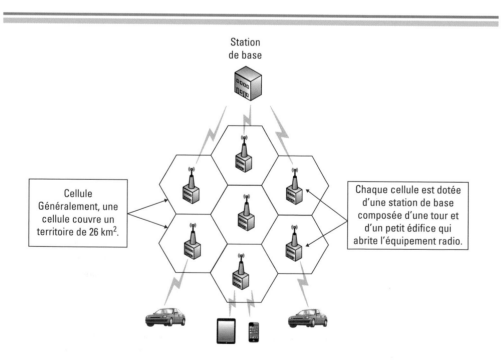

Ce sont les services de communications personnelles (SCP) qui ont introduit les services de téléphonie cellulaire numérique. Les SCP étaient des téléphones entièrement numériques qui pouvaient transmettre de la voix et des données en utilisant des bandes de fréquence plus élevées (1 900 MHz) que les téléphones cellulaires analogiques. Ils ont aussi donné la possibilité d'envoyer et de recevoir de courts messages textes. Outre le service de messagerie texto (SMS – *short message service*), les fournisseurs de téléphones cellulaires apprécient les téléphones numériques dans la mesure où ils peuvent acheminer de 3 à 10 fois plus d'appels qu'avec les téléphones analogiques sur les mêmes systèmes.

Les SCP étaient une technologie de communications mobiles de deuxième génération (2G), et les systèmes cellulaires analogiques, une technologie de première génération (1G). Les réseaux de téléphonie mobile 2G sont des réseaux numériques à commutation de circuits pouvant transmettre des données à environ 10 kbit/s (kilobits par seconde), ce qui est extrêmement lent. Les réseaux de troisième génération (3G) utilisent une technologie à commutation de paquets plus récente qui est beaucoup plus efficiente (donc plus rapide) que les réseaux à commutation de circuits. La vitesse des réseaux 3G va de 120 à 144 kbit/s pour les utilisateurs nomades, qui se trouvent dans une voiture, par exemple, jusqu'à 2 Gbit/s (gigabits par seconde) pour les utilisateurs fixes. L'étape suivante était les réseaux 3G conçus pour la communication à haute vitesse de données multimédias et de voix. Aujourd'hui, les entreprises ont des systèmes de téléphonie mobile de quatrième génération (4G). La technologie 4G fait franchir une nouvelle étape aux télécommunications mobiles pour intégrer les transmissions radio et télé, et regrouper les normes téléphoniques mondiales en une seule technologie haute vitesse. Au Canada, des entreprises comme Bell, Telus et Rogers ont des réseaux 4G avec la technologie LTE (*long term evolution* ou technologie d'évolution à long terme) et l'accès HSPA (*high-speed packet access* ou accès par paquets haut débit). Le service de téléphonie cellulaire 4G LTE est bien établi au Canada : on estime que 97 % de la population canadienne a accès au service LTE. Les vitesses varient, mais selon un fournisseur comme Bell, son réseau atteignait des vitesses de 75 Mbit/s en 2012, et une partie de son réseau atteignait des vitesses de 150 Mbit/s à la fin de 2013. Le service LTE est surtout disponible dans les zones urbaines, mais des entreprises comme Telus comptent le déployer ailleurs dans leurs zones de couverture. Le tableau 6.6 présente différentes technologies cellulaires ainsi que leurs avantages et inconvénients[19].

Les dernières tendances des téléphones intelligents reflètent une convergence des communications de voix, de vidéo et de données. Les téléphones intelligents et les tablettes, qui

TABLEAU 6.6

Avantages et inconvénients des technologies cellulaires

Génération	Technologie	Avantages et inconvénients
1G	STMP (service téléphonique mobile perfectionné)	▪ Service de téléphonie analogique seulement
2G	AMRC (accès multiple par répartition en code) AMRT (accès multiple par répartition dans le temps) GSM (système mondial de communication avec les mobiles) PDC (système personnel cellulaire numérique)	▪ Service de téléphonie numérique ▪ 9,6 à 14,4 kbit/s pour la transmission de données ▪ Fonctions d'appel améliorées (comme l'identification de l'appelant) ▪ Pas de commutation de données permanente
3G	AMRC à large bande (accès multiple par répartition en code à large bande)	▪ Qualité de voix supérieure ▪ Commutation de données permanente jusqu'à 7 à 11 Mbit/s ▪ Transmission de données à large bande (comme la transmission en continu de contenu audio et vidéo)
4G	Accès HSPA (accès par paquets haut débit) WiMAX (*worldwide interoperability for microwave access*) LTE (technologie d'évolution à long terme)	▪ Réseaux d'accès Wi-Fi ▪ Commutation de données permanente de 20 à 300 Mbit/s ▪ Convergence des données et de la VoIP

associent information et divertissement, sont au cœur de la tendance en pleine évolution du domaine de l'infoloisirs. Les téléphones Android et les iPhone d'Apple sont des exemples de téléphones mobiles qui permettent aux utilisateurs de téléphoner, de surfer sur le Web au moyen d'une connexion Wi-Fi, d'envoyer une photo par courriel et d'utiliser des commandes tactiles pour accéder à différentes formes de contenu, notamment de la musique, des livres audio, des vidéos, des émissions de télé et des films.

L'utilité des technologies cellulaires dans le secteur immobilier

Les agents immobiliers sont toujours en quête d'outils qui leur procurent un avantage. L'accès en temps réel au service interagences (MLS – Multiple Listing Service) de leur région permet à certains agents de tirer parti du moment opportun. MLS offre une base de données des propriétés locales à vendre, avec la possibilité de les trier selon différents critères. L'agent qui accède à la fiche descriptive d'une propriété dès son inscription sur MLS obtient un avantage-clé sur la concurrence, parce qu'il peut immédiatement demander à la visiter ou, tout au moins, se rendre sur place avec un client.

Les agents immobiliers sont rarement au bureau; ils ont donc besoin d'une technologie qui leur permet d'accéder en temps réel à leur MLS local, mais aussi de gérer leurs contacts, de tenir leur calendrier à jour, d'envoyer et de recevoir des courriels, de consulter des documents, de faire des calculs de prêts hypothécaires et plus encore. L'idéal, c'est une solution légère, pour qu'ils n'aient pas à apporter systématiquement leur ordinateur portable. Et s'ils arrivent à combiner cette solution légère à des services mobiles, ils n'ont besoin que d'un seul appareil pour exercer leurs activités.

C'est pourquoi beaucoup d'agents immobiliers utilisent des téléphones intelligents pour répondre à leurs besoins. Faciles à transporter et fiables, les téléphones intelligents permettent aux agents immobiliers d'accéder en temps réel à leur MLS local et d'accéder à l'information concernant les propriétés dès leur mise en vente.

Les tablettes

La **tablette électronique** (ou **tablette**) est un ordinateur nomade doté d'un écran tactile intégré. Plus grosse qu'un téléphone intelligent, elle est utilisée essentiellement en touchant l'écran. Les tablettes fonctionnent avec un écran tactile, un clavier tactile, un stylet passif ou un stylet numérique plutôt qu'avec un clavier physique. Les tablettes disposent généralement d'une connexion Wi-Fi, et certaines ont aussi une connexion cellulaire 4G.

Les tablettes ont fait leur apparition dès 1968, mais n'ont connu qu'un succès limité jusqu'à ce qu'Apple lance l'iPad en 2010. Depuis, d'autres fabricants d'ordinateurs ont lancé leurs propres tablettes, sans toutefois égaler le succès d'Apple.

Le monde des affaires fait grand usage des tablettes; Forrester Research prévoit que d'ici 2017 un appareil sur cinq utilisé en entreprise sera une tablette[20]. L'adoption des tablettes par les entreprises procure davantage d'options de mobilité, notamment avec des applications comme Office Mobile qui permet aux employés d'utiliser sur leurs appareils mobiles les mêmes applications dont ils disposent au bureau.

La technologie sans fil Bluetooth

Les appareils électroniques peuvent se connecter les uns aux autres de bien des façons. Les pièces et composantes des ordinateurs, les systèmes de divertissement et les téléphones forment un écosystème d'appareils électroniques interreliés. Ces appareils échangent entre eux au moyen de différents fils, câbles, signaux radio et faisceaux lumineux infrarouges, et de toutes sortes de connecteurs, prises et protocoles. La technologie sans fil Bluetooth élimine la nécessité de fils encombrants au quotidien. **Bluetooth** est une spécification de l'industrie qui décrit comment des téléphones mobiles, des ordinateurs et des tablettes peuvent être connectés les uns aux autres, sans fil et sur des distances courtes. Les oreillettes Bluetooth permettent aux utilisateurs de faire des appels même lorsque leur téléphone cellulaire est rangé dans leur porte-documents. De la même manière, l'impression Bluetooth donne la possibilité aux utilisateurs d'appareils compatibles de se connecter à une imprimante au moyen d'un adaptateur Bluetooth relié au port de communication de l'imprimante.

Depuis la création de Bluetooth en 1994 par la société de télécommunications suédoise Ericsson, plus de 1 800 entreprises du monde entier ont entrepris d'élaborer des produits compatibles avec cette spécification et de promouvoir cette nouvelle technologie sur le marché. Les ingénieurs d'Ericsson ont baptisé cette nouvelle technologie sans fil « Bluetooth », en hommage à un roi viking du xᵉ siècle, « Harald à la dent bleue » (*blue tooth*), à qui revient le mérite d'avoir unifié le Danemark et d'avoir rétabli l'ordre dans le pays.

Bluetooth fonctionne au moyen d'une puce intégrée et d'un logiciel qui l'accompagne. Bien que cette technologie soit plus lente que les technologies RL sans fil concurrentes, la puce Bluetooth permet de coupler toutes sortes d'appareils, même des petits appareils comme les téléphones cellulaires. La technologie Bluetooth fonctionne à l'intérieur d'un rayon de 9 m, ce qui la limite à une communication d'appareil à appareil.

Un des défis des appareils sans fil, c'est leur taille. Tout le monde veut des appareils de petite taille, mais il y a aussi beaucoup de gens qui détestent les claviers minuscules des téléphones intelligents. Les lois de la physique s'avèrent un frein important à la résolution de ce problème, mais le clavier virtuel Bluetooth de VKB Inc. constitue une solution potentielle (*voir la figure 6.5*). La technologie de VKB utilise un laser rouge pour illuminer le contour d'un clavier virtuel sur n'importe quelle surface. Malgré son aspect futuriste, le laser ne sert qu'à indiquer aux utilisateurs où déposer leurs doigts. Un module séparé d'illumination et de capteur suit de façon invisible quand et où chaque doigt touche la surface, et il traduit cette information en frappes ou en d'autres commandes.

FIGURE 6.5

Clavier virtuel Bluetooth – des faisceaux lumineux qui détectent les mouvements de l'utilisateur créent ce clavier virtuel

L'utilisation des technologies satellites en entreprise

Dans une variation de la transmission sans fil, la communication satellite relaie les signaux sur de longues distances. Un **satellite** de télécommunications est un gros répéteur hertzien dans le ciel ; il contient un ou plusieurs répéteurs qui écoutent une portion spécifique du spectre électromagnétique, amplifient les signaux arrivants et les retransmettent à la Terre. L'**émetteur hyperfréquence** utilise l'atmosphère (l'espace) comme support de transmission pour envoyer le signal à un récepteur hyperfréquence. Ce dernier relaie alors le signal à un autre émetteur hyperfréquence ou le traduit sous une autre forme, comme des impulsions numériques. Les signaux hyperfréquences suivent une ligne droite et non pas la courbe de la Terre ; c'est pourquoi les systèmes de transmissions terrestres longue distance exigent que les stations de transmission par faisceaux hertziens soient positionnées à 60 km les unes des autres, ce qui rend onéreuse cette forme de transmission.

On peut résoudre le problème en faisant rebondir les signaux hyperfréquences sur les satellites de télécommunications, qui servent alors de stations relais pour acheminer les signaux hyperfréquences transmis par les stations terrestres (*voir la figure 6.6*). Les satellites de télécommunications étant efficaces par rapport à leur coût pour transmettre de grandes quantités de données sur de très longues distances, on les utilise en général pour les communications dans les grandes organisations géographiquement dispersées qu'il serait difficile de relier par l'entremise de médias filaires ou de micro-ondes terrestres. À l'origine, cette technologie des hyperfréquences était presque exclusivement réservée aux télécommunications par satellite et longue distance. Toutefois, les progrès récents de la technologie permettent désormais un accès sans fil complet aux réseaux (intranets et Internet) au moyen de la transmission par faisceaux hertziens.

FIGURE 6.6

Liaison hertzienne par satellite

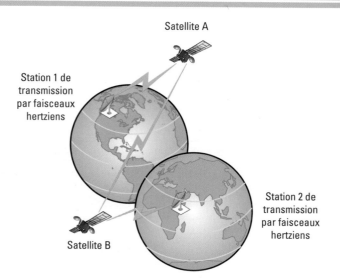

Les satellites de télécommunications conventionnels se déplacent sur des orbites stationnaires à environ 35 000 km de la Terre. Il existe un nouveau type de satellites, les satellites en orbite basse, qui se déplacent beaucoup plus près de la Terre et qui sont en mesure de capter les signaux d'émetteurs faibles. De plus, ces engins consomment moins d'énergie, et leur lancement est moins coûteux que dans le cas des satellites conventionnels. Grâce à ces réseaux sans fil, les gens d'affaires de presque partout dans le monde ont accès à toutes les capacités de communication, notamment la communication vocale par téléphone satellite, la visioconférence, la radio par satellite et l'accès Internet au contenu multimédia enrichi.

Les dispositifs utilisés pour les télécommunications par satellite vont des terminaux mobiles aux stations de base mobiles en passant par les antennes paraboliques fixes. La vitesse de transmission maximale va de 2,4 kbit/s à 2 Mbit/s, selon la solution retenue. Les télécommunications par satellite ne sont pas forcément intéressantes pour les professionnels nomades au quotidien ; en revanche, elles peuvent s'avérer fort utiles pour les personnes qui ont besoin d'un accès voix et données dans des endroits isolés ou d'une couverture garantie dans des endroits non isolés. De plus, certains fournisseurs de services par satellite offrent une itinérance entre les systèmes cellulaires existants et les systèmes satellites[21].

La localisation par satellite façonnera l'avenir grâce à la création de nouvelles applications. Outre la localisation des appels d'urgence et la navigation, que ce soit en voiture ou sur les téléphones mobiles, toute une gamme de nouveaux services va apparaître : assistance personnelle et soins médicaux, présence géolocalisée, recherche d'amis, jeux, blogues localisés, etc. Pour assurer le succès commercial de chaque service, il faudra relever plusieurs défis-clés technologiques : la précision, l'ubiquité du service, notamment dans les zones urbaines densément peuplées et à l'intérieur des édifices, et la transmission instantanée des données.

Les services basés sur la localisation

Les **services basés sur la localisation (SBL)** sont des services mobiles de contenu qui fournissent des données à des utilisateurs nomades qui se déplacent d'un endroit à l'autre. Le marché des SBL est immense. Il compte un vaste éventail de services actuels et futurs dans différents segments : la téléphonie mobile, l'entreprise, les marchés verticaux, et les appareils automobiles et grand public. Le tableau 6.7 souligne quelques-uns des segments de marché des SBL qui suscitent le développement de cette technologie à l'heure actuelle.

TABLEAU 6.7

Segments de marché des SBL

Marché de masse	
Services d'urgence	▪ Localisation des appels d'urgence ▪ Assistance routière
Services de navigation	▪ Navigation jusqu'à un point d'intérêt (indications, cartes) ▪ Cybertourisme ▪ Évitement des embouteillages
Services de suivi	▪ Recherche d'un ami ▪ Suivi des enfants ▪ Suivi des personnes âgées
Publicité géolocalisée	▪ Vidéo géolocalisée en mode poussée
Jeux	▪ N-Gage (console permettant à plusieurs joueurs de s'affronter grâce à une connexion Bluetooth ou à un réseau de téléphonie mobile)
Marché professionnel	
Organisation des effectifs	▪ Gestion des employés sur le terrain ▪ Optimisation des itinéraires ▪ Logistique ▪ Planification des ressources de l'entreprise
Sécurité	▪ Suivi sur le terrain ▪ Protection des travailleurs

Vous est-il déjà arrivé de vouloir vous rendre à un guichet automatique bancaire, mais de ne pas savoir où en trouver un ? C'est un désagrément que les touristes et les gens d'affaires qui sont loin de chez eux ne connaissent que trop bien. Chaque année, des millions de consommateurs contactent des banques ou des entreprises comme MasterCard par téléphone ou sur leur site Web pour savoir où se trouve le guichet automatique le plus proche. Dans le cas de MasterCard, quelque 70 % des demandes proviennent de voyageurs internationaux.

La plupart des grandes banques offrent aujourd'hui à leurs clients un service de recherche et d'annuaire mobile basé sur la localisation pour que ces derniers puissent trouver le guichet automatique ou la succursale se situant le plus près. Les utilisateurs qui ont souvent recours aux SBL doivent potentiellement faire face à des problèmes de confidentialité. Beaucoup d'utilisateurs considèrent les données de localisation comme étant très sensibles, et ils s'inquiètent d'un certain nombre de problèmes de confidentialité, notamment :

▪ le marketing ciblé – les lieux visités par les utilisateurs nomades peuvent être employés à des fins de marketing ciblé ;

▪ la gêne – la connaissance de sa position par un tiers peut conduire à des situations gênantes ;

▪ le harcèlement – les données de localisation peuvent être utilisées pour harceler ou attaquer un utilisateur ;

- le refus de service – une compagnie d'assurance maladie peut refuser une réclamation si elle sait que l'utilisateur s'est rendu dans une région à risque élevé ;
- les restrictions juridiques – certains pays réglementent l'utilisation des renseignements personnels.

À la différence des autres données du cyberespace, les données de localisation ont le potentiel de permettre à un adversaire de localiser physiquement une personne. La plupart des abonnés aux services sans fil ont donc des raisons légitimes de craindre pour leur sécurité si ces données tombent entre de mauvaises mains. Des lois et des règlements dont la clarté varie, qui offrent différents niveaux de protection, ont été adoptés au Canada, aux États-Unis, dans l'Union européenne et au Japon.

La géolocalisation par satellite

À l'heure actuelle, le système de localisation GPS est le plus utilisé par les SBL. La **géolocalisation par satellite (GPS)** est une constellation de 24 satellites placés en orbite autour de la Terre permettant aux personnes munies d'un appareil récepteur de déterminer leur position géographique. Le degré de précision varie de 10 à 100 m pour la plupart des équipements. Elle peut être réduite à 1 m avec des équipements militaires. La figure 6.7 illustre l'architecture du GPS.

Le système de localisation GPS appartient au département de la Défense américaine (DoD – Department of Defense), qui en fait l'exploitation, mais il est accessible à tous. En 1993, le DoD a mis cette technologie à la disposition de quiconque possède un appareil muni d'un système GPS. Les appareils GPS sont dotés de microprocesseurs spéciaux qui analysent les signaux satellites. Le système actuel des satellites de localisation GPS est surchargé et vieillissant, et l'on se demande si le service actuel pourra continuer sans interruption. Selon les rapports du Government Accountability Office (GAO), la United States Air Force a réussi à créer de nouveaux satellites GPS dans un programme de modernisation du système GPS de deux milliards de dollars. La United States Air Force a commencé à lancer ses nouveaux satellites dès le début de l'année 2014[22].

FIGURE 6.7

Architecture du système de localisation GPS

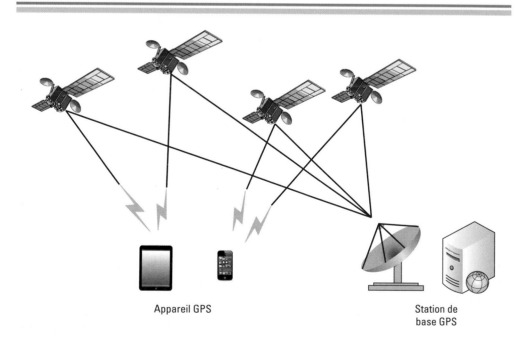

Appareil GPS

Station de base GPS

Il existe notamment un GPS pour le golf qui aide les joueurs à calculer la distance du té au trou, ou à déterminer leur position exacte par rapport à une fosse de sable, un obstacle d'eau ou le vert, quand ils ne sont pas visibles. L'Association de golf des États-Unis autorise les appareils de mesure de la distance dans les tournois ; leur utilisation est à la discrétion des organisateurs. Il existe aussi des montres GPS pour les coureurs et les cyclistes ; ces instruments permettent d'obtenir en temps réel des mesures de la distance, de la vitesse et de la cadence[23].

Le marché des services GPS va atteindre 26,67 milliards de dollars d'ici la fin de 2016. Le suivi, la navigation et le matériel vont devenir des marchés de plusieurs milliards de dollars. UPS a équipé ses chauffeurs-livreurs d'appareils mobiles GPS en vue de les aider à atteindre leur destination de façon plus efficiente. De plus, ces appareils mobiles déclenchent une alerte par courriel si un véhicule va trop vite ou s'aventure dans une zone non autorisée. Zingo Taxi, au Royaume-Uni, utilise des voitures équipées d'un système GPS et la messagerie texte pour aider les abonnés à trouver un taxi.

Les systèmes d'information géographique

Un **système d'information géographique (SIG)** est conçu pour fonctionner avec des données pouvant être affichées sur une carte. Les entreprises qui évoluent dans le transport utilisent les SIG en association avec des bases de données et la technologie GPS. Les compagnies aériennes et les entreprises de transport peuvent tracer des itinéraires grâce à des données en temps réel sur la position de tous leurs véhicules de transport. Les hôpitaux peuvent savoir où se trouvent les membres du personnel en utilisant un SIG et des capteurs au plafond qui reçoivent et retransmettent les données de localisation de leur badge.

Certaines automobiles sont dotées de GPS reliés à des cartes qui affichent l'itinéraire et la position exacte du véhicule sur un écran situé sur le tableau de bord. L'entreprise GM offre le système OnStar, qui envoie un flux continu de données au centre OnStar sur la position exacte de la voiture. Le Diagnostic en ligne OnStar effectue automatiquement des centaines de tests de diagnostic sur quatre systèmes principaux du véhicule : moteur et transmission, système de freinage antiblocage, sacs gonflables et système OnStar. Le véhicule est programmé pour envoyer chaque mois les résultats par courriel au propriétaire. Ce système de courriel mensuel inclut aussi des rappels d'entretien d'après le kilométrage, la durée de vie utile restante de l'huile pour moteur et d'autres données importantes pour le propriétaire. OnStar offre désormais des systèmes de marché secondaire qu'on peut installer sur toutes les voitures, quelle qu'en soit la marque[24].

Les fabricants de téléphones intelligents équipent leurs téléphones de puces GPS qui rendent possible la localisation des utilisateurs dans une zone géographique de la taille d'un court de tennis. Ainsi, les services d'urgence comme le 911 peuvent trouver les utilisateurs de téléphones intelligents. Les spécialistes du marketing surveillent l'évolution du GPS dans les téléphones intelligents, espérant être en mesure d'appeler les clients potentiels quand ils passent près d'un magasin pour les informer d'une vente spéciale.

Les agriculteurs qui ont recours aux technologies de pointe utilisent la navigation par satellite GPS pour cartographier et analyser les champs. De cette manière, ils savent où appliquer les bonnes quantités de semences, d'engrais et d'herbicides. Auparavant, les producteurs géraient leurs cultures par champ ; désormais, ils peuvent faire de l'agriculture de précision. Un agriculteur s'est rendu compte, après une analyse des sols, qu'une partie de ses champs n'avait pas besoin d'engrais. Or, moins d'engrais signifie moins de coûts et moins de pollution par ruissellement des eaux. Une des applications du GPS consiste à utiliser des points de navigation GPS et un compteur informatisé pour enregistrer la quantité de céréales récoltée chaque seconde par mètre de champ. Ensuite, l'agriculteur télécharge ces données dans un ordinateur qui génère une carte de répartition montrant les variations d'environ 60 boisseaux par acre. En croisant ces données avec d'autres variables, comme les caractéristiques du sol, le producteur peut analyser les raisons pour lesquelles certaines zones sont moins productives. L'agriculteur combine ces données avec des points de navigation GPS afin de pouvoir appliquer les herbicides et l'engrais avec précision ou uniquement là où ces derniers sont vraiment nécessaires[25].

On utilise les SIG pour les applications mobiles, mais leurs avantages dépassent largement les exigences d'un environnement mobile. Par exemple, en utilisant un SIG, les utilisateurs peuvent déterminer les données qui sont pertinentes ou non pour eux et formuler leurs requêtes d'après leurs critères personnels. À la différence d'une carte papier, le SIG permet de faire une analyse en profondeur et de résoudre des problèmes et donc de favoriser le marketing, les ventes et la planification. Quelques utilisations courantes des SIG sont décrites ci-après.

- Trouver ce qu'il y a dans les environs. C'est l'utilisation la plus courante pour les utilisateurs nomades. À partir d'un lieu précis, le SIG trouve des sources dans un certain rayon. Il peut s'agir de salles de spectacle, d'installations médicales, de restaurants ou de stations-services. Les utilisateurs peuvent aussi se servir du SIG pour localiser les marchands qui vendent un article spécifique dont ils ont besoin. Ce jumelage acheteurs-marchands favorise le commerce mobile.

- **Les itinéraires.** C'est une autre utilisation courante pour les utilisateurs nomades. Si les utilisateurs ont une idée de l'endroit où ils veulent aller, le SIG peut leur donner des instructions sur la façon d'y parvenir. Une fois encore, cette information peut être affichée sous forme de carte ou d'instructions à suivre étape par étape. Pour les applications mobiles, il est généralement utile de fournir l'itinéraire en liaison avec les services de recherche.

- **Les alertes.** Les utilisateurs peuvent souhaiter être alertés lorsqu'il y a des données pertinentes pour eux en fonction de leur localisation. Par exemple, un navetteur peut vouloir être alerté s'il entre sur une portion d'autoroute où il y a des embouteillages ou un acheteur peut vouloir être alerté si son magasin préféré fait une promotion sur tel ou tel article.

- **La cartographie de la densité.** Il peut être extrêmement utile de connaître la densité de la population pour les analyses de valeur et de rentabilité. Cela permet aux utilisateurs de déterminer l'emplacement des fortes concentrations d'une certaine population. Générale-ment, on cartographie la densité d'après une unité de surface, comme l'hectare ou le kilo-mètre carré, ce qui permet de voir facilement la répartition. Parmi les exemples de cartographie de la densité, citons l'emplacement où se produisent des activités crimi-nelles, qui permet à la police de déterminer où il est nécessaire d'accroître le nombre de patrouilles, ou l'emplacement des clients, pour déterminer les meilleurs itinéraires de livraison[26].

Le SIG permet aux utilisateurs nomades comme aux utilisateurs fixes d'obtenir des don-nées et de l'information: il utilise les coordonnées fournies par le système GPS en vue d'offrir des détails pertinents pour un utilisateur spécifique à un moment précis. Les données et l'information fournies par un SIG profiteraient à bon nombre des SBL décrits dans cette section.

L'utilisation des technologies sans fil en entreprise

L'aéroport international de Denver (code de l'International Air Transport Association – IATA: DEN), comme beaucoup d'aéroports aux États-Unis et au Canada, fait le pari que les voya-geurs aiment obtenir quelque chose de gratuit. Le DEN leur a offert un service de Wi-Fi gra-tuit financé par la publicité et jusqu'ici, cela semble être un bon pari. En une semaine, et sans avis public sur ce changement, l'utilisation du Wi-Fi a décuplé. Aujourd'hui, le DEN offre en plus de son service de Wi-Fi gratuit, un service de Wi-Fi amélioré pour lequel il faut payer des frais mensuels.

La technologie Wi-Fi

La **technologie Wi-Fi (Wi-Fi)** permet de relier des ordinateurs au moyen de signaux infrarouges ou radio. Le Wi-Fi, qu'on appelle parfois « réseau local sans fil », représente une part croissante des RL en fonction. La technologie Wi-Fi présente des avantages évi-dents pour les personnes en déplacement qui ont besoin d'avoir accès à Internet dans les aéroports, les restaurants et les hôtels. Le Wi-Fi a également été adopté comme réseau domestique ou de proximité. Il permet à un assortiment d'ordinateurs portables, d'ordinateurs de bureau, d'appareils mobiles et d'autres appareils compatibles Wi-Fi de partager un même point d'accès Internet à large bande. Les RL sans fil sont également utilisés dans le monde de l'entreprise et du commerce, notamment dans les vieux édi-fices et les espaces confinés où il est difficile, voire impossible, d'établir un RL câblé, ou là où la mobilité est essentielle. Même dans les édifices récents, on utilise les RL comme réseaux dédiés. Dans ces cas-là, on installe le Wi-Fi en plus des RL câblés. Ainsi, les employés peuvent facilement déplacer leur ordinateur portable, leur tablette ou leur téléphone intelligent de bureau en bureau et se connecter au réseau dans des endroits comme une salle à manger ou une terrasse.

Après des années de discussion et de délais, les compagnies aériennes commencent à offrir la connexion Internet, la messagerie instantanée et le courrier électronique sans fil en vol, transformant ainsi la cabine de l'avion en point d'accès sans fil Wi-Fi. Aircell aide beaucoup de compagnies aériennes à entrer dans cette nouvelle aire ; en juin 2006, Aircell a obtenu les droits exclusifs de Wi-Fi air-sol en proposant 31,3 millions de dollars pour 3 MHz de spectre sans fil numérique terrestre dans des enchères de la Federal Communications Commission (FCC) aux États-Unis. Toutes les compagnies aériennes américaines qui offrent des services Wi-Fi le font par l'entremise du service Gogo d'Aircell, sauf Southwest Airlines. Environ un tiers des 2 800 avions aux États-Unis est équipé de la technologie Wi-Fi. La figure 6.8 illustre le fonctionnement de ce « Wi-Fi dans les airs ». Au Canada, Air Canada offre le service Gogo sur les vols de Montréal et de Toronto à Los Angeles durant la traversée de l'espace aérien américain. En 2014, WestJet a débuté l'installation d'une technologie similaire dans certains de ses appareils et est en attente des autorisations gouvernementales pour pouvoir l'exploiter[27].

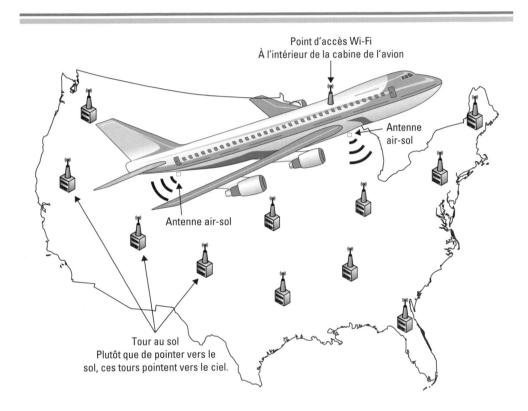

FIGURE 6.8

Wi-Fi dans les airs

Point d'accès Wi-Fi
À l'intérieur de la cabine de l'avion

Antenne air-sol

Antenne air-sol

Tour au sol
Plutôt que de pointer vers le sol, ces tours pointent vers le ciel.

Autre exemple de la façon dont le Wi-Fi modifie le paysage concurrentiel : l'Ouest canadien, où Telus offre OptikTV, la télévision sur IP, ce qui lui permet de faire concurrence aux entreprises de câblodistribution traditionnelles comme Shaw. Dans l'Est canadien, Bell offre le même type de service avec FibeTV[28].

WiMAX

Les deux principaux problèmes de l'accès à large bande sont le fait qu'il ne soit pas accessible partout et que son coût soit élevé. Le problème majeur de l'accès Wi-Fi est que les points d'accès sans fil sont délimités, et la couverture est éparse. La technologie en pleine évolution qui peut régler toutes ces difficultés s'appelle « WiMAX ». La technologie d'accès **WiMAX** (*worldwide interoperability for microwave access*) est une technologie de télécommunications qui vise à transmettre des données sur de longues distances de différentes façons, des liaisons point à point à l'accès mobile complet de type cellulaire. Le WiMAX peut couvrir jusqu'à 4 800 km², selon le nombre d'utilisateurs. À Vancouver, par exemple, il faudrait beaucoup de stations de base autour de la ville pour répondre à la demande, alors qu'il en faudrait moins dans le cas d'une région faiblement peuplée.

L'accès Internet dans les régions rurales compte parmi les applications importantes du WiMAX. Un des premiers essais au Canada a eu lieu dans les zones spéciales du sud-est de l'Alberta, d'une superficie de 21 000 km^2. Ces essais, qui ont été menés en 2006, ont abouti à la mise en œuvre réussie du WiMAX, avec des tours capables de transmettre des signaux sur 15 à 20 km et des clients obtenant des vitesses de 1,5 à 3 Mbit/s. Cette réussite a conduit à l'élargissement des services WiMAX dans les zones spéciales, le comté de Starland et le district municipal d'Acadia. Depuis les essais, le FSI NETAGO offre des services de 5 Mbit/s et de 10 Mbit/s. Il y a plusieurs fournisseurs de services WiMAX au Canada, notamment en Colombie-Britannique, en Alberta, en Ontario, au Québec et au Yukon. En fait, un certain nombre d'activités liées à la création de ce livre ont été effectuées en utilisant des connexions Internet WiMAX[29]!

La technologie WiMAX offre des vitesses de connexion Internet cinq fois plus rapides que les réseaux sans fil typiques, bien qu'elles demeurent plus lentes que la technologie à large bande par câble. Les ordinateurs bloc-notes haut de gamme seront dotés de la technologie WiMAX intégrée, mais il y aura aussi des cartes WiMAX qu'on pourra insérer dans une fente de l'ordinateur. Les entreprises comme Nokia et Samsung Electronics fabriquent aussi des appareils et des infrastructures mobiles dotés de cette technologie.

Le WiMAX pourrait potentiellement éliminer les zones de non-réception suburbaines et rurales, qui n'ont pas accès à Internet à large bande parce que les entreprises de téléphone et de câblodistribution n'ont pas encore fait les raccordements nécessaires dans ces régions reculées.

Le système WiMAX comporte deux parties:

- une tour WiMAX – qui peut assurer à elle seule la couverture d'une vaste zone (jusqu'à 4 800 km^2);
- un récepteur WiMAX muni d'une antenne qui peut être intégré à un ordinateur portable de la même manière que le Wi-Fi aujourd'hui[30].

La tour émettrice WiMAX peut se connecter directement à Internet au moyen d'une connexion par câble à haut débit. Elle peut aussi se connecter à une autre tour WiMAX au moyen d'une liaison par faisceau hertzien en visibilité directe. C'est cette connexion à une deuxième tour (qu'on appelle généralement une «liaison») qui permet à la technologie WiMAX d'assurer la couverture de zones rurales reculées. La figure 6.9 illustre l'architecture de la technologie WiMAX.

FIGURE 6.9

Architecture de la technologie WiMAX

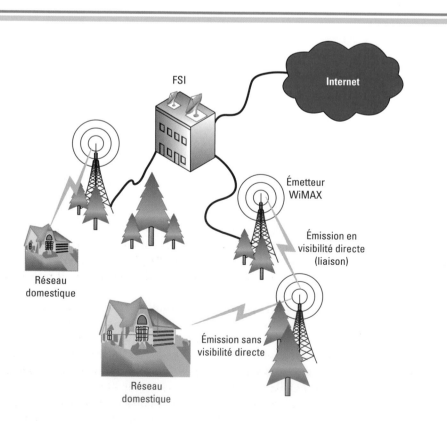

L'accès de style Wi-Fi sera limité à un rayon de 6 à 10 km (60 km² de couverture, ce qui est similaire à une zone de téléphone cellulaire). Grâce aux antennes en visibilité directe, plus puissantes, la station émettrice WiMAX enverra des données à des ordinateurs ou routeurs compatibles qui sont situés dans un rayon de 48 km autour de l'émetteur. C'est ce qui permet au WiMAX d'atteindre sa portée maximale. Parmi les avantages de cette technologie, citons une portée pouvant aller jusqu'à 48 km, un faible coût, une connexion sans fil à haut débit (jusqu'à 70 Mbit/s) et la capacité de fonctionner dans un environnement avec ou sans visibilité directe[31].

L'identification par radiofréquence

Les technologies d'**identification par radiofréquence (IDRF)** utilisent des étiquettes actives ou passives d'IDRF sous la forme de puces ou d'étiquettes intelligentes capables de stocker des identifiants uniques et de transmettre ces données à des lecteurs électroniques. Les **étiquettes d'identification par radiofréquence** sont constituées d'une puce et d'une antenne. Lorsqu'on appose une étiquette IDRF sur un article, celle-ci signale automatiquement par radio sa position à un des lecteurs IDRF situés dans les rayons, les caisses, les portes des quais de chargement et les chariots. Avec les étiquettes IDRF, l'inventaire se fait de manière automatique et continue. Les étiquettes IDRF permettent de réduire les coûts, dans la mesure où il faut moins d'employés pour numériser les articles; elles permettent aussi de fournir des données plus actuelles et précises à toute la chaîne d'approvisionnement. En moyenne, Walmart économise 8,4 milliards de dollars par année grâce à l'utilisation de l'IDRF pour bon nombre de ses opérations. La figure 6.10 illustre un exemple d'architecture IDRF.

FIGURE 6.10

Architecture IDRF

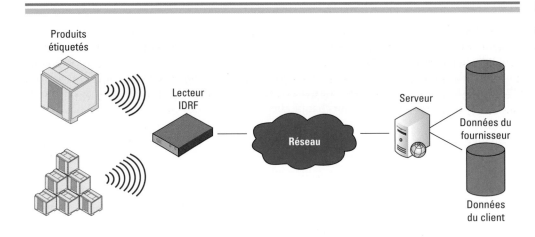

Les étiquettes IDRF représentent l'évolution des codes à barres, ces bandes omniprésentes sur le côté des colis qui fournissent les données de base sur le produit et le prix. Les étiquettes IDRF les plus simples, les étiquettes passives, n'ont pas besoin d'alimentation électrique interne. Les signaux radiofréquence provenant des lecteurs IDRF peuvent véhiculer un courant électrique suffisant pour alimenter le circuit intégré dans l'étiquette et transmettre une réponse. Le principal avantage est qu'il n'est plus nécessaire de balayer directement le code à barres apposé sur une caisse ou une palette pour en connaître le contenu; il suffit que l'étiquette se trouve à portée du lecteur (jusqu'à 18 m). De plus, les étiquettes IDRF peuvent transmettre beaucoup plus de données sur un produit, notamment le prix, le numéro de série et même la date et le lieu de fabrication.

L'intérêt pour l'IDRF découle principalement des mandats et des recommandations des organismes gouvernementaux et de quelques conglomérats du secteur privé.

Les technologies IDRF présentent des avantages pratiques à quiconque doit assurer le suivi de biens matériels. Elles permettent aux fabricants d'améliorer la planification et l'exécution de la chaîne d'approvisionnement. Les détaillants peuvent contrôler les vols, accroître l'efficience de leur chaîne d'approvisionnement et améliorer la planification de la demande. Ces technologies permettent aussi aux sociétés pharmaceutiques de lutter contre le commerce de médicaments de contrefaçon et de réduire les erreurs d'exécution d'ordonnances. Dans les ateliers d'usinage, on utilise l'IDRF pour assurer le suivi des outils ; on évite ainsi de les égarer et l'on sait quels outils ont été utilisés pour un travail donné. Les cartes à puce IDRF contribuent à contrôler l'accès périmétrique aux immeubles. Ces dernières années, et ce, en grande partie en raison des mandats de Walmart et du département de la Défense américaine, beaucoup de grandes chaînes de magasins et de fabricants de biens de consommation ont commencé à tester l'étiquetage des marchandises (dans le cas des palettes et des caisses) pour améliorer la gestion des expéditions[32].

Il y a de nombreuses différences entre les étiquettes IDRF et les codes à barres traditionnels. Si ces différences reflètent les avantages d'adopter cette technologie, elles soulèvent également des inquiétudes sur le plan de la confidentialité. Par exemple, avec la technologie actuelle du code à barres, un paquet de gommes Wrigley vendu à Edmonton a le même code à barres qu'un paquet vendu à Saint-Jean, Terre-Neuve. En revanche, avec l'IDRF, chaque paquet a un code d'identification unique qui peut être associé à l'acheteur du paquet si cette personne utilise un « système d'enregistrement des articles », comme une carte de fidélité ou une carte de crédit.

On peut alors savoir si cet acheteur revient dans le même magasin ou, plus troublant encore, s'il se rend dans un autre magasin équipé de lecteurs IDRF. On peut lire une étiquette IDRF de bien plus loin qu'un code à barres, et les lecteurs sont omnidirectionnels. Cela veut dire que si quelqu'un entre dans un magasin avec un paquet de gommes dans la poche ou dans un sac, le lecteur IDRF peut identifier ce paquet de gommes, l'heure et la date auxquelles il a été acheté, où il a été acheté et la fréquence à laquelle le client vient dans ce magasin. Si ce dernier a utilisé une carte de crédit ou une carte de fidélité pour acheter ce paquet de gommes, le fabricant et le magasin peuvent aussi relier ces données au nom, à l'adresse et au courriel du client, et lui envoyer des publicités ciblées de gommes pendant que celui-ci parcourt les allées, ou lui envoyer des courriels ou du courrier sur d'autres produits.

Si la technologie qui sous-tend l'IDRF progresse, c'est aussi le cas du potentiel d'atteinte à la vie privée. L'IDRF a déjà la capacité de déterminer la distance entre l'étiquette et le lecteur. Avec une telle technologie, il n'est pas difficile d'imaginer une situation dans laquelle le détaillant pourrait déterminer la position d'un client dans le magasin et lui envoyer des publicités ciblées d'après ses achats précédents (comme dans l'exemple des gommes). En effet, ce magasin pourrait créer un dossier personnel pour chaque client contenant des données sur ses achats précédents, ses habitudes d'achat et, pourquoi pas, ses comportements. La collecte de telles données serait jugée intrusive par beaucoup de consommateurs, et le risque que le magasin les vende à d'autres détaillants (un peu comme on vend ce type de profils dans le commerce électronique à l'heure actuelle) pourrait créer des vulnérabilités de données potentiellement dévastatrices. Si certains détracteurs de l'IDRF affirment que cette technologie peut conduire à une sorte de « Big Brother » des entreprises, la principale préoccupation de la plupart des gens, c'est que si l'on laisse l'IDRF se développer sans restrictions juridiques, on élimine la possibilité pour les consommateurs de refuser de fournir ces données aux détaillants[33].

On prend certaines mesures pour atténuer ces problèmes de confidentialité. Par exemple, dans une proposition récente, on exige que tous les produits étiquetés IDRF soient clairement identifiés. Cela permettrait aux consommateurs de choisir des produits sans IDRF ou, pour le moins, de savoir que les articles qu'ils choisissent sont suivis. Pour les personnes qui sont insatisfaites de cette divulgation d'information, on élabore de plus en plus de produits visant à limiter l'exposition aux produits étiquetés IDRF. Dans la mesure où l'IDRF devient à la fois plus intelligente et plus petite, ses possibilités d'utilisation sont infinies (*voir le tableau 6.8*). Si l'IDRF soulève certains dilemmes éthiques pour les opérations gouvernementales et commerciales, elle simplifie aussi la vie du commun des mortels. Lorsqu'on aura exploré davantage les possibilités dans le domaine de la médecine, les étiquettes IDRF ne seront plus utilisées uniquement pour la commodité et le profit, mais aussi pour sauver des vies[34].

Les défis de la mobilité des affaires

L'employé nomade est devenu la norme plutôt que l'exception, en raison de choix de mode de vie, de gains de productivité et d'améliorations technologiques. Si les réseaux sans fil présentent des avantages considérables, ils présentent aussi des défis tels que la protection contre le vol, la protection des connexions sans fil, la protection des appareils mobiles contre les virus et le traitement des préoccupations de confidentialité liées à l'IDRF et aux SBL (*voir la figure 6.11*).

TABLEAU 6.8 | Utilisations spéciales de l'IDRF

Utilisation de l'IDRF	Description
Empêcher les toilettes de déborder	On peut acheter des toilettes « intelligentes », qui s'arrêtent lorsqu'elles sont près de déborder. Selon AquaOne, les toilettes IDRF, outre le fait d'être pratiques, préviennent les risques sanitaires dans les établissements publics comme les hôpitaux et les maisons de soins infirmiers.
Identifier des restes humains	À la suite de l'ouragan Katrina, de nombreux corps n'ont jamais été retrouvés, malgré les recherches acharnées d'innombrables personnes. Grâce au VeriChip, on utilise désormais des étiquettes pour localiser les corps en vue de trouver les êtres chers. Cela permet d'identifier les cadavres pendant le transport, et les coroners sont maintenant en mesure de récupérer des parties du corps pour les enterrer là où il se doit.
Entrer dans les boîtes de nuit	Le Baja Beach Club de Barcelone propose l'implantation d'une étiquette IDRF dans le bras des membres qui souhaitent avoir un accès privilégié à cet établissement élitiste. L'étiquette sert aussi de carte de débit.
Assurer le suivi des meules de fromage	Pour suivre chaque étape et chaque manipulateur des meules jusqu'à leur vente, on appose une étiquette IDRF fixée sur la croûte. L'industrie fromagère connaît des problèmes de vol, de perte et même de contrefaçon. Si l'idée d'un marché noir du fromage semble initialement ridicule, il faut savoir qu'une seule meule de Parmesan peut valoir plusieurs centaines de dollars.
Délivrer des passeports	Plus de 100 gouvernements ont approuvé les passeports munis d'une puce, et cette technologie est déjà en cours d'utilisation. Si le gouvernement affirme qu'il s'agit d'améliorer la communication entre les organismes d'application de la loi, d'autres redoutent des répercussions plus sinistres. Le Canada a commencé à délivrer des passeports électroniques en juillet 2013, mais il en émet à titre d'essai depuis 2009 avec les passeports diplomatiques.

FIGURE 6.11

Défis de la mobilité des affaires

DÉFIS DES RÉSEAUX SANS FIL			
Protection contre le vol	**Protection des connexions sans fil**	**Protection des appareils mobiles contre les virus**	**Traitement des préoccupations de confidentialité liées à l'IDRF et aux SBL**
Exemple : Les appareils mobiles sont plus susceptibles d'être volés en raison de leur petite taille.	Exemple : Les connexions Wi-Fi doivent chiffrer les données.	Exemple : Les appareils mobiles ne sont pas immunisés contre les virus et doivent être protégés.	Exemple : L'IDRF et les SBL ont la capacité de partager la localisation d'une personne, ce qui peut susciter des préoccupations liées à la confidentialité.

La protection contre le vol

On peut se faire voler un appareil mobile, quelle que soit sa taille. L'entreprise fait face au risque de vol de noms d'utilisateurs, de mots de passe, de clés de chiffrement et de renseignements confidentiels si l'appareil mobile tombe entre de mauvaises mains ; surtout si le vol n'est ni découvert ni signalé immédiatement et que l'entreprise n'a pas le temps de bloquer l'accès aux systèmes.

Les mots de passe de démarrage (mots de passe au niveau du matériel qu'il faut saisir pour obtenir l'accès à l'ordinateur) sont la première ligne de défense contre les utilisations non autorisées. Les entreprises devraient activer ces mots de passe avant de remettre les appareils à leurs employés. Elles devraient également interdire le stockage de mots de passe sur les appareils et vérifier périodiquement l'observation de cette politique. Les entreprises doivent penser à chiffrer et à protéger par mots de passe les données stockées sur l'appareil, y compris les disques à mémoire flash et autres appareils mobiles de stockage. De plus, certains outils de gestion des appareils peuvent envoyer des messages à un appareil pour le bloquer ou pour détruire son contenu, le cas échéant, ce qui peut constituer une mesure de sécurité ultime.

La protection des connexions sans fil

Des intrusions peuvent se produire dans le réseau lorsque les codes d'accès ou les mots de passe sont stockés sur un appareil perdu ou volé. Toutefois, dès qu'un réseau sans fil se connecte à un réseau câblé, le réseau sans fil peut servir de porte d'entrée vers un réseau câblé sécurisé. Ce risque est particulièrement élevé lorsque le réseau sans fil n'est pas suffisamment sécurisé.

Avant l'avènement d'Internet, les pirates devaient généralement être physiquement présents dans l'entreprise pour obtenir l'accès à un réseau câblé. Les milliers, voire les millions, de points d'accès liés à Internet permettent désormais aux pirates de travailler à distance. Face à cette menace, on a élaboré tout un éventail de techniques de sécurité, des pare-feu aux RPV en passant par les protocoles SSL et HTTPS.

Il existe plusieurs techniques pour protéger les réseaux sans fil contre les accès non autorisés, qu'on peut utiliser soit ensemble, soit séparément. Une méthode consiste à authentifier les points d'accès Wi-Fi. Dans la mesure où les communications Wi-Fi sont des communications de diffusion, quiconque se trouve à portée d'écoute peut intercepter les communications. Chaque fois qu'une personne utilise un site Web non sécurisé au moyen d'un point d'accès Wi-Fi public, son nom d'utilisateur et son mot de passe sont envoyés en clair sur le réseau ; le risque est alors élevé que quelqu'un fasse de l'écoute électronique ou saisisse les noms d'utilisateur, mots de passe, numéros de carte de crédit et autres renseignements sensibles. La confidentialité équivalente aux transmissions par fil (système WEP) est un algorithme de chiffrement conçu pour protéger les données transmises par réseau sans fil. Si l'on utilise une connexion Wi-Fi, le système WEP chiffre les données au moyen d'une clé qui les convertit dans une forme non lisible par une personne. Le système WEP avait pour but de fournir aux réseaux sans fil un niveau de sécurité équivalent à celui des réseaux câblés. Malheureusement, il s'est avéré que la technologie qui sous-tend le système WEP est relativement peu sécurisée par rapport aux protocoles plus récents comme le protocole Wi-Fi Protected Access (WPA). Les RL sans fil qui utilisent le Wi-Fi sont dotés d'un mécanisme de sécurité intégré : il s'agit du WPA, un protocole de sécurité sans fil visant à protéger les réseaux Wi-Fi. C'est une version améliorée de la norme de sécurité Wi-Fi d'origine, le système WEP, qui permet un chiffrement des données et une authentification des utilisateurs plus perfectionnés. Quiconque souhaite utiliser un point d'accès doit connaître la clé de chiffrement pour accéder à la connexion Wi-Fi.

Le CraieFiti (*war chalking*) consiste à écrire à la craie sur le trottoir les codes signalant les accès Wi-Fi disponibles. Ces codes indiquent aux autres utilisateurs le type d'accès disponible, la vitesse du réseau et si le réseau est sécurisé ou non. Le trébuchage sans fil (*war driving*) consiste à chercher délibérément des signaux Wi-Fi lorsqu'on circule en voiture. Parmi les personnes qui participent au trébuchage sans fil, beaucoup se contentent de cartographier les réseaux Wi-Fi disponibles. D'autres, moins bien intentionnés, se servent du trébuchage sans fil pour pirater ces réseaux ou s'y introduire. Controversé depuis son apparition, le trébuchage sans fil est une pratique qui a sensibilisé le public à l'importance de la sécurité des réseaux sans fil.

La protection des appareils mobiles contre les virus

Le potentiel de contracter des virus sur les appareils mobiles devient une réalité. Il est désormais essentiel d'assurer la protection des appareils mobiles contre les virus. Tout appareil pouvant accéder à Internet ou recevoir des courriels est susceptible d'attraper un virus et de le transmettre aux autres appareils. Comme la plupart des appareils mobiles ont une mémoire limitée, on installe généralement les logiciels antivirus sur un PC ou un ordinateur portable auquel on raccorde physiquement l'appareil mobile pour effectuer l'analyse de virus. Le premier virus de téléphone mobile connu, Cabir, a fait son apparition il y a quelques années ; il n'a infecté que quelques téléphones compatibles Bluetooth, sans exécuter d'actions malveillantes. Ce virus est l'œuvre d'un groupe de développeurs de logiciels malveillants qui voulaient prouver que cette action était possible. Les développeurs ont envoyé Cabir à des chercheurs de logiciels antivirus pour qu'ils puissent commencer à élaborer une solution à un problème qui promet de s'aggraver. À l'heure actuelle, les virus de téléphone mobile causent peu de dégâts. Toutefois, si l'on ne prend pas les mesures de protection qui s'imposent, les virus de téléphone mobile pourraient causer autant de dégâts que les virus informatiques[35].

La meilleure façon de se protéger contre les virus de téléphone mobile, c'est d'appliquer la même règle que pour les virus informatiques : ne jamais ouvrir une pièce jointe qui semble douteuse. Une autre méthode consiste à désactiver le mode visible de Bluetooth. De cette manière, les autres appareils ne peuvent pas détecter l'appareil mobile et lui envoyer le virus. On peut également installer un logiciel de sécurité sur l'appareil mobile. Beaucoup de fabricants de téléphones mobiles, comme Nokia et Samsung, ont créé des logiciels de sécurité qui détectent et éliminent les virus, et protègent dès le départ les appareils contre certains virus.

Les préoccupations de confidentialité liées à l'identification par radiofréquence et aux services basés sur la localisation

Si la technologie progresse, c'est aussi le cas du potentiel d'atteinte à la vie privée. L'IDRF a déjà la capacité de déterminer la distance entre l'étiquette et le lecteur. Il n'est pas difficile d'imaginer une situation dans laquelle le détaillant pourrait déterminer la position d'un client dans le magasin et lui envoyer des publicités ciblées d'après ses achats précédents, ses habitudes et ses comportements d'achat. La collecte de telles données serait jugée intrusive par beaucoup de consommateurs, et le risque que ces données soient vendues à d'autres détaillants pourrait amener les consommateurs à refuser de fournir toute information aux détaillants.

On prend certaines mesures pour contrer ces problèmes de confidentialité. Par exemple, on pourrait exiger que tous les produits étiquetés IDRF soient clairement identifiés. Cela permettrait de signaler les articles suivis. Il y a aussi Kill Codes, une commande qui désactive les étiquettes IDRF lorsque le consommateur entre en contact avec elles. Autre mesure : RSA Blocker Tags, qui tente de régler les problèmes de confidentialité tout en préservant l'intégrité du produit. L'article ne peut être suivi que par le lecteur autorisé du magasin ; on ne peut donc pas suivre le consommateur en dehors du magasin où celui-ci a acheté cet article[36].

Les SBL peuvent suivre les objets comme l'IDRF. Certes, il est bénéfique d'assurer le suivi des personnes vulnérables et des biens de l'entreprise. Le revers de la médaille, ce sont les risques d'atteinte à la vie privée et à la sécurité liés à une géolocalisation indiscrète. Par exemple, si une entreprise utilise les SBL pour savoir où se trouve chaque employé pendant les heures de travail, elle ne doit pas observer leur position en dehors des heures de travail. Faire de la publicité auprès d'utilisateurs au hasard dans une zone spécifique peut constituer une violation de la vie privée si les utilisateurs nomades de cette zone ne souhaitent pas recevoir ces publicités. Les criminels pourraient aussi profiter d'une géolocalisation illégale. Et comme les SBL sont fondés sur un échange de messages dans un réseau sans fil, il y a toujours des risques liés à la sécurité dans la mesure où l'information relative à la localisation peut être volée, perdue ou modifiée.

Les mécanismes de sécurité doivent éliminer ou minimiser la possibilité d'attaque contre les entités de SBL et réduire l'exposition de l'identité et de la localisation des utilisateurs. Une des façons de résoudre le problème de confidentialité de la localisation consiste à définir des pratiques strictes en matière de confidentialité de manière à contrebalancer la nature invisible de la collecte de localisation dans le monde du sans-fil. Les politiques de SBL devraient préciser ce qui suit :

- L'utilisation à des fins de marketing direct n'est permise que pour l'entreprise (ou le service) avec laquelle l'utilisateur a un contrat.

- Les messages électroniques ne peuvent dissimuler l'identité de l'expéditeur.

- La sollicitation n'est autorisée que si l'utilisateur a donné son consentement au préalable.

- Le service de localisation doit informer l'utilisateur sur le type, la durée et l'objectif des données recueillies.
- L'utilisateur doit avoir la possibilité de rejeter toute tentative de marketing direct[37].

Pour les fournisseurs de services mobiles, les publicités non sollicitées peuvent conduire à une augmentation des coûts d'assistance à la clientèle. Lorsqu'un utilisateur a un problème avec un ordinateur, il essaie de le réparer lui-même. Toutefois, lorsqu'il a un problème avec un téléphone mobile, il contacte généralement le fournisseur de services. De plus, les abonnés qui reçoivent des messages non sollicités par l'entremise des SBL contacteront leur fournisseur de services mobiles pour se plaindre.

Grâce au pouvoir des réseaux, les gens d'entreprise peuvent partager des données et des ressources dans le monde entier. Grâce au pouvoir des réseaux sans fil, ils profitent d'une mobilité qui leur permet de travailler en tout lieu, en tout temps, au moyen de différents appareils.

Il est désormais courant de voir les gens travailler dans les aéroports, les restaurants, les magasins, les trains, les avions et les automobiles. Bientôt, même les villages reculés d'Afrique, d'Amérique du Sud et d'Asie auront accès à Internet ainsi qu'au pouvoir associé à l'utilisation des réseaux sans fil.

Les tendances des affaires mobiles

Les sièges d'avion, les tableaux de bord des automobiles, les appareils photo numériques, les kiosques dans les centres commerciaux, les campus et les hôtels, les gradins des stades, les calculatrices, les appareils électroménagers et les montres ne sont que quelques-uns des appareils mobiles et des lieux équipés de réseaux sans fil. Les images visionnaires d'hier font place à une réalité où la connectivité est quasi omniprésente. Les données en temps réel sont désormais monnaie courante, ce qui favorise des innovations révolutionnaires en éducation, dans le domaine du divertissement et des médias. Les prévisions contribuent à cerner les tendances mobiles émergentes et indiquent les façons dont les consommateurs et les entreprises en profiteront. Parmi ces tendances, citons l'utilisation généralisée des réseaux sociaux mobiles, davantage de choix d'appareils multifonctions et plus d'options de divertissement à domicile sans fil.

- Le réseautage social devient mobile. La mobilité s'ajoute aux modes d'affaires Internet, aux services et aux comportements existants, ce qui génère du trafic pour les exploitants de services sans fil. Les adolescents et les personnes dans la vingtaine, habitués à une connectivité constante et aux sites Web qui engendrent une dépendance comme Twitter et Facebook, provoquent une vague d'abonnements aux réseaux sociaux mobiles. Les SBL de réseautage social, notamment les services de recherche d'amis et d'événements, gagnent en popularité, même dans les segments des professionnels et des plus de 50 ans. Les applications de réseautage social sont préchargées sur beaucoup d'appareils mobiles à l'achat ou deviennent téléchargeables par la suite.
- La télévision mobile. Les câblodistributeurs et les radiodiffuseurs traditionnels sont désormais en concurrence avec Internet. La nouvelle tendance qui se dessine est la nécessité de s'abonner au contenu de l'application du télédiffuseur ou du radiodiffuseur auprès du câblodistributeur ou du FSI. Les diffuseurs traditionnels croisent le fer avec les fournisseurs de contenu sur le plan du contrôle de la relation avec l'abonné et de l'expérience utilisateur.
- Les appareils multifonctions deviennent moins chers et plus polyvalents. La concurrence féroce et la pression sur les marges qui s'exercent sur le marché des téléphones mobiles entraîneront des prix inférieurs à 100 $ pour les appareils 4G, ce qui les rendra abordables pour un large éventail d'utilisateurs. En cherchant à reproduire le succès des téléphones-appareils photo, les fabricants produiront davantage d'appareils multifonctions avec des capacités de lecture de musique, de géolocalisation, de vidéo, etc.
- Les SBL. Le GPS est la technologie de géolocalisation par excellence de l'industrie sans fil. Tandis qu'évolue la technologie des systèmes populaires de navigation par satellite comme TomTom, les fabricants de téléphones mobiles continueront de promouvoir l'adoption de la technologie GPS comme fonctionnalité largement répandue des téléphones mobiles.

Grâce à la bande passante disponible pour soutenir les nouveaux services multimédias, les fournisseurs de SBL atteignent une masse critique. Dans la mesure où il y a 10 à 20 fois plus de téléphones mobiles vendus que tout autre appareil électronique grand public, le sans-fil est un puissant moteur pour l'adoption du GPS.

- **La publicité mobile.** Les grandes marques délaissent le marketing par SMS pour se concentrer sur une publicité multimédia plus élaborée. RBC Marché des Capitaux s'attend à ce que les revenus de marketing mobile s'envolent. Dans la mesure où elles ont la capacité technologique de cibler et de mesurer l'efficacité de la publicité mobile, les marques adoptent une approche plus stratégique. Les contenus riches, les services vidéo et l'amélioration de la précision des SBL procurent encore plus de valeur aux marques qui ciblent les clients existants et potentiels de façon innovante.

- **Les fournisseurs de services sans fil s'attaquent au divertissement à domicile.** Les fournisseurs de services sans fil réalisent des progrès par rapport aux fournisseurs de services fixes haut débit, qui dominaient jusqu'ici la prestation de services Internet et téléphoniques à domicile peu onéreux. Le Wi-Fi demeurera la principale technologie d'accès sans fil. Les fournisseurs de services fixes pourraient bénéficier des capacités Wi-Fi des appareils électroniques grand public (boîtes numériques, consoles de jeu et lecteurs MP3) qui permettent un téléchargement de contenu efficace par rapport au coût.

- **La sécurité des réseaux sans fil passe au premier plan.** Il est indispensable de mettre en place des mesures de sécurité rigoureuses. On atteint peut-être le moment critique où les pirates commenceront réellement à s'intéresser aux millions d'appareils sans fil, à la croissance de l'utilisation de données mobiles et aux points vulnérables entre les réseaux mobiles et fixes. Les directeurs des systèmes d'information citent régulièrement la sécurité comme étant leur préoccupation majeure lorsqu'il s'agit d'étendre l'accès au réseau aux appareils sans fil. Les attaques, les virus et la sécurité des données sont plus préoccupants que les pertes ou les vols. Les services, comme la VoIP et les paiements par appareil mobile, présentent des défis supplémentaires. Les vulnérabilités ont une incidence directe sur le résultat net, l'image, la conformité réglementaire et l'avantage concurrentiel de l'entreprise.

- **La mobilité de l'entreprise.** Les entreprises profitent des solutions mobiles groupées qui arrivent sur le marché : elles sont pratiques, fiables et avantageuses en ce qui concerne les prix. Les sociétés adoptent des solutions mobiles pour les transactions, la collecte de données et la messagerie pour différentes catégories d'employés. De nombreux processus de communications vocales, comme les commandes et les avis de livraison, les opérations de répartition et la surveillance des biens à distance, continuent à passer aux données sans fil.

RETOUR SUR LA MISE EN CONTEXTE

L'Ironman

6. Comment la WTC utilise-t-elle les technologies mobiles (cellulaires) pour améliorer ses opérations ?

7. Comment la WTC utilise-t-elle les technologies satellites pour améliorer ses opérations ?

8. Expliquez comment la WTC utilise les technologies sans fil WiMAX et IDRF dans le contexte de ses opérations. Dans quelle mesure ces technologies créent-elles de la valeur pour l'entreprise ?

9. Nommez les dilemmes liés à l'éthique et à la sécurité auxquels la WTC fait face lorsqu'elle utilise les technologies sans fil pour ses opérations.

Ce chapitre visait à présenter un aperçu détaillé des différentes technologies de télécommunications utilisées dans les organisations de nos jours. On a notamment abordé la VoIP, les réseaux d'entreprise, la sécurité des réseaux, le Wi-Fi et les technologies mobiles. Les organisations utilisent ces technologies dans les applications des systèmes d'information qu'elles mettent au point. En tant qu'étudiant dans un domaine lié aux affaires, vous devez comprendre les technologies disponibles et la façon dont les entreprises peuvent en tirer parti dans leurs opérations stratégiques quotidiennes et à long terme. Plus précisément, on a décrit dans ce chapitre :

■ Les différents types de réseaux et leur rôle dans le partage de données.

Il existe notamment des réseaux de type RL, RE et RM. Les réseaux permettent aux organisations de partager des données avec les clients et les fournisseurs. C'est ce partage de données, et non l'infrastructure de réseau en soi, qui présente le plus d'avantages pour les entreprises. En ce sens, les réseaux sont des facteurs de succès pour les entreprises.

■ L'utilisation des réseaux et des télécommunications en entreprise, notamment la VoIP, le réseautage des entreprises, l'accroissement de la vitesse des affaires et la façon de relever les défis associés à la protection des réseaux d'entreprise.

La VoIP favorise l'élaboration et le déploiement de nouvelles applications d'affaires et permet de réaliser des économies substantielles, ainsi que des gains de productivité pour les organisations et des améliorations de service pour les clients. Les infrastructures de réseau comme les RVA et les RPV allègent le fardeau des organisations lorsqu'il s'agit de mettre en place leurs propres infrastructures de réseau. De plus, elles contribuent à surmonter de nombreux obstacles liés à l'utilisation des technologies de télécommunications conventionnelles. Les organisations doivent bien sécuriser leurs réseaux, qui sont une cible de choix pour les méfaits et la fraude.

■ Les facteurs d'adoption des technologies mobiles et l'utilisation des technologies cellulaires en entreprise.

Les technologies mobiles permettent aux organisations d'accroître la productivité, d'augmenter la vitesse de commercialisation et de réduire les coûts de fonctionnement. Grâce à ces technologies, on trouve de nouvelles façons innovantes de faire des affaires. Parmi les technologies cellulaires populaires auprès des entreprises, citons les tablettes, les téléphones intelligents et les appareils Bluetooth.

■ L'utilisation des technologies satellites en entreprise et la façon dont les SBL, le GPS et le SIG contribuent à créer de la valeur pour l'entreprise.

Les satellites et les émetteurs hyperfréquences offrent aux entreprises un moyen efficace par rapport au coût de transmettre de grandes quantités de données sur de très longues distances. Les SBL, comme le système GPS, permettent de connaître la position d'une personne ; de cette manière, on peut adapter l'offre de nouvelles applications d'entreprise, comme les SIG, à la position de cette personne.

■ L'utilisation des technologies Wi-Fi, WiMAX et IDRF en entreprise et les autres tendances des affaires mobiles.

Les nouvelles technologies sans fil, comme les technologies Wi-Fi, WiMAX et IDRF, favorisent l'utilisation et le développement d'applications d'affaires mobiles qui facilitent la vie des clients et améliorent les opérations des entreprises. Les tendances des affaires mobiles, comme le réseautage social mobile, la télévision mobile, la publicité mobile, ainsi que la mise au point d'appareils mobiles moins chers et plus polyvalents, préparent le terrain pour un développement et une utilisation accrus des applications mobiles pour les entreprises.

Des vélos sans fil

Ce cas illustre une utilisation novatrice des technologies IDRF, GPS et Wi-Fi en entreprise.

Les programmes de vélopartage sont à la mode dans de nombreux pays depuis des années, mais ils commencent tout juste à s'implanter aux États-Unis; un phénomène largement motivé par le désir de fournir des moyens de transport propres pour les navetteurs et les touristes dans les zones urbaines. À Denver, dans le Colorado, Denver B-cycle offre un des plus vastes programmes de vélopartage aux États-Unis. L'entreprise possède plus de 500 vélos, tous de la marque Trek, qui sont disponibles dans plus de 50 relais-vélos, ou de « B-stations », comme on les appelle à Denver. Chaque B-station fonctionne au moyen de différentes technologies sans fil, comme l'IDRF, le GPS et le Wi-Fi, et comporte plusieurs stations d'ancrage pouvant contenir de 5 à 25 vélos. Le nombre de vélos par station dépend de l'usage anticipé.

Les utilisateurs peuvent accéder aux vélos de différentes façons. Une de ces façons consiste à utiliser la machine kiosque de la B-station pour déverrouiller un vélo à l'aide d'une carte de crédit. Cette méthode a la faveur des personnes qui utilisent le service ponctuellement et à court terme. L'utilisateur reçoit un laissez-passer valable pour une location de 24 heures. Une autre option consiste à acheter une carte de membre hebdomadaire, mensuelle ou annuelle, soit en ligne soit au kiosque de la B-station. C'est une bonne option pour les personnes qui comptent utiliser les vélos régulièrement. Les membres reçoivent une carte IDRF qui leur permet de prendre n'importe quel vélo disponible dans les B-stations de la ville. Les membres peuvent aussi télécharger une application iPhone qui présente l'avantage de leur permettre d'utiliser leur appareil pour déverrouiller et localiser les vélos.

Une fois que l'utilisateur a choisi un vélo en utilisant son laissez-passer d'une journée, sa carte de membre IDRF ou son application iPhone, la transaction doit être validée pour que le vélo soit déverrouillé. Cela se fait au moyen de lecteurs IDRF et d'appareils Wi-Fi qui valident la transaction auprès de la base de données principale de l'entreprise. Le lecteur IDRF récupère le numéro d'identification encodé dans l'étiquette IDRF fixée au vélo. Ensuite, il transmet ce numéro à la base de données centrale de l'entreprise au moyen d'une connexion Wi-Fi. De cette manière, le système sait quel vélo associer à quel utilisateur. Une fois que la transaction est validée, un bip et une lumière verte signalent à l'utilisateur que le vélo choisi est déverrouillé et prêt à l'emploi. Lorsque l'utilisateur veut rendre le vélo, il lui suffit de trouver un point d'ancrage libre dans une B-station et de faire rouler le vélo en position de verrouillage. Un bip et une lumière verte signalent que le vélo a été verrouillé de façon sécuritaire, le lecteur IDRF enregistre le numéro d'identification de l'étiquette du vélo, et le transmet à la base de données de l'entreprise pour conclure la transaction.

Chaque vélo est non seulement muni d'une étiquette IDRF, mais aussi d'une unité GPS qui enregistre l'itinéraire emprunté par l'utilisateur. Lorsque ce dernier rend le vélo, l'information est téléversée dans la base de données de l'entreprise, ainsi que le numéro d'identification de l'étiquette du vélo. Ces données permettent à Denver B-cycle de connaître les itinéraires les plus empruntés par ses utilisateurs et de collaborer avec les commerçants de Denver en vue de cibler les offres de produits ou services aux membres, d'après leurs trajets quotidiens. Par exemple, un café pourrait envoyer par courriel un coupon à un utilisateur qui passe chaque jour devant l'établissement. Les unités GPS contribuent également à protéger l'entreprise si un utilisateur ne rend pas un vélo ou qu'un vélo est volé. Denver B-cycle peut utiliser les systèmes basés sur la localisation pour trouver le vélo « manquant »[38].

Questions

1. Quels sont les avantages d'un réseau sans fil pour Denver B-cycle?

2. Quels sont les défis d'un réseau sans fil pour Denver B-cycle?

3. Quelle information, qui n'est pas décrite dans ce cas, Denver B-cycle peut-elle utiliser avec les données IDRF et SBL?

4. Comment Denver B-cycle pourrait-elle utiliser d'autres technologies de réseau câblé ou sans fil pour obtenir un avantage concurrentiel?

Le géoblogage pour les chimpanzés et plus

Ce cas illustre l'emploi des données basées sur la localisation et les géodonnées pour modifier les modes d'utilisation des cartes géographiques.

Enfant, Jane Goodall adorait Tarzan et Docteur Dolittle, et elle rêvait de vivre en Afrique parmi les chimpanzés sauvages. L'Institut Jane Goodall poursuit les recherches révolutionnaires du Dr Goodall sur les chimpanzés, qui ont fondamentalement changé la façon dont les gens perçoivent ces animaux sauvages. En utilisant Google Earth, on peut désormais zoomer directement dans le parc national de Gombe Stream en Tanzanie pour observer les interactions incroyables entre les chimpanzés. Des blogues innovants comme le géoblogue de Google Earth permettent aux utilisateurs de cliquer tout simplement sur une entrée qui, dans le cas du blogue de l'Institut, provoque la rotation de l'image du globe vers l'Afrique orientale, puis un zoom lent sur le parc, ce qui permet aux utilisateurs de voir des images satellites des animaux. L'Institut Jane Goodall a été le premier à créer un géoblogue Google de ce genre[39]. On peut consulter le blogue de l'Institut à www.janegoodall.org/blogs-publications.

Google a progressivement introduit les géoblogues en 2007 et possède un blogue « géo » officiel intitulé « Google Lat Long Blog », qui décrit toutes les nouvelles façons d'utiliser les géodonnées. Par exemple, un billet publié en avril 2014 présente certaines utilisations permettant d'observer un lieu sur une certaine durée. Imaginez que vous êtes à New York près de la Freedom Tower et que vous voulez voir les étapes de la construction de cet édifice. Vous pouvez utiliser le GPS de votre téléphone intelligent pour indiquer votre position, puis les images de Street View de Google Maps pour remonter dans le temps et voir des images antérieures du même lieu. Pour le parc national de Gombe Stream, les scientifiques de l'Institut Jane Goodall utilisent Google Maps et Google Earth sur leurs téléphones intelligents et leurs tablettes Android pour surveiller les changements survenus dans l'habitat susceptibles de toucher les populations de chimpanzés[40].

La capacité d'associer Google Maps à des sources multiples de données présente de nombreuses options sur le plan de ce qui peut être cartographié et la façon dont on peut afficher ces cartes. En créant de nouvelles interfaces et en les rendant disponibles sur les plateformes mobiles, on crée de nombreuses possibilités pour les technologies de cartographie, qu'il s'agisse d'une simple carte sur un site Web ou de cartes de densité de clics ou de graphiques d'information élaborés. Citons par exemple une carte toute simple pour guider les messieurs jusqu'aux toilettes du campus de l'Université Syracuse ou une carte interactive des États-Unis qui montre le pourcentage de la population de plus de 25 ans ayant terminé ses études secondaires[41].

Questions

1. Imaginez ce qu'on pourrait faire avec Google Earth si l'on ajoutait le GPS. Quels autres types de recherches pourrait-on faire à l'aide du GPS ?

2. Comment les organisations sans but lucratif pourraient-elles utiliser les géoblogues et le GPS pour appuyer leur cause ?

3. Comment une entreprise pourrait-elle utiliser Google Earth et le GPS pour obtenir un avantage concurrentiel ?

4. Existe-t-il des préoccupations liées à l'éthique ou à la sécurité inhérentes à ce type de géoblogue ?

Le choc des titans

Ce cas illustre l'utilisation des technologies Wi-Fi pour aider les entraîneurs et les arbitres à déterminer la force d'impact entre les joueurs pendant les matchs ou les entraînements.

Depuis plusieurs années, de nombreuses équipes de la Ligue nationale de football (NFL) utilisent des appareils sans fil pour les communications entre les joueurs et les entraîneurs. Désormais, on peut utiliser de nouveaux appareils pour évaluer la gravité des impacts à la tête que subissent les joueurs. En 2010, les Bears de Chicago, les Cowboys de Dallas et les Jaguars de Jacksonville ont installé, dans les casques des joueurs, des capteurs Wi-Fi qui envoient des données aux lignes de touche chaque fois qu'un joueur subit un impact ou un tacle. Les capteurs sont programmés pour détecter les impacts violents et, le cas échéant, déclencher la consigne de faire sortir le joueur pour que celui-ci soit examiné.

Les capteurs, semblables à des guimauves, sont coincés entre le rembourrage et la coque du casque. Chaque capteur peut mesurer l'accélération de la tête du joueur pendant un impact et déterminer la direction, la durée, l'emplacement sur la tête, l'ampleur et le moment de l'impact. Dès que le casque du joueur reçoit un choc, les capteurs transmettent les données aux membres du personnel sur les lignes de touche, qui utilisent des tablettes et des téléphones intelligents pour recevoir cette information. Si les données indiquent que la force de l'impact dépasse un certain seuil, un appareil mobile l'allume, alertant ainsi le personnel qu'il faut évaluer l'état du joueur. Selon les nouvelles règles relatives aux blessures de la NFL, un joueur qui présente tout symptôme de commotion doit quitter le terrain pour la journée[42].

Ces capteurs commencent à être utilisés dans les casques des joueurs de football universitaires et des jeunes joueurs. Au Canada, les Mustangs de l'Université Western sont les premiers, toute équipe de professionnels ou d'amateurs confondus, à commencer à utiliser ces capteurs. Greg Marshall, entraîneur en chef des Mustangs, a accepté de participer à une étude pendant la saison 2013. Dans ce contexte, on a équipé les casques des joueurs d'un dispositif qui mesure la force g en cas d'impact à la tête. Ce dispositif, de fabrication canadienne, est un appareil discret de la taille d'un domino qu'on fixe à l'intérieur du casque. Cette étude vise à trouver des solutions pour réduire le nombre de commotions[43].

Aujourd'hui, on craint que ces appareils deviennent l'alpha et l'oméga de la prévention des blessures à la tête, et qu'on en devienne dépendant. «Ces technologies peuvent être utiles si on les utilise de façon mesurée : il s'agit de ne pas surinterpréter ce qu'elles nous disent», affirme le Dr Jeffrey Kutcher, directeur du programme NeuroSport de l'Université du Michigan. «Il pourrait être très dangereux de trop s'y fier.» Au cours des tests, il est arrivé que les capteurs ne se déclenchent pas, même si les conditions de déclenchement étaient réunies; cela pourrait se solder par des commotions non détectées chez les joueurs[44].

Questions

1. Quelles sont les autres utilisations possibles des appareils sans fil pour prévenir les blessures ?

2. Est-ce que toutes les équipes de football, qu'il s'agisse des équipes professionnelles, universitaires ou récréatives, devraient installer des capteurs sans fil dans les casques des joueurs ? Pourquoi ?

3. Devrait-on commencer à utiliser cette technologie dans d'autres sports, comme le hockey et le cyclisme ? Pourquoi ?

4. Selon vous, comment doit-on former les entraîneurs et le personnel de manière à ce qu'ils n'utilisent pas ces appareils comme principal indicateur d'une blessure à la tête potentielle ?

MES DÉCISIONS D'AFFAIRES

1. La condition physique sans fil

Le club de condition physique Sandifer est situé dans la province de la Colombie-Britannique. Rosie Sandifer possède et exploite ce club depuis 20 ans. Le club comporte 3 piscines extérieures, 2 piscines intérieures, 10 courts de racquetball, 10 courts de tennis, une piste intérieure et extérieure, ainsi qu'un édifice de 4 étages qui contient des salles d'appareils d'entraînement et de massothérapie. La propriétaire vous a engagé comme stagiaire d'été spécialisé dans les TI. À l'heure actuelle, Mme Sandifer utilise quelques ordinateurs au Service de comptabilité et deux autres avec un accès Internet pour les autres employés. Votre première mission consiste à rédiger un rapport détaillé sur les réseaux et les technologies sans fil. Dans votre rapport, vous devez expliquer l'avantage concurrentiel que le club obtiendrait si un réseau sans fil était installé. Si Mme Sandifer aime votre rapport, elle vous engagera à temps plein à titre de responsable des TI. Assurez-vous d'inclure les différentes façons dont le club pourrait utiliser les appareils sans fil en vue d'améliorer ses opérations.

2. Un accès sécurisé

Les organisations qui avaient traditionnellement recours à des systèmes fermés et privés commencent à s'intéresser au potentiel d'Internet comme ressource de réseau prête à l'emploi. Internet est peu onéreux, et il est omniprésent dans le monde : chaque prise de téléphone est une connexion potentielle. Toutefois, Internet n'est pas toujours sécurisé. Quels obstacles les organisations doivent-elles surmonter pour assurer des connexions réseau sécurisées ?

3. L'intégration des mondes sans fil

Tele-Messaging est un service de messagerie Internet sans fil intégré de nouvelle génération qui offre des services aux FSI, aux entreprises des télécommunications et aux sociétés de portails. Selon une étude réalisée par Tele-Messaging, la raison pour laquelle 90 % des gens vont en ligne, c'est pour consulter leurs courriels. Toutefois, le défi de Tele-Messaging consiste à trouver le moyen d'attirer et de fidéliser les clients. La perspective d'obtenir des appels gratuits ne suffit pas à les convaincre de s'abonner : ils veulent des services supplémentaires assurés par une technologie dernier cri pour obtenir l'information qu'ils veulent, quand ils veulent, où ils veulent et comme ils veulent. Nommez les infrastructures nécessaires pour assurer une technologie fiable, disponible et évolutive, comme le souhaitent les clients de Tele-Messaging.

4. Les voies d'acheminement

Mary Conzachi travaille au Service de planification de Loadstar, une grosse société de transport par camion et par chaland en Ontario et au Québec. Elle a examiné différents systèmes pour assurer le suivi de la position des camions et des chalands afin que l'entreprise puisse mieux diriger ses expéditions et répondre plus rapidement aux demandes des clients. La principale préoccupation de Mary, ce sont les camions; les chalands sont lents et mettent des semaines à acheminer les marchandises. Elle estime qu'il est beaucoup plus difficile d'assurer le suivi du transport routier. Mary a recueilli de l'information sur différents produits susceptibles de l'aider à assurer le suivi des camions. Par exemple, le service GPS utilisé pour la navigation aérienne et maritime permettrait à Loadstar de connaître la position exacte d'un camion. Loadstar aurait besoin d'un système capable d'identifier le camion et d'envoyer les données d'identification et GPS au siège social de la société. Une autre possibilité consiste à utiliser un téléphone cellulaire pour surveiller le suivi de chaque camion; il conviendrait alors que le chauffeur appelle à certaines heures. Mary affirme qu'elle n'a pas besoin de connaître la latitude et la longitude du camion. Si le chauffeur lui dit qu'il se trouve à telle sortie de l'autoroute 20, cette information lui suffit. Quelle solution recommanderiez-vous? Expliquez votre réponse.

5. L'analyse de réseaux

Global Manufacturing envisage d'installer une nouvelle application technologique. L'entreprise souhaite traiter les commandes dans un endroit centralisé avant de répartir la production entre ses différentes usines. Chaque usine sera responsable de ses systèmes d'ordonnancement de la production et de contrôle. Les données relatives à la production en cours et aux assemblages finis seront transmises à l'endroit centralisé qui traite les commandes.

Dans chaque usine, Global utilise des ordinateurs qui exécutent des applications courantes, comme la paie et la comptabilité. Les systèmes d'ordonnancement de la production et de contrôle seront gérés par un progiciel installé sur un nouvel ordinateur réservé à cette application. Global a des systèmes de haut niveau pour la transmission de données de l'ordinateur central aux usines, ainsi que pour la transmission de données des usines à la planification centrale.

Le Service des systèmes de Global vous a engagé comme consultant pour réaliser une analyse plus poussée. Quel type de configuration informatique semble le plus approprié? Quel type de réseau de transmission faut-il? Quelles données faut-il recueillir? Préparez un plan qui illustre l'information que Global doit développer pour établir ce système de télécommunications. L'entreprise doit-elle utiliser un réseau privé ou peut-elle atteindre ses objectifs au moyen d'Internet?

NOTES DE FIN DE CHAPITRE

1. Repéré le 7 mai 2014 à www.ironman.com; repéré le 23 septembre 2011 à http://timepoint.mylaps.com/about. jsf; repéré le 23 septembre 2011 à www.mylaps.com/ index.php/us_eng/Websites/home; repéré le 7 mai 2014 à www.sportstats.ca/about.xhtml

2. CBC reveals Sochi olympics coverage plans (2013, 13 octobre). Repéré le 12 mars 2015 à www.cbc.ca/sports/ cbc-reveals-sochi-olympics-coverage-plans-1.2287312; CBC announces broadcast plans for the Sochi 2014 Olympic Winter Games starting February 6 on CBC (2014, 9 janvier). Repéré le 12 mars 2015 à www.cbc.ca/ mediacentre/cbc-announces-broadcast-plans-for-the-sochi-2014-olympic-winter-games-starting-february-6-on-cbc.htm

3. Who we are. (s.d.). Repéré le 23 septembre 2011 à www.sabreairlinesolutions.com/about/; About us. (s.d.). Repéré le 23 septembre 2011 à www.sabre-holdings. com/aboutUs/index.html

4. Repéré le 6 mai 2014 à www.shaw.ca/wifi/

5. Repéré le 8 avril 2010 à www.voipchoices.com/voip-canada.html

6. Rip curl turns to Skype for global communications. (2006, 7 juillet). Repéré le 21 janvier 2008 à www.voipinbusiness. co.uk/rip_curl_turns_to_skype_for_gl.asp; Davison, Scott. (2008, 26 novembre). Case study—Rip curl. Repéré le 23 septembre 2011 à http://blogs.skype.com/business/ 2008/11/case_study_rip_curl.html

7. VoIP business solutions. (s.d.). Repéré le 28 juin 2010 à www.vocalocity.com

8. Repéré le 4 juin 2014 à https://support.skype.com/en/faq/ FA631/can-i-disable-particular-features-of-skype

9. Repéré le 23 février 2008 à www.rei.com

10. De Argaez, Enrique. (s.d.). What you should know about Internet broadband access. Repéré le 23 septembre 2011 à www.internetworldstats.com/articles/art096.htm

11. Broadband technology overview. (2005, juin). Repéré le 23 septembre 2011 à www.corning.com/docs/ opticalfiber/wp6321.pdf

12. Repéré le 14 août 2013 à www.cbc.ca/news/technology/story/2013/07/17/technology-gigabit-internet-olds.html ; Barefoot, Darren. (2013, 6 juillet). Is Canada missing out on a gigabit Internet future? *Vancouver Sun.* Repéré le 19 août 2013 à www.vancouversun.com/technology/Canada+missing+gigabit+Internet+future/8713981/story.html ; repéré le 19 août 2013 à www.o-net.ca/manage/ ; Gignac, Tamara. (2013, 24 juillet). Superfast Web service puts olds on world map. *Calgary Herald.* Repéré le 19 août 2013 à www.calgaryherald.com/news/alberta/Superfast+service+puts+Olds+world/8703980/story.html

13. Fresh snack facts: Insights into food and beverage vending. (2011, 1er avril). Repéré le 28 septembre 2011 à http://tapmag.com/2011/04/01/fresh-snacks-fast-insights-into-food-and-beverage-vending/

14. Cooper, Scott. (2006, octobre). Navigating the mobility wave. Repéré le 23 septembre 2011 à www.busmanagement.com/article/Navigating-the-mobility-wave/ ; Conway, Kevin. What is your company's mobile strategy? (2011, 10 mai). Repéré le 28 septembre 2011 à http://blog.savvis.net/2011/05/what-is-your-companys-mobile-strategy.html

15. WestJet announces new mobile check-in option. (2007, 17 mai). Repéré le 23 septembre 2011 à www.flyertalk.com/forum/westjet-frequent-guest/694168-westjet-announces-new-mobile-check-option.html ; repéré le 23 septembre 2011 à www.aircanada.com/en/travelinfo/traveller/mobile/mci.html

16. Repéré le 7 mai 2014 à https://squareup.com/ca

17. Pramis, Joshua. (2013, 28 février). Number of mobile phones to exceed world population by 2014. Repéré le 14 mars 2014 à www.digitaltrends.com/mobile/mobile-phone-world-population-2014/#!zFyGe ; Maylie, Devon. (2013, 11 novembre). Sub-Saharan Africa's mobile-phone growth faces challenges. Repéré le 14 mars 2014 à http://online.wsj.com/news/articles/SB10001424052702303914304579191500020741652

18. How cell phones work. (s.d.). Repéré le 23 septembre 2011 à www.howstuffworks.com/cell-phone.htm

19. Repéré le 14 août 2014 à http://network.bell.ca/en/ ; repéré le 14 août 2014 à https://mobility.telus.com/en/AB/network/index.shtml

20. Tung, Liam. (2013, 6 août). One in every five tablets will be an enterprise device by 2017. Repéré le 14 mars 2014 à www.zdnet.com/one-in-every-five-tablets-will-be-an-enterprise-device-by-2017-7000019038/ ; Bring your own PC doesn't. (2011, 24 mars). Repéré le 28 septembre 2014 à www.zdnet.com/blog/btl/enterprise-tablet-adoption-picks-up-steam-bring-your-own-pc-doesnt/46481

21. Güngör, V. Cagri et Lambert, Frank C. (2006, 15 mai). A survey on communication networks for electric system automation. *The International Journal of Computer and Telecommunications Networking.* p. 877-897.

22. United States Government Accountability Office. (2009, 7 mai). Global positioning system: Significant challenges in sustaining and upgrading widely used capabilities. GAO-09-670T ; United States Government Accountability Office. (2014, 21 février). Global positioning system: Significant challenges in sustaining and upgrading widely used capabilities. (2009, 30 avril). GAO-09-325; US Air Force launches new GPS satellite. (2014, 21 février). Repéré le 14 mars 2014 à www.space.com/24767-gps-satellite-launch-success-delta4-rocket.html

23. CenterCup releases PDA caddy to leverage legalized golf GPS. (2006, 23 février). Repéré le 23 septembre 2011 à www.golfgearreview.com/article-display/1665.html

24. Repéré le 10 février 2008 à www.onstar.com

25. McGinnis, Laura. (2006, 1er août). Keeping weeds in check with less herbicide. Repéré le 23 septembre 2011 à www.ars.usda.gov/is/AR/archive/aug06/weeds0806.htm

26. Repéré le 7 février 2008 à www.gis.rgs.org/10.html

27. Tedeschi, Bob. (2010, 22 juin). Trying out Wi-Fi in the sky. Repéré le 28 septembre 2011 à http://travel.nytimes.com/2010/06/27/travel/27Prac.html ; New inflight entertainment system and WI-FI on WestJest (2014, 14 février). Repéré le 25 mars 2015 à http://blog.westjet.com/new-inflight-entertainment-wifi-on-westjet

28. Dobby, Christine. (2013, 27 mai). Bell introduces wireless IPTV in bid to win subscribers from competitors. Repéré le 10 mai 2014 à http://business.financialpost.com/2013/05/27/bell-introduces-wireless-iptv-in-bid-to-win-subscribers-from-competitors/?__lsa=e724-1981 ; repéré le 10 mai 2014 à www.telus.com/content/tv/optik/clients/

29. Smaoui, Mahdi. (2007, 7-9 mai). Case study: WiMAX in rural and remote areas: Netago wireless–special areas in Alberta, Canada. ITU-D Q10 2/2. Rapporteur's meeting. Geneva, Switzerland ; Wireless broadband. (s.d.). Repéré le 30 septembre 2011 à www.netago.ca/Wireless_Broadband.aspx ; WiMAX activity in Canada. (2011, 4 avril). Repéré le 30 septembre 2011 à www.crc.gc.ca/en/html/crc/home/info_crc/publications/wimax_2007/wimax_2007

30. Pareek, Deepak. (2006). WiMAX: Taking wireless to the MAX. *CRC Press.* p. 150-151.

31. Repéré le 28 septembre 2001 à www.wimax.com

32. Dortch, Michael. (2007, 31 décembre). Winning RFID strategies for 2008. *Benchmark Report.*

33. *Ibid.*

34. RFID Roundup. (s.d.). Repéré le 28 juin 2010 à www.rfidgazette.org

35. RFID Security Alliance. (s.d.). Repéré le 4 juin 2014 à www.rfidsa.com/ ; Mobile malware evolution: An overview. Part 1. (2006, 29 septembre). Repéré le 28 juin 2010 à www.securelist.com/en/analysis/200119916/Mobile_Malware_Evolution_An_Overview_Part_1

36. RFID privacy and you. (s.d.). Repéré le 28 juin 2010 à www.theyaretrackingyou.com/rfid-privacy-and-you.html

37. RFID Security Alliance. (s.d.). Repéré le 15 juin 2010 à www.rfidsa.com/; Mobile malware evolution: An overview. Part 1. (2006, 29 septembre). Repéré le 4 juin 2014 à www.securelist.com/en/analysis/200119916/Mobile_Malware_Evolution_An_Overview_Part_1

38. Walker, Alissa. (2010, 3 juin). The technology driving Denver's B-cycle bike sharing system. *Fast Company*. Repéré le 12 mars 2015 à www.fastcompany.com/1656160/the-technology-driving-denvers-new-b-cycle-bike-sharing-system?partner=rss; repéré le 27 avril 2014 à https://denver.bcycle.com/default.aspx; repéré le 27 avril 2014 à http://denverbikesharing.org/Denver_Bike_Sharing/Denver_Bike_Sharing-_Owner_%26_Operator_of_Denver_B-cycle.html

39. Google Earth. (s.d.). Jane Goodall Institute–Gombe chimpanzee blog. Repéré le 27 avril 2014 à http://earth.google.com/outreach/cs_jgi_blog.html

40. Go back in time with Street View. (2014, 23 avril). Repéré le 6 mai 2014 à http://google-latlong.blogspot.ca/; From Lake Tanganyika to Google Earth: Using tech to help our communities. (2014, 3 avril). Repéré le 6 mai 2014 à http://google-latlong.blogspot.ca/

41. Geoblog Experiment–Google. (s.d.). Repéré le 6 mai 2014 à https://maps.google.com/maps/ms?ie=UTF8&t=k&oe=UTF8&msa=0&msid=217071296076381043554.0004d8f2c5c9633e41782&dg=feature; Build a map infographic with Google Maps & JavaScript. (2014, 9 avril). Repéré le 6 mai 2014 à http://googlegeodevelopers.blogspot.ca/

42. Copeland, Michael. (2010, 4 février). Let the helmet make the call. *Fortune*. Repéré le 19 mars 2010 à http://money.cnn.com/galleries/2010/technology/1002/gallery.football_helmets_sensors.fortune/?section=magazines_fortune&utm_source=feedburner&utm_medium=feed&utm_campaign=Feed%3A+rss%2Fmagazines_fortune+%28Fortune+Magazine%29

43. MacLeod, Robert. (2013, 14 novembre). New football helmet sensors monitor brain injuries. Repéré le 7 mai 2014 à www.theglobeandmail.com/sports/football/helmet-sensors-monitor-brain-injuries/article15453952/

44. Smith, Stephanie. (2013, 21 novembre). Head impact sensors: On-the-field placebo or danger? Repéré le 27 avril 2014 à www.cnn.com/2013/11/15/health/youth-head-sensors/

Les systèmes d'information de gestion en entreprise

PARTIE 4

Dans la partie 4, nous examinons de quelle façon les organisations utilisent divers types de systèmes d'information pour mieux exécuter leurs activités quotidiennes. Il s'agit surtout de systèmes transactionnels axés sur la gestion et la diffusion de données élémentaires faisant partie des processus d'affaires de base, comme les achats et la livraison des commandes. Les données sont souvent cumulées et synthétisées dans des systèmes d'aide à la décision, afin que les entreprises comprennent bien l'évolution de leur situation et les meilleures façons de réagir aux événements. Pour permettre une manipulation uniforme de ces données, une organisation doit s'assurer que ses systèmes d'information sont étroitement intégrés. Ce faisant, elle peut gérer et exécuter les processus d'affaires de base de la façon la plus efficiente et efficace possible et ainsi prendre des décisions mieux éclairées.

La présente partie met l'accent sur les divers types de systèmes d'information qu'utilisent les organisations et sur les nouvelles tendances qui voient le jour en informatique d'entreprise. D'abord, ces nouvelles tendances sont analysées en vue de décrire les réactions des organisations devant les changements et les difficultés technologiques, ainsi que les moyens pris pour en tirer parti. Ensuite, dans les chapitres de cette partie sont expliqués les différents types de systèmes d'information en entreprise et le rôle qu'ils doivent assumer pour aider les entreprises à atteindre leurs objectifs stratégiques. Chaque chapitre est consacré à des types spécifiques de systèmes d'information, par exemple les progiciels de gestion intégré (PGI), la gestion de la chaîne d'approvisionnement ou la gestion des relations avec la clientèle. Ces systèmes doivent fonctionner en étroite coopération pour donner un aperçu complet du fonctionnement global d'une entreprise. Une organisation qui traite efficacement les données transactionnelles et les synthétise pour disposer de l'information relative à toute l'entreprise est mieux à même de maximiser son efficience, d'atteindre ses objectifs d'affaires stratégiques et de surpasser ses concurrents.

Les défis de l'informatique d'entreprise et le progiciel de gestion intégré

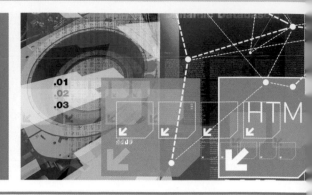

OBJECTIFS D'APPRENTISSAGE

7.1 Expliquer les défis de l'informatique d'entreprise qu'affrontent les organisations aujourd'hui (en ce qui concerne l'innovation, les pratiques de développement durable, les réseaux sociaux et les mondes virtuels).

7.2 Décrire le progiciel de gestion intégré et les façons dont les systèmes d'information peuvent faciliter son utilisation.

7.3 Décrire les composantes du progiciel de gestion intégré et ce qui les différencie.

7.4 Expliquer la valeur commerciale de l'intégration entre eux des systèmes de gestion de la chaîne d'approvisionnement et de la gestion de la relation client.

7.5 Expliquer de quelle façon une organisation peut choisir un progiciel de gestion intégré, mesurer le succès de celui-ci et l'utiliser dans les marchés de petite et moyenne entreprise.

MA PERSPECTIVE

Le présent chapitre donne un premier aperçu des nouvelles tendances en informatique d'entreprise et de la notion de progiciel de gestion intégré (PGI).

En ce qui a trait aux nouvelles tendances, il importe que les organisations demeurent au fait des changements et des difficultés technologiques qui influent sur le comportement des concurrents et des consommateurs, et qu'elles proposent de nouvelles façons de procéder. Par exemple, elles doivent constamment repérer l'apparition d'innovations dans le marché. Parmi les nouvelles tendances que de nombreuses entreprises gardent à l'œil, mentionnons les préoccupations liées au développement durable (c'est-à-dire le fait d'assumer des responsabilités sociales) et la mobilisation des réseaux sociaux rendue peu coûteuse grâce aux récents progrès technologiques du Web 2.0.

Le PGI comprend l'intégration de tous les processus opérationnels internes quotidiens d'une entreprise comme la distribution, la comptabilité, la gestion des ressources humaines et la fabrication, en un seul système d'information ou en un ensemble cohérent de systèmes d'information. La notion de PGI est apparue dans les années 1990, en réaction aux énormes quantités de ressources financières, de temps et d'énergie que les organisations consacraient au soutien des activités de leurs services administratifs. Auparavant, des systèmes internes étaient mis au point de façon isolée pour les différents services et unités, de sorte que les spécialistes des systèmes d'information et d'autres membres du personnel devaient multiplier les démarches pour relier entre eux ces systèmes incompatibles. Les entreprises ont dépensé des centaines de millions de dollars dans le but d'intégrer leurs systèmes internes, au moyen d'interfaces faites sur mesure pour relier les systèmes d'applications et leurs structures autonomes de bases de données. Les PGI ont résolu adéquatement ces difficultés. Ils ont regroupé tous les besoins variés des différents services et unités d'une organisation en un seul progiciel intégré qui s'appuyait sur une seule base de données. Il s'agissait de faire en sorte que ces services soient en mesure de mieux partager les données et de communiquer plus facilement entre eux, ce qui a fait bénéficier l'entreprise d'une énorme réduction des coûts, lui procurant ainsi des avantages concurrentiels.

À titre d'étudiant dans un domaine lié aux affaires, vous devez connaître les nouvelles tendances en informatique d'entreprise et comprendre que les PGI forment la pierre angulaire de nombreuses activités d'affaires aujourd'hui. Le fait de demeurer au courant des nouvelles tendances technologiques et de savoir y réagir aide les entreprises à affronter la concurrence et à peaufiner leur stratégie dans le marché. Puisque les PGI ne cessent d'évoluer, il est important de comprendre leur raison d'être, leurs fonctions et les avantages réels qu'ils apportent aux entreprises.

Mise en contexte

Shell stimule la productivité à l'aide du progiciel de gestion intégré (PGI)

Shell est l'une des plus grandes sociétés pétrolières intégrées au pays et un chef de file en fabrication, en distribution et en mise en marché de produits pétroliers raffinés. Cette société, dont les activités canadiennes ont leur siège social à Calgary, produit du gaz naturel, des liquides de gaz naturel et de l'asphalte. Elle est également le plus gros producteur de soufre au pays. Elle possède un réseau pancanadien de 1 800 stations-services et dépanneurs qui couvre le pays d'un océan à l'autre.

Un PGI essentiel à la mission

Pour exploiter fructueusement un si vaste et si complexe ensemble d'activités d'affaires, l'entreprise se fie beaucoup au PGI, qui est essentiel à sa mission. Le recours à un tel système est nécessaire pour assurer l'intégration et la gestion de ses activités quotidiennes, qui englobent des puits et des mines, des usines de traitement, des camions-citernes et des pompes à essence.

Par exemple, le PGI a beaucoup aidé l'entreprise à endiguer et à rationaliser le procédé, surtout manuel, par lequel les entrepreneurs tiers soumettent l'information sur les réparations et les factures. En moyenne, ces entrepreneurs traitent de 2 500 à 4 000 commandes de services par mois à l'échelle nationale.

Shell avant le PGI

Avant la mise en œuvre du PGI, les entrepreneurs devaient envoyer à Shell des factures sommaires mensuelles qui indiquaient les appels d'entretien qu'ils faisaient à diverses stations-services Shell. Un entrepreneur devait consacrer de 8 à 20 heures à la préparation de ces factures. Ensemble, les entrepreneurs soumettaient à Shell de 50 à 100 factures par mois, et chacune était passée en revue par le chef de territoire concerné et transmise ensuite au siège social pour le traitement des paiements. À elle seule, cette phase représentait de 16 à 30 heures de travail par mois. À Calgary, des commis à la saisie des données effectuaient quelque 200 heures de travail de plus pour saisir l'ensemble des données de facturation dans le système de paiement.

Il s'agissait là de la quantité de temps nécessaire lorsque tout allait bien ! Des heures de travail supplémentaires devenaient obligatoires pour détecter et corriger les erreurs commises qui découlaient de la production manuelle des factures et de la ressaisie des données. Souvent, des erreurs relatives à des éléments simples sur une facture retardaient le paiement de toute la facture. Il s'agissait là d'une source d'irritation pour les entrepreneurs, et cela ne favorisait pas des relations harmonieuses entre eux et l'entreprise.

Pire encore, malgré les heures travaillées et le volume du traitement manuel des données, les renseignements détaillés sur les réparations effectuées par les entrepreneurs n'étaient souvent pas consignés dans le système de paiement. De plus, lorsqu'ils l'étaient, ce n'était pas en temps opportun : il s'écoulait souvent des semaines ou des mois avant que les renseignements soient pleinement intégrés au système de traitement des paiements. Il s'ensuivait que Shell ne recueillait pas les informations suffisantes au sujet des réparations effectuées, de la cause du problème à l'origine d'une réparation et de la nature de la solution apportée à ce problème.

Le PGI règle des problèmes

Heureusement, le PGI a résolu ces problèmes grâce à un système Web intégré de soumission des commandes de services, des factures et des paiements. Avec cet outil, les entrepreneurs tiers peuvent introduire les commandes de services directement dans le PGI de Shell sur le Web, puis des renseignements détaillés sur les travaux effectués, y compris parfois des photos et des dessins pour mieux décrire les travaux en question. Grâce au PGI, quelques minutes suffisent à un entrepreneur pour inscrire les détails relatifs à une commande de services. En outre, ces renseignements peuvent être transmis par un appareil mobile au gestionnaire de Shell concerné en vue d'obtenir son approbation immédiate, ce qui prévient tout délai supplémentaire.

Un autre avantage du PGI : les factures sommaires mensuelles des entrepreneurs peuvent être automatiquement générées et directement entrées dans l'application des comptes fournisseurs du PGI en vue de leur traitement. Il n'est donc pas nécessaire de ressaisir les données à l'écran! Encore mieux: en cas de doute ou de problème à propos d'un élément d'une facture, les autres éléments de la facture peuvent tout de même être traités aux fins du paiement.

Le PGI de Shell accomplit aussi d'autres tâches opérationnelles. Par exemple, il accélère les travaux d'entretien et de réparation exécutés dans les raffineries de l'entreprise. Depuis la mise en place du PGI, le personnel des raffineries, plutôt que d'utiliser des systèmes internes disparates pour accéder aux plans détaillés, aux schémas, aux listes de pièces de rechange et à d'autres outils et renseignements, peut accéder directement aux informations voulues à partir d'une base de données centralisée.

Il faut ajouter que le PGI est très facile à utiliser. Les systèmes que le personnel des raffineries utilisait autrefois étaient complexes et se prêtaient mal à la recherche de renseignements. Le PGI maintenant en vigueur est doté d'une interface analogue à un portail qui permet au personnel des raffineries d'accéder facilement aux fonctions et aux renseignements dont il a besoin pour assurer le maintien des activités. Grâce à l'interface Web, le personnel peut obtenir cette information à l'aide d'un ou de deux clics de souris.

Pour que la mise en œuvre de tout PGI soit fructueuse, les utilisateurs finaux doivent apprendre à se servir adéquatement du système et à en comprendre clairement les fonctions et les capacités. Consciente de cette nécessité, Shell a offert à son personnel une formation à la fois formelle et informelle en PGI. Cette formation a joué un rôle inestimable pour que les utilisateurs finaux apprennent le fonctionnement des rouages du système, qu'ils soient sensibilisés à ses avantages et informés du caractère efficient du PGI pour Shell. Elle les a non seulement amenés à bien accepter le PGI, mais les a aussi fortement incités à l'utiliser dans leurs tâches quotidiennes.

Les dirigeants de Shell sont satisfaits des avantages qu'offre le PGI. Grâce à lui, le personnel de toute l'entreprise jouit d'un accès rapide et facile aux outils et aux renseignements nécessaires pour en assurer le fonctionnement quotidien[1].

7.1 Les difficultés de l'informatique d'entreprise

Introduction

Nombreux sont ceux qui ignorent complètement comment ils pourraient accomplir leur travail en voyage d'affaires s'ils ne disposaient pas d'un ordinateur portable, d'une tablette ou d'un téléphone intelligent, car ces appareils remplissent des fonctions cruciales pour eux. Il est difficile d'imaginer de passer une journée sans utiliser Google, la messagerie texte ou Facebook pour demeurer en contact avec un réseau étendu de collègues de travail. En moins d'une décennie, les technologies de l'information ont fondamentalement modifié notre façon de travailler.

Au cours de la prochaine décennie, la progression ininterrompue de la puissance des ordinateurs et de la vitesse de connexion Internet provoquera des changements dans le travail plus considérables encore que tout ce qu'on a connu jusqu'à maintenant. Examinons quelques-unes des percées que les visionnaires des technologies prédisent pour les prochaines années. Imaginons un téléphone intelligent pas plus volumineux qu'une carte de crédit qui permet à son utilisateur de communiquer non seulement avec ses interlocuteurs dans le plus récent réseau social, mais aussi avec des milliards de capteurs sans fil: des capteurs de la taille d'une bille ayant été fixés à des édifices, dans des rues, à des produits de consommation ou à des vêtements, qui envoient tous simultanément des données par Internet. Il sera alors possible de suivre et de gérer bien plus que de simples données statiques: les utilisateurs pourront suivre des événements dans le monde réel, de la production en usine jusqu'aux allées et venues des collègues de travail, et à l'utilisation des produits par les clients. Toutes ces données seront beaucoup plus faciles à analyser, car il sera possible d'activer des commandes avec la voix ou avec des mouvements des bras et des mains, et de visualiser les résultats au moyen de lunettes spéciales qui donneront à l'utilisateur l'impression qu'il regarde un écran géant. On peut aussi imaginer la formulation d'idées de conception ou de fabrication de produits tangibles à l'aide d'une imprimante 3D qui créera des modèles en plastique ou en fibre de carbone à partir de spécifications informatisées, et ce, aussi facilement qu'une imprimante traditionnelle régurgite aujourd'hui des rapports sur un support papier[2].

Les organisations font face à des changements et à des défis technologiques plus vastes et aux répercussions plus profondes que tout ce qu'a produit la révolution industrielle moderne depuis le début des années 1900. Les entreprises qui veulent survivre au XXIe siècle doivent reconnaître ces changements et ces défis technologiques, effectuer les transformations organisationnelles en conséquence et apprendre à fonctionner d'une façon complètement différente. À l'heure actuelle, les organisations s'efforcent surtout de défendre et de préserver leurs positions acquises dans le marché, outre le fait de viser une croissance soutenue. Les changements et les défis sur lesquels les organisations se concentrent au XXIe siècle comprennent l'innovation, la responsabilité sociale et les réseaux sociaux.

L'innovation

Par le passé, une entreprise mettait d'abord l'accent sur l'excellence opérationnelle. Aujourd'hui, l'innovation est la force motrice des technologies de l'information. L'**innovation** désigne la mise au point de nouveaux appareils ou de nouvelles méthodes. L'essor actuel de l'innovation découle de la nécessité de réduire les coûts sans altérer pour autant l'obtention d'un avantage concurrentiel. Des virages technologiques fondamentaux vont permettre aux entreprises de concrétiser la promesse des technologies de l'information quant à l'innovation, à l'adaptabilité et à la vitesse censées en résulter.

Par exemple, prenons le cas des surfeurs de grosses vagues provenant de divers pays dans le monde qui se sont rendus à Pillar Point, à quelques kilomètres de San Francisco, pour rivaliser entre eux sur les grosses vagues qui ont fait de ce lieu une destination légendaire pour les amateurs de surf. Le sixième Mavericks Surf Contest avait été annoncé seulement 48 heures à l'avance, parce qu'il fallait être sûr que les vagues soient optimales pour les participants. Des surfeurs originaires de l'Australie, du Brésil et de l'Afrique du Sud ont dû rapidement se débrouiller pour se présenter à cette compétition sur invitation. Il y avait quelque chose de magique à voir ces athlètes défier des vagues de six mètres avec une facilité et une élégance qui faisaient paraître leurs performances si naturelles.

Toutefois, derrière ces apparences, l'obsession de la performance avait déjà conduit les protagonistes à recourir à des technologies de pointe pour atteindre de tels résultats. En effet, pendant que toute l'attention se concentrait sur les athlètes et leurs planches de surf, la technologie et les techniques utilisées pour maîtriser le surf sur grosses vagues n'ont cessé d'évoluer au cours des dernières décennies, sous la pression de groupes d'athlètes et d'artisans motivés, voire obsédés, par le désir de dompter les vagues. Les gestionnaires d'entreprise auraient avantage à suivre ce modèle. Ils ont la chance de mieux saisir la nature du processus d'innovation s'ils examinent ce sport et adoptent les six pratiques optimales de l'innovation (*voir la figure 7.1*)[3].

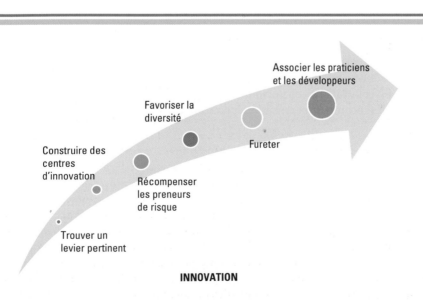

FIGURE 7.1

Six pratiques optimales favorisant l'innovation

Associer les praticiens et les développeurs

Favoriser la diversité

Fureter

Construire des centres d'innovation

Récompenser les preneurs de risque

Trouver un levier pertinent

INNOVATION

Trouver un levier pertinent

Pour améliorer la performance, une organisation doit d'abord trouver un levier pertinent. Dans le cas des surfeurs mentionnés précédemment, les efforts déployés pour repérer les endroits offrant des vagues plus grosses et plus fortes n'ont cessé de prendre de l'ampleur, afin que les surfeurs puissent faire l'essai de nouveaux types de planches et de nouvelles façons de pratiquer ce sport.

À l'instar des surfeurs, les dirigeants d'entreprise doivent trouver des leviers pertinents qui vont mettre à l'épreuve et stimuler leur performance actuelle. Par exemple, les entreprises qui fabriquent des moteurs diesel et des génératrices devraient s'engager activement à trouver des façons de mieux desservir les clients à faible revenu qui habitent les régions rurales éloignées dans les économies émergentes. Ces clients pourraient susciter d'importantes innovations en matière de conception des produits et des procédés de distribution, qui viseraient à donner un meilleur service à un coût moindre. Les innovations qui résulteraient de ces efforts de levier pourraient se traduire par de grandes améliorations dans les gammes de produits.

Construire des centres d'innovation

Cette pratique consiste à attirer des groupes de personnes motivées vers ces leviers pour qu'ils collaborent en vue d'améliorer la performance. À la fin des années 1950, Waimea Bay, sur la rive nord d'Oahu, est devenue le lieu d'essai des athlètes cherchant à repousser les limites du surf sur grosses vagues. Dans l'isolement de la rive nord, des surfeurs motivés passaient de 8 à 10 heures par jour, tous les jours, à se lancer des défis à eux-mêmes et mutuellement sur les grosses vagues. Les véritables progrès dans la technologie et les pratiques du surf se sont produits dans les zones de déferlement où les surfeurs se retrouvaient et nouaient d'étroites relations sur de longues périodes. Ils ont beaucoup appris à se côtoyer ainsi et se sont poussés à s'améliorer sans cesse.

Les grandes entreprises savent de quelle façon établir des centres éloignés dans des endroits comme Pékin, Hyderabad, Haïfa et Saint-Pétersbourg, afin d'y attirer les talents locaux et de donner une bonne impulsion à des projets de recherche et développement stimulants. Il arrive souvent, néanmoins, que ces centres perdent le contact avec leur siège social ou ne parviennent pas à établir des liens étroits avec d'autres acteurs de premier plan dans leur domaine. Le véritable défi consiste à mieux intégrer ces centres à leur milieu local respectif ainsi que les centres entre eux, au moyen d'initiatives stimulantes et soutenues en matière d'innovation qui favorisent des relations de confiance à long terme. Initialement, l'amélioration de la performance revêt souvent la forme d'une connaissance tacite qui est difficile à exprimer et à communiquer plus largement. Pour accéder à cette connaissance tacite, les individus doivent être présents sur place.

Récompenser les preneurs de risque

Il convient ensuite de reconnaître que les personnes susceptibles d'être attirées vers un levier aiment prendre des risques. C'est une des raisons fondamentales qui explique qu'un levier devient un terreau si fertile pour l'innovation. L'attrait du levier s'exerce sur des personnes audacieuses qui savent tirer parti de leurs expériences. Les gestionnaires doivent réfléchir à la façon d'attirer ces personnes, de leur offrir un contexte qui favorise la prise de risques et de les récompenser en cas de succès ou d'échec.

Favoriser la diversité

Non seulement la recherche d'un levier favorise-t-elle la prise de risques, mais elle est propice à certains milieux spécifiques. Les progrès accomplis en surf sur grosses vagues n'ont pas été le fait de surfeurs occasionnels, mais bien de ceux qui en font l'essence de leur culture et de leur mode de vie, en raison de leur volonté ferme et même obsessive de se dépasser. Les gestionnaires doivent trouver les moyens de protéger et de valoriser de telles cultures, que ce soit celle des concepteurs Web ou de la prochaine génération d'employés qui ont appris à innover, par exemple, en tant que membres de guildes dans le jeu World of Warcraft.

Fureter

Il est nécessaire de repérer les idées pertinentes issues de disciplines connexes et même de domaines d'activité plus éloignés. Les premiers progrès en technologie du surf sont venus de l'industrie aérospatiale, parce que certains employés de cette industrie étaient également des surfeurs invétérés. De même, le surfeur Laird Hamilton a tiré quelques-unes de ses meilleures idées de son expérience acquise en tant que surfeur expert, mais aussi de celle de ses collègues en planche à neige. Les gestionnaires peuvent faciliter l'apparition de percées créatives s'ils parviennent à attirer des personnes aux origines et aux expériences variées.

Associer les praticiens et les développeurs

Cette pratique a pour effet d'amener les utilisateurs et les développeurs de technologie à coopérer. Ce n'est pas par hasard que les surfeurs les plus novateurs étaient souvent des experts en conception de planches de surf. Ces surfeurs non seulement dessinaient leurs planches, mais ils réalisaient eux-mêmes le produit et l'emportaient sur les lieux de surf dangereux et cherchaient ensuite à l'améliorer. C'étaient des bricoleurs acharnés qui, à partir de leur expérience, de leur intuition et de leur habileté manuelle, produisaient de nouvelles planches de surf améliorées. La technologie et la pratique sont étroitement liées : très rares sont les améliorations de la performance directement attribuables à la technologie elle-même. Ce n'est que lorsque des praticiens aguerris s'appuient sur la technologie, notamment au sein de groupes étroitement unis, et modifient leurs pratiques pour mieux en tirer parti que se produisent de véritables percées en matière de performance.

La responsabilité sociale

La **responsabilité sociale** signifie qu'une entité, qu'il s'agisse d'un gouvernement, d'une entreprise, d'un organisme à but non lucratif ou d'un individu, a une responsabilité envers la société. La **politique de l'entreprise** est une dimension de la responsabilité sociale qui renvoie à la position qu'une entreprise adopte à propos de certaines questions sociales et politiques. La **responsabilité sociale de l'entreprise** est une dimension de la responsabilité sociale qui s'étend de l'embauche de travailleurs appartenant à un groupe minoritaire jusqu'à la fabrication de produits sûrs. Les **technologies de l'information durables (TI vertes)** englobent la fabrication, la gestion, l'utilisation et l'élimination des technologies de l'information d'une façon qui réduit au minimum les dommages causés à l'environnement, ce qui représente un élément crucial de la responsabilité d'une entreprise. Il s'ensuit que l'expression prend des significations variées, selon que c'est un fabricant, un gestionnaire ou un utilisateur de technologies qui s'en sert. La présente section du chapitre traite de la consommation d'énergie, du recyclage de l'équipement des technologies de l'information et des moyens de rendre plus vertes ou écologiques ces technologies.

La consommation d'énergie

La croissance rapide de la consommation d'énergie des outils informatiques en entreprise constitue une menace pour les activités et le résultat net, et elle oblige les entreprises à adopter des pratiques énergétiques vertes. En 1992, Hewlett-Packard (HP) a lancé son programme *Design pour l'environnement* en vue d'atteindre ses objectifs en matière d'efficacité énergétique, d'innovation pour les matériaux et de recyclage. Dans ce programme, HP a créé différents produits et programmes qui aident les consommateurs à utiliser moins d'énergie et facilitent le recyclage des produits et des biens non durables plus anciens. Depuis 2004, un autre volet du programme a été axé sur les centres de données, dans le but d'accroître leur efficacité énergétique. On estime que 65 % de l'énergie consommée par un centre de données moderne est gaspillée en temps d'inactivité de serveur[4]. Pour réduire le gaspillage énergétique, HP a apporté des changements innovants comme le recours au refroidissement intelligent dynamique et à des centres de données préfabriqués EcoPOD, grâce auxquels la valeur de l'indicateur d'efficacité énergétique est passée d'environ 2,0 à 1,05, soit une baisse de près de 50 %[5]. Dans cet esprit, des ingénieurs de HP ont fait une découverte renversante au sujet des serveurs exploitant les systèmes informatiques de l'entreprise : la hausse de la consommation d'électricité, qui s'ajoute à la montée des coûts de l'énergie, va bientôt faire en sorte que le fonctionnement d'un serveur pendant un an coûtera plus cher que son achat[6].

Au moment d'amorcer la construction d'un édifice de 4 645 mètres carrés en Californie en vue d'y loger de très puissants ordinateurs, HP a sollicité les conseils de Pacific Gas & Electric (PG&E). Parce qu'elle a adopté les recommandations de la société d'électricité de la Californie, HP épargne maintenant un million de dollars américains par année en coûts énergétiques pour ce seul centre de données, selon PG&E.

Tout comme HP, des entreprises partout dans le monde ajoutent de l'équipement pour satisfaire leurs besoins informatiques sans cesse croissants, mais elles doivent ensuite effectuer d'importants changements afin d'enrayer l'explosion des coûts résultant de l'exploitation des grands édifices, ou des centres de données, qui abritent tout cet équipement. « Les centres de données consomment 50 fois plus d'énergie au pied carré qu'un bureau », affirme Mark Bramfitt, directeur principal des programmes à la société PG&E. La figure 7.2 présente la ventilation de la consommation d'électricité dans un centre de données moyen[7].

FIGURE 7.2

Ventilation de la consommation d'électricité dans un centre de données moyen[8]

Source : Allan, Roger. (2009, 1er septembre). The greening of server farms. Power Electronics. Repéré en mai 2014 à http://powerelectronics.com/markets/greening-server-farms.

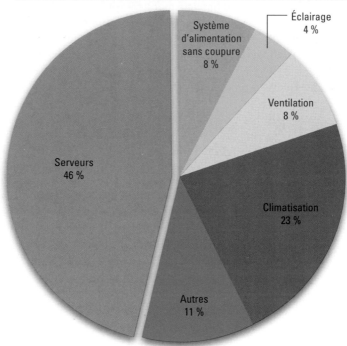

CONSOMMATION MOYENNE D'ÉLECTRICITÉ DANS UN CENTRE DE DONNÉES

Système d'alimentation sans coupure 8 %
Éclairage 4 %
Ventilation 8 %
Climatisation 23 %
Autres 11 %
Serveurs 46 %

Des pressions s'exercent sur les entreprises de technologie, les sociétés de services publics et les entreprises de construction pour qu'elles trouvent de nouveaux moyens de réduire la consommation d'énergie. Voici quelques exemples des moyens mis en œuvre en ce sens.

- Sun Microsystems : l'informatique à haut débit. Il y a 10 ans, l'industrie des puces électroniques visait un seul but : faire en sorte que le cerveau numérique des ordinateurs traite encore plus vite les données. Mais Marc Tremblay, architecte de puces à la société Sun Microsystems, a bien vu l'erreur décisive que comportait cette stratégie. Des puces plus rapides deviendraient plus chaudes et finiraient par griller. Il a alors mis au point ce qui porte le nom de « puce multicœur », une composante qui contient plusieurs processeurs sur un seul morceau de silicium. Chacun de ces processeurs demeure plus froid et consomme moins d'énergie ; toutefois, ensemble, ils exécutent un plus grand nombre de tâches qu'auparavant[9]. Depuis, les fabricants de puces électroniques mettent l'accent non plus seulement sur la puissance de traitement, mais aussi sur la quantité d'énergie que les puces consomment. Depuis 2007, des entreprises comme Intel et AMD ont continué à produire des puces ayant une meilleure efficacité énergétique à chaque nouvelle génération.

- La virtualisation. Autrefois, il n'était pas possible d'exécuter plus d'une seule application à la fois dans un serveur donné. Ainsi, lorsque l'application était inutile à un certain moment, le serveur n'était pas utilisé. Des analystes estiment que seulement de 10 à 20 % de la capacité d'un serveur standard est utilisée. La **virtualisation** est un cadre permettant de répartir les ressources d'un ordinateur entre de multiples environnements d'exécution. Grâce à un logiciel de virtualisation, les gestionnaires des technologies de l'information peuvent facilement installer de nombreux programmes dans un seul ordinateur et déplacer rapidement des programmes d'un ordinateur à un autre pour maximiser l'utilisation d'un groupe de serveurs. Il en résulte une baisse notable de la consommation d'énergie qui peut atteindre 80 % selon certains analystes, parce que moins de serveurs sont ainsi nécessaires[10].

- Des programmes de réduction énergétique. L'Ontario offre aux entreprises des programmes d'incitation à la réduction de la consommation d'énergie. Ces programmes concernent l'amélioration des systèmes d'éclairage dans de petites entreprises, le maintien des économies d'énergie en entreprise et la construction de nouveaux édifices à haut rendement. Dans ce dernier cas, l'efficacité énergétique est supérieure aux exigences prévues dans le Code du bâtiment de l'Ontario[11].

- Le refroidissement intelligent. Chandrakant Patel, maître de recherche à la société HP, a proposé une nouvelle approche quant à la consommation d'énergie des centres de données : considérer un tel centre comme une gigantesque machine. C'est de cette approche qu'est issue la technologie Dynamic Smart Cooling de HP. Des milliers de capteurs de chaleur contrôlent la température, et un logiciel dirige le système de climatisation pour que celui-ci envoie l'air frais aux endroits voulus. On prévoit que les économies d'énergie ainsi obtenues feront baisser les coûts de climatisation de 20 à 40 %[12].

- Des sources d'énergie de rechange. La société Google, la géante du Web qui exploite quelques-uns des plus gros centres de données dans le monde, s'est engagée à utiliser les technologies les plus perfectionnées pour alimenter en énergie et climatiser ses centres de données, y compris l'énergie éolienne (pour un centre de données aux Pays-Bas) et l'énergie solaire. Bien que Google ait ensuite annoncé qu'elle cesserait ses efforts en faveur de sources d'énergie de rechange, elle continue à mettre l'accent sur l'efficacité énergétique dans ses propres centres de données en recourant à des sources d'énergie propres[13].

- La biologie et les puces électroniques. Bruno Michel, chercheur à la société IBM, et son équipe du laboratoire de recherche d'IBM à Zurich, font appel aux principes de la biologie pour régler le problème de la chaleur liée à l'informatique. Tout comme le système vasculaire humain rafraîchit l'organisme, Michel met au point des dispositifs qui refroidissent les puces électroniques à l'aide d'un fluide diffusé par des systèmes de circulation de type capillaire. En général, les processeurs dans les serveurs sont refroidis à l'air : de l'air frais est soufflé sur des capuchons métalliques au-dessus des puces, où de minuscules ailettes évacuent la chaleur. Michel a aussi inventé un capuchon métallique qui s'ajuste à un processeur et envoie des jets d'eau par quelque 50 000 busettes dans des canaux microscopiques gravés dans le métal. Les canaux agissent comme des capillaires et font bien circuler le fluide, ce qui fait diminuer l'énergie nécessaire pour pomper l'eau[14].

- La participation gouvernementale. L'Union européenne a imposé des limites aux émissions de carbone. Depuis 2005, le Système communautaire d'échange de quotas d'émission oblige 12 000 fonderies, aciéries, usines de verre et centrales électriques à acheter des permis d'émission de CO_2 qui les autorisent à rejeter ce gaz dans l'atmosphère. Si une entreprise excède sa limite, elle peut acheter les permis inutilisés d'autres entreprises ayant réussi à réduire leurs émissions de ce gaz. Cependant, si elle n'est pas en mesure d'acheter de tels permis, elle paie une amende pour chaque tonne excessive de CO_2 émise. Puisque les technologies de l'information contribuent au volume total d'émissions de carbone d'une entreprise, des mesures de plafonnement et d'échange d'émissions de carbone ou des lois fiscales auront une incidence directe sur la gestion des technologies[15].

Le recyclage de l'équipement des technologies de l'information

L'**élimination durable des technologies de l'information** désigne l'élimination sûre du matériel des technologies de l'information à la fin de sa durée de vie. Elle garantit que les **déchets électroniques,** c'est-à-dire les vieux produits informatiques, ne se retrouvent pas dans un dépotoir, où les substances toxiques que contient ce matériel peuvent s'infiltrer dans les nappes phréatiques, entre autres problèmes. Bon nombre de grands fabricants de matériel appliquent un programme de récupération, de sorte que les services des technologies de l'information ne sont pas tenus d'assumer la responsabilité de l'élimination du vieux matériel. Par exemple, Dell et Sony reprennent gratuitement tous leurs anciens produits, et Apple offre des cartes-cadeaux pour les vieux appareils ayant encore une valeur monétaire. HP a adopté un vaste programme de recyclage s'adressant tant aux consommateurs qu'aux entreprises. Des fabricants d'imprimantes tels que Brother, HP et Lexmark se sont tous dotés d'un programme destiné aux consommateurs pour le recyclage des cartouches d'imprimante.

De plus, au Canada, des lois provinciales exigent que les déchets électroniques soient recyclés. Une association industrielle, Recyclage des produits électroniques Canada (RPEC), a été mise sur pied pour promouvoir l'harmonisation des réglementations provinciales relatives aux déchets électroniques et encourager l'application de normes écologiques strictes pour le traitement des appareils électroniques en fin de vie utile. De nombreuses provinces ont adopté une loi exigeant que des frais supplémentaires de recyclage s'ajoutent au prix de biens électroniques spécifiques qui sont livrés ou vendus dans leurs territoires. Le tableau 7.1 présente la liste des sites Web correspondant à quelques-uns de ces programmes provinciaux. Les programmes actuellement en vigueur visent cinq catégories générales en matière de recyclage de produits en fin de vie utile : les ordinateurs personnels, les ordinateurs portatifs, les écrans, les imprimantes et les téléviseurs, auxquels s'ajouteront d'autres produits par la suite. Si des efforts sont déployés pour harmoniser les démarches de recyclage de déchets électroniques qu'ont entreprises les provinces, les produits visés et les frais associés varient d'une province à l'autre[16].

TABLEAU 7.1

Exemples de programmes provinciaux de recyclage des déchets électroniques

Alberta	www.albertarecycling.ca
Colombie-Britannique	www.encorp.ca
Nouvelle-Écosse	www.acestewardship.ca
Ontario	www.ontarioelectronicstewardship.ca
Saskatchewan	www.sweepit.ca

Les gestionnaires des technologies de l'information auront moins de difficulté à se conformer aux réglementations relatives aux déchets électroniques à la suite de l'adoption de nouveaux règlements concernant la fabrication. Par exemple, l'Union européenne a adopté la *Directive RoHS*, relative à la limitation de l'utilisation de certaines substances dangereuses dans les équipements électriques et électroniques, entrée en vigueur le 1er juillet 2006, qui restreint l'emploi de six matières dangereuses pour la fabrication de certains appareils électroniques : le plomb, le mercure, le cadmium, le chrome hexavalent, les polybromobiphényles et l'éther diphénylique polybromé (les deux derniers sont des produits ignifuges présents dans le plastique). Une telle directive réduit la toxicité des déchets électroniques produits[17].

Le volume des déchets électroniques devrait continuer d'augmenter jusqu'en 2015, alors qu'on prévoit que 73 millions de tonnes de déchets électroniques seront produits. C'est en 2016 que devrait apparaître le renversement de la tendance actuelle dans ce domaine, à mesure que les diverses initiatives en la matière feront sentir leurs effets[18].

Selon *The green guide*, publié par National Geographic, de 50 à 80 % des appareils électroniques recyclés aboutissent dans les pays en développement, où ils sont démontés par des travailleurs non formés qui ne disposent pas de l'équipement approprié à cette fin. Ces travailleurs sont alors exposés à des substances toxiques comme le mercure, le cadmium et le plomb. Si ces appareils sont jetés dans des dépotoirs, ces mêmes substances toxiques se retrouvent ensuite dans les sources d'eau.

Les technologies de l'information vertes

À la société Sun Microsystems, avant son rachat par Oracle, un programme de télétravail dénommé *OpenWork* offrait au personnel un espace de bureau partagé, de l'équipement et des subventions pour le paiement de la connexion Internet et de la consommation d'électricité. Plus de 56 % des employés de Sun étaient inscrits à ce programme. L'entreprise estimait qu'elle émettait 52 000 tonnes de CO_2 de moins par année grâce à la diminution du temps de transport des employés entre la maison et le travail.

Dans le cas de Dow Chemical, le système automatisé de commande de processus interrompt le fonctionnement d'une usine lorsque celle-ci ne se conforme pas aux exigences en matière d'émissions rejetées dans l'air ou l'eau. «Dow se sert aussi d'un système de surveillance pour mesurer les émissions que ses usines rejettent dans l'air et dans l'eau, et elle déploie un système d'information sur l'environnement pour gérer la transmission de ces données aux autorités compétentes», explique David Kepler, directeur de l'informatique et du développement durable.

Les systèmes de technologies de l'information peuvent aussi réduire la consommation d'énergie grâce au contrôle du chauffage et de la climatisation dans les édifices de bureaux. Des capteurs sans fil et des poussières électroniques communicantes sont utilisés pour mesurer le débit d'air et l'occupation des lieux. Si les capteurs d'occupation (qui allument et éteignent l'éclairage lorsque des personnes entrent dans une pièce ou en sortent) sont mis en réseau avec des capteurs de débit d'air, l'intensité de la climatisation dans une pièce vide peut être réduite. «L'objectif principal est de recueillir des données sur la consommation d'énergie dans un lieu de travail et, à partir de ces données, de définir des mesures qui vont contribuer à modifier certains comportements et à réduire les coûts d'exploitation», explique David Kepler.

Pour garder la maîtrise de sa croissance fulgurante, Google a construit des centres de données hors des sentiers battus, à des endroits comme Lenoir (Caroline du Nord), Mount Holly (Caroline du Sud) et Council Bluffs (Iowa). Son centre de données établi sur un terrain de 30 acres en bordure de la rivière Columbia, à The Dalles (Oregon), une ville d'environ 12 000 habitants, se trouve à un emplacement idéal en raison du barrage hydroélectrique situé à proximité, du coût d'achat peu élevé du terrain et d'un crédit fiscal de 15 ans. Un réseau électrique de taille industrielle relie le barrage au complexe de Google, où d'énormes systèmes de refroidissement s'élèvent au-dessus de deux édifices[19]. L'encadré 7.1 décrit quelques-uns des moyens employés par des entreprises pour économiser l'énergie dans les centres de données.

- Rafraîchir l'intérieur avec l'air extérieur
- Rafraîchir les sections les plus denses
- Utiliser des processeurs à faible consommation d'énergie
- Intégrer des solutions de rafraîchissement
- Se servir de la gestion de la consommation d'énergie des serveurs
- Acheter des blocs d'alimentation à haut rendement
- Se servir de la virtualisation pour consolider les serveurs

Les réseaux sociaux

Chip Overstreet, le président-directeur général d'Encover, était à la recherche d'un nouveau vice-président des ventes. Il a trouvé un candidat prometteur et ne s'est pas soucié outre mesure des habituels commentaires élogieux provenant des références obtenues. C'était le temps de vérifier ses antécédents. Il est alors allé voir dans LinkedIn, un réseau d'affaires en ligne. «J'ai fait onze vérifications au sujet de ce candidat et j'ai parlé à quelques-uns de ses ex-collègues de travail chez cinq de ses six derniers employeurs, a expliqué Overstreet, dont la société vend et gère des contrats de service pour des fabricants. C'est un outil extrêmement utile.»

Tellement utile, en fait, que de nombreux autres sites comme LinkedIn ont fait leur apparition depuis quelques années. La volonté croissante, de la part des internautes, de créer des liens, des communautés et des réseaux en ligne alimente la popularité de sites comme Facebook.

Les grandes et plus petites entreprises sont loin d'avoir adopté les réseaux d'affaires en ligne avec le même enthousiasme que les ados et les étudiants qui ont envahi les sites sociaux. Mais les entreprises surmontent peu à peu leurs réserves et commencent à utiliser ces sites et les technologies associées pour mettre au point des outils d'affaires au potentiel extraordinaire. C'est le cas avec Twitter, où chacun peut transmettre de courts messages publics (des micromessages) pour informer les autres des événements du moment qui se produisent dans sa vie. Des entreprises se servent de cet outil technologique pour diffuser de la publicité « en temps réel » sur les soldes offerts pour les produits auxquels les consommateurs se sont montrés intéressés et qui sont offerts maintenant, ou au moins au cours des prochaines minutes. Maints consommateurs adorent recevoir des micromessages leur donnant des nouvelles fraîches sur des articles en solde, et les détaillants en récoltent les fruits. Le phénomène est toutefois encore assez récent. De jeunes entreprises voulant tirer parti du phénomène Twitter en sont encore à définir leur modèle d'affaires. StockTwits est un exemple d'initiative fructueuse : ce site de discussions financières permet aux consommateurs de consulter les discussions en temps réel qu'entretiennent quelques-uns des plus habiles investisseurs du Web[20].

La recherche passive

Les recruteurs de Microsoft et de Starbucks écument des réseaux en ligne comme LinkedIn pour repérer de possibles candidats à un poste. Goldman Sachs et Deloitte exploitent leurs propres réseaux d'anciens employés en ligne pour réembaucher des employés et renforcer les liens avec ceux qui sont susceptibles de devenir des clients. Le Boston Consulting Group et le cabinet d'avocats Duane Morris font appel à des logiciels d'entreprise qui examinent les communications des employés en vue de repérer des liens utiles dans d'autres entreprises. De plus, des sociétés comme Intuit ont créé des réseaux de clients pour s'assurer de la fidélité à la marque.

Beaucoup d'entreprises se méfient des réseaux en ligne. Les dirigeants n'ont pas le temps de répondre au flux de requêtes provenant de connaissances au moyen des réseaux d'affaires. Les employés seront peut-être consternés d'apprendre que leur employeur se sert de logiciels de surveillance du courriel pour étayer le démarchage des associés aux ventes. Les entreprises qui songent à édifier des communautés en ligne à des fins de publicité, de stratégie de marque ou de marketing devront renoncer à une partie du contrôle qu'elles exercent sur le contenu.

Aucune de ces préoccupations ne fait hésiter Carmen Hudson, directrice de la dotation en personnel à la société Starbucks, qui ne jure que par LinkedIn. « C'est l'un des meilleurs outils offerts pour trouver des cadres intermédiaires », affirme-t-elle.

En matière de recrutement, la quête du Saint-Graal consiste à trouver des candidats dits passifs, c'est-à-dire des personnes qui sont heureuses et productives dans leur emploi au sein d'une autre entreprise. LinkedIn est un Rolodex[MD] (carnet d'adresses organisé sous forme d'un classeur rotatif) virtuel de ces personnes. Hudson explique qu'elle a embauché trois ou quatre personnes cette année à la suite de liens établis par l'intermédiaire de LinkedIn. « Nous avons demandé à nos gestionnaires d'embauche de s'inscrire à LinkedIn et de nous présenter aux personnes qu'ils ont contactées. Certains se soucient de la confidentialité, mais lorsque nous expliquons l'utilisation qui en est faite et le respect accordé aux personnes contactées, ils acceptent généralement de coopérer. »

Les boomerangs

Les chasseurs de têtes et les services de ressources humaines en prennent bonne note. « LinkedIn est un outil extraordinaire entre les mains des recruteurs », raconte Bill Vick, l'auteur de *LinkedIn for recruiting*. Il en va de même de sites comme www.ryze.com, www.spoke.com et www.xing.com. De nombreuses entreprises se tournent vers les réseaux sociaux et les outils technologiques connexes pour garder le contact avec d'anciens employés. Le cabinet de services professionnels Deloitte s'efforce de préserver ses liens avec d'ex-employés et maintient un programme officiel de relations avec eux depuis des années. Dans ce contexte, elle fait appel au Taleo Social Sourcing Cloud Service d'Oracle.

Les ex-employés de Deloitte peuvent entrer sur le site pour fureter parmi les offres d'emploi issues de diverses entreprises. Ils peuvent aussi consulter la description des postes ouverts au cabinet Deloitte. Le réseau en ligne est un prolongement d'un programme hors ligne qui comprend des réceptions et des séminaires de réseautage. Deloitte ne cache aucunement son intention de se servir du réseau pour inciter certains anciens employés, surnommés « boomerangs », à rentrer au bercail. « L'année dernière, 20 % des candidats d'expérience ayant été embauchés étaient des boomerangs », souligne Karen Palvisak, responsable nationale des relations avec les anciens employés au cabinet Deloitte.

La formation des boomerangs coûte moins cher que celle des nouveaux employés, et ces boomerangs savent généralement prendre le train en marche. À mesure que le marché du travail se resserre, les anciens employés forment une source de compétences de plus en plus intéressante, à la lumière du fait suivant : selon Accenture, 54 % des entreprises ayant licencié des employés ont de la difficulté à trouver des travailleurs qualifiés pour combler les nouveaux postes créés ; pour sa part, le ministère du Travail des États-Unis signale que 38 % des entreprises cherchent à réembaucher des employés précédemment licenciés[21].

Les réseaux de marketing

Les réseaux axés sur les affaires aident les dirigeants à trouver des employés et deviennent de plus en plus utiles dans d'autres domaines, comme les ventes et le marketing. Lorsque Campbell Soup Co. a demandé à Marilyn Jenett, chercheuse d'emplacements indépendante, de dénicher un château en Europe à des fins publicitaires, celle-ci a affiché sur le site de réseautage d'affaires Ryze une note offrant une commission d'intermédiaire à quiconque lui suggérerait l'endroit approprié.

Jenett a reçu sept réponses, dont une attirait son attention sur le château Eastnor. Elle a tellement aimé l'endroit qu'elle l'a réservé de nouveau pour un autre événement. Jenett explique que Ryze l'a aussi aidée à créer une autre petite entreprise, centrée sur un programme de mentorat personnel dénommé *Feel free to prosper* (La réussite vous attend).

Les réseaux sociaux contribuent également à forger des liens avec et parmi de futurs clients potentiels. Un groupe de propriétaires de MINI Cooper a grossi les rangs de MINI USA pour participer à son rallye automobile de deux semaines à travers le pays. Les participants ont pris part à des événements commandités par l'entreprise, comme la soirée officielle de clôture au New Jersey, en un endroit surplombant le fleuve Hudson et laissant voir la silhouette de Manhattan.

Toutefois, par la même occasion, ils ont planifié leurs propres événements parallèles, avec l'aide des forums communautaires sur le site MINI Owner's Lounge, commandité par MINI USA. Chaque mois, de 1 500 à 2 000 nouveaux propriétaires deviennent actifs au sein de la communauté. « Nos meilleurs vendeurs sont les propriétaires d'une MINI, et ils aiment parler de leur voiture », mentionne Martha Crowley, directrice des services d'experts-conseils à la société Beam Interactive, qui fournit divers services de marketing Internet à MINI USA[22].

Les univers virtuels

Le virtuel est le thème principal du Web 2.0. Il faut considérer deux grands types d'univers virtuels qui coexistent au XXIe siècle : les effectifs virtuels et les mondes virtuels (*voir la figure 7.3*).

Les effectifs virtuels

« Peu à peu, le dimanche matin et le mardi après-midi deviennent tout à fait identiques », affirme Boet Kreiken, directeur de l'informatique à la société KLM. Parallèlement, les employés des organisations sont de plus en plus à l'aise dans l'utilisation de multiples outils technologiques.

Auparavant, certains employés avaient seulement un ordinateur personnel à la maison. Aujourd'hui, ils jonglent avec un réseau reliant plusieurs ordinateurs, des imprimantes, des dispositifs de sauvegarde, y compris un dispositif de stockage infonuagique personnel relié à une connexion Internet à haute vitesse, des consoles de jeux vidéo, un récepteur vidéo personnel (RVP) à haute définition, un téléviseur à haute définition et une panoplie d'autres services Web

FIGURE 7.3

Un monde complètement nouveau

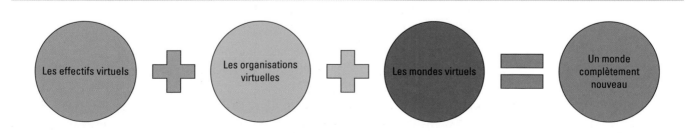

comme YouTube et Facebook. Les entreprises y trouvent certes des avantages, comme une baisse des coûts et une hausse de la productivité, mais il demeure crucial de communiquer avec les employés en dehors de ces sites.

La circulation automobile dans les parages du siège social de Microsoft, situé à Redmond (Washington), est si congestionnée qu'un jour le gouverneur de l'État de Washington, Chris Gregoire, a presque manqué le discours prévu à 9 h à l'édifice principal de l'entreprise. Les routes menant au fabricant de logiciels n'ont tout simplement pas été conçues pour recevoir les 35 000 employés qui les empruntent pour se rendre au travail chaque jour. L'embouteillage qui a accueilli Gregoire ce jour-là n'était que le plus récent rappel du fait que Microsoft devait s'attaquer rapidement à la crise du transport quotidien de ses employés.

Microsoft s'est lancée dans un programme visant à inciter plus d'employés à travailler à la maison ou ailleurs qu'au siège social de l'entreprise. La société s'ajoute ainsi au nombre croissant d'entreprises qui se rallient à la tendance favorisant les lieux de travail virtuels. Selon le Research Network de télétravail, plus de 30 millions d'employés américains pratiquent le télétravail au moins une journée par semaine, et ce nombre devrait augmenter de 63 % de 2013 à 2018[23].

Laisser les employés accomplir leur travail de l'extérieur du bureau fait diminuer la circulation sur les routes, favorise la rétention du personnel, stimule la productivité du travail et réduit sensiblement les coûts immobiliers. En ce qui concerne IBM, en 2012, environ 24 % des 430 000 employés se sont prévalus du programme pour les employés mobiles ou du programme de travail à la maison. Il en a résulté une baisse de la consommation d'essence de près de 22 millions de litres et une réduction des émissions de CO_2 de 45 000 tonnes métriques aux États-Unis seulement. VIPdesk, un employeur de représentants de services à la clientèle qui travaillent à la maison, conserve 85 % de ses employés chaque année, alors que la proportion n'atteint que de 10 à 20 % dans le cas des centres d'appels traditionnels, selon l'entreprise de consultants IDC. La productivité des employés virtuels dépasse d'environ 16 % celle des employés de bureau, selon les recherches faites par Grantham.

Si libérer les employés de l'obligation de travailler au bureau comporte de nombreux avantages, les inconvénients sont tout de même multiples. D'abord, ce ne sont pas tous les employés qui veulent abandonner le bureau. Certains craignent de perdre toute possibilité de promotion interne, alors que d'autres ont besoin de travailler dans un milieu dynamique pour demeurer productifs. Certains gestionnaires hésitent à se priver de contacts directs avec les employés, parce qu'il peut être plus difficile d'encadrer ou de diriger une main-d'œuvre intangible. Certains employés virtuels se sentent isolés ou privés de l'accès à une formation ou à un mentorat d'importance cruciale. Et les problèmes de communication risquent de compromettre l'innovation, la confiance, la satisfaction au travail et le rendement.

Ces obstacles ont amené IBM et d'autres entreprises à chercher un ensemble de solutions novatrices aux problèmes découlant du travail virtuel. Quelques-unes combinent le recours à des appareils mobiles, au courrier électronique, à la messagerie instantanée et à des logiciels de collaboration pour aider les employés à demeurer en contact avec leurs collègues.

Des outils à la disposition des effectifs virtuels

La mobilité et les dispositifs sans fil sont les outils mis à la disposition des effectifs virtuels. En voici quelques exemples.

- Le **commerce mobile** est la possibilité d'acheter des biens et services au moyen d'un appareil sans fil qui donne accès à Internet.

- La **télématique** est l'ensemble des techniques combinant des ordinateurs et des outils technologiques de télécommunications sans fil, dans le but de transmettre adéquatement l'information par l'entremise de grands réseaux pour améliorer le fonctionnement de l'entreprise. L'exemple le plus notable en matière de télématique est peut-être Internet lui-même, car son fonctionnement relève d'un grand nombre de réseaux informatiques reliés à l'échelle mondiale par des dispositifs de télécommunication.

- La **traçabilité électronique** est une technique permettant l'identification et le suivi de biens et d'individus au moyen d'outils technologiques comme l'identification par radio-fréquence (IDRF) et les cartes à puce.

D'autres entreprises, dont Microsoft, WebEx et Cisco, se spécialisent aussi en logiciels de télécollaboration et de téléconférence. Ces derniers permettent plus facilement à des personnes se trouvant dans des endroits différents de travailler ensemble et de mener à bien des réunions.

Pour accomplir son travail, un employé virtuel doit compter sur un ordinateur portable, une tablette ou un téléphone intelligent ainsi que sur un accès à Internet à haute vitesse. Mais certaines entreprises en font davantage pour mieux équiper les employés virtuels. Ainsi, IBM fournit un service de messagerie universel grâce auquel les dirigeants n'ont qu'à donner leur numéro de téléphone à leurs clients et à leurs collègues. Ce service transfère ensuite tout appel reçu au dirigeant concerné, peu importe où il se trouve et ce qu'il fait : à la maison, en conversation sur son téléphone cellulaire ou dans un centre de mobilité électronique, c'est-à-dire un des bureaux temporaires installés par IBM en divers endroits dans le monde. Patrick Boyle, directeur des ventes en soins de santé et en sciences biologiques pour IBM, qui consacre environ la moitié de son temps à ses multiples déplacements, travaille pendant ses heures passées dans un taxi, un salon d'aéroport, un avion, un café, etc. De même, il recourt fréquemment aux services des centres de mobilité électronique et considère son casque d'écoute comme un outil de travail essentiel.

Les mondes virtuels

Les mondes virtuels ne sont pas aussi éparpillés qu'ils l'étaient il y a quelques années. Au moment où Second Life a atteint son nombre maximal d'utilisateurs, soit de 2006 à 2008, l'entreprise a reçu beaucoup d'attention de la part des médias et du monde des affaires. Des entreprises telles que WIRED, Adidas, Dell et LEGO disposaient toutes d'édifices et d'îlots numériques dans le monde virtuel de Second Life. Aujourd'hui, il existe plusieurs endroits dans Second Life où il est possible d'organiser des réunions, des séances de formation ou des événements virtuels. Il y a également divers lieux comme le Café Reality Check où l'on peut s'enquérir de l'ampleur de l'activité physique nécessaire pour brûler les calories issues des plats choisis dans le menu, ou encore visiter la librairie virtuelle de l'Université de Stanford.

Au premier trimestre de 2014, Second Life a enregistré environ un million de visites par mois et demeure ainsi l'un des mondes virtuels les plus populaires. En dépit de la baisse de popularité de Second Life, il demeure intéressant d'examiner de quelles façons les entreprises utilisaient leur espace dans le monde virtuel de Second Life pour mieux affronter la concurrence dans l'économie mondiale[24].

- Warner Bros. Records. Pour faire la promotion du quatrième album de la chanteuse Regina Spektor, *Begin to hope*, Warner Bros. a construit un loft chic de style Manhattan dans Second Life. Pendant la diffusion des chansons de Spektor, l'éclairage et le décor du loft se modifiaient pour mieux illustrer les paroles des chansons. Il s'agissait alors d'une nouvelle expérience de marketing qui tenait à la fois d'un jeu vidéo et d'un vidéoclip[25].

- Adidas. La société Adidas s'est employée à vendre des chaussures de sport virtuelles dans Second Life. Voulant savoir quelles combinaisons de couleurs ou quels styles plaisaient le plus aux participants de Second Life, l'entreprise en a testé un certain nombre avant de choisir ceux qu'elle prévoyait mettre sur le marché dans le monde réel[26].

- Toyota. Le plan de marketing retenu par Toyota pour sa voiture moderne et carrée de marque Scion comprenait la mise à contribution d'une galerie d'art de Los Angeles (Scion Space) et le parrainage de la projection de films indépendants (Scion Independent Film Series). Sensible à l'importance de la culture populaire, le fabricant d'automobiles est également présent dans Second Life, où il a offert une version virtuelle de la voiture de marque Scion xB[27].

- Les établissements d'enseignement. Des établissements d'enseignement comme l'Université York à Toronto, le Loyalist College à Belleville (Ontario) et l'École de droit de l'Université Harvard à Cambridge (Massachusetts) étaient présents dans le monde virtuel. L'Université York a construit un campus virtuel où les étudiants peuvent assister à des conférences virtuelles dans des salles de classe tout aussi virtuelles. Ali Asgary, professeur à cette université, a créé le site de York et s'en est servi pour donner son cours en gestion des urgences. Il simulait, dans Second Life, des catastrophes en temps réel comme l'explosion d'un réservoir de propane ou une épidémie de grippe porcine. Il invitait ses étudiants à jouer un rôle dans ces simulations et à résoudre les problèmes qu'ils rencontraient. Le temps nécessaire pour organiser dans Second Life la simulation d'une catastrophe en temps réel ne représente qu'une petite fraction du temps qu'il faudrait consacrer à l'organisation de simulations analogues dans le monde réel. Au Loyalist College, les enseignants donnent une formation aux agents des services frontaliers à l'aide de scénarios fondés sur des frontières virtuelles dans Second Life. Pour sa part, l'École de droit d'Harvard a tenu des procès simulés devant un tribunal virtuel dans Second Life[28].

7.2 Le progiciel de gestion intégré

Introduction

Le **progiciel de gestion intégré (PGI),** comme son nom l'indique, intègre tous les services et toutes les fonctions d'une organisation en un seul système d'information (ou en un ensemble intégré de systèmes d'information), de sorte que les employés peuvent prendre des décisions éclairées après avoir examiné les données concernant toutes les activités d'affaires de l'entreprise dans son ensemble. L'encadré 7.2 présente quelques-unes des raisons pour lesquelles les solutions en PGI se sont avérées aussi efficaces et vigoureuses.

Le PGI, en tant que système lié aux affaires, se fait l'écho d'un puissant idéal en gestion des données internes : tous les membres du personnel actifs dans la localisation des sources d'approvisionnement, la fabrication et la livraison des produits de l'entreprise disposent des mêmes données, ce qui élimine les redondances, réduit les pertes de temps et élimine les incohérences dans les données.

ENCADRÉ 7.2

Raisons pour lesquelles le PGI est un puissant outil organisationnel

- Le PGI est une solution logique à la multitude d'applications incompatibles qui se sont accumulées dans la plupart des entreprises.
- Le PGI répond au besoin de partager et de diffuser largement l'information.
- Le PGI permet d'éviter les difficultés et les coûts liés à la réparation des systèmes existants.

Les systèmes existants et le progiciel de gestion intégré

Avant de décrire en détail le PGI, il est utile de comprendre ce qu'un tel système remplace, c'est-à-dire un système patrimonial.

Un **système patrimonial** est couramment défini comme une ancienne technologie informatique qui demeure en usage même après qu'un nouveau système a été offert. Il peut s'agir de tout ensemble d'anciens outils technologiques qui constituent un système d'information. Un système patrimonial demeure souvent en place parce qu'il effectue toujours le travail auquel il était destiné, qu'il satisfait adéquatement les besoins des utilisateurs ou que son remplacement serait coûteux.

Les difficultés qui attendent une entreprise remplaçant son système patrimonial par un PGI sont de deux ordres. D'abord, les données importantes à transférer dans le nouveau système sont souvent dans un format incompatible avec ce dernier. Ensuite, ces données sont généralement stockées dans un système fonctionnel, ce qui signifie qu'elles ne sont pas intégrées, mais plutôt que chaque unité fonctionnelle de l'entreprise possède son propre ensemble de données et que la duplication de celles-ci doit être éliminée. Au sein des systèmes fonctionnels, les mêmes données sont souvent stockées dans des formats différents, ce qui accentue d'autant plus cette deuxième difficulté. Un **système fonctionnel** est un système d'information qui dessert une seule unité fonctionnelle, telle la comptabilité[29].

Le progiciel de gestion intégré

Aujourd'hui, les dirigeants d'entreprise veulent avoir accès à de grands volumes de données rapidement pour avoir un aperçu en temps réel de la situation. Ainsi, ils sont en mesure de prendre les décisions nécessaires au moment opportun, sans devoir consacrer des heures à repérer les données utiles et à produire des rapports.

De nombreuses organisations ne parviennent pas à assurer la cohérence dans l'ensemble de leurs activités d'affaires. Si un seul service, comme celui des ventes, décide d'adopter un nouveau système sans tenir compte des autres services, des incohérences en résulteront au sein de l'entreprise. Tous les systèmes n'ont pas la capacité de communiquer entre eux et de partager les données. De ce fait, si le Service des ventes instaure soudainement un nouveau système que le Service du marketing et le Service de la comptabilité ne peuvent pas utiliser, ou si le système traite les données de façon incohérente, les activités de l'entreprise finissent par se déployer en silos. Par exemple, le tableau 7.2 (*voir la page suivante*) montre des échantillons de données tirés d'une base de données sur les ventes, alors que le tableau 7.3 (*voir la page 245*) présente des échantillons provenant d'une base de données de comptabilité. Il faut noter ici les différences caractérisant le format, la teneur et la désignation de données. Il serait difficile d'établir des corrélations entre ces données, et les incohérences entraîneraient de multiples erreurs de communication à l'échelle de toute l'entreprise.

Los Angeles est une ville de 3,8 millions d'habitants qui emploie 30 000 fonctionnaires municipaux et dispose d'un budget de 7 milliards de dollars. Toutefois, avant la mise en œuvre de son PGI, chaque service municipal procédait à ses propres achats, ce qui signifiait que 2 000 personnes travaillant dans 600 édifices municipaux et 60 entrepôts commandaient les biens requis. Quelque 120 000 bons de commande et 50 000 chèques par année étaient transmis à plus de 7 000 vendeurs. Le manque d'efficience sévissait partout.

« L'absence de responsabilité financière caractérisait l'ancien système, si bien que des individus pouvaient effectuer des dépenses sans autorisation », explique Bob Jensen, le chef de projet municipal en PGI. Chaque service maintenait ses propres inventaires dans des systèmes différents. Le manque de concordance entre les dépenses et les biens achetés posait problème. Un service faisait ses achats d'une certaine façon, d'autres privilégiaient une approche différente. Les systèmes à ordinateur central étaient isolés. La Ville a choisi un PGI dans un projet de 22 millions de dollars afin d'intégrer les achats et la communication de l'information financière pour toute la municipalité. À la suite de la mise en œuvre de ce projet, le personnel chargé du traitement des chèques a été réduit de moitié, le traitement des bons de commande s'est vivement accéléré, 40 postes dans les entrepôts ont été abolis, la valeur des stocks est passée de 50 millions à 15 millions de dollars et un seul point de contact a été attribué à chaque vendeur. En outre, la Ville a pu économiser cinq millions de dollars par année en consolidation de contrats.

La figure 7.4 (*voir la page 246*) montre qu'un PGI rassemble des données provenant de toute l'entreprise, les consolide, établit des corrélations entre elles et génère des rapports relatifs à l'entreprise dans son ensemble. Les applications initiales du PGI étaient censées réunir toutes les données en un véritable système « d'entreprise » et avoir la capacité de traiter tous les processus d'affaires au sein de l'organisation. Malheureusement, les solutions de PGI n'ont pas été à la hauteur des espoirs à cet égard, et les applications n'ont généralement touché que de 15 à 20 % de chaque organisation concernée. Le problème que le PGI devrait résoudre est le suivant : dans la majorité des organisations, les données se trouvent actuellement dans des silos qui sont gérés par quelques personnes choisies et ne peuvent donc être partagées dans toute l'organisation. Une telle situation engendre des incohérences dans les activités d'affaires.

Fairmont Hotels and Resorts est un chef de file mondial en hôtellerie qui exploite plus d'une centaine d'hôtels dans le monde à partir de son siège social à Toronto. L'entreprise

TABLEAU 7.2 | Échantillon de données sur les ventes

	A	B	C	D	E	F	G
1	**Date de la commande**	**Nom du produit**	**Quantité**	**Prix unitaire**	**Coût unitaire**	**ID client**	**ID représentant des ventes**
2	Lundi 4 janvier 2015	Fromage mozzarella	41,5	24,15$	15,35$	AC45	EX-107
3	Lundi 4 janvier 2015	Laitue romaine	90,65	15,06$	14,04$	AC45	EX-109
4	Mardi 5 janvier 2015	Oignons rouges	27,15	12,08$	10,32$	AC67	EX-104
5	Mercredi 6 janvier 2015	Laitue romaine	67,25	15,16$	10,54$	AC96	EX-109
6	Jeudi 7 janvier 2015	Olives noires	79,26	12,18$	9,56$	AC44	EX-104
7	Jeudi 7 janvier 2015	Laitue romaine	46,52	15,24$	11,54$	AC32	EX-104
8	Jeudi 7 janvier 2015	Laitue romaine	52,5	15,26$	11,12$	AC84	EX-109
9	Vendredi 8 janvier 2015	Oignons rouges	39,5	12,55$	9,54$	AC103	EX-104
10	Samedi 9 janvier 2015	Laitue romaine	66,5	15,98$	9,56$	AC4	EX-104
11	Dimanche 10 janvier 2015	Laitue romaine	58,26	15,87$	9,50$	AC174	EX-104
12	Dimanche 10 janvier 2015	Ananas	40,15	33,54$	22,12$	AC45	EX-104
13	Lundi 11 janvier 2015	Ananas	71,56	33,56$	22,05$	AC4	EX-104
14	Jeudi 14 janvier 2015	Laitue romaine	18,25	15,00$	10,25$	AC174	EX-104
15	Jeudi 14 janvier 2015	Laitue romaine	28,15	15,26$	10,54$	AC44	EX-107
16	Vendredi 15 janvier 2015	Pepperoni	33,5	15,24$	10,25$	AC96	EX-109
17	Vendredi 15 janvier 2015	Fromage parmesan	14,26	8,05$	4,00$	AC96	EX-104
18	Samedi 16 janvier 2015	Fromage parmesan	72,15	8,50$	4,00$	AC103	EX-109
19	Lundi 18 janvier 2015	Fromage parmesan	41,5	24,15$	15,35$	AC45	EX-107
20	Lundi 18 janvier 2015	Laitue romaine	90,65	15,06$	14,04$	AC45	EX-109
21	Mercredi 20 janvier 2015	Tomates	27,15	12,08$	10,32$	AC67	EX-104
22	Jeudi 21 janvier 2015	Poivrons	67,25	15,16$	10,54$	AC96	EX-109
23	Jeudi 21 janvier 2015	Fromage mozzarella	79,26	12,18$	9,56$	AC44	EX-104
24	Samedi 23 janvier 2015	Olives noires	46,52	15,24$	11,54$	AC32	EX-104
25	Dimanche 24 janvier 2015	Fromage mozzarella	52,5	15,26$	11,12$	AC84	EX-109
26	Mardi 26 janvier 2015	Laitue romaine	39,5	12,55$	9,54$	AC103	EX-104
27	Mercredi 27 janvier 2015	Fromage parmesan	66,5	15,98$	9,56$	AC4	EX-104
28	Jeudi 28 janvier 2015	Poivrons	58,26	15,87$	9,50$	AC174	EX-104
29	Jeudi 28 janvier 2015	Fromage mozzarella	40,15	33,54$	22,12$	AC45	EX-104
30	Vendredi 29 janvier 2015	Tomates	71,56	33,56$	22,05$	AC4	EX-104
31	Vendredi 29 janvier 2015	Poivrons	18,25	15,00$	10,25$	AC174	EX-104

TABLEAU 7.3 | Échantillon de données de comptabilité

	A	B	C	D	E	F	G	H	I	J
1	Date de la commande	Nom du produit	Quantité	Prix unitaire	Ventes totales	Coût unitaire	Coût total	Profit	Client	Représentant des ventes
2	4-Janv.-15	Fromage mozzarella	41	24	984	18	738	246	The Station	Debbie Fernandez
3	4-Janv.-15	Laitue romaine	90	15	1 350	14	1 260	90	The Station	Roberta Cross
4	5-Janv.-15	Oignons rouges	27	12	324	8	216	106	Bert's Bistro	Loraine Schultz
5	6-Janv.-15	Laitue romaine	67	15	1 005	14	938	67	Smoke House	Roberta Cross
6	7-Janv.-15	Olives noires	79	12	948	6	474	474	Flagstaff House	Loraine Schultz
7	7-Janv.-15	Laitue romaine	46	15	690	14	644	46	Two Bitts	Loraine Schultz
8	7-Janv.-15	Laitue romaine	52	15	780	14	728	52	Pierce Arrow	Roberta Cross
9	8-Janv.-15	Oignons rouges	39	12	468	8	312	156	Mamm'a Pasta Place	Loraine Schultz
10	9-Janv.-15	Laitue romaine	66	15	990	14	924	66	The Dandelion	Loraine Schultz
11	10-Janv.-15	Laitue romaine	58	15	870	14	812	58	Carmens	Loraine Schultz
12	10-Janv.-15	Ananas	40	33	1 320	28	1 120	200	The Station	Loraine Schultz
13	11-Janv.-15	Ananas	71	33	2 343	28	1 988	355	The Dandelion	Loraine Schultz
14	14-Janv.-15	Laitue romaine	18	15	270	14	252	18	Carmens	Loraine Schultz
15	14-Janv.-15	Laitue romaine	28	15	420	14	392	28	Flagstaff House	Debbie Fernandez
16	15-Janv.-15	Pepperoni	33	53	1 749	35	1 155	594	Smoke House	Roberta Cross
17	15-Janv.-15	Fromage parmesan	14	8	112	4	56	56	Smoke House	Loraine Schultz
18	16-Janv.-15	Fromage parmesan	72	8	576	4	288	288	Mamm'a Pasta Place	Roberta Cross
19	18-Janv.-15	Fromage parmesan	10	8	80	4	40	40	Mamm'a Pasta Place	Loraine Schultz
20	18-Janv.-15	Laitue romaine	42	15	630	14	588	42	Smoke House	Roberta Cross
21	20-Janv.-15	Tomates	48	9	432	7	336	96	Two Bitts	Loraine Schultz
22	21-Janv.-15	Poivrons	29	21	609	12	348	261	The Dandelion	Roberta Cross
23	21-Janv.-15	Fromage mozzarella	10	24	240	18	180	60	Mamm'a Pasta Place	Debbie Fernandez
24	23-Janv.-15	Olives noires	96	12	1 176	6	588	588	Two Bitts	Roberta Cross
25	24-Janv.-15	Fromage mozzarella	45	24	1 080	18	810	270	Carmens	Loraine Schultz
26	26-Janv.-15	Laitue romaine	58	15	870	14	812	58	Two Bitts	Loraine Schultz
27	27-Janv.-15	Fromage parmesan	66	8	528	4	264	264	Flagstaff House	Loraine Schultz
28	28-Janv.-15	Poivrons	85	21	1 785	12	1 020	765	Pierce Arrow	Loraine Schultz
29	28-Janv.-15	Fromage mozzarella	12	24	288	18	216	72	The Dandelion	Debbie Fernandez
30	29-Janv.-15	Tomates	40	9	360	7	280	80	Pierce Arrow	Roberta Cross

possède quelques-uns des grands hôtels renommés dans le monde, tels que le Fairmont Banff Springs dans le parc national de Banff, le Fairmont Chateau Laurier à Ottawa et le Savoy à Londres. Prévoyant ouvrir 50 nouveaux hôtels au cours des 5 prochaines années, la chaîne Fairmont avait pour objectif d'aider les propriétaires respectifs de ses hôtels à assurer la meilleure gestion possible de leur établissement et à continuer de transmettre au siège social les données utiles. La solution devait aussi remplir la fonction de cadre général des données financières pour l'ensemble de l'entreprise. Fairmont a appliqué une solution de PGI satisfaisante. En effet, cette dernière permet à chaque propriétaire d'établissement de gérer son hôtel comme une petite ou moyenne entreprise de manière indépendante, tout en laissant Fairmont jouer son rôle de grande chaîne d'hôtels mondiale. Le PGI a également procuré à Fairmont une bonne circulation des données et de l'information, qui lui apporte les renseignements organisationnels nécessaires pour prendre des décisions éclairées en vue d'étendre ses activités dans les années à venir[30].

FIGURE 7.4

Prologiciel de gestion intégré

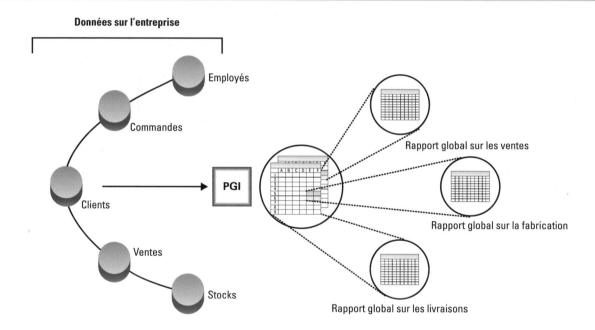

Un PGI contribue à la cohérence dans une organisation. Il fournit une méthode de planification et de contrôle efficaces de toutes les ressources requises à des fins de fabrication, de livraison et d'exécution des commandes des clients pour une organisation axée sur la production, la distribution ou les services. Le PGI comporte deux composantes essentielles : le cœur du PGI et l'évolution de celui-ci.

Le cœur du progiciel de gestion intégré

Un PGI apporte un appui fondamental à une organisation en ce qui concerne la prise de décision. Auparavant, les différents services d'une entreprise prenaient des décisions indépendamment les uns des autres. Un PGI sert de fondement à la collaboration entre ces services et facilite les communications entre les personnels de différents secteurs d'activité. Les grandes organisations ont largement adopté un PGI afin de stocker des données cruciales pour favoriser la prise des décisions qui optimisent le rendement.

Si elle veut être concurrentielle, une organisation doit toujours viser l'excellence dans tout processus d'affaires global, ce qui représente un sérieux défi à relever pour une organisation déployant ses activités dans plusieurs sites à l'échelle mondiale. Pour assurer l'efficience opérationnelle, réduire les coûts, améliorer les relations avec les fournisseurs et la clientèle et accroître les revenus et la part du marché de l'organisation dans son ensemble, toutes ses unités doivent évoluer en harmonie en vue d'atteindre des objectifs pertinents. Un PGI aide justement une organisation en ce sens.

La Ville de Winnipeg est une des organisations ayant balisé la voie à emprunter avec le PGI. Dans ses efforts pour devenir une des municipalités les plus efficientes au Canada, la Ville a fait appel au PGI pour rationaliser et intégrer plus d'une centaine de systèmes variés et éparpillés dans les divers services municipaux. Selon Rodger Guinn, chef de projet pour la Ville, les résultats obtenus sont remarquables : « Winnipeg, qui était la dernière grande ville canadienne sans PGI, est désormais considérée comme le chef de file, avec ses logiciels de première qualité et l'intégration pleinement réalisée. » Avant la mise en œuvre du PGI, la Ville affrontait de nombreuses difficultés à cause de sa multitude d'applications incompatibles et disjointes : des données incohérentes et de mauvaises communications entre ses services ; un pouvoir d'achat non maximisé en raison d'un approvisionnement non intégré ; un manque de coordination des activités communes, comme celles qui sont liées aux ressources humaines et à la paie ; une capacité analytique limitée ; et des silos de pratiques d'affaires et de cultures organisationnelles fonctionnelles, avec de rares points de contact. Le PGI a surmonté ces difficultés grâce à sa capacité d'intégrer les systèmes des 14 services municipaux, dont la police, le transport en commun, les travaux publics, l'approvisionnement en eau et la collecte des ordures. Les ressources humaines et les finances constituaient des éléments essentiels du PGI, grâce auquel la Ville de Winnipeg est en bonne position pour assurer sa croissance. Selon Deloitte, le cabinet de services professionnels embauché par la Ville pour la mise en œuvre du PGI, le « nouveau système assure la coordination des finances, des ressources humaines et des technologies de l'information pour tous les services municipaux, de même que la gestion de l'information en temps réel et le libre-service aux employés. Il comporte aussi une plateforme stable et souple pour la standardisation des pratiques, des politiques et des procédures dans les services, et pour le développement de nouvelles applications telles que la gestion des compétences et la planification de carrière[31] ».

Aux États-Unis, United Parcel Service of America, Inc. (UPS), située à Atlanta, s'est également appuyée sur le PGI pour améliorer sa situation. UPS a développé des applications Web qui retracent des données comme les signatures des destinataires, leurs adresses, le temps de transport et d'autres éléments relatifs à la livraison. Ces services reposent sur un PGI auquel les clients d'UPS peuvent se relier par l'entremise de données de PGI en temps réel tirées du site Web d'UPS. En une journée moyenne, 22,4 millions de demandes de retraçage sont acheminées au site Web de l'entreprise, chiffre qui atteint 40 millions durant le temps des Fêtes. Depuis l'automatisation de la transmission des données, le nombre de demandes adressées aux représentants du Service à la clientèle d'UPS a énormément baissé. Autre conséquence importante : UPS a amélioré ses relations avec ses partenaires d'affaires – en fait, elle a intégré ses activités d'affaires aux leurs – en facilitant la tâche aux consommateurs qui veulent consulter les données de livraison sans quitter le site Web du commerçant.

Le cœur d'un PGI est une base de données centrale qui recueille des données issues de toutes les composantes d'application du PGI (c'est-à-dire les modules) et qui les alimente aussi en données, en appui à des activités d'affaires telles que la comptabilité, la fabrication, le marketing et les ressources humaines. Lorsqu'un utilisateur entre ou met à jour des données dans un module, celles-ci sont alors immédiatement et automatiquement mises à jour dans tout le système, comme le montre la figure 7.5 (*voir la page suivante*).

Le PGI automatise des processus d'affaires comme l'exécution des commandes, qui comprend la réception de la commande d'un client, la livraison des articles commandés et la facturation afférente. Avec un PGI, lorsqu'un représentant du Service à la clientèle reçoit la commande d'un client, il dispose alors de toutes les données nécessaires pour exécuter cette commande (la cote de crédit et les commandes antérieures de ce client, le niveau des stocks de l'entreprise et l'horaire de livraison). Tout le personnel de l'entreprise voit les mêmes données et a accès à la base de données qui contient la nouvelle commande du client. Lorsqu'un service a terminé sa tâche relativement à la commande, celle-ci est automatiquement transférée, par l'entremise du PGI, au prochain service concerné. Pour savoir où en est rendu le traitement d'une commande, l'utilisateur n'a qu'à entrer dans le PGI et à repérer sa commande, comme l'illustre la figure 7.6 (*voir la page suivante*). Le traitement de la commande se déroule à la vitesse de l'éclair au sein de l'organisation, et les clients reçoivent leurs articles

FIGURE 7.5

Circulation des données dans
le PGI

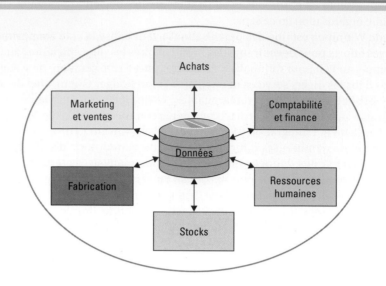

FIGURE 7.6

Déroulement du traitement
dans le PGI

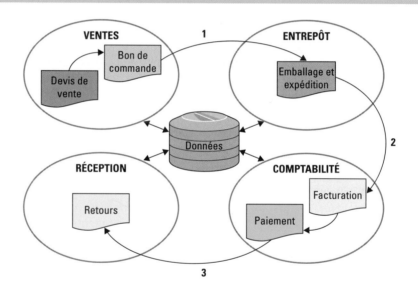

plus vite que jamais et presque toujours sans erreur. Le PGI peut exercer sa magie dans les autres processus d'affaires importants, tels que les avantages sociaux du personnel et la communication de rapports financiers.

Le PGI permet aux employés de toute l'organisation de partager les données au moyen d'une seule base de données centralisée. Si elle compte sur des capacités de portail élargies, une organisation peut également associer ses fournisseurs et ses clients au déroulement du processus, de sorte que le PGI s'insère dans l'ensemble de la chaîne de valeur et accentue ainsi l'efficience opérationnelle de l'organisation (*voir les figures 7.7 et 7.8*).

L'évolution du progiciel de gestion intégré

Initialement, les solutions de PGI ont été mises au point pour favoriser l'automatisation de multiples services d'une organisation, faciliter le processus de fabrication et résoudre des questions liées aux matières premières, aux stocks, à l'entrée des commandes et à la distribution. Toutefois, à ce moment-là, le PGI n'a pas pu s'étendre à d'autres domaines fonctionnels de l'entreprise comme les ventes, le marketing et la livraison. Il ne pouvait compter sur aucune capacité de gestion de la relation client qui permettrait à une organisation d'obtenir des

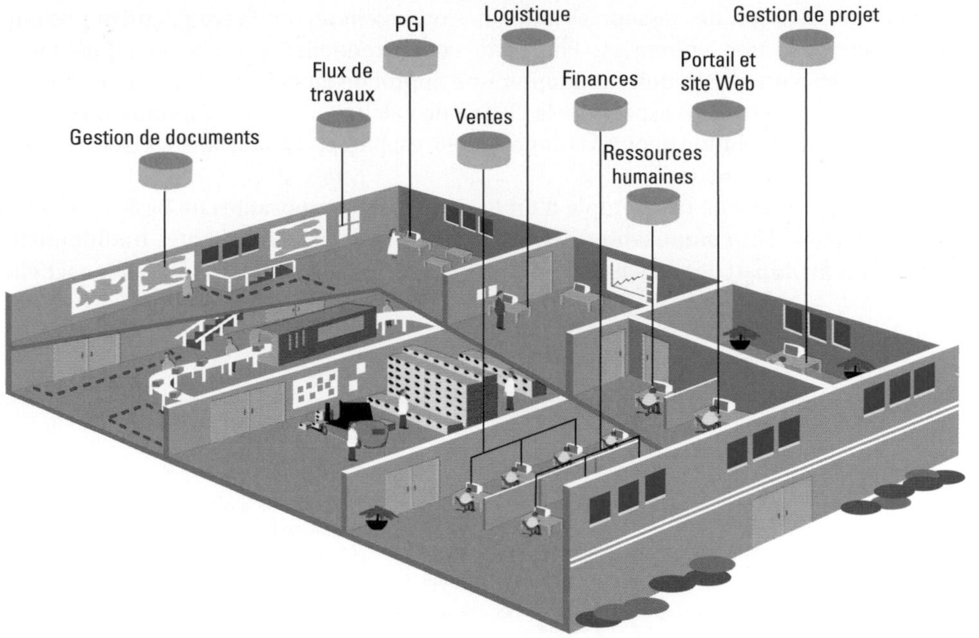

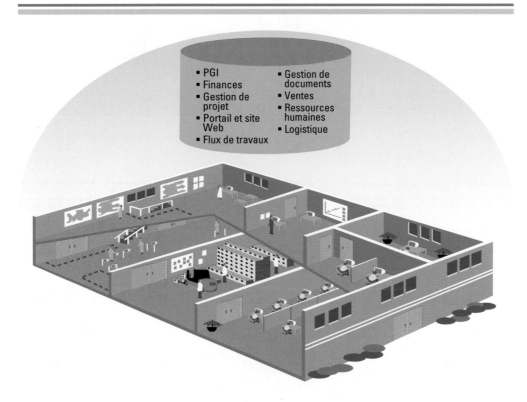

FIGURE 7.7

Organisation à « silos » fonctionnels, avant l'adoption du PGI

FIGURE 7.8

Organisation après l'adoption du PGI

données spécifiques sur les clients, pas plus qu'il n'était couplé à des sites Web ou à des portails utilisés pour le service à la clientèle. Le personnel du centre d'appels ou de l'assurance-qualité ne pouvait bénéficier d'une solution de PGI, et celui-ci n'était pas en mesure de traiter la gestion de documents comme les contrats de catalogage et les bons de commande.

Le PGI a pris de l'expansion au fil des ans et fait maintenant partie de l'entreprise au sens large. Après ses débuts en tant qu'outil servant à la gestion des ressources de production, il s'est étendu à l'entreposage, à la distribution et à l'entrée des commandes. La prochaine étape de son évolution le mènera dans le bureau de direction, y compris pour la gestion de la relation client. À l'heure actuelle, les membres du personnel des services administratifs, des ventes, du marketing et des ressources humaines partagent un outil véritablement présent à l'échelle de toute une entreprise. Pour être concurrentielles sur un plan fonctionnel aujourd'hui, les entreprises doivent adopter une approche globale en PGI qui s'appuie sur Internet et est liée à tous les aspects de la chaîne de valeur. La figure 7.9 montre bien que le PGI, en croissante évolution depuis les années 1990, est parvenu à satisfaire les besoins d'une organisation dans sa totalité.

La figure 7.10 présente un exemple d'un PGI avec ses composantes de base et ses composantes élargies. Les **composantes de base du PGI** sont les composantes traditionnelles incluses dans la plupart des systèmes de PGI, et elles sont foncièrement axées sur les activités

FIGURE 7.9

Évolution du PGI

PGI	Composante élargie du PGI	PGI II
• Gestion des ressources de production	• Ordonnancement	• Gestion de projet
• Entrée des commandes	• Prévisions	• Gestion des connaissances
• Distribution	• Planification de la capacité	• Gestion du flux de travaux
• Grand livre général	• Commerce électronique	• Gestion de la relation client
• Comptabilité	• Entreposage	• Gestion des ressources humaines
• Pilotage de l'atelier	• Logistique	• Capacité du portail
		• Finances intégrées

1990   2000   Aujourd'hui

FIGURE 7.10

Composantes de base et composantes élargies du PGI

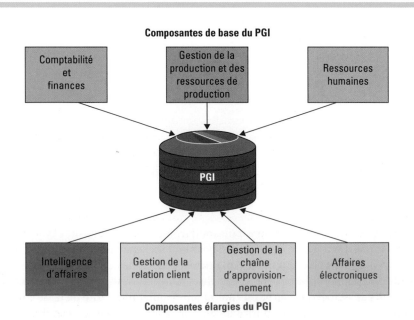

Composantes de base du PGI

Comptabilité et finances — Gestion de la production et des ressources de production — Ressources humaines

PGI

Intelligence d'affaires — Gestion de la relation client — Gestion de la chaîne d'approvisionnement — Affaires électroniques

Composantes élargies du PGI

internes. Les **composantes élargies du PGI** sont les composantes additionnelles qui satisfont les besoins organisationnels non couverts par les composantes de base et qui sont surtout axées sur les activités externes.

Les composantes de base du progiciel de gestion intégré

Les trois composantes de base les plus courantes du PGI qui sont centrées sur les activités internes sont : la composante du PGI en comptabilité et en finances, la composante du PGI en gestion de la production et des ressources de production ainsi que la composante du PGI en ressources humaines.

La composante du progiciel de gestion intégré en comptabilité et en finances

Excelsior Radio Networks est une entreprise qui, à partir de son siège social à New York, distribue sous licence des émissions musicales et des services de préparation d'émissions à plus de 2 000 stations de radio aux États-Unis. Elle assure également la représentation des ventes de publicité auprès de plus d'une quarantaine de producteurs de radio indépendants. Après avoir fait l'acquisition de Winstar Communications, elle s'est aperçue qu'elle avait besoin d'une nouvelle solution en PGI qui lui procurerait de solides capacités en communication de l'information financière et en comptabilité. Elle devait aussi combiner rapidement les processus en vigueur au sein de deux organisations distinctes. De plus, la solution en PGI apparaîtrait dans une situation assez particulière, puisque Winstar avait déclaré faillite tout juste avant son rachat. La solution aide maintenant Excelsior à prendre des décisions sur une base quotidienne, mais aussi à gérer ses comptes[32].

La **composante du PGI en comptabilité et en finances** gère les données de comptabilité et les processus financiers au sein de l'entreprise en ce qui concerne le grand livre général, les comptes créditeurs, les comptes clients, le budget et la gestion des actifs. Parmi les éléments les plus utiles d'une composante du PGI en comptabilité et en finances, on trouve la gestion des crédits. La plupart des organisations gèrent leurs relations avec la clientèle en fixant des limites de crédit, c'est-à-dire qu'elles limitent à un maximum donné la somme qu'un client leur doit en tout temps. Elles vérifient ensuite la limite de crédit ainsi prévue dès qu'un client fait une nouvelle commande ou envoie un paiement. Les systèmes financiers du PGI facilitent l'établissement des corrélations entre les commandes et les soldes des comptes clients en vue de déterminer le crédit disponible pour chacun. La composante du PGI en comptabilité et en finances représente aussi l'outil par excellence pour effectuer l'analyse de rentabilité d'un produit et permet aux entreprises de recourir à toutes sortes de techniques de pointe en modélisation de la rentabilité.

La composante du progiciel de gestion intégré en gestion de la production et des ressources de production

Une des principales fonctions du PGI consiste à rationaliser le processus de gestion de la production. La **composante du PGI en gestion de la production et des ressources de production** traite des différents éléments de la planification et de l'exécution de la production tels que la prévision de la demande, le calendrier de production, la comptabilité des coûts de production et le contrôle de la qualité. Une entreprise fabrique généralement beaucoup de produits, chacun étant constitué de nombreuses parties. C'est aux chaînes de production, qui comprennent des machines et des employés, que revient la tâche de fabriquer les différents types de produits. L'entreprise doit ensuite déterminer des prévisions de ventes pour chaque produit afin d'établir les calendriers de production et les achats des ressources de production. La figure 7.11 (*voir la page suivante*) illustre le processus typique de planification de la production, qui s'amorce avec la prévision des ventes en vue de la planification des activités. L'entreprise met au point un calendrier de production détaillé lorsqu'elle se lance dans la fabrication d'un produit, ainsi qu'une planification des ressources de production lorsqu'elle parvient à vendre ce produit.

FIGURE 7.11

Processus de planification
de la production

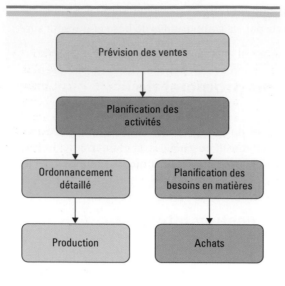

Ponzi Vineyards, situé en Oregon, est un vignoble familial de deuxième génération qui produit 15 000 caisses de bouteilles de vin par année. Ponzi exploite non seulement le vignoble, mais aussi un bar à vin, un restaurant et un magasin Web, outre le fait d'assurer la distribution de ses vins partout aux États-Unis. En ce qui a trait à sa solution en PGI, Ponzi Vineyards a besoin d'un système de points de vente qui sert à la fois pour la vente au détail et la vente en ligne, mais aussi en tant que système de gestion des stocks pour les activités de distribution de l'entreprise. Le système doit également transmettre les données de vente à la famille afin que celle-ci puisse prendre les décisions stratégiques pertinentes pour la production et ainsi assurer la gestion de la production des tonneaux de vin et du vignoble lui-même[33].

La composante du progiciel de gestion intégré en ressources humaines

La **composante du PGI en ressources humaines** regroupe les données sur le personnel, y compris la paie, les avantages sociaux, l'indemnisation et l'évaluation du rendement, et elle assure le respect des lois et des règlements relevant des différents ordres de gouvernement et des autorités fiscales. Elle comporte même des éléments qui permettent à une organisation d'effectuer des analyses détaillées relativement au personnel, entre autres pour repérer les individus susceptibles de quitter l'entreprise si celle-ci n'offre pas d'augmentation de l'indemnisation ou des avantages sociaux. Elle peut aussi identifier les employés qui font appel à diverses ressources, telles que la formation en ligne et les services téléphoniques interurbains, ce qui contribue à déterminer si les individus très talentueux travaillent pour les unités fonctionnelles hautement prioritaires ou s'ils sont affectés là où ils influent le plus sur la rentabilité.

YoCream International fabrique des produits à base de yogourt glacé ou de boisson fouettée qui sont distribués partout aux États-Unis. Ayant d'abord pris la forme d'une chaîne de vente au détail de yogourt, elle s'est lancée dans la production en 1987, avant de revenir à ses activités originelles. Elle a formé un partenariat avec Dannon pour vendre du yogourt à des distributeurs de services alimentaires, qui le revendent à des dépanneurs, des restaurants, des écoles et des hôpitaux. L'aire de restauration de Costco est le plus populaire point de vente du produit. En raison de son changement de vocation, YoCream avait besoin d'un PGI qui aiderait ses représentants des ventes à communiquer facilement entre eux. Ceux-ci devaient connaître la disponibilité de leurs contacts et bien informer leurs directeurs des ventes à Portland (Oregon) au sujet de leurs activités. Ainsi, il devenait possible de prévenir les chevauchements et d'éviter que plusieurs représentants des ventes ne contactent un même client. Le PGI aide l'équipe des ventes à être plus productive[34].

Les composantes élargies du progiciel de gestion intégré

Les composantes élargies du PGI sont les composantes additionnelles qui satisfont les besoins organisationnels non couverts par les composantes de base et qui sont axées sur les activités externes. Bon nombre des multiples composantes élargies du PGI fonctionnent par Internet et nécessitent une interaction avec les clients, les fournisseurs et les partenaires d'affaires extérieurs à l'organisation. Les quatre composantes élargies les plus courantes sont l'intelligence d'affaires, la gestion de la relation client, la gestion de la chaîne d'approvisionnement et les affaires électroniques.

La composante élargie du progiciel de gestion intégré – l'intelligence d'affaires

Un PGI comporte de puissants outils qui mesurent et encadrent les activités organisationnelles. Beaucoup d'entreprises se sont aperçues que ces outils peuvent être encore d'une plus grande valeur si on leur ajoute de puissants systèmes d'intelligence d'affaires. L'**intelligence d'affaires** désigne l'information que les individus utilisent pour étayer leurs démarches servant à la prise de décision. La composante du PGI en intelligence d'affaires permet généralement de recueillir des données utilisées dans toute l'entreprise (y compris celles dont se servent de nombreuses autres composantes du PGI). Elle organise et synthétise ces données pour les convertir en information utile et traite cette information au moyen d'outils d'analyse afin d'aider les gestionnaires et les analystes à prendre des décisions pertinentes. Les entrepôts de données représentent un des prolongements les plus populaires d'un PGI.

La composante élargie du progiciel de gestion intégré – la gestion de la relation client

Les vendeurs de PGI sont maintenant en mesure de contribuer à la gestion de la relation client. La **gestion de la relation client (GRC)** porte sur toutes les facettes des relations d'un client avec une organisation et vise à accentuer la rétention et la fidélité des clients ainsi que la rentabilité de l'organisation. La GRC permet d'obtenir un portrait intégré des données et des interactions relatives à la clientèle, dans le but d'aider une organisation à mieux coopérer avec ses clients et à mieux satisfaire leurs besoins. Elle comprend habituellement des centres d'appels, l'automatisation de la force de vente et des fonctions de marketing, qui servent à optimiser la satisfaction des clients et à identifier les meilleurs (et les moins bons) clients d'une entreprise, afin que celle-ci puisse bonifier la répartition de ses ressources.

La composante élargie du progiciel de gestion intégré – la gestion de la chaîne d'approvisionnement

Le PGI assure également la gestion de la chaîne d'approvisionnement. La **gestion de la chaîne d'approvisionnement (GCA)** traite les flux de données au sein des maillons d'une chaîne d'approvisionnement et entre eux, dans le but de maximiser l'efficacité et la rentabilité de cette chaîne dans son ensemble. La GCA aide une entreprise en ce qui concerne l'organisation, la structure, le contrôle et l'optimisation de sa chaîne d'approvisionnement, de l'acquisition des matières premières jusqu'à la réception des produits finis par les clients.

La composante élargie du progiciel de gestion intégré – les affaires électroniques

Initialement, un PGI était consacré au fonctionnement interne d'une organisation. En d'autres termes, il n'était fondamentalement pas en mesure de se frotter au monde extérieur des affaires électroniques. Aujourd'hui, les plus récentes et intéressantes composantes élargies du PGI sont celles qui servent pour les affaires électroniques.

Les **affaires électroniques** désignent l'ensemble des affaires réalisées par Internet, ce qui englobe non seulement les achats et les ventes, mais aussi le service à la clientèle et la collaboration avec les partenaires d'affaires. La cyberlogistique et l'approvisionnement électronique constituent deux des éléments essentiels des composantes en affaires électroniques. La **cyberlogistique** gère le transport et le stockage des biens, alors que l'**approvisionnement électronique** regroupe l'achat et la vente interentreprises de produits et services par Internet.

Les affaires électroniques et le PGI se complètent mutuellement pour permettre aux entreprises d'affirmer leur présence sur le Web et d'exécuter promptement les commandes. Beaucoup d'entreprises font souvent l'erreur de manifester leur présence Web avant d'intégrer leurs systèmes administratifs à l'aide d'un PGI. En voici un exemple : un grand fabricant de jouets a annoncé moins d'une semaine avant Noël qu'il ne pourrait exécuter aucune de ses commandes Web. Il disposait de tous les jouets dans son entrepôt, mais il était incapable d'organiser le traitement des commandes pour livrer à temps les jouets aux consommateurs.

Les clients et les fournisseurs exigent désormais d'accéder aux données du PGI, y compris à l'état des commandes, au niveau des stocks et à la conciliation des factures. De plus, les clients et les partenaires veulent consulter toutes ces données dans un format simplifié en consultant un site Web. Il s'agit là d'une tâche assez difficile à accomplir, parce que la plupart des PGI sont remplis de jargon technique, ce qui explique que la formation du personnel représente l'un des coûts cachés de la mise en œuvre d'un PGI. L'élimination du jargon afin de faciliter la tâche aux clients et aux partenaires qui ne le comprennent pas constitue l'une des étapes les plus difficiles à réaliser au moment d'instaurer un PGI sur le Web. Pour satisfaire les besoins croissants du monde des affaires électroniques, les vendeurs de PGI doivent aménager deux nouvelles voies d'accès au système d'information du PGI : une voie pour les clients (entreprise-consommateur) et une voie pour les entreprises, les fournisseurs et les partenaires (interentreprises)[35].

L'intégration des applications de systèmes de gestion

Le PGI, lorsqu'il comporte des composantes élargies comme la GCA et la GRC, forme le noyau des affaires électroniques. L'intégration de ces applications est la clé du succès pour de nombreuses entreprises. Elle favorise le déblocage des données et leur disponibilité pour tout utilisateur, en tout temps et en tout lieu. Il existe plus de 150 vendeurs de PGI dans le marché, mais les trois principaux sont Oracle, SAP et Microsoft Dynamics.

La plupart des organisations aujourd'hui n'ont d'autre choix que de relier elles-mêmes leurs applications les unes aux autres, car aucun vendeur ne peut satisfaire à lui seul tous les besoins d'une organisation. Il s'ensuit que les clients achètent des applications de plusieurs vendeurs et doivent donc effectuer eux-mêmes l'intégration de leurs systèmes. Par exemple, une organisation peut se procurer des composantes en GRC auprès de SAP, des composantes en GCA auprès de JDA Software et des composantes en finances et en gestion des ressources humaines auprès d'Oracle. La figure 7.12 montre l'objectif et les destinataires généraux de chacune de ces applications à intégrer.

Fondée à l'époque de la ruée vers l'or en Californie, Del Monte Foods, entreprise située à San Francisco, est devenue le plus grand producteur et distributeur de produits de la tomate, de fruits et de légumes traités de première qualité aux États-Unis. Avec un chiffre d'affaires annuel de plus de 3,82 milliards de dollars américains, Del Monte est aussi un des plus grands

FIGURE 7.12

Principaux utilisateurs et avantages des applications d'entreprise

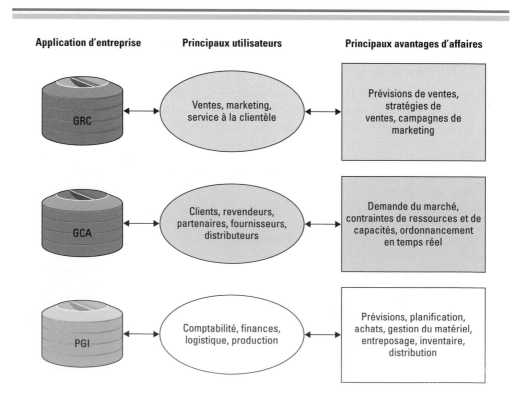

Application d'entreprise	Principaux utilisateurs	Principaux avantages d'affaires
GRC	Ventes, marketing, service à la clientèle	Prévisions de ventes, stratégies de ventes, campagnes de marketing
GCA	Clients, revendeurs, partenaires, fournisseurs, distributeurs	Demande du marché, contraintes de ressources et de capacités, ordonnancement en temps réel
PGI	Comptabilité, finances, logistique, production	Prévisions, planification, achats, gestion du matériel, entreposage, inventaire, distribution

producteurs, distributeurs et vendeurs de produits alimentaires et de produits pour animaux domestiques commercialisés sous sa propre marque aux États-Unis, avec son éventail éclatant de marques comme Del Monte, Nature's Goodness, 9Lives et Kibbles 'n Bits.

Après avoir acquis de H. J. Heinz Company les marques StarKist (revendue depuis), 9Lives et Kibbles 'n Bits, Del Monte a dû procéder à l'intégration de ses processus d'affaires et de ceux qui étaient issus de H. J. Heinz. Elle a été obligée de réorganiser son infrastructure en technologies de l'information, de regrouper les applications faisant partie de multiples plate-formes, y compris UNIX et les systèmes d'ordinateur central, et de les consolider dans un seul système. Il lui a ainsi fallu intégrer des processus d'affaires dans les domaines de la fabrication, des finances, de la chaîne d'approvisionnement, de l'aide à la décision et des rapports transactionnels.

La réorganisation de l'architecture de Del Monte a été le fruit d'une décision stratégique. L'entreprise a décidé de mettre en œuvre un PGI pour optimiser toutes ses activités aux États-Unis, y compris au siège social à San Francisco, dans les installations à Pittsburgh ainsi que dans les centres de distribution et les usines partout aux États-Unis. Elle avait conclu que la seule façon d'unifier ses activités et d'ouvrir son système à ses clients, surtout de gros détaillants, était de recourir à un PGI. La nécessité d'adopter une stratégie d'affaires électroniques a été un autre facteur-clé à l'origine de cette décision. Del Monte a dû relever le défi consistant à choisir un PGI qui assurerait la fusion rapide et peu coûteuse d'un grand nombre de systèmes. Pour consolider les services financiers et le service à la clientèle, Del Monte a dû intégrer de nouvelles entreprises qui ont fait doubler sa taille. Depuis la mise en œuvre du PGI, ses clients et ses partenaires commerciaux disposent dorénavant d'une vision globale, cohérente et intégrée de l'entreprise[36].

Les outils d'intégration

Bien gérer l'intégration d'une entreprise joue un rôle crucial dans sa prospérité au XXIe siècle : le facteur-clé est l'intégration des applications disparates en technologies de l'information. Une entreprise intégrée procure aux services de soutien, comme les finances et les ressources humaines, une vigoureuse orientation axée sur la clientèle. L'intégration s'obtient au moyen d'**intergiciels,** soit plusieurs types de logiciels qui sont situés entre plusieurs applications logicielles et assurent leur connectivité. Un intergiciel fait circuler les données entre des systèmes disparates. Représentant une nouvelle approche dans ce domaine, l'**intergiciel d'intégration d'applications d'entreprise** regroupe des fonctions fréquemment utilisées, comme l'emploi de liens préétablis menant à des applications d'entreprise populaires, ce qui réduit le temps nécessaire pour élaborer des solutions qui intègrent des applications provenant de multiples vendeurs. La figure 7.13 illustre les points de données auxquels ces applications sont intégrées et la prémisse sous-jacente de la conception d'une infrastructure architecturale.

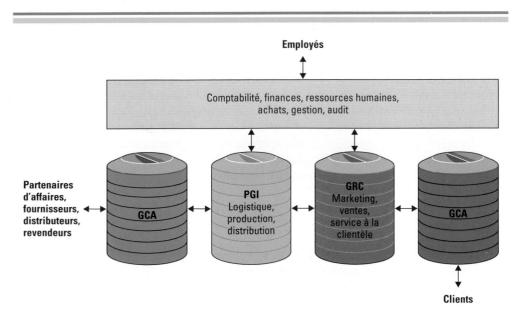

FIGURE 7.13

Intégration d'applications en GCA, en GRC et du PGI

Les entreprises utilisent des applications interdépendantes, telles que la GCA, la GRC et le PGI. Si l'une de ces applications est dysfonctionnelle, c'est tout le système de suivi de la clientèle qui est touché. Par exemple, quel que soit le degré d'habileté en GRC d'une entreprise, si son système de GCA est dysfonctionnel et qu'un client ne reçoit jamais le produit fini, cette entreprise va perdre ce client. Les entreprises de classe mondiale de demain doivent s'appuyer sur des applications de classe mondiale mises en œuvre aujourd'hui.

Le modèle d'affaires de Coca-Cola est assez répandu parmi les franchiseurs bien connus. Coca-Cola tire la plus grande partie de ses revenus annuels, soit 48,2 milliards de dollars américains, des redevances de franchisage qu'elle perçoit auprès d'embouteilleurs dans le monde entier. Ces derniers, outre le fait de payer les redevances, acquittent des droits de licence pour la recette secrète du Coca-Cola et celles d'Odwalla, de Nestea, de Minute Maid et de Sprite. Coca-Cola espère maintenant que les embouteilleurs vont également adopter des pratiques d'affaires communes au moyen d'un PGI à architecture orientée services.

La plateforme cible qu'a choisie Coca-Cola est le PGI mySAP, qui est offert par SAP. Si l'opération réussit, Coca-Cola et ses embouteilleurs feront beaucoup d'économies et en tireront des revenus élevés, alors que SAP sera bien placée pour devenir un des acteurs dominants en PGI à architecture orientée services. Déjà, Coca-Cola et bon nombre de ses embouteilleurs se servent de différentes versions de SAP pour les finances, la fabrication et diverses fonctions administratives, mais Coca-Cola veut que tous s'orientent vers un environnement à architecture de services.

Coca-Cola espère que la standardisation de ses services rendra sa chaîne d'approvisionnement plus efficiente et réduira ses coûts. Voulant expliquer pourquoi une approche axée sur les services revêt une importance vitale, Jean-Michel Ares, président-directeur général de Coca-Cola, affirme que «cela permettra aux embouteilleurs de converger en franchissant les étapes une par une, un procédé à la fois, un module à la fois, à un moment qui convient à chaque embouteilleur. Nous pouvons avancer graduellement dans le monde de la mise en bouteilles[37]».

Mesurer le succès du progiciel de gestion intégré

Il est extrêmement difficile de mesurer le succès du PGI. Une des meilleures méthodes existantes est celle du tableau de bord prospectif. Cette approche de la gestion stratégique a été formulée au début des années 1990 par Robert Kaplan, de la Harvard Business School, et David Norton, du Palladium Group. Corrigeant certaines faiblesses et l'imprécision des techniques de mesure antérieures, l'approche du tableau de bord prospectif donne une description claire de ce que les entreprises devraient mesurer pour équilibrer la perspective financière[38].

Le **tableau de bord prospectif** est un système de gestion, ainsi qu'un système de mesure, qui permet à une organisation de clarifier sa vision et sa stratégie et de traduire celles-ci sous forme d'actions. Il donne une rétroaction concernant tant les processus d'affaires internes que les résultats extérieurs, afin que s'améliorent constamment le rendement stratégique et les résultats. Lorsque le tableau de bord prospectif est pleinement déployé, la planification stratégique cesse d'être un exercice théorique et devient le centre nerveux d'une entreprise. Kaplan et Norton décrivent comme suit l'innovation qu'est le tableau de bord prospectif: «Le tableau de bord prospectif conserve quelques mesures financières traditionnelles. Les mesures financières révèlent le déroulement d'événements passés, ce qui convient à des entreprises de l'ère l'industrielle pour lesquelles des investissements dans les capacités à long terme et dans les relations avec la clientèle n'étaient pas essentiels à leur succès. Ces mesures financières ne conviennent cependant pas lorsqu'il s'agit d'encadrer et d'évaluer le périple que les entreprises de l'ère de l'information doivent accomplir pour créer de la valeur future au moyen d'investissements pour les clients, les fournisseurs, les employés, les processus, la technologie et l'innovation[39].»

Le tableau de bord prospectif présente l'organisation selon quatre perspectives, et les utilisateurs doivent élaborer des mesures, recueillir des données et analyser leurs activités en fonction de chacune de ces perspectives: l'apprentissage et la croissance, les processus d'affaires internes, la clientèle et les finances (*voir la figure 7.14*)[40].

Une entreprise ne peut gérer ce qu'elle ne peut mesurer. Il faut alors développer des mesures fondées sur les priorités du plan stratégique, qui fournit les critères et catalyseurs opérationnels essentiels pour les mesures que les gestionnaires veulent observer plus que toutes les autres. Des procédés sont ensuite conçus afin de recueillir les données pertinentes

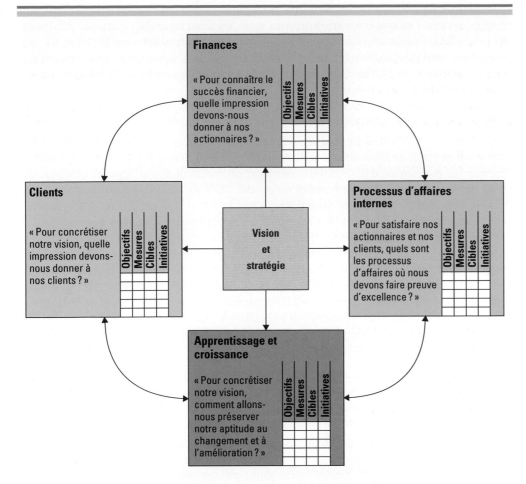

pour ces mesures et de ramener les données à une forme numérique à des fins de stockage, d'affichage et d'analyse. Les décideurs examinent les résultats de divers processus et stratégies mesurés et en assurent le suivi dans le but d'orienter l'entreprise et de donner une rétroaction. La valeur des mesures réside dans leur capacité à établir une base factuelle pour définir :

- une rétroaction stratégique visant à afficher, à l'intention des décideurs, l'état actuel de l'organisation selon maintes perspectives ;

- une rétroaction diagnostique concernant divers processus pour orienter les améliorations futures de façon continue ;

- les tendances du rendement dans le temps, à mesure que les valeurs sont établies ;

- une rétroaction au sujet des méthodes de mesure et de la nature des mesures à observer ;

- les entrants quantitatifs des méthodes et des modèles de prévisions pour les systèmes d'aide à la décision[41].

Un petit conseil s'impose au sujet des mesures : il ne faut pas exagérer. Il convient plutôt de cerner quelques mesures-clés à observer qui apportent une information utile. Il faut bien se rappeler l'importance d'associer les mesures à d'autres objectifs financiers et commerciaux au sein de l'entreprise. L'essentiel est de mettre la main sur une information utile sans devenir esclave des mesures. Une règle simple en la matière consiste à élaborer de cinq à neuf mesures-clés, selon les besoins[42].

Le choix d'un progiciel de gestion intégré

De nombreux vendeurs de PGI sont présents sur le marché, tels que SAP, Microsoft et Oracle. Chacun offre des solutions différentes en matière de PGI, mais les fonctions essentielles du PGI sont les mêmes chez tous et mettent l'accent sur les finances, la comptabilité, les ventes, le marketing, les ressources humaines, l'exploitation et la logistique. Les vendeurs de PGI se distinguent les uns des autres en offrant des fonctions uniques, comme des systèmes de GRC et de GCA.

Beaucoup de clients s'aperçoivent que la solution choisie en PGI ne satisfait pas leurs attentes. En dépit de toutes les améliorations apportées aux logiciels, l'industrie elle-même sait bien que les mises en œuvre ratées du PGI sont encore trop fréquentes. Selon Gartner Research, le taux d'échec moyen d'un projet de PGI est de 66 %. Il n'est alors pas étonnant que certains fabricants considèrent le PGI comme un mal stratégique nécessaire. Mais le mot-clé ici est « nécessaire ».

Les échecs du progiciel de gestion intégré

Dans l'histoire du PGI, il y a toujours eu des échecs retentissants, comme ceux de Hershey's Chocolate en 1999, de Nike en 2000 et de HP en 2004. La United States Air Force, après avoir dépensé un milliard de dollars américains pour un projet étalé sur sept ou huit ans, qui s'était amorcé en 2004 et n'avait atteint qu'environ 25 % de l'ampleur prévue, a sagement décidé de mettre un terme à ce projet. Il ne s'agit là que de quelques-uns des nombreux échecs survenus au fil des ans. Presque chaque année, on peut lire des articles dans la presse qui décrivent les plus gros échecs en PGI ayant marqué les 12 mois précédents.

L'examen des dernières années révèle clairement que de nombreux projets de logiciels, comme des projets de PGI, ne sont toujours pas à la hauteur des promesses faites à leur sujet. Ces échecs entraînent des pertes de temps et de productivité et un important gaspillage d'efforts pour les entreprises concernées. De plus, très souvent, des vendeurs et des installateurs de logiciels font l'objet de poursuites judiciaires à cet égard.

Voici quelques-uns des échecs spectaculaires en matière de projets de PGI et de logiciels qui ont marqué ces dernières années.

- Le gouvernement du Royaume-Uni a abandonné un projet, étalé sur neuf ans et d'une valeur de 18,7 milliards de dollars américains, selon lequel un programme de technologies de l'information aurait permis au National Health Service britannique de transférer sur un support électronique l'ensemble de ses dossiers médicaux.

- Dans le cas du projet de système de paie CityTime, de la Ville de New York, les coûts, initialement estimés à 63 millions de dollars, auraient atteint la somme de 760 millions. De plus, des procédures judiciaires pénales sont en cours pour des affaires de pots-de-vin, dans lesquelles certains des accusés ont déjà reconnu leur culpabilité et commencé à rembourser les sommes dues.

- L'Université d'État de Montclair a entamé des poursuites judiciaires contre Oracle à propos d'un projet qui était censé remplacer les anciens systèmes de l'université. Oracle a à son tour lancé des contre-poursuites en affirmant que c'était l'université qui était responsable de son échec.

- ParknPool a amorcé des poursuites à cause d'un projet de PGI qui s'était transformé en « fouillis total ». ParknPool affirme qu'elle n'a obtenu rien de concret à l'issue des travaux effectués pour ce projet, qui ont nui à ses activités au point où elle n'a même pas pu recevoir ses commandes pendant un certain temps.

- Les responsables du comté de Marin ont accusé SAP/Deloitte Consulting d'avoir mis sur pied un système frauduleux qui visait à soutirer au comté une somme de plus de 20 millions de dollars.

- Des vérificateurs de l'État de l'Idaho ont détecté des erreurs de fonctionnement dans le PGI Medicad qui pourraient coûter à l'Idaho des millions de dollars, à cause de retards de paiement et du traitement erroné de certaines réclamations.

- Le Victorian Order of Nurses de la Nouvelle-Écosse a subi l'émission de chèques de paie erronés pendant au moins six mois, par suite de la mise en œuvre incorrecte du nouveau système de paie[43].

Trouver la bonne solution de progiciel de gestion intégré

Un bon PGI est un excellent reflet des processus d'affaires d'une entreprise et l'aide à adopter les meilleures pratiques possible dans son secteur d'activité. Cela signifie que le logiciel choisi doit accomplir de nombreuses tâches, et c'est précisément ce qui le rend complexe. La plupart des entreprises ne disposent pas d'une grande expertise en PGI au sein de leur personnel et ne comprennent pas le PGI aussi bien qu'elles le devraient. Il n'est donc pas rare qu'une entreprise ne choisisse pas le logiciel qui lui conviendrait le mieux. Le facteur-clé du bon achat consiste ainsi à compter sur de solides processus d'affaires. Les projets de PGI fructueux partagent trois traits essentiels : l'adaptation globale, l'analyse opérationnelle adéquate et de solides plans de mise en œuvre[44].

L'adaptation globale concerne l'ampleur des discordances entre le système et les processus d'affaires. Un PGI bien adapté ne comporte aucune discordance majeure et très peu de discordances mineures. On peut faire une analogie ici entre l'achat d'un nouveau PGI et celui d'un nouveau complet. En général, un client procède de l'une des trois façons suivantes pour acheter un complet : 1) il l'achète au magasin, tel quel ; 2) il l'achète au magasin et fait faire des ajustements ; ou 3) il le fait faire sur mesure.

Le degré d'adaptation de la solution aux processus d'affaires détermine habituellement le degré de satisfaction du client. L'achat d'un PGI tel quel équivaut à l'achat d'un progiciel clé en main. Ce PGI s'adapte bien à certaines entreprises, mais pas du tout à d'autres. C'est pourquoi un client a la possibilité de modifier un complet pour qu'il soit mieux ajusté. On peut apporter des modifications au logiciel choisi afin que son fonctionnement s'harmonise avec les processus d'affaires de l'entreprise l'ayant acquis. C'est une bonne stratégie, à condition que le logiciel choisi le permette. L'inconvénient de cette stratégie : cette dernière peut être très coûteuse. Enfin, le système fait sur mesure peut s'ajuster parfaitement bien, mais l'entreprise doit en comprendre le fonctionnement dans ses moindres détails et être en mesure d'assumer le lourd fardeau financier découlant de l'achat d'un tel système.

La meilleure façon de déterminer la stratégie optimale consiste à effectuer une analyse opérationnelle approfondie. Une entreprise prospère consacre généralement jusqu'à 10 % du budget d'un projet à la réalisation d'une analyse opérationnelle. Une bonne analyse doit produire une liste documentée des processus d'affaires à l'œuvre au sein de l'entreprise. Cette liste représente un outil de base pour mesurer la capacité de vente.

Tout comme lors de l'adoption d'un procédé ou de l'installation d'une machine, il faut avoir un plan pour vérifier l'atteinte des objectifs de qualité et le respect des échéances prévues. Ce plan s'appuie aussi sur des processus comme l'analyse du flux de travaux et la fusion de postes pour réduire les coûts.

Une mise en œuvre complète se traduit par un transfert de savoir vers les utilisateurs du système. Une fois le projet pleinement réalisé, les utilisateurs du nouveau système doivent pouvoir en utiliser les outils. Ils doivent également savoir quoi faire si le système vacille. La majorité des échecs d'un système résultent d'une implantation mal faite. Il faut se souvenir que le PGI est simplement un outil et qu'une personne ne sachant pas utiliser son nouvel outil n'est pas mieux placée que si elle en était dépourvue.

Le progiciel de gestion intégré et le marché des petites et moyennes entreprises

Le PGI n'est plus réservé seulement aux grandes entreprises. Les grands vendeurs de PGI, comme SAP, Microsoft et Oracle, s'efforcent de pénétrer le marché des petites et moyennes entreprises (PME), dans l'espoir d'élargir leur clientèle. Toutefois, malgré une présentation habile et une certaine discrétion à propos des innombrables caractéristiques offertes, ces grands vendeurs de PGI ont quand même de la difficulté à faire une percée notable du côté des PME.

Néanmoins, cette difficulté ne vient pas du fait que les PME refusent les outils d'un PGI. Au contraire, les solutions en PGI permettent aux PME de rationaliser leurs processus d'affaires et leur procurent des capacités pleinement intégrées en matière de gestion des finances et des ventes, ce qui s'avère intéressant pour elles. Mais de nombreuses PME comptent toujours sur des procédés manuels, dont l'automatisation serait clairement bénéfique. Les grands vendeurs de PGI se sont tout de même aperçus que les PME constituent un marché différent de celui auquel ils sont habitués, et ce, pour quatre raisons principales.

1. Les PME sont plus exigeantes que les grandes entreprises en ce qui concerne le coût raisonnable et la facilité d'utilisation du système choisi. Ces exigences doivent être satisfaites dans un monde de PME où les solutions logicielles abondent, les dépenses sont restreintes, les services de technologies de l'information sont rares et les solutions « improvisées » sont privilégiées.

2. Les grands vendeurs de PGI demeurent relativement inconnus pour la plupart des PME. Ils doivent donc informer ces dernières de ce qu'ils font et du bilan de leurs réalisations antérieures dans ce domaine.

3. Au Canada, plusieurs grands vendeurs de PGI ont échoué en tentant de convaincre des PME d'adopter leurs solutions en PGI. Ils ont façonné leurs produits et leurs prix à l'intention des entreprises moyennes américaines plutôt que des entreprises moyennes canadiennes. Au Canada, une PME a une taille et des revenus semblables à ceux d'une petite entreprise américaine, tandis qu'une entreprise moyenne américaine est comparable à certaines grandes organisations canadiennes.

4. Le plus important, c'est que, dans le marché des PME, il est nécessaire de faire appel à des partenaires (revendeurs) pour vendre des solutions logicielles. C'est là un territoire inconnu pour les grands vendeurs de PGI, qui emploient traditionnellement une équipe de ventes directes pour proposer aux entreprises des solutions en PGI. À cet égard, les grands vendeurs de PGI ont peu d'expérience, voire pas du tout, dans la collaboration avec des partenaires intermédiaires.

Paul Edwards, directeur des alliances et des partenariats stratégiques à la société IDC Canada, est du même avis. Selon lui, «pour occuper une place quelconque dans le marché des entreprises moyennes ou pour gagner une part de marché, on doit avoir des partenaires. [Les grands vendeurs de PGI] vont devoir établir des partenariats, [et] SAP, par exemple, ne dispose pas d'un partenariat de base véritablement solide[45]».

Une entreprise semble toutefois avoir fait de grands pas dans cette direction: Sage Software, dont la solution Sage en PGI a facilité le succès et l'instauration de ses applications en comptabilité du côté des PME[46].

Le recours à la PGI de Sage a été tout à fait fructueux pour Second Cup et Island Lake Resort Group. À ses débuts, Second Cup n'occupait qu'un simple kiosque dans un centre commercial où était vendu du café en grains. En 1975, l'entreprise est devenue le plus grand franchiseur de cafés de qualité au Canada. Avec 350 cafés et 5 000 associés, Second Cup avait besoin d'une solution à toute épreuve, mais d'utilisation facile, pour gérer l'entreprise et ses franchisés. Quelque 95 % des cafés Second Cup appartiennent à des franchisés, ce qui signifie que l'entreprise conserve encore quelques établissements dans ses activités d'affaires, ce qui complexifie davantage ses processus d'affaires. Son PGI doit gérer non seulement les redevances versées par les franchisés, mais aussi la publicité pour les cafés des franchisés, les dépenses et les recettes d'exploitation des cafés que possède l'entreprise, les activités du siège social et l'actif fixe de l'entreprise. En outre, puisque les cafés sont éparpillés un peu partout au Canada, il est nécessaire d'assurer le fonctionnement en douceur de ce système sur le Web pour que ce dernier remplisse bien ses fonctions[47].

Island Lake Resort Group exploite un site de *cat-skiing* près de Fernie (Colombie-Britannique) et un site de ski héliporté près de Revelstoke (Colombie-Britannique), en plus des lieux d'hébergement et de restauration nécessaires pour accueillir ses clients. Avant l'hiver 2010-2011, l'entreprise exploitait aussi un autre site de *cat-skiing* près de Fernie. Du fait que le secteur des forfaits d'aventure dans les Rocheuses canadiennes devient plus concurrentiel avec la hausse du nombre d'exploitants, mais que le nombre de jours skiables ne change pas, Island Lake Resort Group a dû devenir plus efficiente et améliorer son marketing pour occuper tous les créneaux disponibles. La solution qu'elle a adoptée en matière de PGI comporte un élément particulièrement important: le système de GRC. Grâce à sa solution en PGI, ses systèmes partagent maintenant leurs données (ce qui a éliminé les chevauchements). L'entreprise peut consolider les données issues de toutes ses activités et intégrer dans ses rapports l'information provenant des systèmes de réservations et de points de vente des tierces parties, afin de prendre des décisions mieux éclairées. Pourquoi le système de GRC revêt-il autant d'importance pour Island Lake Resort Group? Parce qu'il lui procure une base de données sur le nombre limité de personnes prêtes à dépenser de 600 $ à 2 000 $ par jour pour faire du *cat-skiing* ou du ski héliporté et qu'il l'aide ainsi à vendre tous ses forfaits. Un siège vide dans un hélicoptère représente une perte de revenu de 25 % pour Island Lake Resort Group et la perte de tout le profit qu'aurait rapporté ce vol. La PGI lui permet aussi de prévoir à quel moment un siège sera vide, de sorte que l'entreprise peut alors axer ses efforts sur la vente de cette place au moyen de campagnes de marketing bien ciblées et observer ensuite les résultats de cette démarche[48].

RÉSUMÉ

L'objectif du présent chapitre était de décrire les nouvelles tendances se profilant aujourd'hui en informatique d'entreprise. Ce chapitre visait à décrire et à expliquer le progiciel de gestion intégré (PGI), ses composantes de base et ses composantes élargies.

Une entreprise doit demeurer en phase avec les nouvelles tendances technologiques pour devancer ses rivaux dans le marché concurrentiel en évolution permanente de l'époque actuelle. Elle doit tirer parti des avantages qu'offrent les nouvelles technologies, car il est probable que ses rivaux ne vont pas s'en priver. Elle doit être constamment à l'affût des innovations qui voient le jour et réfléchir à la manière d'utiliser ces innovations pour améliorer ses procédés actuels ou offrir quelque chose d'inédit. Les récentes tendances en technologies de l'information auxquelles les entreprises s'intéressent aujourd'hui consistent à devenir vertes (c'est-à-dire socialement responsables) et à tirer parti des réseaux sociaux, devenus abordables grâce aux récentes technologies du Web 2.0. Il est à noter que s'il faut recourir aux nouvelles technologies de l'information, ce n'est pas simplement parce que celles-ci sont accessibles, mais parce qu'elles donnent aux organisations la possibilité de devenir plus efficientes et plus efficaces autrement.

Un PGI aide une entreprise à accentuer son efficience et son efficacité en combinant toutes les données opérationnelles en un seul système d'information central. Par le passé, il était difficile pour les services ou les unités fonctionnelles d'une même organisation de partager ces données. Il en résultait la formation de silos de données au sein de l'entreprise, ce qui causait souvent des incohérences et des discordances entre ces services ou ces unités fonctionnelles dans l'emploi des données. La solution à ce problème se trouvait dans un PGI. Un tel système facilite l'intégration de tous les processus d'affaires internes courants d'une entreprise en un seul système d'information ou en un ensemble cohérent de systèmes d'information, dans le but d'accroître l'efficience opérationnelle et de réduire les coûts. L'intégration étroite des activités de toute l'entreprise par la mise en œuvre et l'emploi d'un PGI assure également un flux de travail plus régulier. Un PGI est souvent considéré comme le système d'affaires central qui constitue la force motrice des activités quotidiennes d'une entreprise.

Le progiciel de gestion intégré et l'analytique contribuent au succès de l'Allemagne en Coupe du monde

Ce cas illustre l'emploi novateur d'un PGI et des données volumineuses recueillies dans le but de mieux exploiter le talent au sein d'une organisation.

Dans le monde des affaires, les entreprises sont souvent à la recherche de solutions qui les aident pour la gestion du capital humain, aussi appelée «gestion des compétences». Il existe dans le monde des systèmes d'aide aux entreprises qui sont capables de suivre et de gérer tous les paramètres relatifs à la main-d'œuvre d'une entreprise comme le recrutement, la formation, le maintien des données sur les employés, la gestion de la paie, les flux de travail des employés, la gestion des avantages sociaux et la consignation du rendement en temps réel. Récemment, un puissant outil de gestion du capital humain est arrivé sur le marché: l'analytique des compétences ou de la main-d'œuvre. Ce nouvel outil détermine la meilleure façon d'utiliser le talent à la longue, dans le but d'en maximiser les contributions pour l'entreprise et de permettre aux employés d'acquérir la meilleure expérience possible.

Il est facile de comprendre toute l'utilité de ce type de données sur le rendement pour définir les tâches des employés, afin que ceux-ci soient le plus efficients possible. Il est peut-être plus surprenant d'apprendre que les entraîneurs de la Fédération allemande de football (DFB) se servent eux aussi de l'analytique des compétences. À titre d'exemple, on peut mentionner le cas du TSG 1899 Hoffenheim, une équipe de soccer (football, en Europe) de première division en Allemagne. L'équipe recueille et analyse des données en temps réel, y compris l'analyse spatiale des déplacements des joueurs, en vue d'optimiser l'entraînement. Ses joueurs sont munis de capteurs durant l'entraînement, et un autre capteur est installé dans le ballon. Les données sont transmises à la plateforme infonuagique HANA, de SAP, pour être analysées en temps réel. Cette solution facilite l'analyse de l'entraînement, de la préparation et même de la performance pendant les parties. Les entraîneurs, les dirigeants et les dépisteurs sont ainsi en mesure de traiter de grandes quantités de données, afin de repérer et d'évaluer des situations-clés dans chaque pratique et de formuler des façons précises d'améliorer la performance des joueurs et de l'équipe.

SAP et les entraîneurs de l'équipe nationale de soccer de l'Allemagne ont aussi collaboré à la mise au point de logiciels qui pourraient améliorer la performance de l'équipe sur le terrain. L'objectif de cette collaboration était de créer une solution novatrice qui améliorerait la performance sur le terrain en prévision de la Coupe du monde de soccer en 2014.

SAP Match Insights

SAP Match Insights comprend une simple interface d'utilisateur, pour les joueurs et les entraîneurs, qui leur permet d'analyser la performance de chaque joueur et le jeu d'ensemble durant toute une partie. L'objectif est d'améliorer l'entraînement et la prise de décisions stratégiques pendant les parties. «Imaginez: en seulement 10 minutes, 10 joueurs avec 3 ballons peuvent produire plus de 7 millions de points de données. SAP HANA peut traiter ces points de données en temps réel. Avec Match Insights, notre équipe peut analyser cette énorme quantité de données et agir en conséquence», explique Oliver Bierhoff, ancien joueur et directeur de l'équipe nationale allemande. Aujourd'hui, chaque équipe sportive cherche des façons novatrices d'avoir le dessus sur ses rivaux. «Nous représentons une des équipes ayant remporté le plus de succès dans le monde. La DFB s'est engagée à fournir la meilleure technologie possible à l'équipe nationale allemande pour l'aider à optimiser sa performance. SAP satisfait à ce critère exigeant.»

Simon Carpenter, directeur de la relation client à la société SAP Africa, a ajouté que «les données obtenues devraient être également utiles pour les médias, qui peuvent ainsi rédiger des articles mieux documentés. Les données volumineuses offrent aux entraîneurs et aux joueurs des ressources extraordinaires pour mettre l'information en contexte et tirer des conclusions éclairées en vue d'optimiser l'entraînement et les tactiques de jeu. Il est plus que temps de rendre ce type d'information accessible aux journalistes de sport et aux partisans aussi».

L'Allemagne, en se servant de Match Insights, est parvenue à se qualifier pour la Coupe du monde de soccer au Brésil en 2014 et, au fil de sa qualification, à surpasser ce qui était son plus haut total de buts comptés depuis 32 ans. L'équipe nationale allemande a continué d'utiliser Match Insights pour les analyses après les parties durant la Coupe du monde et a fini par triompher en finale, à l'issue d'une victoire de 1-0 contre l'Argentine.

Le développement de Match Insights permet d'approfondir le partenariat entre SAP et la DFB en vue d'améliorer les processus d'affaires de la fédération, qui a bénéficié de la mise en œuvre réussie des logiciels de GRC et de vente de billets de SAP. Avec SAP Match Insights, le partenariat s'avance fermement dans le monde des solutions à base de logiciels, mises en place pour améliorer la performance sportive sur le terrain.

L'analytique, un marché de 3 700 milliards de dollars en 2015

Au vu de la performance de l'équipe nationale allemande, il semble que l'analytique du talent a apporté le genre d'information utile qui est nécessaire pour gagner la Coupe du monde. Qu'en est-il dans le monde des affaires ? Selon un rapport publié par Gartner, seulement 30 % des organisations associent les données sur les compétences et les données d'affaires pour en mesurer les incidences sur le rendement de l'entreprise. Mais les choses sont en train de changer. Gartner estime que le marché des données volumineuses et de l'analytique pourrait atteindre 3 700 milliards de dollars en 2015. Même si la plus grande partie de ce chiffre d'affaires provient des secteurs du marketing et de la consommation, l'adoption de systèmes d'analytique de données volumineuses appliqués aux ressources humaines deviendra de plus en plus fréquente.

Avec la technologie actuelle en matière de données volumineuses, les gestionnaires des compétences peuvent analyser la vaste quantité de données structurées et non structurées que génèrent leurs employés chaque jour. Le potentiel d'application de l'analytique en gestion des compétences est énorme. Les gestionnaires disposent de données détaillées sur le rendement, la satisfaction et la rémunération des employés, qui se prêtent bien aux recoupements avec la connaissance des besoins actuels et futurs des entreprises. Ainsi, ils sont en mesure de prendre de meilleures décisions en ce qui concerne l'embauche, la rémunération et la rétention des compétences recherchées[49].

Questions

1. Comment des logiciels de PGI comme SAP peuvent-ils contribuer à l'amélioration des activités d'affaires de la DFB et de l'équipe nationale allemande ?

2. Comment d'autres organisations de soccer comme la DFB peuvent-elles utiliser une innovation de ce type pour améliorer la performance de leurs athlètes ?

3. Quels enseignements, pour résoudre les difficultés découlant de la mise en œuvre d'un système d'information en PGI, peuvent en tirer les autres organisations de soccer qui adoptent cette technologie ?

ÉTUDE DE CAS 7.2

Le progiciel de gestion intégré à l'université

Ce cas illustre les difficultés liées à la mise en œuvre d'un PGI.

Lorsque Stefanie Fillers est retournée à l'université, elle a dû accéder au nouveau système d'inscription en ligne de l'université pour s'assurer que les cours choisis seraient insérés dans son programme d'études en vue de l'obtention de son diplôme. Elle voulait également indiquer qu'elle renonçait à participer au programme d'assurance dentaire de son université. Lorsque le système est tombé en panne la veille du début des cours, Fillers, qui était étudiante de deuxième année au baccalauréat, était plutôt contrariée. Néanmoins, elle savait dans quelles salles ses cours auraient lieu, contrairement à la plupart des étudiants de première année.

Des établissements comme l'Université de Stanford, l'Université du Massachusetts et l'Université de l'Indiana ont connu des difficultés à cause d'un PGI en panne, qui empêchait les étudiants de savoir où leurs cours seraient donnés, entre autres. À l'Université du Massachusetts, 27 000 étudiants ont éprouvé divers problèmes pour s'inscrire à leurs cours, trouver les salles de cours et faire une demande d'aide financière à l'automne 2004. Comme l'a dit un étudiant de dernière année à cette université : « Les étudiants de première année étaient en colère parce qu'ils ne savaient pas où étaient donnés les cours. » Après quelques semaines énervantes, cependant, tous les étudiants ont fini par recevoir leurs chèques d'aide financière et leurs horaires de cours. À une autre université, 3 000 étudiants se sont vu refuser toute aide financière par un nouveau PGI défaillant, même s'ils avaient déjà obtenu l'engagement de recevoir un prêt. L'université a alors offert des prêts à court terme aux étudiants dans le besoin, pendant que le Service des technologies de l'information et les administrateurs de l'aide financière s'empressaient de réparer le complexe PGI.

Plus d'un établissement d'enseignement postsecondaire a vu sa réputation entachée à cause de la mise en œuvre désastreuse d'un PGI. Ces récentes catastrophes en milieu universitaire illustrent bien à quel point le recours croissant à de coûteux PGI a causé de véritables cauchemars à certaines universités. Dans chaque cas, les nouveaux systèmes avaient été conçus pour centraliser les processus d'affaires et remplacer l'embrouillamini des multiples systèmes existants. Les gestionnaires d'université s'intéressent beaucoup aux PGI qui donnent un portrait intégré des finances, des ressources humaines, des dossiers des étudiants, de l'aide financière, etc.

La mise en œuvre d'un PGI est difficile, même dans un milieu d'affaires très hiérarchisé. Assurer le fonctionnement d'un PGI en milieu universitaire, qui est essentiellement un conglomérat de fiefs décentralisés, s'est avéré presque impossible. Les membres du personnel des différents départements largement autonomes n'aiment pas la stratégie unique sous-tendant la mise en œuvre d'un PGI. De plus, ces organisations à but non lucratif ne disposent généralement pas des compétences et des ressources financières nécessaires pour créer et gérer un système d'entreprise vigoureux. Des représentants d'Oracle, entreprise qui domine le marché de l'enseignement supérieur en matière de PGI, affirment qu'une grande partie des problèmes survenus résultent de l'inexpérience des services de technologie de l'information des universités et de leur tendance à procéder trop rapidement à la mise en œuvre des nouveaux systèmes sans les tester suffisamment.

La standardisation à Stanford

À partir de 2001, l'Université de Stanford a implanté des systèmes administratifs pour les étudiants, comme PeopleSoft HR et Oracle Financials, et plusieurs autres applications auxiliaires. « Avec le recul, on s'aperçoit qu'on a tenté de trop en faire en trop peu de temps », précise Randy Livingston, vice-président des affaires commerciales et directeur financier de l'Université de Stanford.

Des années plus tard, les utilisateurs déploraient encore que leur productivité se soit affaiblie avec les nouveaux systèmes, alors que les précédents fonctionnaient correctement grâce à un ordinateur central construit à cette fin. Ils avaient aussi de la difficulté à accéder en temps opportun à des sources d'information cruciales. Randy Livingston explique que de nombreuses transactions, comme une demande d'achat ou une demande de remboursement, sont désormais plus longues à effectuer qu'avec l'ancien système.

L'Université de Stanford n'a pas non plus bénéficié des économies prévues que lui avaient promises les vendeurs du système. « On s'aperçoit que les nouvelles applications de PGI sont beaucoup plus dispendieuses à exploiter que les applications antérieures », indique Livingston. Il ne sait pas encore ce que coûteront les démarches nécessaires pour assurer le fonctionnement des systèmes à des niveaux acceptables pour les utilisateurs.

Le Service des technologies de l'information de l'Université de Stanford tente toujours de convaincre l'ensemble de l'université d'adopter les applications d'entreprise. Les nouvelles façons de faire imposées ont entraîné un certain degré de non-utilisation des nouveaux systèmes et de coûteuses adaptations sur mesure pour satisfaire tous les utilisateurs. Par exemple, l'école de droit de Stanford a un calendrier de type semestriel, alors que les six autres écoles ont un calendrier de type trimestriel. « Cela signifie que tous les paramètres du système administratif pour les étudiants doivent être configurés différemment pour l'école de droit », de dire Livingston. Au sein des écoles, certains professeurs touchent leur salaire sur une base de 12 mois, tandis que d'autres sont rémunérés sur une base de 9, 10 ou 11 mois. « Le système de paie standard pour les ressources humaines n'est pas conçu pour permettre tous ces types inhabituels de rémunération », a ajouté Livingston.

Afin de régler ces questions, Randy Livingston a réorganisé le Service des technologies de l'information, qui sera mieux en mesure, espère-t-il, de gérer la progression des projets d'entreprise. Il a aussi créé un groupe distinct chargé de la gestion des systèmes administratifs et relevant directement de lui. Ce groupe est responsable du développement, de l'intégration et du bon fonctionnement des principaux PGI.

Le Service des technologies de l'information de Stanford s'efforçait toujours d'intégrer les systèmes d'entreprise lorsque le portail PeopleSoft nouvellement inauguré est tombé en panne en 2004. Ce portail était incapable de traiter toutes les demandes des étudiants qui tentaient d'entrer en même temps dans le système Web, a expliqué Livingston. L'université a fini par régler ces problèmes assez rapidement, mais Livingston et son personnel continuent d'éprouver des difficultés avec les projets d'entreprise. Les départements de l'université demeurent « fortement sceptiques » devant ses efforts de standardisation et de centralisation des processus d'affaires, a déclaré Livingston.

L'Université d'État de Montclair entame des poursuites

En 2008, l'Université d'État de Montclair voulait substituer à ses systèmes existants un nouveau système qui ne nécessiterait qu'un minimum d'ajustements sur mesure. Elle a alors consacré une année à définir ses exigences à cet égard, qui, en fin de compte, totalisaient quelque 3 200 éléments. Ces exigences ont été transmises aux vendeurs intéressés, dont Oracle, qui a hérité du contrat.

L'université a entamé des poursuites judiciaires en 2011 contre Oracle relativement à la mise en œuvre du PGI. Aux dires de l'université, Oracle a fait « intentionnellement de fausses déclarations au sujet du fonctionnement de son PGI de base, de l'ampleur des ajustements sur mesure qui allaient être nécessaires, de la longueur des délais ainsi que de la quantité de ressources humaines et financières que l'université allait devoir affecter au projet. En fin de compte [selon les modalités de ces poursuites], après avoir raté une date d'entrée en vigueur cruciale pour le système financier de l'université, Oracle a tenté d'extorquer des millions de dollars à l'université après l'avoir informée qu'elle n'achèverait pas la mise en œuvre du projet […] à moins que l'université n'accepte de débourser des millions de dollars de plus que la somme fixe pour laquelle l'université et Oracle s'étaient précédemment entendues. »

Le litige a été réglé hors cour en mars 2013, sans qu'aucun détail de ce règlement n'ait été rendu public.

Les obstacles culturels

Les obstacles que l'Université de Stanford et d'autres universités rencontrent dans le cas des PGI sont surtout d'ordre culturel. Par exemple, l'embauche d'un personnel peu nombreux et les budgets serrés qui caractérisent la plupart des universités se traduisent généralement par un manque de formation adéquate et de mise à l'épreuve des systèmes. À Stanford, une formation généreuse a été offerte, mais beaucoup d'utilisateurs l'ont négligée, selon Livingston. Ce dernier a mis sur pied de nouveaux programmes de formation, a constitué un groupe de formateurs qui s'assoyaient avec les utilisateurs pour leur apprendre à exécuter des tâches complexes, a organisé des réunions périodiques de groupes d'utilisateurs, a créé un site Web et des listes de diffusion qui proposaient de l'aide et a intégré aux différents départements des utilisateurs experts qui aident leurs collègues[50].

Questions

1. Comment des composantes de base du PGI pourraient-elles contribuer à l'amélioration des activités d'affaires de votre université ?

2. Comment des composantes élargies du PGI pourraient-elles contribuer à l'amélioration des activités d'affaires de votre université ?

3. Comment l'intégration de la GCA, de la GRC et du PGI pourrait-elle contribuer à l'amélioration des activités d'affaires de votre université ?

4. Quels enseignements pourraient être tirés de ce cas dans le but de surmonter les difficultés découlant de la mise en œuvre d'un système d'information en PGI à votre université ?

ÉTUDE DE CAS 7.3

Le logiciel Intuitive ERP

Ce cas met en relief une solution spécifique à l'aide d'un PGI ainsi que son utilisation par deux fabricants canadiens.

Aptean offre une application logicielle de PGI dénommée « Intuitive ERP » et destinée aux fabricants de taille moyenne, notamment ceux qui font partie d'une industrie réglementée. Le logiciel aide les entreprises manufacturières moyennes à accroître leur rentabilité et leur efficience opérationnelle grâce à une intégration conviviale et en douceur des processus d'affaires à l'échelle de toute l'entreprise. Il est également conçu pour offrir des solutions relatives au PGI axées sur les besoins du client.

Depuis 1994, le logiciel Intuitive ERP propose aux fabricants des solutions informatiques qui créent véritablement de la valeur ajoutée pour l'entreprise. Le système d'entreprise Intuitive ERP, issu de la technologie .NET de Microsoft, a été conçu en fonction de l'avenir. Il est doté d'un cadre de codage géré par .NET uniquement, et plus de 80 % des caractéristiques standards du produit ont été réécrites dans ce format.

Ce logiciel comporte les composantes de base et les composantes élargies décrites ci-après.

■ La gestion de la production et des ressources de production. Cette composante tient compte de toutes les activités du bureau de direction et des services administratifs qui sont requises par une entreprise manufacturière autonome, y compris la planification, l'achat et la gestion des ressources de production et les processus d'affaires.

■ La GRC. Cette composante gère les coordonnées et les dossiers concernant les clients potentiels, les clients effectifs, les vendeurs et les autres partenaires d'affaires. Elle

traite le cycle de ventes au complet, des clients potentiels aux clients confirmés ; elle crée et déploie des campagnes de marketing ciblées vers ces clients. Elle automatise aussi l'aide à la clientèle et assure une gestion complète des incidents.

■ L'intelligence d'affaires. Cette composante relève et analyse plus de 50 indicateurs-clés de rendement, dont la rotation des stocks, le délai moyen des paiements, etc. Elle analyse et consigne les données transactionnelles au moyen d'un traitement analytique en ligne de pointe et d'une technologie d'entreposage de données. Elle supervise l'état financier d'une entreprise.

■ Le commerce électronique. Cette composante permet aux clients de voir l'information concernant le catalogage des produits, la transmission et le suivi des commandes en toute sécurité par Internet.

Des entreprises de partout dans le monde ont fait appel au logiciel Intuitive PRE pour faciliter leurs activités quotidiennes, y compris les deux fabricants canadiens suivants.

1. Fibre Connections

Fibre Connections est une entreprise mondiale qui fabrique et vend une large gamme de montages de fibre optique, de composantes, d'enveloppes et de raccords de câblage. Elle met au point des procédés de polissage pour un grand nombre de composantes et de connecteurs de fibre optique. Située à Schomberg (Ontario), près de Toronto, Fibre Connections possède un autre site de production canadien important à Summerside (Île-du-Prince-Édouard).

Grâce au logiciel Intuitive ERP, l'entreprise a enregistré des gains d'efficience de différents types, dont les suivants :

a) une diminution de la taille du personnel administratif, qui compte maintenant deux personnes au lieu de cinq, assortie d'une hausse de la production ;

b) une augmentation de 50 % de sa capacité à générer des propositions de prix pour des produits faits sur mesure ;

c) une amélioration de la ponctualité des livraisons, qui est passée de 85 à 97 % ;

d) une hausse de la satisfaction de la clientèle, car les clients sont désormais en mesure de suivre eux-mêmes la livraison des commandes en temps réel sur le Web ;

e) un accroissement de la capacité d'acheter au bon moment et en quantité appropriée les composantes nécessaires pour les produits faits sur mesure.

2. Westwinn Group Enterprises

Westwinn Group Enterprises est une entreprise manufacturière qui s'est lancée dans la fabrication d'embarcations légères pour Sears Canada durant les années 1950. Aujourd'hui, elle vend des embarcations en aluminium de première qualité partout dans le monde. Elle emploie 90 personnes dans ses usines d'assemblage à Vernon (Colombie-Britannique) et à Sylvan Lake (Alberta). Le client se voit proposer différentes options et configurations au moment d'acheter son bateau, et celui-ci est fabriqué sous cette forme dans les usines.

Avant d'implanter le logiciel Intuitive ERP, l'entreprise éprouvait plusieurs difficultés avec le système DOS qu'elle employait aux fins de la production et de l'administration. Par exemple, le système DOS était difficile à utiliser, n'effectuait pas la mise à jour permanente des stocks et la planification des besoins en ressources de production. De plus, il ne comportait pas de fonctions de comptabilité intégrées. En fait, toutes les factures de vente générées par ce système DOS devaient être réinsérées manuellement dans le progiciel comptable.

La mise en œuvre du logiciel Intuitive ERP a réglé tous ces problèmes. Moins de six mois après l'entrée en fonction de ce nouveau système, l'entreprise a commencé à bénéficier d'une hausse marquée de son résultat d'exploitation grâce à son nouveau système pleinement intégré.

a) L'entreprise a réduit de 250 heures par mois le temps de travail des employés en éliminant la double entrée de données.

b) Elle a constaté une amélioration immédiate du degré de précision des commandes et du niveau des stocks et est parvenue à prévenir presque entièrement les ruptures de stock.

c) Elle savait exactement ce qu'elle devait acheter et à quel moment procéder.

d) Elle a accru le degré de précision des nomenclatures de produits et des listes de sélection.

e) Elle a réussi à donner plus facilement une formation pertinente au personnel, puisque tous les employés utilisaient désormais le même système.

f) Elle a doublé la production sans devoir embaucher davantage de personnel administratif pour gérer une telle hausse.

Selon Brad Armstrong, vice-président des finances, un des avantages les plus importants du logiciel Intuitive ERP réside dans la possibilité d'accéder instantanément à l'information voulue, ce qui était inimaginable avant sa mise en œuvre[51].

Questions

1. Dans quelle mesure les composantes du logiciel Intuitive ERP correspondent-elles aux composantes du PGI décrites dans le présent chapitre ?

2. Quels avantages les entreprises Fibre Connections et Westwinn Group Enterprises ont-elles tirés de l'adoption du logiciel Intuitive ERP ? Dans quelle mesure correspondent-ils aux avantages du PGI décrits dans le présent chapitre ?

3. La description ci-dessus de la mise en œuvre fructueuse du logiciel Intuitive ERP ne mentionne aucun inconvénient ni aucune conséquence négative de l'implantation d'un nouveau système d'information à l'échelle de toute une entreprise. À votre avis, quelles difficultés pourraient surgir dans une entreprise qui décide de procéder à un changement d'une telle envergure ? Quels inconvénients, le cas échéant, découlent de l'adoption d'un logiciel provenant d'un seul vendeur et jouant un rôle aussi crucial au sein d'une organisation ? Comment pourrait-on atténuer ou réduire l'ampleur de ces inconvénients ?

MES DÉCISIONS D'AFFAIRES

1. Acheter « vert »

Vous venez d'être embauché par Exclusive Recycling, une entreprise de recyclage d'équipement utilisé en technologies de l'information. La société recueille cet équipement d'entreprise et la met au rebut en toute sécurité. Quelques semaines après votre embauche, vous réalisez que l'entreprise ne met pas au rebut la plus grande partie de cet équipement, mais qu'elle le répare ou l'améliore et le vend ensuite sur le site eBay. Les entreprises qui paient votre employeur pour la mise au rebut de leur vieil équipement en technologies de l'information ignorent cette pratique de votre employeur. Croyez-vous qu'Exclusive Recycling agit de façon éthique ? Expliquez votre réponse.

2. Formuler des solutions de rechange

IBM prévoit investir un milliard de dollars par année dans des produits et services qui vont réduire la consommation d'électricité des technologies de l'information dans des centres de données. À l'aide de nouvelles techniques, IBM prévoit doubler d'ici trois ans la capacité informatique de ses centres de données – plus de 700 000 mètres carrés dans le monde – sans augmentation de la consommation d'électricité. Expliquez pourquoi toutes les organisations devraient s'intéresser à des projets semblables.

3. Mettre en œuvre un progiciel de gestion intégré

Blue Dog Inc. est un important fabricant dans le secteur des verres fumés haut de gamme qui a enregistré un chiffre d'affaires record de 250 millions de dollars l'année dernière. L'entreprise va bientôt décider si elle mettra en œuvre un PGI pour réduire les coûts de production et accentuer le contrôle des stocks. De nombreux dirigeants sont nerveux devant la perspective de procéder à un si gros investissement dans un PGI, en raison de son faible taux de succès. En tant que gestionnaire d'expérience à la société Blue Dog Inc., vous avez été chargé de dresser une liste des avantages et des risques potentiels découlant de la mise en œuvre d'un PGI. Vous devez aussi faire des recommandations quant aux mesures que l'entreprise devrait prendre pour assurer une mise en œuvre réussie.

4. La composante la plus populaire du progiciel de gestion intégré

Mackenzie Coombe songe présentement à mettre en œuvre un PGI au sein de sa filiale musicale en ligne, The Burford Beat. La filiale a un chiffre d'affaires de plus de 12 millions de dollars et connaît une croissance de 150 % par année. Rédigez un document d'une page où sont expliqués les avantages et les inconvénients d'un PGI, les raisons pour lesquelles un tel système comprend des composantes de GRC et de GCA et les raisons pour lesquelles la composante la plus populaire du PGI est aujourd'hui la composante élargie en comptabilité et en finances.

5. Un progiciel de gestion intégré à valeur ajoutée

Pirate's Pizza est une grande chaîne de pizzérias qui exploite 700 franchises dans 5 provinces. L'entreprise envisage actuellement de mettre en œuvre un nouveau PGI, censé coûter 7 millions de dollars et nécessiter 18 mois de travail pour son installation. Une fois le système opérationnel, il devrait générer 12 millions de dollars par année, grâce à la baisse des coûts et à la hausse des revenus dont il doit faire bénéficier l'entreprise. Vous travaillez pour le Service des finances, et votre patron vous a demandé de rédiger un rapport expliquant en détail les différentes mesures financières que vous pouvez utiliser pour estimer la valeur commerciale du nouveau PGI. Après la remise de votre rapport, l'entreprise va se prononcer sur l'achat d'un PGI.

6. Hausser les revenus au moyen du progiciel de gestion intégré

Cold Cream est l'un des plus importants magasins de cosmétiques dans la grande région de Toronto. Les clientes viennent de partout pour essayer les crèmes, les lotions, le maquillage et les parfums uniques de ce magasin. L'entreprise achète ses produits auprès de fabricants disséminés un peu partout dans le monde. Elle aimerait se doter d'un PGI pour mieux comprendre les habitudes d'achat de sa clientèle. Rédigez un rapport qui résume ce qu'est un PGI et expliquez de quelle façon un tel système peut avoir des retombées directes sur le chiffre d'affaires de Cold Cream.

NOTES DE FIN DE CHAPITRE

1. IBM helps Shell Canada fuel new productivity with PeopleSoft EnterpriseOne. Étude de cas publiée le 8 août 2005 et validée le 5 février 2007. Repéré le 9 juillet 2010 à http://jobfunctions.bnet.com/abstract.aspx?docid=256244 ; Shell Canada: Using IBM system i and Oracle JD Edwards EnterpriseOne for mission-critical business applications. (s.d.). Repéré le 9 juillet 2010 à http://public.dhe.ibm.com/common/ssi/ecm/en/chc00373usen/CHC00373USEN.PDF Résumé repéré le 25 novembre 2014 à https://busiblog.wordpress.com/2007/05/12/understanding-how-privacy-and-government-regulations-affect-email-compliance/

2. *Businessweek: Innovation.* (s.d.) Repéré le 15 février 2008 à www.businessweek.com/innovate/ ; Burns, Matt. (2014, 18 février). The world's first carbon fiber 3D printer is now available to order. Repéré le 23 mars 2014 à http://techcrunch.com/2014/02/18/the-worlds-first-carbon-fiber-3d-printer-is-now-available-to-order/

3. *Businessweek: Innovation* (s.d.). Repéré le 15 février 2008 à www.businessweek.com/innovate/

4. Repéré le 23 mars 2014 à http://tsologic.com/
5. Eco-innovation: Saving energy with HP. (2007); Thibodeau, Patrick. (2011, 13 juin). Inside HP's prefab data center: The new way of building data centers in containers. Repéré le 26 juillet 2011 à www.computerworld.com/s/article/9217538/Inside_HP_s_prefab_data_center
6. *Businessweek: Innovation*. (s.d.). Repéré le 15 février 2008 à www.businessweek.com/innovate/
7. *Ibid.*
8. Allan. Roger. (2009, 1er septembre). The greening of server farms. Repéré le 23 mars 2014 à http://powerelectronics.com/markets/greening-server-farms
9. *Businessweek: Innovation*. (s.d.). Repéré le 15 février 2008 à www.businessweek.com/innovate/
10. How VMware virtualization right-sizes IT infrastructure to reduce power consumption. (2008). Repéré le 26 juillet 2011 à www.vmware.com/solutions/green-it/
11. Repéré le 23 mars 2014 à https://saveonenergy.ca/Business/Program-Overviews.aspx
12. Eco-innovation: Saving energy with HP. (2007).
13. *Businessweek: Innovation*. (s.d.). Repéré le 9 juillet 2010 à www.businessweek.com/innovate/
14. *Ibid.*
15. *Ibid.*
16. Repéré le 26 juillet 2011 à www.hp.com/canada/corporate/recycle/provincial.html
17. *Businessweek: Innovation*. (s.d.). Repéré le 9 juillet 2010 à www.businessweek.com/innovate/
18. Global e-waste crisis is worsening but the tide will turn in 2015. (2009, 6 mai). Repéré le 26 juillet 2011 à www.pikeresearch.com/newsroom/global-e-waste-crisis-is-worsening-but-the-tide-will-turn-in-2015; Fact and figure on e-waste and recycling. (2010, 4 juin). Repéré le 26 juillet 2011 à www.electronicstakeback.com/wp-content/uploads/Facts_and_Figures; Statistics on the management of used and end-of-life electronics. (s.d.). Repéré le 26 juillet 2011 à http://epa.gov/epawaste/conserve/materials/ecycling/manage.htm; Electronic waste management in the United States through 2009. U.S. Environmental Protection Agency Office of Conservation and Recovery (EPA 550-R-11-002). (2011, mai); Sun Microsystems open work energy measurement project. (2009, février).
19. *Businessweek: Innovation*. (s.d.). Repéré le 9 juillet 2010 à www.businessweek.com/innovate/
20. Hof, Robert D. (2009, 17 août). Betting on the real-time Web: No one knows how Twitter and similar social sites will make money, but investors see a new Web revolution. *Businessweek*. p. 46; Tape into the pulse of the market. (s.d.). Repéré le 26 juillet 2011à www.StockTwits.com
21. The boomerang effect rehire but do it right. (2014, 18 février). Repéré le 21 février 2014 à www.hcamag.com/hr-news/the-boomerang-effect-rehire-but-do-it-right-123108.aspx
22. *Businessweek: Innovation*. (s.d.). Repéré le 15 février 2008 à www.businessweek.com/innovate/
23. Rapoza, Kenneth. (2013, 18 février). One in five Americans work from home numbers seen rising over 60%. Repéré le 6 mars 2014 à www.forbes.com/sites/kenrapoza/2013/02/18/one-in-five-americans-work-from-home-numbers-seen-rising-over-60/
24. Korolov, Maria. (2011, 24 avril). At the second life tipping point. Repéré le 26 juillet 2011à www.hypergridbusiness.com/2011/04/at-the-second-life-tipping-point/
25. *Businessweek: Innovation*. (s.d.). Repéré le 15 février 2008 à www.businessweek.com/innovate/
26. *Ibid.*
27. *Ibid.*
28. Wente, Margaret. (2009, 15 août). For God's sake, get a second life (or not): If you're feeling a little obsolete, it's probably time for an avatar. *The Globe and Mail.* p. A19.
29. Definition of a legacy system. (s.d.). Repéré le 7 août 2011 à www.ehow.com/about_5175378_definition-legacy-system.html
30. Sage ERP Accpac enjoys long-term stay around the globe at Fairmount Raffles Hotels International. (s.d.). Repéré le 26 juillet 2011 à www.sageaccpac.com/Resources/Success-Stories
31. City of Winnipeg: Taking the lead. Deloitte & Touche LLP-Canada. (s.d.). Repéré le 28 mars 2007 à www.deloitte.com/dtt/case_study/0,1005,sid%253D3630%2526cid%253D80674,00.html
32. Sage helps Excelsior Radio Networks boost its bottom line. (s.d.). Repéré le 26 juillet 2011 à www.sageaccpac.com/Resources/Success-Stories
33. Ponzi Vineyards drives business with Sage ERP Accpac. (s.d.). Repéré le 26 juillet 2011 à www.sageaccpac.com/Resources/Success-Stories
34. Sage ERP Accpac extend enterprise suite up smooth and consistent communication at YoCream. (s.d.). Repéré le 26 juillet 2011 à www.sageaccpac.com/Resources/Success-Stories
35. Doane, Michael. (s.d.). A blueprint for ERP implementation readiness. Repéré le 17 octobre 2003 à www.metagroup.com
36. Santosus, Megan. (2006, janvier). In the know. *CIO Magazine.*
37. *Ibid.*
38. The balanced scorecard. (s.d.). Repéré le 27 juillet 2011 à www.balancedscorecard.org
39. *Ibid.*
40. *Ibid.*
41. *Ibid.*
42. *Ibid.*
43. Wailgum, Thomas. (2009, 24 mars). 10 Famous ERP disasters, dustups and disappointments. CIO. Repéré le 23 mars 2014 à www.cio.com/article/486284/10_Famous_ERP_Disasters_Dustups_and_Disappointments; Charette, Robert N. (2012, 15 novembre). U.S. Air Force blows $1 billion on failed ERP project. IEEE Spectrum. Repéré le 23 mars 2014 à http://spectrum.ieee.org/riskfactor/aerospace/military/us-air-force-blows-1-billion-on-failed-erp-project;

Kanaracus, Chris. (2011), 10 biggest ERP software failures of 2011. Repéré le 23 mars 2014 à www.pcworld.com/businesscenter/article/246647/10_biggest_erp_software_failures_of_2011.html; Buckley, Nicholle et Smith, Greg B. (2013, 19 juin). Three defendants in CityTime scandal to repay $31 million to city. *New York Daily News*. Repéré le 23 mars 2014 à www.nydailynews.com/new-york/defendants-repay-31-million-citytime-scandal-article-1.1377372

44. Doane, Michael. (s.d.). A blueprint for ERP implementation readiness. Repéré le 17 octobre 2003 à www.metagroup.com *(Note : Meta Group a été achetée par Gartner en avril 2005).*

45. Bolan, Sandra. (2003, 2 mai). Keeping everyone in the loop: ERP systems for the lucrative SMB market has been nothing but lip service until now. *Computer Dealer News, 19*(7). p. 16(2).

46. DeFelice, Alexandra. (2006, novembre). Sage Accpac: On the grow. *Accounting Technology, 22*(10). p. 50.

47. Sage ERP Accpac—a first class solution for The Second Cup Ltd. (s.d.). Repéré le 26 juillet 2011 à www.sageaccpac.com/Resources/Success-Stories

48. Sage ERP Accpac and Sage CRM enable Island Lake Resort to grow despite stiff competition. (s.d.). Repéré le 26 juillet 2011 à www.sageaccpac.com/Resources/Success-Stories

49. HCM goes to the World Cup. (s.d.). Repéré le 9 juillet 2014 à http://it.toolbox.com/blogs/inside-erp/hcm-goes-to-the-world-cup-61791; German Football Association focused World Cup success with SAP. (2014, 13 juin). Repéré le 9 juillet 2014 à www.erpnews.net/526/german-football-association-focused-world-cup-success-sap/; SAP hopes to help Germany win World Cup with HANA. (s.d.). Repéré le 9 juillet 2014 à www.aerpi.edu.au/news/sap-hopes-to-help-germany-win-world-cup-with-hana/

50. Wailgum, Thomas. (2005, 1er mai). Big mess on campus. *CIO Magazine*; Wailgum, Thomas. (2009, 24 mars). 10 famous ERP disasters, dustups and disappointments. Repéré le 8 juillet 2014 à www.cio.com/article/2429865/enterprise-resource-planning/10-famous-erp-disasters-dustups-and-disappointments.html; Kanaracus, Chris. (2011, 14 décembre). University accuses Oracle of extortion, lies, "rigged" demo in lawsuit. (s.d.). Repéré le 8 juillet 2014 à www.pcworld.com/article/246238/university_accuses_oracle_of_extortion_lies_rigged_demo_in_lawsuit.html; Henschen, Doug. (2013, 11 mars). Oracle, Montclair State University settle bitter contract dispute. (s.d.). Repéré le 8 juillet 2014 à www.informationweek.com/applications/oracle-montclair-state-university-settle-bitter-contract-dispute/d/d-id/1109019?

51. Intuitive ERP. (s.d.). Repéré le 8 juillet 2014 à www.aptean.com/products/intuitive-erp; Intuitive: End-to-end easy. (s.d.). Repéré le 8 juillet 2014 à http://intuitive.consona.com/erp-system/ease-of-use.aspx

8 La gestion des opérations et de la chaîne d'approvisionnement

CHAPITRE

OBJECTIFS D'APPRENTISSAGE

8.1 Expliquer les principes fondamentaux de la gestion des opérations ; préciser le rôle de celle-ci dans l'entreprise.

8.2 Décrire de quelle façon les systèmes d'information peuvent soutenir la fonction de gestion des opérations.

8.3 Examiner la gestion de la chaîne d'approvisionnement ainsi que son rôle dans l'entreprise.

8.4 Étudier la relation entre les systèmes d'information et la chaîne d'approvisionnement.

8.5 Résumer les meilleures pratiques pour mettre en œuvre un système efficace de gestion de la chaîne d'approvisionnement.

MA PERSPECTIVE

Les systèmes d'information (SI) ont révolutionné et transformé les processus de gestion des opérations (GO) et de gestion de la chaîne d'approvisionnement (GCA). Les SI permettent aux entreprises de mieux gérer le flux d'information, de matériaux et de paiements entre les étapes de la chaîne d'approvisionnement (et au cours de celles-ci) en vue de maximiser l'efficacité et la rentabilité de l'ensemble de la chaîne d'approvisionnement.

À titre d'étudiant dans un domaine lié aux affaires, vous devez savoir pourquoi l'optimisation de la chaîne d'approvisionnement est un atout majeur pour la réussite d'une entreprise. Vous devez également savoir que les SI jouent un rôle essentiel dans le bon déroulement de la chaîne d'approvisionnement. Celle-ci comprend toutes les parties directes et indirectes qui interviennent dans l'approvisionnement d'un produit ou d'une matière première. Ces parties peuvent être constituées de groupes ou de services internes à l'entreprise, ou d'entreprises partenaires et de clients finaux extérieurs à l'entreprise.

Dans ce chapitre, l'accent est mis sur l'importance du rôle des SI dans la mise en place d'une infrastructure sous-jacente et des mécanismes de coordination nécessaires pour que la GO et les chaînes d'approvisionnement soient aussi efficaces et efficientes que possible. À partir de ces connaissances, vous serez en mesure d'apprécier et de comprendre les capacités et les limites de la GO, les avantages et les défis de la GCA, ainsi que les tendances dans lesquelles s'inscrivent les SI.

Mise en contexte

Supply Chain Management Inc. aide les Canadiens à faire leurs emplettes

La gestion de la chaîne d'approvisionnement

Supply Chain Management Inc. (SCM), une des plus grandes entreprises de services logistiques au Canada, dirige plusieurs grands centres de distribution de pointe pour le compte de Walmart Canada. La relation de SCM avec Walmart Canada a commencé lorsque cette dernière s'est implantée au Canada en 1994 avec 122 magasins. Depuis 2014, SCM approvisionne 142 magasins conventionnels et 247 supercentres. SCM est là pour soutenir les activités de Walmart Canada et son engagement envers ses clients. « L'engagement de Walmart Canada auprès de ses clients, c'est d'offrir des prix imbattables, un guichet unique et un service amical, et notre équipe gère le réseau logistique de l'entreprise dans cette optique », explique Dan Gabbard, président de SCM. « Nous nous efforçons de repérer les perspectives de rendement qui contribuent à améliorer les résultats de Walmart, de sorte que l'entreprise puisse continuer à servir des millions de Canadiens et à accroître ses activités. »

Le domaine de SCM, c'est la logistique: le processus qui consiste à planifier, à mettre en œuvre et à contrôler le flux et le stockage des produits et des matériaux du point d'origine au point de consommation. Autrement dit, le travail de SCM consiste à acheminer les bons produits en quantité, en temps et aux endroits voulus pour satisfaire la demande des clients.

SCM a été créée en 1994 par le groupe Tibbett & Britten. En juillet 2004, SCM a rejoint le groupe Exel. En décembre 2005, Exel a été acquis par l'entreprise Deutsche Poste World Net. Cette dernière compte parmi les chefs de file de services logistiques intégrés; elle assure la gestion et le transport des produits, de l'information et des paiements grâce à un réseau mondial d'entreprises.

La gestion de la chaîne d'approvisionnement et la logistique de SCM

SCM exploite des centres de distribution à Cornwall, à Mississauga (Ontario) et à Calgary (Alberta). Quand on visite un de ces trois grands centres de distribution, on voit des kilomètres de courroies transporteuses à la fine pointe de la technologie, en synergie avec la planification du flux des marchandises et des employés hautement qualifiés. Ainsi, l'entreprise peut offrir aux clients un niveau de service exemplaire en logistique et en GCA. La société SCM travaille en étroite collaboration avec les équipes d'achat et de réapprovisionnement de Walmart afin de garantir une performance optimale en matière de disponibilité des stocks, de qualité et de coûts de la chaîne d'approvisionnement pour les articles d'usage courant et les denrées alimentaires, qui comptent des produits non périssables et périssables.

Comment ça marche?

D'après les statistiques du centre de distribution de Calgary, en Alberta:

- l'entrepôt occupe environ 111 500 m^2;
- 122 quais d'expédition et 91 quais de réception sont accessibles;
- 2 500 remorques peuvent être stationnées;
- le centre de distribution de Calgary est responsable de l'approvisionnement de tous les magasins de Walmart Canada situés dans l'Ouest canadien.

Mais comment la société SCM s'y prend-elle pour fournir des services logistiques à son client? Autrement dit, comment gère-t-elle la chaîne d'approvisionnement de manière à ce que le bon produit arrive dans le bon magasin et que le consommateur puisse l'acheter? Elle le fait grâce à une combinaison de technologie et de processus. Jetons un coup d'œil à la gestion des stocks au centre de distribution de Calgary. Pour ce faire, il faut d'abord explorer les différentes zones du centre de distribution.

La réception des stocks de base

Les stocks de base sont les articles dont la demande est constante toute l'année. Chaque jour, on recueille et l'on transmet au centre de traitement de l'information de Walmart à Bentonville, dans l'Arkansas, les données des ventes effectuées par chaque magasin avant 18 h. L'information sur chaque magasin approvisionné par le centre de distribution de Calgary est renvoyée au centre le soir même. On utilise ces données en vue de générer des étiquettes pour la sélection des produits le lendemain matin ; ces étiquettes sont alors placées sur le convoyeur en direction des quais d'expédition appropriés.

Les quais de réception

L'installation compte 43 quais de réception qui sont destinés à recevoir le chargement des camions. Au fur et à mesure du déchargement des remorques, avec l'aide du système de quai de réception, les membres de l'équipe scannent les codes à barres sur les caisses des fournisseurs et saisissent la quantité de chaque article dans le système ; le système de quai de réception imprime alors le bon nombre d'étiquettes. Un membre de l'équipe étiquette la marchandise et la place sur le convoyeur, qui l'achemine à la zone d'expédition en 12 minutes.

Les modules d'encaissage

À chaque sept modules d'encaissage, la marchandise est prélevée des caisses, étiquetée et placée sur le convoyeur pour être transportée jusqu'aux quais d'expédition. Les modules d'encaissage traitent la marchandise commandée sous forme de caisses complètes, les étiquettes ayant été préparées la veille.

Le système de prélèvement par signal lumineux

Le système de prélèvement par signal lumineux ou *put to light* (des viseurs numériques s'allument indiquant l'espace où déposer les produits) gère la marchandise qui n'est pas commandée en caisses complètes, et dont la distribution en magasin est prédéterminée. Le système compte trois modules, et chaque module compte plusieurs sections. Quand l'opérateur scanne le code à barres créé par le Service de réception, qui est apposé sur l'emballage, une lumière indique la quantité à mettre dans un conteneur désigné pour un magasin. Dans ce système, on déplace le stock vers une zone d'entreposage.

Le système de sélection par lumière

Le système de sélection par lumière ou *pick to light* (viseurs numériques qui s'allument en indiquant l'emplacement des produits à extraire) gère aussi la marchandise qui n'est pas commandée en caisses complètes. Toutefois, ce système ne s'occupe que des articles de base qui sont déjà dans l'entrepôt, déterminés d'après les ventes de la veille dans les magasins qui ne commandent pas des caisses complètes. On utilise la même technologie que le système de prélèvement par signal lumineux dans le processus d'exécution des commandes, mais dans ce service, on déplace le contenant du magasin vers la zone d'entreposage du fournisseur.

Le système de pilotage vocal

Le système de pilotage vocal ou *voice* est un processus créé par Walmart qui permet la distribution des articles ne pouvant être convoyés. Les articles sont prélevés directement des palettes du fournisseur, et la distribution se fait par commande vocale. Le système dit à chaque opérateur combien de caisses mettre sur chaque palette et à quel endroit. Chaque palette représente un magasin.

La zone de convergence

La zone de convergence est située au sommet du convoyeur, là où convergent toutes les caisses provenant de toutes les lignes d'entrée. Les cartons passent par deux scanneurs. Le premier lit l'étiquette et envoie les caisses vers le nord ou le sud du bâtiment d'expédition selon sa destination finale. Le deuxième lit le code à barres en vue de recueillir les renseignements sur la facturation, puis place la marchandise dans la bonne fenêtre afin que les produits soient acheminés vers le bon quai d'expédition.

Le quai d'expédition

L'expédition est le plus grand service du centre de distribution. C'est aussi la destination finale des caisses avant que celles-ci soient chargées dans les remorques, puis expédiées. Ce service est agencé de manière à ce que chaque porte représente un magasin dans l'Ouest canadien. Dans cette zone, les membres de l'équipe gèrent de nombreux quais, en utilisant un système d'éclairage pour déterminer la priorité des quais.

Le chargement des remorques

La marchandise arrive sur les quais d'expédition en provenance des nombreuses lignes, sans ordre particulier. Cette situation engendre un certain stress pour les membres de l'équipe, car ceux-ci doivent sécuriser les chargements dans les remorques. Il s'agit de construire des murs de marchandises afin de minimiser les dommages en cours de transport et de favoriser un déchargement sécuritaire une fois à destination. Le chargement sécuritaire des remorques et leur remplissage complet est une initiative-clé pour SCM et Walmart.

Le Service de facturation

La marchandise est chargée dans les remorques, mais le processus n'est pas terminé. Les membres du Service de facturation prennent le relais et créent les paquets d'expédition à partir des papiers qu'ils reçoivent du Service de traitement des données. Après avoir créé les paquets d'expédition, ces employés préparent également les connaissements afin que les transporteurs puissent livrer la marchandise. De plus, le Service de facturation traite les réclamations, les crédits, les factures supplémentaires et la réimpression des factures.

Le Service de répartition

Lorsqu'ils reçoivent les paquets d'expédition du Service de facturation, les membres de l'équipe de répartition effectuent l'ordonnancement des remorques à l'aide du programme de répartition. Une fois que les remorques sont ordonnancées, les répartiteurs font suivre l'information aux transporteurs pour confirmer la livraison. De plus, le Service de répartition transmet par courriel l'information de livraison aux magasins, et il s'occupe de tous les papiers avant le départ de chaque remorque. Les chauffeurs prennent les papiers à la fenêtre de répartition avant d'accrocher leur remorque[1].

8.1 La gestion des opérations

Introduction

La **production** désigne la création de produits et de services à l'aide des facteurs de production : le lieu, la main-d'œuvre, les capitaux, l'entrepreneuriat et la connaissance. Traditionnellement, la notion de production est associée à celle de fabrication, mais la nature du commerce a beaucoup changé ces 20 dernières années. Le secteur des services, notamment les services Internet, a connu une forte croissance. Aujourd'hui, l'économie canadienne est ce qu'on appelle une « économie de services », c'est-à-dire une économie dominée par le secteur des services.

Selon un rapport d'AMR Research Inc., les organisations qui excellent dans la gestion des opérations (GO), notamment dans la gestion de la chaîne d'approvisionnement (GCA), affichent une meilleure performance, celle-ci étant mesurée par presque tous les indicateurs financiers. Quand l'excellence de la chaîne d'approvisionnement améliore les opérations, les entreprises ont une marge bénéficiaire plus élevée, moins de stocks, de meilleures cotes de « commande parfaite » et des temps de cycle beaucoup plus courts que leurs concurrents. « Dans l'économie actuelle, l'atout majeur des entreprises qui réussissent, c'est la supériorité de la chaîne d'approvisionnement », affirme Kevin O'Marah, vice-président à la recherche à la société AMR Research. « Ces entreprises comprennent que la performance de la chaîne de valeur se traduit par une productivité et des parts de marché accrues. Elles comprennent aussi que le leadership en matière de GCA ne se limite pas aux faibles coûts et à l'efficience ; ce leadership est basé sur la capacité de s'adapter et de réagir aux variations de la demande, et d'offrir des produits et des services innovateurs[2]. »

La collecte et l'analyse des données transactionnelles, ainsi que leur distribution aux parties concernées, sont soutenues par des systèmes de GCA qui aident les différentes parties à collaborer de façon plus efficace. Les systèmes de GCA permettent une vue d'ensemble dynamique des organisations. Les utilisateurs peuvent obtenir des analyses détaillées des activités de la chaîne d'approvisionnement afin de trouver de l'information précieuse sur les opérations organisationnelles. Ce chapitre explore en détail la GO et la GCA.

Les principes fondamentaux de la gestion des opérations

Les livres, les disques Blu-ray, les fichiers MP3 téléchargés, et les processus dentaires et médicaux sont tous des exemples de produits et de services. La **gestion de la production** désigne toutes les activités réalisées par les gestionnaires pour aider les entreprises à créer des produits. Compte tenu de la croissance du secteur des services, le terme « production » est souvent remplacé par « opérations » pour refléter la fabrication des produits et des services. La **gestion des opérations (GO)** désigne la gestion des systèmes ou processus permettant de convertir ou de transformer les ressources (y compris les ressources humaines) dans la création de produits et de services en assurant la gestion des processus-clés utilisés.

Fondamentalement, la création de produits et de services consiste à transformer ou à convertir des intrants en extrants. On utilise différents intrants, comme le capital, le travail et l'information, pour créer des produits ou des services à l'aide d'un ou de plusieurs processus de transformation (par exemple, le stockage, le transport et le découpage). Le **processus de transformation,** qu'on appelle souvent le «cœur technique», surtout dans les entreprises de fabrication, désigne la conversion d'intrants en extrants. Pour s'assurer d'obtenir les extrants désirés, l'organisation prend des mesures à différents stades du processus de transformation (rétroaction), puis elle les compare aux normes établies pour déterminer s'il faut procéder à une action corrective (contrôle). La figure 8.1 illustre le système de conversion[3].

FIGURE 8.1

Processus de conversion des intrants en extrants

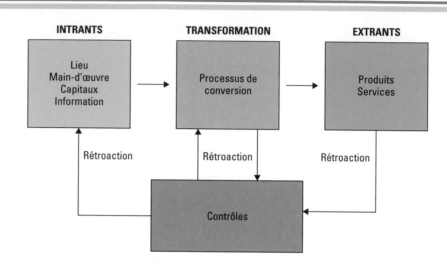

Le tableau 8.1 montre des exemples d'intrants, de processus de transformation et d'extrants. Si les produits et les services sont mentionnés séparément dans la figure 8.1, il est important de noter qu'ils sont souvent produits de façon conjointe. Par exemple, le changement d'huile est un service, mais l'huile qui est changée est un produit. De la même manière, peinturer une maison est un service, mais la peinture utilisée est un produit. La combinaison produits-services est un continuum; elle peut comporter beaucoup de produits avec peu de services ou beaucoup de services avec peu de produits (*voir la figure 8.2*). Il y a relativement peu de produits et de services purs; c'est pourquoi les organisations proposent généralement des ventes combinées de produits et services, ce qui rend la GO plus intéressante, mais aussi plus difficile[4].

La **valeur ajoutée** désigne la différence entre le coût des intrants et la valeur des extrants. La GO est essentielle pour une organisation en raison de sa capacité à accroître la valeur ajoutée pendant le processus de transformation. Du côté des organismes sans but lucratif et de

TABLEAU 8.1 | Exemples d'intrants, de processus de transformation et d'extrants

Intrants	Processus de transformation	Extrants
Les clients, la nourriture et le personnel de service (exemples d'intrants d'un restaurant)	Nourriture bien préparée, correctement servie; environnement agréable	Clients satisfaits
Les patients, les fournitures médicales, les médecins, les infirmières (exemples d'intrants d'un hôpital)	Soins de santé	Personnes en bonne santé
La tôle d'acier, les pièces de moteur, les pneus (exemples d'intrants d'une usine automobile)	Fabrication et assemblage des automobiles	Automobiles de bonne qualité
Les diplômés de l'enseignement secondaire, les livres, les professeurs, les classes (exemples d'intrants d'un collège)	Transmission des connaissances et des compétences	Personnes instruites
Les unités de gestion des stocks, les équipements de manutention, les ouvriers (exemples d'intrants d'un centre de distribution)	Stockage et redistribution	Livraison rapide des produits disponibles

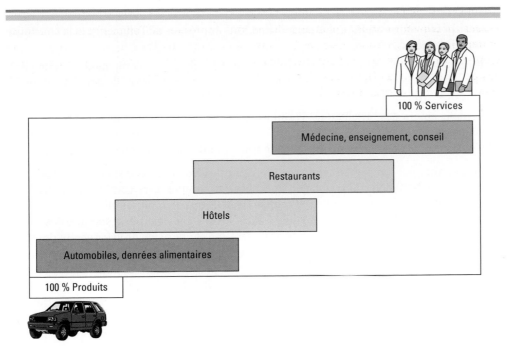

FIGURE 8.2

Continuum produits-services :
la plupart des produits sont
offerts sous forme de ventes
combinées de produits et de
services

100 % Services

Médecine, enseignement, conseil

Restaurants

Hôtels

Automobiles, denrées alimentaires

100 % Produits

bon nombre d'organismes gouvernementaux, la valeur des extrants (la construction d'une autoroute, la police et la protection contre l'incendie) correspond à leur valeur pour la société ; plus la valeur ajoutée est élevée, plus l'efficacité des opérations l'est aussi. Du côté des entreprises à but lucratif, la valeur des extrants correspond au prix que les clients sont prêts à payer pour ces produits ou ces services. L'argent de la valeur ajoutée permet d'investir dans la recherche et le développement, les nouvelles installations et le nouveau matériel, de payer les salaires et de générer des profits. Par conséquent, plus la valeur ajoutée est élevée, plus l'entreprise peut consacrer de fonds à ces activités importantes.

La gestion des opérations dans l'entreprise

La portée de la GO s'étend à toute l'organisation et comporte beaucoup d'activités inter-reliées, comme les prévisions, la planification de la capacité, l'ordonnancement, la gestion des stocks, l'assurance de la qualité, la motivation des employés, la décision de l'emplace-ment des installations, et plus encore.

En examinant les activités d'une compagnie aérienne, on comprend facilement comment l'équipe de GO d'une entreprise de services crée de la valeur. La compagnie comporte des avions, des installations aéroportuaires et des installations d'entretien, et les activités typiques de la GO sont décrites ci-après.

- Les prévisions. L'estimation de la demande de sièges pour les vols, des conditions météorologiques et des conditions d'atterrissage, ainsi que les estimations de croissance ou de réduction du trafic aérien font partie des prévisions.

- La planification de la capacité. C'est le paramètre-clé pour que la compagnie aérienne maintienne ses flux de trésorerie et accroisse ses revenus. La sous-estimation ou la sur-estimation des vols est nuisible à la réalisation des profits.

- L'ordonnancement. La compagnie aérienne doit respecter un calendrier serré, notam-ment pour les vols ; pour les services offerts par les pilotes, les agents de bord, le personnel au sol et les bagagistes ; et pour l'entretien périodique.

- La gestion des stocks. L'inventaire des aliments, des boissons, du matériel de premiers secours, des magazines de bord, des oreillers, des couvertures et des gilets de sauvetage est essentiel pour la compagnie aérienne.

- L'assurance de la qualité. La qualité est indispensable pour une compagnie aérienne dans la mesure où la sécurité est la priorité absolue. Les voyageurs d'aujourd'hui s'attendent à un service à la clientèle de qualité à l'émission des billets, à l'enregistrement, à des services personnalisés, ainsi que dans les situations imprévues où l'efficience et la courtoisie sont de mise.

- La motivation et la formation des employés. Les employés de la compagnie aérienne doivent être très bien formés et constamment motivés, surtout lorsqu'ils doivent composer avec des voyageurs mécontents.

- L'emplacement des installations. Parmi les questions que les compagnies aériennes doivent se poser, citons : dans quelles villes offrir des services ? Où implanter les installations d'entretien ? Où établir les plateformes de correspondance majeures et mineures[5] ?

Comparons une compagnie aérienne à une usine de vélos. Dans cette dernière, on procède surtout à une opération d'assemblage : on achète des composantes comme des cadres, des pneus, des roues et des vitesses à des fournisseurs, puis on assemble les bicyclettes. Il y a tout de même une partie de la fabrication qui se fait à l'usine, par exemple la soudure des cadres et des fourches. Évidemment, une compagnie aérienne et une usine de vélos gèrent des types d'opérations totalement différents. La première offre des services, tandis que la seconde fabrique des produits. Elles ont toutefois beaucoup de points communs. Tout comme la compagnie aérienne, l'usine de vélos doit établir un calendrier de production, utiliser des composantes, commander des pièces et du matériel, s'assurer de respecter les normes de qualité, et surtout, satisfaire ses clients. Dans les deux cas, la réussite de l'entreprise dépend de la planification à court et à long terme et de la capacité de ses cadres et de ses gestionnaires à prendre des décisions éclairées[6].

Le rôle des systèmes d'information dans la gestion des opérations

Les gestionnaires peuvent utiliser les systèmes d'information (SI) pour soutenir la prise de décisions de GO, notamment en matière de productivité, de coûts, de souplesse, de qualité et de satisfaction de la clientèle. Les SI ont des répercussions positives sur la GO pour la prise de décisions opérationnelles, parce que la GO influe de manière considérable sur le taux d'atteinte des objectifs de l'organisation. La plupart des décisions de GO comportent de nombreuses solutions possibles pouvant avoir des incidences différentes sur les revenus et les dépenses. De plus, les SI de GO sont indispensables aux gestionnaires pour la prise de décisions éclairées.

Par exemple, les **systèmes d'aide à la décision (SAD)** et les **systèmes d'information pour dirigeants (SID)** peuvent aider l'organisation à réaliser une analyse de scénarios, de sensibilités ou de consolidation offrant un niveau de détail selon le besoin. Beaucoup de décisions de la direction et de décisions-clés stratégiques reposent sur les SI de la GO qui concernent toute l'organisation. Il convient donc de répondre aux questions suivantes :

- Quoi ? Quelles seront les ressources nécessaires et en quelle quantité ?
- Quand ? Quand chaque ressource sera-t-elle nécessaire ? Faut-il établir le calendrier des travaux ? Faut-il commander les matières premières et autres fournitures ? Faut-il procéder à une action corrective ?
- Où ? Où le travail sera-t-il effectué ?
- Comment ? Comment le produit ou service sera-t-il conçu ? le travail sera-t-il fait (organisation, méthodes, équipement) ? les ressources seront-elles réparties ?
- Qui ? Qui fera le travail ?

Les systèmes d'information de gestion d'opérations stratégiques

La société de messagerie UPS utilise des SI pour la gestion de flux des colis à chacune de ses succursales. Ces systèmes, développés sur mesure, combinent la stratégie opérationnelle et la technologie de cartographie (géolocalisation) afin de créer des étiquettes intelligentes pour les colis qui comportent non seulement le numéro de suivi du client, mais aussi le plan de livraison destiné au chauffeur, afin de « s'assurer que les chauffeurs ne sont pas répartis inadéquatement et de minimiser les changements de charge de dernière minute pour les chauffeurs». Environ 95 % des colis qui transitent par le réseau UPS sont dits «intelligents»[7].

La stratégie opérationnelle vise l'utilisation optimale des principales ressources de l'entreprise de manière à obtenir un niveau élevé de compatibilité entre ces ressources et la stratégie de l'entreprise à long terme. La stratégie opérationnelle traite des grandes questions sur la configuration optimale des ressources en vue d'atteindre les objectifs d'affaires visés. Parmi les grandes questions à long terme, citons:

- Quelle superficie les succursales devraient-elles avoir?

- Où les succursales devraient-elles être situées?

- Quand faudrait-il construire des succursales supplémentaires?

- Quels types de processus faudrait-il mettre en œuvre pour créer ces produits?

Les SAD de GO peuvent répondre à chacune de ces questions. Pour élaborer une stratégie opérationnelle, la direction doit tenir compte de nombreux facteurs. Il s'agit notamment du niveau de technologie disponible (actuel ou futur), du niveau de compétence requis des employés et du degré d'intégration verticale, sur le plan du recours aux fournisseurs externes. L'intégration verticale fait référence au regroupement de différentes étapes de la production et de la distribution d'un type de produits ou services sous une même autorité aux différentes étapes de la chaîne de valeur.

De nos jours, beaucoup d'organisations, notamment les grands conglomérats, sont subdivisées en **unités fonctionnelles stratégiques** ou entreprises indépendantes. Lorsqu'une entreprise devient gigantesque, il vaut mieux la considérer comme un regroupement d'entreprises (ou d'unités fonctionnelles stratégiques). Comme le montre le tableau 8.2, la stratégie opérationnelle appuie la stratégie à long terme élaborée au point de vue des unités fonctionnelles stratégiques[8].

TABLEAU 8.2 | Hiérarchie de stratégie opérationnelle

Type de planification	Terme	Questions	Décisions	Systèmes
Planification stratégique	Long terme	Taille et emplacement des installations, types de processus	Comment créer les produits? Où implanter les installations? Quelle est la capacité requise? Quand augmenter la capacité?	Systèmes de planification des besoins matières (PBM)
Planification tactique	Moyen terme	Taille de l'effectif, exigences matérielles	Combien d'employés faut-il? Quand a-t-on besoin d'eux? Faut-il faire des heures supplémentaires ou mettre en place un deuxième quart? Quand faut-il faire livrer les matières premières? Faut-il avoir un inventaire des stocks de produits finis?	Systèmes de gestion globale des stocks
Planification et contrôle des opérations (PCO) ou planification opérationnelle	Court terme	Ordonnancement quotidien des employés, des travaux et de l'équipement, gestion des processus et des stocks	Quels travaux doit-on faire aujourd'hui ou cette semaine? À qui assigne-t-on quelles tâches? Quels sont les travaux prioritaires?	Systèmes de gestion et de contrôle des stocks, systèmes de planification du transport, systèmes de gestion de la distribution

Les décisions au point de vue des unités fonctionnelles stratégiques visent l'efficacité, c'est-à-dire «faire les bonnes choses». Pour désigner ce type de décision, on parle parfois de **planification stratégique,** qui est axée sur la planification à long terme, comme la taille et l'emplacement des installations, ainsi que les types de processus à mettre en œuvre. Le système de planification des besoins matières est un des principaux systèmes utilisés en planification stratégique. Les systèmes de **planification des besoins matières (PBM)** utilisent les prévisions des ventes pour s'assurer que les composantes nécessaires sont disponibles au bon endroit et au moment opportun pour une entreprise donnée. Les dernières versions de PBM font partie du progiciel de gestion intégré (PGI), abordé au chapitre 7[9].

Les décisions stratégiques influent sur les décisions à moyen terme qui visent l'efficience, c'est-à-dire «faire les choses de la bonne façon». Pour désigner ce type de décision, on parle souvent de «**planification tactique**», qui est axée sur la production de produits et de services de manière aussi efficiente que possible dans le plan stratégique. L'objectif est de créer des produits de bonne qualité. Par exemple, on détermine le moment de livraison des matières premières le plus approprié, le meilleur moment pour fabriquer les produits de manière à répondre à la demande de façon optimale, et la taille idéale de l'effectif. La gestion globale des stocks compte parmi les systèmes utilisés en planification tactique. Les **systèmes de gestion d'inventaire (SGI)** permettent de localiser, de suivre et de prédire le déplacement de chaque composante ou matière première en amont ou en aval du processus d'affaires. Au Royaume-Uni, Tesco a ajouté l'information de livraison à ses SGI en installant des systèmes de géolocalisation par satellite (GPS) dans les camionnettes de livraison. Ainsi, il est possible de connaître «la situation, en lieu et en temps, de chaque camionnette; l'information au sujet du véhicule, du chauffeur et de la performance». Ce système envoie également un message texte aux clients peu avant l'arrivée de la marchandise commandée[10]. Grâce à ces systèmes, l'organisation peut localiser et analyser ses stocks à n'importe quel stade du processus. Par exemple, dans le cas de la société Volvo, les SGI lui permettent de gérer ses pièces de rechange chez les concessionnaires du monde entier, où les niveaux de demandes de services excèdent les 95 %[11].

Enfin, la **planification et le contrôle des opérations (PCO)**, c'est-à-dire la «planification opérationnelle», portent sur les procédures quotidiennes de réalisation des travaux, notamment l'ordonnancement, la gestion des stocks et la gestion des processus. Les **systèmes de gestion et de contrôle des stocks** favorisent le contrôle et la visibilité de la fiche descriptive de chaque article en stock. Ce logiciel permet de tenir des registres précis des stocks, il génère les exigences matérielles pour chaque article acheté, et il analyse la performance sur le plan de la gestion des stocks. Le logiciel de gestion et de contrôle des stocks fournit à l'organisation de l'information issue de différentes sources. Cette information porte sur les éléments suivants:

- l'état actuel des commandes et des stocks;
- la comptabilité analytique;
- les prévisions des ventes et les commandes des clients;
- la capacité de fabrication;
- le lancement de nouveaux produits[12].

Les systèmes de PCO englobent plusieurs systèmes, notamment la planification du transport et la gestion de la distribution. Les **systèmes de planification du transport** permettent de suivre et d'analyser le déplacement des matières premières et des produits afin que leur livraison soit faite dans les temps, au bon endroit et à moindre coût. Les **systèmes de gestion de la distribution** permettent de coordonner le processus de transport des produits du fabricant aux centres de distribution, puis aux clients finaux. Les itinéraires de transport ont une incidence directe sur la vitesse et le coût des livraisons. L'organisation utilise ces systèmes pour décider soit d'emprunter un itinéraire efficace et d'expédier ses produits directement à ses clients, soit d'emprunter un itinéraire efficient et de les expédier à un distributeur qui les fait parvenir à ses clients.

Une stratégie concurrentielle de gestion des opérations

Pour élaborer une stratégie concurrentielle de GO, il faut savoir comment créer des produits et des services à valeur ajoutée pour les clients. Plus précisément, il s'agit de créer de la valeur ajoutée grâce à la ou aux priorités concurrentielles choisies dans une stratégie donnée. Cinq priorités-clés concurrentielles se traduisent directement par des caractéristiques utilisées pour décrire les différents processus qui permettent aux entreprises d'accorder de la valeur ajoutée à leurs décisions de GO, notamment: les coûts; la qualité; la livraison; la souplesse et le service.

Toute industrie possède des fournisseurs à faible coût. Cependant, produire à faible coût n'est pas toujours un gage de rentabilité et de réussite. Les produits dont la vente repose strictement sur les coûts sont en général des produits de base comme la farine, le pétrole et le sucre. Autrement dit, les clients ne peuvent pas différencier les produits d'une entreprise de ceux d'une autre; ils utilisent donc le prix comme facteur déterminant pour prendre une décision d'achat.

Les segments à faible coût sont habituellement conséquents, et beaucoup d'entreprises se laissent séduire par les possibilités de profit associées aux gros volumes de produits. C'est pourquoi la concurrence est très féroce dans ces segments – tout comme le taux d'échec. Après tout, il ne peut y avoir qu'un seul fabricant dont les coûts sont les plus bas, et c'est en général cette entreprise qui fixe le prix de vente sur le marché.

Il y a deux catégories de qualité : la qualité des produits et la qualité des processus. Le niveau de qualité des produits varie selon le marché visé. Par exemple, la qualité d'un vélo générique est très différente de celle d'un vélo de cycliste professionnel. Sur le marché, plus la qualité est élevée, plus les prix le sont aussi. Les organisations doivent établir le « bon niveau » de qualité de produit en fonction des exigences exactes de leurs clients. Les produits trop élaborés et trop qualitatifs seront jugés beaucoup trop chers. À l'inverse, si les produits sont trop peu élaborés, les clients se tourneront vers des produits un peu plus dispendieux, mais qu'ils perçoivent comme ayant un meilleur rapport qualité-prix.

La qualité des processus est essentielle dans tous les segments de marché. Qu'il s'agisse d'un vélo générique ou d'un vélo de cycliste professionnel, les clients veulent des produits sans défaut. C'est pourquoi le but premier de la qualité des processus est de créer des produits sans imperfections. Investir dans l'amélioration de la qualité permet de tisser des liens plus solides avec la clientèle et de générer des revenus plus élevés. Beaucoup d'organisations utilisent les normes modernes de contrôle de la qualité qui sont citées ci-après.

- **La qualité six sigma.** L'objectif est de détecter les problèmes potentiels pour éviter que ces derniers surviennent, de manière à obtenir moins de 3,4 éléments défectueux par million.

- **La norme ISO 9000.** Cette désignation est le nom générique d'une série de normes relatives à la gestion de la qualité. Ces normes sont publiées par l'**Organisation internationale de normalisation (ISO),** une organisation non gouvernementale créée en 1947 pour favoriser le développement de la normalisation dans le monde en vue de faciliter les échanges internationaux de produits et de services. ISO est une fédération mondiale d'organismes nationaux de normalisation qui comprend plus de 140 pays membres. Les normes ISO 9000 exigent qu'une entreprise détermine les besoins des clients, y compris les exigences réglementaires et légales. L'entreprise doit également prévoir des modalités de communication pour traiter les problèmes comme les plaintes. D'autres normes traitent du contrôle des processus, ainsi que des essais, du stockage et de la livraison des produits[13].

- **La norme ISO 14000.** Cette désignation est le nom générique pour un ensemble des meilleures pratiques de gestion concernant l'impact de l'entreprise sur l'environnement. Il ne s'agit pas de prescrire des niveaux de performance spécifiques, mais d'établir des systèmes de gestion environnementale. Pour obtenir la certification, il faut notamment définir une politique environnementale, se fixer des objectifs d'amélioration précis, effectuer les vérifications des programmes environnementaux et assurer qu'un suivi des processus sera effectué par la haute direction. La certification ISO 14000 indique que l'entreprise possède un système de gestion de classe mondiale sur le plan des normes de qualité et des normes environnementales[14].

- **Le CMMI (Capability Maturity Model + Integration).** Le CMMI est un modèle intégré d'évolution des capacités, soit un ensemble des meilleures pratiques. La version actuelle, CMMI-DEV, décrit les meilleures pratiques de gestion, de mesure et de surveillance des processus de développement de logiciels. Le CMMI n'explique pas les processus à proprement parler ; il décrit plutôt les caractéristiques des bons processus, fournissant ainsi les lignes directrices à suivre pour développer ou améliorer les processus des entreprises[15].

La vitesse de livraison est aussi un facteur-clé pour les décisions d'achat. La capacité de l'entreprise à assurer une livraison rapide et régulière lui permet de demander un prix élevé pour ses produits. George Stalk Jr., du Boston Consulting Group, a démontré que les profits et la part de marché d'une entreprise sont directement liés à sa vitesse de livraison par rapport à la concurrence. Outre la rapidité de la livraison, la fiabilité de celle-ci compte également. Autrement dit, il faut livrer les produits avec une variation minimale des délais de livraison[16].

La souplesse, d'un point de vue stratégique, désigne la capacité de l'entreprise à offrir une grande diversité de produits à ses clients. C'est aussi une mesure de la vitesse à laquelle l'entreprise peut convertir son ou ses processus pour passer de la fabrication de l'ancienne à la nouvelle gamme de produits. Les clients perçoivent souvent la diversité des produits comme une dimension de la qualité.

Dans le cas de l'entreprise John Deere's Harvester Works, la souplesse du processus de fabrication permet à la société de réagir au caractère imprévisible des besoins de l'industrie agricole en matière d'équipement. En fabriquant des produits à faible volume comme les semoirs en « modules », John Deere peut offrir aux agriculteurs 84 modèles de semoirs. Les options sont si nombreuses qu'on peut personnaliser les semoirs de manière à satisfaire les besoins de chacun. Ce processus de fabrication permet à l'entreprise John Deere d'être concurrentielle sur le plan de la vitesse et de la souplesse[17].

À l'heure actuelle, il semble y avoir une tendance à offrir des produits fabriqués selon des processus respectueux de l'environnement. Comme les consommateurs sont de plus en plus conscients de la fragilité de l'environnement, ils se tournent davantage vers des produits qui ne nuisent pas à l'environnement. Plusieurs fabricants souples favorisent les produits écologiques, les produits à faible consommation d'énergie et les produits recyclés. Certaines entreprises vont plus loin en faisant certifier que leurs produits sont respectueux de l'environnement, comme les produits du bois et du papier qui bénéficient de la certification Forest Stewardship Council (FSC).

Dans la mesure où le cycle de vie des produits est plus court, les produits ont tendance à migrer vers une norme commune. Par conséquent, on envisage souvent ces produits comme des produits de base dont le prix est le principal facteur de différenciation. Par exemple, les différences entre les ordinateurs portables offerts par les fabricants de PC étant plutôt négligeables, c'est le prix qui constitue le principal critère de choix. C'est pourquoi beaucoup d'entreprises tentent d'imposer comme principal facteur de différenciation un service à la clientèle d'excellence. Le service à la clientèle peut ajouter beaucoup de valeur à un produit ordinaire.

Les entreprises se tournent vers l'avenir pour trouver le prochain avantage concurrentiel qui leur permettra de différencier leurs produits sur le marché. Pour obtenir un avantage dans cet environnement très concurrentiel, les entreprises doivent offrir des produits et des services « à valeur ajoutée », et la meilleure façon de tirer parti des cinq priorités concurrentielles consiste à faire une meilleure GCA.

La gestion des opérations et la gestion de la chaîne d'approvisionnement

Pour illustrer la chaîne d'approvisionnement, prenons l'exemple d'un client qui achète un vélo Cervélo à un concessionnaire. La chaîne d'approvisionnement commence au moment de la commande. Le concessionnaire achète le vélo au fabricant, Cervélo. Ce dernier achète les matières premières requises pour construire le vélo, comme le métal, l'emballage et les accessoires auprès de différents fournisseurs. La chaîne d'approvisionnement de Cervélo englobe toutes les activités et les parties concernées par le processus d'exécution de la commande du client.

La **chaîne d'approvisionnement** inclut toutes les parties qui contribuent, directement ou indirectement, à l'obtention d'un produit ou d'une matière première. La **gestion de la chaîne d'approvisionnement (GCA)** vise à gérer les flux d'information en vue de maximiser l'efficacité et la rentabilité de l'ensemble de la chaîne d'approvisionnement. Voici les quatre composantes de base de la GCA :

1. La stratégie de la chaîne d'approvisionnement. Cette stratégie de gestion porte sur toutes les ressources nécessaires permettant de répondre à la demande de tous les produits et services.

2. Les partenaires de la chaîne d'approvisionnement. Ces partenaires sont choisis pour fournir des produits finis, des matières premières et des services. Cette composante inclut la fixation des prix, la livraison et les processus de paiement, ainsi que les paramètres de surveillance de la relation de partenariat.

3. Les opérations liées à la chaîne d'approvisionnement. Ces opérations doivent respecter le calendrier des activités de production, notamment les essais, l'emballage et la

préparation de la livraison. Parmi les mesures de cette composante, citons la productivité et la qualité.

4. **La logistique de la chaîne d'approvisionnement.** Il s'agit des processus et des éléments entourant la livraison du produit, par exemple les commandes, les entrepôts, les transporteurs, les retours de produits défectueux et la facturation[18].

Il faut des dizaines d'étapes pour mener à bien chacune des composantes précitées. Les logiciels de GCA permettent aux entreprises d'accroître l'efficience de ces étapes en automatisant et en améliorant les flux d'information au sein des différentes composantes de la chaîne d'approvisionnement et entre elles. Les figures 8.3 et 8.4 illustrent des chaînes d'approvisionnement typiques d'un produit et d'un service.

FIGURE 8.3

Chaîne d'approvisionnement typique d'un produit

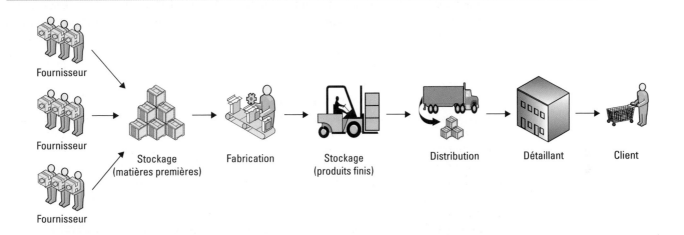

FIGURE 8.4

Chaîne d'approvisionnement typique d'un service

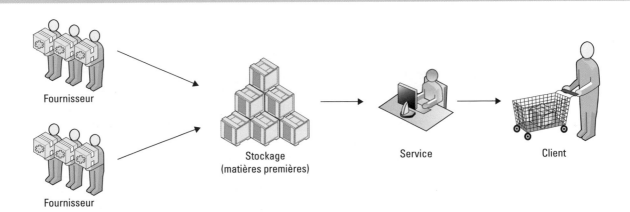

Walmart et Procter & Gamble (P&G) ont mis en œuvre un système de GCA efficace qui relie directement les centres de distribution de Walmart à P&G. Chaque fois qu'un client de Walmart achète un produit de P&G, le système envoie un message à l'usine pour avertir P&G de réapprovisionner le produit. Le système envoie aussi une alerte automatique à P&G lorsqu'un produit commence à manquer dans un des centres de distribution de Walmart. Cette information en temps réel permet à P&G de produire et de livrer des produits à Walmart sans avoir à conserver des stocks importants dans ses entrepôts. Le système de GCA permet de gagner du temps, de réduire le niveau des stocks et de diminuer les coûts de traitement des commandes pour P&G, dont Walmart bénéficie sous la forme de prix réduits[19].

La figure 8.5 représente les étapes du système de GCA pour un client qui achète un produit à un magasin Walmart. Le diagramme montre que la chaîne d'approvisionnement est dynamique et qu'il y a un flux d'information constant entre les différentes parties. Par exemple, un client achète un produit à un magasin Walmart, ce qui génère l'information liée à la commande. Walmart fournit l'information obtenue à son entrepôt ou distributeur. Un de ceux-ci transfère l'information de la commande au fabricant, qui fournit au magasin le prix et l'information sur la disponibilité du produit, et qui réapprovisionne le produit. Tous les paiements sont transférés par voie électronique. Dans le cas d'une entreprise, les avantages d'un système de gestion efficace et efficient de la chaîne d'approvisionnement sont les suivants :

- diminuer le pouvoir de ses acheteurs ;
- renforcer le pouvoir du fournisseur principal ;
- augmenter les coûts de transfert afin de contrer la menace des produits ou services de substitution ;
- créer des obstacles à l'entrée, et donc réduire la menace de nouveaux entrants sur le marché ;
- accroître l'efficience pendant la recherche d'un avantage concurrentiel grâce à la domination par les coûts (*voir la figure 8.6*)[20].

FIGURE 8.5

Chaîne d'approvisionnement d'un produit P&G acheté dans un magasin Walmart

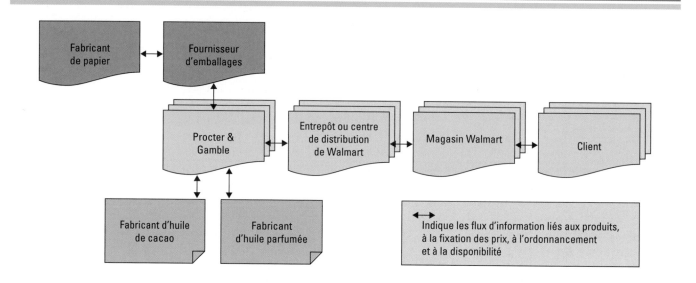

FIGURE 8.6

Effets d'une gestion efficace et efficiente de la chaîne d'approvisionnement selon les cinq forces de Porter

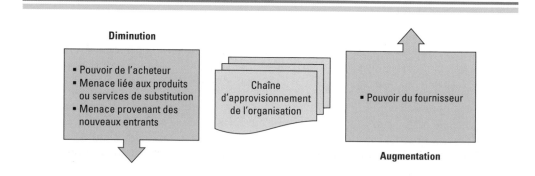

8.2 Les principes fondamentaux de la chaîne d'approvisionnement

Si les consommateurs se pressaient dans les allées des nouveaux magasins Target au Canada, sur les quais de réception, c'était une autre histoire : Target éprouvait des difficultés avec ses fournisseurs. Dès son implantation au Canada, Target a réalisé que la GCA serait un facteur de réussite important. Visiblement, Target n'avait pas compris que la GCA ne se limite pas aux systèmes s'y rapportant ; il s'agit aussi des relations avec les fournisseurs. Target avait peut-être aussi sous-estimé la concurrence féroce qui existe sur le marché canadien de la vente au détail en amont de la chaîne d'approvisionnement. Les gros détaillants canadiens ont fait bon usage des deux années qu'ils avaient pour se préparer à l'arrivée de Target sur le marché canadien. Outre le fait de faciliter la vie aux consommateurs en rénovant, en améliorant la signalisation et en offrant des magasins globalement plus conviviaux, les détaillants ont usé de leur influence pour dissuader les fournisseurs de faire affaire avec Target au Canada, où la relation avec le fournisseur est plus compliquée. Target bénéficiait toutefois de ses relations aux États-Unis avec de gros fournisseurs, comme Proctor & Gamble et Unilever.

Qu'en était-il des petits fournisseurs canadiens avec lesquels Target n'avait pas de relations ? En s'y prenant mal avec les fournisseurs dès le départ, Target a tué dans l'œuf toute possibilité de relation. On peut aussi se demander si les petits fournisseurs avaient réellement intérêt à approvisionner Target, surtout s'ils vendaient déjà la plupart de leurs produits à d'autres entreprises telles que La Baie ou Walmart. C'était une position plutôt confortable pour les petits fournisseurs, dans la mesure où les plus gros détaillants du pays cherchaient à faire affaire avec eux.

Depuis août 2013, les magasins de Target au Canada étaient non performants sur le plan de la satisfaction de la clientèle par rapport aux autres gros détaillants. Selon un sondage récent sur la satisfaction de la clientèle, les clients se plaignaient des ruptures de stock et des prix élevés par rapport aux magasins de Target aux États-Unis[21]. En janvier 2015, Target annonçait la fermeture complète de ses magasins au Canada.

De nos jours, la chaîne d'approvisionnement est un réseau complexe de fournisseurs, d'assembleurs, d'entreprises de logistique, de canaux de vente et de marketing et d'autres partenaires d'affaires, essentiellement liés par des réseaux d'information et des relations contractuelles. Les systèmes de GCA permettent d'améliorer et de gérer ces relations. La chaîne d'approvisionnement compte trois maillons principaux (*voir la figure 8.7 à la page suivante*) :

1. les flux de matières premières en provenance des fournisseurs et de leurs fournisseurs en amont à tous les niveaux ;
2. la transformation des matières premières en produits semi-finis et finis – les processus de production de l'organisation ;
3. la distribution de produits aux consommateurs et à leurs clients en aval à tous les niveaux.

FIGURE 8.7

Chaîne d'approvisionnement
typique pour un fabricant

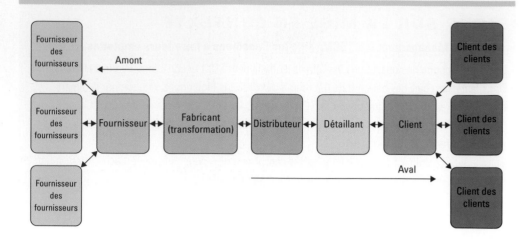

Les organisations doivent adopter des technologies leur permettant de gérer et de superviser leur chaîne d'approvisionnement de façon efficace. La GCA joue un rôle croissant dans la création d'efficience et d'avantages concurrentiels pour l'entreprise. À l'aide de son système de GCA, Best Buy vérifie toutes les demi-heures le niveau des stocks de ses quelque 1 600 magasins et boutiques mobiles en Amérique du Nord, ce qui élimine la plupart des conjectures en matière de réapprovisionnement. Grâce à la GCA, il est plus facile pour les entreprises de trouver les matières premières nécessaires pour créer un produit ou un service, de fabriquer ce produit ou service et de le livrer aux clients. La figure 8.8 illustre les cinq composantes de base de la GCA[22].

Les progrès technologiques réalisés dans les cinq composantes de la GCA ont permis d'améliorer considérablement les prévisions et les opérations. De nos jours, les entreprises ont accès à des outils de modélisation et de simulation, à des algorithmes et à des applications capables de combiner l'information de sources multiples en vue de faire des prévisions pour des jours, des semaines, voire des mois à l'avance. Et quand on dispose de meilleures prévisions pour demain, on peut mieux se préparer aujourd'hui.

Depuis 2007, Mattel Inc. a eu droit à un certain nombre de rappels pour des raisons de sécurité, ce qui a amené l'entreprise à réexaminer ses processus dans toutes ses usines. Il a notamment fallu intégrer davantage de contrôles au système de GCA afin de tester la sécurité des matières premières utilisées pour fabriquer les jouets. Mattel a également dû revisiter les stratégies de GCA qu'elle avait mises au point pour réduire les délais de conception, de production et de livraison de tous ses produits, de Hot Wheels à Barbie. Mattel utilise en outre la GCA pour prévoir la demande, de manière à cesser de produire plus de stocks qu'il n'est nécessaire et à livrer ces derniers stocks selon la demande[23].

Le rôle des systèmes d'information dans la chaîne d'approvisionnement

Tandis que les entreprises deviennent de grosses organisations, le rôle des acteurs de la chaîne d'approvisionnement change. Il est désormais courant que les fournisseurs participent au développement des produits et que les distributeurs agissent à titre de consultants en marketing de marque. La notion de maillons d'information continus au sein des organisations et entre elles est un élément essentiel des chaînes d'approvisionnement intégrées.

Le rôle principal des SI dans la GCA est d'intégrer les maillons d'information entre les différentes fonctions au sein d'une entreprise, par exemple le marketing, les ventes, les finances, la fabrication et la distribution, et entre les entreprises. Le but est d'assurer un flux régulier et synchronisé de l'information et des produits entre les clients, les fournisseurs et les transporteurs tout le long de la chaîne d'approvisionnement. Le SI permet d'intégrer la planification, les processus de prise de décision, les processus d'exploitation de l'entreprise, et le partage d'information pour la gestion de la performance de l'entreprise (*voir la figure 8.9 à la page 286*). Il est reconnu que le fait d'intégrer également la chaîne d'approvisionnement renforce les capacités de celle-ci et augmente les profits de l'entreprise, comme ce fut le cas pour General

FIGURE 8.8

Composantes de base
de la GCA

Entreprise

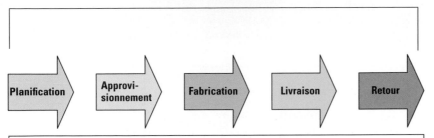

Les cinq composantes de base de la GCA selon le modèle SCOR (*supply-chain operations reference-model*)[24]
1. **La planification** – C'est la partie stratégique de la GCA. L'entreprise doit avoir un plan pour gérer toutes les ressources employées afin de répondre à la demande de produits ou services de ses clients. La planification consiste en grande partie à élaborer un ensemble de mesures pour surveiller la chaîne d'approvisionnement, afin que celle-ci soit efficiente, moins onéreuse, et qu'elle apporte de la qualité et de la valeur aux clients.
2. **L'approvisionnement** – Les entreprises doivent choisir des fournisseurs fiables qui les approvisionnent en produits et services selon leurs besoins. Elles doivent aussi élaborer des processus de prix, de livraison et de paiement avec les fournisseurs, et créer des mesures pour surveiller et améliorer les relations.
3. **La fabrication** – C'est l'étape au cours de laquelle les entreprises fabriquent leurs produits ou services. Il s'agit notamment d'établir un calendrier des activités nécessaires à la production, aux essais, à l'emballage et à la préparation de la livraison. C'est de loin la portion la plus sujette à être mesurée de la chaîne d'approvisionnement : on évalue les niveaux de qualité, la production et la productivité des travailleurs.
4. **La livraison** – Dans cette étape, les entreprises reçoivent les commandes des clients, exécutent ces dernières afin de livrer les produits, puis elles facturent leurs clients.
5. **Le retour** – C'est généralement l'étape la plus problématique de la chaîne d'approvisionnement. Les entreprises doivent créer un réseau afin de recevoir les produits défectueux ou excédentaires, et de soutenir les clients qui ont des problèmes avec les produits livrés.

Mills et Tesco en 2009. Tesco prétend même que sa chaîne d'approvisionnement a contribué à réduire légèrement son empreinte carbone[25].

Par exemple, Canadian Tire, un des plus gros détaillants de produits durables au Canada, a utilisé avec succès les SI pour appuyer sa stratégie de planification partagée des approvisionnements, qui exige une collaboration plus étroite et proactive avec les fournisseurs afin d'améliorer la précision des prévisions. Cette stratégie a pour but d'améliorer le service à la clientèle, et de réduire les coûts des stocks et des fournisseurs. On y parvient en faisant des investissements massifs dans les SI. La première étape de cette solution de SI consistait à mettre en place un système de gestion de la demande et de la satisfaction de celle-ci. Ce système a permis à Canadian Tire de passer d'un processus réactif, fondé sur la demande, à un processus de prévision échelonné dans le temps qui permet à l'entreprise, après examen de la demande des clients, de générer des prévisions fractionnées de la demande en magasin. Forte du succès de ce système, l'entreprise a créé, depuis, un environnement Web qui permet à Canadian Tire de publier et de partager de l'information avec ses fournisseurs. Pour avoir accès à ce SI, les fournisseurs doivent signer un « contrat de collaboration ». En échange,

FIGURE 8.9

Chaîne d'approvisionnement
intégrée

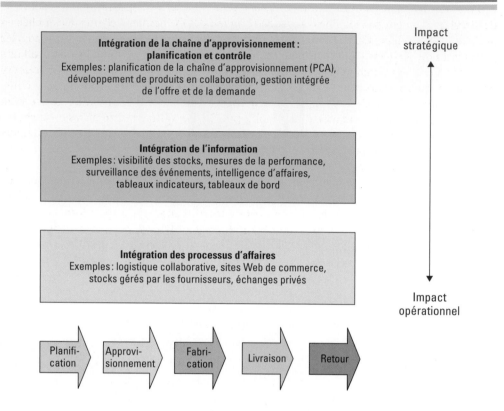

FIGURE 8.10

Facteurs-clés de la GCA

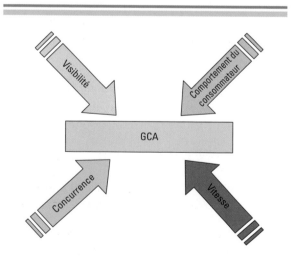

Canadian Tire partage et discute de son information de planification, de prévision et de réap-provisionnement avec eux. Par exemple, Canadian Tire partage ses prévisions de demande globale, qui représentent la demande de 490 magasins sur 39 semaines, l'information sur les commandes en cours, les commandes prévisionnelles et les niveaux des stocks actuels et pré-vus dans ses centres de distribution. Les fournisseurs saisissent leurs prévisions d'articles dans ce même environnement Web. Lorsqu'il y a trop d'écart entre les prévisions de Canadian Tire et celles de ses fournisseurs, le système envoie une notification automatique par courriel afin que les parties concernées prennent les dispositions nécessaires pour éviter ou atténuer les perturba-tions futures dans la livraison et l'expédition des produits[26].

S'il y a longtemps qu'on parle de chaîne d'approvisionnement inté-grée, c'est tout récemment que les progrès des SI ont permis de concré-tiser cette idée. La visibilité, le com-portement du consommateur, la concurrence et la vitesse comptent parmi les changements issus des progrès dans le domaine des tech-nologies de l'information (TI) dont bénéficie la chaîne d'approvision-nement (*voir la figure 8.10*).

La visibilité

La **visibilité de la chaîne d'approvisionnement** désigne la capacité de visualiser tous les domaines en amont et en aval de la chaîne d'approvisionnement. Pour modifier la chaîne d'approvisionnement, il faut une stratégie globale épaulée par les TI. Les organisations peu-vent utiliser des SI qui les aident à assurer l'intégration de la chaîne en amont et en aval, avec les clients et les fournisseurs.

Pour que la chaîne d'approvisionnement soit plus efficace, les organisations doivent créer de la visibilité en temps réel. Elles doivent être au fait des événements clients déclenchés en aval, tout comme leurs fournisseurs et les fournisseurs de ceux-ci. Sans cette information, les partenaires de la chaîne d'approvisionnement peuvent subir un effet coup de fouet, soit une intensification des fluctuations dans la chaîne d'approvisionnement. L'**effet coup de fouet** se produit lorsqu'une information erronée au sujet de la demande d'un produit passe d'une entité à l'autre de la chaîne d'approvisionnement. Une fausse information concernant une légère hausse de la demande d'un produit peut inciter différents membres de la chaîne d'approvisionnement à accumuler des stocks de ce produit. Une telle situation se répercute sur toute la chaîne d'approvisionnement, en ayant pour effet d'aggraver le problème et de générer des stocks excédentaires et des coûts supplémentaires.

De nos jours, le SI permet d'avoir une meilleure visibilité de la chaîne d'approvisionnement. Grâce aux flux d'information électronique, les gestionnaires peuvent voir les chaînes d'approvisionnement de leurs fournisseurs et de leurs clients. Certaines organisations ont totalement modifié la dynamique de leur industrie grâce à l'avantage concurrentiel qu'elles ont obtenu de cette visibilité. L'entreprise Dell en est un bon exemple. La capacité de l'entreprise à acheminer les produits aux clients et l'incidence de ce nouveau modèle économique ont clairement modifié la nature de la concurrence et incité les autres à imiter ce modèle.

Le comportement du consommateur

Le comportement du consommateur a changé la façon même dont les entreprises se font concurrence. Si une entreprise ne répond pas constamment à leurs attentes, les clients partent. Ces derniers sont plus exigeants parce qu'ils ont l'information à portée de main ; ils savent exactement ce qu'ils veulent, quand et de quelle façon ils le veulent.

Les **systèmes de planification de la demande** établissent des prévisions de la demande à l'aide d'outils statistiques et de techniques de prévision. Les entreprises peuvent réagir de façon plus rapide et efficace aux demandes des consommateurs en apportant des améliorations à la chaîne d'approvisionnement, comme les logiciels de planification de la demande. Une fois qu'une organisation a compris la demande et son effet sur la chaîne d'approvisionnement, elle peut commencer à évaluer l'impact que sa chaîne d'approvisionnement aura sur ses clients et, au bout du compte, sur sa performance. Les effets bénéfiques d'une bonne stratégie de planification de la demande peuvent être immenses. Selon une étude, les entreprises ont obtenu des résultats nets impressionnants en gérant la demande dans leur chaîne d'approvisionnement : cela leur a permis en moyenne de réduire leurs stocks de 50 % et d'accroître de 40 % les livraisons à temps. Des entreprises comme WAM Supply Chain estiment par ailleurs que la gestion de la demande est fondamentale pour la GCA[27].

La concurrence

On peut diviser les logiciels de GCA en systèmes de planification de la chaîne d'approvisionnement (PCA) et en systèmes d'exécution de la chaîne d'approvisionnement (ECA). Les deux systèmes permettent de renforcer la capacité concurrentielle des entreprises. Les systèmes de **planification de la chaîne d'approvisionnement (PCA)** utilisent des algorithmes mathématiques complexes pour améliorer le flux et l'efficience de la chaîne d'approvisionnement tout en réduisant les stocks. La PCA repose entièrement sur l'exactitude de l'information. Les résultats de la PCA ne seront pertinents que si l'on saisit de l'information précise et à jour sur les commandes, les ventes, la capacité de fabrication et la capacité de livraison dans le système.

La chaîne d'approvisionnement d'une organisation englobe les installations où les matières premières, les produits intermédiaires et les produits finis sont acquis, transformés, stockés et vendus. Ces installations sont reliées par des réseaux de transport qui assurent le flux des matières premières et des produits. Idéalement, la chaîne d'approvisionnement se compose de plusieurs organisations qui fonctionnent de façon aussi efficiente et efficace qu'une organisation unique, avec une visibilité totale de l'information. Les systèmes d'**exécution de la chaîne d'approvisionnement (ECA)** permettent d'automatiser les différentes étapes de la chaîne d'approvisionnement. Par exemple, il peut tout simplement s'agir d'acheminer les commandes par voie électronique d'un fabricant à un fournisseur. La figure 8.11 (*voir la page suivante*) met en évidence le rôle des logiciels de PCA et d'ECA dans la GCA.

FIGURE 8.11

Rôle des logiciels de PCA et d'ECA dans la GCA

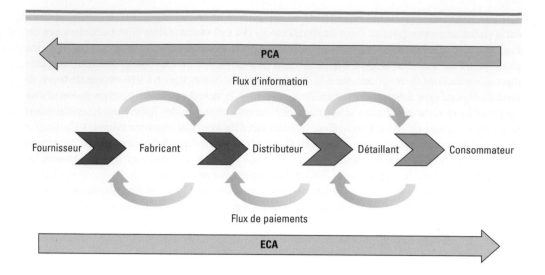

En 2013, la Toyota Camry était deuxième sur la liste de l'American-Made Index du site www. cars.com, où les véhicules doivent comporter 75 % de pièces américaines pour être admissibles. La Camry était presque aussi américaine que la Ford F-150. De nos jours, le lien entre l'industrie automobile nord-américaine et le Japon pour les pièces est très fort en raison de la GCA. En 2009, les États-Unis ont importé plus de 13,8 milliards de dollars américains de pièces du Japon, et celui-ci a importé 38,3 milliards de dollars américains de sociétés américaines. En mars 2011, un violent séisme a provoqué un tsunami dévastateur au Japon. À cette occasion, Toyota aux États-Unis a fonctionné à une capacité de 30 % pendant des semaines. De plus, certains fabricants comme GM et Ford ont temporairement fermé des parties d'usine en raison de la faiblesse de la demande de pièces des fabricants automobiles au Japon, qui se remettait du désastre[28].

La vitesse

Depuis une dizaine d'années, la concurrence mise sur la vitesse. De nouvelles formes de serveurs, de télécommunications, d'applications sans fil et de logiciels permettent aux entreprises d'accomplir des tâches inenvisageables auparavant. Ces systèmes favorisent la précision, la fréquence et la vitesse de communication entre les fournisseurs et les clients, et entre les utilisateurs à l'interne. La vitesse désigne aussi la capacité d'une entreprise à répondre aux exigences en constante évolution des clients de façon efficiente, précise et rapide. C'est pourquoi il est plus important que jamais pour les entreprises d'obtenir de l'information pertinente et en temps opportun. L'encadré 8.1 décrit les trois facteurs qui favorisent la vitesse.

1. La satisfaction du consommateur est devenue une sorte d'obsession pour les entreprises. Il est devenu essentiel de servir le consommateur de façon optimale, efficiente et efficace. C'est pourquoi l'information sur les questions d'état des commandes, de la disponibilité des produits, de délais de livraison et de factures fait désormais partie intégrante de l'expérience globale de service à la clientèle.

2. L'information est cruciale pour la capacité des gestionnaires à réduire les stocks et les besoins en ressources humaines à un niveau concurrentiel.

3. Les flux d'information sont essentiels à la planification stratégique et au déploiement des ressources.

Les facteurs de succès de la gestion de la chaîne d'approvisionnement

Pour réussir sur les marchés concurrentiels d'aujourd'hui, les entreprises doivent adapter la GCA aux exigences des marchés qu'elles desservent. La performance de la chaîne d'approvisionnement constitue un réel avantage concurrentiel pour les entreprises. GS1 Canada a bien conscience de cet avantage concurrentiel. Cette entreprise est membre de

Global Standards One (GS1), un organisme mondial de plus de 100 membres dont l'objectif est d'élaborer des normes et des solutions en vue d'améliorer la GCA. GS1 Canada a créé le Registre ECCnet, registre national en ligne de produits au Canada, pour le listage de produits et la synchronisation des données. Grâce à ce registre, il y a désormais au Canada un point d'accès unique entre les fournisseurs et les détaillants, ce qui permet de rationaliser et de favoriser le fonctionnement quotidien de la chaîne d'approvisionnement. Les fournisseurs ne saisissent qu'une seule fois l'information pour chaque produit, et le registre facilite la distribution à de nombreux clients. Les ajouts et les mises à jour sont toujours harmonisés. Cette synchronisation des données permet de s'assurer que la bonne quantité de produits est disponible au bon endroit et au bon moment. Jusqu'ici, plus de 20 000 entreprises (ce qui représente des milliards de dollars de transactions dans 22 secteurs) se sont abonnées au Registre ECCnet[29].

Les mesures du succès de la gestion de la chaîne d'approvisionnement

Les mesures de la GCA aident les organisations à évaluer leurs opérations sur une période donnée. Ces paramètres peuvent couvrir de nombreux domaines, notamment l'approvisionnement, la production, la distribution, l'entreposage, les stocks, le trans-port et le service à la clientèle. Cela dit, la performance dans une partie de la chaîne d'approvisionnement ne suffit pas. La chaîne d'approvisionnement n'est pas plus solide que son maillon le plus faible. La solution consiste à établir des mesures et des indicateurs dans tous les domaines-clés de la chaîne d'approvisionnement. L'encadré 8.2 souligne les mesures et indicateurs de la GCA les plus courants[30].

- Une commande en souffrance : commande qui n'est pas exécutée, c'est-à-dire une commande (immédiate ou retardée) d'un article dont le niveau de stock est insuffisant pour satisfaire la demande.

- Le temps de cycle promis de la commande : temps de cycle prévu ou convenu d'une commande, soit le délai entre la création du bon de commande et la date de livraison souhaitée.

- Le temps de cycle réel de la commande : temps d'exécution moyen d'une commande ; cette mesure peut concerner une commande ou une ligne de commandes.

- Le temps de cycle du réapprovisionnement : mesure du temps de cycle pour fabriquer puis acheminer le produit vers le centre de distribution approprié.

- La rotation des stocks (taux de rotation des stocks) : nombre de fois que le stock se renouvelle au cours d'un exercice après épuisement. C'est un des paramètres les plus utilisés de la chaîne d'approvisionnement.

Pour parvenir à réduire les coûts d'exploitation, à améliorer la productivité des actifs et à réduire le temps de cycle des commandes, les organisations devraient suivre les sept principes de la GCA soulignés dans l'encadré 8.3 (*voir la page suivante*).

Les entreprises qui suivent ces principes sont au fait des transactions en temps réel lorsque celles-ci s'opèrent du côté client de la chaîne d'approvisionnement (les activités des clients finaux sont visibles). Plutôt que d'attendre des jours ou des semaines (voire des mois) que l'information remonte la chaîne d'approvisionnement, avec tous les écueils potentiels d'information erronée ou manquante que cela comporte, les fournisseurs peuvent réagir rapidement aux fluctuations de la demande des clients finaux.

Dell Inc. représente un des meilleurs exemples de système de GCA couronné de succès. Le modèle d'affaires très efficient de fabrication à la commande de Dell lui permet de livrer rapidement des ordinateurs personnalisés. Dans le souci permanent d'améliorer les processus de sa chaîne d'approvisionnement, Dell déploie des systèmes de GCA en vue d'obtenir une vision globale des prévisions de la demande de produits et des besoins en matériel, et d'améliorer l'ordonnancement en usine et la gestion des stocks.

Les organisations ont tout intérêt à examiner les meilleures pratiques de leur secteur industriel et à suivre les pratiques de la gestion du changement organisationnel pour

1. Segmenter les consommateurs en fonction des besoins en services, quelle que soit l'industrie, puis adapter les services à ces segments.

2. Personnaliser le réseau logistique et cibler davantage les besoins en services et la rentabilité des segments déterminés au préalable.

3. Être à l'affût des tendances de la demande et planifier en conséquence. La planification doit couvrir toute la chaîne de manière à détecter les signaux de l'évolution de la demande.

4. Différencier les produits plus près du consommateur, dans la mesure où les entreprises ne peuvent plus se permettre d'accumuler des stocks pour compenser la médiocrité des prévisions de la demande.

5. Gérer les sources d'approvisionnement de façon stratégique, en travaillant avec des fournisseurs-clés pour réduire les coûts de possession globaux de matières et de services.

6. Élaborer une stratégie des TI pour la chaîne d'approvisionnement qui appuie les différents niveaux de prise de décision et offre une vision claire (visibilité) des flux de produits, de services et d'information.

7. Adopter des mesures et des indicateurs de performance qui s'appliquent à tous les maillons de la chaîne d'approvisionnement et qui permettent d'évaluer la rentabilité à chaque étape.

augmenter leurs chances de réussir la mise en œuvre des systèmes de GCA. Les facteurs de succès de la GCA sont décrits ci-après.

- Convaincre les fournisseurs. La grosse difficulté de tout système de GCA, c'est sa complexité, dans la mesure où une grande partie du système dépasse les murs de l'entreprise. Les membres de l'organisation, mais aussi les personnes qui travaillent pour chaque fournisseur ajouté au réseau, doivent changer leur façon de travailler. Il faut s'assurer que les fournisseurs approuvent les avantages du système de GCA.

- Affranchir les employés de leur dépendance aux pratiques traditionnelles. En général, les personnes qui travaillent au déroulement des opérations gèrent des appels téléphoniques, des télécopies et des commandes griffonnées sur papier, et elles souhaiteront probablement continuer ainsi. Malheureusement, une organisation ne peut débrancher les téléphones et les télécopieurs sous prétexte qu'elle met en œuvre un système de GCA. Si l'organisation n'arrive pas à convaincre ses employés de l'intérêt d'utiliser un logiciel, ces derniers trouveront facilement le moyen de s'en passer, ce qui réduira vite les chances de réussite du système de GCA.

- S'assurer que le système de GCA appuie les objectifs de l'organisation. Il est important de choisir un logiciel de GCA qui offre à l'organisation un avantage dans les domaines qui sont essentiels à sa réussite. Si les objectifs de l'organisation sont des stratégies très efficientes, la conception de la chaîne d'approvisionnement aura les mêmes objectifs.

- Déployer le système en phases progressives; mesurer ces phases et communiquer la réussite de celles-ci. Le déploiement du système de GCA doit être réalisé en phases progressives. Par exemple, au lieu d'installer un système de GCA complet dans toute l'entreprise et chez tous les fournisseurs d'un seul coup, on commence par le faire fonctionner avec quelques fournisseurs-clés, avant de passer aux autres fournisseurs. Pendant le processus, il faut veiller à ce que chaque étape crée de la valeur grâce à des améliorations de la performance de la chaîne d'approvisionnement. S'il est essentiel d'avoir une vision d'ensemble pour la réussite de la GCA, l'approche progressive signifie que le système de GCA doit être mis en œuvre de façon progressive et facile à assimiler, et qu'il faut en mesurer la réussite à chaque étape.

- Se tourner vers l'avenir. Dans la conception de la chaîne d'approvisionnement, il faut tenir compte de la situation future de l'entreprise. Comme le système de GCA durera probablement beaucoup plus longtemps qu'on peut le prévoir, il est indispensable que les gestionnaires explorent le degré de souplesse des systèmes en prévision du moment où il faudra apporter des modifications (et il le faudra). Le but est d'avoir la certitude que le logiciel satisfait les besoins actuels et qu'il répondra aux besoins futurs[31].

Un cas de réussite de la gestion de la chaîne d'approvisionnement

Au départ, Apple répartissait ses opérations d'affaires sur 16 applications patrimoniales. Apple a vite réalisé qu'il lui fallait un nouveau modèle d'affaires axé sur une chaîne d'approvisionnement intégrée pour améliorer son efficacité. L'entreprise a élaboré une stratégie de mise en œuvre axée sur des fonctions spécifiques de la GCA (finances, ventes, distribution et fabrication) qui l'aideraient de façon significative. Elle a décidé de déployer une fonctionnalité d'avant-garde avec un nouveau modèle d'affaires fournissant:

- des capacités de fabrication et de configuration à la commande;
- un système Web d'inscription et de suivi des commandes pour les clients qui achètent directement de la boutique Apple à http://store.apple.com;
- une autorisation de carte de crédit en temps réel;
- l'affectation des stocks disponibles à la vente fondée sur des règles;
- l'intégration à des systèmes de planification avancée.

Depuis la mise en œuvre de son système de GCA, Apple a bénéficié d'avantages substantiels dans de nombreux domaines, notamment une amélioration notable de ses processus de fabrication, une réduction de 60% de ses temps de cycle de fabrication et de configuration à la commande, et la capacité de traiter des milliers de commandes par jour[32].

Certaines pratiques-clés de la chaîne d'approvisionnement, comme le fait de relier la chaîne d'approvisionnement à la stratégie d'entreprise ou de créer des chaînes de valeur de bout en bout, favorisent la performance de l'entreprise. Lorsque les entreprises envisagent ces pratiques-clés, il est essentiel qu'elles les considèrent aussi sur le plan de la performance du service, des coûts et des stocks. Le tableau 8.3 dresse la liste d'entreprises qui ont adopté les pratiques-clés de GCA pour améliorer la performance de leurs opérations.

TABLEAU 8.3 | Entreprises qui utilisent les pratiques de GCA pour améliorer leurs opérations

AB World Foods	Amélioration de la précision des prévisions
Avon	Suppression de la planification manuelle de la production
Black & Decker	Suppression des heures supplémentaires en fabrication, des envois accélérés et des surstocks
Dr Pepper Snapple Group	Production de masse rapide par magasin pour ses revendeurs
Hallmark Cards	Réduction importante du niveau des stocks de roulement et augmentation de 2% de la disponibilité des produits
HP	Repérage de la non-conformité environnementale de la part des fournisseurs-clés
Knauf Drywall	Augmentation du taux de réapprovisionnement des stocks de 94,6 à 99,2% et suppression des situations de rupture de stock
Rite Aid	Maximisation des ventes sans augmentation des coûts de la chaîne d'approvisionnement

Source: www.infor.com; www.jda.com; www.hp.com

Les tendances de la chaîne d'approvisionnement

En se penchant sur l'avenir des chaînes d'approvisionnement, IBM a repéré un certain nombre de domaines-clés avec lesquels les directeurs de chaîne d'approvisionnement devront composer dans le futur, et trois domaines-clés de développement de la chaîne d'approvisionnement. La GCA aura du mal à limiter les coûts dans la mesure où la rapidité des changements augmentera plus rapidement que la capacité des cadres à s'y adapter. Les cadres de la GCA seront aussi aux prises avec la visibilité: les informations seront plus nombreuses, mais les cadres auront plus de mal à trouver la « bonne » information. Ils devront continuer à composer avec la gestion des risques et les répercussions continues de la mondialisation. Enfin, les systèmes de GCA ont permis de créer une forte interdépendance entre les entreprises et les fournisseurs, mais la relation avec les clients n'est pas aussi bonne, malgré une approche fondée sur la demande. À l'avenir, les entreprises devront tenir compte de la relation client (*voir le chapitre 9*).

Quant aux systèmes de GCA, ils se développeront dans trois domaines-clés : l'instrumentation, l'interconnexion et l'intelligence.

L'instrumentation

Selon cette étude, les données des systèmes de GCA seront de plus en plus souvent générées par des machines, comme des appareils IDRF (identification par radiofréquence), des appareils avec système d'information géographique, des compteurs, des capteurs et des mécanismes d'accès. Les appareils IDRF accompagnant les conteneurs feront des rapports sur leur contenu, et ceux qui seront sur les palettes signaleront leur position (ou si elles se retrouvent au mauvais endroit).

L'interconnexion

Tous les maillons de la chaîne d'approvisionnement seront interreliés. Non seulement les clients, les fournisseurs et les systèmes des TI en général, mais aussi les véhicules de transport, les unités de transport, les palettes et même les produits. Le système permettra de connaître précisément la position de chaque produit de la chaîne d'approvisionnement à tout moment et dans le monde entier.

L'intelligence

Outre les objets intelligents de la chaîne d'approvisionnement pouvant signaler leur position en tout temps, les logiciels de chaîne d'approvisionnement deviennent plus intelligents, capables d'une analyse plus poussée, ce qui permet aux cadres de créer de meilleurs modèles et de prendre des décisions dans un monde plus complexe. Ces systèmes aideront les décideurs à envisager les différentes possibilités selon des ensembles de risques et de contraintes plus complexes et plus dynamiques et, parfois, prendront des décisions automatiquement.

Airbus, le plus grand avionneur civil au monde, avait de plus en plus de difficulté à assurer le suivi des pièces des entrepôts des fournisseurs aux 18 sites de fabrication d'Airbus. Pour accroître la visibilité des pièces dans la chaîne d'approvisionnement, Airbus a créé un système de détection intelligent capable de repérer les pièces qui dévient de leur parcours initial. Airbus utilise des conteneurs munis d'étiquettes IDRF qui contiennent des données importantes. Tandis que les pièces sont acheminées du fournisseur à Airbus, les lecteurs IDRF lisent les étiquettes aux moments cruciaux. Si l'équipement est au mauvais endroit ou ne contient pas les bonnes pièces, un employé en est immédiatement avisé. Il peut alors corriger le problème de manière à éviter les problèmes de fabrication.

L'Army and Air Force Exchange Service (AAFES) vend des produits et des services aux personnes en service actif, aux membres de la garde nationale et de la réserve, aux retraités et à leur famille à des prix concurrentiels. Cette organisation investit les deux tiers de ses profits dans les programmes visant à maintenir le moral des militaires américains, à assurer leur bien-être et à leur fournir des divertissements. Alors qu'elle cherchait des moyens de réduire ses dépenses, l'AAFES s'est rendu compte qu'elle desservait le même marché qu'une autre organisation : Family, Morale and Recreation Command. Les deux organisations ont fait équipe afin de déterminer les possibilités de partenariat en matière d'approvisionnement, de distribution et de transport. Elles ont réussi à cerner des synergies en éliminant certains entrepôts et la nécessité de maintenir 2,3 millions de dollars américains de stocks, et en réduisant les coûts de main-d'œuvre de 800 000 dollars américains[33].

Les entreprises investissent en vue d'améliorer les processus d'affaires qui surveillent, gèrent et optimisent leurs chaînes d'approvisionnement étendues. Le tableau 8.4 présente les composantes de la GCA à forte croissance qui peuvent avoir le plus d'impact potentiel sur le résultat net d'une organisation[34].

TABLEAU 8.4 | Composantes de la GCA à forte croissance

Gestion des événements de la chaîne d'approvisionnement (GECA)	Permettre aux organisations de réagir plus rapidement aux problèmes survenant sur la chaîne d'approvisionnement. Le système de GECA facilite l'échange d'information en temps réel entre les partenaires de la chaîne d'approvisionnement et diminue leur temps de réaction face aux événements imprévus. La demande de GECA va exploser dans la mesure où de plus en plus d'organisations découvrent les avantages de la surveillance de la chaîne d'approvisionnement en temps réel.
Gestion de la chaîne de vente	Appliquer la technologie aux activités du cycle de vie des commandes, de la gestion de la demande à la vente
Ingénierie collaborative	Permettre aux organisations de réduire les coûts et les délais du processus de conception d'un produit
Planification collaborative de la demande	Aider les organisations à réduire les investissements dans les stocks tout en améliorant la satisfaction de la clientèle grâce à la disponibilité des produits

Les technologies comme l'IDRF permettent aussi d'améliorer la chaîne d'approvisionnement. À la société Airbus, les IDRF sont des étiquettes passives ou actives sous la forme de puces ou d'étiquettes intelligentes qui repèrent et transmettent l'information à des lecteurs électroniques. L'IDRF deviendra un outil efficace pour assurer le suivi et la surveillance du mouvement des stocks dans un environnement de GCA en temps réel. Cette information en temps réel fournira aux gestionnaires une vision instantanée et précise des stocks dans la chaîne d'approvisionnement.

En utilisant les systèmes actuels de GCA, l'IDRF vérifiera l'état des stocks et déclenchera le processus de réapprovisionnement. Les organisations qui auront adopté les IDRF seront en mesure de fournir avec rapidité et précision le niveau des stocks (en temps réel) à n'importe quel point de la chaîne d'approvisionnement. La réduction du niveau des stocks au point de réapprovisionnement permet la génération électronique des commandes de réapprovisionnement. Lorsqu'on possède des informations précises et en temps réel sur les stocks, on peut réduire le niveau des stocks de sécurité. Les avantages potentiels des IDRF comprennent donc la réduction des interventions humaines (ou de la main-d'œuvre) ainsi que la réduction des stocks, donc une réduction des coûts d'exploitation.

Le projet de sécurité du fret Canada–États-Unis est un autre exemple intéressant où l'on utilise les nouvelles technologies pour assurer le suivi des conteneurs. Cette initiative internationale-régionale bénéficie du soutien de Transports Canada, des ports d'Halifax et de Montréal, et des organismes fédéraux et d'États américains. Ce projet vise à mettre à l'essai un prototype pour la sécurité des éléments de la chaîne d'approvisionnement des conteneurs. Le but est de développer une technologie au profit du transport international par conteneurs qui permet de maintenir l'ouverture des frontières et de favoriser le commerce tout en améliorant les pratiques liées à la sécurité[35].

Par-dessus tout, le système GECA valide et suit le déplacement du fret en conteneurs : la technologie permet de connaître l'état d'un conteneur et de l'afficher sur un site Web en temps réel, où le résultat peut être analysé par les agences compétentes. Cette technologie utilise un « détecteur de radar à micro-impulsions » de la taille d'une pochette d'allumettes, dont la sensibilité est telle qu'il peut détecter le mouvement d'une personne dans un conteneur, ou une ouverture pratiquée sur le côté par un intrus. On a élaboré un prototype, et l'on espère améliorer le système en créant un boîtier intégré compact et léger que l'industrie du transport de conteneurs pourrait adopter massivement[36].

4. Comment SCM pourrait-elle utiliser chacune des cinq composantes de base de la GCA?

5. Quelle a été l'incidence de SCM sur la visibilité, le comportement du consommateur, la concurrence et la vitesse dans la chaîne d'approvisionnement de Walmart Canada au moyen de SI et de processus?

6. Expliquez les sept principes de la GCA en référence avec le modèle d'affaires de SCM.

7. Tandis que Walmart Canada ouvre de nouveaux supercentres, avec des denrées périssables et non périssables, quelles modifications faudrait-il apporter aux processus de GCA avant d'introduire les produits alimentaires?

RÉSUMÉ

Dans ce chapitre, on a exploré les concepts de gestion des opérations (GO) et de gestion de la chaîne d'approvisionnement (GCA), et l'on a montré comment utiliser les SI pour améliorer les processus de la chaîne d'approvisionnement. On a vu que les chaînes d'approvisionnement sont présentes dans différents secteurs et industries. Divers exemples ont permis d'illustrer la capacité des SI à aider les organisations à améliorer leurs interactions avec les fournisseurs, les fabricants, les distributeurs, les entrepôts et les clients.

En tant qu'étudiant dans un domaine lié aux affaires, vous devez comprendre le rôle essentiel des systèmes d'information (SI). En effet, ces derniers favorisent la GO et les processus de GCA, et ils soutiennent l'infrastructure de base et la coordination nécessaires pour assurer le bon fonctionnement des principales opérations de l'entreprise.

ÉTUDE DE CAS 8.1

À la rescousse de la chaîne d'approvisionnement des soins de santé au Canada

Ce cas met en valeur l'utilisation des SI dans le secteur des soins de santé en vue d'améliorer la performance de la chaîne d'approvisionnement.

Si on les compare à d'autres organisations qui nécessitent et commandent de gros volumes de fournitures et de matériaux pour mener à bien leurs activités, les hôpitaux sont à la traîne en matière de déploiement des SI. Les hôpitaux ont besoin chaque jour de toutes sortes de matériaux, d'instruments chirurgicaux et de fournitures médicales. Selon David Yundt, président et chef des opérations

de l'Hospital Logistics Inc. (une société à but lucratif d'approvisionnement et de logistique des hôpitaux créée par le Réseau universitaire de santé de Toronto), les hôpitaux ont toujours concentré leur énergie et leurs capitaux sur les soins directs aux patients, plutôt que sur l'amélioration de la GCA. Le problème est d'autant plus grave si l'on pense aux budgets très serrés qui restreignent les opérations des hôpitaux et à l'inertie qui y règne à l'heure actuelle, l'idée étant de réduire des processus manuels de gestion des matériaux, notamment en ce qui concerne la main-d'œuvre. Le secteur hospitalier étant très fragmenté, il n'y a pas de norme établie pour nommer, décrire, commander et payer les dizaines de milliers de produits utilisés dans les hôpitaux. De plus, la plupart des hôpitaux ne disposent pas de SI intégrés qui gèrent la commande, le suivi et le paiement des fournitures. Cela donne lieu à de mauvaises habitudes d'achat, dans la mesure où les fournitures sont achetées individuellement par les médecins et les cliniciens, plutôt qu'en gros, à des prix fortement réduits[37]. L'avènement de l'IDRF a permis aux entreprises de transport comme aux hôpitaux de réduire les coûts et les frais généraux en mettant en lumière les processus d'affaires inefficients. D'après la recherche du Groupe Aberdeen, 38 % des entreprises qui utilisent l'IDRF le font pour réduire les coûts et renforcer la sécurité et la fiabilité de la gestion des processus d'affaires. Les organisations tirent profit de l'IDRF pour améliorer la productivité de leur main-d'œuvre, tout en simplifiant la mise en œuvre et les coûts de gestion de leurs réseaux[38].

Quand Walmart a annoncé sa stratégie d'IDRF en 2003, l'entreprise est devenue un des nombreux détaillants convertis à cette technologie. En apposant des étiquettes IDRF sur les caisses et les palettes expédiées des fabricants aux centres de distribution de Walmart, les entreprises peuvent surveiller de près leurs envois. Et cela permet à Walmart et à ses fournisseurs de rationaliser leur chaîne d'approvisionnement et de faire en sorte que les rayons soient toujours bien garnis.

CareNET Services Inc. est venue à la rescousse. Créée en 1990, CareNET est une association de prestataires et de fournisseurs de soins de santé au Canada dont la mission est de promouvoir, d'éduquer, de faciliter et de soutenir l'utilisation du commerce électronique. CareNET a pour but d'améliorer les processus d'affaires et de réduire les coûts tout au long de la chaîne d'approvisionnement des soins de santé. En 2014, cette entreprise regroupait 625 hôpitaux et établissements de soins de longue durée et 250 fournisseurs.

CareNET et GS1 Canada ont établi un partenariat stratégique pour renforcer la sécurité des patients et favoriser l'adoption d'une chaîne d'approvisionnement et de pratiques de commerce électronique normalisées dans le secteur des soins de santé au Canada. C'est dans ce contexte que CareNET a adopté le « Projet des normes de la chaîne d'approvisionnement » de GS1 Canada pour harmoniser les chaînes d'approvisionnement des hôpitaux en mettant en œuvre des normes reconnues à l'échelle mondiale. Ce projet a non seulement permis de moderniser la chaîne d'approvisionnement des soins de santé, mais aussi de réaliser des économies de coûts et des gains substantiels sur le plan de la sécurité des patients. Le projet a abouti à la diminution des erreurs de la chaîne d'approvisionnement et de médicaments, à la dissuasion de la contrefaçon, à la

garantie d'une traçabilité efficiente et efficace, à l'optimisation du capital intellectuel des professionnels de la santé au Canada, et à la réduction des coûts associés à la production et à la chaîne d'approvisionnement, ce qui permet de rediriger les ressources vers les soins aux patients. Parmi les partenaires-clés du secteur public du Projet des normes de la chaîne d'approvisionnement, citons les gouvernements d'Ontario, de Colombie-Britannique, du Nouveau-Brunswick, de la Nouvelle-Écosse et de l'Alberta. Parmi les produits livrables, on peut mentionner les normes d'échange de données sur les bons de commande et la facturation sous forme électronique, ainsi que les normes sur les codes à barres des produits médicaux-chirurgicaux[39].

La normalisation de l'utilisation de codes à barres dans les hôpitaux et ses effets positifs sur la sécurité des patients a acquis une renommée mondiale à l'occasion d'un épisode de l'émission *The Oprah Winfrey Show* en février 2009[40]. Une partie de cet épisode était consacrée aux jumeaux de l'acteur Dennis Quaid, qui ont failli mourir en 2007 à cause d'un mauvais dosage de médicaments à l'hôpital. Pendant l'émission, Quaid a dit à Oprah qu'il pensait que l'attention considérable des médias à l'égard de cet événement quasi tragique avait eu le mérite de sensibiliser les gens à faire quelque chose pour promouvoir la tenue de dossiers électroniques et l'utilisation des codes à barres dans les hôpitaux. Le Dr Mehmet Oz, qui partageait l'avis de Quaid, a expliqué que les systèmes de codes à barres et la saisie informatisée des ordonnances avaient considérablement amélioré la pratique médicale dans les hôpitaux en éliminant les erreurs de dosage. « Il ne s'agit pas d'un petit pas en avant; il s'agit d'un virage radical » souligne Oz. CareNET compte aider le Canada à prendre ce virage en éliminant les erreurs qui peuvent avoir des conséquences potentiellement fatales. C'est une bonne nouvelle pour le secteur de la santé au Canada[41].

Questions

1. Quels problèmes entravent l'efficience des chaînes d'approvisionnement dans le secteur de la santé au Canada ?

2. Comment CareNET contribue-t-elle à atténuer ces problèmes ?

3. Quels sont les aspects du Projet des normes de la chaîne d'approvisionnement qui contribuent à rendre la chaîne d'approvisionnement des soins de santé plus efficace et efficiente ?

4. La GCA connaît un essor spectaculaire. Expliquez pourquoi cette affirmation est vraie en utilisant le cas ci-dessus comme exemple.

5. Évaluez l'incidence de CareNET sur chacun des facteurs de succès de la GCA.

Le parcours de Listerine

Ce cas illustre la façon dont les SI peuvent améliorer la performance de la chaîne d'approvisionnement à l'échelle mondiale.

Quand on utilise le rince-bouche antiseptique Listerine, on est à la dernière étape d'une chaîne d'approvisionnement complexe qui couvre plusieurs continents et qui exige des mois de coordination par un nombre considérable d'entreprises et de personnes. On n'imagine pas les ressources nécessaires pour acheminer une seule bouteille de ce produit à un consommateur. Tandis que la matière première est transformée en produit fini, ce qui deviendra Listerine fait le tour du monde et traverse des chaînes d'approvisionnement et des SI multiples.

Le voyage commence

En Australie, un agriculteur cultive des eucalyptus, dont les feuilles coriaces contiennent une huile : l'eucalyptol. L'agriculteur vend sa récolte à une entreprise de transformation australienne, qui passe environ quatre semaines à extraire l'eucalyptol de l'eucalyptus.

Pendant ce temps, dans le New Jersey, Warner-Lambert (WL) travaille en partenariat avec un distributeur pour acheter l'huile à l'entreprise australienne et la transporter jusqu'à l'usine de fabrication et de distribution de WL à Lititz, en Pennsylvanie. Le chargement arrive à Lititz environ trois mois après la récolte.

Au même moment, en Arabie Saoudite, une entreprise publique fore le désert à la recherche du gaz naturel permettant de produire l'alcool synthétique qui donne à la Listerine sa teneur en alcool de 43 %. Union Carbide Corp. expédie le gaz par navire-citerne à une raffinerie au Texas, qui le purifie et le convertit en éthanol. Ce dernier est chargé sur un autre navire-citerne, qui traverse le Golfe du Mexique jusqu'au New Jersey, où il est transféré dans des réservoirs de stockage, puis transporté par camion ou chemin de fer à l'usine de WL. Il faut six à huit semaines pour acheminer une cargaison d'éthanol d'Arabie Saoudite à Lititz.

SPI Polyols Inc., un fabricant d'ingrédients pour les industries de la confiserie, pharmaceutique et bucco-dentaire, achète du sirop de maïs à des agriculteurs du Midwest. SPI transforme le sirop de maïs en solution de sorbitol, qui adoucit et donne du volume au produit Listerine menthe fraîche (Cool Mint). Le sirop est expédié à l'usine de SPI située à New Castle, dans le Delaware, où il sera transformé, puis livré par wagon-citerne à Lititz. Le processus de la récolte du maïs à sa conversion en sorbitol prend environ un mois.

À ce stade, l'éthanol, l'eucalyptol et le sorbitol sont arrivés à l'usine de WL à Lititz. Des employés testent l'éthanol, l'eucalyptol et le sorbitol, ainsi que le menthol, l'acide citrique et les autres ingrédients de Listerine pour en vérifier la qualité avant d'en autoriser le stockage dans les réservoirs. Pour mélanger les ingrédients, des débitmètres actionnent des valves dans chaque réservoir et mesurent les bonnes proportions, selon la formule élaborée par le Service de R et D de WL en 1990. (La formule originale a été conçue en 1879.)

Par la suite, la solution de Listerine est acheminée au moyen d'un tuyau à des remplisseuses le long de la ligne d'emballage. Les remplisseuses versent le produit dans des bouteilles qu'une entreprise de plastique livre continuellement pour une production juste-à-temps. Les bouteilles sont bouchées, étiquetées et équipées d'un manchon d'inviolabilité, puis disposées dans des caisses d'expédition qui contiennent 12 bouteilles de 500 mL chacune. Pendant ce processus, des machines vérifient automatiquement l'alignement des étiquettes, la présence des manchons et autres spécifications. Le cycle de production, de l'acheminement par tuyau de Listerine liquide au point où les bouteilles sont mises en caisses et prêtes à être expédiées, prend quelques minutes. La ligne peut produire environ 300 bouteilles par minute : on est loin des 80 à 100 bouteilles par minute avant 1994.

Une courroie transporteuse achemine les boîtes jusqu'au palettiseur, qui place et emballe sous film plastique rétractable les caisses sur des palettes de 100. Des autocollants dotés de codes à barres sont apposés sur les palettes. Celles-ci sont transportées par chariot élévateur au centre de distribution, qui est situé dans la même usine de Lititz, d'où les caisses sont expédiées dans le monde entier.

Le parcours se termine lorsqu'un client achète une bouteille de Listerine dans une pharmacie ou une épicerie locale. Quelques jours plus tard, le magasin commande une autre bouteille de Listerine. Et le cycle recommence[42].

Questions

1. Expliquez le rôle de la GO pour Warner-Lambert.

2. Résumez la GCA et décrivez la stratégie de Warner-Lambert en cette matière. Tracez un diagramme des composantes de la GCA.

3. Décrivez en détail les trois stratégies de Warner-Lambert en matière de GO et citez les systèmes que l'entreprise pourrait utiliser pour favoriser la prise de décisions stratégiques.

4. Qu'adviendrait-il des activités de Warner-Lambert si une catastrophe naturelle en Arabie Saoudite provoquait l'épuisement de ses ressources en gaz naturel ?

5. D'après vous, si la majeure partie de la récolte d'eucalyptus était détruite en raison d'une catastrophe naturelle, quelle en serait l'incidence sur les activités de Warner-Lambert ?

La façon dont Levi Strauss a placé ses jeans dans les magasins Walmart

Ce cas illustre la façon dont les SI peuvent améliorer la performance de la chaîne d'approvisionnement entre deux entreprises.

Dans le monde entier, les Levi's sont un symbole américain : les jeans décontractés que portaient les vedettes de cinéma James Dean et Marilyn Monroe. Pour une raison ou une autre, toutefois, l'entreprise n'a pas su suivre l'évolution rapide des goûts des adolescents américains. Elle est notamment passée à côté de la mode des jeans larges au milieu des années 1990. Les ventes ont chuté de 7,1 milliards de dollars américains en 1996 à 4,1 milliards en 2003. De plus, la part de marché de Levi's aux États-Unis est passée de 18,7 % en 1997 à 12 % en 2003, soit un énorme déclin en dollars et en part de marché. Depuis, Levi Strauss & Co. plafonne : en 2008, l'entreprise a déclaré un revenu net de 4,4 milliards de dollars américains[43].

Analyser les événements et y réagir

La concurrence a frappé Levi Strauss sur tous les fronts. Les acheteurs férus de mode ont été attirés par des marques chères telles que Blue Cult, Juicy et Seven, qui étaient plus « branchées » que Levi's. Dans le bas de gamme, les parents achetaient à leurs enfants des jeans Wrangler et Lee parce que ces derniers coûtaient en moyenne 12 $ de moins que les Levi's. De plus, on trouvait les marques Wrangler et Lee chez les détaillants à marge réduite comme Walmart et T. J. Maxx. David Bergen, à la direction des systèmes d'information (DSI) à la société Levi Strauss, a décrit l'entreprise comme étant « coincée » et « dans les bras de la mort ».

Le nouveau directeur de Levi Strauss, Philip A. Marineau, est arrivé de PepsiCo en 1999, un an après avoir aidé PepsiCo à surpasser les ventes de Coca-Cola pour la première fois. Marineau a recruté Bergen en 2000, alors que ce dernier travaillait à l'entreprise Carstation. Marineau a vite compris que pour remettre Levi Strauss sur pied, il fallait fabriquer, commercialiser et distribuer des jeans correspondant à la demande des clients, surtout dans le bas de gamme, où se trouvait le marché de masse.

Bergen avait hâte de se joindre à l'équipe de Marineau, parce qu'il avait acquis de l'expérience dans les vêtements, la vente de détail et la fabrication auprès d'entreprises comme Gap et Esprit de Corps dans les années 1980. Il savait que le projet de Marineau d'anticiper la demande des clients exigeait des applications comme les entrepôts de données, l'exploration de données et les systèmes de gestion de la relation client. Il savait aussi que pour vendre au niveau de la grande distribution, il fallait améliorer les SI de GCA. Enfin,

il comprenait que la mondialisation nécessitait des progiciels de gestion intégrés (PGI). Globalement, c'était un défi intéressant pour un directeur de SI ambitieux. Après tout, la conception et la mise en œuvre des SI et des TI qui permettent de favoriser et de finaliser des initiatives-clés, c'est le but du jeu.

Se joindre à Walmart

Walmart a fait figure de pionnière dans les systèmes de GCA : l'entreprise a vite compris que la réduction des coûts de la chaîne d'approvisionnement lui permettrait d'offrir à ses clients des produits au plus bas prix possible, tout en s'assurant de la disponibilité en magasin des produits demandés par les clients. Il n'est pas facile de devenir un des 30 000 fournisseurs de Walmart. Cette dernière demande que ses fournisseurs utilisent des systèmes de TI de pointe pour gérer la chaîne d'approvisionnement – la chaîne d'approvisionnement entre Walmart et ses fournisseurs, mais aussi la chaîne d'approvisionnement entre ses fournisseurs et leurs propres fournisseurs. Walmart a des exigences strictes en matière de systèmes de GCA, et ses partenaires commerciaux doivent s'y conformer.

Pour Levi Strauss, dont les systèmes de GCA laissaient à désirer, il n'était pas facile de satisfaire à ces exigences. Les cadres de Levi Strauss n'avaient même pas accès à l'information-clé nécessaire pour assurer le suivi de ses produits dans la chaîne d'approvisionnement. Par exemple, ils ne savaient pas combien de paires de jeans à l'usine attendaient d'être expédiées, ni combien étaient quelque part en route, ni combien venaient d'être déchargées dans l'entrepôt d'un client. Selon Greg Hammann, directeur de l'expérience client de Levi Strauss aux États-Unis : « Notre chaîne d'approvisionnement ne pouvait pas offrir les services auxquels Walmart s'attendait. »

Bergen a créé une équipe multidisciplinaire formée de gestionnaires des TI, des finances et des ventes pour transformer les SI de Levi Strauss de manière à satisfaire aux exigences de Walmart. Ils ont notamment recommandé de moderniser le réseau, de modifier les applications de commande et de logistique, et d'améliorer les entrepôts de données. Bergen avait bien conscience qu'environ la moitié des changements à apporter aux systèmes de TI actuels pour répondre aux exigences pointues de Walmart représentaient un gaspillage de ressources, dans la mesure où ces systèmes seraient remplacés par le nouveau progiciel SAP au cours des cinq prochaines années. Toutefois, Levi Strauss ne pouvait pas attendre l'installation de SAP si elle voulait faire affaire avec Walmart dans les plus brefs délais, alors elle a décidé de procéder aux modifications des SI déjà en place.

La transformation réussie de son système de GCA a permis à l'entreprise de collaborer avec Walmart. Levi Strauss a lancé sa nouvelle gamme Signature dans les magasins Walmart, dont les produits, qui se détaillaient à environ 27 $, comportaient moins de détails de finition que les autres gammes de Levi's. Par exemple, il n'y avait ni coutures typiques sur les poches ni étiquette rouge. Walmart souhaite que ses grandes marques attirent davantage de clients dans ses magasins, tout en maintenant les bas prix auxquels les clients de Walmart sont habitués. Lois Mikita, la vice-présidente directrice de Walmart, souligne que Walmart « continue à adapter sa sélection aux besoins d'un échantillon représentatif de clients au niveau de revenus et aux modes de vie variés ». Elle ajoute qu'elle a été impressionnée par le niveau de détail consenti par Levi Strauss pour la transformation de ses systèmes afin d'« assurer la réussite de ce lancement ».

Réussir en affaires grâce aux SI

Les changements apportés par Bergen ont été une réussite, et le pourcentage de produits livrés à temps est rapidement passé de 65 à 95 %, et ce, principalement grâce au système de GCA actualisé. Le chiffre d'affaires global de Levi's a aussi augmenté aux troisième et quatrième trimestres de 2003, pour la première fois depuis 1996. Fashionworld, de NPD Group, est un groupe de recherche qui suit les tendances du marché des vêtements et des chaussures. En 2003, Levi's figurait sur la liste des 10 marques préférées des jeunes femmes, d'où la marque était absente depuis 10 ans. Marshall Cohen, analyste principal à la société Fashionworld NPD, souligne que Levi's « en était très loin depuis longtemps. Ça faisait des années que les adolescents ne s'intéressaient plus à Levi's. C'était incroyable. Cela a beaucoup à voir avec le fait d'offrir le bon style au bon endroit au bon moment ». Il ajoute que ces SI améliorés ont également aidé l'entreprise à acheminer les bonnes tailles aux bons magasins.

Autre SI performant mis en œuvre par Levi Strauss : un tableau de bord numérique que les cadres peuvent afficher sur l'écran de leur ordinateur. Grâce à ce tableau de bord, les cadres peuvent suivre un produit alors qu'il est acheminé de l'usine aux centres de distribution, puis aux magasins. Par exemple, le tableau de bord peut montrer les ventes des jeans 501 dans un magasin Kohl par rapport aux prévisions. « Quand je suis arrivé ici, je ne voyais rien, explique

Hammann. Maintenant, je peux faire une recherche détaillée en ce qui concerne les produits. »

Le tableau de bord numérique signale des tendances que les systèmes précédents auraient mis des semaines à déceler. Par exemple, en 2003, Levi Strauss a commencé à expédier des pantalons Dockers Stain Defender. L'entreprise s'attendait à en vendre environ deux millions. Le tableau de bord numérique a vite averti les cadres-clés qu'il s'en vendrait environ 2,5 millions. Cette information leur a permis de corriger la production en amont à temps pour expédier davantage de pantalons, de répondre à la demande croissante et d'éviter les ventes manquées. Levi Strauss utilise aussi ces systèmes pour contrôler l'approvisionnement pendant les pics de vente saisonniers, comme à la rentrée scolaire ou à Noël.

« Si j'ai l'air très confiant, c'est une illusion, explique Bergen. Ce changement me rend très nerveux. Si l'on tombe, il faut vite se relever et remonter en selle, comme on dit. » Pour ajouter au propos de Bergen, Gib Carey, analyste de la chaîne d'approvisionnement à la société Bain, dit ceci : « Les entreprises échouent lorsqu'elles n'apportent rien de nouveau à Walmart. La question perpétuelle de Walmart, c'est : Comment obtenir le produit que je vends aujourd'hui en payant un prix moindre à un autre endroit[44] ? »

Questions

1. Comment l'entreprise Levi Strauss a-t-elle connu le succès au moyen de la GCA ?

2. Qu'aurait-il pu arriver à Levi Strauss si les hauts dirigeants n'avaient pas appuyé les investissements dans la GCA ?

3. David Bergen, le directeur des SI de Levi Strauss, a constitué une équipe multidisciplinaire de gestionnaires des SGI, des finances et des ventes pour transformer les systèmes de Levi Strauss de manière à satisfaire aux exigences de Walmart. Analysez les relations entre ces trois services et les systèmes de GCA. Quel rôle les systèmes de GCA peuvent-ils jouer pour appuyer ces services essentiels ?

4. Décrivez les composantes de base de la GCA selon le modèle d'affaires de Walmart.

5. Expliquez les tendances futures de la GCA et donnez un exemple de la façon dont Levi Strauss pourrait utiliser des systèmes et des technologies de l'information de pointe pour améliorer ses opérations.

6. Nommez les problèmes de sécurité et d'éthique qui pourraient survenir pour une entreprise qui fait affaire avec Walmart.

MES DÉCISIONS D'AFFAIRES

1. Analyser le système de gestion de la chaîne d'approvisionnement de Dell

La stratégie de la chaîne d'approvisionnement de Dell est légendaire. Pour créer un système de GCA efficace, c'est une très bonne idée de s'inspirer de celui de Dell. En équipe, faites une recherche Web sur la stratégie de Dell en matière de GCA, et rédigez un rapport qui inclut toutes les mises à jour et stratégies de GCA qui ne sont pas mentionnées dans ce manuel. N'oubliez pas d'inclure une représentation graphique du modèle actuel de la chaîne d'approvisionnement de Dell.

2. Augmenter la valeur de l'information

Galina's est une salle de vente aux enchères haut de gamme de Vancouver, spécialisée dans les bijoux, les objets d'art et les meubles anciens provenant essentiellement de la vente de biens immobiliers. La propriétaire, Galina Bucrya, aimerait offrir certains articles aux enchères dans Internet. Mme Bucrya est peu familiarisée avec Internet et elle ignore comment s'y prendre pour mettre en œuvre sa nouvelle stratégie d'affaires. Vous travaillez pour Information Inc., une société d'experts-conseils pour petites entreprises qui est spécialisée dans les stratégies de commerce électronique. Mme Bucrya vous a engagé pour l'aider à élaborer sa stratégie de chaîne d'approvisionnement. Rédigez un rapport contenant la description de la GCA, les avantages potentiels que son entreprise peut retirer d'une stratégie de GCA, vos recommandations pour une stratégie de GCA efficiente ou efficace, et votre point de vue sur l'avenir de la GCA.

3. Accroître les revenus au moyen de la GCA

Cold Cream est l'un des principaux magasins de beauté dans la grande région métropolitaine de Toronto. Les habitants de toute la région viennent au magasin pour acheter différents produits dont les crèmes, les lotions, les produits de maquillage et des parfums uniques. L'entreprise reçoit ses produits de fabricants du monde entier. Elle aimerait mettre en œuvre un système de GCA afin de mieux comprendre ses clients et leurs habitudes d'achat. Rédigez un rapport résumant les systèmes de GCA et expliquez comment ces systèmes peuvent avoir une incidence directe sur les revenus de Cold Cream.

NOTE DE FIN DE CHAPITRE

1. Supply Chain Management Inc. (s.d.). Repéré le 12 août 2011 à www.scm3pl.com/; Baker, Jamie. (2011, août). General manager, SCM Calgary, communication personnelle; Walmart Canada extends contract with SCM until 2013. (2009, 1er mai). Repéré le 14 août 2011 à www.supplychainnetwork.com/walmart-canada-extends-contract-with-scm-until-2013/
2. Hagerty, John. (2005, 21 octobre). How best to measure our supply chain. Repéré le 14 juillet 2010 à www.oracle.com/newsletters/updates/2005-10-21/supply-chain-management/amr-measure-scm.pdf
3. Bowie, Norman E. (dir.). (2002). *The Blackwell guide to business ethics.* Malden, MA: Blackwell.
4. *Ibid.*
5. Colvin, Geoffrey. (2007, 6 mars). Managing in the info era. *Fortune.* p. F6-F9.
6. Bartlett, Christopher A. et Ghoshal, Sumantra. (2000, mars-avril). Going global: Lessons from late movers. *Harvard Business Review.* p. 132-134.
7. Package flow technologies: Innovation at work. (s.d.). Repéré le 6 août 2011 à www.pressroom.ups.com/Fact+Sheets/Package+Flow+Technologies:+Innovation+at+Work
8. Fitzsimmons, James et Fitzsimmons, Mona. (2011). *Service management: Operations, strategy, information technology.* (7e éd.). New York, NY: McGraw-Hill Irwin.
9. *Ibid.*
10. King, Leo. (2008, 30 juillet). Supermarket to reduce fuel consumption with driving analytics. Repéré le 6 août 2008 à www.itworldcanada.com/news/supermarket-to-reduce-fuel-consumption-with-driving-analytics/03528
11. Volvo CE raises customer service with optimized dealer inventory management. (s.d.). Repéré le 8 août 2011 à www.syncron.com/en/Solutions/global-inventory-management/
12. Supply chain inventory management. (s.d.). Repéré le 8 août 2011 à www.syncron.com/en/Solutions/global-inventory-management/
13. ISO 9000–Quality management. (s.d.). Repéré le 6 août 2011 à www.iso.org/iso/iso_catalogue/management_and_leadership_standards/quality_management.htm

14. ISO 14000–Environmental management. (s.d.). Repéré le 6 août 2011 à www.iso.org/iso/iso_catalogue/management_and_leadership_standards/environmental_management.htm

15. Repéré le 6 août 2011 à www.sei.cmu.edu/cmmi/

16. Bartlett, Christopher A. et Ghoshal, Sumantra. (2000, mars-avril). Going global: Lessons from late movers. *Harvard Business Review*. p. 132-134.

17. Shinn, Sharon. (2004, novembre-décembre). What about the widgets? *BizEd*. p. 30-35.

18. *Ibid.*

19. Womack, James P., Jones, Daniel et Roos, Daniel. (1991). *The machine that changed the world.* New York, NY: Harper Perennial.

20. *Ibid.*

21. Brown, Mark. (2013, 18 avril). Target becomes the targeted: Walmart and HBC lock in vendors, leaving Target shelves bare. *Canadian Business*. Repéré le 23 mars 2014 à www.canadianbusiness.com/companies-and-industries/target-becomes-the-targeted/; Shaw, Hollie. (2011, 5 novembre). *Financial Post*. Repéré le 23 mars 2014 à http://business.financialpost.com/2011/05/26/what-we-can-expect-tony-fisher-talks-about-target-canada/; Strauss, Marina. (2013, 19 août). Target's Canadian effort receives a poor grade from shoppers. *Globe and Mail*. Repéré le 23 mars 2014 à www.theglobeandmail.com/report-on-business/targets-canadian-effort-receives-a-poor-grade-from-shoppers/article13832051/; Sobeys to supply Target stores in Canada. *Financial Post*. Repéré le 23 mars 2014 à http://business.financialpost.com/2011/09/23/sobeys-to-supply-target-stores-in-canada/

22. Binstock, Andrew. (2004, 6 novembre). Virtual enterprise comes of age. *InformationWeek*.

23. Barboza, David et Story, Louise. (2007, 26 juillet). Toymaking in China–the Mattel way. Repéré le 8 août 2011 à www.nytimes.com/2007/07/26/business/26toy.html?_r=1&oref=slogin; Betts, Mitch. (2005, 17 décembre). Kinks in the chain. *Computerworld*.

24. APICS supply chain council, Inc ©. (1996-2014). Repéré le 7 juillet 2014 à https://supply-chain.org/scor

25. Banker, Steve. (2010, 3 février). General Mills and Tesco: How supply chain boosts profits. Repéré le 8 août 2011 à http://logisticsviewpoints.com/2010/02/03/general-mills-and-tesco-how-supply-chain-boosts-profits/

26. Frodsham, G. S., Miller, N. J. et Mooney, L. A. (2003). CPFR implementation at Canadian Tire and GlobalNetXchange (GNX). Dans D. Seifert (dir.), *Collaborative planning, forecasting, and replenishment.* New York: American Management Association (AMACOM). p. 140-161.

27. Hapgood, Fred. (s.d.). Smart decisions. *CIO Magazine*. Repéré 15 août 2001 à www.cio.com; Managing demand. (s.d.). Repéré le 6 août 2011 à www.wamsystems.com/library/WA%20Systems%20Datasheet%20-%20Managing%20Demand.pdf

28. Ruch, Grace. (2011, 13 juillet). One car two drivers? Part 3: Auto parts–the supply chain becomes a Web. Repéré le 6 août 2011 à www.japanmattersforamerica.org/2011/07/us-japan-auto-industry-part-3/; Maies, Kelsey. (s.d.). The 2013 American-made index. Repéré le 24 mars 2014 à www.cars.com/go/advice/Story.jsp?section=top&subject=ami

29. About GS1 Canada. (s.d.). Repéré le 23 mars 2014 à www.gs1ca.org/page.asp?LSM=0&intNodeID=1&intPageID=380; Who we represent. (s.d.). Repéré le 23 mars 2014 à www.gs1ca.org/page.asp?LSM=0&intNodeID0=8&intNodeID1=213&intNodeID2=385&intPageID=477

30. Creating a value network. (s.d.). *Wired*.

31. *Ibid.*

32. The e-biz surprise. (2003, 12 mai). *Businessweek*. p. 60-65.

33. The smarter supply chain of the future: Insights from the global chief supply officer study. 2010. IBM, Somers, NY.

34. Quinn, Frank. The payoff potential in supply chain management. (s.d.). Repéré le 9 juillet 2010 à www.ascet.com/documents.asp?grID=197&d_ID=233; Copacino, William. (s.d.). How to become a supply chain master. Repéré le 9 juillet 2010 à http://kino.iteso.mx/~genaro/howtobecomeasupplychainmaster.doc

35. About Canada–United States cargo security project. (s.d.). Repéré le 8 août 2011 à www.ni2cie.org/cuscsp/about.asp

36. Edmonson, R. G. (2006, 27 février). The U.S.–Canadian connection. *The Journal of Commerce*. (7)9. p. 26-28.

37. King, J. (2004, 10 mai). Health care's major illness. *Computerworld*.

38. Attaran, Mohsen. (2007). RFID: An enabler of supply chain operations. *Supply Chain Management: An International Journal*. (12). p. 249-257.

39. Repéré le 8 août 2011 à www.carenet.ca

40. Repéré le 8 août 2011 à www.oprah.com/slideshow/oprahshow/20090219-tows-dennis-quaid/1

41. CareNet news. (2009, 14 mai). Oprah showcases bar coding in healthcare. Repéré le 8 août 2011 à www.carenet.ca/news.php?newsitem=9#article9

42. Bresnahan, Jennifer. (1998, 15 août). The incredible journey. *CIO Enterprise Magazine*. Repéré le 12 mars 2004 à www.cio.com; Lowry, Dave. (2006, 3 juillet). Listerine's supply chain. Repéré le 7 juillet 2014 à

http://lowrys-place.blogspot.ca/2006/07/listerine-supply-chain.html; An introduction to e-commerce and distributed applications. (s.d.). Repéré le 7 juillet 2014 à http://labspace.open.ac.uk/mod/resource/view.php?id=370328; Sengupta, P. P. (2009, décembre). Supply chain management: Trends in logistics and transportation. Repéré le 7 juillet 2014 à www.sari-energy.org/PageFiles/What_We_Do/activities/advanced_coal_managment_dec-2009/Presentations/Day2/SupplyChainManagement-PPSengupta.pdf

43. Levi Strauss and Co. annual reports. (s.d.). Repéré le 27 juillet 2009 à http://levistrauss.com/investors/annual-report; Levi Strauss & Co. and major newsom announce company's decision to remain at Battery St. headquarters in San Francisco. (2009, 15 juillet). Repéré le 8 août 2011 à www.oewd.org/Levi_Strauss_and_Co_To_Remain_in_San_Francisco.aspx

44. Girard, Kim. (2003, 15 juillet). How Levi's got its jeans into WalMart. *CIO Magazine*.

9 CHAPITRE

La gestion de la relation client

OBJECTIFS D'APPRENTISSAGE

9.1 Apprendre à différencier la gestion de la relation client d'un système de gestion de la relation client.

9.2 Décrire les avantages commerciaux de la gestion de la relation client et expliquer de quelle façon un système de gestion de la relation client permet de les obtenir.

9.3 Expliquer les différences entre la gestion opérationnelle de la relation client et la gestion analytique de la relation client ; entre les systèmes de gestion opérationnelle de la relation client qu'utilisent les services de marketing, les services des ventes et les services des relations avec la clientèle ; et entre les divers systèmes de gestion analytique de la relation client dont se servent les organisations.

9.4 Présenter et expliquer les meilleures pratiques à adopter pour mettre en œuvre la gestion de la relation client dans les organisations, y compris les mesures habituelles qui sont appliquées.

9.5 Mettre en évidence les avantages de l'élargissement de la gestion de la relation client pour que celle-ci englobe les fournisseurs, les partenaires et les employés, ainsi que d'autres tendances futures en gestion de la relation client.

MA PERSPECTIVE

Le présent chapitre décrit en détail la notion de gestion de la relation client (GRC). On examine de quelle façon les systèmes d'information peuvent aider les entreprises dans leurs interactions avec les clients. Minimalement, une organisation met en œuvre la GRC pour mieux comprendre les besoins et les comportements des clients. Un système d'information procure une voie de communication inédite avec les clients, comme les rencontres en personne et les méthodes faisant appel au support papier.

Les systèmes de GRC sont intéressants parce qu'ils rendent possibles l'automatisation et la personnalisation des interactions d'une entreprise avec ses clients à des coûts nettement inférieurs et qu'ils sont parfois les plus pratiques pour les clients. En outre, ils peuvent servir à recueillir et à assimiler des données sur la clientèle, quelle que soit la voie de communication qu'un client choisit pour interagir avec une entreprise. L'assimilation des données sur la clientèle qui sont obtenues par diverses voies peut aider les organisations à mieux connaître et comprendre leurs clients et à améliorer leurs relations avec eux.

Les organisations reconnaissent l'importance de maintenir et de favoriser de bonnes relations avec les clients. En effet, ces relations ont un effet positif direct sur la fidélisation de la clientèle, elles stimulent la rentabilité des organisations et leur procurent un avantage sur les concurrents qui négligent cet aspect. C'est pour ces raisons que la GRC est si importante et que la compréhension de celle-ci est impérative.

À titre d'étudiant dans un domaine lié aux affaires, il importe que vous saisissiez le caractère crucial des relations qu'une organisation peut avoir avec ses clients. Vous devez aussi reconnaître la valeur potentielle des systèmes d'information pour faciliter et améliorer ces mêmes relations. Les systèmes d'information sont au cœur de la plupart des stratégies de GRC que déploient les organisations aujourd'hui. Par conséquent, il convient de bien comprendre de quelle façon les systèmes de GRC peuvent contribuer à la prospérité d'une organisation.

Mise en contexte

Twitter : un outil de gestion sociale de la relation client

La **gestion sociale de la relation client** désigne l'utilisation des techniques et des technologies relatives aux médias sociaux qui permettent aux organisations de nouer des liens avec leurs clients. Elle revêt aujourd'hui des formes variées. Par exemple, des sites exigent que leurs clients s'identifient en utilisant leurs comptes des réseaux sociaux afin d'exploiter leurs données dans les médias sociaux. Il peut s'agir aussi d'amener les clients à partager facilement de l'information relative à des sites ou à des entreprises, ce qui permet à l'entreprise concernée d'élaborer une analyse vigoureuse au sujet de ses clients à partir de leurs interactions dans les médias sociaux. Dans certains cas, l'emploi de la gestion sociale de la relation client ne se limite pas aux clients et vise aussi d'autres groupes comme les admirateurs. De nombreuses entreprises se servent de la gestion sociale de la relation client et font appel à cette fin à divers médias sociaux, par exemple Facebook, Twitter et Google+. Examinons maintenant la façon dont certaines entreprises recourent à Twitter en tant qu'outil de gestion sociale de la relation client.

Le recours à Twitter pour informer la clientèle

De prime abord, des entreprises telle WestJet se servent de Twitter (un outil de microblogage) comme d'une liste d'adresses électroniques d'adhérents potentiels ; dans ce cas, les clients adhèrent en devenant des abonnés. Utilisé adroitement, Twitter peut stimuler le rendement du marketing par courriel en transformant ce qui était une liste d'adresses électroniques en un outil de marketing viral. Par exemple, lorsque WestJet diffuse de l'information à l'intention des clients, à propos de la fraude téléphonique survenue en mars 2014 ou de ses offres de rabais pour ses vols, les abonnés peuvent rediffuser eux-mêmes cette information. À partir d'une masse critique d'abonnés, l'information peut alors être très largement diffusée. Ainsi utilisé, Twitter devient une nouvelle voie de marketing pour atteindre, sensibiliser et informer avec efficience et efficacité les clients de WestJet.

L'utilisation de Twitter pour écouter et fidéliser les clients

Comcast, le géant des médias, se sert de Twitter pour amorcer des conversations avec des personnes influentes et demeurer à l'écoute des propos énoncés en vue de repérer les détracteurs et de leur répondre. Certaines questions requièrent des réponses comportant moins de 140 caractères. D'autres questions sont dirigées vers différentes ressources comme des sites Web, ou peuvent servir à recruter des clients pour qu'ils participent à des activités interactives comme des séances de clavardage ou des communautés virtuelles. Comcast fait appel à Twitter pour entamer des discussions avec ses clients et diriger ensuite ceux-ci vers des outils permettant de mener à terme ces discussions lorsque ce n'est pas possible avec Twitter.

Le recours à Twitter pour établir des liens avec les clients et les attirer vers la vente incitative

Twitter peut également remplir l'une ou l'autre des fonctions suivantes pour une entreprise : une spécialisation, une intégration multicanal active ou l'établissement de liens plus étroits par d'autres voies sociales. L'objectif est d'élargir le rôle de Twitter pour en faire davantage qu'un média de diffusion bidirectionnel nécessitant un engagement minimal du client ciblé ou centré sur le marketing viral. Il s'agit plutôt d'utiliser Twitter comme une voie de liaison entre les clients et les entreprises. Ainsi, ces dernières peuvent rejoindre des auditoires spécialisés. Les abonnés peuvent être amenés à faire partie de communautés intéressantes pour eux, qui leur offrent un contenu de qualité, et où ils peuvent interagir avec des experts ou jouer le rôle de superutilisateurs. Les entreprises peuvent aussi découvrir des possibilités de ventes actives lorsqu'elles précisent davantage les cibles visées et se servir de Twitter comme point de départ d'une discussion multicanal susceptible d'amener les abonnés à faire l'essai d'un service de pointe ou des plus récents produits offerts. C'est justement ce que fait Actuate avec son compte Twitter,

@Birtyguy, qui propose des démos, des ateliers et des événements collectifs par le BIRT Exchange de l'entreprise, outre le fait de présenter des nouvelles concernant l'intelligence d'affaires à code source libre.

On trouve un autre exemple d'une telle utilisation de Twitter dans le monde du cyclisme professionnel : BMC Racing (@BMCProTeam) se sert de son compte Twitter pour que les abonnés puissent non seulement obtenir les résultats de l'équipe BMC dans diverses compétitions, mais aussi accéder à des articles en ligne, à des images exclusives et à des vidéos de courses cyclistes en direct. BMC fait également la promotion de ses produits à l'intention des abonnés présents à la course. L'entreprise montre aux abonnés partout dans le monde les interactions postérieures à la course avec les membres de l'équipe. L'utilisation de Twitter pour établir des liens et annoncer des produits haut de gamme ressort clairement lorsque l'on compare ce qu'en font BMC et une équipe comme Garmin-Sharp (@Ride_Argyle), qui se contente généralement de diffuser les résultats des courses et quelques images exclusives de ces courses. Il est à noter que Garmin-Sharp possède un deuxième compte Twitter (@Shop_Argyle) pour faire la promotion de ses produits, mais ses 6 438 abonnés font très modeste figure par rapport aux 90 100 abonnés de @Ride_Argyle.

D'autres utilisations possibles de Twitter

Il existe de nombreuses autres façons d'exploiter le potentiel de Twitter en tant qu'outil de gestion sociale de la relation client. Les trois cas décrits ci-dessus montrent que les entreprises savent observer ce qui plaît à leurs clients, prendre connaissance de leurs réactions, créer et diffuser de nouvelles offres et laisser les clients découvrir des liens très intéressants pour eux. Les entreprises se servant de Twitter sont ainsi à même d'amener leurs clients à devenir des abonnés et peut-être même les meilleurs promoteurs de leurs produits et services[1].

9.1 Les éléments fondamentaux de la gestion de la relation client

Introduction

La **gestion de la relation client (GRC)** porte sur tous les aspects des relations des clients avec une organisation et vise à accentuer leur fidélité et à accroître la rentabilité de l'organisation. À mesure que les organisations deviennent moins centrées sur les produits et davantage sur les besoins des clients, elles reconnaissent en ces derniers des experts, et pas simplement des sources de revenus. Elles s'aperçoivent rapidement que, sans les clients, elles disparaîtraient tout simplement, de sorte qu'il est crucial qu'elles fassent tout leur possible pour satisfaire leurs clients. À une époque où la différenciation de produit est difficile, la GRC est l'un des outils les plus utiles qu'une entreprise puisse acquérir. Plus une entreprise adoptera rapidement la GRC, plus elle améliorera sa situation et plus il sera difficile pour ses concurrents de lui faire perdre ses clients loyaux et fidèles.

Lorsqu'il s'agit de traiter avec des clients ayant des problèmes de santé, il est essentiel de faire preuve de souplesse. C'est pourquoi Walgreens, aux États-Unis, a procédé à de sains investissements dans le service à la clientèle au cours des 30 dernières années : l'entreprise a été la première à ouvrir des pharmacies avec service à l'auto et à inaugurer un réseau de renouvellement d'ordonnances dans toutes ses succursales. Il n'est pas étonnant que Walgreens ait attribué la plus grande partie de sa croissance à un investissement accru dans le service à la clientèle. Elle a mis au point de nouveaux logiciels permettant d'imprimer des étiquettes d'ordonnance en 14 langues et des étiquettes à gros caractères pour les clients plus âgés. Outre le fait d'investir dans une technologie conviviale pour les clients, la chaîne, fondée en 1901, n'oublie pas le facteur humain. Walgreens consacre davantage de ressources financières à la rémunération dans les succursales où le rendement est inférieur à la moyenne (c'est-à-dire qu'elle y élève le ratio commis-clients). Elle a aussi lancé un programme de formation en ligne destiné à tous ses employés. Compte tenu de la croissance des bénéfices nets depuis plus de cinq ans, il semble que le processus adopté par Walgreens soit particulièrement efficace.

Aujourd'hui, la plupart des concurrents ne sont qu'à un clic de souris. La concurrence intense qui règne dans le marché oblige les organisations à délaisser les stratégies axées sur les ventes et à les remplacer par des stratégies axées sur la clientèle. La société de courtage Charles Schwab a amorti en moins de deux ans les quelques millions de dollars payés pour acquérir un système de GRC. Créé par Oracle, ce système lui permet de retracer chaque inter-action avec un client effectif ou potentiel, puis d'offrir des services (par exemple, pour la pla-nification de la retraite) correspondant aux besoins et aux intérêts de chaque client. À l'aide de ce système, Schwab obtient un portrait détaillé de ses clients qu'elle utilise pour distinguer les investisseurs sérieux de ceux qui ne le sont pas. Par exemple, le dépôt automatique de la paie est un indice révélant un investisseur sérieux, tandis qu'un solde stagnant est le fait d'un investisseur non sérieux. Lorsque Schwab parvient à faire ce constat, elle répartit ses res-sources en conséquence et réduit ainsi ses coûts en ne consacrant pas de temps ou de ressources à subventionner des investisseurs non sérieux[2].

La GRC permet à une organisation d'en savoir davantage sur les comportements d'achat des clients. Kaiser Permanente, le plus important dispensateur de soins médicaux et de soins de santé intégrés à but non lucratif aux États-Unis, a adopté une stratégie de GRC en vue d'améliorer et de prolonger la vie des diabétiques. Après avoir compilé des données en GRC sur 84 000 patients diabétiques, Kaiser a observé que seulement 20 % d'entre eux béné-ficiaient d'un examen régulier des yeux (le diabète est la première cause de cécité). Depuis lors, Kaiser applique de rigoureux programmes d'examen des yeux pour les diabétiques et met sur pied des groupes de soutien pour les personnes souffrant de problèmes d'obésité et de stress (deux autres facteurs d'aggravation du diabète). Cette approche de «médecine préventive» fondée sur la GRC permet à Kaiser de faire des économies et, ce qui est encore plus important, d'améliorer la santé des patients diabétiques[3].

La figure 9.1 donne un aperçu d'un système de GRC courant en matière de circulation des données entre les clients et l'organisation elle-même. Les clients communiquent avec une organisation par différents moyens, dont un centre d'appels, le Web, le courriel, le télécopieur et la vente directe. Un client peut contacter une organisation à maintes reprises par de nom-breuses voies. Le système de GRC retrace chaque communication entre le client et l'organisation et ouvre un accès aux données de GRC au moyen de divers systèmes, allant de la comptabilité à l'exécution d'une commande. Grâce à une bonne compréhension de toutes

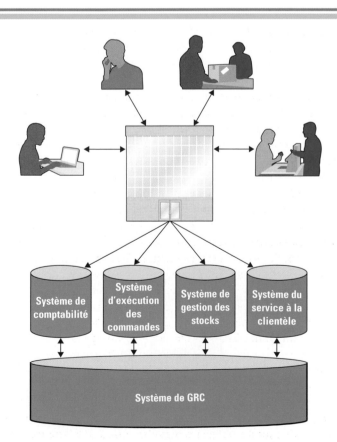

FIGURE 9.1

Aperçu de la GRC

les communications des clients, une organisation est mieux à même d'entretenir de bonnes relations avec chacun d'eux. Elle obtient ainsi un portrait détaillé des produits et services qu'a acquis chaque client, quelle que soit la voie de communication préférée du client. Un représentant du Service à la clientèle peut facilement consulter le dossier et les données détaillées d'un client au moyen d'un système de GRC pendant qu'il lui donne de l'information, comme les dates de livraison prévues, des renseignements complémentaires sur un produit et les données sur la facturation et le paiement. Une bonne compréhension des éléments fondamentaux de la GRC repose sur les facteurs suivants:

- la GRC en tant que stratégie d'affaires;
- les avantages commerciaux de la GRC;
- l'évolution de la GRC;
- la gestion opérationnelle de la relation client et la gestion analytique de la relation client.

La gestion de la relation client en tant que stratégie d'affaires

ATB Financial est le plus grand établissement financier situé en Alberta, avec plus de 662 000 clients et un actif de 33,7 milliards de dollars. «Les défis à relever par le Service du marketing d'ATB, au cours des dernières années, ont été les suivants: hausser les revenus générés par les clients existants en tout point du cycle des relations avec eux; prolonger la durée moyenne des relations des clients avec ATB; réduire le taux de désabonnement; et regagner les clients perdus», souligne Bill Laycock, le directeur des services d'information marketing d'ATB Financial. Son prédécesseur s'était rendu compte qu'ATB ne disposait pas du type de données nécessaires pour analyser ses campagnes de marketing et que l'entreprise avait besoin de nouveaux systèmes pour procéder à cette analyse. À l'aide des données générées par ses systèmes dans son environnement SAP, ATB est en mesure de mener ses campagnes de manière à ce que les clients ciblés soient dirigés vers les produits leur convenant. ATB peut agir ainsi parce qu'elle compte non seulement sur un portrait précis de ses clients, mais aussi sur des modèles de ses produits-clés. Au cours de chaque campagne, elle gère plus efficacement son budget de marketing, en apprend davantage sur ses clients et ne communique pas à répétition avec un même client[4].

Il importe de bien comprendre que la GRC n'est pas simplement un type de système d'information, mais aussi une stratégie qu'une organisation doit adopter pour l'ensemble de l'entreprise. Si les composantes techniques et les composantes des systèmes d'information de la GRC sont nombreuses, il s'agit en fait d'un procédé et d'un objectif d'affaires que le recours aux technologies de l'information améliore. La mise en œuvre d'un système de GRC aide une organisation à repérer des clients et à élaborer des campagnes de marketing spécifiquement conçues pour chaque client, si bien que ce dernier dépense davantage. Un système de GRC permet également à une organisation de traiter ses clients sur une base individuelle et ainsi d'acquérir de précieux renseignements sur leurs comportements et préférences d'achat, ce qui favorise la hausse des ventes, de la rentabilité et de la fidélité des clients.

Prenons le cas de Caesars Entertainment, une entreprise de jeux privée qui possède et exploite des casinos, des hôtels et de multiples terrains de golf sous différentes marques, mais surtout Caesars, Horseshoe et Harrah's. Lorsqu'un «ambassadeur chanceux» accueille par son nom un client de Caesars à un appareil de vidéopoker, lui souhaite un joyeux anniversaire et lui donne en cadeau des billets pour un spectacle, la chance n'y est pour rien. Dès qu'un client insère sa carte de fidélité Total Rewards dans une machine à sous, le gigantesque système de GRC du casino (d'une valeur de plus de 30 millions de dollars) révèle tout ce qu'il a fait dans l'un ou l'autre des casinos de l'entreprise. «Lorsqu'un client est constamment malchanceux, il finit par se dire: "Ouais, ce casino est le royaume de la malchance", raconte Gary Loveman, président de l'entreprise et du conseil d'administration de Caesars. Lorsqu'on s'en aperçoit, on peut intervenir» avec des gâteries pour adoucir les revers de fortune au jeu. Alors que beaucoup d'entreprises n'ont pas tellement de succès avec la GRC et amassent d'énormes quantités de données sans s'en servir au bénéfice des clients, Caesars, pour sa part, recueille les fruits de son expertise en la matière. Dans un avenir plus ou moins rapproché, ses machines à sous verseront en temps réel des crédits monétaires et des billets de souper par le truchement de nouveaux matériels et logiciels de reconnaissance des clients et ainsi aideront même les clients perdants à se sentir un peu plus chanceux[5].

Les avantages commerciaux de la gestion de la relation client

Même de petites entreprises peuvent tirer parti de la GRC grâce à des produits comme Managed CRM, de Telus. Selon Kaiser Mulla-Feroze, directeur du marketing de produits sur le site www.salesforce.com, le coût d'acquisition total d'une solution hébergée et gérée d'origine externe ne représente qu'un septième de celui d'une solution d'origine interne. Cette grande différence résulte du fait qu'aucune mise de fonds n'est nécessaire pour une solution de GRC d'origine externe et que les fonds nécessaires proviennent des budgets de fonctionnement. En général, le rendement du capital investi est obtenu en moins de six mois.

Dans le contexte de l'application Managed CRM, de Telus, le client « fait d'abord le ménage » dans les données obsolètes, puis l'équipe technique téléverse les données existantes dans l'application. Telus donne d'ailleurs au client une formation avant la mise en œuvre de l'application. Il existe aussi une fonction permettant aux clients de synchroniser leurs coordonnées, leur calendrier et leur agenda avec Microsoft Outlook. La solution mettra automatiquement à jour l'information, de sorte que les clients pourront toujours accéder à leurs données, même sans disposer d'une connexion Internet[6].

La GRC relève d'une philosophie d'affaires fondée sur l'hypothèse selon laquelle les organisations qui comprennent les besoins de chaque client sont les mieux placées pour acquérir un avantage concurrentiel durable à l'avenir. Maintes caractéristiques de la GRC ne sont pas nouvelles pour les organisations ; la GRC assure simplement un meilleur déroulement des affaires en cours. Placer les clients à l'avant-plan de toute la planification et de la prise de toutes les décisions exige d'importants changements opérationnels et technologiques.

Pour bien amorcer une stratégie axée sur la clientèle, il faut d'abord bien comprendre qui sont les clients de l'entreprise et de quelle façon celle-ci peut atteindre ses objectifs stratégiques. Alterna Savings, une caisse d'épargne canadienne ayant des succursales à Ottawa, Toronto, Kingston, Pembroke et North Bay, le comprend bien et a donc déployé un système Web dénommé « Summit iSpectrum », mis au point par Summit Information Systems pour le secteur canadien des services financiers. La solution Summit iSpectrum permet à Alterna de concentrer ses données sur la clientèle dans un dépôt central. Ainsi, Alterna offre un service à la clientèle beaucoup plus rapide et améliore l'expérience client. Contrairement aux systèmes centraux traditionnels qui obligeaient autrefois les représentants du Service à la clientèle d'Alterna à se servir de plusieurs applications distinctes, dont chacune était assortie de ses propres mots de passe et affichages, la solution Summit iSpectrum offre au personnel de première ligne un accès facile et rapide à toutes les données qu'il doit connaître au sujet d'un client pour mieux l'aider[7].

À mesure que le monde des affaires cesse d'être axé sur les produits et devient axé sur la clientèle, la plupart des organisations reconnaissent que bien traiter les clients existants constitue la meilleure source d'une croissance rentable et durable des revenus. À l'ère des affaires électroniques, une organisation doit plus que jamais satisfaire ses clients. Le tableau 9.1 présente les avantages, au-delà de la hausse des recettes des ventes, qu'une stratégie de GRC procurera à une organisation.

CCL Industries est un chef de file mondial en solutions de conditionnement spécial et d'étiquetage dans les secteurs des produits de consommation et des soins de santé. La société reconnaît l'importance d'adopter une stratégie de GRC. Fondée à Toronto en 1951, d'abord sous le nom de Connecticut Chemicals Limited, CLL Industries comptait sur une seule chaîne

TABLEAU 9.1 | Avantages d'un système de GRC

Meilleur service à la clientèle	Aide le personnel des ventes à conclure des ventes plus rapidement
Efficience accrue des centres d'appels	Simplifie le marketing et les ventes
Vente croisée de produits plus efficace	Permet de découvrir de nouveaux clients

de production et sur trois personnes qui emballaient des produits en aérosol, une nouveauté à l'époque. Depuis lors, elle a connu une croissance remarquable. Ses principaux clients comprennent des entreprises comme Clorox, Dow, Gillette, Nabisco, Pfizer, Procter & Gamble et Unilever. Une partie du succès de CCL est attribuable à son adoption d'une vision à long terme pour édifier de bonnes relations avec sa clientèle et les gérer avec équité et efficacité. Ces relations sont considérées comme un élément d'actif vital. Dans sa stratégie de GRC, l'entreprise a créé un portail de commerce électronique afin d'interagir plus efficacement avec ses clients et de se distinguer de ses concurrents. Elle estime toutefois qu'un système de GRC ne doit pas se substituer à sa capacité d'établir des liens avec les clients. Elle envisage plutôt les systèmes de GRC comme une source de valeur ajoutée et croit que ces systèmes doivent servir à compléter et à consolider des formes de GRC plus traditionnelles, et non à les remplacer[8].

Une organisation peut repérer ses clients de plus grande valeur à l'aide d'une formule que les experts dans le domaine dénomment «RFM», pour «caractère **R**écent», «**F**réquence» et «valeur **M**onétaire». En d'autres termes, une organisation doit se poser les questions suivantes et y répondre:

- À quand remontent les derniers achats d'un client? (caractère récent)
- À quelle fréquence un client fait-il des achats? (fréquence)
- Quel montant un client dépense-t-il pour chaque achat? (valeur monétaire)

Lorsqu'une entreprise a fini de réunir ces données initiales de GRC, elle peut les classer afin de repérer des récurrences et d'élaborer des campagnes de marketing, des promotions et des services pour stimuler les affaires. Par exemple, si Mme Tremblay ne fait des achats qu'en pleine saison, l'entreprise devrait alors lui faire parvenir une offre spéciale durant la saison morte. Si M. Gagnon achète fréquemment des logiciels mais jamais un ordinateur, l'entreprise devrait alors lui offrir des logiciels gratuits avec l'achat d'un nouvel ordinateur.

Les technologies de GRC analysées dans le présent chapitre peuvent aider les organisations à formuler des réponses aux questions de RFM et à d'autres questions importantes, concernant notamment leurs meilleurs clients et leurs produits les plus rentables.

L'évolution de la gestion de la relation client

Connaître les clients, et surtout la rentabilité de chaque client, est très lucratif dans le secteur des services financiers. Le caractère fortement transactionnel de ce secteur lui a toujours procuré un meilleur accès aux données relatives aux clients que dans d'autres secteurs. Néanmoins, le secteur des services financiers n'a adopté les technologies de GRC que récemment.

Barclays Bank est une importante entreprise de services financiers active dans le monde entier. Elle compte quelque 48 millions de clients dans 50 pays et a eu un chiffre d'affaires de 28,1 milliards de livres sterling en 2013. Elle a décidé d'investir dans des systèmes de GRC pour obtenir des renseignements utiles sur ses affaires et ses clients.

Grâce au nouveau système de GRC, les gestionnaires de Barclays sont mieux placés pour prédire le comportement financier de chaque client et déterminer si un client est susceptible de rembourser son prêt dans sa totalité et selon les délais convenus. Barclays est ainsi plus apte à mieux gérer sa rentabilité, parce qu'elle peut établir pour ses clients un taux d'intérêt plus approprié, en fonction des résultats de l'évaluation du risque associé à chaque client. Barclays utilise un système perfectionné de segmentation de la clientèle pour déterminer des groupes de clients rentables, sur le plan à la fois financier et personnel. L'entreprise peut ensuite offrir à ces clients de nouveaux produits financiers. Elle a aussi abrégé de 15 à 30 minutes le traitement des demandes et accru de 40 à 45 % son taux de conversion[9].

Trois phases caractérisent l'évolution de la GRC: la production de rapports, l'analyse et la prévision. Un **système de production de rapports de GRC** aide une organisation à identifier ses clients au moyen d'autres applications. Un **système d'analyse de GRC** permet à une organisation de segmenter sa clientèle en catégories, comme celles des meilleurs clients et des moins bons clients. Un **système de prévisions de GRC** sert à faire des prévisions au sujet du comportement des clients, par exemple pour déterminer les clients que l'organisation est susceptible de perdre (*voir la figure 9.2*).

Tant un système opérationnel de GRC qu'un système analytique de GRC peuvent contribuer à la production de rapports sur la clientèle (identification), à l'analyse de la clientèle (segmentation) et à la formulation de prévisions relatives à la clientèle. Le tableau 9.2 met en évidence quelques-unes des importantes questions auxquelles une organisation peut répondre à l'aide de systèmes de GRC.

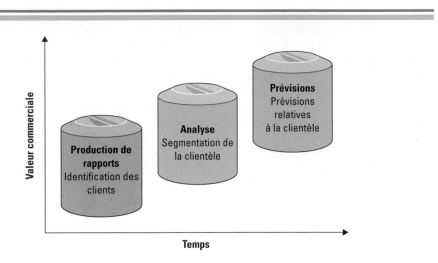

FIGURE 9.2

Évolution des capacités de la GRC

TABLEAU 9.2 | Exemples de production de rapport, d'analyse et de prévision sur les comportements

Production de rapport Qu'est-il arrivé ?	Analyse Pourquoi est-ce arrivé ?	Prévision Qu'arrivera-t-il ?
Quel est le revenu total par client ?	Pourquoi les ventes n'ont-elles pas été à la hauteur des prévisions ?	Quels clients risquons-nous de perdre ?
Combien d'unités avons-nous fabriquées ?	Pourquoi la production a-t-elle été si faible ?	Quels produits le client achètera-t-il ?
Où avons-nous vendu le plus grand nombre de produits ?	Pourquoi n'avons-nous pas vendu autant d'unités que l'année dernière ?	Qui sont les meilleurs candidats à viser pour un publipostage ?
À combien se sont élevées les ventes totales par produit ?	Qui sont nos clients ?	Quelle est la meilleure façon de contacter le client ?
Combien de clients avons-nous servis ?	Pourquoi les totaux des ventes ont-ils été si élevés ?	Quelle est la rentabilité à vie d'un client ?
Quels sont les niveaux de nos stocks ?	Pourquoi les niveaux de stocks sont-ils si bas ?	Quelles transactions pourraient être frauduleuses ?

La gestion opérationnelle de la relation client et la gestion analytique de la relation client

Les banques font appel à la GRC pour offrir un meilleur traitement à leurs clients. Sun National Bank s'est servi de Microsoft Dynamics CRM pour hausser de 20 % ses taux de vente croisée, réduire de 80 % le délai d'approbation d'un prêt et abaisser de 67 % le délai de mise en marché des nouveaux produits. Après avoir fait appel également à Microsoft Dynamics CRM, MKB Bank a pu réduire de 25 % le délai de service et de 5 % le roulement de la clientèle, et hausser de 20 % les profits des clients de plus grande valeur[10].

Les deux principales composantes d'une stratégie de GRC sont la gestion opérationnelle de la relation client et la gestion analytique de la relation client. La **gestion opérationnelle de la relation client** soutient le traitement transactionnel traditionnel des activités ou des systèmes d'usage quotidien qui font directement affaire avec la clientèle. La **gestion analytique de la relation client** permet d'étayer les activités et l'analyse stratégique des services d'appui et porte sur tous les systèmes qui ne sont pas en lien direct avec la clientèle. La différence essentielle entre ces deux types de gestion se situe dans l'interaction directe de l'organisation avec les clients. La figure 9.3 (*voir la page suivante*) donne un aperçu des deux types de gestion.

FIGURE 9.3

Composantes de la GRC
d'une entreprise

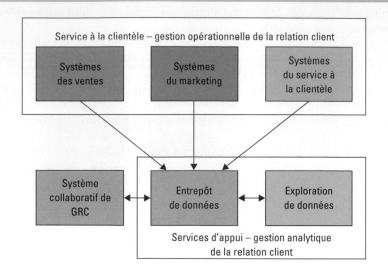

L'utilisation de l'information pour orienter la gestion opérationnelle de la relation client

Le tableau 9.3 montre les différents systèmes d'information que le Service du marketing, le Service des ventes et le Service à la clientèle peuvent utiliser pour la gestion opérationnelle de la relation client.

TABLEAU 9.3 | Composantes de la gestion opérationnelle de la relation client

Marketing	Ventes	Service à la clientèle
1. Générateur de listes de clients	1. Gestion des ventes	1. Centre d'appels
2. Gestion des campagnes	2. Gestion des contacts	2. Libre-service Web
3. Vente croisée et vente incitative	3. Gestion des possibilités	3. Traitement des appels

La gestion de la relation client et le marketing

Les entreprises ne tentent plus de vendre un produit au plus grand nombre de clients possible, mais plutôt de vendre le plus grand nombre de produits possible à un client. Un service du marketing est capable de s'adapter à cette nouvelle façon de faire des affaires en utilisant des systèmes de GRC qui lui permettent de recueillir et d'analyser les données relatives aux clients, en vue de déployer des campagnes de marketing efficaces. En fait, le succès d'une campagne de marketing est directement proportionnel à la capacité d'une organisation à recueillir et à analyser les données appropriées. Les trois principaux systèmes opérationnels de GRC que peut appliquer un Service de marketing pour accentuer la satisfaction de la clientèle sont un générateur de listes de clients, un système de gestion des campagnes, et une stratégie de vente croisée et de vente incitative.

Le générateur de listes de clients compile des données relatives à la clientèle à partir de sources variées et les segmente aux fins de différentes campagnes de marketing. Les sources de données comprennent des visites de sites Web, des questionnaires sur les sites Web, des sondages en ligne ou hors ligne, des dépliants, des numéros de téléphone sans frais, des listes de clients, etc. Après avoir dressé une liste de clients, une organisation se servira de certains critères pour la filtrer et la ventiler afin de repérer des clients potentiels. Les critères de filtrage et de tri englobent le revenu du ménage, le niveau de scolarité et l'âge. Un générateur de listes de clients permet à un Service de marketing d'acquérir une solide compréhension du type de client qu'il doit viser dans ses campagnes de marketing.

Le système de gestion des campagnes guide les utilisateurs tout au long des campagnes de marketing en accomplissant des tâches comme la définition, la planification, le calendrier et la segmentation des campagnes ainsi que l'analyse du succès obtenu. Ces systèmes de pointe peuvent même donner des résultats quantifiables concernant le rendement du capital investi pour chaque campagne. Ils peuvent aussi suivre les résultats obtenus pour analyser et comprendre de quelle façon l'entreprise peut raffiner ses futures campagnes.

La stratégie de vente croisée et la stratégie de vente incitative sont deux stratégies-clés de vente qu'une campagne de marketing peut déployer. La **vente croisée** consiste à vendre des produits ou services additionnels à un client, alors que la **vente incitative** consiste à augmenter la valeur d'une vente. Par exemple, McDonald's tente une vente croisée lorsque son employé demande à un client s'il aimerait avoir un chausson aux pommes avec son repas, tandis qu'elle tente plutôt une vente incitative lorsque l'employé demande au client s'il aimerait avoir une boisson de grand format plutôt que de format moyen pour accompagner son repas. Les systèmes de GRC offrent à un Service de marketing toutes sortes de données sur ses clients et ses produits, et ils l'aident ainsi à déterminer les campagnes de marketing par vente croisée et par vente incitative.

Sol Melia est la plus grande entreprise hôtelière espagnole, avec des hôtels en Europe, en Amérique latine et dans les Antilles. Elle s'appuie sur sa GRC non seulement pour communiquer plus souvent avec ses clients afin de leur offrir plus de produits, mais aussi pour accroître son taux de fidélisation des clients en même temps. Sol Melia se sert de sa GRC pour effectuer des ventes croisées et des ventes incitatives sous forme de séjours plus longs et plus fréquents, et de séjours plus dispendieux par client. Si Sol Melia peut atteindre de tels objectifs, c'est parce qu'elle a la possibilité de contacter ses clients plus souvent et de manière plus personnalisée grâce à la GRC[11].

Le Service des ventes et la gestion de la relation client

Les services des ventes ont été les premiers à mettre au point des systèmes de GRC. Ils avaient deux raisons principales de gérer électroniquement les données sur les ventes à la clientèle. D'abord, les représentants des ventes étaient débordés par l'énorme quantité de données sur la clientèle qu'ils devaient conserver et gérer. Ensuite, les entreprises devaient réagir devant le fait que seuls leurs représentants des ventes gardaient en mémoire une grande partie de leurs données essentielles sur les ventes et les clients. Une des premières composantes de GRC élaborées pour résoudre ces difficultés a été l'automatisation de la force de vente. L'**automatisation de la force de vente** est un système qui consigne automatiquement toutes les étapes du processus de vente. Les produits de cette automatisation visent à rendre les clients plus satisfaits, à développer les relations avec la clientèle et à accroître les ventes de produits grâce au suivi de toutes les données relatives aux ventes.

Playground, une entreprise d'Intrawest située à Vancouver, gère les campagnes de ventes et de marketing concernant les possibilités d'acquisitions de produits et services de luxe dans de grands centres de villégiature partout dans le monde, dont Whistler Blackcomb et Mont-Tremblant. Playground a tiré parti d'une solution de GRC mise au point par Maximizer Software pour stimuler ses ventes. Elle se sert de la technologie en GRC de Maximizer pour superviser les résultats des plans de marketing, repérer des clients potentiels, établir des relations, gérer les clients, réaliser des ventes et évaluer la justesse et l'activité des canaux de ventes. Cet outil lui permet de contrôler la logistique de ses bureaux des ventes et du marketing présents dans chaque centre de villégiature. Les employés de Playground aiment utiliser le système de GRC, car son fonctionnement est facile à apprendre. De plus, ce système s'adapte bien au déroulement des activités d'affaires de Playground. Les employés de l'entreprise n'ont donc pas à s'immiscer dans le système de GRC et peuvent ainsi se concentrer pleinement sur les démarches de vente proprement dites[12].

Les trois principaux outils technologiques de gestion opérationnelle de la relation client qu'un Service des ventes peut mettre en œuvre pour mieux satisfaire la clientèle sont un système de gestion des ventes en GRC, un système de gestion des contacts en GRC, et un système de gestion des possibilités de ventes en GRC.

La figure 9.4 présente le processus de vente courant, qui s'amorce avec une possibilité de vente et s'achève avec la facturation du client pour la vente effectuée. Les pistes de vente et les clients potentiels sont les éléments vitaux de tous les appareils commerciaux, que les produits à vendre soient des ordinateurs, des vêtements ou des voitures. C'est la façon de traiter les pistes de vente qui détermine si les revenus augmenteront ou non. Un **système de gestion des ventes en GRC** automatise chaque phase du processus de vente et aide les représentants des ventes à coordonner et à organiser les dossiers de tous leurs clients. Ses éléments constitutifs comprennent un calendrier, pour faciliter la planification des rencontres avec les clients, un dispositif de rappel, qui signale les tâches importantes à accomplir, des présentations multimédias adaptables aux besoins et des outils de production de documents. Un tel système est même en mesure d'effectuer une analyse du cycle des ventes et d'établir la performance de chaque représentant des ventes durant le processus de vente.

FIGURE 9.4

Aperçu du processus de vente

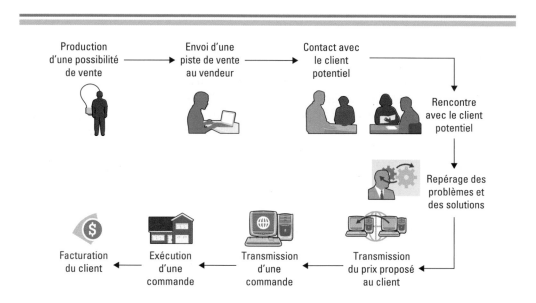

Un **système de gestion des contacts en GRC** conserve les coordonnées des clients et repère des clients potentiels pour des ventes futures. Il comprend des éléments tels que des organigrammes, des notes détaillées sur les clients et de l'information complémentaire sur les ventes. Par exemple, un système de gestion des contacts peut, au moment d'un appel téléphonique, afficher le nom de l'interlocuteur ainsi que des notes précisant la teneur des conversations antérieures avec lui. Le représentant des ventes peut alors prendre l'appel et dire : « Bonjour Sophie, aimes-tu ton nouvel ordinateur portatif ? Comment se sont passées tes vacances au Yukon ? », avant même que la cliente ne lui en parle en premier ! La cliente se sentira appréciée, puisque le représentant des ventes se souvient de son nom et se rappelle même les détails de leur précédente conversation !

Avec des ventes de 31 milliards de dollars américains, 3M est un chef de file dans les secteurs des soins de santé, de la sécurité, de l'électronique, des télécommunications, du matériel de bureau et des produits de consommation. L'entreprise avait décidé de rationaliser et d'unifier ses processus de vente dans le but de mieux segmenter la clientèle, de produire et de cerner des pistes de vente de manière plus fiable. Afin d'atteindre ces objectifs, elle a mis en œuvre un système de GRC et en a rapidement tiré les avantages suivants :

- une réduction de 33 % du temps nécessaire aux professionnels des ventes pour se familiariser avec de nouveaux territoires ;
- une meilleure visibilité du processus des ventes pour la direction ;
- une baisse de 40 % du temps nécessaire pour cerner les pistes de vente et envisager les possibilités de ventes.

Un **système de gestion des possibilités de ventes en GRC** a pour fonction de trouver de nouveaux clients ou de nouvelles entreprises dans le but de réaliser des ventes futures. Il détermine qui sont les clients et les concurrents potentiels et définit les efforts de vente à déployer, y compris les budgets et les calendriers de vente. Un système avancé de gestion des possibilités de ventes peut même calculer la probabilité d'une vente, ce qui permet aux représentants des ventes de gagner du temps et de réduire les dépenses lorsque ceux-ci tentent de trouver de nouveaux clients. La principale différence entre la gestion des contacts et la gestion des possibilités de ventes réside dans le fait que la première porte sur les clients existants, tandis que la seconde porte sur de nouveaux clients. Le tableau 9.4 décrit les six critères qu'un représentant des ventes peut utiliser pour hausser le nombre de clients possibles devant être intégrés dans la GRC.

TABLEAU 9.4 | Critères servant à rallier des clients potentiels

1. **Attirer leur attention**	Lorsqu'on repère un client potentiel, il est probable que celui-ci reçoive déjà des dizaines d'offres de la part d'entreprises similaires. On doit s'assurer que le premier contact avec lui a un caractère professionnel et qu'on attire son attention.
2. **Valoriser leur disponibilité**	Lorsqu'on demande au client de le rencontrer, on requiert la chose la plus précieuse que possède une personne occupée : son temps. En échange du temps du client, on doit lui proposer quelque chose pouvant lui être utile.
3. **En donner plus**	Si la lettre envoyée au client potentiel mentionne qu'on lui offre un DVD gratuit en échange de la rencontre demandée, on peut lui apporter une boîte de maïs soufflé à préparer au micro-ondes avec le DVD. De petites attentions comme celle-là montrent aux clients que non seulement on tient ses promesses, mais aussi qu'on sait être attentionné.
4. **Communiquer fréquemment**	On doit trouver des façons nouvelles et créatives de communiquer fréquemment avec les clients potentiels. Lancer un bulletin et envoyer une série de listes de nouveaux produits et services sont deux excellents moyens de garder le contact avec eux et de maintenir leur attention.
5. **Produire une liste d'envoi fiable**	Si l'on achète une liste d'envoi auprès d'une tierce partie, on doit s'assurer que les contacts sont de véritables clients potentiels, surtout si l'on offre un cadeau coûteux. On doit aussi veiller à ce que les personnes rencontrées soient autorisées à conclure une vente.
6. **Effectuer un suivi**	Une simple note de remerciement constitue un des outils de prospection les plus utiles. Faire savoir à quelqu'un que l'on comprend que son temps est précieux peut même engendrer des références additionnelles.

Le service à la clientèle et la gestion de la relation client

En 1980, Andy Taylor a accédé à la présidence d'Enterprise, l'entreprise de location de voitures qui valait alors 76 millions de dollars américains et qui appartenait à son père. Aujourd'hui, c'est la plus grande entreprise du genre en Amérique du Nord, avec un chiffre d'affaires de 15,4 milliards de dollars américains. Comment Entreprise a-t-elle fait pour continuer à donner la priorité au service à la clientèle ? Eh bien, en le quantifiant. Chaque mois, Enterprise mesure le degré de satisfaction de la clientèle au moyen de sondages téléphoniques menés auprès de centaines de milliers de ses clients. Les résultats de ces sondages servent à la création d'un indice de qualité du service d'Enterprise destiné à chaque succursale. Cela signifie que chaque succursale est classée selon la proportion de ses clients qui ont affirmé être pleinement satisfaits de leur plus récente location de voiture à la société Enterprise. Cet indice est l'un des nombreux moyens grâce auxquels l'entreprise n'oublie pas de mettre les besoins de ses clients en tête de ses priorités et de veiller à toujours offrir un service à la clientèle de qualité supérieure. Par exemple, si l'indice de satisfaction d'une succursale est faible, les employés, et même les vice-présidents, ne peuvent obtenir une promotion. Le résultat voulu ne tarde pas à apparaître. À la recherche d'un indice plus élevé, les dirigeants embauchent de meilleurs candidats. Et parce qu'Enterprise pourvoit les postes plus élevés en faisant appel presque exclusivement à ses propres employés, la plupart des dirigeants – dont Taylor lui-même, qui lavait les voitures à son entrée à la société – ont appris sur le terrain ce qu'il faut faire pour que la clientèle soit satisfaite[13].

Les services des ventes et du marketing sont les premiers à interagir directement avec les clients avant une vente. La plupart des entreprises reconnaissent l'importance d'établir de solides relations durant les étapes que franchissent les services du marketing et des ventes. Toutefois, beaucoup ne comprennent pas qu'il est tout aussi indispensable d'entretenir ces relations après la vente. En fait, il est même plus important d'assurer les relations d'après-vente si l'entreprise veut préserver le degré de satisfaction et s'assurer de la fidélité des clients. La meilleure façon de mettre en place une stratégie de GRC d'après-vente consiste à confier la tâche au Service des relations avec la clientèle.

Bell Canada est la plus grande entreprise de télécommunications du Canada, avec près de 28 millions de connexions pour sa clientèle, et elle a connu le succès avec sa GRC. Avant la mise en œuvre d'une solution de GRC, les processus et méthodes d'affaires utilisés ne satisfaisaient aucun de ses besoins d'affaires. Bell se devait d'adopter une stratégie centrée sur la clientèle qui correspondrait aux exigences de l'entreprise. Bell faisait face à un problème : les solutions existantes nécessitaient beaucoup de travail supplémentaire pour les employés, ce qui diminuait la satisfaction du personnel et causait de nombreux problèmes. En outre, elle devait intégrer les services à la clientèle et les services administratifs de ses centres de services partagés. La solution consistait à adopter une GRC axée sur le service à la clientèle et à lancer des initiatives de soutien. En fin de compte, le service à la clientèle s'est amélioré, est devenu plus efficace et l'efficience interne s'est accrue. La GRC a réduit le volume total des cas à régler[14].

Les cas de mauvais service à la clientèle représentent l'une des principales causes de la perte de clients pour une entreprise. Donner un service à la clientèle remarquable est une tâche difficile, et les multiples systèmes de GRC offerts peuvent aider les organisations à relever cet important défi.

Les trois principaux systèmes opérationnels de GRC qu'un Service des relations avec la clientèle peut mettre en œuvre pour accroître la satisfaction de la clientèle sont un centre d'appels, un système de libre-service Web et un système de traitement des appels.

Un logiciel de gestion des connaissances, qui offre des réponses cohérentes aux représentants du Service à la clientèle, promet souvent plus que ce qu'il donne effectivement. Quel est le problème ici ? Afin d'alimenter le système, les représentants doivent momentanément cesser de répondre aux appels pour consigner l'information qu'ils ont recueillie, c'est-à-dire insérer les « connaissances » dans le système de gestion des connaissances.

Brad Cleveland, qui dirige l'Incoming Calls Management Institute, explique : « Un logiciel est simplement un outil. Il ne fait rien de bon si les employés d'une organisation n'exploitent pas son potentiel. » Pour encourager les représentants du Service à la clientèle à se servir d'un tel outil selon l'objectif prévu, les entreprises doivent créer des incitations en ce sens. Prenons le cas de Sharp Electronics. Lorsque cette entreprise a mis sur pied son propre système de gestion des appels, elle a veillé, afin de favoriser l'utilisation de ce système, à ce que ses représentants de première ligne contribuent à son édification dès le départ. De plus, elle a décidé de lier la rémunération et les promotions des représentants à l'emploi de ce système. Le résultat : les clients ayant recours au centre d'appels sont désormais beaucoup plus satisfaits de leur démarche qu'auparavant[15].

Un **centre d'appels** est l'endroit d'où les représentants du Service à la clientèle répondent aux demandes des clients et règlent les problèmes par l'entremise de différents points de service. C'est une des meilleures ressources dont peut se doter une organisation privilégiant le service à la clientèle, parce que le maintien d'un haut degré de satisfaction chez les clients joue un rôle crucial dans l'obtention de nouveaux clients et la fidélisation des clients existants. De nombreux systèmes peuvent aider une organisation à automatiser ses centres d'appels. Le tableau 9.5 présente quelques éléments disponibles dans un système de centres d'appels.

Un centre d'appels consigne également tous les appels antérieurs d'un client et les solutions apportées aux problèmes précédents. Il s'agit là d'une information cruciale qui donne

TABLEAU 9.5 | Éléments courants d'un centre d'appels

Distribution automatique d'appels	Dirige les appels entrants vers les agents disponibles via un commutateur.
Réponse vocale interactive	Invite les clients à se servir d'un téléphone à clavier ou de mots-clés pour naviguer ou donner de l'information.
Composition prédictive	Effectue automatiquement les appels sortants et, si quelqu'un répond, dirige l'appel vers les agents disponibles.

aux représentants du Service à la clientèle concernés un portrait détaillé des clients. Un représentant du Service à la clientèle qui peut rapidement prendre connaissance de tous les produits acquis par un client et de toutes ses démarches antérieures auprès de l'entreprise acquiert une valeur inestimable tant pour le client que pour l'entreprise elle-même. Rien ne réjouit davantage un client contrarié que de ne pas devoir réexpliquer ses problèmes à un autre représentant du Service à la clientèle.

Computershare est un chef de file mondial en services de transfert et en registres d'actionnaires, en régimes d'actions pour employés, en sollicitation de procuration et en communications avec les parties prenantes. Pour mieux accomplir ces tâches, elle voulait accroître la satisfaction des clients et donner plus d'autonomie aux agents en stimulant la confiance des évaluateurs et des agents dans un programme global de contrôle de la qualité implanté dans ses centres d'appels. Pour ce faire, elle avait besoin de deux choses : une évaluation des compétences plus claire et plus holistique pour mesurer avec davantage de précision les améliorations apportées, ainsi que l'établissement d'un système de «tuteur et mentor». Grâce à l'enregistrement des appels logés à ses centres d'appels et à un programme de gestion de la qualité, Computershare a été en mesure de mieux communiquer avec ses agents au sujet de leur rendement individuel et de les amener à améliorer leur performance. Le résultat : des taux de satisfaction de la clientèle supérieurs à 90 % chaque mois, qui sont de 3 à 7 % de plus que la moyenne dans ce secteur et qui sont beaucoup plus élevés que ceux qui existaient auparavant dans l'entreprise[16].

Un **système libre-service Web** permet aux clients d'obtenir, sur le Web, des réponses à leurs questions ou des solutions à leurs problèmes. FedEx et UPS ont toutes les deux recours à un tel système afin que leurs clients puissent suivre le traitement de leurs colis sans devoir communiquer avec un représentant du Service à la clientèle. Le client n'a qu'à entrer sur le site Web approprié et à inscrire son numéro de suivi. Le site Web affiche alors rapidement l'emplacement exact du colis et le temps de livraison estimé.

Les touches permettant d'ouvrir une session de clavardage sont une autre caractéristique importante d'un libre-service Web. Les clients n'ont qu'à cliquer sur une touche pour clavarder, par Internet, avec un représentant du Service à la clientèle. De puissants éléments axés sur les besoins de la clientèle comme ceux-là créent une énorme valeur ajoutée pour toute organisation, car ils procurent aux clients de l'information en temps réel.

Un **système de traitement des appels** a accès à des bases de données organisationnelles qui retracent des questions similaires et produisent automatiquement les détails utiles pour le représentant du Service à la clientèle, qui peut alors les communiquer au client. Il est même en mesure de fournir une liste de questions que ce représentant peut poser au client afin de déterminer le problème potentiel et sa solution. Cet élément aide les représentants du Service à la clientèle à répondre rapidement aux questions difficiles, tout en projetant une image uniforme, de sorte que deux clients ne recevront pas deux réponses différentes.

US Bioservices donne de l'information sur le remboursement de produits pharmaceutiques à des patients et à des professionnels en soins de santé. L'entreprise procède à des recherches pour les sociétés pharmaceutiques et reçoit plus de 30 000 appels de clients par mois. Initialement, elle disposait d'un fichier de données pour chaque patient et pour chaque société pharmaceutique. Ce procédé inefficace avait pour effet que, dans certains cas, chaque société pharmaceutique avec laquelle un patient faisait affaire possédait son propre fichier de données sur ce patient. Dans le but de répondre aux questions d'un client, un représentant du Service à la clientèle devait télécharger tous les fichiers de ce client, ce qui engendrait d'énormes problèmes d'inefficience et beaucoup de confusion. L'entreprise a mis en œuvre un système de GRC doté d'un système de traitement des appels afin de résoudre ce problème et de donner aux représentants du Service à la clientèle un portrait détaillé du dossier de chaque client, quelle que soit la société pharmaceutique concernée[17].

Le recours à l'information pour orienter la gestion analytique de la relation client

La gestion analytique évoluée des relations avec la clientèle et les systèmes de modélisation des comportements aident de multiples organisations à aller au-delà des avantages existants, tels qu'un meilleur service à la clientèle et une fidélisation accrue des clients, et à bénéficier de systèmes pouvant véritablement hausser la rentabilité. Contrairement à la gestion opérationnelle de la relation client, qui automatise les centres d'appels et les forces de vente dans le but d'améliorer les transactions avec les clients, les solutions de gestion analytique de la relation client sont conçues pour approfondir l'analyse des données historiques sur les clients d'une entreprise et révéler des comportements récurrents dont celle-ci peut tirer parti. La gestion analytique de la relation client sert essentiellement à étayer et à faciliter la prise de décision et consiste à repérer des récurrences dans les données sur les clients ayant été recueillies auprès des divers systèmes opérationnels de GRC.

Pour de nombreuses organisations, la puissance des solutions de gestion analytique de la relation client offre de remarquables possibilités. En fonction de la solution spécifique concernée, les outils de gestion analytique de la relation client peuvent ventiler finement les données sur la clientèle pour dresser des portraits faits sur mesure de la valeur économique des clients, des dépenses, des affinités de produits, des profils de percentiles et des segmentations. Les outils de modélisation indiqueront des possibilités de vente croisée, de vente incitative et d'élargissement des relations avec la clientèle.

La **personnalisation** devient possible lorsqu'un site Web contient assez de renseignements sur les préférences et les aversions d'une personne pour pouvoir lui faire les offres les plus susceptibles de lui plaire. Maintes organisations se servent maintenant de la GRC pour créer des règles et des modèles relatifs à la clientèle que les responsables du marketing utiliseront pour personnaliser les messages destinés aux clients.

L'information que produisent les solutions de gestion analytique de la relation client aide les entreprises à prendre des décisions pertinentes sur le traitement à accorder aux clients en fonction de la valeur de chacun d'eux. Cette gestion permet de déterminer les clients auxquels il vaut la peine de consacrer des ressources additionnelles, ceux pouvant faire l'objet d'un service moyen et ceux pouvant être ignorés. Par exemple, à la Banque de Montréal (BMO), un groupe de modélisation statistique s'est servi d'une base de données sur la clientèle pour calculer le profit économique mensuel par client. Lorsque le groupe est parvenu à déterminer le rapport entre la «fidélité des clients» et le «potentiel des dépenses des clients» afin de repérer de nouveaux clients potentiels, BMO a découvert que, pour obtenir des avantages stratégiques, il importait plus d'approfondir les relations d'affaires avec les clients existants que de tenter de trouver de nouveaux clients. David Moxley, le vice-président chargé de superviser les activités de gestion de l'information sur la clientèle de BMO, explique : «Nous étions heureux de constater les diverses possibilités commerciales additionnelles qui étaient présentes au sein de notre clientèle. Dans la plupart des cas, nous avons réalisé que nous devions viser nos propres clients[18].»

L'obtention de données relatives à la clientèle devient parfois une source d'information sur les employés. Aux États-Unis, Wachovia Bank (maintenant intégrée à Wells Fargo & Company) a sondé ses clients pour connaître leurs impressions sur les services qu'ils avaient obtenus. Elle leur a posé des questions sur différents employés et s'est servi des réponses recueillies pour offrir une formation personnalisée à ses employés. Une séance de formation de 20 minutes organisée dans une succursale a clairement révélé à quel point une telle rétroaction (chaque client sondé avait évalué 33 comportements des employés) peut améliorer le service offert à la clientèle. Le directeur de la succursale a pu exhorter une employée à mettre l'accent sur la sincérité plutôt que sur une simple attitude amicale, à «aiguiser son flair» pour écouter plus intuitivement les clients et à prendre son temps plutôt qu'à procéder à toute vitesse. Cet accent mis sur un service attentionné, sincère et intuitif a été bénéfique. Wachovia a décroché, depuis 2001, le meilleur score parmi les banques en ce qui concerne l'American Customer Satisfaction Index (indice de satisfaction de la clientèle américaine) et continue d'obtenir de très bons résultats depuis son intégration à Wells Fargo & Company[19].

La gestion analytique de la relation client s'appuie fortement sur des systèmes d'entrepôt de données et sur l'intelligence d'affaires pour dresser un portrait plus précis des comportements des clients (le chapitre 4 décrit plus en détail l'entreposage de données et l'intelligence d'affaires). Ces systèmes réunissent, analysent et diffusent rapidement l'information sur la clientèle dans l'ensemble d'une organisation. Le tableau 9.6 présente quelques exemples du type d'information que la gestion analytique de la relation client peut apporter à une organisation.

TABLEAU 9.6 | Exemples d'information tirée de la gestion analytique de la relation client

Donner aux clients une plus grande quantité de ce qu'ils veulent avoir	La gestion analytique de la relation client peut aider une organisation à abandonner des formules convenues comme « Cher M. Tremblay » et à personnaliser davantage ses communications. Par exemple, si le personnel connaît la pointure et la marque de chaussures préférée d'un client, il peut l'informer qu'il a mis de côté à son intention une paire de souliers de pointure 12, que le client pourra essayer à sa prochaine visite au magasin.
Trouver de nouveaux clients semblables aux meilleurs clients	La gestion analytique de la relation client peut déterminer qu'une organisation fait affaire avec des femmes âgées de 35 à 45 ans qui possèdent un véhicule utilitaire et habitent à moins de 50 km d'un certain endroit. L'organisation peut ensuite établir une liste d'adresses qui met en relief de telles clientes en vue d'effectuer de nouvelles ventes.
Établir ce que l'organisation fait mieux que ses concurrents	La gestion analytique de la relation client peut relever ce qu'une organisation fait mieux que ses concurrents. Par exemple, si un restaurant prépare plus de déjeuners pour de moyennes entreprises que ses concurrents, il peut acheter une liste d'adresses spécialisée de moyennes entreprises dans la région et leur envoyer un dépliant qui décrit les offres spéciales de déjeuner qu'il prépare.
Être plus rapide que les concurrents	La gestion analytique de la relation client peut déterminer des tendances de vente et ainsi permettre à une organisation de faire des offres à ses meilleurs clients avant que ses concurrents ne puissent le faire. Par exemple, une boutique de vêtements peut distinguer les meilleurs clients susceptibles d'acheter des vêtements d'extérieur et les inviter à une vente privée tout juste avant que ses concurrents ne mettent en vente leurs propres vêtements d'extérieur.
Relancer les clients inactifs	La gestion analytique de la relation client permet de déterminer les clients qui n'ont pas fait affaire avec l'organisation depuis un certain temps. Celle-ci peut alors leur envoyer une lettre personnalisée, accompagnée d'un bon de réduction. La lettre leur rappellera l'existence de l'organisation et pourrait contribuer à ranimer leur intérêt à son égard.
Montrer aux clients qu'ils sont importants	La gestion analytique de la relation client peut cerner les désirs et les besoins des clients et ainsi faire en sorte que l'organisation soit bien informée à leur sujet au moment de les contacter. L'offre d'une vente privée et un rappel pour la mise au point de la voiture sont autant de facteurs relevant d'un excellent service à la clientèle.

Dans le cas de l'entreprise UPS, l'environnement axé sur les données s'appuie sur une base de données comportant des centaines de téraoctets de données liées à son outil de gestion analytique de la relation client. Cette entreprise a pour objectif d'établir des relations particulières avec chaque client. Elle se sert d'outils qui lui permettent de laisser les clients effectuer le suivi de la livraison et de leur faire parvenir un avis les informant de l'arrivée d'un colis ou d'un retard de livraison[20].

Pour les entreprises, un entrepôt de données est une source d'information sur les clients et les produits à laquelle elles n'avaient pas accès auparavant; elles peuvent maintenant en tirer des avantages formidables. Elles font appel à l'intelligence d'affaires pour en tirer des faits bruts susceptibles de déterminer le bon type de campagne de marketing et de vente à lancer, les clients appropriés à viser et le moment opportun pour le faire. Grâce à l'utilisation combinée de la GRC et de l'intelligence d'affaires, les organisations sont en mesure de prendre des décisions plus éclairées et d'en tirer des bénéfices inespérés.

Loyalty Management Group Canada, une entreprise située à Toronto, gère le programme de récompenses Air Miles qu'ont adopté plus de la moitié des ménages canadiens. À son arrivée à la caisse d'un détaillant participant, le consommateur glisse sa carte Air Miles devant le lecteur optique et ajoute ainsi des points de récompenses qui peuvent être ultérieurement échangés contre un voyage « gratuit » ou d'autres produits ou services. La clé d'un programme de récompenses consiste à utiliser la gestion analytique de la relation client pour examiner l'utilisation des cartes Air Miles afin de déterminer les préférences et les habitudes d'achat des consommateurs. Une source-clé de données se trouve dans le formulaire d'adhésion initiale, où les signataires fournissent assez librement leurs données à caractère personnel, dont l'âge, l'adresse, la taille de leur famille et le revenu total de leur ménage. Ces données constituent un véritable coffre au trésor pour des sociétés commanditaires du programme Air Miles comme Shell, Holt Renfrew, Safeway, Rona, la Banque de Montréal et la LCBO, car la plupart n'avaient jamais eu accès à ces données personnelles. Une autre importante source de données vient de chaque achat effectué par un client. La fusion de ces deux sources de données aide les entreprises à prendre de meilleures décisions d'affaires, par exemple lorsqu'il s'agit de choisir l'emplacement d'un nouveau magasin et de trouver la façon de maximiser les ventes à chaque client. Elle donne également la possibilité aux entreprises de jeter un coup d'œil sur leurs données respectives et de partager des renseignements sur les clients. Loyalty Management est essentiellement présente dans le secteur de l'exploration de données sur la clientèle. L'entreprise se fonde sur le principe suivant : plus on en sait au sujet d'un client, mieux on peut le servir[21].

Recherchant l'authenticité de la marque et se servant de la GRC pour modifier le comportement d'achat des clients, la Division du changement social du programme de récompenses Air Miles a lancé en 2012 un nouveau programme, qui associe Air Miles à des sociétés publiques pour susciter un virage soutenu en faveur de comportements plus écologiques de la part des consommateurs. En voici quelques exemples.

- À Saint-Jean (Terre-Neuve), la société de transport public donnera à ses clients des Air Miles chaque fois qu'ils emprunteront le Metrobus, au moyen d'une carte intelligente.
- En Colombie-Britannique, FortisBC, la principale société publique de gaz naturel de la province, offrira à ses clients résidentiels des Air Miles s'ils adoptent la consommation de gaz renouvelable, une solution de rechange plus coûteuse, mais plus durable sur le plan écologique.

La question de la responsabilité sociale n'a rien de nouveau pour Air Miles, qui a établi des partenariats partout au Canada pour promouvoir l'adoption du transport en commun, le souci de l'efficience énergétique, etc. Le nouveau programme a déjà fait la preuve de son efficacité et vise aussi à modifier les comportements dans certains cas.

- À Toronto, un programme de la Toronto Transit Commission donnant des Air Miles aux usagers qui achètent un titre de transport annuel, plutôt que mensuel, a fait augmenter de 57 % la vente de titres annuels.
- Chez Sobeys, un programme d'efficacité énergétique qui se sert des Air Miles pour faire augmenter les ventes d'ampoules fluocompactes a entraîné une hausse annuelle de 200 % de la vente de ces ampoules[22].

RETOUR SUR LA MISE EN CONTEXTE

Twitter : un outil de gestion sociale de la relation client

1. Résumez l'évolution de la GRC et donnez un exemple de question, à des fins de production de rapports, d'analyse et de prévision, qu'une entreprise utilisant un outil social de GRC pourrait poser à ses clients ou à ses abonnés.
2. Comment BMC Racing a-t-elle utilisé des systèmes sociaux de GRC pour améliorer sa situation ? Quels autres systèmes de GRC une entreprise comme WestJet pourrait-elle employer pour améliorer sa situation ?
3. Définissez la gestion analytique de la relation client. Comment une entreprise pourrait-elle l'utiliser avantageusement dans le contexte d'une gestion sociale des relations avec la clientèle ? Quelle est l'importance de la gestion analytique de la relation client pour des entreprises ayant recours à la gestion sociale des relations avec la clientèle ?
4. Quelle est la différence entre les données sur la clientèle, l'information sur la clientèle et l'intelligence d'affaires ?

9.2 Les meilleures pratiques et les tendances en gestion de la relation client

La mise en œuvre de la gestion de la relation client

Brother International Corporation a connu une croissance fulgurante de ses ventes de centres multifonctions, de télécopieurs, d'imprimantes et de systèmes d'étiquetage à la fin des années 1990. Cette croissance s'est accompagnée d'une énorme hausse des appels logés au Service à la clientèle. À partir du moment où Brother International n'a pu répondre assez rapidement à tous ces appels, les retours de produits ont commencé à augmenter. L'entreprise a réagi en élevant la capacité de réponse de ses centres d'appels, et le taux de retours de produits a diminué. Toutefois, Dennis Upton, directeur de l'informatique de Brother International, a observé que ce que faisait l'entreprise se résumait à répondre aux appels. Il s'est vite rendu compte que l'entreprise perdait, à propos des clients existants, une grande partie de l'information commerciale utile qu'elle aurait pu tirer de tous ces appels téléphoniques. L'entreprise a alors décidé de déployer la solution de GRC qu'offrait SAP. Elle a par la suite vu le nombre d'appels traités passer de quelque 1,8 million à 1,57 million, ce qui lui a permis de réduire le personnel des centres d'appels de 180 à 160 agents. Depuis que les données démographiques sur les clients sont stockées et s'affichent à l'écran des agents, selon le numéro de téléphone du client qui appelle, la durée moyenne d'un appel a baissé d'une minute et l'entreprise a ainsi vu les coûts afférents diminuer de 600 000 $ par année[23].

Pour assurer une mise en œuvre aussi fructueuse de la GRC, les organisations devraient adopter les meilleures pratiques en la matière (*voir l'encadré 9.1*), c'est-à-dire communiquer clairement la stratégie de GRC, définir les besoins en données et les flux de données, brosser un portrait intégré de la clientèle, effectuer la mise en œuvre par itérations et instaurer l'extensibilité pour la croissance de l'organisation.

Les cinq meilleures pratiques que présente l'encadré 9.1 sont en phase avec les huit éléments constitutifs de la GRC de l'entreprise Gartner Inc. Cette dernière a créé ce cadre de

ENCADRÉ 9.1

Meilleures pratiques pour la mise en œuvre de la GRC

---

1. **Communiquer clairement la stratégie de GRC.** Boise Office Solutions a consacré 29 millions de dollars à la mise en œuvre réussie d'un système de GRC. Une des principales raisons de cette réussite tient au fait que Boise Office Solutions s'était d'abord donné un objectif d'affaires clair à propos de ce système : offrir aux clients une plus grande valeur économique. Ce n'est qu'après avoir défini cet objectif d'affaires que Boise Office Solutions a investi dans une technologie de GRC pour pouvoir l'atteindre. Il était d'une importance cruciale que tous les services et les employés aient précisément compris ce que signifiait la GRC et en quoi elle créerait de la valeur ajoutée pour l'organisation. Une recherche effectuée par Gartner Dataquest indique que les entreprises ayant du succès avec la GRC comptent sur des cadres supérieurs motivés qui définissent ce que doit apporter la GRC, qui lient les stratégies de GRC à des objectifs d'entreprise et qui associent le processus de mesure aux objectifs et aux stratégies.

2. **Définir les besoins en données et les flux de données.** Les personnes qui mettent en œuvre avec succès la GRC comprennent clairement de quelle façon les données circulent dans leur organisation et lui parviennent. En général, les données prennent de nombreuses formes et proviennent de nombreux points de service.

3. **Brosser un portrait intégré de la clientèle.** Le choix du bon système de GRC qui satisfera les besoins de l'organisation est essentiel dans le contexte d'une stratégie de GRC. Ce système doit avoir la capacité fonctionnelle adéquate pour favoriser l'atteinte des objectifs stratégiques. Il ne faut pas oublier de tenir compte de son infrastructure, y compris de la facilité de son intégration aux systèmes existants, qui sera analysée en détail dans une section ultérieure du présent chapitre.

4. **Effectuer la mise en œuvre par itérations.** Il faut mettre en œuvre le système de GRC par blocs faciles à gérer, c'est-à-dire éviter une approche de type « big bang ». Il est plus facile de gérer, de mesurer et de suivre la conception, l'élaboration et le déploiement du système de GRC lorsque celui-ci est livré par blocs. L'organisation est alors bien placée pour voir rapidement si la mise en œuvre est vouée à l'échec, auquel cas elle peut abandonner le projet et éviter des pertes de ressources, ou encore négocier le virage nécessaire et emprunter une voie plus prometteuse.

5. **Instaurer l'extensibilité pour la croissance de l'organisation.** Il importe de s'assurer que le système de GRC satisfera les besoins futurs de l'organisation autant que ses besoins actuels. L'évaluation des besoins futurs est de loin l'une des tâches les plus difficiles inhérentes à tout projet. Comprendre le processus de croissance future de l'organisation, prévoir les changements technologiques à venir et anticiper l'évolution de la clientèle représentent autant de défis très difficiles à relever. Si elle prend le temps nécessaire pour résoudre d'emblée les questions épineuses, l'organisation pourra s'adapter à son système de GRC, plutôt que de finir par le rejeter.

GRC après avoir analysé la situation de plusieurs centaines d'organisations au fil des ans. Ces éléments constitutifs aident les organisations à avoir une vue d'ensemble de la GRC, à bien cerner leurs dossiers de décision et à planifier une mise en œuvre réussie. Ces éléments constitutifs sont décrits ci-après.

1. Créer une vision de la GRC qui donne un «aperçu général» de ce que devrait être une organisation centrée sur la clientèle. Dans la mise en œuvre de la GRC, la vision correspond à la valeur qu'on veut donner à l'organisation. Les clients avec lesquels l'organisation veut établir des liens sont clairement indiqués. De plus, l'importance et les avantages de la GRC pour la stratégie d'affaires globale de l'entreprise ainsi que la nature de l'expérience du client qui est souhaitée sont précisés.

2. Définir et élaborer une stratégie de GRC qui est en phase avec les stratégies de ventes et de marketing plus générales et qui précise les stratégies de production et d'exploitation. La stratégie d'affaires globale de l'entreprise doit orienter et permettre de coordonner les interactions de toutes ces stratégies.

3. Comprendre et rallier les clients. Il s'agit de savoir qui sont les clients de l'entreprise et de les associer à la conception et à la mise en œuvre de la stratégie de GRC. À cette fin, on peut obtenir une rétroaction constante des clients et s'en servir pour améliorer et affiner la stratégie de GRC ainsi que son mode d'opérationnalisation.

4. Assurer la collaboration organisationnelle entre les groupes internes et les partenaires d'affaires extérieurs. Il s'agit souvent ici de modifier les processus, les structures, les incitations, les capacités et les comportements afin de concrétiser et d'appliquer avec succès la GRC.

5. Mettre l'accent sur l'amélioration des processus relatifs à la clientèle. Plutôt que de créer des processus relatifs à la clientèle fragmentés qui conduisent à des expériences non optimales, les organisations doivent redéfinir leurs processus afin que ces derniers deviennent centrés sur la clientèle et produisent une grande valeur pour la clientèle.

6. Intégrer les données dans toute l'entreprise. Puisque le partage strict des données entre les différentes unités opérationnelles et les applications de système est impératif pour assurer le succès de la GRC, il est important que les organisations déploient avec sérieux leurs efforts pour préserver la grande qualité des données et les partager promptement avec les unités opérationnelles et les partenaires.

7. S'appuyer sur les systèmes d'information pour mettre en œuvre la GRC. Les organisations doivent prendre les mesures nécessaires pour construire des architectures informatiques d'entreprise qui facilitent l'utilisation des systèmes d'information et leur intégration étroite. L'intégration est essentielle dans le cas des applications de la GRC.

8. Définir, recueillir et analyser les mesures de la GRC. Grâce à la mesure constante des indicateurs de l'expérience du client et à la bonne interprétation de ces mesures, les organisations peuvent réagir en conséquence en prenant des mesures pour améliorer l'expérience du client et veiller à la réalisation de la stratégie de GRC[24].

Après son entrée en vigueur, la stratégie de GRC doit bénéficier de l'attention constante du personnel. Certaines organisations créent un poste spécifique à cette fin, comme celui de **directeur de la GRC,** pour s'assurer qu'un membre du personnel assume la responsabilité du déploiement fructueux et continu de la GRC. Les responsabilités à temps plein du directeur de la GRC comprennent la gestion fonctionnelle de la solution existante de GRC, la gestion opérationnelle, la gestion des changements et l'établissement d'un partenariat stratégique avec les principales parties prenantes. Dans le contexte de la gestion fonctionnelle, le directeur de la GRC agit à titre d'unique personne-ressource. Il doit documenter et comprendre le fonctionnement des systèmes et des processus d'affaires de la GRC et leur intégration mutuelle. La gestion opérationnelle signifie que le directeur de la GRC doit s'assurer que les ententes sur la qualité de service sont respectées, que le soutien technique est bien en place et que les mesures de la GRC sont recueillies et analysées. La gestion des changements amène le directeur de la GRC à recevoir et à prioriser les demandes de changements à apporter aux systèmes de GRC. Aux fins de la gestion stratégique, le directeur de la GRC doit travailler avec les principales parties prenantes pour s'assurer que la valeur et les avantages des systèmes de GRC sont conformes à leurs attentes et à leurs exigences, et qu'ils favorisent la réalisation de la stratégie et de la vision de la GRC. Un autre facteur important de la gestion stratégique consiste à évaluer les tendances émergentes et à analyser les meilleures pratiques dans le domaine, afin que la stratégie et les solutions de GRC de l'entreprise demeurent pertinentes et efficaces[25].

Les mesures de la gestion de la relation client

Comme on l'a vu précédemment, une entreprise doit soutenir ses efforts en matière de GRC pour en assurer le succès. Si elle ne comprend pas clairement l'impact de la GRC, elle ne pourra déterminer si ses pratiques en GRC stimulent son succès ou non. Le recours aux mesures de la GRC pour superviser le travail lié à la performance représente une excellente pratique pour de multiples entreprises.

Certaines entreprises retiennent trop de mesures et souffrent d'une « surdose de mesures ». Pour prévenir ce problème, beaucoup d'organisations se sont dotées d'un cadre déterminant les mesures à contrôler et la façon de les utiliser pour évaluer la performance de la GRC. Le tableau 9.7 présente quelques mesures de GRC courantes qu'utilisent les organisations.

TABLEAU 9.7 | Mesures de la GRC

Mesures de vente	Mesures de service	Mesures de marketing
Nombre de clients potentiels	Cas réglés la même journée	Nombre de campagnes de marketing
Nombre de nouveaux clients	Nombre de cas traités par un agent	Taux de fidélisation des nouveaux clients
Nombre de clients fidélisés	Nombre d'appels de service	Nombre de réponses par campagne de marketing
Nombre de pistes de vente ouvertes	Nombre moyen de demandes de service par type	Nombre d'achats par campagne de marketing
Nombre d'appels de ventes	Temps de résolution moyen	Revenus générés par campagne de marketing
Nombre d'appels de vente par piste de vente	Nombre moyen d'appels de service par jour	Coût par interaction par campagne de marketing
Montant des nouveaux revenus	Respect de l'entente de niveau de service (en pourcentage)	Nombre de nouveaux clients acquis par campagne de marketing
Montant des revenus récurrents	Pourcentage de renouvellements de service	Taux de fidélisation de la clientèle
Nombre de propositions formulées	Degré de satisfaction de la clientèle	Nombre de nouvelles pistes de vente par produit

Ces mesures courantes sont relativement simples à recueillir et à analyser. Voici les meilleures pratiques à retenir : recueillir et analyser les mesures continuellement afin de repérer les tendances et les récurrences ; les utiliser pour évaluer l'état général de la stratégie et de la vision de la GRC, et pas seulement l'état des activités tactiques de la GRC ; passer régulièrement en revue les mesures de la GRC qui sont recueillies et analysées. Ces mesures sont-elles encore utiles ou facilitent-elles la prise de décision ? Mesurent-elles ce qu'elles sont censées mesurer ? Des mesures nouvelles ou meilleures sont-elles désormais disponibles ?

Pour ce qui est de leurs meilleures pratiques, certaines entreprises incluent la satisfaction des représentants du Service à la clientèle dans les mesures qu'elles utilisent ; il importe effectivement d'en tenir compte. Si ces représentants sont insatisfaits du rôle qu'ils jouent, il en résulte souvent une détérioration de ce service. Par exemple, si des clients ont l'impression que le représentant avec lequel ils interagissent est peu motivé, qu'il est stressé, n'a pas reçu une bonne formation ou qu'il réagit lentement, ce sont eux qui deviendront insatisfaits. À long terme, il peut en découler une baisse de la fidélité de la clientèle.

Une autre excellente pratique consiste à recueillir et à analyser les mesures de la GRC sur les expériences de la clientèle qui couvrent de multiples interactions par différentes voies de communication. Ces mesures sont souvent complexes et difficiles à effectuer. Par exemple, si un client communique avec une entreprise pour régler un problème, d'abord par téléphone et ensuite au moyen d'une séance de clavardage Web avec un représentant du Service à la clientèle, il est alors difficile de mesurer toute l'expérience vécue par ce client pour régler ce problème, car celle-ci englobe deux interactions distinctes avec l'entreprise. Toutefois, les entreprises capables d'associer et d'évaluer des interactions indépendantes concernant le problème ou la plainte d'un seul client comprennent souvent mieux la véritable nature de l'expérience vécue par ce client. Elles disposent d'une description plus précise du temps et des efforts ayant été consacrés à résoudre le problème d'un seul client[26].

L'observation des communautés externes représente une importante tendance lorsqu'il s'agit de mesurer la satisfaction des clients et leur acquisition d'un produit ou service. Par exemple, Google, les blogues de consommateurs, Facebook et Twitter sont quelques-uns des outils et plateformes publics les plus populaires où une entreprise peut trouver des commentaires, tant positifs que négatifs, sur ses produits et services. L'intégration de cette rétroaction qualitative dans le répertoire des mesures d'une entreprise et son utilisation peuvent procurer à celle-ci une information des plus utiles, davantage que le recours aux seules techniques quantitatives. Les organisations ont intérêt à prendre connaissance régulièrement de ce genre de cas exposés sur des sites communautaires Web externes et d'intégrer une telle rétroaction dans leur analyse des mesures de la GRC.

Les applications et les vendeurs en gestion de la relation client

Gartner prédit que la GRC représentera un marché mondial de quelque 36,5 milliards de dollars américains en 2017 et sera la principale source de croissance des logiciels d'entreprise entre 2012 et 2017[27]. Cette croissance est alimentée par les organisations ayant conclu qu'il leur fallait appliquer une stratégie de GRC. Bon nombre d'entre elles se sont rendu compte du grand rôle que joue la fidélisation de la clientèle dans leurs résultats nets et ont compris qu'elles devaient maximiser la satisfaction des clients au coût le plus bas possible. Elles ont conclu qu'un investissement dans des systèmes de GRC représentait le meilleur moyen d'obtenir ces résultats. Au début de 2014, les trois grands fournisseurs de services de GRC étaient Salesforce, Oracle Sales Cloud et Microsoft Dynamics CRM[28].

La consolidation du marché des vendeurs d'applications en GRC devrait se poursuivre, tout comme l'accent mis sur la vente d'applications en GRC aux petites et moyennes entreprises. La croissance du modèle de logiciel-service pour la vente d'applications en GRC demeure une forte tendance de fond, ainsi que l'emploi d'outils analytiques et l'offre d'applications mobiles en GRC[29].

La gestion des autres relations

Les organisations s'aperçoivent qu'il est avantageux d'établir de solides relations dans toute une série d'autres domaines essentiels d'activités d'affaires. Parmi ces domaines émergents, on trouve la gestion de la relation fournisseur, la gestion de la relation partenaire et la gestion de la relation employé.

L'établissement de bonnes relations avec les principales parties prenantes est utile et bénéfique pour les entreprises. Des relations s'instaurent entre deux parties lorsque celles-ci interagissent bien, qu'elles ont des affinités mutuelles, qu'elles éprouvent de la sympathie l'une pour l'autre et que chacune est sensible aux besoins de l'autre. Ces relations sont bonnes lorsqu'un échange de valeur intervient entre les deux parties (c'est-à-dire que chacune apprécie l'autre) et que celles-ci veulent établir ces relations et s'appliquent à les entretenir.

Les systèmes d'information peuvent jouer un rôle important pour favoriser de bonnes relations. Ils n'en constituent pas une composante vitale, et de bonnes relations peuvent certainement s'établir sans l'aide de systèmes d'information. Mais il n'en demeure pas moins que ces systèmes peuvent être fort utiles pour améliorer des relations, notamment en affaires. Par exemple, les systèmes d'information peuvent assurer des communications plus efficientes et efficaces entre les parties prenantes et favoriser l'encadrement de leurs activités et la mesure de leur performance.

La gestion de la relation fournisseur

La **gestion de la relation fournisseur** est axée sur le maintien de la satisfaction des fournisseurs au moyen de leur évaluation et de leur catégorisation pour différents projets, afin d'optimiser le choix des fournisseurs. Deux motifs principaux permettent d'expliquer qu'une organisation tient à préserver de bonnes relations avec ses fournisseurs. D'abord, si elle connaît bien leurs qualités et leurs défauts, une organisation est en mesure de déterminer le meilleur fournisseur avec lequel elle peut collaborer en tout temps. Ensuite, grâce aux bonnes relations établies avec ses fournisseurs, l'organisation peut compter sur eux pour l'aider à rationaliser les processus utilisés et pour lui livrer des produits et des pièces de meilleure qualité que ceux qu'elle recevrait si ces bonnes relations étaient absentes.

La gestion de la relation fournisseur ne doit pas être confondue avec un système de gestion de la relation fournisseur. La première est une activité de gestion, tandis que le deuxième est une application à l'appui de la première. Les applications de la gestion de la relation fournisseur aident les entreprises à analyser les fournisseurs à partir de diverses variables-clés, dont la stratégie, les objectifs de l'entreprise, les prix et les marchés. L'entreprise peut ensuite choisir le meilleur fournisseur pour une collaboration future et s'employer à établir de solides relations avec lui. Les partenaires seront ensuite en position de coopérer pour rationaliser les procédés utilisés, externaliser des services et livrer des produits qu'ils ne pourraient livrer individuellement.

Pour y parvenir, le système de gestion de la relation fournisseur d'une entreprise doit vérifier le rendement de ses fournisseurs attitrés : respectent-ils les échéances convenues ? Sous-évaluent-ils leurs estimations ? Livrent-ils des pièces de grande qualité ? Les réponses à ces questions sur le rendement peuvent être rassemblées et analysées au moyen d'un système de gestion de la relation fournisseur, dans le but de coter chaque fournisseur. À partir de ces cotes, une organisation est alors en mesure de mieux choisir ses fournisseurs en vue d'une collaboration future. Un tel système sert aussi à recueillir de l'information sur des fournisseurs nouveaux ou existants et remplit des fonctions de dépôt ou de banque de données relatives à ces fournisseurs.

Un système de gestion de la relation fournisseur offre aussi à une organisation une voie de communication permanente avec les fournisseurs qui permet aux deux parties de partager les données et d'y accéder facilement. Il favorise ainsi le bon déroulement des activités de gestion de la chaîne d'approvisionnement. Par exemple, après la fusion de la Bank of Halifax et de la Bank of Scotland, la nouvelle entreprise, HBOS, a mis en œuvre un système de gestion de la relation fournisseur qui procure à ses fournisseurs une information cohérente. Le système a intégré l'information sur l'approvisionnement issue des systèmes opérationnels séparés des deux banques et l'a réunie en un seul dépôt d'information de gestion, qui favorise la production d'analyses et de rapports cohérents. HBOS a tiré d'autres avantages de sa solution en gestion de la relation fournisseur :

- une liste consolidée unique de tous ses fournisseurs ;
- une information de gestion détaillée et cohérente procurant à tous les dirigeants des aperçus multiples ;
- l'élimination des noms de fournisseurs redondants[30].

De bonnes relations avec les fournisseurs se traduisent en fin de compte par une efficience et une efficacité accrues de la chaîne d'approvisionnement. Elles favorisent indirectement la satisfaction des clients d'une organisation à l'égard des produits livrés (produits de bonne qualité, toujours en stock, livrés à temps, etc.). Voilà autant de facteurs bénéfiques pour une organisation, parce que la satisfaction des clients maximise son chiffre d'affaires et ses profits. C'est pourquoi de nombreuses organisations s'emploient vigoureusement à améliorer leurs relations avec leurs fournisseurs et se servent d'un système de gestion de la relation fournisseur à cette fin.

La gestion de la relation partenaire

Les organisations se rendent compte peu à peu de l'importance d'établir de bonnes relations avec leurs partenaires, c'est-à-dire les partenaires d'alliance, les vendeurs, les détaillants et les revendeurs.

Un **partenaire d'alliance** est une organisation concurrente qui coopère avec une autre pour que les deux soient plus concurrentielles dans le marché. L'alliance de compagnies aériennes mondiales dénommée « Star Alliance », fondée en 1997 par Air Canada, Lufthansa, Scandinavian Airlines System, Thai Airways International et United Airlines, est un bon exemple d'un tel partenariat. Depuis lors, Star Alliance a connu une expansion considérable et compte maintenant 28 membres à part entière[31].

Un **vendeur** est un agent qui vend des produits ou services au nom d'une entreprise ou d'une organisation, notamment dans l'industrie de l'automobile. Un exemple marquant de vendeur actif au Canada est celui des magasins Canadian Tire. Il y a 490 magasins Canadian Tire actifs partout au Canada, et chacun est exploité sur une base indépendante à titre de détaillant associé. Canadian Tire est le propriétaire de l'édifice et du terrain où se trouve chacun de ses magasins, alors que le vendeur associé est le propriétaire de tout le contenu de chaque magasin, allant de l'appareillage à la marchandise exposée à la vente. Canadian Tire exige un loyer calculé en fonction du chiffre d'affaires de chaque vendeur associé, partage la marge bénéficiaire brute de chaque magasin avec le vendeur sur une base fixe et offre une formation élargie, y compris l'apprentissage en ligne, à tous les vendeurs associés[32].

Un **détaillant** est un magasin ou une boutique, exploité à l'extrémité de la chaîne d'approvisionnement, qui acquiert des produits auprès de fabricants et d'importateurs et qui les revend en plus petites quantités aux consommateurs et à des prix plus élevés pour couvrir ses dépenses et dégager des profits.

Un **revendeur** est une entreprise ou un individu qui achète des produits en vrac dans l'intention de les revendre avec profit. Les revendeurs sont très présents dans le secteur des télécommunications, où des entreprises achètent à d'autres entreprises un volume excédentaire de capacité de transmission ou de temps d'appel et revendent cet excédent à de plus petites entreprises ou à des consommateurs.

La **gestion de la relation partenaire** met l'accent sur le maintien de la satisfaction des vendeurs par la gestion des relations avec les partenaires d'alliance, les vendeurs, les détaillants et les revendeurs qui procurent aux consommateurs une voie de vente optimale. À l'instar de la gestion de la relation fournisseur, la gestion de la relation partenaire est une activité de gestion. La stratégie d'affaires relative à cette gestion consiste à choisir et à gérer les partenaires en vue d'optimiser leur valeur à long terme pour une organisation. En fait, il s'agit de sélectionner les bons partenaires, de coopérer avec eux pour qu'ils aient des rapports fructueux avec les clients mutuels et de s'assurer que les partenaires et les clients finaux sont satisfaits et prospères. Le tout est très bénéfique pour les organisations, puisque les partenaires interagissent avec les clients d'une organisation et leur procurent une voie de vente les dirigeant vers les produits de cette organisation.

De façon analogue au lien entre la gestion de la relation fournisseur et un système de gestion de la relation fournisseur, un système de gestion de la relation partenaire est un ensemble d'applications de système de gestion qui soutiennent l'activité de gestion de la relation partenaire. Un système d'information favorise de bonnes relations de partenariat parce qu'il facilite les communications avec les partenaires, rend plus efficient et plus efficace l'échange de données transactionnelles et supervise la performance des partenaires. Les organisations utilisent couramment un système de gestion de la relation partenaire afin de déterminer les partenariats à maintenir, à éliminer ou à recruter. Une application de gestion de la relation partenaire comprend la gestion des données en temps réel sur les produits en ce qui concerne leur disponibilité, les outils de marketing, les contrats, les détails des commandes ainsi que l'information relative aux prix, aux stocks et aux livraisons.

La gestion de la relation employé

La **gestion de la relation employé (GRE)** est une activité de gestion axée sur la gestion des relations d'une organisation avec ses employés. À l'instar de la gestion de la relation fournisseur et de la gestion de la relation partenaire, la GRE est une bonne stratégie d'affaires, notamment en ce qui a trait à la gestion des relations avec le personnel ayant un contact direct avec la clientèle. Un employé en mauvais termes avec son employeur peut facilement mécontenter ou irriter des clients, qui sont alors susceptibles de se tourner vers d'autres entreprises. Par contre, des employés satisfaits de leur employeur travailleront plus fort, feront des heures supplémentaires au besoin, seront plus productifs, formuleront des suggestions constructives et contribueront à la bonne marche de l'entreprise. La GRE peut hausser la productivité des employés en améliorant le moral, la fidélité, le roulement et les communications du personnel; elle peut également favoriser une bonne disposition au changement.

La GRE est une activité de gestion, alors qu'un système de GRE est un ensemble d'applications de système d'information qui viennent étayer cette gestion. Il arrive souvent qu'un système de GRE comporte un sous-ensemble d'applications de la GRC proposés par l'entremise d'un navigateur Web. De multiples applications de GRE aident le personnel à traiter avec les clients en lui procurant des renseignements détaillés sur les produits et services de l'entreprise et sur les commandes des clients. La mise en œuvre d'un système de GRE a un impact positif sur le résultat net d'une entreprise. Un tel système améliore les relations de travail. Les employés, étant plus satisfaits et mieux informés, donnent un meilleur service aux clients et produisent des produits et services de meilleure qualité.

À la société Rackspace, une entreprise d'hébergement Web et infonuagique, l'accent mis sur la clientèle frôle l'obsession. Joey Parsons, âgé de 24 ans, a gagné le Straightjacket Award («prix de la camisole de force»), la récompense la plus convoitée par les employés de Rackspace. Cette récompense souligne le mérite de l'employé qui incarne le mieux la devise de Rackspace, soit d'apporter un «soutien fanatique», de faire preuve d'un dévouement si intense à l'égard de la clientèle que celui-ci frise la folie. Rackspace motive son personnel en traitant chaque équipe comme une entreprise distincte, responsable de ses propres profits et pertes et de son propre site Web de GRE. Chaque mois, les employés peuvent toucher un boni représentant jusqu'à 20 % de leur salaire de base mensuel, selon la performance de leur équipe. Celle-ci est mesurée en fonction de critères financiers, axés sur le service à la clientèle, comme le roulement de la clientèle, l'expansion de celle-ci et le nombre de clients proposés par une tierce partie. Des rapports quotidiens sont présentés sur le site Web de gestion de la relation salarié de chaque équipe. Il semble que de tels efforts en valent la peine, puisque des témoignages de clients indiquent que le «soutien fanatique» donne les résultats escomptés, c'est-à-dire satisfaire les besoins et les attentes de chaque client, et même davantage[33].

Les tendances futures en gestion de la relation client

À l'avenir, les applications en GRC continueront d'évoluer et d'être utilisées avec une large gamme de partenaires. Toutefois, le principal objectif des initiatives en GRC sera de donner à toute l'entreprise un portrait cohérent de la clientèle et de procurer en temps opportun des données précises sur la clientèle à tous les services d'une organisation.

Au fil des progrès technologiques (sans fil, identification par radiofréquence, logiciel-service), la GRC demeurera un objectif stratégique majeur pour les entreprises, notamment dans les secteurs où les produits sont difficiles à différencier. Certaines entreprises tentent de résoudre ce problème en adoptant une stratégie de production à faible coût. La GRC offre une solution de rechange pour concrétiser une stratégie de différenciation avec un produit non différenciable.

Les applications en GRC poursuivront l'adaptation des capacités sans fil en appui aux ventes mobiles et aux clients nomades, et l'infonuagique sera de plus en plus populaire. Les professionnels des ventes seront capables, à l'aide d'un téléphone intelligent ou d'un autre dispositif mobile dans leur voiture ou un avion, d'accéder au courriel, aux détails des commandes, à l'information d'entreprise, à l'état des stocks et à l'information sur les possibilités de ventes. L'interaction en temps réel avec des représentants du Service à la clientèle par Internet sera toujours plus fréquente.

Les applications en GRC intégreront aussi des modules en gestion de la relation fournisseur, en gestion de la relation partenaire et en GRE, dans le contexte des efforts des entreprises pour tirer parti de ces initiatives. L'automatisation des interactions avec tous les types de partenaires accentuera la capacité des entreprises à offrir un service de qualité à leurs clients.

Une possibilité intéressante de la GRC se situe dans le recours à l'identification par radiofréquence (IDRF), qui a permis à toutes sortes d'organisations (des entreprises de livraison aux hôpitaux) de réduire leurs coûts et leurs frais généraux en révélant clairement les processus d'affaires inefficients. Des travaux de recherche du Groupe Aberdeen ont montré que 38 % des entreprises utilisant l'IDRF le font en vue de réduire les coûts et d'améliorer la sécurité et la fiabilité de la gestion des processus d'affaires. Les organisations s'appuient sur l'IDRF pour accroître la productivité de leur main-d'œuvre, tout en simplifiant la mise en œuvre et les coûts de gestion courante de leurs réseaux[34].

Lorsque Walmart a fait connaître sa stratégie d'IDRF en 2003, elle faisait alors partie des innombrables détaillants ayant adopté avec enthousiasme cette technologie. En apposant des balises IDRF sur les caisses et les palettes que les fabricants livraient aux centres de distribution Walmart, les entreprises pouvaient suivre de près l'état de leurs livraisons. Ainsi, Walmart et ses fournisseurs étaient en mesure de rationaliser leurs chaînes d'approvisionnement et de s'assurer que les tablettes étaient toujours bien garnies.

RETOUR SUR LA MISE EN CONTEXTE

Twitter : un outil de gestion sociale de la relation client

5. Décrivez quelques-unes des meilleures pratiques en vigueur dans le domaine de la GRC. Analysez dans quelle mesure une entreprise utilisant la gestion sociale de la relation client peut adopter ces pratiques.

6. Décrivez les tendances observées dans le domaine de la GRC. Analysez de quelle façon une entreprise utilisant la gestion sociale de la relation client peut suivre ces tendances.

7. Expliquez ce qu'est la gestion de la relation fournisseur. Voyez-vous un potentiel pour une gestion sociale de la relation fournisseur et, dans l'affirmative, si cette forme de gestion peut servir à stimuler l'activité des entreprises ?

8. Expliquez ce qu'est la gestion de la relation partenaire. Voyez-vous un potentiel pour une gestion sociale de la relation partenaire et, dans l'affirmative, si cette forme de gestion peut servir à stimuler l'activité des entreprises ?

9. Expliquez ce qu'est la gestion de la relation employé. Voyez-vous un potentiel pour une gestion sociale de la relation employé et, dans l'affirmative, si cette forme de gestion peut servir à stimuler l'activité des entreprises ?

RÉSUMÉ

Le présent chapitre mettait l'accent sur la gestion de la relation client (GRC), notamment sur l'importance stratégique de cette gestion. Deux grands types d'application en GRC sont décrits : la gestion opérationnelle et la gestion analytique. Les meilleures pratiques et les tendances en GRC sont également expliquées. On montre que la GRC est une activité de gestion dans laquelle les systèmes d'information jouent un rôle essentiel. Les systèmes d'information sont considérés comme des facteurs-clés dans la mise en œuvre de la GRC et comme des outils permettant aux organisations de lancer et d'exploiter des programmes de GRC fructueux.

À titre d'étudiant dans un domaine lié aux affaires, vous devez bien comprendre le rôle instrumental des systèmes d'information pour faciliter la GRC. Il est important de garder à l'esprit le fait que la GRC est d'abord et avant tout un outil d'affaires et non un outil technologique. S'ils sont utiles et même, selon certains, nécessaires, les systèmes d'information viennent étayer la GRC, mais ils ne représentent pas la GRC elle-même. Il s'agit là d'une distinction importante. Par exemple, tous les avantages qu'un système de GRC apporte à une organisation peuvent être facilement annulés par un employé, un partenaire ou un fournisseur malavisé. Celui-ci peut, par ses actions ou ses paroles, montrer que l'organisation ne comprend pas ses clients ou les ignore. Un système d'information peut aider une organisation à mettre en œuvre de manière adéquate et effective la GRC. Toutefois, en dernière analyse, c'est la façon dont le personnel, les partenaires et les fournisseurs d'une entreprise interagissent avec les clients, directement ou non, qui illustre véritablement la capacité de cette entreprise à promouvoir et à entretenir de saines relations avec sa clientèle.

Comment l'entreprise Fairmont Hotels & Resorts tire-t-elle parti de la relation client ?

Ce cas montre de quelle façon une organisation s'est servie d'une solution de GRC pour résoudre des problèmes liés à l'information.

L'histoire de Richard

Richard Wilson a beaucoup aimé son séjour à l'hôtel Fairmont Vancouver Airport. Il venait de s'inscrire au programme de reconnaissance de la clientèle de la chaîne hôtelière, le President's Club, mais, à son arrivée à l'hôtel, il ne se souvenait plus de son numéro de programme de fidélisation. En fin de compte, il n'a pas eu besoin de s'en rappeler. L'employé de l'hôtel lui a simplement demandé de donner son nom de famille et le nom de son employeur, après quoi il a pu consulter le dossier de Richard dans le système informatique de l'hôtel. Ayant affiché son dossier à l'écran, l'employé de l'hôtel a vite remarqué que l'information relative à l'employeur de Richard n'était plus à jour et que sa carte de crédit deviendrait périmée dans moins de 30 jours. Il a alors demandé à Richard de laisser sa nouvelle carte d'affaires à la réception afin que ses renseignements personnels soient mis à jour dans son dossier après son enregistrement à l'hôtel. Richard a vraiment été impressionné par l'attention personnelle qui lui a été accordée, tout en souhaitant que d'autres entreprises offrent un service d'aussi bonne qualité[35].

Un programme de reconnaissance de la clientèle

Fairmont se réjouirait de l'enthousiasme qu'éprouve Richard. Elle a adopté ce programme de reconnaissance de la clientèle dans le but d'offrir des avantages et des privilèges particuliers à ses clients, de refléter les préférences de voyage individuelles et de donner un service de meilleure qualité. La difficulté d'y parvenir, toutefois, découle directement de la taille de Fairmont. Fairmont Hotels & Resorts est un des principaux propriétaires et exploitants de centres de villégiature et d'hôtels de luxe dans le monde. Par l'entremise de ses divers *holdings*, Fairmont est la plus importante société de gestion d'hôtels de luxe en Amérique du Nord, avec plusieurs hôtels de villégiature et hôtels urbains distinctifs au Canada, dont The Fairmont Banff Springs en Alberta, Fairmont Le Château Frontenac à Québec et The Fairmont Algonquin au Nouveau-Brunswick.

Avec un si vaste réseau d'hôtels et de centres de villégiature, Fairmont comprend que les systèmes d'information jouent un rôle crucial dans le succès d'un programme de fidélisation de la clientèle comme le President's Club ou de son initiative de relations avec la clientèle dénommée « Fairmont Gold ».

Regrouper l'information sur la clientèle

On peut trouver un exemple précis de regroupement de l'information sur la clientèle dans la façon dont l'entreprise a procédé dans l'ensemble de ses hôtels et centres de villégiature. Lorsque la compagnie Canadien Pacifique s'est départie de Fairmont, qui est devenue une entreprise indépendante, celle-ci a mis sur pied un dépôt central d'information sur les besoins de ses clients, tels que leurs préférences pour la taille du lit, le degré de proximité des chambres par rapport aux ascenseurs, l'offre de journaux locaux ou nationaux et les activités susceptibles de les intéresser. Mais un problème a surgi : à cette époque, chaque hôtel gérait sa propre base de données sur ses clients et ne voyait aucun avantage à partager cette information avec d'autres. Fairmont a alors mis sur pied une base de données centralisée qui regroupait l'information se trouvant dans tous ses différents systèmes de gestion. Dès lors, elle a pu disposer d'un portrait centralisé et cohérent de chaque client, quel que soit l'hôtel où il séjournait. Selon Sean Taggart, directeur général des services du marketing de Fairmont, le projet visait avant tout à réunir l'information sur les clients de Fairmont dans le but d'offrir à chacun un meilleur service et un séjour sur mesure à n'importe quel hôtel Fairmont. De plus, d'après Taggart, la base de données sur la clientèle permettait aux hôtels de mieux connaître leurs clients et de mieux interagir avec eux, de les servir en fonction de leurs préférences et de leurs intérêts, qu'il s'agisse de clients réguliers ou de clients se présentant pour la première fois à un hôtel Fairmont[36].

Améliorer l'expérience des clients

Fairmont s'est engagée à faire bénéficier ses clients des bienfaits des systèmes d'information de pointe dans ses hôtels, afin de rendre leur séjour plus agréable et d'améliorer ses relations avec la clientèle. Par exemple, la chaîne a choisi Superclick pour offrir, 24 heures sur 24 et 7 jours sur 7, un service d'aide à ses clients désirant utiliser Internet haute vitesse dans tous ses hôtels et centres de villégiature dans le monde. Grâce à Superclick, les clients se servant de leur ordinateur portable dans l'un ou l'autre hôtel Fairmont ont le même accès à Internet que s'ils étaient chez eux ou au bureau[37].

Fairmont se sert aussi des systèmes d'information pour améliorer ses relations avec ses clients et bonifier leur séjour d'une autre façon : au moyen de kiosques d'enregistrement en libre-service. Par exemple, à son hôtel de Toronto, Fairmont invite ses clients à se présenter à tel kiosque pour s'enregistrer, prendre possession des clés de l'hôtel et même choisir leur chambre. Après avoir inséré sa carte de crédit à l'endroit prévu à cette fin dans le kiosque, un client n'a plus aucun renseignement personnel à fournir. À son départ, le client peut payer sa note au kiosque, y laisser les clés et même obtenir une carte d'embarquement pour tout vol d'Air Canada avant de se diriger vers l'aéroport. Fairmont a élargi les possibilités d'interaction des clients avec elle par l'entremise de l'application Fairmont Hotels and Resorts pour iOS. Cette application permet aux clients non seulement de se renseigner sur les offres de Fairmont, mais aussi de choisir un hôtel, de faire des réservations et de bénéficier d'offres spéciales[38].

Parce qu'elle connaît mieux ses clients, Fairmont est en mesure de planifier la demande pour ses chambres selon les catégories de clients. Les prévisions ainsi formulées donnent à chaque hôtel Fairmont un aperçu plus complet de la demande de chambres anticipée par segment de marché, ce qui permet à la chaîne de générer des tarifs-cibles réalistes à l'intention de ses clients[39].

En tirer des enseignements

Quels enseignements peut-on tirer du fait d'exploiter l'information sur la clientèle ? Pour y parvenir, les organisations doivent d'abord comprendre que l'information sur la clientèle doit être analysée et interprétée pour mieux connaître ses besoins, ses attentes, ses intérêts et ses motivations. Cette connaissance peut être extraite de quatre sources de données sur la clientèle : 1) l'information énoncée (ce que les clients disent); 2) l'information observée (le comportement des clients); 3) l'information issue de transactions (ce que les clients achètent et le moyen utilisé pour y arriver); 4) l'information inférée (ce que les clients feront probablement).

Comme on l'a vu précédemment, la chaîne Fairmont Hotels & Resorts semble tirer le meilleur parti possible de l'information sur la clientèle. Avec ses utilisations stratégiques des systèmes d'information, comme son dépôt centralisé de données sur les clients, elle a montré que les systèmes d'information peuvent être employés à bon escient. Ces systèmes permettent de recueillir l'information voulue sur la clientèle, et cette information peut ensuite servir à améliorer les relations avec la clientèle et les services qui lui sont offerts. Le tout s'est traduit en profits véritables pour l'entreprise. Par exemple, Fairmont recourt à sa base de données d'information sur la clientèle pour prévoir à quel moment elle devrait lancer des campagnes de promotion. Un hiver, elle a utilisé la base de données pour offrir une promotion (une troisième nuit gratuite à l'hôtel) diffusée par voie postale directe et par courriel à l'intention de clients choisis ayant précédemment séjourné dans un hôtel de la chaîne. Cette promotion a engendré la vente de quelque 20 000 nuitées durant une période traditionnellement peu achalandée[40].

Questions

1. Comment le Service du marketing de Fairmont peut-il se servir de la gestion opérationnelle de la relation client pour consolider les relations de l'entreprise avec ses clients ?

2. Comment le Service à la clientèle de Fairmont peut-il se servir de la gestion opérationnelle de la relation client pour consolider les relations de l'entreprise avec ses clients ?

3. Passez en revue toutes les technologies de gestion opérationnelle de la relation client et déterminez laquelle créerait la plus grande valeur ajoutée pour Fairmont.

4. Quels avantages Fairmont tire-t-elle de l'emploi de la gestion analytique de la relation client ?

5. Comment Fairmont se sert-elle de la GRC pour accroître son efficience dans son domaine d'activité ?

ÉTUDE DE CAS 9.2

L'objectif : la gestion de la relation client et les mégadonnées

Ce cas montre comment l'entreprise américaine Target utilise la GRC pour attirer des consommateurs et les inciter à devenir des clients à long terme.

Les consommateurs ne font pas tous leurs achats dans un seul magasin. Ils achètent plutôt des jouets dans un magasin de jouets et la nourriture à l'épicerie. Ils se rendent au magasin Target lorsqu'ils ont besoin des articles qu'ils associent à l'entreprise. Il en est ainsi même si Target vend de tout, du lait aux vêtements et des meubles de jardin aux appareils électroniques. Target vise à convaincre les consommateurs que c'est le seul magasin où ils ont vraiment besoin d'aller, mais il est difficile de faire passer un tel message, car les habitudes d'achat des consommateurs sont très profondément ancrées en eux.

Ayant compris que les jeunes parents représentent le « saint Graal » d'un détaillant, Target repère les consommateurs qui sont dans cette période de leur vie où leur quotidien est généralement bouleversé et où surgit la possibilité qu'ils modifient leurs habitudes d'achat. Cette période se produit après la naissance d'un enfant, parce que les jeunes parents sont plus souvent épuisés. Dans un tel état d'esprit, leurs habitudes d'achat et leur fidélité à des marques sont ébranlées et peuvent être réorientées. Puisque les registres des naissances sont généralement des documents publics, les jeunes parents sont rapidement assaillis, après la naissance d'un enfant, par une masse d'offres et de publicités en provenance des entreprises les plus diverses. Pour en tirer un avantage, Target doit les joindre encore plus rapidement, avant que les autres détaillants ne sachent que la naissance de leur enfant est imminente. Au moyen de publicités spécialement conçues à cette fin, Target veut joindre les femmes pendant leur deuxième trimestre de grossesse, lorsque la plupart de ces futures mères commencent à acheter des vitamines prénatales et des vêtements de maternité.

Selon Andrew Pole, de Target, « nous savions que, si nous pouvions les repérer au cours de leur deuxième trimestre de grossesse, il était bien possible que nous puissions les avoir comme clientes pendant des années. Dès que nous les amenons à acheter des couches chez nous, elles achèteront aussi tout le reste chez nous. Si vous traversez le magasin à la recherche de biberons et que vous passez devant le jus d'orange, vous en prendrez un contenant, sans parler du nouveau DVD que vous voulez et que vous apercevrez au passage. Peu après, vous reviendrez pour acheter des céréales et des essuie-tout, et d'autres choses par la suite. »

Nombreux sont ceux qui jugent cette approche un peu « troublante », si bien que Target a commencé à modifier sa stratégie de vente. L'entreprise regroupe des bons de réduction pour du vin et des tondeuses à gazon avec d'autres bons de réduction pour des tétines pour bébé et des lingettes pour bébé. Grâce à cette stratégie, les femmes enceintes utilisent les bons de réduction sans réaliser que Target sait qu'elles sont enceintes. Comme Pole l'a raconté à *The New York Times Magazine*, « même quand on respecte les lois, on fait parfois des choses qui incommodent les gens ».

Depuis des décennies, Target recueille de grandes quantités de données sur chaque personne qui fréquente régulièrement ses magasins. Lorsque c'est possible, Target attribue à chaque client un code unique (numéro personnel du client) par l'entremise duquel tous ses achats sont consignés. « Lorsqu'un client utilise sa carte de crédit, échange un bon de réduction, répond à un sondage, demande un remboursement

par la poste, appelle au Service d'aide à la clientèle, regarde le courriel que nous lui avons envoyé ou visite notre site Web, nous consignons la démarche faite et l'associons à son code unique, explique Pole. Nous voulons recueillir tous les renseignements possibles au sujet des clients. » Target est ensuite en mesure d'assortir les données démographiques (âge, état civil, lieu du domicile, etc.) à chaque client au moyen de son code unique. En outre, Target peut aussi acheter des données qui portent sur des facteurs comme :

- l'origine ethnique ;
- la scolarité ;
- les emplois occupés ;
- l'année d'achat de la maison ;
- une déclaration de faillite ;
- l'état civil ;
- les marques favorites ;
- les dons de charité ;
- les magazines favoris ;
- les convictions politiques.

Toute cette information est dépourvue de sens jusqu'à ce qu'elle soit analysée et qu'on en tire des conclusions. C'est là qu'interviennent les membres du Service d'analytique de marketing pour les clients de Target, qui recourent alors à l'« analytique prévisionnelle ». Celle-ci permet à Target de connaître non seulement les habitudes d'achat des consommateurs, mais aussi leurs habitudes personnelles, de sorte que Target peut orienter ses ventes vers eux avec plus d'efficience. Selon Eric Siegel, un consultant et le président d'une conférence intitulée *Predictive Analytics World*, « Target a toujours été l'une des plus habiles dans ce domaine. C'est étonnant de voir tout ce qu'elle parvient à savoir sur ce que les gens pensent aujourd'hui[41] ».

Questions

1. Comment Target se sert-elle de la GRC pour amener les consommateurs à fréquenter ses magasins ?

2. Comment catégorisez-vous ce que Target fait en rapport avec les types de systèmes de GRC ?

3. Déterminez les meilleures pratiques à adopter lorsque des entreprises comme Target utilisent l'analytique prévisionnelle dans le contexte d'un système de GRC.

4. Lisez l'article de Kashmir Hill, publié le 16 février 2012 et intitulé : How Target figured out a teen girl was pregnant before her father did. Repéré le 30 mars 2014 à www.forbes.com/sites/kashmirhill/2012/02/16/how-target-figured-out-a-teen-girl-was-pregnant-before-her-father-did/. Comment réagiriez-vous dans une telle situation ?

Faire rouler les relations avec la clientèle à la société Harley-Davidson

Ce cas montre de quelle façon les technologies de l'information peuvent améliorer la relation client.

Il y a toute une mystique associée aux motos Harley-Davidson. Aucune autre marque de moto dans le monde n'a l'apparence, le son et l'allure d'une Harley-Davidson. La demande pour des motos Harley-Davidson dépasse l'offre, bien que l'entreprise produise 300 000 motos par année, qui lui rapportent des recettes de plus de 4,6 milliards de dollars américains. Pour certains modèles, les clients intéressés doivent patienter deux ans sur une liste d'attente.

L'entreprise a gagné plusieurs prix, outre le fait d'apparaître dans le haut des classements suivants :

- deuxième sur la liste des 100 meilleurs lieux de travail en technologies de l'information qu'a compilée *Computer World*;

- cinquante et unième sur la liste des 100 meilleurs employeurs qu'a compilée *Fortune*;

- première sur la liste des 5 entreprises les plus admirées dans l'industrie des véhicules motorisés qu'a compilée *Fortune*;

- première sur la liste des 10 entreprises les plus sincères qu'a compilée *Harris Interactive Report*;

- deuxième sur la liste des 10 meilleures entreprises qu'a compilée *Harris Interactive Report*.

Un tel succès découle en partie de la vision stratégique de la société Harley-Davidson en ce qui concerne le maintien et la croissance de la relation client. Harley-Davidson comprend bien que, toutes les fois qu'un client la contacte, elle a l'occasion d'établir une relation de confiance avec lui. L'entreprise sait qu'il ne suffit pas d'assembler et de vendre des motos pour concrétiser les rêves de ses clients. C'est pourquoi l'entreprise s'efforce de leur procurer des expériences inoubliables avec ses produits de grande qualité.

Une stratégie employée à cette fin a consisté à ouvrir un magasin en ligne centré sur la clientèle, à www.harley-davidson.com. Il ne faut pas perdre de vue ici l'énormité d'une telle tâche. Harley-Davidson vend à ses fidèles clients des pièces et des accessoires d'une valeur de plus de 580 millions de dollars américains. Ken Ostermann, directeur du commerce électronique et des communications à la société Harley-Davidson, reconnaît que l'entreprise pourrait hausser ses ventes de pièces et d'accessoires si elle les offrait en ligne.

Toutefois, Ostermann faisait face à un dilemme avec sa stratégie de vente en ligne : vendre directement aux consommateurs des vestes de cuir, des sacoches de moto et des T-shirts par Internet signifiait que ces ventes échapperaient aux 650 magasins de Harley-Davidson, qui comptent précisément sur ces accessoires à forte marge pour dégager des profits. Ostermann a fini par trouver la solution : mettre sur pied un magasin en ligne qui incite les consommateurs à choisir un magasin Harley-Davidson participant avant de passer une commande en ligne. C'est le magasin choisi qui est ensuite chargé d'exécuter la commande. Ainsi, cette stratégie permet aux magasins de demeurer au cœur de la démarche d'achat des clients.

Aujourd'hui, l'entreprise accueille plus d'un million de visiteurs par mois dans son magasin en ligne. Pour s'assurer que chaque client soit pleinement satisfait de sa démarche d'achat en ligne, Harley-Davidson demande aux vendeurs d'appliquer un certain nombre de règles :

- vérifier 2 fois par jour les commandes faites en ligne;

- livrer en moins de 24 heures les commandes faites en ligne;

- répondre en moins de 24 heures aux demandes des consommateurs.

Harley-Davidson a aussi adopté une autre stratégie centrée sur la clientèle : la formation du Harley's Owners Group (HOG), qui offre tout un éventail d'activités, de voyages et d'avantages à ses membres. Le HOG est le plus grand club de motocyclistes parrainé par une entreprise dans le monde, avec plus de 600 000 membres. Il constitue l'un des facteurs-clés du fort sentiment d'appartenance qu'éprouvent les propriétaires d'une moto Harley-Davidson. L'entreprise compte sur une clientèle extrêmement fidèle, ce qui constitue toujours un objectif difficile à atteindre dans n'importe domaine d'activité[42].

Questions

1. Quels sont les deux types de GRC et comment Harley-Davidson s'en est-elle servie pour devenir une entreprise centrée sur la clientèle ?

2. Laquelle des stratégies centrées sur la clientèle de Harley-Davidson est la plus importante pour l'entreprise ? Pourquoi ?

3. Évaluez la stratégie de GRC que représente le HOG et déterminez un autre avantage que Harley-Davidson pourrait offrir aux membres du HOG pour accroître la satisfaction de la clientèle.

4. Décrivez trois façons dont Harley-Davidson pourrait élargir sa clientèle en effectuant des démarches de GRC par Internet.

5. Quels avantages Harley-Davidson pourrait-elle tirer du recours à la gestion analytique de la relation client?

6. Expliquez ce qu'est la GRE et décrivez comment Harley-Davidson pourrait s'en servir pour améliorer l'efficience de ses activités d'affaires.

MES DÉCISIONS D'AFFAIRES

1. **Les stratégies de gestion de la relation client**

En moyenne, vendre un produit ou service à un nouveau client coûte six fois plus cher à une organisation que de le vendre à un client existant. En tant que copropriétaire d'un distributeur de bagages de taille moyenne, vous avez été récemment avisé que les ventes avaient diminué de 17 % en moyenne au cours des trois derniers mois. Les causes de ce déclin des ventes sont nombreuses: la faiblesse de l'économie, la méfiance engendrée par la menace d'attaques terroristes et la publicité négative qui a frappé votre entreprise en raison d'une gamme de produits défectueux. En groupe, expliquez de quelle façon la mise en œuvre d'un système de GRC peut vous aider à comprendre et à renverser le déclin des ventes. Assurez-vous de dire pourquoi un système de GRC est important pour votre entreprise et sa croissance future.

2. **Comparer les vendeurs de GRC**

En équipe, repérez dans Internet au moins un article récent d'un auteur reconnu qui compare ou classe des systèmes de GRC. Choisissez deux des systèmes mentionnés et comparez leurs fonctions et caractéristiques telles qu'elles sont décrites dans le ou les articles repérés et sur le site Web de chacune des entreprises concernées. Trouvez des références mentionnant des entreprises qui utilisent chacun de ces systèmes et qui décrivent les résultats, positifs et négatifs, de leur utilisation. Inspirez-vous des comparaisons possibles avec d'autres cas que vous trouverez et préparez un exposé à présenter en classe sur les forces et les faiblesses de chaque système. Indiquez le système que vous préférez et expliquez votre choix.

3. **Viser la fidélité des employés**

Vous êtes le directeur général de Razz, une nouvelle entreprise de recherche Web qui veut concurrencer directement Google. L'entreprise a connu une première année exceptionnelle et reçoit actuellement plus de 500 000 visites par jour de la part de clients situés aux quatre coins du monde. Vous avez embauché 250 personnes depuis 4 mois, ce qui a fait doubler la taille de votre entreprise. Avec autant de nouveaux employés embauchés si rapidement, vous vous interrogez, un peu inquiet, sur l'évolution de votre culture d'entreprise et vous vous demandez si vous accordez assez d'attention à vos employés. Vous connaissez déjà bien la GRC et vous savez de quelle façon les systèmes peuvent aider une organisation à établir de solides relations avec sa clientèle. La GRE vous est cependant peu familière, et vous aimeriez savoir ce que des systèmes de GRE pourraient apporter à votre entreprise et à votre personnel. À la suite d'une recherche dans Internet, rédigez un rapport décrivant les caractéristiques et fonctions des systèmes de GRE. Déterminez quelle serait la valeur ajoutée pour votre organisation si vous décidiez de mettre en œuvre une solution de GRE.

4. **La gestion de la relation employé**

Tous les nouveaux employés de Shinaberry Inn & Spa portent un maillot de bain au moment d'entrer en fonction pour faire l'essai des douches exfoliantes et des bains chauds à l'eau minérale du spa. Au Shinaberry de Saskatoon, les nouveaux employés sont accueillis avec le même toast au champagne que celui que l'hôtel offre pour attirer des planificateurs de réunions. De plus, à de nombreux hôtels de la chaîne, les nouveaux employés se font offrir, au début de leur première journée de travail, les services du valet pour garer leur voiture ou des bons à échanger contre une nuit gratuite à l'hôtel. Des groupes de discussion ayant souligné que l'empathie est un bon facteur de différenciation de services, ce programme d'accueil novateur a été mis en place il y a deux ans. Ainsi, les employés reçoivent le même traitement que celui qui est offert aux clients. L'entreprise a dès lors ajouté l'empathie aux attributs qu'elle recherche chez ses futurs employés et a créé un programme de formation qui comporte l'écoute des appels de clients ayant été enregistrés. Même son programme de voyage à prix réduit pour le personnel donne aux employés une autre occasion de mieux connaître les services offerts aux clients. Définissez un système de GRE qui aiderait Shinaberry à améliorer encore sa culture d'entreprise centrée sur le personnel. Le système de GRE imaginé doit prendre en considération tous les besoins des employés.

5. Hausser les recettes grâce à la GRC

Cold Cream est l'un des plus grands magasins de cosmétiques dans la région métropolitaine de Toronto. Les clients viennent de partout pour faire l'essai des crèmes, des lotions, des produits de maquillage et des parfums uniques du magasin. Chacun des quatre étages du magasin abrite sa propre famille de produits. L'entreprise aimerait mettre en œuvre un système de GRC pour mieux connaître ses clients et leurs habitudes d'achat. Rédigez un rapport résumant les systèmes de GRC existants et expliquez en détail comment le choix d'un tel système pourrait avoir un impact direct sur les revenus de Cold Cream.

6. Faire augmenter les profits au moyen de campagnes réussies (ou les faire diminuer)

Situé dans le centre-ville de Calgary, le Butterfly Café est un établissement très populaire qui offre des cafés spécialisés, des thés et des fruits et légumes biologiques. Il organise diverses activités pour attirer des clients, telles que des spectacles de musique, des lectures de poèmes, des clubs de livres, des activités caritatives et une soirée des artistes locaux. La liste de tous les participants présents à chaque activité est consignée dans la base de données du café, qui se sert de cette information pour des campagnes de marketing et qui offre des rabais additionnels aux clients régulièrement présents aux activités.

Une entreprise spécialisée dans les bases de données de marketing, TheKnow, a proposé au Butterfly Café de lui verser une importante somme pour accéder à sa base de données sur sa clientèle, qu'elle vendra ensuite à d'autres entreprises locales. La propriétaire du Butterfly Café, Mary Sanders, est venue vous consulter. Elle n'est pas sûre que ses clients aimeraient qu'elle vende leurs coordonnées personnelles et elle voudrait savoir dans quelle mesure l'achalandage de son café en serait touché. Cependant, la somme que lui propose TheKnow suffirait à financer l'aménagement du nouveau patio qu'elle veut absolument ajouter dans la cour du café. TheKnow a promis à Mary que la vente de sa base de données demeurerait entièrement confidentielle. Que devrait faire Mary?

7. L'appui donné aux clients

CreativeThought est une entreprise électronique qui vend du matériel et des accessoires d'artisanat par Internet. Vous venez d'entrer en fonction à titre de vice-président du Service à la clientèle et vous dirigez une équipe de 45 représentants de ce service. À l'heure actuelle, la seule source de service à la clientèle est le numéro de téléphone sans frais mis à la disposition des clients, et l'entreprise reçoit une énorme quantité d'appels au sujet des produits, des commandes et des conditions de livraison. Le temps d'attente moyen pour un client voulant parler à un représentant du Service à la clientèle est de 35 minutes. Des commandes sont annulées, et CreativeThought perd des clients à cause des insuffisances de son service à la clientèle. Formulez une stratégie qui améliorera le service à la clientèle de CreativeThought et remettra l'entreprise sur la bonne voie.

NOTES DE FIN DE CHAPITRE

1. Bonde, Allain. (2010, 29 avril). Twitter customer service: Three use cases for more social CRM. Repéré le 26 mars 2014 à http://searchGRC.techtarget.com/news/2240018228/Twitter-Customer-Service-Three-Use-Cases-for-More-Social-CRM, repéré le 26 mars 2014 à https://twitter.com/comcast, repéré le 26 mars 2014 à https://twitter.com/WestJet et repéré le 26 mars 2014 à https://twitter.com/BirtyGuy; Solis, Brian. (2011, 10 juin). The Twitter paradox. Repéré le 26 mars 2014 à www.briansolis.com/2011/06/the-twitter-paradox/, repéré le 30 mars 2014 à https://twitter.com/BMCProTeam, repéré le 30 mars 2014 à https://twitter.com/Ride_Argy et repéré le 30 mars 2014 à https://twitter.com/Shop_Argyle.

2. Customer success. (s.d.). Repéré le 5 mai 2003 à www.siebel.com

3. Kaiser's diabetic initiative. (s.d.). Repéré le 15 novembre 2003 à www.businessweek.com

4. Laycock, Bill. ATB financial, communication personnelle. (2013, mars); ATB financial uses Unica to bring powerful consistency and value to marketing. (2009). Repéré le 7 août 2011 à www.unica.com/documents/us/Unica_CaseStudy_ATB_100109.pdf; Our business. (2014, mars). Repéré le 9 mars 2014 à www.atb.com/about/Pages/our-business.aspx

5. Loveman, Gary. (2003, mai). Diamonds in the data mine. *Harvard Business Review*; About us. (s.d.). Repéré le 8 août 2011 à www.caesars.com/corporate/about-us.html

6. Managed CRM. (s.d.). Repéré le 7 août 2011 à www.teluscentral.com/application_services/managed_CRM_faq.html

7. Anderson, Alex. (2005, 9 septembre). Credit union hopes Web services will improve customer experience. *Computing Canada. 31*(12). p. 13.

8. Gordon, Ian et Wente, Connie. (2001, novembre-décembre). Customer relationship management at CCL. *Ivey Business Journal, Best Practice.* p. 23-25.

9. Giving voice to customer-centricity reaps big ROI for Barclays. (s.d.). Repéré le 8 août 2011 à www.databasesystemscorp.com/tech-telemarketing_mortgage_52.htm

10. When banks use CRM technology, customer service improves. (2013, 28 février). Repéré le 9 mars 2014 à www.forbes.com/sites/microsoftdynamics/2013/02/28/banking-driving-more-profitable-customer-relationships-by-using-CRM/

11. Sol melia. (2010). Repéré le 8 août 2011 à www.infor.com/company/customers/inforGRC/

12. Playground real estate realizes significant returns from successful CRM strategy using maximizer. (2007, 13 février). *Electronic News Publishing.*

13. Enterprise holdings fact sheet December 2010. (2010). Repéré le 8 août 2011 à www.enterpriseholdings.com/siteAssets/Enterprise_Holdings_fact_sheets_DEC_2010.pdf; Culture of customer service. (s.d.). Repéré le 8 août 2011 à http://aboutus.enterprise.com/customer_service.html

14. Bell Canada's phenomenal success with CRM. (s.d.). Repéré le 7 août 2011 à www.CRMinfoline.com/CRM-articles/CRM-bell-canada.htm

15. Avnet brings IM to corporate America with Lotus instant messaging. (s.d.). Repéré le 14 juin 2010 à http://my.advisor.com/doc/12196

16. Computershare. (s.d.). Repéré le 7 août 2011 à www.nice.com/content/video/computershare

17. Documedics. (s.d.). Repéré le 10 juillet 2003 à www.siebel.com

18. Angel, Bob. (2002, janvier-février). Relationship results. *CA Magazine.* Repéré le 23 mars 2007 à www.camagazine.com/index.cfm?ci_id=6764&la_id=1

19. Evans, Bob. (2005, 7 février). Business technology: Sweet home. *InformationWeek*; Scores by industry–banks. (s.d.). Repéré le 8 août 2011 à www.theacsi.org/index.php?option=com_content&view=article&id=147&catid=&Itemid=212&i=Banks

20. Customer Success–UPS. (s.d.). Repéré le 5 avril 2003 à www.sap.com

21. Noble, Kimberly, Laver, Ross, MacLean, Michael et Schofield, John. (1998, 17 août). The data game. *Maclean's, 111*(33). p. 14-19. Repéré le 8 août 2011 à www.airmiles.ca/arrow/SponsorDirectory?filter=1100001%3AFeatured+Sponsors__Commanditaires+en+vedette#featuredTop

22. Mendleson, Rachel. (2012, 24 avril). Air Miles aims to reward eco-friendly choices with "Change Canada" campaign. Repéré le 23 mars 2014 à www.huffingtonpost.ca/2012/04/24/air-miles-for-social-change_n_1447717.html; Air Miles–my planet. (s.d.). Repéré le 23 mars 2014 à www.airmiles.ca/arrow/MyPlanet?splashId=6800056&changeLocale=en_CA; Air Miles aims to reward eco-friendly choices with "Change Canada" campaign. (s.d.). Repéré le 23 mars 2014 à http://neia.org/air-miles-aims-to-reward-eco-friendly-choices-with-change-canada-campaign/; Sobeys lights the way on creating a more energy efficient Nova Scotia. (2011, 18 septembre). Repéré le 23 mars 2014 à www.newswire.ca/en/story/842997/sobeys-lights-the-way-on-creating-a-more-energy-efficient-nova-scotia

23. Customer success–brother. (s.d.). Repéré le 12 janvier 2004 à www.sap.com

24. Thompson, Ed. (2009, 23 juillet). Applying Gartner's eight building blocks of CRM. *Gartner Research.* G00169547.

25. Kaila, Isher. (2006, 2 octobre). The role of a CRM manager after an implementation. *Gartner Research.* G00142254.

26. Maoz, Michael. (2009, 7 juillet). CRM performance metrics that matter most in the contact center. *Gartner Research.* G00168499.

27. Columbus, Louis. (2013, 18 juin). Gartner predicts CRM will be a $36B market by 2017. Repéré le 22 février 2014 à www.forbes.com/sites/louiscolumbus/2013/06/18/gartner-predicts-GRC-will-be-a-36b-market-by-2017/

28. Blattburg, Eric. (2014, 11 février). The top 10 customer relationship management services. Repéré le 22 février 2014 à http://venturebeat.com/2014/02/11/top-10-GRC-services/

29. Beal, Barney. Top 15 CRM vendors, emerging trends revealed. Repéré le 28 mars 2007 à http://SearchCRM.com

30. HBOS gains a clear view of procurement after merger. (s.d.). Repéré le 8 août 2011 à www.kalido.com/Collateral/Documents/English-US/CS-HBOS plc.pdf

31. Repéré le 9 septembre 2009 à www.staralliance.com/en/travellers/index.html; repéré le 8 août 2011 à www.staralliance.com/en/about/airlines/

32. Repéré le 8 août 2011 à http://corp.canadiantire.ca/EN/Pages/default.aspx

33. Customer success. (s.d.). Repéré en juin 2005 à www.rackspace.com

34. Attaran, Mohsen. (2007). RFID: An enabler of supply chain operations. *Supply Chain Management: An International Journal, 12.* p. 249-257.

35. Holloway. Andy. (2005, 18 juillet). The customer is king. *Canadian Business, 78*(14-15). p. 62-65.

36. *Ibid.*

37. Fairmont Hotels & Resorts selects superclick to further enhance. (2006, 2 février). *Market News Publishing.*

38. Knight, Jane. (2005, 13 août). How to avoid the angry man with the big bill bar–a modern mystery solved. *The Times.* Section Travel 2. Repéré le 30 mars 2014 à https://itunes.apple.com/ca/app/fairmont-hotels-resorts/id386982247?mt=8

39. Kirby, Adam. (2008, février). Getting the missing business. *HOTELS*. p. 55-56.

40. Holloway, Andy. (2005, 18 juillet). The customer is king. *Canadian Business, 78*(14-15). p. 62-65.

41. Duhigg, Charles. (2012, 16 février). How companies learn your secrets. Repéré le 24 mars 2014 à www.nytimes.com/2012/02/19/magazine/shopping-habits.html?pagewanted=all; Hill, Kashmir. (2012, 16 février). How Target figured out a teen girl was pregnant before her father did. Repéré le 30 mars 2014 à www.forbes.com/sites/kashmirhill/2012/02/16/how-target-figured-out-a-teen-girl-was-pregnant-before-her-father-did/; Marwick, Alice E. (2014, 9 janvier). How your data are being deeply mined. Repéré le 30 mars 2014 à www.nybooks.com/articles/archives/2014/jan/09/how-your-data-are-being-deeply-mined/

42. Repéré le 10 octobre 2003 à www.investor.harley-davidson.com; Caldwell, Bruce, (s.d.). Harley-Davidson revs up IT horsepower. Internetweek.com, repéré le 7 décembre 2000; Computerworld 100 best places to work in IT 2003. (2003, 9 juin). *Computerworld*, p. 36-48; Zimdars, Leroy. Supply chain innovation at Harley-Davidson: An interview with Leroy Zimdars. (2000, 15 avril). *Ascet 2*; Customer trust: Reviving loyalty in a challenging economy. (2002, 19 septembre). Pivotal Webcast; Harley-Davidson announces go-live: Continues to expand use of manugistics supplier relationship management solutions. (s.d.). Repéré le 7 mai 2002 à www.manugistics.com; Villareal, Roger. (s.d.). Docent enterprise increases technician and dealer knowledge and skills to maximize sales results and customer service. Repéré le 13 août 2012 à www.docent.com

Les exigences des systèmes d'information et leurs élaborations

5 PARTIE

La partie 5 traite de quelques-unes des exigences associées aux systèmes d'information, par exemple en matière de confidentialité et de sécurité. On y explique aussi de quelle façon les organisations intègrent ces exigences lorsqu'elles élaborent et développent des systèmes d'information. Le travail est complexe et requiert une compréhension approfondie des besoins des utilisateurs et de l'infrastructure informatique de l'entreprise. Il convient de renforcer la capacité de traduire les exigences des utilisateurs en une réalisation technique leur facilitant la tâche. Celle-ci, pour être menée à terme, nécessite une planification poussée et la mise à contribution des compétences de chacun. Bref, voilà qui est plus facile à dire qu'à faire ! Trop souvent, les projets de développement d'un système d'information sont la cible de critiques parce qu'ils dépassent les budgets et les échéances prévus ou n'offrent pas toutes les fonctions voulues.

L'objectif de cette partie de l'ouvrage consiste notamment à analyser les différentes façons d'élaborer un système d'information au sein d'une organisation. On y décrit les obstacles à surmonter en cours d'élaboration et les avantages que présente un tel système lorsque ce dernier est mis au point conformément à de bons principes de conception et à des pratiques de gestion éprouvées, sans omettre la protection de l'information qu'il contient.

Le traitement de l'information est abordé en premier lieu dans cette partie. En tant que ressource organisationnelle essentielle, l'information doit être protégée contre toute altération et utilisation malavisées. À cette fin, il faut prendre en compte les facteurs éthiques concernant la collecte, le stockage et l'utilisation de l'information. Il est aussi nécessaire de protéger la confidentialité de l'information et de s'assurer que celle-ci est à l'abri de toute attaque et de tout accès non autorisé.

On donne ensuite un aperçu du développement des applications en entreprise et du cycle de vie utile traditionnel du développement d'un système qui sert à la mise au point d'un système d'information. Le développement d'un tel système comme il est envisagé dans la perspective de la gestion de projet est également présenté.

Enfin, dans cette partie, on examine en quoi le bon fonctionnement et le succès d'un système d'information relèvent des différentes architectures d'entreprise. Y sont également décrites les tendances en matière d'architecture qui révolutionnent actuellement le déploiement des systèmes d'information dans les entreprises.

10

CHAPITRE

La sécurité, la confidentialité et l'éthique de l'information

OBJECTIFS D'APPRENTISSAGE

10.1 Expliquer la notion d'éthique de l'information et son importance en milieu de travail.

10.2 Préciser la notion de confidentialité de l'information et souligner les différences entre les lois relatives à la confidentialité qui sont en vigueur dans le monde.

10.3 Mettre en évidence la diversité des politiques de confidentialité et d'éthique de l'information en milieu de travail.

10.4 Décrire la notion de sécurité de l'information et expliquer pourquoi les individus forment la première ligne de défense pour la protection de l'information.

10.5 Examiner de quelle façon les technologies de l'information peuvent améliorer la sécurité de l'information.

MA PERSPECTIVE

Le présent chapitre porte sur la protection de l'information contre de possibles utilisations malavisées. Une organisation doit s'assurer de recueillir, saisir, stocker et utiliser l'information d'une manière éthique. Il est question ici de toute l'information recueillie et utilisée, y compris celle qui concerne les clients, les partenaires et les employés. Les entreprises doivent veiller à ce que les renseignements personnels recueillis au sujet d'un individu demeurent confidentiels, non seulement parce qu'il est correct d'agir ainsi, mais aussi parce que la loi canadienne l'exige. En outre, ce qui est peut-être encore plus important, l'information doit être conservée en sécurité pour prévenir tout accès et toute diffusion et utilisation possibles par des sources non autorisées.

À titre d'étudiant dans un domaine lié aux affaires, vous devez bien saisir les enjeux en matière de sécurité, de confidentialité et d'éthique de l'information, car ce sont les plus importantes préoccupations des clients actuellement. Ces dernières influent directement sur la propension d'un client à adopter ou non les technologies électroniques et à effectuer des transactions sur le Web. En ce sens, elles influent sur le résultat net des entreprises. On peut facilement le constater à la lumière de récents reportages évoquant la chute spectaculaire du cours de l'action de certaines organisations par suite d'un non-respect de la sécurité et de la confidentialité de l'information ayant été rendu public. Les organisations peuvent aussi être la cible de poursuites judiciaires lorsqu'elles enfreignent leurs obligations relatives à l'éthique, à la confidentialité et à la sécurité du traitement de l'information.

Mise en contexte

Le travail de la commissaire à la protection de la vie privée du Canada

La commissaire à la protection de la vie privée du Canada est chargée de l'application de la *Loi sur la protection des renseignements personnels et les documents électroniques* (LPRPDE). Les Canadiens peuvent déposer une plainte officielle auprès de la commissaire s'ils estiment qu'une entreprise a enfreint l'une ou l'autre des dispositions de la loi.

La plainte

Un individu a demandé que son nom soit supprimé de la liste d'envoi d'un service de rencontres en ligne et que les renseignements personnels à son sujet soient effacés après l'annulation de son abonnement. Il a néanmoins continué à recevoir des courriels de marketing. En vertu de la LPRPDE, il a également demandé d'accéder à son profil personnel que détenait le service de rencontres en ligne. On lui a alors répondu que le service de rencontres était le propriétaire des renseignements personnels en question et qu'il n'avait pu trouver le profil dans aucune base de données.

L'enquête

Lorsque la commissaire à la protection de la vie privée a amorcé son enquête, le propriétaire du service de rencontres a prétendu que tous les renseignements personnels au sujet du plaignant avaient été supprimés des systèmes informatiques du service, que les documents papier contenant ces renseignements avaient été déchiquetés et que le service avait envoyé au plaignant son profil personnel en ligne. Pendant le déroulement de l'enquête, le service de rencontres a été vendu, et son nouveau propriétaire a acquis tous les profils et toutes les coordonnées des clients.

Lorsque le commissariat a contacté le nouveau propriétaire, il est apparu que les renseignements personnels au sujet du plaignant avaient été transférés au nouveau propriétaire, y compris son profil et son adresse de courriel. Le nouveau propriétaire a alors permis au plaignant d'accéder à une partie des renseignements personnels à son sujet, mais pas aux photographies que le plaignant avait envoyées au service de rencontres, car le nouveau propriétaire les avait supprimées du système. Peu après, tous les renseignements personnels concernant le plaignant ont aussi été supprimés du système. Après avoir reçu la confirmation de la destruction des renseignements personnels à son sujet, le plaignant a communiqué avec la commissaire afin de savoir si le service de rencontres avait ou non conservé ces renseignements assez longtemps pour que le plaignant puisse épuiser tous ses recours en vertu de la loi.

Les constatations de la commissaire à la protection de la vie privée

Le plaignant a allégué que le service de rencontres ne lui avait pas donné accès à tous les renseignements personnels à son sujet. Il a aussi reçu des courriels de marketing qui, prétendait-il, montraient que le service de rencontres n'avait pas respecté sa demande de cesser la collecte, l'utilisation et la diffusion des renseignements personnels à son sujet après l'annulation du contrat.

L'enquête a révélé que le service de rencontres :

- avait empêché le plaignant d'accéder aux renseignements personnels à son sujet ;
- n'avait pas respecté le délai de 30 jours défini dans la loi ;
- avait restreint la possibilité pour le plaignant d'exercer tous ses recours, car il avait détruit les photographies ;
- avait conservé les renseignements personnels du plaignant même s'il avait cessé de lui offrir ses services de rencontres ;
- avait continué d'utiliser les renseignements personnels du plaignant, notamment son adresse de courriel, pour lui envoyer des courriels de marketing, même si le plaignant avait clairement retiré son consentement à cette fin.

De plus, le service de rencontres ne s'était doté d'aucune politique de confidentialité au moment où le plaignant a commencé à faire appel à ses services. À la suite de l'enquête, le nouveau propriétaire a affiché sa politique de confidentialité sur le site Web du service. Il était également devenu manifeste que le service de rencontres n'avait pas protégé les renseignements personnels au sujet du plaignant.

Les enseignements tirés de ce cas

Les enseignements à tirer de ce cas sont les suivants :

- Les organisations doivent faire connaître aux individus l'existence, l'utilisation et la diffusion des renseignements personnels à leur sujet. Les individus doivent également pouvoir accéder à ces renseignements, sauf exception stipulée dans la LPRPDE.

- Le principe du consentement permet aux individus de retirer ce dernier en tout temps, compte tenu des restrictions juridiques et contractuelles prévues et de l'envoi d'un avis en ce sens dans un délai raisonnable.

- Les renseignements personnels au sujet d'une personne peuvent être conservés aussi longtemps que nécessaire aux fins définies par l'organisation concernée, jusqu'à ce que celle-ci n'en ait plus besoin. Lorsque cette période est écoulée, les renseignements doivent être détruits, effacés ou rendus anonymes. La seule exception possible survient lorsqu'une organisation possède des renseignements personnels faisant l'objet d'une demande d'accès envoyée à la commissaire à la protection de la vie privée, auquel cas ces renseignements doivent être conservés aussi longtemps que nécessaire pour permettre à l'individu d'épuiser tous ses recours relatifs à cette demande.

- Des mesures de sécurité doivent protéger les renseignements personnels contre la perte, le vol, tout accès non autorisé et toute diffusion, reproduction, utilisation ou modification. Les politiques concernant ces mesures de sécurité doivent être publiquement disponibles, et les individus doivent être en mesure d'obtenir sans effort déraisonnable l'information disponible sur les politiques et les pratiques de l'organisation[1].

10.1 La confidentialité et l'éthique de l'information

Introduction

Les questions éthiques relatives aux violations du droit d'auteur et aux droits de propriété intellectuelle accaparent l'attention du monde des affaires. Les progrès technologiques permettent facilement à quiconque de tout copier, des œuvres musicales aux images. La technologie lance constamment de nouveaux défis à notre sens de l'**éthique,** c'est-à-dire l'ensemble des principes et des normes qui encadrent le comportement de chacun envers autrui. Le tableau 10.1 présente quelques-uns des concepts et des questions éthiques découlant des progrès technologiques.

Propriété intellectuelle	Œuvre créative intangible qui revêt une forme matérielle
Droit d'auteur	Protection juridique accordée à l'expression d'une idée, par exemple une chanson, un jeu vidéo et certains types de documents tabelle une œuvre littéraire
Utilisation équitable	Dans certaines situations, utilisation légale de matériel protégé par un droit d'auteur
Piratage de logiciel	Utilisation, duplication, diffusion ou vente non autorisées d'un logiciel protégé par un droit d'auteur
Logiciel contrefait	Logiciel copié de façon à ressembler à l'original et vendu sous cette apparence

TABLEAU 10.1

Questions et concepts éthiques relatifs aux technologies

Parmi les questions éthiques, une des plus importantes est celle du respect de la vie privée. Le **droit à la vie privée** désigne le droit de chacun de ne pas être importuné, d'exercer son propre contrôle sur ses biens personnels, y compris ses informations numériques, et de ne pas être observé sans son consentement. Le droit à la vie privée est lié à la **confidentialité,** soit l'assurance que les messages et l'information visés ne sont accessibles qu'à ceux qui sont autorisés à les voir. Certaines des décisions les plus problématiques que doivent prendre les organisations aujourd'hui résident dans les eaux troubles et turbulentes de la confidentialité. La difficulté se trouve dans le fait que, chaque fois qu'un employé prend une décision sur des questions relatives à la confidentialité, le résultat est susceptible de détruire l'entreprise.

La confiance entre les entreprises, les clients, les partenaires et les fournisseurs constitue l'armature même des affaires et surtout des affaires électroniques, et la confidentialité est l'un des principaux éléments constitutifs de la confiance. La confidentialité demeure l'une des plus grandes barrières pour la croissance des affaires électroniques. Nombreux sont ceux qui craignent que leurs interactions sur le Web n'entraînent des atteintes à leur vie privée. Si une organisation ne parvenait pas à assurer efficacement la confidentialité, ses clients, ses partenaires et ses fournisseurs pourraient bien perdre confiance en elle, ce qui lui ferait certainement du tort. L'encadré 10.1 montre les résultats d'une enquête de CIO illustrant en quoi les questions liées à la confidentialité sont susceptibles d'amoindrir la confiance par rapport aux affaires électroniques.

ENCADRÉ 10.1

Principales raisons pour lesquelles les questions liées à la confidentialité minent la confiance accordée aux affaires électroniques

1. Les internautes craignent les atteintes à la vie privée.
2. Ils sont « beaucoup » plus enclins à acheter un produit sur un site Web qui s'est doté d'une politique de confidentialité.
3. Le respect effectif de la confidentialité convaincrait plus d'internautes à faire des achats par Internet.

L'éthique de l'information

L'**éthique de l'information** englobe les questions éthiques et morales découlant du développement et de l'utilisation des technologies de l'information et des systèmes d'information, ainsi que de la création, de la collecte, de la duplication, de la diffusion et du traitement de l'information elle-même (avec ou sans l'aide des technologies informatiques et des systèmes d'information).

Les individus déterminent leur utilisation de l'information et les effets de cette information sur eux. L'éthique de chacun exerce une forte influence sur son comportement envers autrui et sur son attitude à l'égard de l'information, des technologies informatiques et des systèmes d'information. Les dilemmes éthiques ne surgissent généralement pas dans des situations simples et claires, mais plutôt lorsque divers objectifs, responsabilités et obligations de loyauté entrent en conflit. Il est inévitable que plus d'une décision «correcte» socialement acceptable s'offre à l'esprit au moment de résoudre de tels dilemmes. L'encadré 10.2 présente quelques exemples d'utilisations éthiquement douteuses ou inacceptables des systèmes d'information.

ENCADRÉ 10.2

Exemples d'utilisations éthiquement douteuses ou inacceptables des systèmes d'information

- Des individus copient, utilisent et diffusent des logiciels.
- Des employés consultent des bases de données d'entreprise pour trouver de l'information névralgique sur des entreprises et des personnes.
- Des organisations recueillent, achètent et utilisent de l'information sans en vérifier la validité ou l'exactitude.
- Des individus créent et disséminent des virus causant des problèmes aux utilisateurs et aux responsables des systèmes d'information.
- Des individus piratent des systèmes informatiques pour voler des renseignements exclusifs.
- Des employés détruisent ou volent des renseignements exclusifs d'intérêt commercial, comme des schémas, des dessins, des listes de clients et des rapports.

Si beaucoup de personnes justifient ou condamnent les comportements évoqués dans l'encadré 10.2, il existe pourtant peu de règles strictes qui permettent de déterminer ce qui est éthique ou non. La connaissance des lois ne règle pas toutes les questions, car ce qui est légal peut très bien ne pas être éthique, et ce qui est éthique est quelquefois illégal (*voir la figure 10.1 à la page suivante*). Du fait que la technologie et les systèmes d'information sont encore assez récents et manifestent leur présence de façon parfois inattendue, la définition précise de l'éthique relativement à l'information demeure encore inachevée. L'objectif idéal pour les organisations est de prendre des décisions qui s'inscrivent dans le quadrant I, c'est-à-dire qui sont légales et éthiques.

FIGURE 10.1

Agir éthiquement et légalement ne revient pas toujours
au même

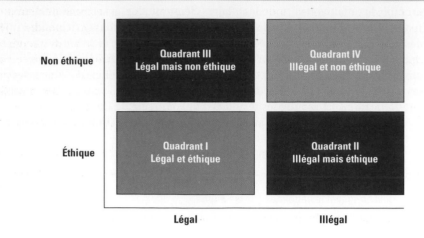

L'information n'a pas d'éthique

Jerry Rode, directeur de l'informatique à la société Saab Cars USA, a compris le désastre, dans le domaine des relations publiques, qui venait de le frapper lorsqu'il a reçu un courriel d'un client en colère. Saab avait embauché quatre entreprises de marketing Internet pour diffuser de l'information électronique sur les nouveaux modèles de Saab à l'intention de ses clients. Saab avait précisé que la campagne de marketing ne devait viser que les personnes ayant précédemment donné leur accord pour recevoir par courriel des publicités et du matériel de marketing. Malheureusement, une de ces entreprises de marketing avait une autre interprétation de ce qu'est un accord et a envoyé des courriels à tous les clients, qu'ils aient donné leur accord ou non.

Rode a mis fin au contrat le liant à l'entreprise de marketing malavisée et a immédiatement rédigé une politique officielle concernant l'utilisation de l'information sur la clientèle. « Les clients ne voient pas les agences de publicité et les entreprises de marketing que nous embauchons. Ce qu'ils voient, c'est que Saab USA leur a envoyé des pourriels, explique Rode. Rejeter le blâme sur quelqu'un d'autre après coup n'apaisera pas le mécontentement des clients[2]. »

L'information ne se gère pas d'elle-même et n'est pas porteuse d'un sens de l'éthique. On ne peut lui imputer la responsabilité de son utilisation. Elle ne cessera pas d'elle-même de se transformer en pourriels envoyés aux clients, de se partager si elle est névralgique ou personnelle ou de révéler des détails à de tierces parties. L'information ne peut être à l'origine de sa propre suppression ou conservation. Il incombe donc aux propriétaires de l'information de définir des principes directeurs éthiques sur la gestion de celle-ci.

L'éthique de l'information en milieu de travail

L'entrée et l'utilisation massives des systèmes d'information en milieu de travail ont suscité beaucoup de préoccupations d'ordre éthique pour les employeurs. Par exemple, les systèmes d'information ont réduit ou éliminé certains types d'emplois. De plus, tous les employés ne bénéficient pas nécessairement d'une nouvelle formation lorsqu'un système d'information modifie les fonctions liées à leur emplois. S'il est vrai que les systèmes d'information ont permis d'éliminer un grand nombre d'emplois et de tâches monotones au sein des organisations, ils ont également créé de nouvelles tâches tout aussi monotones. Il suffit de visiter le Service des comptes débiteurs et des comptes créditeurs de toute grande organisation pour voir des rangées d'employés dans leurs bureaux à cloisons ; ils procèdent à l'entrée manuelle de données dans des systèmes informatiques, jour après jour, toute la semaine. Rien de bien amusant.

Les systèmes et le respect de la dignité humaine

Une autre question éthique porte sur la déshumanisation des travailleurs par suite de l'installation de nouveaux systèmes d'information. Parfois, lorsque la « sagesse » des concepteurs de systèmes d'information les pousse à élaborer des systèmes qui maximisent les profits et réduisent les coûts, les nouveaux systèmes installés au sein des organisations rendent les tâches trop faciles à exécuter. Les utilisateurs perdent toute stimulation au travail ou sont obligés de ne penser à rien, et ils en viennent alors à se sentir déshumanisés. Par exemple, les manutentionnaires dans un centre de distribution Canadian Tire à Brampton (Ontario) devaient tenir en main un dispositif qui leur intimait de prendre certains articles dans un certain ordre et de les placer dans des sacs devant ensuite être chargés dans des camions. Le dispositif leur indiquait même à quel moment ils devaient « tourner à droite » ou « tourner à gauche » afin d'optimiser leur emploi du temps. Les travailleurs étaient plutôt contrariés et ont rejeté le dispositif en question, parce que celui-ci avait un effet déshumanisant et supprimait de leur emploi les activités qui rendaient leur travail plus intéressant.

Il arrive que les systèmes d'information déployés dans les organisations soient exagérément contraignants et inflexibles. Ces systèmes obligent les employés à endurer de désagréables séances de navigation devant l'écran ou à rester inactifs de longs moments entre des transactions. La mise au point de systèmes d'information dotés d'interfaces mal conçues engendre un problème éthique pour les employeurs lorsque ces derniers autorisent et approuvent ce genre de situation.

Plusieurs solutions sont envisageables pour minimiser ou atténuer ces problèmes éthiques. Par exemple, les concepteurs peuvent élaborer des systèmes d'information qui respectent l'intelligence et la dignité des travailleurs. Ils peuvent aussi associer directement les utilisateurs finaux à la mise au point de ces systèmes, afin que les interfaces utilisateur-ordinateur soient conviviales pour tous les utilisateurs futurs.

Suivre les activités des individus

Si de nombreuses technologies permettent de suivre les activités en ligne d'une personne, il existe également d'autres moyens de suivre toute activité. En milieu de travail, ces moyens peuvent toucher les employés de différentes façons (*voir l'encadré 10.3*). Prenons le cas des mises à jour de statut dans Facebook, qui informent qu'untel se rend à Las Vegas la semaine prochaine ou est éprouvé par un drame familial, comme un décès. Cette information pourrait tomber entre les mains intéressées d'éléments criminels. Un exemple extrême en est donné par l'expérience qu'a vécue Ghyslain Raza, au Québec. À l'âge de 14 ans, Ghyslain s'amusait à faire virevolter innocemment un ramasse-balle de golf dans un coin tranquille de son école secondaire en imitant Darth Maul dans *La menace fantôme*. Il s'était filmé en pleine action et avait laissé le film à l'école, où quelqu'un l'a trouvé quelques mois plus tard. Peu après, il est devenu malgré lui une vedette tristement célèbre dans Internet, connue sous le nom de « Le jeune de *La guerre des étoiles* ». Des amateurs ont ensuite ajouté de la musique et des effets spéciaux de sabres lumineux et ont créé plus d'une centaine de nouvelles versions vidéo. Le film est devenu l'un des plus populaires dans Internet et a été parodié par diverses émissions de télévision, comme *American Dad!*, *The Colbert Report* et *Arrested Development*. Ghyslain a fini par intenter des poursuites judiciaires contre les individus ayant mis la vidéo en ligne, puis les parties en cause ont conclu un règlement hors cour.

ENCADRÉ 10.3

Effets de la surveillance des employés

1. L'absentéisme au travail avait atteint en 2009 un sommet inégalé depuis plusieurs années. La leçon à en tirer est possiblement la suivante : plus d'employés s'absentent du travail pour s'occuper de leurs affaires personnelles. Perdre quelques minutes ici et là, ou même quelques heures, coûte peut-être moins cher que perdre des journées entières.

2. Des études indiquent que la surveillance électronique amoindrit la satisfaction tirée du travail, entre autres parce que les individus finissent par se dire que, en ce qui concerne leur travail, la quantité est plus importante que la qualité.

3. La surveillance électronique suscite également ce que les psychologues dénomment la « réactance psychologique », soit la tendance à se rebeller contre les contraintes. Si un patron dit à ses employés qu'ils ne peuvent pas magasiner, ni utiliser les réseaux de l'entreprise pour des raisons personnelles, ni faire d'appels téléphoniques personnels, ils vont probablement être davantage tentés de le faire.

La protection du contenu numérique

La *Loi sur la modernisation du droit d'auteur* du Canada a été adoptée et a reçu la sanction royale le 29 juin 2012. On peut prendre connaissance des dispositions de cette loi en consultant le site des publications du gouvernement du Canada à http://laws-lois.justice.gc.ca/fra/ LoisAnnuelles/2012_20/TexteComplet.html. Voici un aperçu des principaux changements apparus dans cette loi :

- la légalisation de la conversion d'un format à un autre (copier le contenu d'un dispositif dans un autre, comme d'un CD à un iPod) ;
- la légalisation du décalage, c'est-à-dire l'enregistrement d'une émission de télévision pour la regarder plus tard, mais pas pour se constituer une vidéothèque ;
- l'autorisation de faire une copie de sauvegarde d'un contenu, afin de se prémunir contre sa perte ou son altération ;
- l'autorisation d'effectuer un collage médiatique dans certaines circonstances, à condition que ce ne soit pas à des fins lucratives commerciales ;
- l'entrée en vigueur d'un système en vertu duquel un détenteur de droits d'auteur peut signaler à un fournisseur de services Internet que ses clients commettent peut-être des actes de piraterie. Le fournisseur est alors tenu d'avertir lesdits clients qu'ils enfreignent la loi relative au droit d'auteur et leurs données personnelles peuvent alors être transmises au détenteur des droits d'auteur en même temps qu'une ordonnance du tribunal ;
- la protection des moteurs de recherche et des fournisseurs de services Internet contre les atteintes au droit d'auteur que commettent leurs utilisateurs ;
- la distinction entre l'atteinte individuelle et l'atteinte commerciale au droit d'auteur en ce qui concerne les sanctions imposées. Un individu est passible d'une amende allant de 100 $ à 5 000 $, plutôt que de l'amende maximale antérieure de 20 000 $;
- la modification de l'utilisation équitable, qui englobe maintenant les visées parodiques, satiriques et éducatives ;
- la criminalisation du bris d'un verrou numérique placé sur un dispositif, un disque ou un fichier. Par exemple, un télédiffuseur pourrait présenter une émission assortie d'un verrou numérique qui rend impossible son enregistrement ou qui la supprime d'un récepteur vidéo personnel après un certain temps ; les consommateurs qui tenteraient de briser un tel verrou commettraient alors un acte illégal.

Cette loi comprend aussi des dispositions qui autorisent les enseignants et les élèves à se servir des outils technologiques numériques pour accéder plus facilement à un contenu protégé par le droit d'auteur. L'apprentissage des élèves canadiens en serait enrichi d'autant, et les enseignants pourraient faire preuve d'une plus grande créativité dans la planification de leurs cours. En contrepartie, la loi comporte des mesures protégeant les intérêts des détenteurs de droits d'auteur. Voici quelques-unes de ces mesures :

- l'élargissement de la définition de l'utilisation équitable, qui reconnaît maintenant qu'il est légitime de recourir à celle-ci à des fins éducatives dans un contexte structuré ;
- l'autorisation donnée aux éducateurs pour utiliser du contenu public disponible dans Internet, grâce à une exemption spéciale ;
- l'autorisation donnée aux enseignants pour qu'ils communiquent avec des élèves situés dans des régions éloignées au moyen d'outils d'apprentissage technologiques et l'autorisation donnée aux écoles pour qu'elles offrent les mêmes possibilités d'apprentissage aux élèves habitant dans le nord du Yukon qu'aux élèves vivant à Calgary ;
- l'autorisation donnée aux bibliothèques pour qu'elles pratiquent les prêts interbibliothèques de documents papier ou de documents disponibles sur d'autres supports.

L'**utilisation équitable** est un trait marquant de longue date de la loi canadienne sur le droit d'auteur. Celle-ci autorise certaines utilisations de documents protégés par le droit d'auteur ne portant pas atteinte aux intérêts des détenteurs de droit d'auteur et pouvant apporter d'importants bienfaits sociaux. Auparavant, l'utilisation équitable au Canada ne pouvait viser que l'un ou l'autre des cinq objectifs suivants : la recherche, l'étude personnelle, la diffusion de nouvelles, la critique et le compte rendu. La nouvelle loi reconnaît les importants bienfaits sociaux découlant de l'enseignement, de la parodie et de la satire.

En décembre 2010, Access Copyright, qui gère les autorisations d'utilisation d'œuvres protégées par le droit d'auteur au Canada, a rendu une décision qui élève fortement le coût d'obtention de ces autorisations pour des œuvres telles que des articles ou dans des cas d'utilisation en classe. De nombreuses universités canadiennes se sont retirées du programme tarifaire, ce qui a entraîné l'apparition de multiples règles concernant ce qui peut être utilisé ou non en classe à des fins de recherche, sous forme de document papier et de fichier électronique, et qui peut être transmis ou non aux étudiants par des systèmes de gestion de classe. De nombreuses universités qui se sont retirées de la nouvelle entente ont mis en œuvre leur propre système assurant le respect de la loi relative au droit d'auteur et, dans certains cas, ce système a été intégré aux systèmes de gestion de classe.

La confidentialité de l'information

La question de la protection des renseignements personnels est devenue une véritable préoccupation pour les citoyens canadiens. En avril 2014, le gouvernement du Canada a présenté un projet de loi destiné à protéger les données en ligne concernant les Canadiens. Dans l'ensemble, ce projet de loi vise à faciliter le signalement des atteintes relatives à la diffusion de données, à réglementer le partage des données personnelles entre les entreprises et à mieux définir l'utilisation des données personnelles[3].

La **confidentialité de l'information** renvoie au droit ou à la volonté générale des individus, des groupes et des organismes de déterminer eux-mêmes à quel moment ou dans quelle mesure l'information à leur sujet est communiquée à autrui. Essentiellement, la confidentialité de l'information porte sur la façon dont les renseignements personnels sont recueillis et partagés.

Les questions relatives à la collecte et au partage des renseignements personnels surgissent dans les entreprises aussitôt que des données ou des renseignements nettement identifiables au sujet d'une personne sont recueillis et stockés, et ce, quel que soit le mode de stockage utilisé. En d'autres termes, les atteintes à la confidentialité de l'information ont trait à des données et à des renseignements personnels qui sont conservés de diverses façons, par exemple sur un support électronique.

Les atteintes à la confidentialité prennent la forme d'une diffusion inappropriée de renseignements personnels. Cette dernière découle souvent d'une absence de moyens de contrôle au sein des organisations, moyens qui sont censés protéger la collecte, le stockage, l'utilisation et la diffusion des renseignements personnels. Le plus souvent, la confidentialité de l'information s'applique aux renseignements à caractère personnel au sujet d'individus, comme un dossier médical, un dossier judiciaire, des données financières (revenu, achats, habitudes d'achat), des données génétiques et des données démographiques (nom, âge, poids, taille, religion, origine ethnique, lieu de naissance, nombre de personnes à charge).

Le respect de la confidentialité de l'information ne consiste pas à empêcher la collecte et le partage de renseignements personnels. Il arrive souvent que de tels renseignements doivent être recueillis afin d'achever une transaction d'affaires. Par exemple, si un client commande un produit par Internet, l'entreprise vendeuse doit recueillir et partager, entre ses différents services ou avec des partenaires d'affaires, des renseignements personnels comme une adresse et un numéro de carte de crédit, afin de faciliter la livraison du produit commandé. En fait, le respect de la confidentialité de l'information consiste plutôt à reconnaître le caractère névralgique des renseignements personnels et à les protéger contre toute diffusion inappropriée et tout accès non autorisé.

La protection des données personnelles

Quelles sont les conséquences possibles lorsque les photos osées qu'un individu envoie à sa petite amie aboutissent sur le site d'un média social comme Tumblr, Instagram ou Facebook ? Les progrès accomplis en technologie de la reconnaissance visuelle sont tels que cet individu pourrait facilement être reconnu des années plus tard, lorsqu'il occupera un poste d'autorité. D'autre part, pourquoi les férus de technologie n'affichent-ils pas en ligne des photos de leur enfant ? Parce que de nombreuses photos numériques contiennent de l'information intégrée indiquant le moment et l'endroit où elles ont été prises. Comme toutes autres données, ces données spécifiques peuvent être extraites des photos. Elles peuvent alors révéler à une personne mal intentionnée le nom du parc où l'enfant joue avec ses amis, le trajet qu'il emprunte de l'école à la maison et même le nom de l'école qu'il fréquente.

Divers moyens simples d'utilisation s'offrent aux internautes qui veulent protéger leurs renseignements personnels. Knowthenet est une organisation britannique qui met de l'avant « *Manners on the net* » (Les bonnes manières dans Internet) et qui a mis au point une infographie se distinguant par sa simplicité[4]. Cette organisation a également produit différents tests en ligne, dont « *Threat test* » (Test sur les menaces), qui montre de quelle façon on peut dépister les arnaques en ligne. L'Association des banquiers canadiens a aussi consacré une vaste section de son site Web à l'analyse de toutes les menaces visant les ressources financières et les données personnelles, qu'on peut consulter à www.cba.ca/fr/component/content/category/42-safeguarding-your-money. Cette section est régulièrement mise à jour.

Les internautes doivent se rappeler, pendant leurs pérégrinations dans Internet, que les entreprises technologiques et d'autres cherchent toujours à obtenir le maximum de données à leur sujet : plus elles en ont, mieux elles les connaissent et plus elles peuvent les atteindre avec leurs publicités[5]. Pour favoriser le respect de la confidentialité de l'information, beaucoup de pays ont adopté des lois protégeant la collecte et le partage des renseignements personnels. Ces lois varient toutefois sensiblement d'un pays à l'autre.

L'Europe

À une extrémité du spectre, on trouve des pays européens avec leurs vigoureuses lois sur la confidentialité de l'information. Les plus notables sont les pays membres de l'Union européenne, qui adhèrent tous à une directive concernant la protection des données personnelles. Une directive est un acte législatif de l'Union européenne qui oblige les États membres à obtenir un résultat spécifique, mais sans dicter les moyens à employer à cette fin.

La directive concernant la protection des données personnelles attribue aux membres de l'Union européenne les droits suivants :

- le droit de connaître la source du traitement des données personnelles et les objectifs de ce traitement ;
- le droit individuel d'accéder aux erreurs contenues dans ses propres données personnelles et de les corriger ;
- le droit de refuser l'utilisation des données personnelles.

Ces droits relèvent de huit principes essentiels relatifs à la collecte et au partage des données personnelles. Telles qu'elles sont définies dans la directive, les données personnelles englobent tant les faits que les opinions au sujet d'un individu. Toute organisation qui traite les données personnelles d'un résidant de l'Union européenne doit se conformer aux huit principes essentiels énoncés dans la directive. En vertu de ces principes, les données :

- doivent être traitées de manière équitable et légale ;
- doivent être traitées à des fins limitées ;
- doivent être adéquates, pertinentes et non excessives ;
- doivent être exactes ;
- ne doivent pas être conservées plus longtemps que nécessaire ;
- doivent être traitées conformément aux droits accordés au sujet des données ;
- doivent être protégées ;
- ne doivent pas être transférées à des pays n'offrant pas une protection adéquate.

Ce dernier droit restreint la circulation des renseignements personnels à l'extérieur de l'Union européenne et n'autorise leur transfert qu'à des pays assurant un degré « adéquat » de protection de la confidentialité, « adéquat » signifiant ici que ces autres pays doivent offrir un degré de protection de la confidentialité qui équivaut à celui qu'a adopté l'Union européenne. Au moment de son entrée en vigueur, cette partie de la directive a suscité une certaine inquiétude, car les lois sur la protection de la confidentialité qui étaient en vigueur dans les pays non membres de l'Union européenne étaient beaucoup moins strictes. Les organisations aux États-Unis en étaient fortement préoccupées. Elles s'exposaient désormais à divers risques juridiques si les données personnelles de citoyens européens étaient transférées à des serveurs situés aux États-Unis, ce qui représente un scénario probable dans le monde actuel des affaires électroniques. Après d'intenses négociations à ce sujet, il en est résulté l'instauration d'un programme de « règles d'exonération » aux États-Unis. Ce programme offre aux organisations américaines un cadre leur permettant de démontrer qu'elles se conforment à la directive de l'Union européenne. Ainsi, les entreprises américaines peuvent proclamer elles-mêmes qu'elles respectent les principes essentiels de la directive et faire des affaires avec les pays membres de l'Union européenne sans craindre que des citoyens européens ne leur intentent des poursuites judiciaires.

Tous les États membres de l'Union européenne ont adopté des lois conformes à la directive ou ont modifié leurs lois existantes pour s'y conformer. Chaque pays possède aussi sa propre autorité de surveillance chargée de superviser le degré de protection défini dans ces lois.

Les États-Unis

À l'autre extrémité du spectre, on trouve les États-Unis, où la confidentialité de l'information n'est pas très réglementée. Aucune loi générale ne régit l'utilisation des données ou des renseignements personnels. Dans de nombreux cas, l'accès à l'information publique est considéré comme culturellement acceptable, telle l'obtention de rapports de crédit à des fins d'emploi ou de logement. L'explication est peut-être d'ordre historique : aux États-Unis, le Premier Amendement de la Constitution protège la liberté d'expression, et il arrive souvent que la protection de la confidentialité entre en conflit avec les dispositions de cet amendement.

Il existe toutefois des exceptions. Si très peu d'États reconnaissent le droit individuel à la confidentialité, l'assemblée législative de la Californie a cependant inscrit dans sa Constitution un droit inaliénable à la confidentialité et a adopté plusieurs lois visant à protéger la confidentialité de l'information relative aux citoyens. Par exemple, l'*Online Privacy Protection Act* (Loi sur la protection de la confidentialité en ligne) de la Californie, adoptée en 2003, oblige les sites Web commerciaux et les services en ligne qui recueillent des renseignements personnels sur les résidants de la Californie à afficher clairement leur politique de confidentialité sur leur site et à s'y conformer. Parmi les autres exceptions existantes figurent la *Children's Online Privacy Protection Act* (COPPA) et la *Health Insurance Portability and Accountability Act* (HIPAA).

Adoptée en 1998, la COPPA est une loi fédérale régissant la collecte de renseignements personnels relatifs aux enfants américains âgés de moins de 13 ans. Elle définit la teneur de la politique de confidentialité des sites Web, la façon d'obtenir le consentement d'un parent ou d'un tuteur et les responsabilités de l'exploitant d'un site Web en ce qui concerne la protection de la sécurité et de la confidentialité en ligne des enfants. Cette loi s'applique à tout site Web qui semble viser les enfants américains. Par exemple, si un fabricant de jouets établi au Canada veut vendre ses jouets aux États-Unis, son site Web doit se conformer aux dispositions de la COPPA qui régit la collecte et l'utilisation de renseignements. Il faut alors remplir un grand nombre de formulaires pour démontrer cette conformité. C'est pourquoi beaucoup de sites Web interdisent complètement aux mineurs d'accéder à leurs propres sites et à des communautés en ligne. L'entrée en vigueur de la COPPA a eu pour effets principaux la fermeture de certains sites Web destinés aux enfants ainsi que la décision, de la part de divers sites Web s'adressant au public en général, de n'offrir aucun service aux enfants. Le refus de se conformer aux dispositions de la COPPA peut coûter cher : en septembre 2006, le site Web Xanga a été condamné à une amende de un million de dollars américains pour avoir enfreint cette loi.

La HIPAA a été adoptée par le Congrès en 1996. Certaines dispositions de cette loi définissent des normes nationales pour l'échange électronique de données relatives à des transactions en soins de santé entre les fournisseurs de soins de santé, les compagnies d'assurance et les employeurs. Ces normes comportent des règles concernant le traitement et la protection des renseignements personnels sur les soins de santé[6].

Le Canada

Le Canada se soucie également de la protection des renseignements personnels de ses citoyens, et ses lois sur la confidentialité s'inspirent très fortement du modèle européen. La principale loi en vigueur au Canada à ce sujet est la *Loi sur la protection des renseignements personnels et les documents électroniques* (LPRPDE). Elle avait été précédée de la *Loi sur la protection des renseignements personnels* adoptée en 1983, qui imposait des restrictions au traitement des renseignements personnels au sein des seuls organismes et ministères fédéraux. Ces renseignements provenaient de sources telles que les dossiers sur les pensions et l'assurance-emploi, les dossiers médicaux, les dossiers fiscaux, les enquêtes de sécurité, les demandes de prêt étudiant et les dossiers militaires.

La LPRPDE est entrée en vigueur en janvier 2001 et, à l'instar de la *Loi sur la protection des renseignements personnels,* celle-ci ne s'appliquait alors qu'aux organisations relevant de la compétence fédérale. En janvier 2004, la portée de la LPRPDE a été élargie pour couvrir désormais tous les autres types d'organisations, y compris les entreprises à vocation commerciale. Cet élargissement a fait en sorte que le Canada se conformait ainsi à la Directive sur la protection des données personnelles dont s'était dotée l'Union européenne. À partir de janvier 2004, le Canada n'était plus tenu d'appliquer les dispositions relatives aux règles d'exonération, comme celles qui sont en vigueur aux États-Unis, aux organisations voulant recueillir et stocker des renseignements personnels sur des citoyens de l'Union européenne. Ensuite, en avril 2014, le gouvernement a fait adopter la *Loi sur la protection des renseignements personnels et les documents électroniques* (LPRPDE), qui confère à la commissaire à la protection de la vie privée des pouvoirs plus étendus et plus souples[7].

L'objectif de la LPRPDE est d'accorder aux Canadiens un droit à la confidentialité en ce qui a trait à la collecte, à l'utilisation ou à la diffusion, par une organisation, des renseignements personnels à leur sujet. Il s'agit aujourd'hui d'un droit très important, notamment dans le secteur privé, alors que les technologies de l'information facilitent de plus en plus la collecte et la libre circulation de l'information.

Les dispositions de la LPRPDE relatives à la confidentialité s'appuient sur le *Code type sur la protection des renseignements personnels* de l'Association canadienne de normalisation, reconnu en tant que norme nationale depuis 1996. Ce Code définit de quelle façon une organisation peut recueillir, utiliser et diffuser des renseignements personnels. Il établit aussi le droit des individus d'accéder aux renseignements personnels à leur sujet et de les faire corriger au besoin.

Le tableau 10.2 présente les 10 principes directeurs de la LPRPDE tels qu'ils s'appliquent aux organisations. L'essentiel de ces principes se résume dans la formule des trois «c»: le **c**onsentement éclairé, le **c**hoix et le **c**ontrôle.

TABLEAU 10.2

Dix principes directeurs de la LPRPDE pour les organisations

Source : Commissariat à la protection de la vie privée du Canada. (2011). *Principes régissant la protection des renseignements personnels.*

Principe directeur	Description
1. Responsabilité	Une organisation est responsable des renseignements personnels dont elle a la gestion et doit désigner une ou des personnes qui devront s'assurer du respect des principes énoncés ci-dessous.
2. Définition des fins de la collecte des renseignements	Les fins auxquelles des renseignements personnels sont recueillis doivent être déterminées par l'organisation avant la collecte ou au moment de celle-ci.
3. Consentement	Toute personne doit être informée de toute collecte, utilisation ou communication de renseignements personnels qui la concernent et y consentir, à moins qu'il ne soit pas approprié de le faire.
4. Limitation de la collecte	L'organisation ne peut recueillir que les renseignements personnels nécessaires aux fins déterminées et doit procéder de façon honnête et licite.
5. Limitation de l'utilisation, de la communication et de la conservation	Les renseignements personnels ne doivent pas être utilisés ou communiqués à des fins autres que celles auxquelles ils ont été recueillis à moins que la personne concernée n'y consente ou que la loi ne l'exige. On ne doit conserver les renseignements personnels qu'aussi longtemps que nécessaire pour la réalisation des fins déterminées.
6. Exactitude	Les renseignements personnels doivent être aussi exacts, complets et à jour que l'exigent les fins auxquelles ils sont destinés.
7. Mesures de sécurité	Les renseignements personnels doivent être protégés au moyen de mesures de sécurité correspondant à leur degré de sensibilité.
8. Transparence	Une organisation doit faire en sorte que des renseignements précis sur ses politiques et ses pratiques concernant la gestion des renseignements personnels soient facilement accessibles à toute personne.
9. Accès aux renseignements personnels	Une organisation doit informer toute personne qui en fait la demande de l'existence de renseignements personnels qui la concernent, de l'usage qui en est fait et du fait qu'ils ont été communiqués à des tiers, et lui permettre de les consulter. Il sera aussi possible de contester l'exactitude et l'intégralité des renseignements et d'y faire apporter les corrections appropriées.
10. Possibilité de porter plainte à l'égard du non-respect des principes	Toute personne doit être en mesure de se plaindre du non-respect des principes énoncés ci-dessus en communiquant avec la ou les personnes responsables de les faire respecter au sein de l'organisation concernée.

Il arrive parfois que d'autres facteurs priment sur la confidentialité de l'information. Par exemple, les autorités policières et les journalistes doivent recueillir, utiliser et diffuser des renseignements personnels sans obtenir le consentement préalable des individus concernés. La LPRPDE prévoit de telles exceptions, dont les suivantes :

- lorsque les renseignements personnels sont recueillis, utilisés ou diffusés uniquement à des fins journalistiques, artistiques ou littéraires ;
- lorsque c'est clairement bénéfique pour l'individu concerné ou que l'obtention du consentement pourrait altérer l'exactitude de ces renseignements ;
- lorsque de telles données peuvent faciliter le déroulement d'une enquête judiciaire ou être utiles dans une situation d'urgence où la vie et la sécurité d'individus pourraient être en jeu ;
- lorsque, en situation d'urgence, la diffusion éclaire des questions faisant l'objet d'une enquête judiciaire ou favorise la conservation de dossiers historiquement importants[8].

Que signifie la LPRPDE pour les citoyens canadiens ? D'abord, les organisations ont les obligations suivantes :

- obtenir le consentement du citoyen concerné lorsqu'une organisation recueille, utilise ou diffuse des renseignements personnels à son sujet ;
- fournir au citoyen concerné un produit ou service même si cette personne refuse de donner son consentement pour la collecte, l'utilisation ou la diffusion des renseignements personnels à son sujet, sauf si ces renseignements sont essentiels pour la transaction visée ;
- recueillir l'information par des moyens justes et légaux ;
- se doter d'une politique en matière de renseignements personnels qui doit être claire, compréhensible et facilement disponible.

Ensuite, la LPRPDE encourage les organisations à :

- détruire les renseignements personnels qui ne sont plus nécessaires aux fins pour lesquelles ils ont été recueillis.

Enfin, la LPRPDE confère aux citoyens les droits suivants :

- savoir pourquoi une organisation recueille, utilise ou diffuse des renseignements personnels à leur sujet ;
- s'attendre à ce que l'organisation recueille, utilise ou diffuse raisonnablement et adéquatement des renseignements personnels à leur sujet et qu'elle ne les utilise pas à des fins autres que celles pour lesquelles ils ont donné leur consentement ;
- connaître l'identité de la personne, au sein de l'organisation, qui est responsable de la protection des renseignements personnels à leur sujet ;
- s'attendre à ce que l'organisation protège les renseignements personnels à leur sujet en adoptant les mesures de sécurité appropriées ;
- s'attendre à ce que les renseignements personnels à leur sujet soient exacts, complets et à jour ;
- accéder aux renseignements personnels à leur sujet et demander d'apporter des corrections au besoin ;
- se plaindre auprès d'une organisation à propos de sa gestion des renseignements personnels à leur sujet, d'abord à l'occasion d'une rencontre avec l'agent responsable de la protection de la vie privée au sein de l'organisation en question, puis, si le problème persiste, au moyen d'une requête déposée au Bureau du commissaire provincial à la protection de la vie privée et, si le problème n'est toujours pas résolu, au Commissariat à la protection de la vie privée du Canada. Chaque province a adopté une loi sur la confidentialité qui se fonde sur les principes directeurs de la LPRPDE.

La mise au point d'une politique de gestion de l'information

Traiter l'information d'entreprise névralgique comme une ressource utile relève d'une bonne gestion. Établir une culture d'entreprise fondée sur des principes éthiques que les employés comprennent et mettent en pratique constitue une gestion responsable. Une organisation se doit de formuler par écrit des politiques définissant les lignes directrices et les procédures destinées au personnel, ainsi que les règles organisationnelles en matière d'information. Ces politiques encadrent les attentes du personnel à propos des normes et des pratiques de l'organisation et protègent celle-ci contre l'utilisation inappropriée des systèmes informatiques et des ressources en technologies de l'information. Si des employés d'une organisation se servent d'ordinateurs au travail, l'organisation doit, à tout le moins, mettre en œuvre des **politiques électroniques**. Les **politiques électroniques** sont les politiques et procédures qui traitent de la gestion de l'information et de l'utilisation des ordinateurs et d'Internet dans le milieu des affaires. La figure 10.2 présente les politiques électroniques qu'une entreprise doit appliquer pour encadrer les attentes du personnel.

FIGURE 10.2

Aperçu des politiques électroniques

La politique d'utilisation éthique de l'informatique

Dans un cas qui met en évidence les risques liés aux paris en ligne, un important site de poker Internet a signalé qu'un pirate informatique avait exploité une faille de sécurité. Le pirate a acquis un avantage insurmontable dans les tournois de poker Texas hold-'em, c'est-à-dire qu'il pouvait voir les cartes cachées de ses adversaires. Le tricheur, dont les gains illégitimes ont été estimés entre 400 000 $ et 700 000 $ par l'une de ses victimes, était un employé d'AbsolutePoker qui avait piraté le système simplement pour démontrer la vulnérabilité de celui-ci. Quel que soit son secteur d'activité – même s'il est jugé non éthique –, toute entreprise doit se protéger contre les comportements non éthiques de ses employés[9]. La **cyberintimidation** englobe les menaces, les remarques négatives et les commentaires diffamatoires transmis par Internet ou affichés dans un site Web. Une menace est un acte ou un objet qui représente un danger pour des biens. La **fraude au clic** désigne le recours abusif aux modèles de revenu que sont le paiement au clic, le paiement à l'appel et le paiement à l'action, sous la forme de clics répétés sur un lien en vue de hausser les frais ou les coûts pour l'annonceur. La **fraude au clic de la concurrence** est un crime informatique que commet un concurrent ou un employé mécontent lorsque ce dernier fait augmenter les coûts de référencement payant d'une entreprise en cliquant à répétition sur le lien de l'annonceur.

La cyberintimidation et la fraude au clic ne sont que quelques exemples des nombreux types d'utilisation non éthique des ordinateurs qu'on observe aujourd'hui. Une des mesures essentielles pour l'établissement d'une culture d'entreprise éthique consiste à formuler une politique relative à l'utilisation éthique des ordinateurs. Une **politique d'utilisation éthique de l'informatique** énonce des principes généraux encadrant le comportement des utilisateurs d'un ordinateur. Par exemple, elle peut clairement stipuler que les utilisateurs doivent s'abstenir de jouer à des jeux informatisés pendant les heures de travail. Grâce à une telle politique, les utilisateurs savent ce que doit être leur comportement au travail, et l'organisation dispose ainsi d'une norme écrite lui permettant de traiter les infractions commises. Par exemple, après avoir émis des avertissements appropriés, une entreprise peut congédier un employé qui passe beaucoup de temps à jouer à des jeux informatisés au travail.

Les exigences d'un employeur en ce qui concerne l'utilisation des ordinateurs par ses employés peuvent certainement varier d'une organisation à l'autre, mais toute approche en la matière doit se fonder sur le principe fondamental du consentement éclairé. Les utilisateurs doivent être informés au sujet des règles en vigueur et, après avoir accepté d'utiliser le système informatique en conséquence, ils doivent consentir à les respecter.

Il faut que les gestionnaires fassent un effort soutenu pour s'assurer que tous les utilisateurs comprennent bien la politique appliquée, au moyen notamment d'une formation officielle. Si une organisation ne se dote que d'une seule politique électronique, il faut que ce soit une politique d'utilisation éthique de l'informatique, car il s'agit à la fois de la prémisse générale et du cadre global où viendront s'inscrire les autres politiques que l'organisation pourrait adopter par la suite.

La politique de confidentialité de l'information

Une organisation qui veut protéger son information doit se doter d'une **politique de confidentialité de l'information,** qui énonce des principes généraux relatifs à la confidentialité de l'information. Visa a créé la société Inovant pour protéger tous ses systèmes d'information, y compris sa précieuse information sur ses clients, qui décrit en détail la nature de leurs achats ainsi que les lieux, les journées et les heures où ils les ont faits. On peut facilement imaginer ce qu'un Service des ventes et du marketing ferait avec cette information s'il pouvait y accéder! C'est pourquoi la filiale de Visa, la société Inovant, interdit l'utilisation de l'information au sujet de la clientèle de Visa pour tout motif autre que celui pour lequel cette information est recueillie : la facturation. Les spécialistes en confidentialité d'Inovant ont formulé une politique stricte de confidentialité de l'information relative aux cartes de crédit, que l'entreprise applique.

La société Inovant a été invitée à préciser si elle peut garantir qu'aucune utilisation non éthique de l'information au sujet des cartes de crédit ne se produira jamais. Dans la grande majorité des cas, l'utilisation non éthique de cette information s'avère accidentelle, plutôt que de résulter des efforts malicieux d'un responsable du marketing malhonnête. Par exemple, de l'information est recueillie et stockée pour un certain motif, comme le maintien à jour des dossiers ou la facturation. Ensuite, un responsable des ventes ou du marketing découvre une autre façon de l'utiliser sur le plan interne, la partage avec des partenaires ou la vend à une tierce partie digne de confiance. L'information est ensuite «accidentellement» utilisée à d'autres fins.

La politique d'utilisation acceptable

Une **politique d'utilisation acceptable (PUA)** oblige un utilisateur à se conformer à celle-ci pour avoir accès au courrier électronique d'entreprise, aux systèmes d'information et à Internet. La **non-répudiation** est une disposition contractuelle qui assure que les participants au commerce électronique ne nieront pas (ou ne répudieront pas) leurs activités en ligne. Une disposition de non-répudiation figure généralement dans une PUA. Beaucoup d'entreprises et d'établissements d'enseignement obligent les employés ou les étudiants à adhérer à leur PUA afin de pouvoir accéder à leur réseau. Au moment de signer un contrat avec un fournisseur de services de courriel, chaque client doit prendre connaissance de sa PUA, qui indique que tout utilisateur accepte de se conformer à certaines dispositions, dont généralement les suivantes :

- ne pas utiliser le service pour enfreindre une loi quelconque ;
- ne pas tenter de déjouer le système de sécurité de tout utilisateur ou réseau d'ordinateurs ;
- ne pas afficher de messages commerciaux destinés à des groupes sans avoir obtenu une autorisation préalable ;
- accepter la clause de non-répudiation.

Certaines organisations vont jusqu'à se doter d'une politique de gestion de l'information axée uniquement sur l'utilisation d'Internet. Une **politique d'utilisation d'Internet** contient des principes généraux encadrant l'utilisation appropriée d'Internet. En raison du grand volume de ressources informatiques que les utilisateurs d'Internet peuvent mobiliser, il est essentiel que cette utilisation soit légitime. De plus, Internet offre beaucoup de contenu que certains jugent offensant, si bien que l'adoption de règles en milieu de travail devient une nécessité. Le **cybervandalisme** désigne la dégradation électronique d'un site Web existant. Le **typosquattage** est un problème qui survient lorsqu'une personne enregistre des variations volontairement mal écrites de noms de domaine bien connus. Ces variations piègent parfois des consommateurs qui font des erreurs de frappe lorsqu'ils inscrivent une adresse

URL. Le **vol du nom d'un site Web** est le méfait que commet un individu qui, se faisant passer pour l'administrateur d'un site, transfère la propriété du nom de domaine de ce site au propriétaire d'un autre site. Voilà autant d'exemples d'une utilisation inacceptable d'Internet. La **censure Internet** renvoie aux tentatives gouvernementales de contrôler le trafic Internet en vue d'empêcher les citoyens d'un pays d'accéder à un certain contenu. En général, une politique d'utilisation d'Internet :

- décrit les services Internet mis à la disposition des utilisateurs ;
- définit la position de l'organisation quant à l'objectif lié à l'accès à Internet, ainsi que les restrictions, le cas échéant, assorties à cet accès ;
- décrit la responsabilité des utilisateurs en ce qui a trait à la mention des sources, au traitement approprié du contenu offensant et à la protection de la bonne réputation de l'organisation ;
- énonce les conséquences découlant du non-respect de la politique en vigueur.

La politique de confidentialité du courrier électronique

Une **politique de confidentialité du courrier électronique** indique dans quelle mesure des courriels peuvent être lus par d'autres personnes. Le courrier électronique est si répandu dans les organisations qu'une politique spécifique à son sujet est devenue nécessaire. Il constitue désormais le moyen de communication en entreprise que préfèrent la plupart des professionnels. Si le courriel et la messagerie instantanée sont devenus des outils de communications d'affaires courants, il n'en demeure pas moins que leur utilisation n'est pas exempte de risques. Par exemple, un courriel envoyé est archivé dans au moins trois ou quatre ordinateurs (*voir la figure 10.3*). Même s'il est supprimé dans l'un de ces ordinateurs, un courriel demeure archivé dans les autres. Pour atténuer maints risques associés à l'utilisation des systèmes de messagerie électronique, les entreprises ont tout intérêt à adopter et à appliquer une politique de confidentialité du courrier électronique.

FIGURE 10.3

Courriels archivés dans de multiples ordinateurs

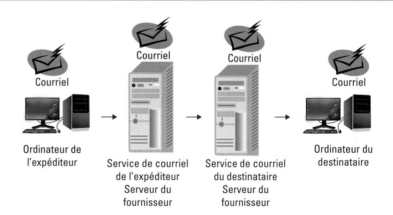

Il existe un important problème associé à l'emploi du courriel : les utilisateurs sont souvent convaincus de son caractère confidentiel. Dans une grande mesure, cette conviction repose sur la fausse prémisse selon laquelle la protection de la confidentialité du courriel est quelque peu analogue à celle qui entoure le courrier de première classe. En général, l'organisation propriétaire du système de courriel peut l'exploiter aussi ouvertement ou aussi secrètement qu'elle le veut bien. Des enquêtes ont révélé que la majorité des grandes entreprises lisent et analysent régulièrement les courriels des employés, afin de repérer les fuites de données confidentielles, par exemple des résultats financiers non publiés ou le partage de secrets de fabrication. La détection d'une telle violation de la politique de confidentialité du courrier électronique entraîne généralement le congédiement de l'employé fautif. On comprendra ici que, si une organisation veut lire les courriels de tout son personnel, elle peut certainement le faire. En fin de compte, il est simplement contre-indiqué de se servir du courriel de l'entreprise à des fins non liées au travail. La plupart du temps, une politique de confidentialité du courrier électronique :

- détermine qui peut légitimement utiliser le courriel et explique ce qu'il advient du compte de courrier électronique d'une personne après son départ de l'organisation ;
- décrit la procédure de sauvegarde afin que les utilisateurs sachent que, même si un message est supprimé de leur ordinateur, il demeure archivé ailleurs dans l'entreprise ;
- définit les motifs légitimes autorisant la consultation des courriels, ainsi que le processus présidant à la réalisation d'une telle consultation ;
- décourage l'envoi de pourriels à quiconque ne veut pas en recevoir ;
- interdit toute tentative de bombardement électronique d'un site. Un bombardement électronique envoie une énorme quantité de courriels à une personne ou à un système spécifique, dans le but de paralyser complètement le serveur du destinataire ;
- signale aux utilisateurs que l'organisation n'exerce plus aucun contrôle sur un courriel après sa transmission à l'extérieur de l'organisation.

Un **pourriel** est un courriel non sollicité. Il empoisonne la vie des employés à tous les échelons d'une organisation, de la réceptionniste au président-directeur général, encombre les systèmes de courriel et détourne les ressources des systèmes d'information de gestion (SIG) hors des projets d'affaires légitimes. Une **politique antipourriel** indique simplement que les utilisateurs du courriel n'enverront pas de pourriels. Il est difficile de mettre au point une politique, une loi ou un logiciel antipourriel, parce qu'il n'existe aucune définition universellement valide d'un pourriel. Un pourriel aux yeux d'une personne est parfois un bulletin aux yeux d'une autre. Parce que cette définition varie tellement d'une entreprise à l'autre et d'une personne à l'autre, c'est aux utilisateurs finaux qu'il incombe de décider ce qu'est un pourriel. Un utilisateur peut choisir de refuser de recevoir des courriels en n'autorisant pas leur entrée dans son ordinateur. Le *teergrubing* est une démarche antipourriel dans laquelle l'ordinateur récepteur lance une opération de représailles contre l'envoyeur d'un pourriel en l'inondant de courriels.

La politique relative aux médias sociaux

Qui n'a pas vu la vidéo dans YouTube montrant deux employés de Domino's Pizza qui enfreignent les codes de salubrité en milieu de travail en répandant des gaz sur des sandwiches ? Des millions de personnes l'ont vue, et l'entreprise s'en est aperçue lorsque des clients dégoûtés ont commencé à afficher des commentaires négatifs sur Twitter. N'ayant alors pas de compte Twitter, les dirigeants de Domino's n'ont pu prendre connaissance de ces commentaires négatifs avant qu'il soit trop tard pour réparer les dégâts. L'utilisation des médias sociaux peut procurer de nombreux avantages à une organisation, et leur emploi à bon escient représente une occasion en or pour les employés de consolider des marques. Mais cet emploi comporte aussi de grands risques, car quelques employés représentant une entreprise dans son ensemble sont susceptibles de causer de graves dommages à une marque. Ces risques peuvent être atténués au moyen d'une série de lignes directrices inscrites dans une politique relative aux médias sociaux. Pour mieux se protéger, une entreprise a le loisir de mettre en œuvre une **politique relative aux médias sociaux** qui énonce les lignes directrices régissant les communications en ligne de ses employés. Toutefois, une seule politique en la matière ne suffit pas toujours à préserver la bonne réputation en ligne de l'entreprise. Voici quelques politiques supplémentaires relatives aux médias sociaux que peut adopter une entreprise[10] :

- une politique sur les communications en ligne des employés où est décrite en détail la communication de marque ;
- des politiques relatives aux blogues des employés et aux blogues personnels ;
- des politiques relatives aux médias sociaux pour les employés et aux médias sociaux utilisés à des fins personnelles ;
- des politiques relatives aux comptes Twitter des employés, aux comptes Twitter de l'entreprise et aux comptes Twitter personnels ;

- une politique relative à LinkedIn ;
- une politique relative à l'utilisation de Facebook par les employés et une politique d'emploi de la marque ;
- une politique d'entreprise relative à YouTube.

La société d'État Canadian Broadcasting Corporation (CBC) a adopté une politique relative aux réseaux sociaux qui stipule que les journalistes doivent éviter d'ajouter des sources ou des contacts à titre d'amis sur des sites de réseautage social tels que Facebook ou LinkedIn. Les règles principales précisent que les journalistes ne doivent jamais laisser une source visualiser les affirmations d'une autre source, et qu'ils doivent s'assurer que leurs conversations privées avec une source demeurent effectivement privées. Ajouter des sources à titre d'« amis » peut compromettre le travail d'un journaliste, parce que certains amis pourraient constater la présence d'autres amis dans le réseau. De même, un journaliste n'a pas forcément intérêt à devenir un « ami » sur le réseau qu'utilise une source. CBC décourage également l'affichage de toute préférence politique dans les profils personnels et de commentaires sur des babillards électroniques ou le « mur Facebook » d'autres personnes[11].

Une organisation doit protéger sa réputation en ligne et vérifier constamment les blogues, les babillards électroniques, les sites de réseautage social et les sites de partage de médias. Cependant, la vérification des centaines de sites de médias sociaux peut rapidement devenir une tâche insurmontable. C'est pourquoi diverses entreprises se sont spécialisées dans la vérification des médias sociaux en ligne. Par exemple, Trackur crée des tableaux de bord numériques permettant aux dirigeants de voir en un coup d'œil la date de publication, la source, le titre et le résumé de tout article repéré. Un tel tableau de bord met en relief non seulement les propos tenus, mais aussi l'influence d'une personne, d'un blogue ou d'un site de média social en particulier.

La politique de surveillance des lieux de travail

De plus en plus, la surveillance du personnel ne relève plus d'un choix ; elle constitue plutôt une obligation en matière de gestion des risques. Michael Soden, président-directeur général de la Bank of Ireland, a émis une directive indiquant que le personnel de l'entreprise ne pouvait pas naviguer sur des sites Web illicites au moyen du matériel de l'entreprise. Ensuite, il a fait appel à Hewlett-Packard pour gérer le Service des SIG. Lorsque la présence de sites illicites a été découverte dans l'ordinateur de Soden lui-même, ce dernier a dû démissionner. La surveillance du personnel est un des plus importants défis que doivent relever les présidents-directeurs généraux au moment de formuler des politiques de gestion de l'information. Soden a pu se remettre de cet impair lorsqu'il a été nommé au sein de l'Irish Central Bank Commission, en 2010[12].

La **sécurité matérielle** désigne la protection tangible que permettent des alarmes, des gardes, des portes ignifuges, des clôtures et des chambres fortes. Les nouvelles technologies donnent la possibilité aux employeurs de surveiller de nombreuses facettes du travail de leurs employés, notamment en ce qui concerne les téléphones, les ordinateurs, le courriel, la messagerie vocale et l'utilisation d'Internet. Une telle surveillance n'est pratiquement pas réglementée, si bien que, sauf si la politique de l'entreprise ne le permet pas spécifiquement (et même dans ce cas, rien ne le garantit), l'employeur peut écouter, regarder et lire la plupart des communications effectuées sur les lieux de travail. La **surveillance des SIG sur les lieux de travail** s'exerce sur les activités du personnel en mesurant des facteurs tels que le nombre de frappes au clavier, le taux d'erreurs et le nombre de transactions traitées (*voir le tableau 10.3*). Lorsqu'une organisation envisage de pratiquer la surveillance du personnel, elle a tout intérêt à adopter une stratégie de communication ouverte, y compris une politique de surveillance du personnel qui décrit précisément les modalités, les moments et les lieux de cette surveillance. Au moment de formuler sa politique de surveillance du personnel, une organisation peut s'inspirer de plusieurs des dispositions suivantes :

- indiquer le plus précisément possible les éléments (courriel, messagerie instantanée, Internet, activité en réseau, etc.) qui feront l'objet de la surveillance ainsi que les moments où celle-ci sera effectuée ;
- communiquer expressément le fait que l'entreprise se réserve le droit de surveiller tous les employés ;
- énoncer les conséquences du non-respect de la politique ;
- toujours appliquer la politique de la même façon pour tous.

TABLEAU 10.3 | Technologies courantes de surveillance d'Internet

Logiciel d'enregistrement de frappe	Programme qui enregistre toutes les frappes au clavier et tous les clics de souris
Enregistreur de frappe	Matériel périphérique qui saisit les frappes au clavier pendant leur trajet entre le clavier et la carte-mère
Témoin	Petit fichier déposé sur un disque dur par un site Web qui contient de l'information concernant les clients et leurs activités sur le réseau. Grâce aux témoins, les sites Web peuvent enregistrer les allées et venues des clients, généralement sans leur consentement.
Logiciel publicitaire	Logiciel qui génère des publicités s'installant elles-mêmes dans un ordinateur lorsqu'une personne télécharge un autre programme à partir d'Internet
Logiciel espion	Logiciel qui est caché à l'intérieur d'un logiciel téléchargeable gratuit et qui détecte les mouvements en ligne, exploite l'information stockée dans un ordinateur ou se sert de son unité centrale ou de sa mise en mémoire pour effectuer des tâches à l'insu de l'utilisateur
Journal de serveur	Ligne d'information sur chaque visiteur d'un site Web qui est généralement archivée dans un serveur Web
Parcours de navigation	Enregistre l'information sur un client durant une séance de navigation Web, comme les noms des sites Web visités, la durée de chaque visite, les publicités vues et les achats effectués

Maints employés se servent de l'accès à Internet haute vitesse de leur entreprise pour magasiner, fureter et naviguer sur le Web. La plupart des gestionnaires ne veulent pas que leurs employés s'occupent de leurs affaires personnelles durant les heures de travail, de sorte qu'ils adoptent une approche de type « Big Brother » pour surveiller le personnel. De nombreux gourous de la gestion estiment que les organisations dont la culture d'entreprise est fondée sur la confiance connaissent plus de succès que celles dont la culture d'entreprise repose sur la méfiance. Avant de mettre en œuvre une technologie de surveillance, une organisation devrait s'interroger : « En quoi notre attitude reflète-t-elle ce que nous pensons de nos employés ? » Si l'organisation se méfie vraiment de ses employés, alors elle devrait peut-être en embaucher d'autres. Par contre, si une organisation leur fait vraiment confiance, elle devrait les traiter en conséquence. Une organisation qui observe chaque frappe au clavier de ses employés est susceptible de saper involontairement ses relations avec eux. Elle s'apercevra peut-être que les effets de la surveillance des employés sont souvent plus négatifs que la perte de productivité résultant de la navigation inappropriée des employés sur le Web.

RETOUR SUR LA MISE EN CONTEXTE

Le travail de la commissaire à la protection de la vie privée du Canada

1. Pourquoi la protection des renseignements personnels revêt-elle une grande importance tant pour les Canadiens que pour le gouvernement du Canada ?

2. Quelles politiques le gouvernement du Canada a-t-il mises en œuvre pour protéger la confidentialité des renseignements personnels au sujet des citoyens ?

3. Quels enseignements peuvent être tirés de ce cas pour aider les organisations à mieux protéger les renseignements personnels qu'elles recueillent ?

4. En quoi la tendance récente chez les gouvernements à autoriser l'accès public aux données les sensibilise-t-elle davantage à la nécessité de planifier des mesures de confidentialité dans leurs activités quotidiennes normales ?

10.2 La sécurité de l'information

Introduction

Les atteintes à la sécurité des données et les questions de confidentialité surgissent dans l'actualité de façon assez régulière ces derniers temps. Elles se manifestent sous différentes formes, mais dans de nombreux cas, ces atteintes découlent du vol d'un mot de passe. Par exemple, six millions de mots de passe de LinkedIn sont apparus un jour sur des sites clandestins que fréquentent des pirates informatiques. Selon beaucoup d'experts, l'entreprise a réagi lentement et ne semble pas, en ce qui concerne ses pratiques en sécurité des données et son plan de rétablissement, être à la hauteur de ce qu'on est en droit de s'attendre d'une grande entreprise. En matière de confidentialité, on a vu des employeurs et des établissements d'enseignement demander à des postulants et à des athlètes-étudiants de donner leur nom d'utilisateur et leur mot de passe pour leurs comptes Facebook. Les renseignements recueillis dans ces comptes leur servaient à orienter leur prise de décision à des fins d'embauche et d'offres d'essai. Depuis juillet 2012, de nombreux États des États-Unis ont rendu illégales de telles pratiques, dont les premiers ont été la Californie, l'Illinois, le Maryland, le Michigan, le New Jersey et le Delaware. Au Canada, des avocats sont d'avis que, en raison des lois du travail, des pratiques de confidentialité et de législations rigoureuses, les Canadiens sont à l'abri de ces pratiques. Toutefois, aucune loi spécifique canadienne ne régit cette situation particulière. Les personnes à la recherche d'un emploi aux États-Unis doivent savoir que certaines entreprises leur demanderont de postuler en utilisant des applications d'une tierce partie, auxquelles elles devront accéder par l'entremise du compte d'un média social. Ces applications d'une tierce partie permettent ensuite aux employeurs potentiels d'accéder au contenu affiché dans ce compte. Au Canada, ces applications sont rarement utilisées à de telles fins[13].

Pour une entreprise, quel est le coût du temps d'indisponibilité?

Dans le milieu des affaires, le vieux proverbe selon lequel «le temps, c'est de l'argent» doit être mis à jour pour mieux refléter l'interdépendance cruciale liant les systèmes d'information et les procédés d'affaires. Pour être en phase avec notre époque, il faudrait désormais dire «le temps de disponibilité, c'est de l'argent». La principale cause de temps d'indisponibilité est une défaillance de logiciel, suivie d'une erreur humaine, selon les travaux de recherche d'Infonetics. Un temps d'indisponibilité imprévu peut surgir à tout moment pour toutes sortes de raisons, allant d'une tornade à une inondation, à une défaillance de réseau et à une panne d'électricité. Si les catastrophes naturelles semblent être les causes les plus dévastatrices des pannes d'un système d'information, elles ne représentent certainement pas les menaces les plus fréquentes ou les plus graves pour le temps de disponibilité. L'encadré 10.4 souligne des sources possibles de temps d'indisponibilité imprévu.

Selon CA Technologies, le coût du temps d'indisponibilité en technologies de l'information atteint des dizaines de milliards de dollars en pertes de revenu, en Amérique du Nord et en Europe[14]. La figure 10.4 présente les quatre catégories associées au temps d'indisponibilité, selon Gartner. Au moment de déterminer le coût du temps d'indisponibilité, les entreprises devraient se poser les quelques questions suivantes:

- Combien de transactions l'entreprise peut-elle se permettre de perdre sans qu'il en résulte un impact prononcé sur les affaires?
- L'entreprise dépend-elle d'une ou de plusieurs applications essentielles à sa mission pour la conduite de ses affaires?
- Quel volume de revenus l'entreprise va-t-elle perdre pour chaque heure de non-disponibilité en lien avec une application cruciale?
- Quel est le coût de productivité associé à chaque heure de temps d'indisponibilité?
- En quoi les procédés d'affaires exécutés en collaboration avec les partenaires, les fournisseurs et les clients seront-ils touchés par une panne imprévue des systèmes d'information?
- Quel est le coût total des pertes de productivité et de revenu attribuables à un temps d'indisponibilité imprévu?

ENCADRÉ 10.4

Sources de temps d'indisponibilité imprévu

- Accident de véhicule
- Alerte à la bombe
- Bris de tuyau
- Construction
- Court-circuit
- Défaillance d'équipement
- Dégâts d'eau (variés)
- Déraillement de train
- Déversement d'un produit chimique
- Dommage causé par la fumée
- Données déchiquetées
- Données endommagées
- Dysfonctionnement des gicleurs
- Écrasement d'avion
- Électricité statique
- Épidémie
- Évacuation
- Explosion
- Foudre
- Fraude
- Gel de tuyau
- Grêle
- Grève
- Incendie
- Inondation
- Insectes
- Ouragan
- Panne d'électricité
- Panne de réseau
- Piratage informatique
- Rongeurs
- Sabotage
- Saison de la grippe
- Surtension
- Tempête de neige
- Tornade
- Tremblement de terre
- Vandalisme
- Vent
- Verglas
- Virus
- Vol

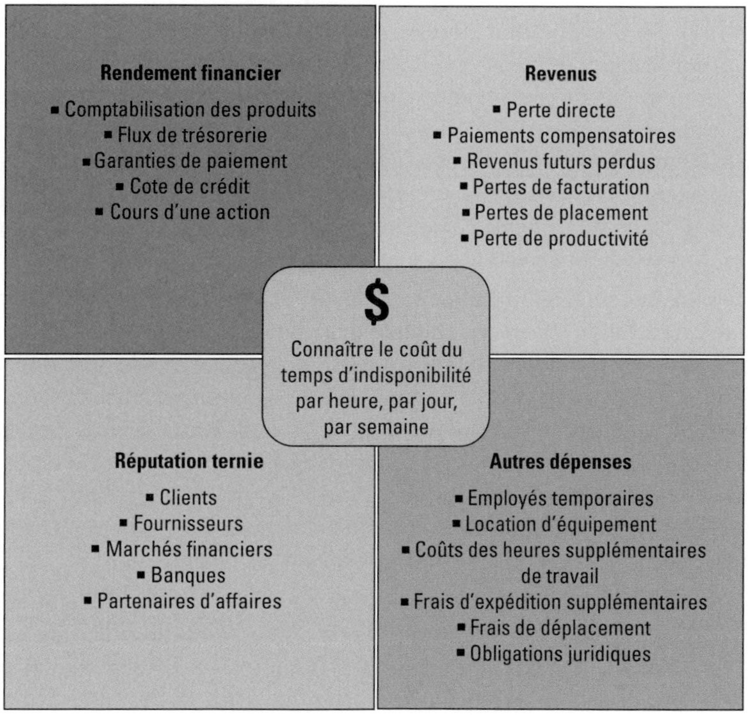

FIGURE 10.4

Coût du temps d'indisponibilité

La fiabilité et l'endurance des systèmes d'information n'ont jamais été aussi essentielles au succès, alors que les entreprises doivent affronter les forces de la mondialisation, la nécessité de fonctionner 24 heures sur 24 et 7 jours sur 7, les réglementations gouvernementales et commerciales et l'hypertrophie des budgets et des ressources à consacrer aux systèmes d'information. Tout arrêt imprévu de ces systèmes dans le monde des affaires actuel est susceptible d'entraîner des coûts à court et à long terme ayant de vastes conséquences. La présente section expose les façons d'utiliser les mesures de sécurité afin de parer à la menace du temps d'indisponibilité. Bien comprendre les moyens de sécuriser un réseau d'affaires est un facteur crucial pour réduire au minimum le temps d'indisponibilité et maximiser le temps de disponibilité.

La protection de l'information

Fumer est néfaste non seulement pour la santé du fumeur, mais aussi, semble-t-il, pour la sécurité d'une entreprise. Depuis que les entreprises ont interdit aux employés de fumer dans leurs bureaux, les fumeurs doivent aller dehors, généralement dans des lieux spécifiques à l'arrière de l'édifice abritant l'entreprise. Les portes qui y mènent représentent souvent une importante faille de sécurité, selon une étude réalisée par NTA Monitor Ltd., une entreprise de vérification de sécurité Internet située au Royaume-Uni. Un enquêteur de NTA n'a eu aucune difficulté à entrer dans l'édifice d'une entreprise par une porte arrière qui avait été laissée ouverte pour permettre aux fumeurs de sortir et d'entrer facilement, d'après l'entreprise. Une fois à l'intérieur, l'enquêteur a demandé à un employé de le conduire à une salle de conférence, sous prétexte que le Service des systèmes d'information l'avait envoyé. Même sans carte d'identité, il y aurait eu accès sans entrave et a ensuite pu brancher son ordinateur portable au réseau de l'entreprise. Au Canada, 69 % des entreprises estiment avoir subi une cyberattaque quelconque au cours de la dernière année[15].

L'information organisationnelle est une ressource-clé. De même que les organisations protègent leur actif – elles conservent leur argent dans une banque sûre et procurent à leurs employés un milieu de travail sécuritaire –, elles doivent également protéger leur information. Compte tenu de la hausse des atteintes à la sécurité et de l'omniprésence des pirates informatiques, une organisation doit adopter de vigoureuses mesures de sécurité de l'information si elle veut survivre. En mai 2014, eBay s'est fait voler l'information sur les comptes de 100 millions de ses utilisateurs, alors que, à la fin de 2013, c'est Target qui a perdu les données relatives aux cartes de crédit et aux cartes de débit de 40 millions de ses utilisateurs. Voici quelques autres exemples illustrant l'importance des mesures de sécurité en la matière.

- Le 1er juin 2011, Scotiabank aurait perdu trois CD de données dans son service de courrier interne, qui contenaient des renseignements personnels tels que les numéros d'assurance sociale et les numéros de compte d'un nombre de clients non dévoilé. Selon la banque, « cette perte est un incident isolé, et seule une petite proportion des clients ont été touchés ». Les CD allaient être transférés à l'Agence du revenu du Canada par suite des exigences de déclaration imposées à la banque. Aux dires de la banque, au moins un client s'est inquiété du fait « que quelqu'un pourrait voler son identité et faire une demande pour obtenir frauduleusement une carte de crédit[16] ».

- La commissaire à la protection de la vie privée du Canada, Jennifer Stoddart, a lancé une enquête sur une atteinte à la confidentialité des renseignements personnels à CIBC qui a touché près d'un demi-million de personnes. Il s'agissait, dans ce cas, de la perte d'un fichier informatique de sauvegarde comportant les renseignements personnels relatifs à environ 470 000 clients d'une filiale de la banque, Talvest Mutual Funds. Les données personnelles manquantes se trouvaient dans un fichier qui avait disparu « en transit » entre des bureaux. Les renseignements comprenaient les noms, les adresses, les signatures, les dates de naissance, les numéros de compte bancaire, les renseignements sur les bénéficiaires ainsi que les numéros d'assurance sociale de ces clients[17].

- Une atteinte à la sécurité de l'information a été constatée lorsque des centaines de bons de commande pour des services Internet et de câblodistribution de Rogers, contenant des renseignements personnels tels que des numéros de permis de conduire et des numéros d'assurance sociale, ont été retrouvés dans un terrain de stationnement au centre-ville de Toronto, près de l'Université Ryerson. Pour se défendre, Rogers a rejeté le blâme sur un des employés qu'elle avait embauchés pour vendre ses services Internet et de câblodistribution[18].

Si ces atteintes à la sécurité et à la confidentialité ont été exposées aux bulletins de nouvelles nationaux, il est encore plus troublant de constater que le Canada n'en connaît pas vraiment l'ampleur. S'il en est ainsi, c'est parce que la LPRPDE n'oblige pas les organisations à aviser les individus des atteintes relatives aux données comportant des renseignements personnels. Toutefois, Jennifer Stoddart a suggéré que des amendements soient apportés à la LPRPDE afin que les entreprises soient tenues de rendre publiques de telles atteintes. En vertu de ces amendements, les consommateurs seraient informés dès que possible et pourraient prendre les mesures appropriées (vérifier les transactions apparaissant sur leur compte de carte de crédit et même annuler celle-ci). Ces amendements viseraient aussi à encourager les entreprises à accorder plus d'importance aux questions de confidentialité et à prendre des mesures qui protégeraient mieux les renseignements névralgiques au sujet des clients. Les entreprises privées au Canada font preuve d'une certaine apathie lorsque vient le temps de se conformer aux lois canadiennes concernant la protection de l'information et des données. Une étude indique que les détaillants canadiens ont généralement failli à la tâche en matière d'imputabilité, d'ouverture, d'accès et de consentement; leur capacité de sauvegarder les renseignements personnels ou même de savoir si une atteinte à la sécurité s'est produite laisse également planer des doutes[19].

Il est intéressant d'observer que, bien que les actuelles lois sur la confidentialité soient moins strictes aux États-Unis qu'au Canada, plus d'une trentaine d'États américains ont déjà adopté des lois obligeant les entreprises à aviser leurs clients en cas d'atteinte à la sécurité des données. Cette situation résulte en grande partie d'une grave atteinte à la sécurité et à la confidentialité qui est survenue en 2005 : une entreprise de données avait vendu par inadvertance à une organisation criminelle des renseignements personnels au sujet de milliers de résidants des États-Unis[20].

Ce qui est à retenir ici, c'est que toutes les entreprises doivent comprendre l'importance de la sécurité de l'information, qu'elle relève ou non de l'application des lois en vigueur. La **sécurité de l'information** est une expression générale qui englobe la protection de l'information contre une utilisation malavisée, accidentelle ou intentionnelle, par des personnes faisant partie ou non d'une organisation. La taille moyenne du budget qu'une organisation consacre à la sécurité de l'information, par rapport au budget de l'ensemble des technologies de l'information est variable. Cependant, le plus souvent, les directeurs des systèmes d'information contrôlent plus étroitement qu'auparavant les dépenses en sécurité des techniques de l'information[21].

La sécurité représente peut-être la technologie ou le facteur le plus important et le plus crucial de tous ceux qu'une organisation doit mettre solidement en œuvre pour déployer sa stratégie d'affaires. Sans de vigoureux processus et procédés d'affaires en place, aucune des autres technologies ne peut procurer quelque avantage à une entreprise.

La protection des données

La copie de sauvegarde et la reprise

Chaque année, des entreprises perdent du temps et de l'argent à cause des pannes et des défaillances de leurs différents systèmes. Un des moyens à leur disposition pour réduire au minimum les dommages causés consiste à appliquer une stratégie de copie de sauvegarde, de reprise et de continuité des activités (*voir la figure 10.5*). Une **copie de sauvegarde** est une copie identique des données d'un système. La **reprise** est la capacité de relancer un système après une défaillance ou une panne, qui comprend l'accès à la copie de sauvegarde

FIGURE 10.5

Copies de sauvegarde et reprise, reprise après un sinistre et planification de la continuité des activités

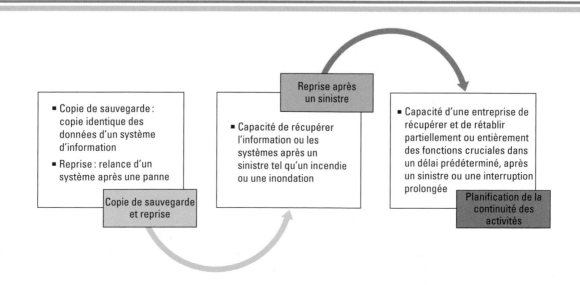

des données. Il existe un grand nombre de moyens de sauvegarde et de reprise : serveurs de stockage, rubans, disques et même CD et DVD. Tous ces moyens sont fiables. Les principales différences entre eux se situent dans la vitesse et les coûts associés.

7-Eleven Taiwan, une chaîne comprenant plus de 4 000 franchises, téléverse chaque jour des données de secours et de reprise à partir de son siège social vers toutes ses franchises. L'entreprise a mis en œuvre un nouveau moyen technologique grâce auquel le téléversement et le téléchargement de données est rapide et fiable. De plus, lorsqu'une connexion se perd durant un téléchargement ou un téléversement, le processus fait reprendre automatiquement le téléchargement sans devoir tout recommencer du début, ce qui fait gagner un temps précieux[22].

Une organisation doit choisir une stratégie de copie de sauvegarde et de reprise qui est en phase avec ses objectifs stratégiques. Si elle traite de grandes quantités de données cruciales, elle doit en faire des copies de sauvegarde tous les jours, voire toutes les heures, et les conserver sur des serveurs de stockage. Par contre, si elle traite de petites quantités de données non cruciales, elle peut en faire des copies de sauvegarde une fois par semaine sur des rubans, des CD ou des DVD. Déterminer la fréquence des copies de sauvegarde et la nature du support à utiliser à cette fin représente une décision d'affaires très importante. Si une organisation décide de faire des copies toutes les semaines, elle court le risque, en cas de panne totale du système, de perdre l'équivalent d'une semaine de travail. S'il s'agit d'un risque acceptable, une stratégie fondée sur une copie de sauvegarde hebdomadaire suffit. Si ce risque est inacceptable, l'organisation doit adopter une stratégie de copie de sauvegarde quotidienne. Certaines organisations jugent que le risque de perdre l'équivalent d'une journée de travail est trop élevé, et elles effectuent des copies de sauvegarde toutes les heures.

Deux techniques sont utilisées en cas de défaillance d'un système : la tolérance aux pannes et le basculement. La **tolérance aux pannes** désigne le fait qu'un système informatique a été conçu pour que, en cas de défaillance d'un composant, une procédure de secours puisse le remplacer immédiatement sans interruption de service. Elle peut être assurée par un logiciel ou faire partie intégrante du matériel, ou les deux. Le **basculement** entre en service lorsque les fonctions d'un composant informatique (comme un processeur, un serveur, un réseau ou une base de données) sont assurées par des composants secondaires du système, lorsque les composants primaires ont cessé d'être disponibles par suite d'une défaillance ou d'un temps d'indisponibilité planifié. Dans ce cas, les tâches prévues sont automatiquement transférées à un composant de système de secours, d'une manière telle que le transfert passe pratiquement inaperçu pour les utilisateurs finaux. Servant à rendre les systèmes plus tolérants aux anomalies, le basculement fait généralement partie intégrante des systèmes essentiels à la mission qui doivent toujours être disponibles, tels que les systèmes employés dans le secteur des services financiers[23].

La reprise après un sinistre

Aux États-Unis, une entreprise d'électricité du nord de l'Ohio, FirstEnergy, n'a pas détecté les signaux annonçant des problèmes possibles dans sa partie du réseau électrique en Amérique du Nord. Les événements subséquents ont alors privé de courant électrique quelque 50 millions de personnes aux États-Unis et au Canada. Les manquements ont été décrits dans les conclusions largement diffusées du rapport d'un groupe de travail américano-canadien qui a enquêté sur les causes de la panne et fait des recommandations pour éviter d'autres pannes de grande ampleur à l'avenir. Le rapport décrit en détail un grand nombre de procédures ou de pratiques optimales :

- prêter attention aux architectures d'entreprise ;
- surveiller la qualité des réseaux informatiques qui transmettent des données au sujet de la demande et des fournisseurs d'électricité ;
- s'assurer que les réseaux peuvent être rapidement rétablis en cas de temps d'indisponibilité ;
- établir des plans de reprise après sinistre ;
- donner une formation adéquate au personnel, y compris des protocoles de communication verbale, afin que les opérateurs soient informés de tout problème relatif aux technologies de l'information qui puisse nuire à leur connaissance de l'état du réseau électrique.

Divers sinistres (panne d'électricité, inondation, incendie et même piratage informatique) frappent les entreprises chaque jour. Les organisations doivent élaborer un plan de reprise après sinistre pour être prêtes à réagir dans un tel cas. Un **plan de reprise après sinistre** est un processus détaillé permettant de récupérer des données ou un système informatique après un sinistre, comme un incendie ou une inondation. De plus en plus d'établissements financiers dans le monde consentent des dépenses pour la mise au point d'un tel plan.

Un plan exhaustif de reprise après un sinistre prend en compte l'emplacement des données de sauvegarde. De nombreuses organisations stockent les données de sauvegarde dans un emplacement hors site. Beaucoup de vendeurs se spécialisent dans l'offre de solutions de reprise après un sinistre et de stockage de données hors site. Un plan exhaustif de reprise après sinistre prévoit aussi la possibilité que non seulement le matériel informatique puisse être détruit, mais même l'édifice où travaillent les employés. Un **centre de secours immédiat** est un endroit séparé et pleinement équipé où une entreprise peut s'installer immédiatement après un sinistre et reprendre ses activités. Une **salle blanche** est un lieu séparé ne comportant aucun équipement informatique, où le personnel peut se rendre après un sinistre.

Une **courbe du coût de reprise après sinistre** illustre le coût, pour une organisation, de la non-disponibilité de données et d'une technologie, d'une part, et de la durée de la reprise après un sinistre, d'autre part. La figure 10.6 présente une courbe du coût de reprise après un sinistre et montre que le meilleur plan de reprise, en ce qui concerne le coût et la durée, se situe à l'intersection des deux lignes. L'élaboration de la courbe du coût de reprise après un sinistre pour une organisation n'est pas une mince tâche. Il faut prendre en compte le coût de la perte de données et d'une technologie pour chaque service ou unité fonctionnelle, ainsi que ce coût pour l'ensemble de l'entreprise. Ces coûts sont plutôt faibles durant les premières heures qui suivent un sinistre, mais ils s'élèvent ensuite de plus en plus. Lorsqu'elle a déterminé ces coûts, une organisation doit ensuite calculer les coûts de la reprise, qui, eux, sont extrêmement élevés pour les premières heures consécutives à un sinistre, mais qui diminuent par la suite.

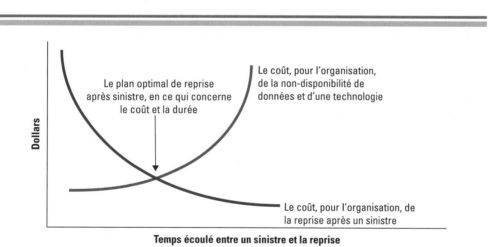

FIGURE 10.6

Courbe du coût de reprise après un sinistre

Le 18 avril 1906, San Francisco a été frappée par un tremblement de terre qui a détruit de grandes parties de la ville et fait plus de 3 000 morts parmi les résidants de la baie du même nom. Aujourd'hui, la ville reconstruite est plus grande, audacieuse et résistante qu'auparavant ; son importance s'est aussi grandement accrue. San Francisco constitue actuellement le cœur de l'industrie mondiale des technologies de l'information ainsi qu'un centre financier mondial de grande envergure. Mais la ville connaît très bien les risques terribles que lui fait courir la faille de San Andreas.

Les grands gratte-ciel qui ornent son centre-ville ont été construits de façon à résister à de fortes pressions, mais qu'en est-il de l'infrastructure et des systèmes qui animent le monde des affaires moderne que la ville y abrite, ainsi que des personnes qui doivent être en mesure d'y accéder ? La **planification de la continuité des activités** est un plan prévoyant de quelle façon une organisation récupérera et rétablira, dans une période prédéterminée, après un sinistre ou une interruption prolongée, une ou des fonctions cruciales ayant été partiellement ou entièrement interrompues. En général, un tel plan comprend cinq parties essentielles décrites ci-après :

1. la gouvernance de la continuité des activités, qui établit une structure de gouvernance sous la forme de comités s'assurant de la maîtrise des activités durant un sinistre ;

2. l'analyse de l'impact sur les affaires, qui cerne les objectifs et les produits ou services cruciaux d'une organisation, fixe l'ordre de priorité des produits ou services pour une livraison continue ou une reprise rapide et décrit les impacts internes et externes des perturbations subies ;

3. les plans, mesures et dispositions nécessaires pour la poursuite des activités ;

4. les procédures de préparation, qui prévoient la formation du personnel au sujet de la planification de la continuité des activités et résument les exercices que doit effectuer le personnel pendant cette formation ;

5. les techniques d'assurance-qualité, qui évaluent la précision, la pertinence et l'efficacité de cette planification et repèrent les parties de celle-ci qui doivent être améliorées.

Lorsqu'une organisation subit une perturbation, les mesures-clés qui doivent être prises pour y faire face comprennent la réponse (dont la gestion de l'incident survenu), la gestion des communications et la gestion des opérations. Ces trois mesures doivent être suivies de la poursuite des services cruciaux, tels qu'ils sont indiqués dans la planification de la continuité des activités, puis du rétablissement et de la reprise des activités d'affaires normales[24].

La continuité des activités et la reprise après un sinistre sont autant de questions que prennent au sérieux toutes les organisations établies dans la région de la baie de San Francisco, dont l'Union Bank of California, située au cœur du centre-ville de San Francisco[25]. Barry Cardoza, directeur de la planification de la continuité des activités et de la reprise après un sinistre à l'Union Bank of California, explique : « On peut voir venir certains sinistres, mais d'autres, non, comme un tremblement de terre. Dans ce dernier cas, il est impossible de savoir d'avance quelle sera son ampleur[26]. »

Avant tout sinistre, les entreprises doivent avoir préétabli des procédures à suivre, dans le but d'atténuer la menace que représente un tel événement. Se contenter d'y réagir ne constitue pas une stratégie acceptable. Le service chargé de la continuité doit aussi bien connaître toutes les facettes de l'entreprise et évaluer le temps d'indisponibilité pour chacune d'elles, en rapport avec les dommages causés à la situation financière et à la réputation de l'entreprise. L'Union Bank of California a formulé un plan de reprise après sinistre qui comprend des centres de données situés dans divers endroits, des sites miroir aptes à prendre la relève en un instant, des centres de secours immédiat, où le personnel peut se rendre et commencer à travailler exactement comme dans son lieu de travail habituel, et une vaste quantité de redondances. En outre, la banque a créé une fonction miroir en temps réel entre les centres de données. C'est maintenant en quelques minutes, et non en quelques heures, que l'Union Bank of California pourra reprendre son fonctionnement normal après un sinistre.

La sécurité des données

Les professionnels de la sécurité subissent une pression croissante pour s'acquitter de leurs tâches correctement et au moindre coût, à mesure que les réseaux s'étendent au-delà des organisations pour englober les utilisateurs, les partenaires et les clients plus éloignés, ainsi que les téléphones intelligents, les tablettes et d'autres appareils mobiles. Les dispositions législatives et réglementaires sur la protection des données se sont multipliées. Les préoccupations au sujet du vol d'identité n'ont jamais été aussi vives. Le piratage informatique et d'autres types d'accès non autorisés contribuent aux quelque 10 millions de cas de vol d'identité par année, selon la U.S. Federal Trade Commission. Une bonne architecture de données comprend un vigoureux plan de sécurité des données, une bonne gestion de l'accès des utilisateurs et la mise à jour des logiciels antivirus et des programmes de correction[27].

La gestion de l'accès des utilisateurs aux données est un élément crucial de l'architecture des données, et les mots de passe constituent sans doute le maillon le plus faible de la chaîne de sécurité. À l'entreprise VITAS Healthcare Corporation, qui compte sur une main-d'œuvre de 6 000 personnes et mène ses activités dans 15 États des États-Unis, les employés autorisés tapent jusqu'à une demi-douzaine de mots de passe par jour pour accéder aux multiples systèmes de la société. S'il demeure important de maintenir la discipline en matière de mots de passe pour assurer la sécurité des données concernant les soins de santé donnés aux clients, le maintien et la gestion de la situation engendrent une certaine lourdeur pour le Service des technologies de l'information. « Notre service d'aide consacre 30 % de son temps à la gestion et à la fourniture des mots de passe », souligne John Sandbrook, directeur principal des technologies de l'information. L'entreprise a commencé à utiliser une suite logicielle de gestion de l'identité pour gérer les mots de passe et se conformer aux règlements sur l'accès aux données. Ce produit de gestion de l'identification comprend la vérification automatisée, la production de rapports et les capacités de conformité, en plus d'une plateforme commune pour la gestion, la fourniture et le libre-service des mots de passe. Grâce à ce logiciel, VITAS peut imposer l'utilisation de mots de passe plus stricts qui comprennent sept, huit ou neuf caractères, chiffres et lettres majuscules et qui changent fréquemment. L'entreprise prévoit ainsi faire diminuer de 50 % le temps que le Service d'aide doit consacrer à la gestion des mots de passe[28].

La sécurité est au sommet des priorités des gestionnaires d'entreprise, quelle que soit la taille de l'organisation. Parmi les 500 principales entreprises recensées par *Fortune,* plus de 80 % ont indiqué que la mise à jour des procédures, des outils et des services de sécurité constituait une priorité essentielle. C'est également le cas au sein des petites, moyennes et grandes entreprises, ainsi que chez les gestionnaires des technologies de l'information et les directeurs d'entreprise.

La plupart des gestionnaires s'efforcent d'abord et avant tout d'empêcher les pirates informatiques, les polluposteurs et les autres mécontents d'entrer dans leurs réseaux, et près des deux tiers d'entre eux s'emploient à améliorer la gestion de la sécurité de leurs réseaux, la détection des intrusions, le filtrage du contenu et les logiciels antipourriels. Plus de la moitié des gestionnaires prévoient aussi acquérir de meilleurs logiciels de cryptage[29].

Le deuxième mardi de chaque mois, Microsoft diffuse des programmes de correction de ses logiciels. Ces programmes doivent être téléchargés et installés dans tous les systèmes d'une entreprise pour que ceux-ci demeurent protégés. À la société OMD, une filiale d'Omnicom Group Inc., responsable de la planification et de l'achat d'espace médias, l'administrateur de réseau devait installer manuellement des programmes de correction cruciaux dans les 100 serveurs et consacrer plus d'une semaine à les déployer dans l'ensemble de l'entreprise. Aujourd'hui, OMD fait appel à des logiciels d'installation automatisée pour les programmes de correction et les mises à niveau. Elle a acheté des logiciels qui installent les programmes de correction sans pour autant paralyser des systèmes complets et qui répartissent le déploiement des programmes de correction entre les serveurs. Ainsi, il n'est pas nécessaire que tous les services interrompent leurs activités en même temps durant l'installation d'un programme de correction. Compte tenu de tout ce que les professionnels de la sécurité doivent planifier, les logiciels d'installation automatisée leur apportent un répit salutaire[30].

Les personnes forment la première ligne de défense

Grâce aux progrès actuels caractérisant les systèmes d'information et les stratégies d'affaires comme la gestion de la relation client (GRC), les organisations sont en mesure de déterminer des renseignements utiles, telle l'identité des 20 % de clients qui produisent 80 % de tous leurs revenus. La plupart des organisations estiment que de tels renseignements ont une importance cruciale, et elles mettent en œuvre des mesures de sécurité pour s'assurer que ceux-ci ne circulent pas librement et ne tombent pas entre de mauvaises mains. Elles peuvent mettre en place des lignes de défense pour la sécurité de l'information en faisant d'abord appel aux individus, puis à la technologie.

À la complexité de la sécurité de l'information s'ajoute le fait que les organisations doivent permettre aux employés, aux clients et aux partenaires d'accéder à l'information par des moyens électroniques, si elles veulent prospérer dans le monde de l'électronique. Faire des affaires électroniques engendre automatiquement d'énormes risques pour la sécurité de l'information au sein des organisations. De façon surprenante, il s'avère que le principal problème entourant la sécurité de l'information ne relève pas de la technique, mais des individus.

La dernière enquête réalisée par le Computer Security Institute a révélé que 41,1 % des répondants ont subi un incident de sécurité et que 43,2 % ont indiqué qu'au moins une partie de leurs pertes était attribuable à des attaques d'initiés. Un **initié** est un utilisateur légitime qui emploie de façon indue, volontairement ou accidentellement, son accès à l'environnement et qui cause un incident nuisant à une entreprise. La plupart des atteintes à la sécurité de l'information sont des exemples d'attaques d'initiés. Par exemple, beaucoup de personnes donnent librement leur mot de passe ou l'écrivent sur une note autocollante placée à côté de leur ordinateur, ce qui facilite beaucoup la tâche pour un intrus[31].

Il s'est produit dans le passé des incidents à la suite desquels des patients sont décédés après avoir reçu une surdose de radiothérapie faisant partie de leur traitement contre le cancer. Les plus connus de ces incidents ont mis en cause le Therac-25, à la fin des années 1980. L'enquête subséquente a montré que ces incidents s'étaient produits en partie à cause de problèmes de logiciel. De telles conclusions soulèvent d'autres questions liées à la responsabilité. Dans ce cas précis, qui était responsable des décès ? Le concepteur de logiciels ou le radiothérapeute ? Et qu'en est-il de la responsabilité du directeur de l'hôpital ou de l'hôpital lui-même[32] ?

La directrice de la sécurité de l'information dans une grande entreprise spécialisée en soins de santé a découvert un jour, après avoir embauché des vérificateurs extérieurs chargés de mettre à l'épreuve les dispositifs de sécurité de son entreprise, qu'il était facile de porter atteinte à la sécurité de l'information. Dans un cas, les vérificateurs ont constaté que des membres du personnel faisant l'essai d'un nouveau système avaient accidentellement exposé le réseau à des pirates informatiques extérieurs. Dans un autre cas, ils sont parvenus à obtenir les mots de passe de 16 employés en se faisant passer pour des employés de soutien au moyen d'une technique dénommée « ingénierie sociale ». L'**ingénierie sociale** consiste à utiliser des aptitudes sociales pour manipuler des individus afin que ces derniers révèlent les paramètres d'accès ou d'autres renseignements utiles au manipulateur. Fouiller dans les poubelles de certaines personnes est une autre technique d'ingénierie sociale permettant d'obtenir de l'information[33].

Une **politique de sécurité de l'information** définit les règles requises pour le maintien de la sécurité de l'information. Un **plan de sécurité de l'information** décrit la façon dont une organisation va mettre en œuvre la politique de sécurité de l'information. L'encadré 10.5 indique certains facteurs à prendre en considération dans un plan de sécurité de l'information.

La première ligne de défense d'une organisation réside dans la formulation d'un plan de sécurité de l'information qui décrit en détail les diverses politiques de sécurité de l'information. Le tableau 10.4 décrit les cinq étapes de la formulation d'un tel plan et l'encadré 10.6 présente les 10 plus importantes questions auxquelles un gestionnaire doit répondre pour assurer la sécurité de l'information.

Les fonctions d'un plan de sécurité de l'information

- Cerner et évaluer les risques relatifs à l'information au sujet de la clientèle
- Définir les rôles du plan de sécurité et répartir les responsabilités
- Décrire les moyens de cerner et d'évaluer les risques
- Consigner les politiques et les procédures relatives à la gestion et à la maîtrise des risques cernés
- Décrire les mécanismes de mise en œuvre et d'évaluation du plan

Les domaines concernés par un plan de sécurité de l'information

- La formation et la gestion du personnel
- La sécurité matérielle des données et de l'information
- Les mesures de sauvegarde
- Les fournisseurs de services

La technologie forme la deuxième ligne de défense

Depuis que l'Université d'État de l'Arkansas a procédé à une mise à niveau de son réseau, tous les bureaux et toutes les chambres d'étudiant dans le campus disposent d'un réseau informatique à « gigacapacité ». L'université craignait toutefois que le nouveau réseau ne soit une cible

TABLEAU 10.4 | Cinq étapes de formulation d'un plan de sécurité de l'information

1. Élaborer la politique de sécurité de l'information	Identifier les personnes responsables de la conception et de la mise en œuvre de la politique de sécurité de l'information de l'organisation. Voici quelques éléments à la fois simples et efficaces d'une politique de sécurité de l'information : exiger que les utilisateurs ferment leur système avant d'aller dîner ou de participer à une réunion, ne jamais partager ses mots de passe avec quiconque et modifier ses mots de passe personnels tous les 60 jours. Le chef de la sécurité est généralement responsable de la formulation de la politique de sécurité de l'information.
2. Communiquer la politique de sécurité de l'information	Donner à tous les employés une formation relative à cette politique et définir des objectifs clairs concernant le respect de la politique. Par exemple, faire savoir à tout le personnel qu'une réprimande officielle sera inscrite au dossier de tout employé qui laisse un ordinateur ouvert ou sans surveillance.
3. Cerner les ressources d'information et les risques qui y sont liés	Imposer l'emploi d'identificateurs d'utilisateurs, de mots de passe et de logiciels antivirus pour tous les systèmes. S'assurer que tous les systèmes contenant des liens vers des réseaux extérieurs sont munis des outils de protection technique appropriés, tels que des pare-feu ou des logiciels de détection d'intrusion. Un pare-feu est un périphérique ou un logiciel qui protège un réseau privé en analysant l'information qui y entre et en sort. Un logiciel de détection d'intrusion cherche des récurrences dans l'information et l'activité du réseau qui révèlent une attaque ; il réagit rapidement pour prévenir tout dommage.
4. Vérifier et réévaluer les risques	Effectuer continuellement des révisions de sécurité, des vérifications, des vérifications d'antécédents et des évaluations de la sécurité
5. Obtenir l'appui des parties prenantes	Obtenir l'approbation et l'appui du conseil d'administration et de toutes les parties prenantes au sujet de la politique de sécurité de l'information

1. Notre conseil d'administration reconnaît-il que la sécurité de l'information relève de lui et qu'elle ne peut être confiée uniquement au Service des technologies de l'information ?

2. Y a-t-il une attribution claire de la responsabilité pour la sécurité de l'information dans notre organisation ?

3. Les membres de notre conseil se sont-ils mis d'accord au sujet d'un ensemble de menaces et d'éléments ayant une importance cruciale ? À quelle fréquence les passons-nous en revue et les mettons-nous à jour ?

4. Quel est le budget consacré à la sécurité de l'information et à quels éléments spécifiques est-il consacré ?

5. Quel serait l'impact d'un grave incident de sécurité sur l'organisation ?

6. Notre organisation considère-t-elle la sécurité de l'information comme un outil susceptible d'accroître la performance ? (Par exemple, si notre système de sécurité était véritablement efficace, pourrions-nous hausser le chiffre d'affaires de notre organisation par l'entremise d'Internet ?)

7. Quel serait le risque pour notre entreprise si celle-ci était réputée pour la faible sécurité de son information ?

8. Quelles mesures avons-nous prises pour nous assurer que des tierces parties ne compromettront pas la sécurité de notre organisation ?

9. Quelle source indépendante nous garantit que la sécurité de l'information est bien gérée dans notre organisation ?

10. Comment mesurons-nous l'efficacité de nos activités pour assurer la sécurité de l'information ?

ENCADRÉ 10.6

Dix plus importantes questions auxquelles un gestionnaire doit répondre pour assurer la sécurité de l'information

tentante pour des pirates informatiques. Dans le but d'apaiser ses craintes, elle a installé un logiciel de détection d'intrusion afin d'assurer la sécurité informatique et de prévenir de possibles abus au détriment du réseau. Dès que ce logiciel détecte une menace potentielle contre la sécurité, tel un virus ou un piratage informatique, il alerte le système de gestion central. Ce dernier envoie automatiquement un message par téléavertisseur au personnel des technologies de l'information, qui pare l'attaque en fermant l'accès au système, en repérant l'emplacement du pirate et en signalant l'attaque au Service de sécurité de l'université[34].

Si une organisation a protégé son capital intellectuel au moyen d'un plan détaillé de sécurité de l'information mis à la disposition de son personnel, elle peut alors commencer à concentrer ses efforts sur le déploiement des bonnes technologies de sécurité de l'information, comme le logiciel de détection d'intrusions qu'a installé l'Université d'État de l'Arkansas.

On estime que les dépenses consacrées au matériel, aux logiciels et aux services de sécurité des technologies de l'information dans le monde atteindront 86 milliards de dollars américains à la fin de 2016[35]. Les organisations peuvent se doter de diverses technologies pour prévenir les atteintes à la sécurité de l'information. Au moment de déterminer les technologies à adopter à cette fin, il est utile de bien connaître les trois principaux domaines de sécurité de l'information: l'authentification et l'autorisation, la prévention et la résistance ainsi que la détection et la réponse[36].

L'authentification et l'autorisation

L'**authentification** est une méthode de confirmation de l'identité d'un utilisateur. Lorsqu'un système a authentifié un utilisateur, il peut déterminer les privilèges d'accès (ou l'autorisation) de cet utilisateur. L'**autorisation** désigne le processus permettant à une personne de faire ou de posséder quelque chose. Dans un système informatique à utilisateurs multiples, l'autorisation ou l'accès donné à un utilisateur détermine des facteurs comme l'accès aux fichiers, la durée de l'accès et le volume de l'espace de stockage accordé. Les techniques d'authentification et d'autorisation se répartissent en trois catégories, et les plus sécuritaires découlent d'une combinaison des trois:

1. une information que l'utilisateur connaît, comme une identification et un mot de passe d'utilisateur;

2. un objet spécifique que l'utilisateur détient, comme une carte à puce ou un jeton d'authentification;

3. une marque distinctive que possède l'utilisateur, comme une empreinte digitale ou une signature vocale.

Le premier type d'authentification, soit une information que l'utilisateur connaît, est la façon la plus courante d'identifier un utilisateur spécifique. Il comprend habituellement une identification et un mot de passe d'utilisateur uniques. Il s'agit cependant d'un des moyens les moins efficaces d'établir l'authentification, parce que les mots de passe ne sont pas sécurisés. Tout ce qu'il faut pour mettre la main sur un mot de passe, c'est du temps. Plus de la moitié des appels logés à un service de dépannage concernent les mots de passe, ce qui représente des coûts élevés pour une entreprise, et il est facile pour un «ingénieur social» de soutirer à quelqu'un son mot de passe lorsqu'il a l'intention de perpétrer un vol d'identité.

Le **vol d'identité** désigne la contrefaçon de l'identité d'une personne, plagiat qui est effectué à des fins illégales. L'auteur d'un tel vol cherche souvent à commettre une fraude financière, c'est-à-dire demander et utiliser une carte de crédit établie au nom de la victime ou faire une demande de prêt. L'encadré 10.7 donne plusieurs exemples de vol d'identité. L'hameçonnage est une méthode couramment employée pour voler des identités en ligne. L'**hameçonnage** est une technique visant à obtenir des renseignements au sujet d'une personne ou d'une entreprise en vue de commettre un vol d'identité, généralement au moyen de courriels trompeurs. Une des façons de pratiquer l'hameçonnage consiste à envoyer des courriels qui semblent provenir d'entreprises parfaitement légitimes, comme la Banque Royale du Canada ou Desjardins Sécurité financière. Les messages paraissent authentiques et affichent le format et le logo apparemment officiels de l'envoyeur prétendu. Ces courriels portent souvent sur la vérification de renseignements importants, tels que des mots de passe et des numéros de comptes. Récemment, des dirigeants militaires chinois ont été accusés d'avoir utilisé des courriels hameçonnés assortis d'un logiciel malveillant qui, si le destinataire cliquait sur ce dernier, leur permettaient d'accéder anonymement à l'information organisationnelle[37]. Puisque ces courriels paraissent authentiques, près de 20 % des destinataires donnent les renseignements demandés et sont ensuite victimes d'un vol d'identité ou d'autres actes illégaux.

Le deuxième type d'authentification, soit se servir d'un objet spécifique que l'utilisateur détient, est beaucoup plus efficace qu'un identificateur et un mot de passe d'utilisateur lorsque vient le temps d'identifier une personne. Il s'appuie sur le recours à deux moyens principaux: le jeton d'authentification et la carte à puce. Un **jeton d'authentification** est un petit dispositif électronique qui change automatiquement le mot de passe d'un utilisateur. Ce dernier inscrit son identificateur d'utilisateur et le mot de passe affiché par le jeton afin

- Un homme et une femme ont été arrêtés pour avoir redirigé le courrier d'autres personnes au moyen d'un formulaire de changement d'adresse de Postes Canada. Rediriger du courrier procure à des voleurs une source abondante de renseignements personnels au sujet d'individus et leur donne plus de temps pour commettre des actes illégaux avant que les victimes ne commencent même à avoir des soupçons. Afin d'inciter des individus à donner suffisamment de renseignements personnels pour pouvoir remplir un formulaire de changement d'adresse, l'homme et la femme affichaient une fausse offre d'emploi en ligne et attendaient simplement que ces individus leur envoient des renseignements personnels à leur sujet[38].

- La sécurité de l'information correspond souvent au niveau d'intégrité des employés travaillant dans des organisations qui ont accès aux renseignements personnels au sujet des clients et de leurs collègues de travail. Un cas de vol d'origine intérieure s'est produit à la Banque du Canada, où ont été arrêtées deux personnes à l'emploi d'EDS Canada. La Banque du Canada avait externalisé le service de gestion et de soutien dans le contexte du programme d'obligations d'épargne du Canada à EDS Canada, une entreprise offrant ce service d'externalisation. Ces deux personnes ont frauduleusement soutiré une somme totale de quelque 100 000 $ à huit détenteurs de compte inscrits au Programme d'épargne-salaire des obligations d'épargne du Canada[39].

- Âgée de 82 ans, une femme de Fort Worth (Texas) s'est aperçue du vol de son identité après que la femme qui utilisait son nom eut été impliquée dans une collision entre 4 voitures. Pendant 18 mois, elle a reçu des avis de poursuites judiciaires et des factures de soins médicaux impayés qui, en fait, étaient destinés à une autre personne. Il lui a fallu 7 ans pour rétablir sa bonne réputation financière, puisque la voleuse d'identité avait dépensé plus de 100 000 $ au moyen de 12 cartes de crédit frauduleusement obtenues.

- Âgé de 42 ans, un capitaine de l'armée à la retraite de Rocky Hill (Connecticut) s'est rendu compte qu'un voleur d'identité avait dépensé 260 000 $ pour acheter divers biens et services, dont 2 camions, 1 moto Harley-Davidson et 1 résidence de vacances partagée en Caroline du Sud. La victime n'a découvert le pot aux roses que lorsque son chèque de pension a été saisi pour payer les comptes en souffrance.

ENCADRÉ 10.7

Exemples de vol d'identité

d'accéder au réseau. Une **carte à puce** est un dispositif qui a la même taille qu'une carte de crédit, qui contient des outils technologiques et qui stocke de l'information et une petite quantité d'éléments logiciels pouvant effectuer un traitement limité. Elle remplit des fonctions d'identification, d'obtention d'argent électronique ou de stockage de données telles que celles d'un dossier médical complet.

Le troisième type d'authentification, soit une marque distinctive que possède l'utilisateur, est de loin le moyen optimal en la matière. La **biométrie** est une technique d'identification d'un utilisateur qui est fondée sur un trait physique, tel qu'une empreinte digitale, l'iris, le visage, la voix et l'écriture manuelle. Malheureusement, l'authentification biométrique est souvent coûteuse et importune. Par exemple, une lecture de l'iris est onéreuse et généralement jugée importune par la personne qui la subit. L'authentification au moyen des empreintes digitales est considérée comme moins importune et coûte moins cher, mais elle n'est pas infaillible. Dotée de données biométriques, la carte NEXUS permet aux grands voyageurs de traverser plus rapidement la frontière canado-américaine. Au Canada, les détenteurs de cette carte sont en mesure de passer plus rapidement les contrôles de sécurité en empruntant la Trusted Traveller CATSA Security Lane. La carte NEXUS contient les données biométriques relatives à l'iris et aux empreintes digitales de son détenteur, et elle est munie d'une puce électronique d'identification par radiofréquence (IDRF). Aux aéroports et aux passages frontaliers spécialement équipés à cette fin, les détenteurs de cette carte peuvent se présenter à un kiosque spécial comportant un lecteur optique. Ils peuvent aussi emprunter la Trusted Traveller Security Lane dans 8 grands aéroports canadiens et à 24 postes-frontières terrestres. Les Canadiens admissibles ont la possibilité d'obtenir cette carte par l'entremise de l'Agence des services frontaliers du Canada[40].

La prévention et la résistance

Des technologies de prévention et de résistance empêchent les intrus d'accéder au capital intellectuel. Sony Pictures Entertainment (SPE), une division de Sony Inc., se protège contre les attaques à l'aide d'un système de détection d'intrusion qui repère les attaques en temps réel. SPE élabore et distribue une large gamme de produits : films, émissions de télévision, vidéos et DVD. Une brèche à la sécurité de SPE est susceptible de la priver d'un capital intellectuel de grande valeur, de lui coûter des millions de dollars et de l'obliger à consacrer des mois à sa réparation. L'entreprise avait besoin, en matière de gestion des menaces subies, d'une solution de pointe qui nécessiterait la mobilisation de ressources moins vastes pour son fonctionnement ainsi que pour le repérage et l'arrêt des activités suspectes dans son réseau. Elle a alors installé un système sophistiqué de détection d'intrusion, grâce auquel elle est en mesure de surveiller toutes les activités dans son réseau, y compris toute atteinte potentielle à sa sécurité[41].

Le filtrage de contenu est pratiqué à l'aide d'un logiciel par les organisations qui veulent prévenir la transmission d'information non autorisée. Les organisations se servent des outils technologiques de filtrage de contenu pour filtrer les courriels et empêcher la transmission, malicieuse ou accidentelle, de ceux qui contiennent de l'information névralgique. Ces outils préviennent aussi la transmission de fichiers suspects comme ceux qui pourraient être infectés par un virus. Le filtrage du contenu des courriels permet aussi de bloquer les pourriels, c'est-à-dire un type de courriels non sollicités.

Sean Lane a voulu faire une surprise à sa femme en lui offrant un cadeau particulier. Sauf que, peu après, la manchette suivante a fait son apparition dans le site de réseautage social Facebook : « Sean Lane a acheté une bague en or blanc 14 carats avec diamants Eternity Flower 1/5 carat sur le site www.overstock.com. » À l'insu de Lane, la manchette a pu être lue par tous ceux qui font partie de son réseau en ligne, dont 500 camarades de classe de l'Université Columbia et 220 autres amis, collègues de travail et connaissances. Et sa femme aussi. Si son cadeau de Noël pour sa femme a ainsi été déballé en public, c'est à cause d'un outil publicitaire dénommé « Beacon », qui diffuse la description des achats en ligne des membres de Facebook à l'intention de leurs amis. L'entreprise explique sa démarche en disant qu'elle offre aux marchands la possibilité de transformer les millions d'utilisateurs de Facebook en un gigantesque service de promotion par le bouche-à-oreille. Lane a plutôt qualifié le tout de « Noël gâché », et plus de 50 000 utilisateurs ont signé une pétition demandant à Facebook de cesser de diffuser les transactions de ses membres sans leur consentement. Facebook a fait cesser les activités de Beacon en septembre 2009, après avoir accepté une entente à l'issue d'un recours collectif intenté contre le produit et avoir établi un fonds de 9,5 millions de dollars américains pour financer des initiatives relatives à la confidentialité en ligne[42].

Le cryptage brouille l'information et lui donne une forme dont le décryptage nécessite le recours à une clé ou à un mot de passe. Dans le cas d'une atteinte à la sécurité d'une information cryptée, la personne ayant volé cette information sera alors incapable de la lire. Les types de cryptage sont variés : permutation de l'ordre des caractères, remplacement de certains caractères par d'autres, insertion ou suppression de certains caractères ou encore utilisation d'une formule mathématique pour convertir l'information en une sorte de code. Les entreprises qui transmettent par Internet de l'information névralgique au sujet de leurs clients, tels des numéros de cartes de crédit, font souvent appel au cryptage.

Certaines techniques de cryptage reposent sur l'emploi de clés multiples, par exemple le cryptage à clé publique. Le **cryptage à clé publique** est un système de cryptage comportant deux clés : une clé publique, mise à la disposition de tous, et une clé privée, disponible exclusivement pour le destinataire (*voir la figure 10.7*). Lorsque son système de sécurité s'appuie sur des clés multiples, une organisation donne la clé publique à tous ses clients (consommateurs finaux et autres entreprises). Les clients se servent de la clé publique pour crypter leur information respective et la transmettre par Internet. Lorsque cette information parvient à destination, l'organisation qui la reçoit utilise sa clé privée pour la décrypter.

Le pare-feu est un des moyens de défense les plus couramment employés pour prévenir une atteinte à la sécurité. Un pare-feu est un périphérique ou un logiciel qui protège un réseau privé grâce à l'analyse de l'information qui entre dans le réseau et qui en sort. Il examine chaque message se présentant à l'entrée du réseau. Si un message ne comporte pas les marques appropriées, le pare-feu l'empêche d'entrer dans le réseau. Un pare-feu est configuré de façon à laisser passer certains messages et à bloquer tous les autres. Il peut même détecter les ordinateurs reliés à Internet qui communiquent sans autorisation. Comme le montre la figure 10.8, les organisations placent généralement un pare-feu entre un serveur et Internet.

La détection et la réponse

Le dernier domaine auquel les organisations consacrent des ressources est celui des outils technologiques de détection et de réponse. Si les stratégies de prévention et de résistance échouent et qu'une atteinte à la sécurité se produit, une organisation peut également utiliser des outils technologiques de détection et de réponse pour endiguer les dommages potentiels. Le moyen de défense le plus répandu dans ce domaine est un logiciel antivirus.

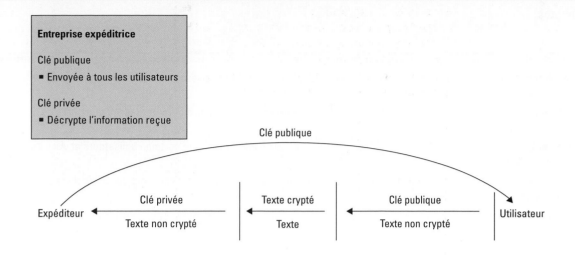

Clé publique

Expéditeur ← Clé privée / Texte non crypté ← Texte crypté / Texte ← Clé publique / Texte non crypté → Utilisateur

FIGURE 10.7

Système de cryptage à clé publique

Un grand nombre de logiciels malveillants et de logiciels vulnérables sont apparus dans le monde au cours des dernières décennies. Parmi les cas récents figurent le bogue Heartbleed et le logiciel malveillant Blackshades. Heartbleed est un bogue présent dans le logiciel de cryptage OpenSSL qui fait en sorte que tout internaute peut lire le contenu de sa mémoire vulnérable, dont des noms d'utilisateurs, des mots de passe et du contenu[43]. Pour sa part, Blackshades est un logiciel malveillant achetable et téléchargeable qui sert à contrôler et à voir à distance le contenu de l'ordinateur d'une autre personne. Jared Abrahams a été condamné à 18 mois de prison pour chantage aux dépens de Miss Teen USA, Cassidy Wolf, dans une cause dite de « sextorsion ». À l'aide de Blackshades, il avait pris des photos de Wolf et d'autres femmes les montrant nues et les avait ensuite menacées de diffuser ces photos en ligne si elles n'acceptaient pas de converser avec lui par clavardage vidéo ou de lui envoyer d'autres photos d'elles nues[44].

En général, les individus associent les virus (des logiciels malveillants) aux pirates informatiques (des personnes). S'il est vrai que de nombreux types de pirates créent des virus, certains ne le font pas. Les encadrés 10.8 et 10.9 (*voir la page suivante*) donnent respectivement un aperçu des types de pirates et de virus les plus répandus.

FIGURE 10.8

Exemple d'architecture de pare-feu reliant des systèmes situés à Toronto, à New York et à Munich

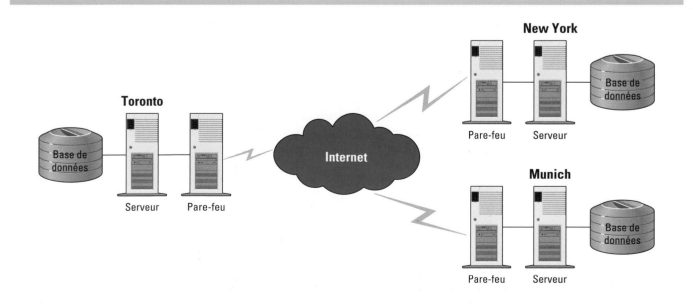

- **Pirate informatique** – personne experte en informatique qui se sert de ses connaissances en la matière pour envahir les ordinateurs de nombreuses autres personnes

- **Chapeau blanc** – personne qui tente, à la demande des propriétaires d'un système, de repérer les vulnérabilités de ce dernier et d'en éliminer les lacunes

- **Chapeau noir** – personne qui entre sans autorisation dans le système informatique de certains utilisateurs et qui y furète ou qui vole et détruit de l'information

- **Cybermilitant** – personne qui a des motifs philosophiques et politiques de s'introduire de force dans un système et qui vandalise souvent des sites Web en guise de protestation

- **Pirate informatique adolescent** – personne qui trouve un code à pirater dans Internet et qui pénètre dans un système pour l'endommager ou y répandre des virus

- **Braqueur informatique** – pirate informatique ayant des intentions criminelles

- **Cyberterroriste** – personne qui cherche à nuire à autrui ou à détruire une information ou un système vital, et qui utilise Internet comme une arme de destruction massive

- **Virus** – logiciel créé dans une intention malveillante pour causer des perturbations ou des dommages

- **Ver informatique** – type de virus qui se répand non seulement d'un fichier à l'autre, mais aussi d'un ordinateur à l'autre. La principale différence entre un virus et un ver informatique peut se résumer comme suit: un virus doit se fixer à quelque chose, tel un fichier exécutable, pour se répandre, tandis qu'un ver informatique se répand dans des ordinateurs sans devoir se fixer à quoi que ce soit.

- **Attaque par déni de service** – attaque qui submerge un site Web sous un très grand nombre de demandes de service afin de le ralentir ou de le paralyser

- **Attaque par déni de service distribué** – attaque issue de multiples ordinateurs qui submergent un site Web avec un très grand nombre de demandes de service pour le ralentir ou le paralyser. Un exemple connu est le Ping of Death: des milliers d'ordinateurs tentent d'accéder à un site Web en même temps, le surchargent et le paralysent assez rapidement.

- **Cheval de Troie** – virus qui se cache dans un autre logiciel, généralement sous la forme d'une pièce jointe ou d'un fichier téléchargeable

- **Porte dérobée** – virus qui se fraye un chemin dans un réseau en vue d'attaques futures

- **Virus et ver informatique polymorphes** – virus et ver informatique qui changent de forme à mesure qu'ils se propagent

Les menaces les plus dommageables pour la sécurité des sites d'affaires électroniques comprennent les codes malicieux, les canulars, les mystifications et les programmes renifleurs (*voir l'encadré 10.10*).

La mise en œuvre de lignes de défense de l'information, fondées d'abord sur les personnes et ensuite sur la technologie, constitue le meilleur moyen à la disposition d'une organisation pour protéger son information ayant une importance vitale. La première ligne de défense consiste à assurer la sécurité de l'information au moyen d'un plan de sécurité de l'information qui décrit en détail les diverses politiques de sécurité de l'information. La deuxième ligne de défense consiste à investir dans la technologie afin d'assurer la sécurité de l'information au moyen de l'authentification et de l'autorisation, de la prévention et de la résistance, de la détection et de la réponse.

- La **hausse de privilège** est un processus par lequel un utilisateur déjoue un système pour l'amener à accorder des droits sans autorisation, généralement dans le but de compromettre ou de détruire ce système. Par exemple, un attaquant entre dans un réseau par l'entremise d'un compte d'invité et exploite ensuite une faiblesse du logiciel pour transformer les privilèges d'invité en privilèges administratifs.

- Un **canular** consiste à attaquer un système informatique par la transmission d'un faux virus auquel est rattaché un véritable virus. L'attaque est dissimulée dans un message paraissant légitime. De ce fait, l'utilisateur ne s'en méfie pas et retransmet le message (et l'attaque) à ses collègues de travail et à ses amis, ce qui multiplie le nombre d'utilisateurs dont l'ordinateur devient infecté.

- Un **code malicieux** comprend diverses menaces, comme des virus, des vers informatiques et des chevaux de Troie.

- Une **mystification** est une contrefaçon de l'adresse de retour dans un courriel, de sorte que celui-ci semble provenir d'un utilisateur autre que le véritable envoyer. Il ne s'agit pas d'un virus, mais plutôt d'un moyen dont se sert l'auteur d'un virus pour dissimuler son identité lorsqu'il envoie un virus.

- Un **logiciel espion** est un logiciel caché dans un logiciel gratuit téléchargeable, qui retrace les activités en ligne, exploite l'information stockée dans un ordinateur ou utilise l'unité centrale ou la mise en mémoire de l'ordinateur pour effectuer une tâche à l'insu de l'utilisateur. Selon la National Cyber Security Alliance, 91 % des utilisateurs interrogés avaient dans leur ordinateur un logiciel espion susceptible de ralentir énormément son fonctionnement, de faire surgir des publicités incrustées en nombre excessif ou de pirater des pages d'accueil.

- Un **programme renifleur** est un programme ou un dispositif qui peut suivre et afficher toutes les données transmises au sein d'un réseau, y compris des mots de passe et de l'information névralgique. Les programmes renifleurs font partie des armes préférées qu'un pirate informatique conserve dans son arsenal.

- Une **altération de paquet** désigne l'altération du contenu d'un paquet pendant son déplacement dans Internet ou l'altération de données dans un disque dur après la pénétration à l'intérieur d'un réseau. Par exemple, un attaquant peut placer un dispositif d'interception sur une ligne de réseau pour détourner des paquets à leur sortie de l'ordinateur. Il peut espionner ou encore altérer l'information à sa sortie du réseau.

- L'**hameçonnage** est une technique permettant d'obtenir des renseignements personnels en vue de perpétrer un vol d'identité, généralement au moyen de faux courriels qui semblent provenir d'entreprises légitimes.

- Un **dévoiement** redirige vers un faux site Web les demandes transmises à un site Web légitime. Par exemple, si un utilisateur tapait l'adresse URL de sa banque, un dévoiement le redirigerait vers un faux site qui recueillerait des renseignements personnels à son sujet.

RETOUR SUR LA MISE EN CONTEXTE

Le travail de la commissaire à la protection de la vie privée du Canada

5. Dans le cas présenté, l'entreprise devrait adopter des mesures liées au respect de la confidentialité. De quelle façon ces mesures pourraient-elles atténuer les futurs problèmes liés à la sécurité de l'information ?

6. Quel est le plus gros obstacle, en matière de sécurité de l'information, qu'affrontent les organisations s'efforçant de se conformer aux lois sur la confidentialité ?

7. La technologie peut-elle à elle seule garantir que l'information demeure en sécurité ? Expliquez votre réponse.

8. Malheureusement, des atteintes à la confidentialité et à la sécurité se produisent fréquemment dans les organisations aujourd'hui. Quelles sont les plus récentes à avoir défrayé les manchettes ? Croyez-vous que la situation continuera de s'aggraver avant de s'améliorer ? Comment les organisations peuvent-elles mieux se préparer à faire face aux futures atteintes à la confidentialité et à la sécurité ?

L'objectif du présent chapitre était de souligner que les organisations doivent protéger l'information contre toute utilisation malveillante. Plus particulièrement, ce chapitre a analysé les questions énoncées ci-après.

■ L'éthique de l'information et son importance en milieu de travail.

Les organisations doivent comprendre le sens et la portée des questions éthiques et morales relatives à l'information et aux systèmes d'information. Ces questions sont étroitement liées aux convictions éthiques personnelles des individus concernés. Il n'existe aucune règle simple et incontestable permettant de déterminer ce qui est éthique ou non. En milieu de travail, les questions éthiques comprennent la conception et le déploiement de systèmes d'information qui ne respectent pas la dignité humaine, ainsi que l'utilisation des technologies de l'information pour surveiller de façon inappropriée le rendement des employés.

■ La confidentialité de l'information et les différences entre les multiples lois relatives à la confidentialité en vigueur dans le monde.

La notion de confidentialité de l'information renvoie à la protection contre l'accès non autorisé à des renseignements personnels. Diverses lois sur la confidentialité sont en vigueur dans le monde. Les pays européens ont tendance à favoriser l'adoption de lois vigoureuses en la matière, alors que les États-Unis privilégient une attitude relevant plutôt du laisser-faire à cet égard et mettent souvent l'accent sur l'autodiscipline plutôt que sur des politiques strictes et rigoureuses. Au Canada, les lois s'inspirent fortement du modèle européen. La LPRPDE est la principale loi sur la confidentialité. Elle impose aux entreprises de tout type et de toute taille des règles strictes sur la protection et le traitement des renseignements personnels (au sujet de la clientèle). Au cœur de la LPRPDE se retrouvent les notions de consentement, de choix et de contrôle. Cette loi énonce les règles que les organisations doivent respecter en ce qui a trait à la collecte, au partage et au stockage des renseignements personnels.

■ Les différences entre les diverses politiques de confidentialité et d'éthique de l'information en milieu de travail.

Les organisations se sont dotées d'un éventail de politiques pour favoriser l'adoption de comportements appropriés en matière de confidentialité et d'éthique de l'information. Ces politiques portent généralement sur l'utilisation éthique des ordinateurs, la confidentialité de l'information, la confidentialité de l'utilisation acceptable, la confidentialité du courrier électronique, l'utilisation d'Internet, les outils antipourriels et la surveillance des employés.

■ La sécurité de l'information et les raisons pour lesquelles les personnes forment la première ligne de défense pour protéger l'information.

Assurer la sécurité de l'information consiste à la préserver de tout dommage et de toute utilisation inappropriée. Le facteur le plus important à cet égard n'est pas lié à la technique et relève plutôt des personnes concernées. Même les mesures de sécurité techniques les plus strictes et les politiques de confidentialité de l'information les plus sévères peuvent être gravement compromises par un seul employé insouciant ou corrompu (un « initié ») qui a accès à des renseignements de nature confidentielle ou privée et qui est négligent ou malveillant quant à l'utilisation de ces renseignements. L'efficacité des politiques et des mesures de sécurité de l'information est étroitement liée au travail des employés de l'organisation chargés de l'application et du respect de ces politiques et de ces mesures.

■ Les façons d'utiliser les technologies de l'information pour accroître la sécurité de l'information.

Diverses solutions en technologies de l'information s'offrent aux organisations pour assurer la protection et la sécurité de l'information : identificateur et mot de passe d'utilisateur, jeton d'authentification et carte à puce, biométrie, logiciel de détection d'intrusion, cryptage et pare-feu d'entreprise.

À titre d'étudiant dans un domaine lié aux affaires, vous devez comprendre que l'éthique, la confidentialité et la sécurité de l'information revêtent toutes une importance primordiale au sein des organisations aujourd'hui. C'est particulièrement le cas au Canada, où la LPRPDE exerce une pression juridique sur les entreprises pour garantir la confidentialité et la sécurité des renseignements personnels qu'elles recueillent. Les entreprises qui échouent en la matière s'exposent non seulement à des conséquences judiciaires, mais aussi à la colère des consommateurs, qui ont de fortes exigences en ce qui concerne la façon dont les entreprises traitent les renseignements personnels à leur sujet.

WestJet reconnaît avoir espionné Air Canada

Ce cas illustre les questions éthiques que soulèvent les ramifications d'une atteinte à la confidentialité de l'information.

En mai 2006, WestJet et Air Canada sont parvenues à une entente pour clore le cas d'espionnage d'entreprise les ayant opposées. WestJet s'est reconnue coupable d'avoir accédé à des renseignements confidentiels par l'entremise d'un site Web d'Air Canada.

Selon Air Canada, l'accès à ces renseignements a permis à WestJet de prendre connaissance des liaisons les plus rentables d'Air Canada, de planifier son expansion en conséquence, d'adapter indûment ses propres horaires et grilles de tarifs en fonction de ces renseignements et d'en tirer parti pour offrir de nouvelles liaisons et mettre un terme à d'autres. De plus, toujours selon Air Canada, WestJet s'était servie de cet accès pour repérer les tendances caractérisant les réservations des voyageurs, ce qui représente une information extrêmement utile pour toute compagnie d'aviation.

Dans un communiqué de presse publié conjointement avec Air Canada, WestJet a reconnu sa « pleine responsabilité » et affirmé avoir « agi d'une façon à la fois non éthique et inacceptable ». WestJet a aussi admis que certains membres de son équipe de direction « avaient à maintes reprises accédé secrètement à un site Web propriétaire pour les employés, protégé par un mot de passe maintenu par Air Canada, afin de télécharger des renseignements détaillés et névralgiques à caractère commercial sans avoir obtenu l'autorisation ou le consentement d'Air Canada[45] ».

Le plus inquiétant dans ce cas réside dans le fait que cet espionnage d'entreprise a eu lieu au vu et au su et sous la gouverne des plus hauts dirigeants de WestJet et n'a cessé que lorsqu'Air Canada a découvert le pot aux roses.

Voici la suite des événements, selon le *Calgary Herald*.

- En 2002, Jeffrey Lafond se joint à WestJet à titre d'analyste financier. Il avait été à l'emploi de Canadian Airlines pendant cinq ans et avait perdu son poste au moment où Air Canada avait fait l'acquisition de Canadian Airlines.

- Son indemnité de départ comportait l'obtention, deux fois par année, d'un billet d'avion gratuit qu'il pouvait réserver par l'entremise d'un site Web réservé aux employés d'Air Canada.

- Lorsqu'il s'est rendu compte de l'ampleur du volume de réservations d'Air Canada, Lafond a révélé l'existence de ce site Web à Scott Butler, directeur de la planification stratégique de WestJet. Butler en a alors informé Mark Hill, fondateur et vice-président de WestJet à cette époque.

- Hill et Butler ont demandé à Lafond de leur confier son code personnel et son numéro d'employé d'Air Canada ;

Lafond leur a demandé de lui verser une indemnité au cas où il ferait l'objet de poursuites judiciaires.

- À partir de son ordinateur personnel à Victoria (Colombie-Britannique), Hill a commencé à se servir du code de Lafond pour accéder au site Web. Chaque soir, il passait environ 90 minutes à vérifier les coefficients de remplissage d'Air Canada pour différentes liaisons. Mais une telle tâche nécessitait beaucoup trop de temps, si bien qu'un autre employé de WestJet a alors créé un programme automatisé de « capture de données d'écran » pour recueillir et analyser l'information sur Air Canada. À certains moments, ce programme visitait le site Web d'Air Canada plus de 1 000 fois par jour. Hill examinait les données obtenues et les transmettait parfois à d'autres employés de WestJet.

- À l'été 2003, Air Canada a commencé à soupçonner que WestJet avait accès aux coefficients d'occupation des sièges d'Air Canada.

- En décembre 2003, un dénonciateur à la compagnie WestJet a informé la direction d'Air Canada de ce qui se passait. Le Service de sécurité d'Air Canada a commencé à enquêter sur l'accès non autorisé au système de réservations d'Air Canada.

- Au début de février 2004, les enquêteurs ont signalé un nombre exceptionnellement élevé, soit 243 630, de demandes d'accès au système sur une période de 10 mois, par l'entremise du numéro d'employé de Lafond.

- Le 6 avril 2004, Air Canada a intenté une poursuite judiciaire contre WestJet et ses deux employés, Mark Hill et Jeffrey Lafond, leur réclamant cinq millions de dollars pour avoir accédé sans autorisation à des renseignements privés sur le site Web d'Air Canada.

- Le 14 juillet 2004, Hill a démissionné de WestJet.

- Le 22 juillet 2004, Air Canada a haussé à 220 millions sa réclamation dans le cadre de sa poursuite judiciaire.

- En 2006, deux ans après le déclenchement de cette poursuite judiciaire, une entente hors cour a été conclue en échange de l'abandon de toute poursuite. En vertu de cette entente, WestJet a accepté de verser un montant de 15,5 millions de dollars réparti comme suit : un don de 10 millions fait au nom d'Air Canada et remis à des organismes de bienfaisance pour les enfants et un versement de 5,5 millions pour acquitter les frais judiciaires engagés par Air Canada[46].

Clive Beddoe, cofondateur de WestJet en 1996 et ancien président de WestJet Airlines, admet que la leçon a été douloureuse pour WestJet. En réaction directe à la poursuite judiciaire intentée par Air Canada, WestJet s'est rapidement dotée d'une politique sur la dénonciation et a étoffé son code de conduite des affaires[47].

Questions

1. L'accès par WestJet aux renseignements se trouvant sur le site Web d'Air Canada peut-il être qualifié d'éthique ? Était-il légal ? Expliquez votre réponse.

2. À votre avis, dans quelle mesure l'accès non autorisé aux renseignements personnels appartenant à un concurrent est-il répandu dans le cas des organisations ?

3. Air Canada avait-elle quelque responsabilité que ce soit dans le fait que WestJet a pu accéder aux renseignements personnels en sa possession ? Expliquez votre réponse.

4. Quelles mesures mobilisant les individus la compagnie Air Canada pourrait-elle adopter pour prévenir tout futur accès non autorisé à des renseignements personnels ?

5. Quelles mesures mobilisant les technologies la compagnie Air Canada pourrait-elle adopter pour prévenir tout futur accès non autorisé à des renseignements personnels ?

ÉTUDE DE CAS 10.2

Des questions d'éthique de l'information et de confidentialité au sujet de Facebook défrayent les manchettes

Ce cas traite de questions d'éthique de l'information et de confidentialité concernant les utilisateurs de Facebook, qui ont défrayé les manchettes à l'échelle nationale et internationale.

Facebook, le populaire site de réseautage social mondial, a fortement attiré l'attention de la presse populaire pour diverses questions liées à l'éthique de l'information et à la confidentialité. Ce fut le cas, par exemple, d'une employée de la compagnie d'assurance Nationale Suisse, qui a été congédiée pour avoir utilisé Facebook durant une journée où elle s'était déclarée malade. Âgée de 31 ans, cette employée avait avisé son employeur qu'elle souffrait d'une migraine terrible et qu'elle devait demeurer couchée dans l'obscurité. Toutefois, cette même journée, un de ses collègues de travail a constaté sa présence sur le site de Facebook et en a informé le patron de l'employée. Celle-ci a alors été immédiatement congédiée. Pour se défendre, l'employée a affirmé qu'elle était demeurée au lit pour fureter dans Facebook au moyen de son iPhone, et non de son ordinateur, et qu'il était complètement ridicule qu'une entreprise suppose qu'une employée se déclarant malade soit gravement atteinte au point d'être complètement inactive et de ne rien faire du tout. Lorsque le congédiement de cette employée a été rendu public, beaucoup ont affirmé avec indignation que Nationale Suisse se comportait en « Big Brother » en surveillant ainsi les activités personnelles en ligne de ses employés. Ce type de surveillance n'a rien d'un cas isolé. D'autres reportages dans la presse ont signalé des licenciements et des congédiements à la suite de commentaires négatifs que des personnes ont diffusés au sujet de leur employeur, par exemple « c'est ennuyant de travailler là ».

À l'été 2009, Facebook a été sur la sellette au Canada lorsque Jennifer Stoddart, la commissaire à la protection de la vie privée du Canada, a affirmé que l'entreprise ne faisait que le strict minimum pour assurer le respect de la vie privée de ses membres. Elle estimait alors que Facebook devait en faire plus à cet égard. L'enquête que Stoddart a menée pendant un an au sujet du site a été amorcée à la suite d'une plainte qu'a déposée la Clinique d'intérêt public et de politique d'Internet du Canada. Parmi les questions qui la préoccupaient, Stoddart a évoqué le fait qu'il n'était pas clair, ou même possible, que les utilisateurs soient en mesure de supprimer leur compte Facebook. En réalité, les utilisateurs pouvaient uniquement désactiver leur compte, ce qui signifiait que l'entreprise pouvait recueillir et conserver indéfiniment les renseignements personnels au sujet des membres canadiens. C'était là une question préoccupante, notamment parce que, au moment de l'enquête, quelque 12 millions de Canadiens (soit un tiers de la population totale) avaient un compte Facebook. Par ailleurs, il s'avérait aussi que Facebook donnait trop de renseignements personnels au sujet d'utilisateurs de son réseau social à des tiers développeurs, qui installaient des applications en provenance de ces tierces parties. On estime qu'il y a aujourd'hui plus d'un million de ces développeurs dans le monde. C'est cette dernière question qui figurait en tête des priorités du Commissariat à la protection de la vie privée du Canada. « La possibilité qu'un adolescent travaillant dans un sous-sol à l'autre bout du monde ait accès à tous ces renseignements personnels était troublante, c'est le moins qu'on puisse dire », a dit Elizabeth Denham, la commissaire adjointe à la protection de la vie privée.

Pour éviter de subir des poursuites judiciaires, Facebook a réagi en promettant d'apporter des modifications au fonctionnement de son site Web et à ses politiques de confidentialité, afin d'apaiser les inquiétudes de la commissaire.

D'abord, l'entreprise a promis d'indiquer plus clairement, à l'intention des utilisateurs, la différence entre la suppression et la désactivation d'un compte. Facebook a aussi accepté de déterminer un délai précis après lequel les données d'un compte inactif seraient définitivement supprimées. Ensuite, Facebook a affirmé qu'elle allait doter son site Web de nouveaux moyens de contrôle qui limiteraient la quantité de renseignements personnels au sujet des utilisateurs du site qui seraient accessibles aux tiers développeurs. Cette modification empêche des applications de tierces parties d'accéder aux renseignements personnels, sauf si les utilisateurs ont explicitement donné leur consentement en ce sens. Enfin, l'entreprise a ajouté qu'elle lancerait un nouvel outil de confidentialité pour son site, afin que les utilisateurs exercent un meilleur contrôle sur le choix des personnes ayant accès à chaque élément de leurs pages Facebook.

Mme Stoddart s'est dite «très heureuse» des changements apportés par Facebook en réponse aux préoccupations qu'elle avait exprimées. À l'occasion d'une conférence de presse tenue à Ottawa, elle a affirmé : «Nous sommes satisfaits de voir que Facebook va désormais se conformer aux dispositions des lois canadiennes sur la confidentialité[48].»

Questions

1. Nationale Suisse avait-elle raison de recourir à la surveillance en ligne de son employée qui s'était déclarée malade? Si des entreprises veulent déployer de telles activités de surveillance, quelles mesures peuvent-elles prendre pour en atténuer les réactions négatives de la part du public et de leurs employés? Quelles mesures les employés peuvent-ils prendre?

2. Croyez-vous que les exigences qu'a formulées la commissaire à la protection de la vie privée du Canada étaient exagérées? S'agit-il d'un cas où il y a eu « beaucoup de bruit pour rien »?

3. Les modifications que Facebook a apportées en réponse aux préoccupations de la commissaire à la protection de la vie privée auront-elles des conséquences négatives quelconques pour le site? À votre avis, quelle est l'opinion de l'utilisateur moyen de Facebook à propos de ces modifications?

4. Connaissez-vous d'autres exemples dans la presse populaire qui illustrent les liens entre les questions de confidentialité et d'éthique de l'information et l'utilisation de sites de réseautage social comme Facebook?

5. À la lumière du cas exposé ci-dessus, allez-vous changer quoi que ce soit dans votre façon d'utiliser Facebook?

ÉTUDE DE CAS 10.3

Penser comme l'ennemi

Ce cas illustre de quelle façon certaines organisations se préparent à affronter les menaces de piratage informatique.

David et Barry Kaufman, les fondateurs de l'Intense School, offrent plusieurs cours de sécurité, tels que le *Professional hacking boot camp* (Camp d'entraînement militaire en piratage informatique professionnel) et l'*Ethical hacking* (Piratage informatique éthique) d'une durée de cinq jours. Ces cours font partie du programme de leur école. Celui-ci consiste à enseigner aux spécialistes en sécurité des systèmes d'information les façons de pirater les systèmes informatiques. L'Intense School propose également des cours préparant ses élèves à passer des examens d'agrément. Les élèves accourent de partout dans le monde dans l'espoir d'acquérir le titre de pirate informatique éthique certifié ou de testeur de pénétration certifié. Ces titres acquièrent de plus en plus d'importance, parce que les organisations souhaitent embaucher des spécialistes qualifiés en sécurité afin de mieux protéger leurs ressources d'information contre tout dommage. De nombreuses organisations envoient leur personnel des technologies de l'information suivre ces cours pour consolider leur première ligne de défense : les individus.

L'idée d'envoyer des professionnels des technologies de l'information à une école de piratage informatique n'est pas évidente à première vue, car c'est un peu comme envoyer des comptables suivre un cours d'escroquerie 101. L'Intense School ne cherche pas à former la prochaine génération de pirates informatiques. Il s'agit plutôt de montrer aux élèves la façon de devenir des pirates informatiques «éthiques», c'est-à-dire se servir de leurs compétences pour la création de meilleurs moyens de défense et comprendre la façon de penser de ceux qui tenteraient de les déjouer.

L'esprit dans lequel sont donnés les cours de sécurité à l'Intense School se résume ainsi : «Connais ton ennemi.» En fait, un des enseignants qu'a recrutés l'école n'est autre que Kevin Mitnick, le célèbre pirate informatique ayant purgé une peine de prison de cinq ans à cause de ses activités de piratage. Il est plus difficile d'enseigner la sécurité du point de vue du pirate informatique, comme le fait Mitnick, que d'enseigner le piratage informatique lui-même. Un pirate informatique n'a qu'une seule voie à trouver pour entrer dans un système, fait remarquer David Kaufman, alors qu'un professionnel de la sécurité doit connaître toutes les vulnérabilités du système. Les deux cours analysent ces vulnérabilités à partir de différents points de vue.

Le cours de piratage informatique explique les façons de se protéger contre les méfaits généralement associés aux pirates informatiques : s'infiltrer dans des systèmes informatiques en exploitant les vulnérabilités qui se prêtent aux attaques techniques menées à partir d'un ordinateur. Le cours d'ingénierie sociale de Mitnick, par contre, porte plutôt sur l'art plus effrayant de s'infiltrer à l'aide des vulnérabilités des personnes qui utilisent et entretiennent les systèmes, c'est-à-dire obtenir des mots de passe et un accès par la duplicité et non grâce à la technologie. Les personnes qui suivent ce cours ou qui lisent l'ouvrage de Mitnick, *The art of deception*, ne voient plus les mots de passe ou la poubelle de l'ordinateur sous le même angle qu'auparavant.

Comment l'Intense School enseigne-t-elle le piratage informatique ? Au moyen de séances sur la fouille de poubelles d'ordinateur (la pratique peu ragoûtante consistant à chercher des mots de passe et d'autres éléments d'information dans des documents jetés), d'exercices d'attaques contre des systèmes et de travaux pratiques avec le réseau d'ordinateurs de l'entreprise ayant été programmés pour contrecarrer les efforts des élèves et ainsi enrichir leur formation.

Une des pratiques de l'Intense School soulève quelques questions : l'école ne vérifie pas les antécédents des élèves avant de les accepter. Quiconque acquitte les droits de scolarité est admis à l'école. Compte tenu du danger potentiel que représente un diplômé d'une école de piratage informatique, il est assez étonnant de constater que les autorités policières ne recueillent pas les noms des diplômés. Mais elles finissent peut-être bien par les obtenir quand même : plusieurs organismes gouvernementaux ont envoyé des employés à cette école[49]...

Questions

1. Comment une organisation pourrait-elle tirer parti de l'inscription de quelques-uns de ses employés aux cours offerts par l'Intense School ?

2. Quelles sont les deux principales lignes de défense en matière de sécurité informatique et comment des employés d'une organisation peuvent-ils se servir de l'information obtenue à l'Intense School pour élaborer un plan de sécurité de l'information ?

3. Si votre employeur vous envoyait suivre un cours à l'Intense School, quel type de cours vous semblerait le plus intéressant et pourquoi ?

4. Quels sont les dilemmes éthiques résultant du fait qu'un cours de ce genre est offert par une entreprise privée ?

MES DÉCISIONS D'AFFAIRES

1. Des décisions concernant un pare-feu

Vous êtes le président-directeur général d'Inverness Investment, une société de capital de risque de taille moyenne qui se spécialise en investissements dans les entreprises de haute technologie. Votre entreprise reçoit plus de 30 000 courriels par année. En moyenne, elle combat deux virus et trois piratages informatiques chaque année, qui causent des pertes annuelles d'environ 250 000 $. Présentement, l'entreprise peut compter sur la protection des logiciels antivirus installés dans ses systèmes informatiques, mais elle ne possède aucun pare-feu.

Le directeur des systèmes d'information de votre entreprise suggère d'installer 10 pare-feu pour un coût total de 80 000 $. Il estime que la durée de vie utile de chaque dispositif est d'environ trois ans. La probabilité que des pirates pénètrent dans les systèmes informatiques après l'installation des pare-feu est d'environ 3 %. Les coûts annuels d'entretien des pare-feu sont évalués à quelque 15 000 $. Formulez un raisonnement favorable ou défavorable à la recommandation du directeur des systèmes d'information qui préconise l'achat des pare-feu. Faut-il prendre en considération des facteurs autres que le coût ?

2. Prévenir le vol d'identité

Le vol d'identité est devenu un des crimes les plus fréquents aujourd'hui. La victime d'un vol d'identité peut voir sa réputation financière complètement détruite, au point de ne plus pouvoir encaisser un chèque ou obtenir un prêt bancaire. Il est donc très utile d'apprendre à éviter un vol d'identité. Faites une recherche dans les sites Web ci-dessous et rédigez un texte indiquant les meilleures façons de prévenir un vol d'identité.

- www.securitepublique.gc.ca/index-fra.aspx – Ce site du gouvernement du Canada offre de l'information et des services sur la sécurité publique.
- www.priv.gc.ca/resource/fs-fi/index_f.asp – Ce site du Commissariat à la protection de la vie privée du Canada présente des fiches de renseignements sur la confidentialité personnelle.
- www.ic.gc.ca/eic/site/cmc-cmc.nsf/fra/fe00170.html – Ce site du Comité des mesures en matière de consommation du Canada porte sur le vol d'identité.
- www.canadapost.ca/cpo/mc/personal/help/privacy. jsf?LOCALE=fr – Ce site de Postes Canada assure la protection et la confidentialité des renseignements au sujet de ses clients, afin de prévenir le vol d'identité.
- https://cippic.ca/en/publications/identity_theft – Ce site de la Clinique d'intérêt public et de politique d'Internet du Canada donne de l'information sur le vol d'identité.

3. Analyser les trois domaines de la sécurité de l'information

Great Granola Inc. est une petite entreprise présente en Saskatchewan. Elle se spécialise dans la vente de produits à base de céréales faits maison et les vend surtout par l'entremise de son site Web. Elle connaît une expansion fulgurante et prévoit que son chiffre d'affaires triplera cette année pour atteindre 15 millions de dollars. Elle compte également embaucher 60 employés supplémentaires pour pouvoir approvisionner ses clients toujours plus nombreux. Sally Smith, la présidente-directrice générale, comprend bien que, si ses concurrents découvrent sa recette de base ou apprennent qui sont ses principaux clients, son entreprise pourrait bien disparaître. Sally vous a embauché pour rédiger un document où vous analysez les différents domaines de sécurité de l'information et pour formuler des recommandations accentuant la sécurité de ses affaires électroniques.

4. La confidentialité de l'information

Une étude effectuée par l'Annenberg Public Policy Center de l'Université de la Pennsylvanie a révélé que 95 % des personnes utilisant Internet à la maison estiment qu'elles devraient avoir le droit de tout savoir sur l'information que des sites Web recueillent à leur sujet. D'autres travaux de recherche ont également montré que 57 % des utilisateurs d'Internet à la maison croient à tort que, lorsqu'un site Web dispose d'une politique de confidentialité de l'information, il ne partage pas ses renseignements personnels avec d'autres sites Web ou d'autres entreprises. En fait, les auteurs de ces travaux ont constaté que, après avoir montré aux internautes la façon dont les entreprises dépistent, extraient et partagent à des fins lucratives les renseignements personnels des sites Web, 85 % de ces internautes ont jugé que c'était inacceptable, même dans le cas d'un site très respecté. Rédigez un court texte justifiant ou dénonçant le droit d'une organisation d'utiliser et de diffuser des renseignements personnels collectés sur son site Web.

5. L'espionnage du courrier électronique

Les progrès technologiques permettent désormais à des individus de surveiller des ordinateurs auquel ils n'ont pas un accès direct. De nouveaux types de logiciels peuvent intercepter un courriel que reçoit ou envoie une personne et le transmettre immédiatement à une autre personne. Par exemple, si vous êtes au travail et que votre enfant, de retour de l'école, reçoit un courriel de Jean à 15 h, vous allez recevoir à 15 h 01 min une copie de ce courriel envoyée à votre adresse de courriel. Quelques minutes plus tard, si votre enfant répond au courriel de Jean, vous allez encore recevoir une copie du courriel envoyé à Jean. Rédigez deux scénarios (différents du précédent) qui décrivent une utilisation de ce type de logiciel : 1) ayant un caractère éthique ; 2) ayant un caractère non éthique.

6. Voler un logiciel

L'industrie des logiciels mène une lutte de tous les instants contre le piratage de logiciels. Les principaux centres de piratage se situent dans des endroits comme la Russie et la Chine, où les salaires et le revenu disponible sont relativement faibles. Les résidants des pays en développement et en crise économique vont accumuler un retard technologique sur les pays industrialisés s'ils ne peuvent avoir accès aux nouvelles générations de logiciels. Dans cette optique, est-il raisonnable de blâmer quelqu'un qui utilise un logiciel piraté, lorsqu'on sait qu'il lui en coûterait l'équivalent de deux mois de salaire pour en acheter une copie légalement vendue ? Formulez un argumentaire favorable ou défavorable à l'affirmation suivante : « Les individus économiquement démunis devraient avoir accès gratuitement aux logiciels pour bénéficier eux aussi des progrès technologiques. »

7. Agir de manière éthique

Vous êtes un gestionnaire de systèmes d'information, et un de vos projets est voué à l'échec. Vous vous êtes opposé à ce projet dès le début, mais ce dernier était puissamment parrainé par tous les membres de la haute direction de l'entreprise. Vous savez que le projet échouera. Les raisons de cet échec sont nombreuses, dont le fait que le budget initial était nettement insuffisant, que la technologie évolue constamment et est instable, que l'architecture n'a jamais été définie à une échelle propice à la croissance et que vos ressources humaines ne possèdent pas les compétences nécessaires pour développer la nouvelle technologie. Un de vos chefs d'équipe vous a proposé un plan de sabotage du projet qui le ferait disparaître sans qu'aucun blâme ne puisse être attribué aux personnes qui y ont travaillé. Décrivez de quelle façon vous géreriez cette situation.

8. Planifier une reprise après sinistre

Vous êtes engagé à titre d'analyste principal au Service des technologies de l'information à la société Beltz, un grand fabricant d'aliments à grignoter. L'entreprise est située sur la rive sud de la ville d'Halifax. L'emplacement de l'entreprise constitue son principal avantage, mais également son pire défaut. Le climat et les environs sont remarquables, mais le risque de tempête est élevé. Établissez un plan de reprise après sinistre afin de réduire les risques associés à la survenue d'une catastrophe naturelle.

9. Comparer le système de sauvegarde au système de reprise

Trouvez, dans Internet, trois vendeurs de systèmes de sauvegarde et de systèmes de reprise. Examinez les ressemblances et les différences entre les trois systèmes. On vous demande de comparer les systèmes et d'installer le meilleur dans une moyenne entreprise comptant 3 500 employés. Celle-ci traite de l'information sur le cours des valeurs mobilières. Notez vos résultats afin de les présenter à la classe. Vous devez mettre en évidence les forces et les faiblesses de chacun des systèmes, puis faire votre recommandation.

NOTES DE FIN DE CHAPITRE

1. Online dating service used former customer's personal information without consent and failed to provide him access to his personal information. (2013, 18 décembre). Repéré le 24 mai 2014 à www.priv.gc.ca/cf-dc/2013/2013_015_1218_e.asp; repéré le 24 mai 2014 à www.priv.gc.ca/resource/tool-outil/security-securite/english/AssessRisks.asp?x=1; repéré le 24 mai 2014 à www.priv.gc.ca/leg_c/legislation/02_06_07_e.asp

2. Berianato, Scott. (2002, 1er juillet). The CIO code of ethical data management. *CIO Magazine*. Repéré le 31 août 2011 à www.cio.com/article/31171/The_CIO's_Code_of_Ethical_Data_Management

3. Harper government introduces new law to protect the personal information of Canadians online. (s.d.). Repéré le 23 mai 2014 à http://news.gc.ca/Web/article-en.do?nid=836559

4. Manners Matter Infographic. (s.d.). Repéré le 3 novembre 2014 à www.knowthenet.org.uk/infographic/be-careful-trolling-can-happen-anyone

5. McKinnell, Julia. (2012, 30 mai). Needed: An "eraser" button to right Internet wrongs. Repéré le 15 juillet 2013 à www2.macleans.ca/2012/05/30/control-alt-erase/; repéré le 20 août 2013 à www.knowthenet.org.uk/infographic/be-careful-trolling-can-happen-anyone; repéré le 20 août 2013 à http://threattest.knowthenet.org.uk/; Safeguarding your money. (2013, mars). Repéré le 20 août 2013 à www.cba.ca/en/component/content/category/42-safeguarding-your-money

6. Dragoon, Alice. (2003, 1er juillet). Eight (not so) simple steps to the HIPAA finish line. *CIO Magazine*. Repéré le 7 juillet 2003 à www.cio.com; Patton, Susannah. (2006, 15 octobre). Small firms still having trouble complying with HIPAA. Repéré le 31 août 2011 à www.cio.com/article/25787/Small_Firms_Still_Having_Trouble_Complying_with_HIPAA

7. Harper government introduces new law to protect the personal information of Canadians online. (s.d.). Repéré le 23 mai 2014 à http://news.gc.ca/Web/article-en.do?nid=836559

8. Privacy provision highlights. (s.d.). Repéré le 22 juin 2010 à www.ic.gc.ca/eic/site/ecic.nsf/eng/gv00214.html

9. Brunker, Mike. (2007, 19 octobre). Online poker cheating blamed on employee. MSNBC.com. Repéré le 20 mai 2014 à www.msnbc.msn.com/id/21381022/

10. Flandez, Raymund. (2009, 10 avril). Domino's response offers lessons in crisis management. *The Wall Street Journal*. Repéré le 20 mai 2014 à http://blogs.wsj.com/independentstreet/2009/04/20/dominos-response-offers-lessons-in-crisis-management/

11. CBC tells journalists how to behave on Facebook. (2007, 3 août). ReportR.net. Repéré le 20 mai 2014 à www.reportr.net/2007/08/03/cbc-tells-journalists-how-to-behave-on-facebook/

12. McCue, Andy. (s.d.). Bank boss quits after porn found on PC. Repéré le 14 mai 2014 à www.businessweek.com; repéré le 14 mai 2014 à www.independent.ie/business/irish/newsletter-mike-soden-central-bank-commission-member-26685961.html

13. Finkle, Jim et Saba, Jennifer. (2012, 11 juin). LinkedIn breach puts site's reputation on the line. Repéré le 15 juillet 2013 à http://in.reuters.com/article/2012/06/11/us-linkedin-breach-idINBRE85A0IN20120611; Kravets, David. (2013, 2 janvier). 6 States bar employers from demanding Facebook passwords. Repéré le 15 août 2013 à www.wired.com/threatlevel/2013/01/password-protected-states/; Knowlton, Thomas. (2012, 27 mars). Lawyer: It's illegal for employers to ask job seekers for Facebook passwords in Canada. Repéré le 15 août 2013 à www.techvibes.com/blog/draft-lawyer-its-illegal-for-employers-to-ask-job-seekers-for-facebook-passwords-in-canada-2012-03-27; Facebook-snooping employers limited in Canada. (2012, 26 mars). Repéré le 15 août 2013 à www.cbc.ca/news/technology/story/2012/03/26/technology-facebook-job-seekers.html

14. Chandler, Harris. (2011, 24 mai). IT downtime costs $26.5 billion in lost revenue. Repéré le 6 septembre 2011 à www.informationweek.com/news/storage/disaster_recovery/229625441

15. Repéré le 23 mai 2014 à www.cybersecurityinstitute.com/index.php/weblog/C8

16. Canadian Press. (2011, 6 juin). Scotiabank loses data CDs with SIN numbers. Repéré le 29 août 2011 à www.cbc.ca/news/business/story/2011/06

17. CIBC loses data on 470,000 Talvest fund customers. (2007, 18 janvier). Repéré le 29 août 2011 à www.cbc.ca/money/story/2007/01/18/cibc.html

18. Rogers blames document dumping on third-party company. (2007, 9 avril). Repéré le 27 avril 2007 à www.cbc.ca/consumer.story/2007/04/09/rogers-documents.html

19. Compliance with canadian data protection laws: Are retailers measuring up? (2006, avril). *The Canadian Internet Policy and Public Interest Clinic.* Repéré le 31 août 2011 à www.cippic.ca/documents/bulletins/compliance_report_06-07-06_(color)_(cover-english).pdf

20. Bobak, Laura. (2007, 9 avril). Rogers data leak shows need for mandatory customer notification law, expert says. *The Canadian Press*.

21. 2014 IT security budget forecast roundup for CIOS and CISOS/CSOS. (s.d.). Repéré le 23 mai 2014 à www.tripwire.com/register/it-security-budget-forecast-roundup-2014-for-csos-and-ciocisos/showMeta/2/

22. Distribution of software updates of thousands of franchise locations was slow and unpredictable. (s.d.). Repéré le 10 octobre 2003 à www.fountain.com

23. Koch, Christopher. (2005, 1er décembre). A new blueprint for the enterprise. *CIO Magazine*.

24. A guide to business continuity planning. (2010, 23 novembre). Repéré le 25 septembre 2011 à www.public-safety.gc.ca/prg/em/gds/bcp-eng.aspx

25. New coalitions increasing America's crisis preparedness. (2007, mars). Repéré le 21 septembre 2011 à www.usfst.com/article/New-coalitions-increasing-Americas-crisis-preparedness/

26. *Ibid.*

27. Finklea, Kristin M. (2010, 5 janvier). Identity theft: Trends and issues. Congressional Research Service. Washington, D.C. Repéré le 19 septembre 2011 à www.fas.org/sgp/crs/misc/R40599.pdf

28. Garvey, Martin. Health-care organization manages passwords to protect identities. (2005, 20 mai). *Information Week*. Repéré le 21 septembre 2011 à www.informationweek.com/news/163106055?queryText=Health-Care+Organization+Manages+Passwords+To+Protect+Identities#

29. *Ibid.*

30. *Ibid.*

31. www.gocsi.com

32. Leveson, Nancy et Turner, Clark S. (1993, juillet). An investigation of the Therac-25 accidents. *IEEE Computer. 26*(7). p. 18-41.

33. Repéré le 25 novembre 2003 à www.ey.com

34. The security revolution. (s.d.). *CIO Magazine*. Repéré le 6 juin 2003 à www.cio.com

35. Global security spending to hit $86B in 2016. (2012, 14 septembre). Repéré le 23 mai 2014 à www.infosecurity-magazine.com/view/28219/global-security-spending-to-hit-86b-in-2016/

36. Dragoon, Alice. (s.d.). Eight (not so) simple steps to the HIPAA finish line. *CIO Magazine*. Repéré le 22 juin 2010 à www.cio/com/article/29781/HIPAA_Security_Rule_Compliance_Checklist

37. Nakashima, Ellen et Wan, William. (2014, 19 mai). Chinese military unit charged with cyber-espionage against U.S. firms. Repéré le 20 mai 2014 à www.washingtonpost.com/world/national-security/us-to-announce-first-criminal-charges-against-foreign-country-for-cyberspying/2014/05/19/586c9992-df45-11e3-810f-764fe508b82d_story.html

38. Galloway, Gloria. (2006, 9 mars). Canada post tip leads to arrests in identity scam. *The Globe and Mail,* section Breaking News.

39. De Guzman, Mari-Len. (2006, 28 avril). Bank fraud trail leads to former outsourcing help. *ComputerWorldCanada*. Repéré le 28 avril 2007 à www.itworldcanada.com//Pages/Docbase/ViewArticle.aspx?ID=idgml-3185acb5-1b95-4019-8bf9-a146ecf8446f

40. Nexus. (s.d.). Repéré le 20 mai 2014 à www.cbsa-asfc.gc.ca/prog/nexus/menu-eng.html; Trusted Traveller CATSA Security Line. (s.d.). Repéré le 31 août 2011 à www.catsa.gc.ca/Page.aspx?ID=91&pname=Nexus_Nexus&lang=en

41. Losses from identity theft to total $221 billion worldwide. (s.d.). Repéré le 23 mai 2003 à www.cio.com

42. Cashmore, Pete. (2009, 19 septembre). RIP Facebook Beacon. Repéré 31 août 2011 à http://mashable.com/2009/09/19/facebook-beacon-rip/

43. Repéré le 20 mai 2014 à http://heartbleed.com/

44. Janus, Andrea. (2014, 20 mai). Canada at "top of the target list" for Blackshades. Repéré le 20 mai 2014 à www.ctvnews.ca/sci-tech/canada-at-top-of-the-target-list-for-blackshades-1.1829756

45. P. Menezews, Joaquim. (2006, 28 mai). WestJet accepts blame, settles with Air Canada in espionage case. *IT World Canada*. Repéré le 22 juin 2010 à www.itworldcanad.com/news/westjet-accepts-blame-settles-with-air-canada-in-espionage-case/99049

46. Schmidt, Lisa. (2006, 30 mai). WestJet admits spying on rival: How the upstart airline ended up paying $15.5M over an espionage caper with Air Canada. *Calgary Herald*.

47. Jagg, Brent. (2006, 1er juin). WestJet chief talks exit strategy. *The Globe and Mail,* section Update.

48. Tech-Ex. (s.d.). Surfing Facebook while ill earns employee a pink slip. Repéré le 22 juin 2010 à http://technologyexpert.blogspot.com/2009/04/surfing-facebook-while-ill-earns.html; McCarthy, Caroline. (2009, 17 juillet). Canadian official takes issue with Facebook privacy. *The Social–CNET News*; CTV.ca news staff. (s.d.). Ottawa announces changes to Facebook operations. Repéré le 27 août 2009 à www.ctvtoronto.ca; Facebook privacy ruling could be new precedent. (2009, 26 août). *The Canadian Press*. Repéré le 22 juin 2010 à http://montreal.ctv.ca/servlet/an/local/CTVNews/20090826/Facebook_Privacy_090826?hub=OttawaHome

49. Berinato et Scalet. (s.d.) The ABCs of information security. *CIO Magazine*. Repéré le 7 juillet 2003 à www.cio.com; InfoSec Institute announces 95% pass rate for Certified Penetration Tester (CPT) examination. (2008, 15 octobre). Repéré le 31 août 2011 à www.infosecinstitute.com/releases/infosec-cpt-pass.html; Grier, Eric. (s.d.). How to become an ethical hacker. Repéré le 8 juillet 2014 à www.pcworld.com/article/250045/how_to_become_an_ethical_hacker.html

CHAPITRE 11

L'élaboration de systèmes et la gestion de projet

OBJECTIFS D'APPRENTISSAGE

11.1 Expliquer les avantages découlant d'une élaboration de systèmes réussie, notamment la façon dont les questions et les défis liés au développement des systèmes d'information internes prennent de l'importance dans la conception de systèmes globaux.

11.2 Décrire et comprendre les relations entre les sept phases du cycle de vie de l'élaboration de systèmes.

11.3 Résumer et comparer différentes méthodes d'élaboration de systèmes.

11.4 Expliquer l'importance d'adopter de bonnes pratiques dans la gestion de projet.

11.5 Décrire les avantages et les difficultés inhérentes à l'externalisation d'un projet d'élaboration de systèmes.

MA PERSPECTIVE

Le présent chapitre donne un aperçu des méthodes qu'emploient les organisations pour élaborer des systèmes d'information. À titre d'étudiant dans un domaine lié aux affaires, vous devez bien comprendre ces méthodes, car les systèmes d'information constituent la base de fonctionnement des entreprises. La connaissance des principes qui président à l'élaboration de systèmes d'information est un atout majeur. Vous serez en mesure de repérer les situations problématiques et de faire des suggestions au cours du processus de conception qui assureront le bon déroulement des projets de systèmes d'information.

L'élaboration d'un système d'information est analogue à la construction d'une maison. On peut s'asseoir et laisser les constructeurs effectuer eux-mêmes tout le travail de conception, de réalisation et de vérification, dans l'espoir que la maison finie satisfera tous les besoins initiaux. Toutefois, participer soi-même au processus de construction garantit que ces besoins seront non seulement pris en compte, mais également satisfaits. Dans une saine pratique d'affaires, l'élaboration du produit fini bénéficie de l'apport direct et essentiel de l'utilisateur.

Il en va de même pour la réalisation des systèmes d'information. Bien connaître le processus d'élaboration de systèmes garantit que les systèmes d'information réalisés vont satisfaire non seulement les besoins actuels d'une entreprise, mais aussi ses besoins futurs.

Mise en contexte

La gestion d'un projet

Le projet

Marie Westley passait en revue les documents de son entreprise qu'elle voulait présenter à l'occasion de l'assemblée générale annuelle. Elle se disait : « J'aimerais bien que nos partenaires soient conscients du travail accompli pour rédiger ces documents et du temps qui a été nécessaire pour garantir l'exactitude et la facilité de lecture de l'information qu'ils contiennent. » Ayant déjà donné des cours de gestion à l'université, le Sunshine City College, elle se demandait s'il n'y avait pas un meilleur moyen d'enseigner aux étudiants, peu importe leur âge, la façon d'aborder et de comprendre aisément les documents officiels relatifs aux titres d'une entreprise. Pour concrétiser son idée, Marie a fait le tour des maisons d'édition spécialisées dans la publication de textes didactiques de niveau universitaire. Elle voulait savoir si certaines seraient intéressées à financer son projet de mise au point d'un outil d'apprentissage en ligne qui faciliterait la lecture et la compréhension de tels documents. Après avoir rencontré quelques représentants, Marie a formulé une proposition et l'a envoyée à l'organisation University Learning Publishers, qui l'a acceptée peu après. Elle a alors reçu 25 000 $ pour développer son concept d'apprentissage en ligne. C'est là que le véritable travail commençait. Comment allait-elle mettre sur pied une équipe chargée d'élaborer son projet ? En évaluant ses propres forces et faiblesses, elle voyait clairement qu'elle comprenait bien la teneur de ces documents, mais qu'elle en savait très peu au sujet de la conception et de la réalisation de la plateforme à utiliser pour l'apprentissage en ligne. Les différents types de plateformes de gestion de l'apprentissage étaient si nombreux qu'elle hésitait à arrêter son choix. De plus, il fallait résoudre le problème de la conception graphique. Elle s'est alors employée à passer en revue quelques sites Web. Il y avait tellement de formats, de couleurs et de méthodes proposés pour la création de tabulateurs, de menus et de barres de navigation qu'elle a commencé à se sentir dépassée par l'ampleur de la tâche qui l'attendait. En fait, elle ignorait par quoi elle devait commencer. Jugeant qu'elle y avait assez réfléchi pour le

moment, Marie a laissé de côté ses interrogations, s'est dirigée vers le centre de culture physique pour s'aérer l'esprit et penser à autre chose.

Assembler les pièces du casse-tête

Marie essayait de se concentrer sur son programme d'entraînement cardiovasculaire, mais elle ne parvenait pas à s'empêcher de penser à son projet et à la façon de le réaliser. Pédalant sans relâche sur un vélo d'exercice, elle s'est penchée sur le guidon pour maximiser l'effort fourni durant les dernières minutes de sa séance d'entraînement. Son regard s'est posé sur la structure du vélo. Considérant les différentes parties de l'appareil, elle s'est dit : « Quel outil remarquable, quand même ! » Chaque partie remplit une fonction dans un but précis : la chaîne, le guidon, les roues, les pédales et tout le reste. Bien que la pression exercée sur les pédales fasse tourner les roues et que les pédales permettent d'exercer la principale force motrice, le vélo ne fonctionnerait pas sans les autres parties. Soudain, elle a compris que son projet était un peu à l'image de son vélo d'exercice. Elle fournissait la principale force motrice, mais elle avait besoin d'autres parties, d'autres personnes pour remplir les autres fonctions qu'elle ne pouvait accomplir elle-même. Son esprit s'animait désormais aussi vite que les roues de son vélo. Elle a ralenti la cadence et s'est arrêtée.

Dès que Marie en a eu la possibilité, elle a commencé à dresser la liste des compétences dont elle avait besoin pour mener à bien son projet : experts en systèmes d'information de gestion, experts en commission sur titres, connaissances en rédaction à des fins d'apprentissage en ligne, concepteurs pédagogiques et experts en enseignement. Elle a ensuite écrit le nom des personnes-ressources qui possédaient les compétences qu'elle recherchait, avant de coiffer le tout d'une expression en lettres majuscules : COMITÉ CONSULTATIF. Elle allait consulter chacune de ces personnes durant les différentes phases du projet lorsqu'elle aurait besoin de leurs conseils.

Assembler l'équipe de consultants

Marie avait beaucoup de travail à réaliser. Elle devait former un comité consultatif, déterminer la clientèle cible, obtenir des estimations pour les différentes phases de développement de l'outil d'apprentissage en ligne (et délimiter ces phases), embaucher une personne chargée de gérer le projet pendant qu'elle en déterminait le contenu, établir le calendrier pour la conception et la mise en œuvre du logiciel requis et définir les moyens d'évaluer la qualité du logiciel durant les phases successives d'élaboration et de mise en œuvre. Peut-être aurait-elle besoin d'un comité de vérification formé de représentants des différents publics visés qui auraient avantage à utiliser cet outil d'apprentissage en ligne. Ce comité lui donnerait ses impressions sur le produit après sa mise au point, mais avant sa diffusion publique. Marie a ensuite discuté de son projet avec quelques entreprises de design et leur a demandé des propositions de projet et des estimations de coût. Mais celles-ci étaient insuffisamment détaillées et nettement supérieures au budget de Marie. Aucune de ces entreprises n'a esquissé un prototype du produit fini, bien que Marie leur ait fourni une ébauche du contenu destiné au premier module. À partir de ces propositions, elle ne pouvait se faire une idée du produit fini ou de ses caractéristiques. De plus, ces entreprises voulaient mener à terme, au coût de 5 000 $, une phase exploratoire qui consisterait à définir ce que devrait contenir le produit selon les utilisateurs finaux. Grâce à sa propre expérience dans le domaine et à ses discussions antérieures avec divers partenaires dans le monde des affaires, Marie reconnaissait volontiers la nécessité d'une telle phase, mais elle ne voulait rien débourser pour une phase exploratoire qui recueillerait de l'information déjà en sa possession. Les entreprises de design adoptaient cependant une approche de type « tout ou rien » et ne montraient aucun intérêt à n'exécuter qu'une partie du projet. Marie s'est alors mise à la recherche d'entreprises disposées à s'occuper des parties du projet qu'elle voulait externaliser. Elle a fini par en trouver une, Star Communications, qui réaliserait le travail dans les limites du budget prévu. Il était néanmoins difficile d'évaluer la qualité du travail de cette entreprise et les compétences de ses concepteurs. En effet, Star Communications ne lui fournissait aucun échantillon de travail, qui lui permettait de se faire une idée du produit fini.

Mettre en place la gestion d'un projet

Après avoir longuement réfléchi aux risques découlant d'une externalisation partielle ou totale du travail à accomplir, Marie a décidé de confier à Star Communications la création du premier module. Sous sa supervision, le comité consultatif le passerait ensuite en revue et formulerait rapidement ses recommandations avant l'élaboration des trois autres modules du produit d'apprentissage en ligne.

Quatre semaines plus tard, le premier module était prêt. Durant ce temps, Marie a fréquemment rencontré les concepteurs pour leur exprimer ses idées sur l'allure que devait avoir le produit fini. Marie espérait que les concepteurs multiplieraient les suggestions sur des façons de formater divers éléments d'information qui plairaient aux utilisateurs. Malheureusement, les concepteurs étaient assez discrets à ce sujet, sauf pour mentionner que les phrases devaient être courtes et la formulation intéressante. De plus, il convenait que des exemples accompagnent la présentation. Malgré le retard accumulé par rapport au calendrier prévu, Marie voulait s'assurer de la grande qualité du premier module. Ce dernier devait être vérifié par d'éventuels utilisateurs avant de passer à l'étape suivante.

Une déception

Lorsque Marie a cliqué sur le lien menant au premier module de son produit d'apprentissage en ligne, elle a été plutôt déçue. Elle avait espéré que les concepteurs suivraient ses consignes et se serviraient d'Internet pour animer les caractéristiques de l'apprentissage en ligne et les rendre stimulantes pour les utilisateurs. Elle ne savait pas trop de quelle façon dire aux concepteurs que leur prototype n'était pas à la hauteur de ses attentes. Peut-être n'était-elle pas bien placée pour en juger. Elle a alors décidé d'en parler à son comité consultatif et de l'inviter à faire des suggestions. Les membres du comité ont formulé quelques recommandations détaillées sur les améliorations à apporter au module et ont surtout souligné que celui-ci avait besoin d'un meilleur gabarit général, que les concepteurs pourraient ensuite étoffer.

Ayant déjà dépassé le budget et le calendrier prévus, Marie a adopté ces recommandations, mais elle ignorait de quelle façon « relancer la machine » à ce moment-là. Il était inutile d'aller de l'avant si le produit fini allait être de piètre qualité[1].

11.1 L'élaboration de systèmes

Introduction

Tous les types d'entreprises aujourd'hui, qu'il s'agisse d'une exploitation agricole, d'une société pharmaceutique ou d'une franchise, sont touchés par les systèmes d'information dont font partie les logiciels mis au point pour l'exploitation, l'amélioration ou le développement. Les solutions apportées en matière de systèmes d'information rendent possibles l'amélioration de la structure de coûts, la gestion des ressources humaines ainsi que la mise au point et la vente de nouveaux produits sur le marché. Ces améliorations organisationnelles aident les entreprises à maintenir leur position, à conserver leurs avantages concurrentiels, à résoudre des problèmes complexes, à déloger des concurrents ou à créer d'excellentes occasions exploitables.

Bien élaboré, un système d'information peut soutenir une organisation alerte et se transformer au même rythme que l'organisation et ses activités. Un système qui satisfait véritablement les besoins des employés rendra une organisation plus productive et améliorera la prise de décision. Dans le cas contraire, un système peut avoir un effet nuisible sur la productivité et même mener une entreprise à la faillite. La participation des employés, en plus du recours à la bonne méthode de mise en œuvre durant l'élaboration de systèmes, joue un rôle crucial dans le succès d'une organisation.

L'élaboration de systèmes d'information

L'échec du système de gestion de la chaîne d'approvisionnement (GCA) de Nike, qui a fini par coûter 400 millions de dollars à l'entreprise, est devenu légendaire. Nike a attribué cet échec au vendeur de ce système, i2 Technologies. Selon Nike, le module de planification de l'offre et de la demande réalisé par i2 Technologies a engendré de graves problèmes de maintien des stocks. Le déploiement du système d'i2 dans le contexte d'une amélioration du service d'affaires électroniques ayant coûté plusieurs millions de dollars, a suscité ce commentaire, devenu célèbre, du président-directeur général de Nike, Philip Knight : « C'est tout ce qu'on obtient pour nos 400 millions ? » Le vendeur du système de GCA a vu le cours de son action dégringoler dans la foulée de ce désastre, sans parler de sa réputation tout aussi ternie. Katrina Roche, chef du marketing à la société i2, a allégué que Nike n'avait pas utilisé la méthodologie et les modèles prévus par le vendeur pour la mise en œuvre du système, ce qui aurait aggravé le problème[2].

Si les systèmes d'information ne fonctionnent pas, c'est alors toute l'organisation qui devient inefficace. Les modèles traditionnels de risques d'entreprise négligent généralement l'élaboration de systèmes, essentiellement parce que la plupart des organisations estiment qu'elles sont peu touchées par l'impact de l'élaboration de systèmes. À l'ère numérique, toutefois, le succès (ou l'échec) d'un système peut être directement à l'origine du succès global (ou de l'échec global) d'une entreprise. Presque toutes les grandes organisations dans le monde s'appuient sur des systèmes d'information, que ce soit pour orienter leurs activités d'affaires ou pour que leurs produits aient un haut rendement. Plus les organisations se fient à ces systèmes, plus les conséquences du succès ou de l'échec de ces systèmes sur les activités d'affaires prennent de l'ampleur, comme le montre l'encadré 11.1 (*voir la page suivante*).

Les avantages lucratifs de la mise en œuvre réussie d'un système d'information constituent une forte incitation à gérer les risques inhérents à l'élaboration de systèmes. On estime que près de la moitié des projets d'élaboration de systèmes ayant été réalisés ont dépassé le budget ou le calendrier établis à cette fin, et que plus de la moitié des projets menés à terme contiennent moins d'éléments et de fonctions que ce qui était prévu au départ. Il est donc clair qu'une bonne compréhension des principes méthodologiques de l'élaboration de systèmes aidera les organisations à éviter les écueils potentiels et à s'assurer que les efforts déployés seront couronnés de succès[3].

L'élaboration de systèmes d'information globaux

Il est déjà difficile d'élaborer un système d'information local, mais la complexité supplémentaire découlant du développement d'un système d'information global multiplie les efforts nécessaires en ce sens. Un système d'information global doit être au service d'un ensemble

La hausse ou la baisse des revenus – Les organisations sont en mesure d'accroître directement leurs bénéfices si elles mettent en œuvre avec succès des systèmes de technologies de l'information (TI). Elles sont aussi susceptibles de perdre des millions en cas de défaillance des logiciels, de vol ou d'altération de données essentielles.

L'amélioration ou la détérioration de la réputation de la marque – Des techniques comme la gestion de la relation client (GRC) peuvent directement améliorer la réputation de la marque d'une entreprise. Un logiciel peut aussi gravement ternir la réputation d'une entreprise s'il n'accomplit pas le travail prévu ou s'il présente des failles de sécurité, ce qui mine la confiance des clients qui l'ont acquis.

La prévention ou la prise en charge des responsabilités – Des outils technologiques comme un tomodensitogramme, un appareil d'imagerie par résonance magnétique et un mammographe peuvent sauver des vies. Mais des outils défectueux utilisés dans un avion, une voiture, un stimulateur cardiaque ou un réacteur nucléaire peuvent causer d'énormes dommages, des blessures ou même la mort.

La hausse ou la baisse de la productivité – Des logiciels de GRC et de gestion de la chaîne d'approvisionnement (GCA) peuvent directement hausser la productivité d'une entreprise. De fortes pertes de productivité peuvent aussi être attribuables au mauvais fonctionnement ou à la défaillance des logiciels.

diversifié de clients, d'utilisateurs, de produits, de langues, de devises, de lois, etc. L'élaboration de systèmes d'information efficients, efficaces et fiables pour de nombreux pays, des cultures variées et des entreprises d'affaires électroniques de taille mondiale représente un énorme défi à relever pour toute organisation. Les gestionnaires doivent s'attendre à résoudre des conflits concernant des exigences locales ou globales relatives aux systèmes et à surmonter des difficultés lorsqu'il s'agit de convenir des éléments communs aux systèmes. Pour qu'un projet aboutisse de façon satisfaisante, le cadre de son élaboration doit susciter la participation et un sentiment de contrôle de la part de tous les utilisateurs d'un système local.

La normalisation mondiale des définitions de données représente l'une des questions les plus importantes en ce qui a trait à l'élaboration d'un système d'information global. Il est nécessaire de disposer de définitions de données communes pour assurer le partage de celles-ci entre les composantes d'une entreprise internationale. Des différences en matière de langue, de culture et de plateformes technologiques peuvent rendre très difficile la normalisation mondiale des données. Par exemple, ce que les Canadiens dénomment une « vente » peut prendre le nom de « commande enregistrée » au Royaume-Uni, de « commande prévue » en Allemagne et de « commande produite » en France. Toutes ces expressions désignent exactement la même activité d'affaires, mais elles peuvent causer divers problèmes si les employés concernés dans le monde adoptent des versions différentes de la définition des données. Le phénomène est d'autant plus important que les entreprises intègrent de plus en plus le langage XML dans leurs documents, avec l'adoption de normes telles que les Normes internationales d'information financière (IFRS) ainsi que celles du Global Reporting Initiative (GRI). Les entreprises sont instamment invitées à normaliser les définitions des données et les processus d'affaires. Elles sont nombreuses à mettre en œuvre des wikis d'entreprise, où tous les employés concernés dans le monde peuvent afficher et garder à jour des définitions d'affaires communes.

Les organisations disposent de diverses stratégies pour résoudre certains des problèmes que soulève l'élaboration d'un système d'information global :

- transformer et adapter sur mesure un système d'information utilisé par le siège social, dans le but d'en faire une application globale. On s'assure ainsi que le système s'appuie sur les processus d'affaires établis et qu'il satisfait les principaux besoins des utilisateurs finaux ;

- réunir des personnes-clés provenant de plusieurs filiales pour former une équipe multinationale chargée de l'élaboration. Ainsi, la conception du système peut satisfaire les besoins de tous les emplacements locaux et du siège social ;

- faire appel à des centres d'excellence, où l'élaboration d'un système complet est attribuée à une filiale spécifique en raison de son expertise dans le domaine ou des dimensions techniques nécessaires pour une élaboration réussie ;

- externaliser le travail d'élaboration à des pays qui possèdent l'expérience et les compétences requises pour élaborer un système d'information global.

Toutes ces approches nécessitent la collaboration de l'équipe chargée de l'élaboration ainsi qu'un encadrement soutenu, afin que soient satisfaits les besoins globaux de l'entreprise[4].

Le cycle de vie de l'élaboration de systèmes

Le **cycle de vie de l'élaboration de systèmes (CVES)** désigne le processus général d'élaboration de systèmes d'information, qui va de la planification et de l'analyse jusqu'à sa mise en œuvre et à son entretien. Le CVES est le fondement de toutes les méthodologies d'élaboration de systèmes et, littéralement, des centaines d'activités associées à chaque phase du CVES. Parmi ces activités les plus courantes, on trouve l'établissement des budgets, le regroupement des exigences relatives à un tel système et la rédaction de la documentation détaillée destinée aux utilisateurs. Les activités effectuées durant l'élaboration d'un système varient d'un projet à l'autre.

Le CVES commence par l'apparition d'un besoin d'affaires, suivie d'une évaluation des fonctions qu'un système doit remplir pour satisfaire ce besoin, et il prend fin lorsque les avantages du système ne compensent plus les coûts de son entretien. C'est pour cette raison qu'il est qualifié de cycle de vie. Le CVES comprend sept phases distinctes : la planification, l'analyse, la conception, l'élaboration, l'essai, la mise en œuvre et l'entretien (*voir la figure 11.1 à la page suivante*).

Les méthodologies d'élaboration de systèmes

Aujourd'hui, les systèmes sont si amples et si complexes que des équipes d'architectes, d'analystes, de développeurs, de testeurs et d'utilisateurs doivent travailler ensemble pour créer les millions de lignes de codes sur mesure qui sous-tendent les entreprises. C'est pourquoi les développeurs ont mis au point diverses méthodologies relatives au CVES. Une **méthodologie** est un ensemble de façons de procéder (politiques, procédures, normes, processus, pratiques, outils, techniques et tâches) que des personnes emploient pour résoudre des problèmes techniques ou administratifs. Elle contribue à gérer l'élaboration d'un système d'information à l'aide de plans de travail, de documents décrivant les exigences et de plans de test. Elle sert aussi directement au déploiement d'un tel système. Une méthodologie formelle comprend des normes de codage, des banques de codes, des pratiques d'élaboration, etc.

La méthodologie en cascade

La méthodologie la plus ancienne, et la mieux connue, est la méthodologie en cascade : c'est une série de phases dont le produit de chacune d'elles devient l'intrant de la suivante (*voir la figure 11.2 à la page 385*). La **méthodologie en cascade** traditionnelle est un procédé séquentiel par activité dans lequel toutes les phases du CVES se déroulent successivement, de la planification jusqu'à la mise en œuvre et à l'entretien. À l'heure actuelle, elle n'est plus employée dans la plupart des activités de développement ; le taux de succès des projets d'élaboration de logiciels qui font appel à cette approche est d'environ 10 %. Paul Magin, un cadre supérieur d'Epicor Software, important fournisseur de progiciels de gestion intégrés (PGI) et de logiciels de points de vente, est d'avis que « la méthodologie en cascade est une technologie épuisante. Elle oblige les individus à être précis lorsqu'ils ne peuvent tout simplement pas l'être. Elle est dangereuse et aucunement souhaitable dans le développement actuel. Elle ne se prête pas à l'apport de changements à mi-parcours, elle oblige chacun à savoir exactement ce qu'il veut faire au sein du projet, elle impose une stabilité jusqu'à la fin des travaux et stipule rigidement qu'aucune exigence ne sera modifiée. Nous savons tous qu'il est presque impossible de satisfaire d'emblée toutes ces exigences. Lorsqu'on utilise une méthodologie en cascade, on se retrouve avec des problèmes en cascade qui ont des effets catastrophiques s'ils ne sont pas repérés et réglés au tout début du processus[5] ».

La méthodologie en cascade est inflexible et coûteuse, et elle impose une adhésion rigide aux étapes successives du processus. Le tableau 11.1 (*voir la page 385*) met en relief quelques difficultés découlant du recours à la méthodologie en cascade.

Le monde des affaires actuel est implacable. La volonté et la nécessité de déjouer et de devancer les concurrents demeurent intenses. Dans cette recherche du succès à tout prix, les dirigeants poussent les équipes internes chargées de l'élaboration et les vendeurs externes à produire plus rapidement et à moindre coût les systèmes prévus, afin que ces derniers puissent rapporter des bénéfices le plus rapidement possible. Quoi qu'il en soit, les systèmes demeurent amples et complexes. La méthodologie en cascade traditionnelle ne convient plus à l'élaboration d'un système dans la plupart des cas. Puisque ce cadre d'élaboration est maintenant la norme plutôt que l'exception, les équipes chargées de l'élaboration se servent désormais d'une nouvelle famille de méthodes de rechange pour atteindre leurs objectifs d'affaires.

FIGURE 11.1

CVES et les activités qui y sont associées

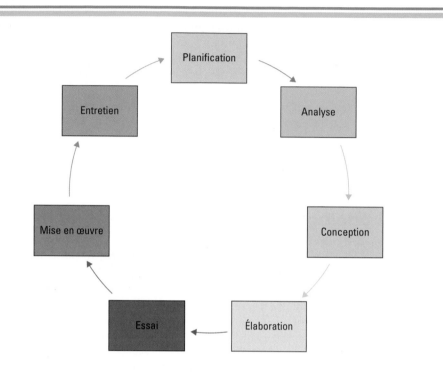

Phase	Activités associées
Planification	■ Organiser des séances de remue-méninges et cerner les idées intéressantes pour l'organisation ■ Prioriser et choisir un ou des projets à élaborer ■ Fixer la portée du projet choisi ■ Formuler le plan du projet choisi
Analyse	■ Établir le besoin fonctionnel que doit satisfaire le système ■ Définir les contraintes possibles liées au système
Conception	■ Concevoir l'architecture technique nécessaire au système ■ Concevoir les modèles du système
Élaboration	■ Élaborer l'architecture technique ■ Élaborer la base de données ■ Élaborer les applications
Essai	■ Formuler les conditions d'essai ■ Mettre le système à l'essai
Mise en œuvre	■ Rédiger la documentation détaillée destinée aux utilisateurs ■ Offrir la formation nécessaire aux utilisateurs du système
Entretien	■ Mettre sur pied un service de dépannage destiné aux utilisateurs du système ■ Prévoir un cadre facilitant les modifications à apporter au système

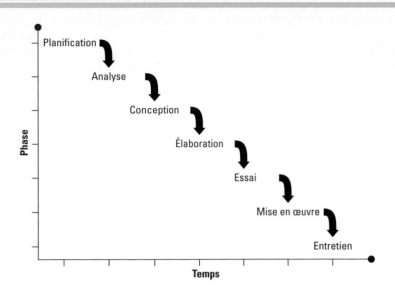

FIGURE 11.2

Méthodologie en cascade traditionnelle

Problème fonctionnel	Toute erreur dans la définition et la formulation exactes du problème fonctionnel, en ce qui concerne les besoins réels des utilisateurs dans l'entreprise, se maintient dans la phase suivante.
Plan	La gestion des coûts, des ressources et des contraintes de temps est difficile dans la séquence en cascade. Qu'arrive-t-il au calendrier de travail établi si un programmeur démissionne ? Quel sera l'effet d'un délai au cours d'une phase spécifique sur le coût total du projet ? Des contingences imprévues pourraient saboter le plan.
Solution	La méthodologie en cascade est problématique parce qu'elle repose sur le postulat selon lequel les utilisateurs peuvent définir d'avance tous les besoins fonctionnels. Déterminer l'infrastructure appropriée des TI qui soit souple, extensible et fiable est un véritable défi. L'infrastructure finalement adoptée doit satisfaire non seulement les besoins actuels, mais aussi les besoins futurs en ce qui a trait à la durée, au coût, à la faisabilité et à la souplesse. La vision est inévitablement limitée en haut de la cascade.

TABLEAU 11.1

Difficultés liées à la méthodologie en cascade

Les méthodes agiles d'élaboration de logiciels

L'enquête CHAOS de Standish Group montre clairement que plus la taille d'un projet est petite, plus son taux de succès est élevé. Le développement itératif est le dernier cri en matière de petits projets. Le **développement itératif** consiste en une série de très petits projets ; il est maintenant devenu le fondement de nombreux types de méthodes agiles. La figure 11.3 (*voir la page suivante*) illustre une approche itérative[6].

Une **méthode agile** vise à satisfaire la clientèle au moyen de la livraison rapide et continue de composantes utiles de logiciels, élaborées selon un processus itératif assorti d'un point de conception s'appuyant sur les exigences les plus minimales possible. Le terme « agile » est tout à fait approprié ici : il signifie tout à la fois rapide et efficace, de petite taille et prompt, peu coûteux, éléments moins nombreux, projets de plus courte durée. Le recours aux méthodes agiles permet d'affiner la faisabilité et d'obtenir une rétroaction rapide à mesure que des fonctions sont ajoutées. Les développeurs peuvent corriger le tir à mesure que le projet avance et que sont précisées les exigences qui étaient demeurées floues. Gartner Research estime que 65 % des projets agiles sont fructueux. Ce taux de succès est extraordinaire, comparativement à celui des projets en cascade, qui est de 10 %.

La clé d'un produit ou d'un système réussi consiste à procurer aux utilisateurs des éléments de valeur dès que possible, c'est-à-dire à leur donner rapidement quelque chose qu'ils veulent et qu'ils aiment, afin d'obtenir l'acceptation, de susciter l'enthousiasme et, en fin de

FIGURE 11.3

Approche itérative

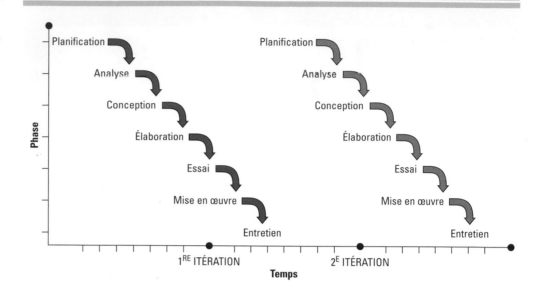

compte, de réduire la portée. L'emploi d'une méthode agile maintient l'imputabilité et permet de mesurer constamment le degré de satisfaction des utilisateurs finaux. Il ne sert à rien de réaliser un projet selon le calendrier et le budget prévus si l'utilisateur final n'est pas satisfait au bout du compte. Les principaux types de méthodes agiles sont le prototypage rapide ou la méthodologie de développement rapide d'applications, la méthodologie de programmation extrême, la méthodologie du processus unifié rationnel, et la méthode de gestion par sprints[7].

Il ne faut pas accorder trop d'importance aux dénominations de ces méthodologies : certaines sont des noms de marque d'origine, d'autres, des noms génériques. Il importe davantage de bien connaître l'utilisation de ces méthodes de rechange dans le monde des affaires actuel, ainsi que les avantages qu'elles comportent.

En réponse au rythme accéléré des affaires, le développement rapide d'applications est devenu un moyen populaire d'accélérer l'élaboration de systèmes. La **méthodologie de développement rapide d'applications** (aussi dénommée **prototypage rapide**) est axée sur la grande participation des utilisateurs à la construction rapide et évolutive de prototypes fonctionnels d'un système, en vue d'accélérer le processus d'élaboration de ce système. La figure 11.4 donne une image de cette méthodologie.

Un **prototype** est une représentation ou un modèle de travail à petite échelle des besoins d'utilisateurs, ou encore une conception proposée pour un système d'information. Le prototype est un élément essentiel de la phase d'analyse dans la méthodologie de développement rapide d'applications.

SwimAmerica offre des cours de natation à plus de 3 000 élèves sur une base annuelle. Lorsqu'on a remis à Robert Polley, directeur de programme, une reliure à trois anneaux pour gérer le programme, il a tout de suite songé à trouver une solution basée sur la méthodologie de développement rapide d'applications qui éliminerait le papier, les envois de courrier désespérément lents et tous les défauts d'un système fondé sur le papier. En utilisant un système de gestion de bases de données maison, il a lui-même mis au point un prototype de logiciel reposant sur une base de données sur mesure qui peut être utilisée avec un ordinateur de bureau par Internet. Ce système gère toutes les données de SwimAmerica. La base de données comprend un système d'inscription par courriel qui assure la gestion des milliers de dossiers d'élèves. La saisie des données ne nécessite plus que quelques minutes, plutôt que des heures, comme auparavant. Il suffit de quelques clics de souris pour inscrire les enfants aux différents cours et choisir la taille de leurs T-shirts. Les reliures à trois anneaux, le papier et les classeurs ont été supprimés. En outre, plus aucun dossier n'est perdu, grâce à l'inscription en ligne, et les enfants peuvent même être inscrits à un cours la veille du jour prévu pour le

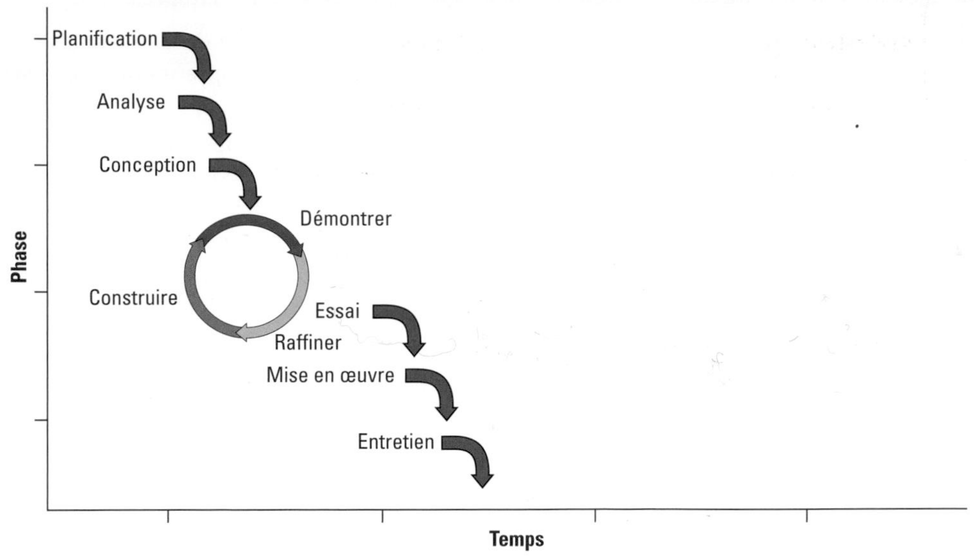

FIGURE 11.4

Méthodologie de
développement rapide
d'applications

début de ce cours. L'information est facile à trouver, et Polley peut maximiser la rentabilité du programme, car l'information disponible lui permet de compléter les groupes déjà créés avant d'en former de nouveaux. Il a même élargi l'emploi des bases de données en ajoutant deux fonctions : l'automatisation de la paie et l'envoi automatique de courriels pour rappeler aux parents le jour et l'heure des cours de natation de leurs enfants[8].

La **méthodologie de programmation extrême**, comme d'autres méthodes agiles, fractionne un projet en très brèves phases, et les développeurs doivent achever la phase en cours avant de passer à la suivante. Elle met l'accent sur le fait que plus la communication ou la rétroaction est rapide, meilleurs sont les résultats. Elle comprend quatre parties : la planification, la conception, le codage et l'essai. Contrairement à d'autres méthodologies, ces parties ne sont pas des phases, mais sont plutôt associées mutuellement en tandem. La planification inclut des récits d'utilisateurs, des mêlées quotidiennes et la production de petits extraits. Durant la conception, de nouvelles fonctions ne sont ajoutées qu'au moment où elles deviennent nécessaires. Au cours du codage, l'utilisateur est toujours disponible pour apporter une rétroaction, les développeurs travaillent en duo, et le code est écrit selon une norme convenue. Quant aux essais, ils sont décrits avant le code. Avec cette méthode, les utilisateurs sont intégrés au processus d'élaboration ; le grand avantage est qu'elle réduit au minimum les problèmes de communication entre les développeurs et les utilisateurs : les uns sont en rapport direct avec les autres. Elle fait donc gagner un temps précieux et facilite la distinction entre les besoins essentiels et les facteurs accessoires.

Si cette méthode connaît autant de succès, c'est parce qu'elle met l'accent sur la satisfaction de la clientèle. Elle autorise les développeurs à répondre aux exigences variables des clients et des entreprises, même à la fin du CVES, et favorise beaucoup le travail d'équipe. Les gestionnaires, les clients et les développeurs font partie d'une équipe s'efforçant de produire des logiciels de grande qualité. Cette méthode permet de concrétiser de façon simple et efficace une élaboration collective. Kent Beck, le créateur de cette méthode, considère que la conversation en constitue le paradigme et il suggère de se servir de fiches pour établir un lien entre l'exploitation et la technologie. Cette méthode est analogue à un casse-tête avec ses nombreux petits morceaux à assembler pour former une image. Pris individuellement, chaque morceau ne signifie rien, mais la combinaison répétée des différents morceaux se transforme en un mécanisme efficace d'édification d'un nouveau système qui satisfera les besoins changeants des clients et des entreprises[9].

La **méthodologie du processus unifié rationnel,** qui appartient à IBM, offre un cadre pour subdiviser la création d'un logiciel en quatre stades logiques. Chaque stade logique comporte des itérations exécutables du logiciel en voie d'élaboration. Un projet demeure à un stade logique jusqu'à ce que les parties prenantes soient satisfaites, après quoi il passe au stade logique suivant ou est annulé. Les stades logiques sont décrits ci-après.

- Premier stade : la définition. Ce stade comprend la formulation du dossier d'analyse de rentabilisation. Il fait en sorte que toutes les parties prenantes comprennent bien le système à élaborer.

- Deuxième stade : l'élaboration. Ce stade donne un ordre de grandeur approximatif. Les principales questions résolues à ce stade portent sur les détails du système ayant fait l'objet d'un accord, y compris la capacité de formuler une architecture de soutien et de construction du système.

- Troisième stade : la concrétisation. Ce stade comprend l'élaboration et la réalisation du produit.

- Quatrième stade : la transition. Les principales questions résolues à ce stade concernent la propriété du système et la formation du personnel-clé[10].

Puisque la méthodologie du processus unifié rationnel est itérative, l'utilisateur peut rejeter le produit fini et obliger les développeurs à retourner au stade initial. Selon IBM, quelque 500 000 développeurs se sont servis de cette méthodologie pour des projets de logiciels de taille variée, au cours de la vingtaine d'années ayant suivi sa mise au point. Grâce à elle, les développeurs ne sont pas obligés de réinventer la roue chaque fois et peuvent se concentrer sur l'ajout ou la suppression rapide d'éléments réutilisables des procédés en vue de régler des problèmes courants.

Il existe une autre méthode agile, la **méthode de gestion par sprints,** selon laquelle de petites équipes, appelées *scrum,* produisent de petites pièces de logiciels livrables à l'issue de sprints, soit des périodes de 30 jours, afin d'atteindre l'objectif fixé. Avec cette méthode, chaque journée se termine ou commence par une mêlée quotidienne qui permet de faire le point sur le travail d'élaboration accompli.

Primavera Systems Inc., une entreprise de solutions logicielles, avait de plus en plus de difficultés à utiliser la méthodologie en cascade traditionnelle à des fins d'élaboration, si bien qu'elle a décidé d'adopter une méthode agile. Parce que la méthode de gestion par sprints est axée sur la livraison de prélèvements complets de valeur d'affaires selon des cycles d'apprentissage de 30 jours, les équipes ont pu l'assimiler rapidement. Elle a obligé les équipes à effectuer et à intégrer diverses expériences et les a incitées à faire passer ces expériences au stade de la production. L'adoption de cette nouvelle méthode par Primavera a donné des résultats très positifs : des clients hautement satisfaits et un cadre d'élaboration énergique et très stimulant. Selon Dick Faris, directeur des techniques informatiques à la société Primavera : « La programmation agile est nouvelle et très différente. Elle modifie sensiblement la façon de programmer. Au lieu de produire des codes à répétition, le procédé est axé sur le dialogue en équipe, les discussions concernant les priorités, le temps imparti et les talents disponibles. L'entreprise au complet s'engage dans un sprint de 30 jours qui aboutit à la livraison d'un logiciel complet et achevé. Il peut aussi s'agir d'une seule fonction spécifique, mais tout est là, y compris la livraison et la satisfaction des besoins et des exigences du client. En passant, il arrive aussi que ces besoins et exigences changent en cours de route. C'est le grand avantage, à notre avis, de la méthode de gestion par sprints[11]. »

À propos de la mise en œuvre des méthodes agiles, Amos Auringer, conseiller de la direction à la prestigieuse entreprise Gartner Inc., explique : « Des notions comme "agile", "développement rapide d'applications" et "programmation extrême" désignent autant d'approches d'un même modèle : idée, production, livraison. Ces approches représentent des étapes consolidées, des étapes pouvant être sautées en fonction de la taille d'un projet et des étapes comprimées menant au même résultat : la livraison d'un produit. Les modèles émergents d'ingénierie des processus tendent à se concentrer sur l'élimination ou la réduction de certaines étapes. Les phases du CVES ne changent pas. Nous apprenons simplement à mieux faire notre travail et à être plus efficients[12]. »

Si une organisation décide d'adopter une méthode agile, il est important que les personnes concernées soient sensibilisées à cette dernière. Pour être efficace, un procédé agile doit être simple et rapide. L'Agile Alliance est un groupe de développeurs de logiciels chargés d'améliorer les processus d'élaboration de logiciels. L'encadré 11.2 présente des éléments de la déclaration de principes de ce groupe. Les décisions doivent être prises rapidement et sans que l'analyse mène à la paralysie. Le meilleur moyen d'y parvenir consiste à associer toutes les parties prenantes à ce procédé, à définir d'excellents moyens de communication et à rallier des compétences approfondies en gestion de projet. Bien comprendre que la communication est le facteur crucial d'un projet constitue l'essence même du développement collaboratif. The Standish Group souligne que les projets dans lesquels les utilisateurs ou les groupes d'utilisateurs comprennent clairement leurs véritables besoins offrent un meilleur taux de rendement et comportent moins de risques. Une gestion de projet vigoureuse est la clé du succès d'une entreprise.

Nous découvrons de meilleures façons de créer des logiciels en passant à l'action et en aidant les autres à le faire. Grâce à notre travail, nous savons maintenant que nous devons donner la priorité :

- aux individus et aux interactions plutôt qu'aux procédés et aux outils ;
- aux logiciels bien faits plutôt qu'à une documentation détaillée ;
- à la collaboration des clients plutôt qu'à la négociation des contrats ;
- à l'adaptation au changement plutôt qu'au respect d'un plan.

Autrement dit, si les facteurs énoncés du côté droit ont une certaine valeur, ceux du côté gauche en ont encore plus.

La méthodologie de conception participative

La **méthodologie de conception participative** diffère de la méthodologie en cascade et de la méthode agile non pas par le type de travail accompli, mais plutôt en ce qui a trait à ceux qui prennent les décisions et qui exécutent la plus grande partie du travail de conception. Selon cette méthodologie, la participation active des utilisateurs est essentielle dans le processus d'élaboration de systèmes d'information. Cette approche en conception de systèmes est originaire de la Scandinavie, où la participation directe et effective des travailleurs aux activités de conception et à la prise de décision est implantée depuis longtemps. En outre, il faut que «les personnes vouées à utiliser le système jouent un rôle crucial dans sa conception[13]».

Ici, le rapport traditionnel entre le concepteur et l'utilisateur est inversé : les utilisateurs sont considérés comme les experts, c'est-à-dire ceux qui ont une connaissance optimale de leur travail et de leurs besoins, alors que les concepteurs sont considérés comme des consultants techniques ou des instructeurs.

Deux avantages de cette méthodologie sont souvent mis de l'avant : l'élaboration de systèmes qui répondent mieux aux besoins des utilisateurs, ainsi que l'acceptation et la confiance accrues des utilisateurs envers le système élaboré.

La méthodologie de conception participative repose sur quelques principes directeurs : 1) le processus de conception revêt une importance marquée pour les participants ; 2) il est très probable que les résultats du processus de conception seront mis en œuvre ; et 3) les participants trouvent agréable d'y jouer un rôle[14].

Les deux premiers principes renvoient à la dimension politique de la participation des utilisateurs à la conception. Le projet doit revêtir une importance marquée pour les participants. S'ils ont l'impression que le système présentera peu d'avantages ou d'intérêt au quotidien, la probabilité de rallier la participation active des utilisateurs au projet est plutôt minime. Et si les participants estiment que leur présence dans le processus ne résulte que d'un simple geste de bonne volonté ou d'une tentative peu sérieuse de comprendre les besoins des utilisateurs, alors ils n'y croiront pas. Ils doivent sentir que leurs contributions sont utiles et auront des effets concrets, plutôt que d'être consignées pour être ensuite laissées de côté.

Le dernier principe fait référence au processus de conception lui-même : il faut que les utilisateurs aient du plaisir à y participer. Pour obtenir l'engagement actif des utilisateurs dans la conception, des mesures doivent être prises pour éviter les obstacles que constituent le travail soutenu et l'ennui, deux facteurs inhérents à tout projet de système.

Pour susciter une saine coopération entre les utilisateurs et les concepteurs, les partisans de la méthodologie de conception participative ont formulé les cinq suggestions suivantes :

1. créer des occasions d'apprentissage mutuel pour les utilisateurs et les concepteurs traditionnels de systèmes (chacun des deux groupes possède un savoir qui peut être bénéfique pour l'autre);

2. utiliser des outils de conception que connaissent bien les utilisateurs (stylos, papier et tableaux à feuilles, plutôt que des diagrammes entité-relation et des diagrammes de flux de données);

3. employer un langage que les utilisateurs finaux comprennent bien (aucun jargon informatique n'est permis!);

4. amorcer le processus de conception à partir de la pratique actuelle des utilisateurs, c'est-à-dire discerner clairement la façon dont les utilisateurs déploient présentement les activités dont le futur système facilitera l'exécution, et en faire le point de départ des efforts visant à apporter des améliorations;

5. faciliter d'autres activités de conception dans le but d'inciter les utilisateurs à imaginer de futures situations où ils auront à travailler avec le système final, ce qui leur permettra d'envisager les effets concrets de celui-ci[15].

Le développement par l'utilisateur final

En plus des méthodes décrites ci-dessus, le **développement par l'utilisateur final** est aussi pratiqué dans de nombreuses organisations aujourd'hui. Selon cette méthode, ce sont les futurs utilisateurs d'un système qui l'élaborent eux-mêmes. Le développement par l'utilisateur final est un procédé selon lequel l'utilisateur final élabore et entretient lui-même le système d'information, sans beaucoup d'appui de la part de spécialistes en TI. La complexité de cette méthode varie fortement : dans certains cas, un travailleur du savoir formule une macro pour un tableur Excel afin d'automatiser un procédé de travail; dans d'autres cas, un groupe d'utilisateurs finaux adopte une approche de CVES plus stricte qui comprend le prototypage. Cette technique offre divers avantages : une meilleure détermination des besoins, un plus vif sentiment de proximité du système et une élaboration plus rapide. Elle comporte aussi quelques inconvénients, par exemple un manque en ce qui concerne l'expertise en développement, l'encadrement organisationnel, l'analyse extérieure et la documentation.

L'élaboration réussie d'un système

Quelle que soit la méthodologie adoptée pour l'élaboration d'un système, une organisation doit s'appuyer sur quelques principes directeurs pour que ce soit une réussite[16].

Restreindre le budget

Si le budget est restreint, les développeurs et les utilisateurs doivent se concentrer sur les facteurs essentiels. Il est également plus facile d'abandonner un projet défaillant lorsque le budget engagé n'est pas très élevé. Par exemple, imaginons qu'un projet ayant déjà coûté 20 millions de dollars soit voué à un échec total. Compte tenu de la somme déjà engagée, il est tentant d'y investir une autre tranche de cinq millions pour sauver le projet, plutôt que de subir une telle perte. Trop souvent, le système échoue, et l'entreprise se retrouve avec une perte encore plus élevée.

Abandonner le projet si celui-ci ne fonctionne pas – Il faut réunir, au début d'un projet, toutes les parties prenantes concernées de près et, en cours de réalisation, les réunir de nouveau pour évaluer le logiciel élaboré. Fait-il ce que l'entreprise souhaite et, ce qui est encore plus important, ce dont elle a besoin? Il faut éliminer tout logiciel qui ne satisfait pas les attentes de l'entreprise. C'est ce qui s'appelle le « triage », et il s'agit « du moment parfait pour abandonner un projet de logiciel », selon Pat Morgan, administrateur principal de programme à la société Enterprise Storage Group, de Compaq (qui appartient maintenant à Hewlett-Packard). Il organisait une séance de triage chaque mois et affirme que celle-ci était parfois brutale. « Au cours d'une [séance], un ingénieur a parlé d'un procédé génial que ses collègues et lui mettaient au point pour transférer de l'information entre des interfaces utilisateur graphiques. Personne dans la salle de réunion n'en avait besoin. Nous avons tout annulé ça à l'instant. Dans l'entreprise Compaq, on pouvait flamber quelques millions de dollars en un mois, pour se rendre compte après coup que ce qu'on faisait était inutile[17]. »

Réduire les exigences au minimum – Il faut amorcer chaque projet à partir de ce que le logiciel doit absolument effectuer, et non de tout ce qu'il devrait faire. Tout projet de logiciel commence traditionnellement par la rédaction d'un document sur les exigences à satisfaire, qui en contient souvent des centaines ou des milliers. The Standish Group estime que seulement 7 % des besoins fonctionnels sont réellement nécessaires pour une application donnée. Réduire les exigences au minimum signifie aussi que la dérive des objectifs et l'ajout d'extras doivent être étroitement surveillés. La **dérive des objectifs** survient lorsque la portée du projet s'accroît. L'**ajout d'extras** se produit quand les développeurs ajoutent des caractéristiques supplémentaires qui ne faisaient pas partie des exigences initiales.

Mettre à l'essai et livrer fréquemment – Au moins une fois par mois et même jusqu'à une fois par semaine, il faut achever une partie du projet ou un élément du logiciel. L'élément doit être opérationnel et exempt de tout bogue. Il faut ensuite demander aux clients d'en faire l'essai et de l'approuver. C'est là que réside la plus profonde différence entre la méthode agile et la méthode traditionnelle. Dans certains projets de logiciel traditionnels, les clients devaient attendre des années avant de voir eux-mêmes des éléments opérationnels.

Affecter des dirigeants extérieurs aux technologies de l'information à un projet de logiciel – Des dirigeants extérieurs aux TI doivent coordonner, avec le directeur technique d'un projet, les essais répétés à effectuer pour s'assurer que le projet satisfera les besoins des utilisateurs. Ils doivent aussi servir d'agents de liaison entre les cadres supérieurs et le service des TI. Rallier la participation à temps plein de l'exploitation suscite chez toutes les parties concernées un sentiment d'engagement par rapport au projet et le désir de réussir.

RETOUR SUR LA MISE EN CONTEXTE

La gestion d'un projet

1. Ce projet a-t-il fait appel à une quelconque méthodologie d'élaboration ?
2. Quelle méthodologie d'élaboration auriez-vous recommandée pour le projet ? Pourquoi ?
3. Quels sont les éléments essentiels des exigences en information pour ce projet ?
4. Qu'a-t-on fait pour s'assurer de la participation d'un ensemble élargi et représentatif d'utilisateurs finaux au processus de conception ?

11.2 La gestion et la gouvernance de projets

Introduction

Selon le Project Management Institute, il existe toujours des incertitudes concernant l'économie de la gestion de projet, mais des signes d'amélioration possible se manifestent. Bien que le nombre de projets retardés et de postes disponibles pour des chefs de projet continue de fluctuer, le nombre de projets relancés est en hausse[18].

Dans les semaines ayant précédé les inondations dévastatrices survenues en juin 2013 à Calgary et ailleurs dans le sud de l'Alberta, un indice de la catastrophe imminente est apparu dans les données issues des observations faites par la Gravity Recovery and Climate Experiment (GRACE). Les données montraient que le niveau des nappes phréatiques devenait peu à peu supérieur à la moyenne, ce qui signifiait que le sol ne pouvait presque plus absorber toute eau additionnelle provenant des pluies ou de la fonte de la neige. La catastrophe naturelle survenue a montré que la surveillance du niveau des nappes phréatiques devait devenir une priorité absolue, afin que les responsables puissent l'intégrer à leur travail de planification. Il faut donc se poser la question suivante : comment élaborer un système qui permette aux responsables d'améliorer leur travail de planification? Il s'agit d'une question particulièrement importante, surtout que, malgré le fait que GRACE recueille des données pour produire des cartes générales à l'échelle mondiale, les cartes très détaillées ne sont produites que pour les États-Unis. Le Canada se retrouve donc loin derrière les États-Unis dans le domaine de la cartographie des principales nappes phréatiques[19]. On peut croire qu'une gestion de projet offrant un cadre stratégique à la coordination des activités associées aux projets organisationnels aiderait le Canada à établir ses propres cartes. Aujourd'hui, les dirigeants d'entreprise font face à un marché mondial implacable et en évolution rapide qui les obligera à utiliser tous les outils possibles pour préserver leur capacité concurrentielle. La gestion de projet est précisément l'un de ces outils.

La gestion de projet d'élaboration de logiciels

Des analystes estiment que des dizaines de milliards de dollars sont engloutis chaque année en pure perte dans les coûts d'élaboration, sans compter les revenus perdus. Cette perte résulte des projets d'élaboration de logiciels ayant échoué. Selon McKinsey, « 17 % des grands projets en TI se déroulent tellement mal qu'ils menacent parfois l'existence même de l'entreprise; en moyenne, ces grands projets dépassent de 45 % le budget prévu et de 7 % le calendrier fixé, tout en donnant une valeur inférieure de 56 % à ce qui était anticipé ». C'est la sombre réalité qu'affrontent les entreprises actuelles dans un grand nombre de leurs projets[20]. Des entreprises comme Nestlé et Nike ont subi d'autres conséquences de l'échec de certains projets : une marque altérée, une perte de bonne volonté, la dissolution de partenariats, la perte de possibilités d'investissement et les effets d'une baisse de moral[21].

Avec autant de professionnels compétents et expérimentés en systèmes d'information qui sont à la barre de projets en systèmes d'information, comment est-ce possible ? Chaque jour, des organisations adoptent des projets qui ne concordent pas avec les initiatives essentielles à la mission; elles y engagent trop de capital humain et financier; elles se lancent dans des projets de faible valeur qui mobilisent des ressources utiles et rares; et elles acceptent de soutenir des projets mal définis, tant en ce qui concerne les besoins que la planification.

Lorsque des projets en systèmes d'information échouent, c'est généralement parce qu'ils sont complexes, et ils le deviennent encore plus à cause d'une mauvaise planification et d'attentes irréalistes. En effet, les projets sont déployés trop rapidement en raison de pressions du marché toujours plus vives, et leur portée devient ingérable. Étant donné qu'il s'agit là d'une réalité bien contemporaine, il importe d'appliquer de solides techniques et outils de gestion de projets, en vue de hausser le taux de succès des projets de systèmes d'information.

La triple contrainte

La vision sous-tendant un projet doit être claire, concise et intelligible, et elle doit être la même pour toutes les parties prenantes. Il est impératif que toutes les personnes concernées soient en phase. Dans une perspective d'affaires, tous doivent prendre la même orientation que celle de l'entreprise dans son ensemble et viser les objectifs généraux du projet. Il est essentiel que les membres d'une organisation souhaitant apporter des contributions utiles comprennent la nature de son investissement, la stratégie présidant au choix des projets et la façon dont elle détermine et priorise le cadre du projet. Un projet mobilise généralement de grandes quantités de ressources. Il est indispensable de comprendre de quelle manière l'organisation influe sur ses ressources utiles et rares, afin de bien saisir sa stratégie d'ensemble.

La figure 11.5 illustre les liens entre les trois principales variables de tout projet : la durée, le coût et la portée. Ces variables sont interdépendantes; tous les projets sont limités en quelque sorte par ces trois contraintes. Le Project Management Institute qualifie de triple contrainte le cadre d'évaluation de ces exigences concurrentes.

Si l'une des trois variables change, au moins l'une des deux autres est susceptible d'être touchée. Par exemple, devancer la date d'achèvement d'un projet peut entraîner une hausse des coûts pour financer l'embauche d'autres employés; supprimer des éléments ou des fonctions peut diminuer la portée anticipée. L'élargissement de la portée d'un projet, pour que celui-ci satisfasse d'autres demandes des clients, peut se traduire par un report de sa date d'achèvement ou une augmentation de son coût – ou les deux – en vue de s'accommoder d'une telle modification. La capacité du chef de projet à équilibrer ces exigences concurrentes influe sur la qualité d'un projet. Un projet de grande qualité donne le produit ou service préalablement convenu selon le calendrier et le budget prévus.

La gestion d'un projet est la science consistant à faire des compromis intelligents entre la durée, le coût et la portée. La combinaison de ces trois facteurs détermine la qualité d'un projet. Le conseil judicieux de Benjamin Franklin – si l'on échoue dans la préparation, on se prépare à l'échec – s'applique à beaucoup de projets d'élaboration d'un logiciel aujourd'hui. Le taux d'échec des projets de systèmes d'information est beaucoup plus élevé dans le cas des organisations qui négligent la gestion disciplinée de ces projets. Un projet réussi respecte le calendrier établi, ne dépasse pas le budget prévu et satisfait les besoins de l'entreprise ainsi que ceux de son client. The Hackett Group, une société de consultants américaine située à Atlanta, a analysé sa base de données sur ses clients, qui inclut 2 000 entreprises, dont 81 entreprises Fortune 100. Il a découvert ce qui suit :

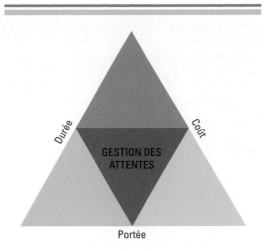

FIGURE 11.5

Triple contrainte touchant la gestion d'un projet

- sur 10 grands projets de systèmes d'information, 3 connaissent l'échec ;

- parmi les 2 000 entreprises analysées, 21 % affirment qu'elles ne peuvent s'adapter rapidement aux fluctuations du marché ;

- seulement 25 % des entreprises valident un dossier d'analyse de rentabilisation pour un projet de système d'information après son achèvement[22].

Environ 54 % des échecs résultent de difficultés propres à la gestion de projet, et seulement 3 % découlent de difficultés techniques. En ce qui a trait aux difficultés propres à la gestion de projet, les sept plus importantes difficultés à l'origine de l'échec d'un projet sont les suivantes :

- une planification et un encadrement déficients ;

- des communications insuffisantes ;

- une gestion inefficace ;

- un déphasage du projet par rapport à ses parties constitutives et à ses parties prenantes ;

- un engagement inefficace de la part de la haute direction ;

- un manque de compétences non techniques ou une incapacité d'adaptation ;

- une méthodologie ou des outils déficients ou manquants[23].

Les éléments fondamentaux de la gestion de projet

Le Project Management Institute (PMI) définit un **projet** comme une initiative temporaire entreprise pour la création d'un produit ou service unique. La **gestion de projet** désigne l'application de connaissances, de compétences, d'outils et de techniques aux activités du projet afin de satisfaire les exigences qui lui sont liées. Un projet est un effort à court terme, par exemple la suppression d'un ancien serveur, l'élaboration d'un site de commerce électronique fait sur mesure ou la fusion de bases de données. Le PMI offre le *Project management book of knowledge* (Référentiel des connaissances en gestion de projet), dans lequel sont énoncées les normes générales de la gestion d'un projet. L'encadré 11.3 (*voir la page suivante*) donne un aperçu du PMI et de ses termes fondamentaux utilisés en gestion de projet, que tous les gestionnaires doivent connaître et comprendre[24].

Avant sa fusion avec Hewlett-Packard, Compaq avait décidé d'analyser et de prioriser ses projets d'élaboration de systèmes. Sachant que le directeur des systèmes d'information voulait prendre connaissance de tous les projets, les dirigeants de la gestion de projet ont

Le **Project Management Institute** élabore les procédés et les notions nécessaires à l'appui de la gestion d'un projet (www.pmi.org). Il se concentre sur les trois volets suivants :

1. les caractéristiques distinctives d'un professionnel en exercice (éthique) ;
2. la teneur et la structure de l'ensemble des connaissances de la profession (normes) ;
3. la reconnaissance de la réalisation professionnelle (accréditation).

Un **produit livrable d'un projet** désigne tout élément ou résultat mesurable, tangible et vérifiable qui est produit pour mener à bien l'achèvement d'un projet ou d'une de ses parties. Les produits livrables d'un projet comprennent des documents de conception, des scénarios de test et des documents relatifs aux besoins.

Un **jalon de projet** est une date-clé à laquelle un certain groupe d'activités doivent être accomplies. Par exemple, l'achèvement de la phase de planification pourrait être un jalon de projet. Si l'atteinte d'un jalon échoue, il est alors probable que des problèmes menacent le projet.

Un **chef de projet** est une personne qui possède une expertise en planification et en gestion de projet, qui définit et élabore le plan du projet et qui supervise son déroulement pour veiller à ce que le projet soit mené à terme selon le calendrier et le budget prévus. Le chef de projet est la personne responsable de l'exécution de tout le plan du projet.

Un **bureau de gestion de projets** est un service interne qui encadre tous les projets de l'organisation. Ce service doit officialiser et professionnaliser l'expertise et le leadership en gestion de projet. Une des principales initiatives d'un tel bureau consiste à sensibiliser l'organisation aux techniques et aux processus nécessaires à la réussite d'un projet.

ENCADRÉ 11.3

Termes utilisés en gestion de projet

rapidement cerné et supprimé les projets non stratégiques. À la fin du processus de révision, l'entreprise avait annulé 39 projets et ainsi économisé 15 millions de dollars. La plupart des entreprises du classement Fortune 100 touchent des bénéfices nets semblables à ceux de Compaq à la suite de la mise en œuvre d'une solution en gestion de projet[25].

La plupart des dirigeants d'entreprise ne sont toutefois pas des chefs de projet, mais il est probable que tous feront partie de l'équipe chargée d'un projet. Il s'avère donc important de comprendre de quelle façon une entreprise gère son projet et en quoi la culture d'entreprise vient étayer les efforts déployés. L'art et la science du rôle de chef de projet se déploient dans la coordination de nombreuses tâches, comme l'illustre la figure 11.6. Le reste de la présente section met l'accent sur 5 de ces tâches principales : 1) choisir les projets stratégiques ; 2) comprendre la planification d'un projet ; 3) gérer un projet ; 4) mesurer la valeur d'un projet ; et 5) externaliser un projet.

FIGURE 11.6

Art et science du rôle de chef de projet

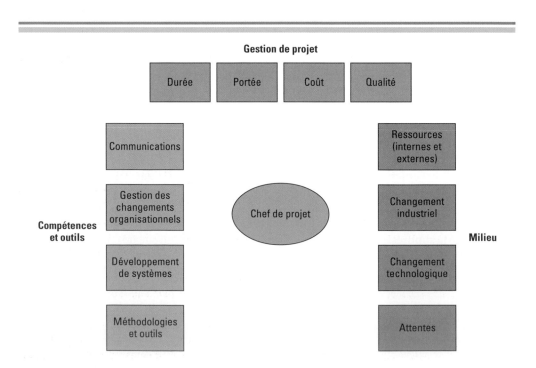

Choisir les projets stratégiques et leur gouvernance

L'une des décisions les plus difficiles à prendre pour une organisation consiste à déterminer les projets dans lesquels elle doit investir du temps, de l'énergie et des ressources. Une organisation doit définir précisément ce qu'elle veut faire et la façon de procéder. Ce qu'elle veut faire dépend de facteurs tels que la justification du projet, la définition du projet et les résultats attendus du projet. La façon de procéder relève de facteurs tels que l'approche du projet, le calendrier du projet et l'analyse des risques liés au projet. Déterminer les projets sur lesquels doivent être concentrés les efforts de l'entreprise est aussi nécessaire pour la réussite de ces projets que l'est chaque projet pour le succès d'une organisation.

Outre la gestion de projet, il est nécessaire de faire appel à la **gouvernance des technologies de l'information,** qui est l'ensemble des processus assurant l'utilisation efficace et efficiente des TI pour permettre à une organisation d'atteindre ses objectifs. La gouvernance des TI contribue à la création d'une valeur ajoutée par un projet; à cette fin, les responsabilités et l'autorité sont clairement définies et attribuées. Elle aide les équipes chargées de projets en TI à créer des projets où sont harmonisées les TI et les stratégies d'affaires en lien avec les objectifs de l'entreprise. Elle atténue aussi les risques liés à un projet parce qu'elle associe les leaders en TI à l'exercice du pouvoir exécutif lorsqu'il s'agit de prendre une décision à propos d'un projet. De plus, la gouvernance des TI consolide les pratiques générales de gouvernance d'entreprise qui favorisent une meilleure conformité avec les réglementations en vigueur. Idéalement, pour être efficace, elle doit aider les leaders dans ce domaine à travailler d'une manière plus créative, proactive, stratégique et novatrice, plutôt qu'à simplement se concentrer sur la protection des actifs de l'organisation en TI. De cette façon, ces technologies peuvent jouer un plus grand rôle afin d'améliorer la capacité concurrentielle d'une entreprise. Selon Deloitte, les entreprises doivent appliquer des mesures pour renforcer la gouvernance des TI, ce qui, en retour, les aide à choisir des projets plus stratégiques et plus fructueux en la matière. Ces mesures sont les suivantes:

- déterminer les processus, les structures et les mécanismes nécessaires pour faciliter l'alignement des ressources en TI sur les objectifs d'affaires de l'entreprise;

- examiner les processus, les structures et les mécanismes actuellement utilisés en TI afin de repérer des façons de les améliorer;

- mettre au point une structure des TI qui est dotée des processus lui permettant d'aligner ces technologies sur les objectifs de l'entreprise;

- établir les éléments des TI dont les coûts peuvent être réduits sans altérer la qualité des services offerts par l'environnement informatique;

- définir une stratégie d'externalisation appropriée (se reporter aux projets d'externalisation, abordés plus loin dans le présent chapitre)[26].

En outre, quelques techniques courantes aident les organisations à choisir des projets plus stratégiques (*voir l'encadré 11.4*)[27].

ENCADRÉ 11.4

Techniques présidant au choix d'un projet stratégique

1. Mettre l'accent sur les objectifs organisationnels – Les gestionnaires comprennent la grande valeur que comporte le choix d'un projet en phase avec les objectifs de l'organisation. Les projets qui facilitent l'atteinte des objectifs organisationnels ont généralement un taux de succès plus élevé que les autres, car ils sont importants pour toute l'organisation.

2. Catégoriser les projets – Une organisation peut répartir les projets entre diverses catégories en vue de déterminer la priorité à accorder à chacun d'eux. Un type de catégorisation utilisable repose sur les problèmes, les occasions favorables et les directives. Ainsi, un problème est une situation indésirable qui empêche une organisation d'atteindre ses objectifs; une occasion favorable est une possibilité d'améliorer la situation de l'organisation; une directive est une nouvelle exigence imposée par la direction, le gouvernement ou une autre source d'influence externe. Il est souvent plus facile d'obtenir l'autorisation nécessaire pour réaliser un projet permettant de résoudre un problème ou obéissant à une directive, parce que l'organisation doit réagir à l'un ou à l'autre afin d'éviter des pertes financières.

3. Effectuer une analyse financière – Différents types d'analyses financières donnent la possibilité de déterminer le degré de priorité d'un projet, dont ceux qui sont fondés sur la valeur actualisée nette, le rendement du capital investi et l'analyse de rentabilisation. Ces types d'analyses financières contribuent à la détermination des attentes financières de l'organisation par rapport au projet.

Les parties prenantes d'un projet

Les **parties prenantes d'un projet** sont les individus et les organisations qui sont activement engagés dans le projet ou dont les intérêts pourraient être compromis à la suite de l'exécution ou de l'achèvement du projet. Elles ne sont pas toujours engagées dans l'achèvement des produits livrables d'un projet. Par exemple, une directrice financière ne participera probablement pas à l'essai d'un nouveau système de facturation, mais elle comptera sur la réalisation fructueuse du projet et exercera son influence sur l'atteinte des objectifs et les résultats du projet. Il importe que toutes les parties prenantes comprennent bien l'objectif d'affaires du projet : il s'agit, encore une fois, de saisir le portrait d'ensemble de la situation. Les parties prenantes évaluent un projet à partir de facteurs tels que la satisfaction de la clientèle, la hausse des revenus ou la baisse des coûts.

L'équipe chargée de la gestion d'un projet doit identifier les parties prenantes, déterminer leurs besoins et leurs attentes et, dans la mesure du possible, gérer leur influence en fonction des besoins afin d'assurer la réussite du projet. Si toutes les parties prenantes sont importantes, l'une d'elles se distingue par le fait qu'elle a la plus forte incidence sur le succès ou l'échec d'un projet : le commanditaire de direction. Selon le PMI, le **commanditaire de direction** est la personne ou le groupe qui fournit les ressources financières pour réaliser un projet. Des travaux de recherche ont montré que la vigueur du leadership du commanditaire de direction a plus d'effet sur le succès ou l'échec d'un projet que tout autre facteur. En réalité, le commanditaire de direction doit rendre des comptes à l'équipe du projet pour beaucoup d'autres raisons que le seul appui financier. Il communique avec les dirigeants de l'entreprise au nom du projet, il appuie le chef de projet en faisant la promotion de ce projet auprès de ceux qui partagent la vision et qui anticipent les bienfaits du projet après son achèvement. De plus, le commanditaire de direction affiche l'engagement et le sens des responsabilités nécessaire pour survivre au projet ! Si une équipe compte sur un commanditaire de direction peu présent qui se contente de payer les factures et de répondre aux questions sur l'état d'un projet, il est certain que ce dernier se heurtera à différents problèmes dès le début[28].

Un autre facteur important est celui de l'influence. Si le commanditaire de direction exerce une influence réelle, il peut s'en servir pour obtenir et orienter les ressources essentielles qui sont nécessaires à la réalisation du projet. Un commanditaire de direction aux multiples contacts peut suffire à assurer le succès d'un projet. Il devrait s'engager à user de son influence pour assurer le bon déroulement du projet. L'appui de la haute direction de l'entreprise influe sur l'avancement et le progrès d'un projet. Peu importe la nature d'un projet, le manque d'appui et de participation de la direction peut gravement handicaper sa réalisation.

Comprendre la planification d'un projet

Lorsqu'une organisation a choisi les projets stratégiques et a nommé les chefs de projet, le temps est alors venu de mettre sur pied un élément crucial : la planification du projet, qui comporte deux éléments-clés : la charte de projet et le plan de projet.

La charte de projet

De nombreux professionnels estiment qu'un projet solide s'amorce avec une documentation comprenant la charte du projet et le plan de sa gestion. Une **charte de projet** est le document officiel du porteur ou du commanditaire du projet servant à approuver la mise sur pied d'un projet et procurant au chef de projet l'autorité nécessaire pour consacrer des ressources organisationnelles aux activités liées au projet. En résumé, cela signifie que quelqu'un est chargé d'assurer le financement et l'encadrement du projet. Une charte de projet comprend habituellement plusieurs éléments.

- La **portée d'un projet** se définit dans le travail à accomplir pour que soit livré un produit doté des caractéristiques et des fonctions spécifiques prévues. L'énoncé de portée d'un projet décrit la nécessité, la justification, les exigences et les limites actuelles du projet pour l'entreprise. Le besoin organisationnel se caractérise par le problème que vont résoudre les résultats du projet. Il trouve son importance dans le lien qu'il établit entre le projet et les objectifs d'affaires globaux de l'entreprise. L'énoncé de portée d'un projet comprend les contraintes, les hypothèses et les exigences du projet, soit les composantes nécessaires pour effectuer une estimation précise des coûts du projet.

- Les **objectifs d'un projet** sont les critères quantifiables qui doivent être respectés pour que le projet soit considéré comme un succès.

- Les **contraintes d'un projet** sont les facteurs spécifiques qui peuvent limiter les options possibles pour la réalisation d'un projet. Ils comprennent le budget, les dates d'achèvement, les ressources compétentes disponibles et les politiques organisationnelles.

- Les **hypothèses d'un projet** sont les facteurs considérés comme vrais, réels ou certains en l'absence de preuve ou de démonstration. Le nombre d'heures dans une semaine de travail et la période de l'année pendant laquelle le travail sera accompli représentent deux exemples d'hypothèses.

Les objectifs d'un projet sont les éléments les plus importants à définir, parce que ce sont les éléments majeurs du projet. Lorsqu'une organisation atteint les objectifs du projet, elle a concrétisé la raison d'être de ce projet et en a ainsi validé la portée. Les objectifs doivent être mesurables afin que le succès du projet puisse être évalué. On peut citer par exemple des mesures concernant le coût, le calendrier et la qualité. La figure 11.7 présente le critère SMART (Specific Measurable Agreed upon Realistic Timeframe), qui comporte des rappels utiles au sujet de la nécessité d'assortir le projet d'objectifs compréhensibles et mesurables.

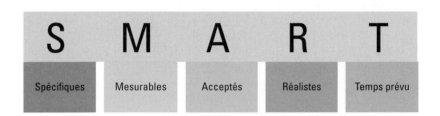

FIGURE 11.7

Critère SMART présidant à la formulation d'objectifs fructueux

Le plan de projet

Le **plan de projet** est un document officiel approuvé qui décrit la gestion et l'encadrement de l'exécution d'un projet. La figure 11.8 montre les caractéristiques d'un plan de projet correctement défini. Le plan de projet doit inclure la description détaillée de la portée du projet, une liste d'activités, un calendrier de travail, des estimations de sa durée et de son coût, les facteurs de risque, les ressources prévues, les affectations de tâches et le partage des responsabilités. En plus de ces composantes de base, la plupart des professionnels y ajoutent des plans de contingence, des stratégies de révision et de communication ainsi qu'un **coupe-circuit,** c'est-à-dire un mécanisme permettant au chef de projet de mettre fin au projet avant son achèvement.

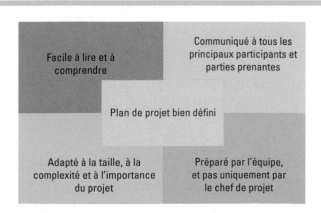

FIGURE 11.8

Caractéristiques d'un plan de projet bien défini

Un bon plan de projet doit comprendre les estimations de revenus et de nécessités stratégiques, les méthodes de mesure et de production de rapports, de même qu'une description détaillée de l'engagement de la haute direction dans le projet. Il informe les parties prenantes au sujet des avantages du projet et justifie l'investissement et l'engagement que nécessite celui-ci, ainsi que les risques qu'il comporte, par rapport à la mission globale de l'organisation[29].

Une organisation doit procéder à une autoévaluation continuelle, car celle-ci permet de décider rapidement de mettre fin à un projet voué à l'échec et d'éviter des dépenses inutiles. Le personnel ainsi libéré peut alors se consacrer à des projets plus valables et le capital réinvesti à d'autres fins. Mettre un terme à un projet doit être considéré comme un exemple de saine gestion des ressources et non comme un aveu d'échec.

La plus importante partie du plan a trait à la communication. Le chef de projet doit communiquer le plan à tous les membres de l'équipe chargée du projet et à tous les principaux dirigeants et parties prenantes. Le plan du projet doit aussi comprendre les hypothèses du projet et être suffisamment détaillé pour en guider l'exécution. Une des clés du succès d'un projet consiste à établir un consensus et à obtenir l'accord explicite des principales parties prenantes. Parce qu'il associe ces dernières à l'élaboration du plan du projet, le chef de projet leur permet d'exercer une emprise sur ce plan, ce qui accentue souvent leur engagement en sa faveur et, par voie de conséquence, la motivation et la productivité de tous. Les deux diagrammes les plus fréquemment utilisés dans la planification d'un projet sont le graphique de la méthode de programmation optimale et le diagramme de Gantt.

Un **graphique de la méthode de programmation optimale** est un modèle de réseau graphique qui illustre les tâches propres à un projet et les relations entre ces tâches. Dans un tel graphique, une **dépendance** est une relation logique entre les différentes tâches d'un projet ou entre une tâche et un jalon. Un graphique de la méthode de programmation optimale définit la dépendance entre les tâches d'un projet avant que celles-ci soient régies par un calendrier (*voir la figure 11.9*). Les encadrés dans la figure 11.9 représentent les tâches d'un projet, et le chef de projet peut modifier le contenu des encadrés pour afficher divers éléments du projet, comme le calendrier et les dates réelles du début et de la fin du projet. Les flèches indiquent qu'une tâche dépend du début ou de l'achèvement d'une autre tâche. Aujourd'hui, un graphique de la méthode de programmation optimale est souvent associé à la méthode du chemin critique. Le **chemin critique** est une voie allant du début à la fin, passant par toutes les tâches qui ont une importance cruciale pour l'achèvement le plus rapide possible d'un projet. Les graphiques qui associent ces deux méthodes présentent souvent le chemin critique d'un projet.

Un **diagramme de Gantt** est un diagramme à barres simple où sont décrites les tâches d'un projet en fonction d'un calendrier. Dans un tel diagramme, les tâches sont placées à la verticale, et le calendrier du projet est indiqué à l'horizontale. Un diagramme de Gantt représente très bien le calendrier du projet. Il montre également la progression effective des tâches par rapport à leur durée prévue. La figure 11.10 présente un projet d'élaboration d'un logiciel au moyen d'un diagramme de Gantt.

Gérer un projet

Les travaux de recherche de Standish Group révèlent clairement que, lorsqu'il est confié à un chef compétent et habile, un projet est moins susceptible d'être contesté et plus sujet à connaître le succès. Le chef de projet est une personne experte en planification et en gestion de projet qui formule et développe le plan du projet et qui en suit le déroulement pour s'assurer que le projet est achevé selon le calendrier et le budget prévus. Le chef de projet peut évidemment procurer d'énormes avantages à une organisation: réduire les dépenses liées à un projet, créer une atmosphère de travail stimulante et accélérer la mise en marché. Un chef de projet compétent établit des attentes adéquates au début d'un projet et fixe des jalons réalistes. La gestion de projet comprend les éléments suivants:

- cerner les besoins;
- fixer des objectifs clairs et réalistes;
- équilibrer les exigences rivales en matière de qualité, de portée, de durée et de coût;
- adapter les spécifications et les plans, et privilégier une approche face aux différentes préoccupations et attentes des diverses parties[30].

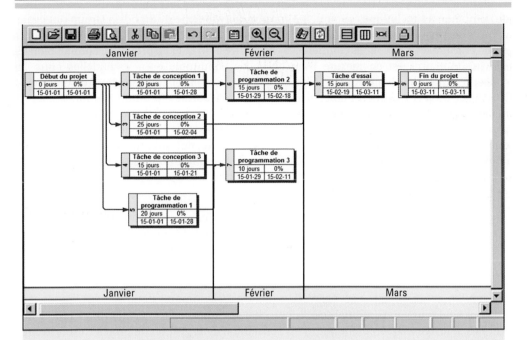

FIGURE 11.9

Exemple de graphique associant la méthode de programmation optimale et la méthode du chemin critique

FIGURE 11.10

Exemple de diagramme de Gantt

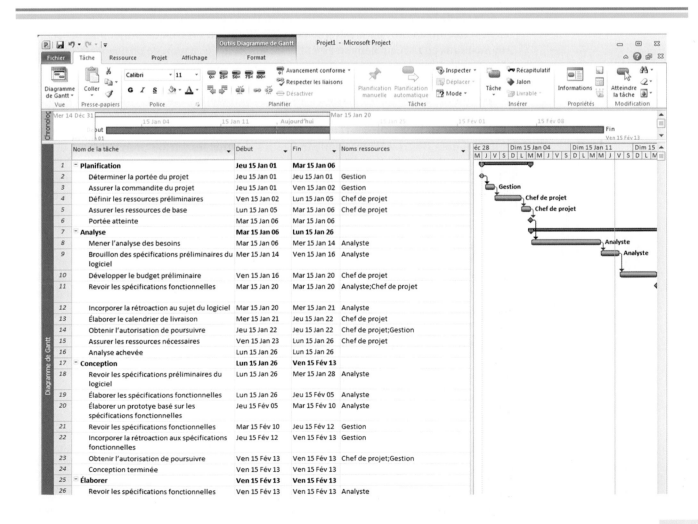

Outre le fait de gérer l'atteinte de ces objectifs, un bon chef de projet possède un ensemble de compétences techniques ou non. Les travaux de recherche de Standish Group ont également montré que les bons chefs de projet ont une connaissance de base de l'exploitation d'une entreprise et de solides compétences en affaires. Un chef de projet qui connaît bien les activités d'affaires est en mesure d'améliorer les communications essentielles entre les concepteurs, les développeurs, l'ensemble des utilisateurs et la haute direction de l'entreprise. Un chef de projet expérimenté doit pouvoir minimiser la portée et produire une meilleure estimation. Il sait dire non sans susciter la controverse. Et il devrait savoir que, pour satisfaire une partie prenante, il doit s'abstenir de toute promesse irréaliste et obtenir des résultats meilleurs que ceux qui étaient prévus! Pour réussir, un chef de projet doit se concentrer sur trois grands domaines de gestion: 1) les ressources humaines; 2) les communications; 3) le changement.

Gérer les ressources humaines

La gestion des ressources humaines est l'une des tâches les plus difficiles et cruciales que doit accomplir un chef de projet. Résoudre les conflits au sein de l'équipe et équilibrer les besoins liés au projet avec les besoins personnels et professionnels de l'équipe chargée du projet constituent deux des tâches fondamentales incombant au chef de projet. De plus en plus souvent, le chef de projet est le principal (et parfois le seul) interlocuteur d'un client pendant le déroulement du projet. À cet égard, des qualités de communicateur, de négociateur et de vendeur sont tout aussi importantes chez un chef de projet que des talents financiers et analytiques. Il arrive fréquemment que, dans l'ensemble de la gestion de projet, c'est la gestion des ressources humaines qui fait la différence entre le succès et l'échec d'un projet.

Gérer les communications

Si de nombreuses entreprises se dotent de leur propre cadre de gestion de projet fondé sur des normes bien connues en la matière, elles reconnaissent toutes que les communications sont la clé de l'excellence en gestion de projet. Voilà certainement quelque chose qui est plus facile à dire qu'à faire! Il est extrêmement bénéfique qu'un chef de projet planifie ses communications en tant qu'élément essentiel de son plan de gestion de projet. Il est question ici du plan de communications, qui revêt le plus souvent la forme d'un document. Un chef de projet distribue en temps opportun une information précise et utile au sujet des objectifs du projet portant sur la durée, le coût, la portée et la qualité, et au sujet du développement de chacun de ces objectifs. Il partage aussi les réussites ponctuelles acquises au fil de la progression du projet, informe l'équipe à propos des corrections nécessaires, transmet les requêtes pour des ressources supplémentaires et garde les parties prenantes au courant de l'avancement du projet.

Un plan de gestion des communications d'un projet comporte un autre élément important: une méthode d'obtention et de transmission de rétroactions en provenance et à destination de toutes les parties prenantes. Il ne s'ensuit pas pour autant qu'un chef de projet doive passer des heures à répondre à tous les courriels et à toutes les questions qui lui sont posées. Il doit plutôt se donner les moyens de demander une rétroaction spécifique en ce qui concerne le plan et réagir à celle-ci d'une manière structurée et en temps opportun. Les membres de l'équipe demeurent étroitement liés au projet et doivent être encouragés à partager leurs réactions en faisant preuve de franchise et d'ouverture d'esprit. Il incombe au chef de projet d'instaurer un climat de confiance, afin que les membres de l'équipe soient incités à partager leur savoir et à exprimer leurs idées, même lorsqu'il s'agit de diffuser de mauvaises nouvelles ou d'émettre une opinion divergente.

Gérer le changement

Qu'il prenne la forme d'une crise, d'une réorientation du marché ou d'un progrès technologique, le changement représente un défi à relever pour toutes les organisations. Les organisations et les personnes qui ont du succès apprennent à anticiper le changement et à y réagir adéquatement. Par exemple, Snap-on, un fabricant d'outils et d'équipement destinés à des spécialistes comme les mécaniciens d'automobiles, sait très bien gérer le changement. Dans le passé, l'entreprise est parvenue à hausser ses profits de 12% pendant que ses ventes diminuaient de 6,7%. Dennis Leitner, vice-président du Service des TI, gère le groupe des TI au jour le jour et dirige la mise en œuvre de toutes les principales initiatives d'élaboration de logiciels.

Chacune de ces initiatives est encadrée conjointement par l'ensemble de l'entreprise et le Service des TI. En fait, les ressources opérationnelles relèvent du Service de la paie du groupe des TI, et ce groupe consacre jusqu'à 80 % de son temps à prendre connaissance des réalisations d'une unité fonctionnelle et à déterminer la meilleure façon pour lui d'apporter sa contribution. Le rôle de Leitner consiste essentiellement à assurer la planification stratégique, la gestion du changement et la formulation de mesures en vue de s'assurer du rendement[31].

Le changement organisationnel dynamique est inévitable, et toute organisation se doit de bien gérer le changement à mesure qu'il survient. Compte tenu des nombreuses difficultés et complexités auxquelles font face les organisations dans le monde actuel, la gestion efficace du changement est devenue une compétence fondamentale ayant une importance cruciale. La **gestion du changement** est un ensemble de techniques qui facilitent la définition, l'évolution et la gestion globale de la conception et de la mise en œuvre d'un système. L'encadré 11.5 présente quelques-unes des causes les plus courantes de changements[32].

Avant de mettre en œuvre un système de gestion du changement, une organisation doit réfléchir aux mesures requises pour faire survenir le changement. Depuis la fin des années 1990, les organisations spécialisées en gestion du changement organisationnel ont scruté les procédés utilisés pour susciter le changement, comme le procédé dénommé « 3 steps for change management », de Prosci, ou le programme en sept mesures qu'a proposé John Kotter. Prosci a mis au point le modèle ADKAR®, axé sur l'autonomisation des individus au sein d'une organisation, au moyen d'outils leur permettant de s'adapter au changement[33]. Quant au modèle de John Kotter, les mesures de gestion du changement sont aussi centrées sur les individus, mais elles mobilisent également l'organisation dans son ensemble en ce qui concerne la plupart de ces mesures. Lorsqu'une organisation comprend bien la mécanique du changement, elle peut s'appliquer à mettre au point des procédures suscitant le changement et des systèmes de gestion du changement[34].

1. Une omission dans la définition de la portée initiale
2. Un malentendu au sujet de la portée initiale
3. Un événement d'origine externe, telle une réglementation gouvernementale qui engendre de nouvelles exigences
4. Un changement organisationnel, comme une fusion, une acquisition ou un partenariat, qui fait apparaître de nouveaux problèmes et de nouvelles possibilités d'affaires
5. L'apparition d'une nouvelle technologie
6. Des modifications dans la technologie prévue qui imposent des changements marqués et imprévus à la structure, à la culture ou aux processus de l'entreprise
7. Les utilisateurs ou la direction voulant simplement que le système visé ait des capacités supérieures à celles qui ont été initialement requises ou convenues
8. La direction restreignant le financement accordé au projet ou devançant l'échéance initialement définie

Un **système de gestion du changement** regroupe un ensemble de procédures pour documenter une demande de changement et définir les mesures nécessaires à l'étude du changement, en fonction de l'impact estimé. Dans la plupart des systèmes de gestion du changement, une ou plusieurs parties prenantes du projet (propriétaires du système, utilisateurs, clients, analystes, développeurs) doivent remplir un formulaire de demande de changement. Idéalement, une telle demande de changement est examinée par un **conseil de contrôle du changement,** responsable de l'approbation ou du rejet de toutes les demandes de changement. En général, ce conseil réunit un représentant de chacun des secteurs opérationnels qui sont parties prenantes du projet. Toute approbation et tout rejet d'une demande par un tel conseil sont fondés sur une analyse d'impact du changement proposé. Par exemple, si un service de l'entreprise veut apporter à un logiciel un changement qui entraînera à la fois une prolongation du temps de déploiement et une augmentation des coûts, il est alors nécessaire que les autres propriétaires de l'entreprise admettent que ce changement est suffisamment pertinent pour justifier un allongement du calendrier initial et une hausse du budget.

Un changement est une occasion à saisir, et non une menace. Une organisation qui comprend que le changement représente la règle plutôt que l'exception est plus en mesure de demeurer à l'avant-plan. Devenir un leader du changement et en accepter l'inévitabilité permet à une organisation d'assurer sa survie et même de prospérer à une époque caractérisée par le changement. L'encadré 11.6 présente les trois principes directeurs importants que les leaders du changement peuvent appliquer pour en assurer l'efficacité, tant à l'intérieur qu'à l'extérieur de leur organisation respective[35].

ENCADRÉ 11.6

Trois principes directeurs importants pour une bonne gestion du changement

1. **Instaurer des politiques de gestion du changement** – Définir clairement des politiques et des procédures qui doivent être appliquées chaque fois qu'une demande de changement est reçue

2. **Anticiper le changement** – Considérer le changement comme une occasion à saisir et s'en réjouir tant à l'échelle individuelle qu'organisationnelle

3. **Rechercher le changement** – Tous les 6 à 12 mois, rechercher des changements susceptibles de refléter des conjonctures favorables. Passer en revue les succès et les échecs afin de déterminer s'il existe des possibilités d'innovation

Mesurer la valeur d'un projet

Les systèmes d'information forment désormais un élément important de la stratégie, de l'avantage concurrentiel et de la rentabilité d'une entreprise. La direction exerce des pressions pour que la mise au point des systèmes d'information soit plus rapide, mieux faite et moins coûteuse. Le rendement qu'une organisation peut tirer du capital investi dans les systèmes d'information fait l'objet d'une attention plus soutenue de la part de ses hauts dirigeants. Par conséquent, ces systèmes doivent agir comme les autres entités de l'organisation, c'est-à-dire qu'ils doivent bien fonctionner, contribuer à son succès et permettre de l'améliorer. Alors, que doivent savoir les gestionnaires en ce qui a trait à la mesure du succès des systèmes d'information ?

La première chose qu'ils doivent comprendre est que le succès est incroyablement difficile à mesurer. Déterminer le rendement du capital investi dans un projet, comme la mise au point d'une nouvelle application logicielle, est difficile. Par exemple, quel est le rendement du capital investi dans un extincteur d'incendie ? Si l'extincteur ne sert jamais, son rendement est faible. Si l'extincteur éteint un incendie qui aurait pu raser l'édifice, alors son rendement est élevé. Il en va de même pour les systèmes d'information. Si une entreprise installe un pare-feu d'une valeur de 5 000 $ afin de prévenir des attaques de virus informatiques contre ses ordinateurs et que le pare-feu ne bloque jamais un seul virus, elle a perdu 5 000 $. Cependant, si le pare-feu bloque des virus qui auraient pu causer des pertes de quelques millions de dollars à l'entreprise, le rendement du capital investi dans ce pare-feu est nettement supérieur à 5 000 $. Voici quelques questions que les dirigeants peuvent se poser au sujet du succès de leur projet de système d'information.

- Le fonctionnement du système d'information est-il satisfaisant ?
- Comment se comporte mon prestataire extérieur en systèmes d'information ?
- Quels sont les facteurs de risque à prendre en considération dans un projet de systèmes d'information ?
- Quelles questions doivent être posées pour savoir si un projet de systèmes d'information proposé est réaliste ?
- Quelles sont les caractéristiques d'un projet de systèmes d'information viable ?
- Quels facteurs sont les plus importants à surveiller pour s'assurer qu'un projet de systèmes d'information demeure sur la bonne voie ?

Pour donner une information détaillée à tous ses niveaux de gestion, General Electric Co. (GE) a investi 1,5 milliard de dollars en temps de travail des employés, en matériels, en logiciels et dans d'autres technologies afin de mettre en œuvre un système d'information pour superviser en temps réel les activités. Les dirigeants de GE se servent de ce nouveau système pour vérifier, toutes les 15 minutes, l'état des ventes, le niveau des stocks et l'ampleur des économies réalisées dans les 13 activités d'affaires mondiales de l'entreprise. GE peut ainsi réagir rapidement au changement, réduire les temps de cycle et améliorer la gestion des risques sur une base horaire, plutôt que d'attendre la réception de rapports mensuels ou trimestriels. GE estime que cet investissement de 1,5 milliard procurera un rendement de 33 % sur cinq ans[36].

Les professionnels des systèmes d'information savent comment installer et entretenir ces systèmes. Les gens d'affaires savent comment diriger une entreprise prospère. Mais de quelle façon une entreprise peut-elle savoir si un système d'information la rendra prospère? Peter Drucker, un célèbre gourou en gestion, a dit ceci: ce qu'on ne peut mesurer n'est pas gérable. Les gestionnaires doivent se demander de quelle façon ils vont gérer des projets de systèmes d'information, puisque ces projets sont si difficiles à mesurer[37].

La réponse se trouve dans les mesures analysées au chapitre 2. La conception de mesures exige une expertise que ni les professionnels des systèmes d'information ni les gens d'affaires ne possèdent habituellement. En matière de mesures, les questions sont formulées ainsi: comment définit-on le succès? Comment applique-t-on des mesures quantifiables à des processus d'affaires, et notamment à des processus qualitatifs comme le service à la clientèle? Quel type d'information reflète de manière optimale le progrès ou l'absence de progrès?

Externaliser un projet

Dans le monde actuel des affaires en évolution rapide, une organisation doit maximiser ses profits, accroître ses parts de marché et ralentir la hausse constante de ses coûts. Elle doit déployer tous les efforts possibles pour se réinventer et adopter de nouveaux processus, et surtout dégager les ressources possibles en vue de l'internalisation et de l'externalisation, qui sont les deux grandes options à la disposition des organisations souhaitant mettre au point et maintenir leurs systèmes d'information.

L'**internalisation** est une approche courante fondée sur le recours à l'expertise professionnelle disponible au sein d'une organisation, dans le but de mettre au point et de maintenir ses systèmes en TI. L'internalisation a joué un rôle vital dans la formation d'un bassin viable de professionnels en TI et d'une main-d'œuvre de meilleure qualité possédant des compétences techniques et d'affaires.

L'**externalisation** est un arrangement grâce auquel une organisation fournit un ou des services à une autre organisation qui a choisi de ne pas les produire elle-même. Dans certains cas, c'est tout le service des systèmes d'information qui fait l'objet de l'externalisation, y compris la planification et l'analyse opérationnelle, ainsi que l'installation, la gestion et l'entretien du réseau et des postes de travail. L'ampleur de l'externalisation varie beaucoup: il peut s'agir d'un vaste contrat par lequel une organisation comme IBM gère les systèmes d'information d'une entreprise telle Xerox, ou encore de l'embauche d'entrepreneurs et d'employés de bureau temporaires sur une base individuelle. La figure 11.11 montre des tâches que les entreprises externalisent souvent, alors que le tableau 11.2 (*voir la page suivante*) présente les principales causes d'externalisation. Le marché de l'externalisation en TI a atteint une valeur de quelque 288 milliards de dollars en 2013, en hausse de 2,8 % par rapport à 2012, et Gartner prédit que cette croissance se poursuivra jusqu'en 2017[38].

Grâce à l'externalisation des systèmes d'information, les organisations peuvent rester à jour quant à l'évolution du marché et des technologies, leurs ressources humaines et financières subissent de moins fortes pressions et leur infrastructure en systèmes d'information est

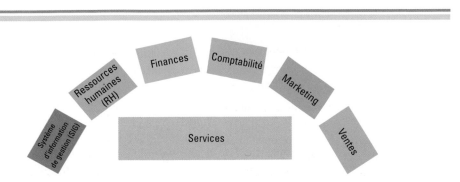

FIGURE 11.11

Services faisant généralement l'objet d'une externalisation

TABLEAU 11.2 | Principales causes d'externalisation

Puiser dans des sources d'expertise externes	70 %
Concentrer les ressources sur les activités d'affaires essentielles	66 %
Réduire les effectifs et les dépenses afférentes	53 %
Éliminer la nécessité de réinvestir dans la technologie	48 %
Réduire les coûts	39 %
Mieux gérer les coûts des processus internes	32 %
Autres causes	3 %

mieux à même de demeurer en phase avec l'évolution des priorités d'affaires (*voir la figure 11.12*). La planification, le déploiement et la gestion des milieux entourant les systèmes d'information constituent un défi à la fois tactique et stratégique qui doit prendre en compte les préoccupations organisationnelles, industrielles et technologiques d'une entreprise. Les trois options disponibles en externalisation sont les suivantes :

1. L'**externalisation nationale** est l'action de traiter avec une autre entreprise au sein d'un même pays pour obtenir des services.

2. L'**externalisation continentale** désigne un accord d'externalisation conclu avec une entreprise établie dans un pays proche. Il arrive souvent que ce pays ait une frontière commune avec le pays d'origine.

3. L'**externalisation à l'étranger** consiste à recourir à des organisations situées dans des pays en développement pour la rédaction de codes et la mise au point de systèmes. Dans ce type d'externalisation, le pays choisi est géographiquement très éloigné du pays d'origine.

De grandes entreprises canadiennes ont recours à l'externalisation à l'étranger pour une forte proportion de leurs activités d'élaboration de logiciels, surtout auprès de vendeurs en Inde, mais aussi en Chine, en Europe de l'Est (dont la Russie), en Irlande, en Israël et aux Philippines. Le grand avantage de l'externalisation réside dans le faible coût et la bonne qualité de la main-d'œuvre. Les entreprises réduisent facilement leurs coûts grâce à l'externalisation à l'étranger et obtiennent des services de qualité équivalente, voire meilleure.

Des pays développés et des pays en développement en Europe et en Asie offrent certains services d'externalisation en systèmes d'information, mais la plupart sont handicapés jusqu'à un certain point par des barrières en matière de langues d'usage, d'infrastructure de télécommunications ou de réglementations. Le premier et plus vaste marché extérieur est l'Inde, dont les citoyens parlant l'anglais et ayant acquis une formation poussée en technologie offrent des services en systèmes d'information qui représentent un marché croissant à un rythme annuel de 25 à 30 %[39].

Depuis qu'Eastman Kodak a annoncé, en 1988, qu'elle allait externaliser ses activités en systèmes d'information à IBM, à DEC et à Businessland, de grandes entreprises ont jugé acceptable de transférer à des prestataires extérieurs des éléments d'actif, des contrats et du personnel en TI. À la lumière des changements survenus en matière d'externalisation, la question principale n'est désormais plus «devons-nous externaliser les systèmes d'information ?», mais plutôt «où et comment pouvons-nous tirer parti du marché en croissance rapide des fournisseurs de services en

FIGURE 11.12

Modèles d'externalisation et réduction des coûts

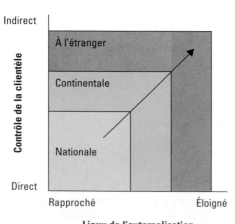

systèmes d'information ? ». Voici quelques-unes des forces motrices qui animent la croissance du marché de l'externalisation.

- **Les compétences essentielles.** De nombreuses entreprises ont récemment commencé à considérer l'externalisation comme un moyen d'alimenter la croissance des revenus, plutôt que comme une simple mesure de réduction des coûts. Grâce à l'externalisation, une organisation peut bénéficier d'une infrastructure technologique maintenue à jour et viser davantage des objectifs de croissance des revenus en réinvestissant du capital humain et du capital financier dans les secteurs offrant le meilleur rendement du capital investi.

- **La réduction des coûts.** Il est généralement moins coûteux d'embaucher des employés en Chine et en Inde qu'au Canada. La technologie progresse à un rythme tellement rapide que les entreprises, par manque de ressources, de main-d'œuvre ou d'expertise, ne parviennent souvent pas à se maintenir à jour dans le domaine. Il est presque impossible, pour un Service de systèmes d'information, de garder la position de gagnant, surtout dans le cas des petites et moyennes entreprises, où la maîtrise des coûts est un facteur crucial.

- **La croissance rapide.** La durabilité d'une entreprise repose à la fois sur une mise en marché rapide et la capacité de réagir promptement aux changements touchant l'état du marché. Lorsqu'elle tire parti de l'externalisation, une organisation est en mesure d'acquérir une expertise concernant les meilleures pratiques. Sont alors plus faciles la conception, l'édification, la formation et le déploiement de processus ou fonctions d'affaires.

- **L'évolution du secteur.** De vastes processus de réorganisation dans différents secteurs ont accru la demande d'externalisation, afin que les entreprises puissent se concentrer sur leurs compétences essentielles. La hausse marquée du nombre de fusions et d'acquisitions a soudainement suscité le besoin d'intégrer de multiples fonctions d'affaires essentielles ou non au sein d'une seule entreprise. Par ailleurs, la déréglementation des services publics et du secteur des télécommunications a fait apparaître la nécessité d'assurer l'évolution des systèmes d'information afin de garantir la conformité aux règles et aux réglementations gouvernementales. Dans les deux cas, les entreprises se sont tournées vers l'externalisation afin de mieux se concentrer sur l'évolution actuelle dans leur secteur.

- **Internet.** L'omniprésence d'Internet en tant que moyen de vente efficace a amené les clients à mieux accepter l'externalisation. Les barrières à l'entrée, comme le manque de capital, se sont fortement abaissées dans le monde des affaires électroniques, en raison d'Internet. De nouveaux concurrents font leur entrée dans le marché chaque jour.

- **La mondialisation.** À mesure que les marchés s'ouvrent à l'échelle mondiale, la concurrence devient plus vive. Les entreprises embauchent parfois des fournisseurs de services d'externalisation pour offrir des services à l'échelle internationale.

Best Buy Co. Inc. est un important détaillant spécialisé en électronique grand public. L'entreprise offre notamment des ordinateurs personnels, des logiciels de divertissement et des appareils électroménagers. Elle devait trouver un partenaire stratégique en systèmes d'information qui pourrait l'aider à tirer parti de ses activités en systèmes d'information pour atteindre ses objectifs d'affaires. Elle voulait également intégrer ses systèmes d'entreprise disparates et réduire au minimum ses coûts d'exploitation. Elle a externalisé ces fonctions à Accenture, une entreprise mondiale de consultation en gestion, de services technologiques et d'externalisation. La vaste relation d'externalisation qui a animé la transformation de Best Buy a donné des résultats spectaculaires, mesurables dans tous les domaines-clés de ses activités d'affaires, comme une hausse de 20 % des revenus dans des catégories vitales, qui s'est traduite par une augmentation des bénéfices de 25 millions[40].

Selon l'enquête menée par PricewaterhouseCoopers auprès des présidents-directeurs généraux de 452 des entreprises américaines connaissant la croissance la plus rapide, « les entreprises qui externalisent bénéficient d'une croissance plus rapide, plus ample et rentable que les autres. En outre, la plupart de celles qui adoptent l'externalisation affirment qu'elles font des économies et sont très satisfaites de leurs fournisseurs de services d'externalisation ». Le tableau 11.3 (*voir la page suivante*) indique les domaines courants se prêtant à l'externalisation dans divers secteurs d'activité[41].

TABLEAU 11.3

Possibilités d'externalisation

Secteur d'activité	Possibilités d'externalisation
Banque et finances	Traitement des chèques et des paiements électroniques, publication des rapports de solvabilité, gestion des arriérés de paiement, de titres et de traitement des échanges commerciaux
Assurance	Consignation des réclamations et enquêtes, administration des polices, traitement des chèques, évaluation des risques
Télécommunications	Production des bons de commande et des factures, traitement des transactions
Soins de santé	Échange de données électroniques, gestion des bases de données, comptabilité
Transport	Traitement des billets et des commandes
Gouvernement	Traitement des prêts, traitement du paiement des amendes
Vente au détail	Traitement des paiements électroniques

Les avantages de l'externalisation

Les avantages issus de l'externalisation sont nombreux. Voici quelques exemples :

- une hausse de la qualité et de l'efficience d'un processus, d'un service ou d'une fonction ;
- une baisse des coûts d'exploitation ;
- la concentration des ressources sur les compétences essentielles rentables ;
- une moindre exposition aux risques découlant d'investissements massifs ;
- un accès aux économies d'échelle du fournisseur de services d'externalisation ;
- un accès à l'expertise et aux pratiques optimales du fournisseur de services d'externalisation ;
- un accès aux technologies de pointe ;
- une souplesse accrue grâce à la capacité de réagir rapidement à l'évolution des demandes du marché ;
- l'absence d'investissements coûteux en capital ;
- la réduction des effectifs et des coûts généraux afférents ;
- la réduction des dépenses et des frustrations liées à l'embauche et à la rétention d'employés dans un marché du travail exceptionnellement difficile ;
- la réduction du temps de mise en marché des produits et services[42].

Les défis associés à l'externalisation

L'externalisation n'est pas exempte de défis intrinsèques, et toute entreprise souhaitant y recourir doit les prendre sérieusement en considération. Maints défis peuvent être relevés si l'entreprise effectue une recherche soutenue au sujet du fournisseur de services d'externalisation. Voici quelques-uns de ces défis.

- La durée du contrat. La plupart des contrats externalisés en systèmes d'information couvrent une période assez longue (plusieurs années), en raison du coût élevé du transfert d'éléments d'actif et d'employés, ainsi que du maintien de l'investissement technologique. Trois conséquences particulières découlent d'un contrat de longue durée :

  1. des difficultés à y mettre fin si le fournisseur de services d'externalisation se révèle être inapproprié ;

  2. des problèmes pour prévoir les besoins de l'entreprise au cours des 5 ou 10 années à venir (la durée courante d'un contrat), ce qui soulève des difficultés pour établir un contrat approprié ;

  3. des problèmes pour réformer le service interne des systèmes d'information après l'expiration du contrat.

- **L'avantage concurrentiel.** L'emploi efficace et novateur des systèmes d'information peut procurer à une organisation un avantage concurrentiel sur ses rivales. L'avantage d'affaires concurrentiel qu'apporte un service interne de systèmes d'information qui comprend bien l'organisation et s'efforce d'atteindre ses objectifs peut se perdre dans le contexte d'une entente d'externalisation. Si c'est le cas, le personnel des systèmes d'information s'appliquera à atteindre les objectifs du fournisseur de services d'externalisation, qui peuvent entrer en conflit avec ceux de l'organisation.

- **La confidentialité.** Dans certaines organisations, l'information stockée dans les systèmes informatiques joue un rôle central pour leur succès ou leur survie. Il peut s'agir de l'information sur les politiques de prix, des formules de combinaison de produits ou de l'analyse des ventes. Des entreprises rejettent parfois le recours à l'externalisation par crainte de devoir remettre de l'information confidentielle entre les mains du prestataire extérieur, notamment si le fournisseur de services d'externalisation offre des services à des entreprises concurrentes dans le même marché. Si l'organisation ne se préoccupe généralement pas de cette menace, sous prétexte qu'elle est couverte par des dispositions de confidentialité dans un contrat, elle doit néanmoins évaluer le risque et les coûts possibles d'un bris de confidentialité lorsqu'elle détermine les avantages nets d'un accord d'externalisation.

- **La définition de la portée.** La plupart des projets de système d'information connaissent des problèmes liés à la définition de la portée du système. Il en va de même pour les accords d'externalisation. De nombreuses difficultés résultent de mésententes contractuelles entre l'organisation et le fournisseur de services d'externalisation. Par exemple, l'organisation estime que le service requis s'inscrit dans la portée du contrat, tandis que le fournisseur de services est convaincu que ce service échappe à cette portée et est donc assujetti à des frais supplémentaires[43].

RETOUR SUR LA MISE EN CONTEXTE

La gestion de projet

5. Ce projet a-t-il bénéficié de l'application des principes et des techniques de gestion de projet ?
6. Quels principes et techniques de gestion de projet auraient pu servir à améliorer le projet ?
7. De quelle façon la notion de gouvernance pourrait-elle s'appliquer à la gestion de ce projet ?
8. Quelles sont les possibilités d'externalisation pour ce projet, en ce qui concerne les phases d'élaboration et d'entretien de celui-ci ?

RÉSUMÉ

L'objectif du présent chapitre consistait à donner un portrait détaillé des différentes façons dont les organisations procèdent pour élaborer des systèmes d'information. Plus particulièrement, ce chapitre a décrit ce qui suit :

- Les avantages d'affaires associés à l'élaboration réussie des systèmes et la façon dont les difficultés liées à l'élaboration de systèmes d'information internes s'amplifient avec le développement de systèmes globaux.

  L'élaboration réussie de systèmes a pour effet que les systèmes d'information satisfont les besoins de l'entreprise et des utilisateurs et contribuent ainsi directement au succès stratégique et opérationnel d'une organisation. Les projets d'élaboration de systèmes qui se déroulent dans un contexte global soulèvent des difficultés politiques, culturelles et géographiques spécifiques qui viennent s'ajouter à la difficulté d'assurer l'élaboration et le déploiement de systèmes d'information efficaces.

- Les sept phases du cycle de vie de l'élaboration de systèmes (CVES) et les relations mutuelles entre ces diverses phases.

  Les sept phases du CVES sont la planification, l'analyse, la conception, l'élaboration, l'essai, la mise en œuvre et l'entretien.

- Les différentes méthodologies d'élaboration de systèmes.

  L'approche traditionnelle en élaboration de systèmes porte le nom de « méthodologie en cascade ». Par suite des critiques opposées à cette méthode quant à son manque de souplesse et à la longueur de temps de travail requis, d'autres méthodes plus agiles (c'est-à-dire plus souples et moins exigeantes en temps de travail) ont été proposées, dont le prototypage rapide, la méthodologie de programmation extrême, la méthodologie du processus unifié rationnel et la méthode de gestion par sprints. D'un autre côté, la méthodologie de conception participative est, en matière d'élaboration de systèmes, une approche complètement différente de la méthodologie en cascade et des méthodes agiles. Selon cette méthode, les utilisateurs dirigent la conception, et les développeurs de systèmes agissent en tant qu'instructeurs ou facilitateurs.

- L'importance d'adopter de bonnes pratiques en gestion de projet.

  La gestion de projet désigne l'application de connaissances, de compétences, d'outils et de techniques aux activités qui se déroulent pour satisfaire les exigences d'un projet. Les organisations reconnaissent aujourd'hui l'art et la science de la gestion de projet et la nécessité de gérer et de coordonner des projets d'une façon qui maximise les ressources organisationnelles limitées (le personnel, le budget, l'équipement) et qui favorise l'atteinte des objectifs de l'entreprise et la satisfaction des besoins de celle-ci. Il devient donc indispensable de mettre en œuvre et de maintenir de bonnes pratiques en gestion de projet au sein de l'organisation, telles que la mise sur pied d'un bureau centralisé pour la gestion des projets et l'embauche de chefs de projet qui savent non seulement formuler de solides plans de projet et des calendriers techniques réalistes, mais aussi encadrer et motiver le personnel collaborant à un projet.

- Les avantages et les difficultés propres à l'externalisation d'un projet d'élaboration de systèmes.

  L'externalisation est un arrangement par lequel une organisation extérieure est embauchée pour donner un ou des services à une entreprise. Les avantages comprennent l'acquisition d'une expertise externe que l'entreprise ne possède peut-être pas, une baisse des coûts d'exploitation et la possibilité d'obtenir plus rapidement certains services. Parmi les difficultés, on trouve l'obligation de négocier des contrats et de préserver la confidentialité de l'information, ainsi que la perte de l'avantage concurrentiel qu'une entreprise pourrait acquérir si elle élaborait et maintenait elle-même le ou les services externalisés.

À titre d'étudiant dans un domaine lié aux affaires, vous devriez maintenant assez bien connaître le processus d'élaboration de systèmes pour pouvoir collaborer à la conception et à la mise en œuvre réussies de systèmes d'information. Vous devriez aussi maîtriser les notions fondamentales en gestion de projet, car ces connaissances sont requises pour diriger l'exécution complète de tout projet.

Les problèmes de logiciels de Hewlett-Packard

Ce cas illustre à quel point un projet d'élaboration de systèmes peut mal tourner et causer de graves problèmes à une organisation.

Dans les projets de systèmes d'information, le pessimisme – aussi dénommé « planification d'urgence » – est la seule façon d'empêcher que de petits problèmes touchant les systèmes d'information ne se transforment en une catastrophe d'affaires majeure. Christina Hanger n'avait aucune raison d'être pessimiste en mai 2004, lorsqu'elle s'est employée à doter une des plus grandes divisions nord-américaines de Hewlett-Packard (HP) d'un système de progiciel de gestion intégré (PGI) centralisé provenant de SAP, société spécialisée dans les logiciels d'entreprise. Hanger, première vice-présidente des TI et des activités dans les Amériques de HP, était chef de projet de consolidation des systèmes d'information découlant de l'acquisition de Compaq par HP deux ans auparavant. Avec succès, elle avait fait migrer cinq groupes de produits au sein des deux anciennes entreprises dans un des deux systèmes de SAP.

Hanger avait toutes les raisons de penser que le sixième groupe de produits connaîtrait le même succès. Néanmoins, elle était prête à réagir en cas de problème. Avec un chiffre d'affaires annuel de quelque 7,5 milliards de dollars, Industry Standard Servers (ISS), la division concernée par le plus récent projet, était d'une taille nettement supérieure à toutes les autres qu'elle avait fait migrer dans SAP jusqu'alors. Hanger a retenu le plan d'urgence que son équipe avait mis au point pour les cinq autres migrations et l'a adapté pour accommoder le volume des ventes plus ample d'ISS. Elle avait aussi prévu trois semaines de confusion dans les systèmes d'information, surtout à cause de la nécessité d'amener le système d'entrée des commandes existant à fonctionner de concert avec le nouveau système de SAP. Le plan d'urgence traitait aussi des impacts d'affaires. HP a mobilisé des serveurs supplémentaires pendant trois semaines. L'entreprise a aménagé une partie vide de son usine d'Omaha pour être prête à réagir dans le cas d'une surabondance de commandes nécessitant des configurations spéciales. Il pouvait s'agir, par exemple, d'une combinaison spéciale de logiciels ou d'un composant inhabituel dont le stockage ne pouvait être prévu à l'avance.

« Nous avons eu une série de petits problèmes, mais aucun n'était en soi trop difficile à régler. Toutefois, ensemble, ces problèmes ont provoqué une vraie catastrophe », d'expliquer Gilles Bouchard, directeur de l'informatique et premier vice-président des activités mondiales. À partir de l'entrée en service du système, au début de juin, et pendant tout ce mois, jusqu'à 20 % des commandes de la clientèle pour des serveurs sont demeurées paralysées entre le système d'entrée des commandes existant et le système de SAP. Par rapport aux problèmes courants en systèmes d'information, ce n'était pas encore trop grave : certaines difficultés de modélisation des données entre le système existant et le système de SAP empêchaient ce dernier de traiter certaines commandes pour des produits faits sur mesure. Ces erreurs de programmation ont été corrigées au bout de quatre à cinq semaines. Cependant, Hanger et ses collègues de la division d'ISS qui faisaient partie du comité directeur du projet n'ont jamais pu deviner l'effet que ces erreurs de programmation auraient sur l'entreprise.

Les commandes non remplies se sont rapidement accumulées, et HP ne disposait pas de solutions de rechange manuelles en quantité suffisante pour que les serveurs traitent assez vite les demandes des clients. Des clients en colère ont appelé HP pour manifester leur mauvaise humeur, ou, pire encore, se sont tournés vers des concurrents comme Dell et IBM. Dans un marché comme celui des serveurs, la fidélité des clients repose sur la capacité d'une entreprise à configurer des produits conformes à la demande et à les livrer dans les délais prévus. HP n'a pu faire ni l'un ni l'autre durant une grande partie de l'été. À l'occasion d'une conférence téléphonique tenue le 12 août, la présidente-directrice générale de HP, Carly Fiorina, a évalué l'impact financier à 160 millions de dollars : des commandes non exécutées d'une valeur de 120 millions et une perte de revenus de 40 millions. Cette somme était supérieure au coût du projet lui-même, qu'AMR Research a estimé à 30 millions. Les manchettes ont toutes évoqué une catastrophe provoquée par les systèmes d'information. Néanmoins, dans les faits, cette catastrophe a plutôt résulté de quelques problèmes relativement mineurs dans les systèmes d'information qui se sont transformés en un problème beaucoup plus grave pour l'entreprise : l'incapacité d'empêcher l'accumulation de commandes non exécutées. HP aurait pu contrer ce problème. Il n'était pas question d'éliminer toute possibilité d'erreur dans une importante migration des systèmes d'information, ce qui est pratiquement impossible. Il convenait plutôt de considérer que de tels projets peuvent avoir un impact imprévisible et important sur la chaîne d'approvisionnement d'une entreprise[44].

Questions

1. Laquelle des sept phases du CVES est la moins importante pour HP ? Laquelle est la plus importante ? Pourquoi ?

2. Quelle méthodologie d'élaboration de logiciels HP devrait-elle utiliser pour mettre en œuvre des systèmes qui fonctionnent bien ? Pourquoi ?

3. Décrivez les principales causes de l'échec d'un projet de systèmes et indiquez celles qui ont touché HP dans sa mise en œuvre de son PGI.

4. Passez en revue les options d'achat et d'internalisation d'un système et expliquez pourquoi HP a décidé d'acheter un système de PGI.

5. Passez en revue ce qu'est une charte de projet et expliquez les avantages pour HP de se doter d'une telle charte.

6. Passez en revue les trois options d'externalisation et indiquez les avantages et les inconvénients que HP devrait prendre en compte si elle choisissait d'externaliser l'élaboration de systèmes.

ÉTUDE DE CAS 11.2

Une catastrophe à l'aéroport international de Denver

Ce cas illustre en quoi l'examen de problèmes antérieurs peut aider une organisation à élaborer une nouvelle solution.

Une bonne façon d'apprendre à élaborer des systèmes efficaces consiste à analyser les échecs antérieurs. Un des échecs de systèmes les plus honteux a frappé le système de manutention des bagages de l'aéroport international de Denver. Lors de la présentation du système automatisé de manutention des bagages de cet aéroport, ce système a été qualifié de véritable sauveur des aéroports modernes. Le système s'appuyait sur un réseau de 300 ordinateurs pour l'acheminement des bagages et sur 4 000 voitures pour leur transport sur 33 km de voies. Des lecteurs laser devaient lire les étiquettes de bagage à codes à barres, pendant que des scanneurs de pointe suivraient les déplacements des chariots à bagages de type toboggan.

Lorsque les dirigeants de l'aéroport ont ouvert les portes aux journalistes pour que ces derniers observent ce système révolutionnaire de manutention des bagages, la scène a été plutôt déplaisante à voir. Des sacs ont été écrasés, perdus ou mal transférés au cours de ce qui est devenu un cauchemar légendaire en matière de systèmes. Une des plus graves erreurs liées à ce fiasco a été le manque de temps consacré à l'élaboration adéquate du système. Au début du projet, les dirigeants de l'aéroport ont présumé qu'il incombait à chaque compagnie aérienne de déterminer sa propre façon d'assurer la manutention des bagages entre l'avion et la zone de récupération des bagages de l'aéroport. Le système automatisé de manutention des bagages n'a pas été associé à la planification initiale du projet de l'aéroport. Lorsque les développeurs de l'aéroport ont décidé de créer un système intégré de manutention des bagages, le calendrier prévu pour la conception et la mise en service d'un système si vaste et si complexe n'était pas réaliste.

Une autre erreur courante a été commise durant ce projet: les compagnies aériennes n'ont pas cessé de modifier leurs besoins fonctionnels. Il en est résulté de nombreux problèmes, dont l'installation de blocs d'alimentation électrique qui ne convenaient plus à la conception révisée du système et qui ont causé des surcharges aux moteurs et des pannes mécaniques. Outre le problème de conception de ces blocs, les capteurs optiques ne lisaient pas correctement les codes à barres, ce qui perturbait l'acheminement des bagages. Enfin, BAE, l'entreprise ayant conçu et mis en service le système automatisé de manutention des bagages pour l'aéroport, n'avait jamais créé un système de manutention d'une si grande taille. Elle avait mis au point un système similaire à l'aéroport de Munich, en Allemagne, mais d'une taille nettement inférieure. Essentiellement, le système de bagages était doté d'une infrastructure inadéquate en TI parce qu'il avait été conçu pour un système beaucoup plus petit.

L'aéroport international de Denver ne pouvait tout simplement pas ouvrir ses portes sans un système de manutention des bagages fonctionnel, de sorte que la Ville s'est vue contrainte d'en repousser la date d'ouverture de plus de 16 mois, à un coût de 1 million de dollars par jour pour les contribuables, pour un total de quelque 500 millions de dollars[45].

Questions

1. Une mise à l'essai inadéquate a été l'un des problèmes ayant touché le système de manutention des bagages de l'aéroport international de Denver. Pourquoi la mise à l'essai est-elle importante afin d'assurer le succès d'un projet? Pourquoi la mise à l'essai est-elle laissée de côté dans un si grand nombre de projets?

2. Évaluez les différentes méthodologies d'élaboration de systèmes. Laquelle aurait le plus fortement haussé les probabilités de succès du projet?

3. De quelle façon une phase de conception et d'analyse plus longue aurait-elle fait épargner des centaines de millions de dollars aux contribuables du Colorado?

4. Pourquoi BAE aurait-elle dû éviter d'utiliser une infrastructure préexistante en TI, de simplement en accroître l'échelle et de croire que tout irait bien?

Demeurer sur la bonne voie : la Commission de transport de Toronto

Ce cas illustre les avantages que comporte l'utilisation d'un logiciel de gestion de projets pour assurer le succès d'un projet spécifique.

Les horaires sont au cœur du système de transport en commun renommé de la Commission de transport de Toronto (CTT), qui dessert plus d'un million d'usagers par jour. Plus de 50 grands projets d'ingénierie et de construction ont été menés à terme pour l'extension, l'amélioration et l'entretien des systèmes et des structures de transport en commun à Toronto. L'un d'eux portait le nom de « projet Sheppard » et consistait à construire une nouvelle ligne de métro de 6 km au nord de la ville. La réalisation du projet Sheppard s'est étalée sur 5 ans, à un coût total de 970 millions de dollars.

La CTT se devait de mener à terme ses 50 projets, dont la plupart relevaient d'une fourchette de coûts allant de 2 à 110 millions de dollars et d'une durée moyenne de 5 ans, sans dépasser le calendrier et le budget prévus pour chacun. La maîtrise d'un si grand nombre de projets à volets multiples, de longue durée et souvent interdépendants, était d'une complexité redoutable pour la CTT. Celle-ci a eu recours au Primavera Project Planner (P3) afin d'établir un seul plan directeur pour tous ses projets d'ingénierie et de construction.

Chacun de ces 50 projets comportait une moyenne de 100 à 150 activités, mais quelques-uns en regroupaient même de 500 à 600. Selon Vince Carroll, directeur de l'ordonnancement du Service d'ingénierie et de construction, « garder à l'esprit l'ensemble des projets était important, non seulement pour les 300 personnes à l'emploi de ce service de la CTT, mais aussi pour les 9 000 membres du personnel de toute la CTT. Ainsi, les gestionnaires de l'ingénierie devaient connaître l'impact des autres projets sur le leur. Il fallait que les gestionnaires de l'approvisionnement puissent suivre la progression de chaque projet. Les cadres supérieurs devaient être en mesure de communiquer avec le gouvernement pour obtenir le financement nécessaire. Il convenait aussi que le personnel du marketing et celui des relations publiques disposent de l'information la plus récente pour satisfaire les attentes des citoyens. Et le plus important, c'était que le groupe de l'exploitation devait demeurer informé de l'avancement des travaux pour adapter en conséquence les horaires des rames de métro ».

Carroll et son équipe de 25 personnes ont créé, tenu à jour et publié un plan directeur qui schématisait l'état d'avancement de chaque projet, montrait les liens logiques entre les projets et donnait un aperçu intégré de tous les projets. Le plan directeur a aidé l'équipe à informer efficacement et régulièrement l'ensemble de la CTT au sujet de l'état d'avancement de tous les projets.

Selon le plan directeur, les projets étaient organisés en fonction de leur emplacement respectif dans le budget d'investissement. Par exemple, l'organisation des projets s'adaptait en fonction des motifs ayant présidé à leur financement : expansion du réseau, remise en bon état, motifs législatifs ou considérations écologiques. Chaque projet a été organisé selon son ordre de déroulement logique, à partir de la planification, de l'analyse et de la conception jusqu'à l'entretien. Le rapport final faisait état des aspects positifs et négatifs de chaque projet et donnait un aperçu global de l'état d'avancement de tous les projets d'ingénierie et de construction. Carroll et son équipe se sont servis de graphiques de la méthode de programmation optimale pour produire des logigrammes échelonnés dans le temps et ont ensuite converti cette information en diagrammes à barres à des fins de présentation faisant partie du plan directeur. De plus, la CTT a directement associé son plan directeur à son système de paie pour être en mesure de suivre le nombre d'heures réellement travaillées et de le comparer avec le nombre d'heures prévu.

Aujourd'hui, en allant sur le site www.gotransit.com, les usagers ont rapidement accès aux horaires et à d'autres renseignements pour faciliter leurs déplacements dans la grande région de Toronto. Le système tire également parti de l'outil Google Transit Trip Planner[46].

Questions

1. Comment la CTT s'est-elle servie du logiciel de gestion de projets pour améliorer sa propre gestion de projets ?

2. Décrivez ce qu'est un diagramme de Gantt et expliquez comment la CTT aurait pu en utiliser un pour communiquer l'état d'avancement des projets.

3. Décrivez ce qu'est un graphique de la méthode de programmation optimale et expliquez comment la CTT aurait pu en utiliser un pour communiquer l'état d'avancement des projets.

4. Compte tenu de ce cas, dans quelles circonstances une organisation devrait-elle utiliser un logiciel de gestion de projets pour mieux gérer ses propres projets ?

1. Choisir une méthodologie d'élaboration de systèmes

Exus Incorporated est une entreprise internationale d'externalisation de facturation. Elle a actuellement un chiffre d'affaires de 5 milliards de dollars, emploie plus de 3 500 personnes et est présente sur tous les continents. Vous venez d'être embauché à titre de directeur de l'informatique. Votre première tâche consiste à hausser le taux de succès des projets d'élaboration de logiciels, qui est présentement de 20 %. Pour assurer le succès des futurs projets en la matière, vous voulez standardiser la méthodologie d'élaboration des systèmes pour toute l'entreprise. À l'heure actuelle, les responsables de chaque projet déterminent la méthodologie à employer pour élaborer des logiciels.

Produisez un rapport décrivant en détail trois méthodologies d'élaboration de systèmes qui n'ont pas été abordées dans le présent chapitre. Comparez chacune de ces méthodologies avec l'approche en cascade traditionnelle. Enfin, recommandez la méthodologie que vous voulez adopter en tant que norme pour l'organisation. Assurez-vous de mettre en évidence tous les obstacles potentiels auxquels vous êtes susceptible de vous heurter dans l'application de la nouvelle méthodologie standard.

2. Comprendre les causes de l'échec d'un projet

Vous êtes le directeur de la gestion des projets à la société Stello, un fabricant mondial de matériel d'écriture haut de gamme. L'entreprise vend ses produits surtout à des clients fortunés, à un prix moyen d'environ 350 $. Vous procédez à la mise en œuvre d'un nouveau système de gestion de la relation client et vous voulez tout faire pour que le travail d'élaboration de systèmes soit fructueux. Produisez un document qui résume les cinq principales causes possibles d'échec de ce projet et qui décrit votre stratégie visant à éliminer toute possibilité d'échec dans l'élaboration de systèmes pour votre projet.

3. Les phases manquantes du cycle de vie de l'élaboration de systèmes

Hello Inc. est une grande entreprise de services de conciergerie pour cadres supérieurs qui est présente à Vancouver, à Montréal et à Toronto. L'entreprise offre toutes sortes de services, allant de la promenade pour chiens au transport jusqu'à l'aéroport. Votre patron, Dan Martello, veut ignorer la phase d'essai durant la mise en œuvre de la planification des ressources financières de l'entreprise. Dan estime que, puisqu'un vendeur a fourni le système, celui-ci devrait bien fonctionner. Afin de respecter l'échéance imminente du projet, il veut donc négliger la phase d'essai. Rédigez une note expliquant à Dan l'importance de suivre le CVES, ainsi que les conséquences pour l'entreprise qu'aurait son refus de mettre à l'essai le nouveau système financier.

4. Refuser d'approuver

Vous êtes le principal client pour un grand projet de développement extranet. Après avoir attentivement examiné le document de définition des besoins, vous êtes convaincu que des exigences sont manquantes, ambiguës, imprécises ou incertaines. Le chef de projet insiste pour obtenir votre approbation en soulignant qu'il a déjà reçu celle de cinq de vos collègues de travail. Si vous désapprouvez les exigences telles qu'elles sont formulées, vous risquez de faire échouer tout le projet, le calendrier d'exécution prévu n'étant pas négociable. Que faites-vous ? Pourquoi ?

5. Sauver des systèmes défaillants

Crik Candle Company fabrique des chandelles bas de gamme pour des restaurants. L'entreprise a un chiffre d'affaires annuel de plus de 40 millions de dollars et emploie plus de 300 personnes. Vous êtes en pleine phase de mise en œuvre d'un projet de GCA d'une valeur de plusieurs millions de dollars. Votre chef de projet vient de vous informer du fait que le projet risque d'échouer pour les raisons suivantes :

- Plusieurs besoins fonctionnels étaient incorrects, et la portée du projet doit être doublée.
- Trois développeurs viennent de démissionner.
- L'échéance prévue a été devancée d'un mois.

Dressez la liste des mesures que votre entreprise peut adopter afin que le projet respecte l'échéance et le budget prévus.

6. Expliquer la gestion de projet

Prime Time Inc. est une grande entreprise d'experts-conseils qui se spécialise dans l'externalisation de personnes ayant des compétences en gestion de projet. Alors que vous passez une entrevue pour un emploi à cette entreprise, le gestionnaire vous demande d'expliquer pourquoi la gestion du plan de projet revêt une importance cruciale dans le succès de celui-ci. Il veut aussi que vous expliquiez ce que sont la dérive des objectifs et l'ajout d'extras ; vous devez aussi exposer la méthode que vous employez pour les gérer dans le contexte d'un projet. Enfin, il vous demande de préciser les moyens à utiliser pour assurer le succès d'un projet et diminuer les risques qui lui sont associés.

7. **Appliquer les techniques de gestion de projet**

Vous avez été embauché par une compagnie aérienne de taille moyenne, Sun Best. Cette société assure présentement plus de 30 liaisons dans les provinces maritimes. Elle éprouve d'énormes difficultés à coordonner ses ressources humaines, soit 100 pilotes et 200 agents de bord, et ses 65 vols quotidiens. Expliquez pourquoi le recours à un diagramme de Gantt pourrait aider Sun Best à mieux gérer la coordination de ses pilotes, de ses agents de bord et de ses vols quotidiens. Au moyen d'Excel, produisez un diagramme de Gantt mettant en relief les différents types d'activités et de ressources que Sun Best pourrait suivre avec cet outil.

8. **GUS Software songe à l'externalisation à l'étranger**

Fondée en 2007, GUS Software produit des logiciels de recherche novateurs, des données démographiques de sites Web et des logiciels d'essai. Tous ces produits font partie des solutions en matière de planification des ressources d'entreprise et d'ordinateurs de bureau qu'elle propose aux gouvernements, aux entreprises, aux établissements d'enseignement et aux consommateurs. De nombreux clients (éditeurs de sites Web, éditeurs de médias numériques, gestionnaires de contenu, gestionnaires de documents, entreprises, consommateurs, fabricants de logiciels et entreprises d'experts-conseils) font appel aux solutions que propose GUS. L'entreprise songe présentement à opter pour l'externalisation à l'étranger des activités de ses centres d'appels, des stratégies d'entreprise électronique et de l'élaboration d'applications. Décrivez de quelle façon GUS pourrait se servir de l'externalisation et indiquez les avantages qu'elle pourrait en tirer.

NOTES DE FIN DE CHAPITRE

1. Herremans, Irene. (2011, 23-29 septembre). Communication personnelle. Université de Calgary.
2. Wilson, Tim. (2003, 1er janvier). Nike: i2 software just didn't do it. *Internet Week*. Repéré le 12 septembre 2011 à http://corvelle.com/library/ebuscouse/caseStudies/Nike_i2.doc
3. McDonald. Mark. (2012, 29 octobre). McKinsey report highlights failure of large projects: Why it is better to be small, particularly in IT. Repéré le 29 mai 2014 à http://blogs.gartner.com/mark_mcdonald/2012/10/29/mckinsey-report-highlights-failure-of-large-projects-why-it-is-better-to-be-small-particularly-in-it/
4. Python project failure. (s.d.). Repéré le 14 novembre 2003 à www.systemsdev.com; Kirchmer, Mathias. (2013, 27 février). How to create successful IT projects with value-driven BPM. Repéré le 29 mai 2014 à www.cio.com/article/729518/How_to_Create_Successful_IT_Projects_With_Value_Driven_BPM
5. Johnson, Jim. (2006). *My life is failure: 100 things you should know to be a successful project leader*. Boston, Massachusetts: The Standish Group International. p. 46.
6. Repéré le 12 décembre 2003 à www.standishgroup.com
7. McGraw, Gary. (2003). *Making essential software work: Why software quality management makes good business sense*. Dulles, Virginie: Cigital. Repéré le 12 septembre 2011 à www.cigital.com/whitepapers/dl/Making_Essential_Software_Work.pdf
8. SwimAmerica has smooth sailing with Alpha Five. (s.d.). Repéré le 12 septembre 2011 à www.alphasoftware.com/alphafive/casestudies/
9. Levinson, Meredith. (2006, 1er juin). When failure is not an option. *CIO Magazine*; The project manager in the IT industry. (s.d.). Repéré le 15 décembre 2003 à www.si2.com; repéré le 2 avril 2015 à www.standishgroup.com; Johnson, Jim. (2006). *My life is failure: 100 things you should know to be a successful project leader*. Boston, Massachusetts: The Standish Group International; McGraw, Gary. (2003). *Making essential software work: Why software quality management makes good business sense*. Dulles, Virginie: Cigital. Repéré le 12 décembre 2011 à www.cigital.com/whitepapers/dl/Making_Essential_Software_Work.pdf
10. *Ibid.*
11. *Ibid.*
12. *Ibid.*
13. Schuler, D. et Namioka, A. (dir). (1993). *Participatory design: Principles and practices*. Hillsdale, New Jersey: Lawrence Erlbaum Associates.
14. Ehn, P. et Sjogren, D. (1991). From system descriptions to scripts for action. Dans Greenbaum, J. et Kyng, M. (dir.). *Design at work: Cooperative design of computer systems*. Hillsdale, New Jersey: Lawrence Erlbaum Associates. p. 241-268.
15. Greenbaum, J. et Kyng, M. (dir.). (1991). *Design at work: Cooperative design of computer systems*. Hillsdale, New Jersey: Lawrence Erlbaum Associates.
16. Building events. (s.d.). Repéré le 15 novembre 2003 à www.microsoft.com
17. Building software that works. (s.d.). Repéré le 14 novembre 2003 à www.compaq.com
18. PMI economic snapshot, (s.d.). Repéré le 14 août 2013 à www.pmi.org/Knowledge-Center/Surveys-PMI-Pulse-Surveys.aspx

19. *ESSA Weekly Newsletter.* (2013, 28 juin). Repéré le 28 juin 2013 à www.esaa.org/files/EWN062813.pdf; Groundwater and soil moisture conditions from GRACE data assimilation. (s.d.). Repéré le 12 août 2013 à http://drought.unl.edu/MonitoringTools/NASAGRACEDataAssimilation.aspx; GRACE. (s.d.). Repéré le 29 août 2013 à http://science1.nasa.gov/missions/grace/

20. Why projects fail: Facts and figures. (s.d.). Repéré le 27 mai 2014 à http://calleam.com/WTPF/?page_id=1445

21. McGraw, Gary. (2003). *Making essential software work: Why software quality management makes good business sense.* Dulles,Virginie: Cigital. Repéré le 12 septembre 2011 à www.cigital.com/whitepapers/dl/Making_Essential_Software_Work.pdf; Levinson, Meredith. (2006, 1er juin). When failure is not an option. *CIO Magazine*; Software project failure costs billions. Better estimation and planning can help. (2008, 7 juin). Repéré le 12 septembre 2011 à www.galorath.com/wp/software-project-failure-costs-billions-better-estimation-planning-can-help.php

22. Repéré le 2 avril 2015 à www.standishgroup.com; Johnson, Jim. (2006). *My life is failure: 100 things you should know to be a successful project leader.* Boston, Massachusetts: The Standish Group International; McGraw, Gary. (2003). *Making essential software work: Why software quality management makes good business sense.* Dulles, Virginie: Cigital. Repéré le 12 septembre 2011 à www.cigital.com/whitepapers/dl/Making_Essential_Software_Work.pdf

23. Gulla, Joseph. (2012, février). Seven reasons IT projects fail. Repéré le 27 mai 2014 à www.ibmsystemsmag.com/power/Systems-Management/Workload-Management/project_pitfalls/?page=3

24. *A guide to the project management book of knowledge.* (2008). 4e éd., Atlanta, Georgie: Project Management Institute.

25. McGraw, Gary. (2003). *Making essential software work: Why software quality management makes good business sense.* Dulles, Virginie: Cigital. Repéré le 12 septembre 2011 à www.cigital.com/whitepapers/dl/Making_Essential_Software_Work.pdf

26. IT governance risk. Repéré le 29 mai 2014 à www.deloitte.com/view/en_ca/ca/services/enterprise-risk/technology-risk-governance/it-governance-risk/index.htm

27. Repéré le 2 avril 2015 à www.standishgroup.com; Johnson, Jim. (2006). *My life is failure: 100 things you should know to be a successful project leader.* Boston, Massachusetts: The Standish Group International; McGraw, Gary. (2003). *Making essential software work: Why software quality management makes good business sense.* Dulles, Virginie: Cigital. Repéré le 12 septembre 2011 à www.cigital.com/whitepapers/dl/Making_Essential_Software_Work.pdf

28. *A guide to the project management book of knowledge.* 4e éd. (2008). Atlanta, Georgie: Project Management Institute; The project manager in the IT industry. (s.d.). Repéré le 12 septembre 2011 à www.standishgroup.com; Johnson, Jim. (2006). *My life is failure: 100 things you should know to be a successful project leader.* Boston, Massachusetts: The Standish Group International; McGraw, Gary. (2003). *Making essential software work: Why software quality management makes good business sense.* Dulles, Virginie: Cigital. Repéré le 12 septembre 2011 à www.cigital.com/whitepapers/dl/Making_Essential_Software_Work.pdf

29. Jones, K. C. (2007, 12 mars). Poor communications, unrealistic scheduling lead to IT project failure. *InformationWeek.* Repéré le 12 septembre 2011 à www.informationweek.com/news/198000251; Winters, Frank. (2003, 11 août). The top ten reasons projects fail (part 7). Repéré le 14 décembre 2003 à www.gantthead.com/article/cfm?ID=187449; repéré le 14 décembre 2003 à www.calpine.com; The project manager in the IT industry. (s.d.). Repéré le 15 décembre 2003 à www.si2.com; repéré le 12 décembre 2003 à www.standishgroup.com; repéré le 13 décembre 2003 à www.snapon.com

30. *Ibid.*

31. *Ibid.*

32. *Ibid.*

33. Repéré le 26 juillet 2014 à www.prosci.com/adkar-model/overview-3/

34. The 8-Step process for leading change. (s.d.). Repéré le 19 septembre 2011 à http://kotterinternational.com/kotterprinciples/changesteps; Kotter, John. (1996). *Leading Change.* Boston, Massachusetts: Harvard Business Press.

35. Jones, K. C. (2007, 12 mars). Poor communications, unrealistic scheduling lead to IT project failure. *InformationWeek.* Repéré le 12 septembre 2011 à www.informationweek.com/news/198000251; Winters, Frank. (2003, 11 août). The top ten reasons projects fail (part 7). Repéré le 12 septembre 2011 à www.gantthead.com/article/cfm?ID=187449; repéré le 14 décembre 2003 à www.calpine.com; The project manager in the IT industry. (s.d.). Repéré le 15 décembre 2003 à www.si2.com; repéré le 12 décembre 2003 à www.standishgroup.com; repéré le 13 décembre 2003 à www.snapon.com

36. Lindorff, Dave. (2002, 11 novembre). General Electric and real time. Repéré le 19 septembre 2011 à www.cioinsight.com/article2/o,3959,686147,00.asp

37. Drucker, Peter. (2003). *The essential drucker: The best of sixty years of Peter Drucker's essential writings on management.* Harper Business, New York: Harper Business.

38. Gartner says worldwide IT outsourcing market to reach $288 billion in 2013. (2013, 17 juillet). Repéré le 27 mai 2014 à www.gartner.com/newsroom/id/2550615

39. Repéré le 28 mai 2014 à www.outsource2india.com/why_india/why_india.asp

40. REI pegs growth on effective multi-channel strategy. (2005, 17 février). *Internet Retailer.* Repéré le

24 juin 2010 à www.internetretailer.com/2005/02/17/rei-pegs-growth-on-effective-multi-channel-strategy-executive-s; Overholt, Alison. (2004, avril). Smart strategies: Putting ideas to work. *Fast Company*. p. 63. Repéré le 24 juin 2010 à www.fastcompany.com/magazine/81/smartstrategies.html

41. *CIO Magazine.* (2006, 1er juin); The project manager in the IT industry. (s.d.). Repéré le 15 décembre 2003 à www.si2.com; repéré le 12 décembre 2003 à www.standish-group.com; Johnson, Jim. (2006). *My life is failure: 100 things you should know to be a successful project leader.* Boston, Massachusetts: The Standish Group International; McGraw, Gary. (2003). *Making essential software work: Why software quality management makes good business sense.* Dulles, Virginie: Cigital. Repéré le 12 septembre 2011 à www.cigital.com/whitepapers/dl/Making_Essential_Software_Work.pdf

42. *Ibid.*

43. *Ibid.*

44. Overcoming software development problems. (s.d.). Repéré en octobre 2005 à www.samspublishing.com; Wailgum, Thomas. (2009, 24 mars). 10 famous ERP disasters, dustups and disappointments. Repéré le 12 mai 2014 à www.cio.com/article/486284/10_Famous_ERP_Disasters_Dustups_and_Disappointments; Koch, Christopher. (2004, décembre). When bad things happen to good projects. Repéré le 12 mai 2014 à http://web.eng.fiu.edu/ronald/EIN6117/ContingencyPlanningAtHP.pdf

45. Case study. Denver international airport baggage handling system: An illustration of ineffectual decision making. (2008). Repéré le 27 mai 2014 à http://calleam.com/WTPF/wp-content/uploads/articles/DIABaggage.pdf; Johnson, Kirk. (2005, 27 août). Denver airport saw the future. It didn't work. Repéré le 27 mai 2014 à www.nytimes.com/2005/08/27/national/27denver.html?pagewanted=all&_r=0; Johnson, Kirk. (2005, 27 août). Denver airport to mangle last bag. Repéré le 27 mai 2014 à www.nytimes.com/2005/08/26/world/americas/26iht-denver.html

46. Staying on track at the Toronto Transit Commission. (s.d.). Repéré le 20 juin 2010 à www.primavera.com; repéré le 27 mai 2014 à www.gotransit.com/publicroot/en/default.aspx; repéré le 27 mai 2014 à www.ttc.ca/Service_Advisories/index.jsp

12 CHAPITRE

L'infrastructure d'entreprise

OBJECTIFS D'APPRENTISSAGE

12.1 Décrire l'architecture d'entreprise ; expliquer pourquoi les préoccupations mondiales peuvent augmenter le nombre de défis liés à la gestion de l'architecture d'entreprise.

12.2 Définir l'infrastructure agile d'un système d'information de gestion.

12.3 Décrire la valeur commerciale d'une architecture orientée services et des services Web.

12.4 Étudier l'environnement virtuel ; souligner les avantages commerciaux de celui-ci.

12.5 Reconnaître les avantages commerciaux du calcul distribué et de l'informatique en nuage.

MA PERSPECTIVE

À titre d'étudiant dans un domaine lié aux affaires, pourquoi devriez-vous comprendre la technologie sous-jacente à toute entreprise ? Tous ces concepts techniques ne nécessitent-ils pas l'embauche de fanatiques de l'informatique et d'Internet ? En réalité, au XXIe siècle, tous les gestionnaires doivent posséder des connaissances de base en technologie, notamment afin d'en connaître les avantages et les limites. L'objectif de ce dernier chapitre est de favoriser la compréhension entre les gestionnaires et le personnel informatique, les termes et acronymes qui décrivent les technologies de l'information étant déjà familiers à ce dernier.

En comprenant les concepts de planification et d'élaboration des systèmes d'information, vous serez en mesure d'utiliser la technologie de l'information pour soutenir les décisions opérationnelles. Il s'agit d'ailleurs d'une aptitude primordiale que devrait posséder toute personne évoluant dans le domaine des affaires, qu'il s'agisse du débutant jusqu'à l'employé le plus chevronné d'une entreprise qui figure dans le classement Fortune 500. Le fait d'approfondir vos connaissances sur l'architecture des entreprises vous procurera un avantage concurrentiel, et la compréhension du fonctionnement des systèmes d'information vous aidera à obtenir une rétroaction continue du rendement général d'une entreprise.

Au terme du présent chapitre, vous devriez posséder bon nombre des aptitudes nécessaires pour participer directement à l'analyse des systèmes administratifs actuels. Il pourra s'agir de contribuer à la formulation des recommandations relatives aux changements à apporter en ce qui concerne les procédés administratifs, d'évaluer les choix de matériel ou de logiciel et d'examiner la faisabilité technique d'un projet de mise en œuvre d'un système d'information.

Mise en contexte

L'informatique en nuage au Canada

L'informatique en nuage est une tendance de plus en plus populaire. Ce mode de traitement de données des clients s'effectue dans Internet sous la forme de services en ligne qui sont offerts par un fournisseur de services. Des entreprises telle SAP intègrent maintenant l'analyse opérationnelle à l'informatique en nuage grâce à des applications comme HANA Enterprise Cloud, conçue pour les entreprises. Par exemple, le gouvernement canadien met en œuvre des plans de consolidation de plus de 100 systèmes de courriels utilisés par plus de 300 000 employés en un seul système externalisé. Dans le même ordre d'idées, une étude réalisée en partenariat par Telus et IDC a révélé que 73 % des entreprises utilisant l'informatique en nuage rapportent une capacité accrue relativement à leurs stratégies de technologies de l'information (TI). Cette amélioration serait directement attribuée au nuage. Toutefois, ce même rapport indique que les gestionnaires de près des deux tiers (63 %) des entreprises privées qui ont recours à l'informatique en nuage ont des connaissances insuffisantes en ce qui concerne ce mode de traitement des données, ce qui révèle aussi une méconnaissance de la terminologie utilisée. Par ailleurs, il apparaît que 71 % des gestionnaires des TI ont rejeté les autres options.

L'**informatique en nuage** permet d'avoir accès à des données, de les emmagasiner et de les partager en délocalisant l'information sur un serveur distant. Ainsi, le logiciel-service (une application logicielle déjà existante dont le fournisseur loue l'accès, comme Google Docs) représente la principale utilisation de l'informatique en nuage par les entreprises canadiennes. L'infrastructure de l'informatique en nuage repose sur des grappes de serveurs et un réseau à grande vitesse qui permet aux utilisateurs d'accéder à leurs données à partir de n'importe quel appareil muni d'une connexion Internet. Les services d'informatique en nuage sont pratiques et économiques. Cependant, ils comportent certains désavantages, par exemple un contrôle limité sur le contenu stocké à distance, la dépendance à un fournisseur tiers ainsi que des risques d'atteinte à la confidentialité. De plus, il existe un risque que les données soient transmises aux organismes d'application de la loi à l'insu de l'entreprise utilisatrice du nuage.

Les préoccupations relatives aux transferts de données

En 2011, le gouvernement canadien était grandement préoccupé par les dangers d'emmagasiner des courriels possiblement délicats dans un système de courriel en nuage situé à l'étranger. Par conséquent, il a invoqué l'exception pour des raisons de sécurité nationale et a exigé que le système de courriel soit hébergé au Canada. Les inquiétudes des autorités canadiennes portaient sur la protection des renseignements personnels assujettis à la loi antiterroriste aux États-Unis, le *Patriot Act*.

Ces inquiétudes relatives à la confidentialité ont soulevé de nombreuses questions de la part de millions de Canadiens qui avaient recours à des services américains d'informatique en nuage, de même que de diverses organisations, dont des universités canadiennes. Or, si les services d'informatique en nuage américains ne sont pas assez bons pour le gouvernement canadien, pourquoi les organisations du Canada ainsi que la population canadienne devraient-elles s'en contenter ? À la suite des révélations d'Edward Snowden relativement à la surveillance générale qu'effectue la NSA (National Security Agency) aux États-Unis, de plus en plus d'usagers d'Internet sont dorénavant mal à l'aise de perdre la maîtrise de leurs données. De tels événements ont poussé plusieurs pays à explorer la possibilité de mandater des fournisseurs locaux de services informatiques en nuage afin de s'assurer que les données domestiques demeurent au pays. Au Canada, la plupart des sites Web d'origine canadienne sont hébergés à l'extérieur du pays. Qui plus est, les données canadiennes traversent souvent les réseaux américains.

Les entreprises canadiennes et l'informatique en nuage

Au Canada, le taux d'adoption de l'informatique en nuage est d'environ 10 % de moins qu'aux États-Unis. De nombreuses théories permettraient d'expliquer cette situation. Mark Schrutt, l'auteur du rapport Telus-IDC, affirme que les « usagers reviennent (vers IDC) pour dire qu'entre 40 et 45 % du temps, ils croient à l'existence de normes qui les empêchent d'utiliser le nuage. Leurs préoccupations sont infondées ou ne sont pas basées sur des faits ».

IDC estime que l'ensemble du marché des services de TI au Canada connaîtra une croissance pour atteindre 22,5 milliards de dollars en 2014. Le montant de un milliard de dollars qui devrait être généré par les services d'informatique en nuage met en parfaite évidence la faible part de marché de ces services : l'informatique en nuage représente moins de 5 % des dépenses relatives aux TI au Canada. Au pays, les petites et moyennes entreprises adoptent davantage cette technologie que les grandes entreprises, particulièrement celles qui appartiennent aux secteurs financier, gouvernemental et des soins de santé. Ces organisations ont des réserves quant à la gouvernance des données, à leur sécurité, à la confidentialité ainsi qu'au risque de négligence des fournisseurs de services d'informatique en nuage. Le taux d'adoption est alors réduit. Selon Mark Schrutt, toutefois, « les petites et moyennes entreprises n'ont pas l'embarras du choix. Leur personnel au Service des TI est limité et comme elles ne sont pas captives d'une technologie spécifique, il leur est plus facile de passer à l'informatique en nuage ».

David Brassor, du Service de consultation à la société Deloitte, le chef de file canadien en informatique en nuage, croit que les entreprises, plutôt que de se concentrer sur les économies, devraient davantage chercher à améliorer leur productivité et leur flexibilité, ce que l'informatique en nuage peut les aider à accomplir. « Cela peut prendre de 8 à 12 semaines pour installer et configurer un serveur, alors que certaines solutions infonuagiques peuvent ne nécessiter que 12 minutes », ajoute-t-il.

Chris Weitz, un expert de l'informatique en nuage à la société Deloitte, considère que le faible taux d'adoption au Canada par rapport aux États-Unis est attribuable à la loi de l'offre et de la demande ainsi qu'au fait que les fournisseurs de tels services investissent d'abord dans les plus grands marchés. « La couverture des services offerts (aux États-Unis) est plus grande que dans tout autre marché. La concurrence est plus féroce entre les fournisseurs qui offrent une tarification avantageuse. De plus, le marché présente une grande fluidité. Ainsi, les consommateurs bénéficient d'une gamme de choix étendue », affirme Chris Weitz. Ce dernier ajoute qu'« aux États-Unis, les entreprises ont accès à une offre diversifiée. Ainsi, les prix sont concurrentiels et intéressants, et ce, simplement en raison de la maturité et de la taille du marché ».

Selon David Brassor, les « inquiétudes relatives au risque d'espionnage, en vertu du *Patriot Act* aux États-Unis, des entreprises canadiennes dont le fournisseur de système informatique en nuage est américain sont surestimées ». « Les enjeux entourant le *Patriot Act* aux États-Unis sont exagérés », précise-t-il. Chris Weitz abonde également dans ce sens : « La plupart des grandes entreprises mondiales possèdent une technologie suffisamment sophistiquée pour s'assurer que leurs données sont isolées des autres. Si vous concevez un système pour une utilisation transfrontalière, il conviendra de tenir compte de ce facteur. Il suffira de concevoir un système adapté à tous les éléments qui risquent d'être assujettis à divers cadres de réglementation ou de juridiction[1]. »

12.1 La gestion de l'infrastructure

Introduction

L'architecture d'entreprise se trouve au cœur de la capacité d'exploitation de la plupart des entreprises. Ainsi, tout changement technologique entraîne des transformations fondamentales dans le fonctionnement des entreprises. Étant donné que bon nombre d'entreprises dépendent des technologies de l'information (TI), ce champ d'expertise n'est plus simplement un domaine intéressant, il ne permet plus uniquement d'ajouter de la valeur. De nos jours, les TI sont devenues vitales.

Des percées récentes dans le domaine ont grandement modifié la façon dont les services de TI sont offerts. L'apparition d'une puissance de calcul à des coûts abordables a marqué un tournant vers un traitement de données décentralisé. Les technologies Internet, qui permettent de relier presque tout le monde dans un même réseau, offrent de nouvelles possibilités en vue de répondre aux besoins relatifs à l'informatique de gestion. Les mécanismes opérationnels au cœur de bien des entreprises continuent d'évoluer. Les nouvelles technologies élèvent et améliorent les systèmes existants, outre le fait d'établir un lien entre eux afin de produire des architectures dont les paramètres d'exploitation sont complexes.

Fait encore plus important, les nouvelles approches de conception et de développement des systèmes rendent maintenant possible la création d'applications volumineuses et complexes à partir de modules réutilisables liés entre eux par des interfaces et des services communs. On peut maintenant augmenter énormément la capacité de réutilisation des données, de l'information et des applications. Ces approches permettent aussi de partager une infrastructure qui accroît la flexibilité des nouvelles initiatives commerciales. Ces dernières, basées sur les TI, sont créatrices de valeur et peuvent être rapidement lancées et déployées au niveau mondial.

Si une architecture d'entreprise ne peut à elle seule procurer un avantage durable, les entreprises qui restent accrochées à un héritage d'architectures propriétaires incompatibles et rigides se retrouvent grandement désavantagées sur le plan stratégique, alors qu'elles tentent de suivre le rythme de cycles de plus en plus courts en ce qui concerne l'innovation, la productivité et le rendement sur le capital investi. Le présent chapitre porte sur les bases de l'architecture d'entreprise, y compris la terminologie, les caractéristiques et les responsabilités de gestion qui sont nécessaires pour bâtir une architecture d'entreprise solide.

L'architecture d'entreprise

Aux États-Unis, une faille de 66 heures dans la base de données du FBI, utilisée pour vérifier les antécédents des acheteurs d'armes à feu, a permis à des criminels de se procurer des armes. La base de données est tombée en panne un jeudi à 13 h, et son accès n'a été rétabli qu'à 7 h 30 le dimanche suivant. Le FBI doit effectuer une vérification des antécédents de l'acheteur dans les trois jours. S'il n'y parvient pas, le vendeur est libre de réaliser la vente. Pendant cette panne, toutes les demandes de vérification en cours n'ont pu être menées à bien. Ainsi, les vendeurs d'armes à feu ont eu la possibilité d'effectuer des transactions à leur discrétion[2].

Afin de parvenir à gérer le volume et la complexité des besoins des usagers ainsi que de répondre aux exigences de la demande, les TI doivent tenir compte d'une nouvelle approche de l'architecture d'entreprise à l'aide d'environnements plus intelligents et plus flexibles à l'épreuve des défaillances et du plantage informatique. L'**architecture d'entreprise** est un modèle de fonctionnement d'une organisation qui précise de quelle façon cette dernière va constituer, déployer, utiliser et partager ses données, ses procédés et ses biens en TI. En outre, une architecture d'entreprise unifiée permet de normaliser les systèmes matériel et logiciel à l'échelle de l'entreprise en établissant des liens plus étroits entre eux et la stratégie d'entreprise. Une architecture d'entreprise solide donne la possibilité de réduire les coûts, de favoriser la normalisation au sein de l'entreprise, de promouvoir la réutilisation des biens en TI ainsi que d'accélérer l'élaboration de nouveaux systèmes. Par conséquent, le bon choix d'architecture d'entreprise peut rendre les TI plus abordables, stratégiques et réactives. À cet égard, les principaux objectifs d'affaires de l'architecture d'entreprise sont présentés à la figure 12.1.

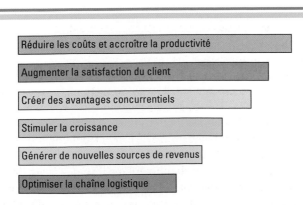

FIGURE 12.1

Principaux objectifs d'affaires de l'architecture d'entreprise

Réduire les coûts et accroître la productivité

Augmenter la satisfaction du client

Créer des avantages concurrentiels

Stimuler la croissance

Générer de nouvelles sources de revenus

Optimiser la chaîne logistique

L'architecture d'entreprise n'est jamais statique, elle change continuellement. Les organisations emploient donc des architectes d'entreprise afin de les aider à gérer ces changements incessants. L'**architecte d'entreprise** est une personne experte en technologies qui connaît bien l'entreprise, sait faire preuve de diplomatie et constitue le lien important entre les TI et l'entreprise. Les architectes de T-Mobile International révisent les projets de l'entreprise afin de s'assurer que leur conception est de qualité, qu'ils respectent les objectifs et l'architecture générale de l'entreprise. Un de ces projets consistait à créer un logiciel permettant aux abonnés de personnaliser la sonnerie de leur cellulaire. Le groupe affecté à ce projet supposait que le logiciel devait en grande partie être créé du début à la fin. Toutefois, les architectes de T-Mobile ont trouvé un logiciel déjà développé qui pouvait être réutilisé en vue de créer la nouvelle application. Cette réutilisation a réduit la durée du cycle de développement de huit mois. La nouvelle application a ainsi pu être lancée en moins de six semaines[3].

L'architecture d'entreprise mondiale

Lorsqu'une entreprise repousse ses frontières et décide de partir à la conquête du marché international, elle doit s'assurer de gérer son architecture générale de manière à ce que celle-ci concorde avec ses opérations commerciales mondiales. Non seulement une telle gestion est complexe sur le plan technique, mais également d'un point de vue politique et culturel. Par exemple, le choix du matériel informatique est ardu dans certains pays en raison des coûts et des droits de douane élevés, des restrictions à l'importation, des longs délais d'approvisionnement (le produit devant être approuvé par le gouvernement), le manque de service local ou de pièces de rechange ainsi que le manque de documentation adaptée aux conditions locales. Le choix du logiciel présente également certaines difficultés. Par exemple, les normes de données européennes diffèrent des normes nord-américaines ou asiatiques, et ce, même s'il est possible de se procurer les mêmes technologies auprès du même fournisseur. De plus, certains vendeurs de logiciels refusent d'offrir leurs services ou l'entretien de leurs produits dans les pays qui ne respectent pas l'octroi de licences de logiciels ou le contrat d'exploitation de droits d'auteur.

Internet et le Web revêtent une importance capitale dans le commerce international. Cette matrice d'ordinateurs, de données et de réseaux interreliés qui rejoint des dizaines de millions d'utilisateurs dans des centaines de pays constitue un milieu d'affaires affranchi des frontières et des limites traditionnelles. Par ailleurs, les liens avec des entreprises en ligne d'envergure mondiale donnent plus que jamais aux entreprises la possibilité de s'ouvrir à de nouveaux marchés, de réduire leurs dépenses et d'augmenter leur marge de profit à un prix qui correspond généralement à un faible pourcentage du budget de l'entreprise alloué aux communications. En effet, Internet offre une voie de communication interactive et directe ainsi que la possibilité d'échanger des données avec ses clients, fournisseurs, distributeurs, manufacturiers, concepteurs de produit, bailleurs de fonds, fournisseurs d'information... en fait, avec tous les acteurs faisant partie d'une organisation internationale[4].

Une menace – L'organisme Reporters sans frontières, établi à Paris, a relevé que plus d'une vingtaine de pays limitent l'accès de leur population à Internet. Virginie Locussol, chef de pupitre dans cette organisation et spécialiste du Moyen-Orient et de l'Afrique du Nord, affirme ce qui suit :

> «À son niveau le plus fondamental, la lutte entre la censure et l'accès à Internet sur le plan national se joue autour de trois principaux facteurs : régir les canaux de communication, filtrer les flux et punir les pourvoyeurs. Dans des pays tels que le Myanmar, la Libye, la Corée du Nord, la Syrie, de même que l'Asie Centrale et le Caucase, l'accès à Internet est soit interdit, soit assujetti à des restrictions strictes par l'entremise de fournisseurs de services Internet qu'impose le gouvernement. Ces pays mènent une lutte contre l'ère de l'information, lutte dont ils ne peuvent sortir vainqueurs. En interdisant l'accès à Internet ou en le limitant, ces pays se privent d'un des plus importants moteurs de croissance économique. Toutefois, en facilitant l'accès à Internet, ils exposent leurs citoyens à des idées qui risquent de modifier le *statu quo*. Dans les deux cas, nombreuses sont les personnes qui parviendront à avoir accès aux renseignements électroniques qu'ils recherchent. En Syrie, par exemple, il est courant que les personnes passent la fin de semaine au Liban afin de consulter leurs courriels[5]. »

La figure 12.2 présente les principaux enjeux liés aux télécommunications internationales selon les cadres chargés des TI de 300 multinationales figurant sur la liste du classement Fortune 500. Ainsi, les enjeux politiques ont plus de valeur que les enjeux technologiques, ce qui souligne clairement l'importance de leur rôle dans la gestion des architectures d'entreprises internationales[6].

Enjeux liés au réseau

- Améliorer l'efficacité opérationnelle des réseaux
- Recourir à divers réseaux
- Assurer la sécurité de la communication des données

Enjeux liés aux lois et à la réglementation

- Composer avec les restrictions liées au flux transfrontalier de données
- Respecter les réglementations relatives aux télécommunications dans un contexte international
- Tenir compte de la politique internationale

Enjeux technologiques et culturels

- Gérer l'infrastructure des réseaux multinationaux
- Assurer l'intégration des technologies à l'échelle internationale
- Concilier les spécificités nationales
- Tenir compte des structures tarifaires internationales

Autre défi de taille sur le marché international : estimer les dépenses d'exploitation liées aux opérations internationales des TI. Les entreprises qui sont présentes sur le marché international font généralement appel à des intégrateurs de système afin de bénéficier d'installations supplémentaires liées aux TI qui font partie de leurs filiales situées dans d'autres pays. Ces installations doivent répondre aux besoins informatiques locaux et régionaux et même contribuer à équilibrer les capacités de calcul global par l'entremise de liaisons de communication satellitaire. Toutefois, les TI à l'étranger peuvent poser de graves problèmes quant au soutien apporté au siège social ainsi qu'à l'acquisition, à l'entretien et à la sécurité du matériel informatique et des logiciels. Voilà pourquoi de nombreuses entreprises d'envergure mondiale préfèrent confier ces installations et la gestion des opérations outremer à un fournisseur de services ou à un intégrateur de système externe tel qu'IBM ou Accenture. Or, la gestion des architectures d'entreprise d'envergure mondiale, y compris Internet, l'intranet, l'extranet et tout autre réseau de télécommunication constitue le plus grand défi des TI du XXIe siècle.

Les entreprises qui sont parvenues à se créer une architecture d'entreprise solide, comme T-Mobile, bénéficient d'économies substantielles, d'une flexibilité accrue et d'un alignement stratégique incomparable.

L'infrastructure agile d'un système d'information de gestion

L'**infrastructure agile d'un système d'information de gestion (SIG)** correspond à l'ensemble formé des matériels, des logiciels et de l'équipement de télécommunications qui constitue la base sur laquelle s'appuie une organisation pour atteindre ses objectifs. Si une entreprise connaît une croissance de 50 % en une année, son infrastructure et ses systèmes de gestion doivent être en mesure de gérer cette croissance. Dans le cas contraire, une telle situation risque d'entraver grandement non seulement la croissance de l'entreprise, mais aussi son fonctionnement.

L'avenir d'une entreprise dépend de sa capacité à répondre à ses partenaires, à ses fournisseurs et à ses clients à toute heure du jour, peu importe l'endroit où ces derniers se trouvent sur la planète. Imaginez un instant que vous possédez une entreprise électronique et que toute la toile se met à faire l'éloge de votre concept et de sa pertinence, et à dire que votre entreprise sera un immense succès. Soudain, vous vous retrouvez avec cinq millions de clients à l'échelle internationale qui s'intéressent à votre site Web. Malheureusement, vous n'aviez pas prévu un tel volume de clients en si peu de temps. Résultat : votre système tombe en panne. Les usagers qui tapent votre adresse URL sont dirigés vers une page blanche qui les informe que la page qu'ils recherchent n'est pas disponible et qu'ils peuvent tenter d'y accéder plus tard. Pire encore, ces utilisateurs ont la possibilité d'accéder à votre site, mais la page peut prendre trois minutes à charger chaque fois qu'ils cliquent sur un bouton. En peu de temps, l'engouement pour votre concept d'affaires s'éteint pendant qu'un cyberfuté innovateur à l'affût des tendances vous vole votre idée et crée un site Web capable de gérer un volume élevé de visiteurs. Or, les éléments qui caractérisent l'infrastructure agile d'un SIG peuvent faire en sorte que vos systèmes fonctionnent bien malgré tout changement inattendu ou imprévu. À cet effet, la figure 12.3 présente la liste des sept caractéristiques d'une infrastructure agile.

FIGURE 12.3

Caractéristiques de l'infrastructure agile d'un SIG

Accessibilité	Les divers niveaux du système permettent aux utilisateurs d'accéder à des fonctions opérationnelles afin de les consulter ou de les utiliser.
Disponibilité	Le système est opérationnel au moment où les utilisateurs en ont besoin.
Maintenabilité	Le système s'adapte rapidement à tout changement d'environnement.
Portabilité	Le système fonctionne sur divers appareils et plateformes logicielles.
Fiabilité	Le système fonctionne bien et présente une information juste.
Extensibilité	Le système peut s'étendre et s'adapter aux exigences de croissance.
Convivialité	Il est facile de comprendre le fonctionnement du système ; son utilisation est efficiente et satisfaisante.

L'accessibilité

L'**accessibilité** renvoie aux divers niveaux qui définissent ce à quoi l'utilisateur peut accéder, ce qu'il peut consulter ou exécuter lorsqu'il utilise le système. Songez un instant à toutes les personnes de votre école qui ont accès au système informatique principal de renseignements sur les étudiants. Chaque utilisateur a ses propres besoins et exigences. Par exemple, un commis au Service de la paie doit accéder aux renseignements portant sur les vacances et le salaire des employés, alors qu'un étudiant consulte généralement l'information relative à ses cours et à la facturation des frais de scolarité. À chaque type d'utilisateur du système correspond un niveau d'accès qui détermine le contenu et les fonctions accessibles. À titre d'exemple, un étudiant ne devrait pas avoir accès aux renseignements personnels d'un membre du corps enseignant, ni à son salaire. De plus, certains utilisateurs n'ont droit qu'à la consultation du contenu du système ; ils ne peuvent ni créer du contenu ni en éliminer. Les employés du SIG au niveau le plus élevé sont des administrateurs ; ces derniers ont l'autorisation d'accéder librement à l'ensemble du système. L'administrateur peut ainsi réinitialiser les mots de passe, désactiver des comptes ou fermer complètement le système.

Par ailleurs, Tim Berners-Lee, le directeur du consortium W3C et l'inventeur du Web, a affirmé que « toute la puissance du Web repose dans son caractère universel. Le fait que chaque individu puisse y accéder, sans qu'une quelconque incapacité soit un obstacle sérieux, constitue un élément essentiel de ce système ». L'**accessibilité du Web** signifie que les personnes qui présentent un handicap, qu'il soit d'ordre visuel, auditif, physique, vocal, cognitif ou neurologique, peuvent quand même naviguer sur la toile. À cet effet, l'Initiative pour l'accessibilité du Web (Web Accessibility Initiative – WAI) rassemble des acteurs provenant de l'industrie, d'associations de personnes handicapées, de gouvernements et de laboratoires de recherche des quatre coins du globe en vue d'élaborer des lignes directrices et des ressources pour rendre le Web accessible aux personnes qui souffrent d'un de ces handicaps. L'objectif du WAI est de permettre à tous de profiter du plein potentiel du Web et de s'assurer que les personnes handicapées peuvent participer en parts égales. Par exemple, Apple a conçu des logiciels de grossissement de texte et de lecteur d'écran (VoiceOver) pour l'iPhone, l'iPad et l'iPod. Les personnes non voyantes et celles qui ont une déficience visuelle peuvent donc employer ces appareils.

La disponibilité

Dans plusieurs entreprises, les gens d'affaires doivent pouvoir utiliser leur système de gestion quand et où ils le désirent, ce qui nécessite que l'environnement d'affaires électroniques roule jour et nuit, 7 jours par semaine et 365 jours par année. La **disponibilité** renvoie donc aux cadres temporels dans lesquels le système est opérationnel. Un système est considéré comme non disponible lorsqu'il n'est pas en service ou ne peut être utilisé. À l'opposé, un système est jugé hautement disponible lorsqu'il est opérationnel en tout temps. La disponibilité est généralement mesurée par rapport à une opérationnalité de 100 %, soit un système qui ne connaît jamais de raté. Dans le domaine, la norme de pratique exemplaire répandue, mais difficile à atteindre est appelée les « cinq neufs ». Cette expression signifie que la disponibilité d'un système donné s'élève à 99,999 %. Certaines entreprises possèdent des systèmes disponibles en tout temps afin de pouvoir répondre aux exigences du commerce électronique, des clients au niveau international ainsi que des fournisseurs en ligne.

Il arrive que les opérations d'un système doivent être interrompues pour procéder à l'entretien de ce dernier, effectuer des mises à jour ou corriger des erreurs. Le défi de la disponibilité est de savoir quand prévoir un temps d'arrêt lorsque le système est censé être opérationnel en tout temps. Il peut sembler approprié de procéder à l'entretien le soir venu ; toutefois, dans une ville donnée, le soir correspond au matin quelque part dans le monde. Or, les gens d'affaires du monde entier risquent d'être incapables de remplir certaines de leurs fonctions professionnelles si le système qu'ils utilisent habituellement est indisponible. Voilà pourquoi certaines entreprises prévoient un basculement de système pour effectuer l'entretien : elles interrompent le fonctionnement du système principal et activent un système secondaire afin que le fonctionnement soit continu.

La maintenabilité

Les entreprises doivent considérer les besoins actuels et les tendances lorsqu'elles conçoivent et bâtissent un système selon une approche agile. Le système doit être assez flexible pour s'adapter à tout type de changement, tant au point de vue de l'entreprise que de l'environnement ou du commerce. La **maintenabilité** (ou flexibilité) fait référence à la rapidité avec laquelle le système peut s'adapter aux changements d'environnement. Elle permet de mesurer la vitesse et l'efficacité d'un système lors des modifications et des réparations apportées à la suite d'une défaillance. Par exemple, si vous démarrez une petite entreprise, vous ne prévoyez peut-être pas attirer une clientèle mondiale. Il s'agit là d'une erreur courante. Or, il est possible que votre système ne soit pas conçu pour traiter diverses monnaies et langues, ce qui est logique si vous ne pratiquiez pas encore de commerce international.

Malheureusement, à la réception de votre première commande provenant de l'étranger, ce qui est fréquent dans le domaine du commerce électronique, votre système ne pourra traiter cette dernière, car il n'est pas assez flexible pour que vous puissiez reconfigurer la langue ou la monnaie utilisée. Ainsi, lorsque votre entreprise commencera à croître et que vos activités se multiplieront à l'étranger, votre système devra être développé à nouveau afin de pouvoir accepter d'autres monnaies et d'autres langues. Chose certaine, cette opération est ardue et coûteuse.

La conception et le déploiement de systèmes flexibles permettent d'effectuer des mises à jour, des modifications et des reconfigurations lorsque survient un changement imprévu touchant l'entreprise ou l'environnement. Imaginez ce qui se serait produit si Facebook avait dû revoir tout son système pour être en mesure de manier plusieurs langues. Un autre réseau social aurait facilement pris la relève et serait devenu le fournisseur de choix. Cette solution n'aurait certainement pas été efficace ou efficiente pour les opérations d'affaires du site.

La portabilité

La **portabilité** renvoie à la capacité d'une application à fonctionner sur divers appareils ou plateformes logicielles, notamment divers systèmes d'exploitation. Par exemple, le logiciel iTunes d'Apple est facilement accessible aux personnes qui utilisent un ordinateur Mac ou PC, un téléphone intelligent, un iPod, un iPhone ou un iPad. Il s'agit également d'une application portable. Étant donné qu'Apple porte une attention particulière à la compatibilité de ses produits entre eux, tant pour ce qui est des logiciels que du matériel informatique, l'entreprise peut facilement ajouter des fonctions à ses produits, à ses appareils et à ses services sans compromettre leur portabilité. D'ailleurs, de nombreux développeurs de logiciels conçoivent des programmes portables qui fonctionnent sur les trois appareils (iPhone, iPod et iPad), ce qui permet à Apple d'accroître son marché cible ainsi que ses revenus. Du moins, c'est ce que l'entreprise souhaite.

La fiabilité

La **fiabilité** (ou l'exactitude) fait en sorte qu'un système fonctionne adéquatement et fournit des renseignements justes. Un manque de fiabilité peut survenir pour bon nombre de raisons, de la saisie inadéquate de certains renseignements à leur altération à l'étape de la transmission. Nombreux sont ceux qui affirment que l'information publiée sur le site Wikipédia n'est pas fiable. Comme les entrées du site peuvent être rédigées par quiconque, il est arrivé que des utilisateurs malhonnêtes ajoutent de l'information erronée. Pour cette raison, il n'est pas rare que des utilisateurs qui effectuent une recherche dans le moteur de recherche Google ignorent les résultats qui correspondent aux pages Wikipédia. Le fait de publier des renseignements peu fiables sur un site Web expose l'entreprise à une perte d'une partie de sa clientèle, à des erreurs dans les commandes faites auprès des fournisseurs ou même à des décisions peu dignes de confiance. Dans le même ordre d'idées, une vulnérabilité correspond à une faiblesse dans un système, laquelle est susceptible de devenir une menace. Il peut s'agir par exemple d'un mot de passe qui n'a jamais été modifié ou du système laissé ouvert pendant l'heure de dîner d'un employé. Les systèmes fiables font en sorte que les vulnérabilités sont minimales afin de réduire les risques.

L'extensibilité

Estimer la croissance d'une entreprise représente une tâche ardue, notamment parce que la croissance peut se présenter sous de nombreuses formes. Par exemple, une organisation peut attirer de nouveaux clients, lancer de nouvelles gammes de produits ou conquérir de nouveaux marchés. L'**extensibilité** renvoie à la capacité d'un système à grandir, à s'adapter aux exigences de croissance de l'entreprise. Si cette dernière présente une croissance plus rapide que prévu, elle pourrait devoir affronter toutes sortes de problèmes, qu'il s'agisse d'un manque d'espace ou de délais de traitement prolongés des transactions. Ainsi, le fait d'être en mesure d'anticiper la croissance de l'entreprise, que cet essor soit prévu ou non, constitue la clé pour un système extensible qui pourra tolérer ce changement.

La **performance** correspond à la rapidité avec laquelle un système effectue une certaine procédure ou transaction. La performance constitue un élément essentiel de l'extensibilité, car les systèmes qui ne peuvent s'adapter connaîtront des problèmes de performance. Imaginez un instant que le système de gestion de votre école prend tout à coup cinq bonnes minutes avant de réussir à charger une page. Maintenant, supposez que cette situation se produise pendant la période d'examens et que vous ne pouviez respecter le délai alloué de deux heures parce que le système est trop lent. Les problèmes de performance peuvent avoir des conséquences désastreuses sur les affaires d'une entreprise. Ils peuvent même entraîner la perte de certains clients, fournisseurs ou employés au Service à la clientèle. La plupart des utilisateurs d'Internet n'acceptent d'attendre que quelques secondes avant qu'une page soit chargée. Après quoi, ils appellent le Service à la clientèle ou optent pour un autre site Web.

La **capacité** désigne la production maximale qu'un système peut offrir. Par exemple, la capacité d'un disque dur correspond à sa taille ou à son volume. La **planification de la capacité** permet de déterminer les futurs besoins en infrastructures dans le cas des TI en vue d'acquérir de nouveaux équipements et d'augmenter la capacité du réseau. Ainsi, si une entreprise se procure un logiciel de connectivité désuet ou trop lent pour répondre à la demande, les employés perdront bien du temps à attendre des réponses à leurs requêtes. Il est donc préférable de concevoir et de mettre en œuvre une infrastructure agile qui tient compte des exigences de croissance que de mettre à jour tout le matériel lorsque le système est opérationnel. Si une entreprise comptant une centaine d'employés fusionne avec une seconde entreprise et que, soudainement, le nombre d'utilisateurs d'un système passe à 400 employés, la performance de ce système pourrait en souffrir. La planification d'une augmentation de la capacité du système permet donc de faire en sorte que le système fonctionne comme il était prévu. Attendre qu'un système réponde à une requête est loin d'être productif. Le Web 2.0 constitue un véritable moteur de la planification de la capacité ; il s'assure que les infrastructures agiles peuvent satisfaire les besoins opérationnels d'une entreprise. En outre, publier des vidéos sur la toile nécessite une bande passante suffisante pour des millions d'utilisateurs pendant les périodes de pointe telles que le vendredi et samedi soir. La vidéotransmission par Internet ne peut se permettre la perte de paquets de données (blocs de données perdus), alors que le branchement d'un utilisateur additionnel dans le système pourrait nuire à la qualité de la transmission pour tous les autres.

La convivialité

La **convivialité** correspond au degré auquel il est facile, efficace et satisfaisant d'apprendre le fonctionnement d'un système et de l'utiliser. En outre, il est recommandé de proposer des indices, des astuces, des raccourcis et des consignes pour tout système, aussi facile d'utilisation soit-il. Apple a bien saisi l'importance que revêt la convivialité lorsque l'entreprise a conçu son tout premier iPod. Un des attraits initiaux de l'iPod était la convivialité de sa molette cliquable. Un seul bouton simple et efficace permet de faire fonctionner un iPod, quel que soit l'âge de l'utilisateur. Et pour s'assurer que l'appareil est facile à utiliser, Apple a créé un logiciel intuitif dont l'utilisation est aisée, appelé « iTunes ». Quant à la **facilité d'entretien,** celle-ci correspond à la rapidité avec laquelle un tiers peut entretenir un système pour s'assurer que ce dernier répond aux exigences du consommateur ou respecte les conditions d'un contrat, notamment en ce qui a trait à la fiabilité du système en question, à sa maintenabilité ou à sa disponibilité. Lorsqu'une entreprise utilise un système provenant d'un tiers, il est important qu'elle s'assure que la facilité d'entretien est acceptable pour tous les utilisateurs, y compris pour les employés externes.

Les systèmes ouverts

Le terme général **système ouvert** désigne les matériels et les logiciels non exclusifs en TI qui sont rendus disponibles grâce aux normes et aux procédures régissant le fonctionnement de ces produits, ce qui en facilite l'intégration. De façon générale, l'appellation **code source libre** renvoie à tout programme dont le code source est mis à la disposition des utilisateurs ou d'autres développeurs pour que ceux-ci puissent l'utiliser ou le modifier au besoin. Traditionnellement, les fabricants de logiciels exclusifs ne mettent pas le code source à la disposition des utilisateurs. À l'opposé, le code source libre est habituellement issu d'une collaboration publique et rendu libre et disponible pour les utilisateurs. Amazon a adopté la technologie du code source libre lorsque l'entreprise est passée du système d'exploitation Unix exclusif de Sun à Linux. Ce changement vers un système d'exploitation ouvert comme Linux a grandement simplifié la création de liens entre les applications d'Amazon et ses associés sur les sites Web de ces derniers[7].

La conception de systèmes ouverts rend possible le partage de données. Autrefois, les divers systèmes étaient indépendants les uns des autres et fonctionnaient sous forme d'îlots de gestion distincts. Le partage de données était réalisé grâce à des pilotes et à des appareils qui acheminaient les données, qui pouvaient ainsi être traduites et partagées entre les systèmes. Même si cette méthode est encore largement utilisée, sa capacité limitée ainsi que ses coûts supplémentaires en font une solution peu efficace pour la plupart des entreprises. Autre inconvénient du système autonome : celui-ci ne peut communiquer qu'avec des composantes d'un seul fabricant. D'un côté, la nature exclusive de ces systèmes donne généralement lieu à des frais élevés de réparation, d'entretien et d'extension en raison d'un manque de concurrence. De l'autre côté, l'intégration de système ouvert est conçue dans les buts suivants :

- Les systèmes peuvent partager des données de façon transparente. Comme ce partage de données réduit le nombre d'appareils requis, il en résulte une diminution des coûts généraux.

- Les architectures d'entreprise permettent d'éviter l'installation de plusieurs systèmes indépendants et de réduire la redondance.

- Les systèmes exclusifs sont éliminés, ce qui favorise la tarification concurrentielle. Il n'est pas rare qu'un vendeur unique exige un certain prix et offre au client un service qui laisse à désirer. L'utilisation d'un système ouvert permet donc aux utilisateurs de se procurer un système à un prix concurrentiel[8].

RETOUR SUR LA MISE EN CONTEXTE

L'informatique en nuage au Canada

1. Comment les entreprises canadiennes pourraient-elles employer l'informatique en nuage de manière à respecter les sept critères de l'infrastructure agile d'un SIG ?
2. Quels sont les risques ou les freins à l'utilisation du nuage selon la perspective de l'infrastructure agile d'un SIG ?
3. Comment une entreprise traditionnelle qui gère l'ensemble de ses technologies peut-elle bâtir une infrastructure agile d'un SIG ?
4. Comment l'architecture d'entreprise peut-elle soutenir l'élaboration et le maintien d'une infrastructure agile d'un SIG ?

12.2 Les tendances relatives aux infrastructures

Introduction

Assurer le fonctionnement d'un système jour et nuit, 7 jours par semaine et 365 jours par année, tout en veillant à ce que le système demeure flexible, extensible, fiable et disponible n'est pas une mince tâche. Toutefois, à une époque où l'approche « prenez vos appareils personnels » (PAP) est courante, il est encore plus difficile de conserver une architecture opérationnelle. De nos jours, les organisations doivent continuellement surveiller les tendances relatives aux architectures afin de s'assurer de suivre le courant des technologies nouvelles qui risquent de provoquer un bouleversement du marché. La présente section porte donc sur les quatre tendances suivantes en architecture, qui deviennent rapidement des exigences que les entreprises doivent respecter: l'architecture orientée services, la virtualisation, le calcul distribué et l'informatique en nuage.

Les entreprises accordent une attention particulière aux nouvelles tendances en matière d'informatique. Prenons l'exemple de la Ford Motor Company. Depuis 2007, elle a mis en œuvre un programme PAP qui comprend maintenant plus de 70 000 travailleurs salariés répartis dans 20 pays. Selon Randy Nunez, ingénieur principal chez Ford, le programme PAP est attribuable aux tendances en informatique. «Sa mise en place découle véritablement de ce qui est en train de se produire dans l'environnement commercial, particulièrement en ce qui a trait au concept de personnalisation des TI. Auparavant, une technologie faisait son entrée par l'entremise de l'entreprise afin que les individus l'utilisent; maintenant, ce sont les individus qui apportent les technologies de leur quotidien dans l'entreprise. L'accès à ces technologies est direct et abordable. Les gens peuvent les utiliser et apprendre à comprendre leur fonctionnement beaucoup plus vite que le permet l'environnement de l'entreprise[9].»

L'architecture orientée services

L'**architecture orientée services (AOS)** est une approche en architecture des TI de gestion qui tend à intégrer les activités d'affaires en tant que tâches ou services reproductibles et interreliés. L'AOS favorise l'innovation des entreprises d'aujourd'hui en faisant en sorte que les systèmes d'information s'adaptent de manière rapide, facile et efficiente aux besoins changeants du marché. L'AOS aide les entreprises à rendre leurs processus plus flexibles, à renforcer leur architecture informatique sous-jacente, ainsi qu'à réutiliser leurs investissements actuels en TI en reliant diverses applications et sources d'information disparates.

L'AOS n'est pas une forme concrète d'architecture, mais une approche qui y mène (*voir la figure 12.4*). Il ne s'agit pas non plus d'un outil ou d'un cadre concret qu'il est possible d'acheter, mais bien d'une façon de penser ou d'un système de valeurs qui conduit à certaines décisions lors de la conception de l'architecture concrète.

FIGURE 12.4

Architecture orientée services

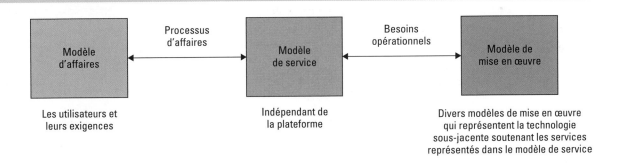

L'Institut canadien de l'information scientifique et technique (ICIST) a mis en œuvre une AOS en vue d'assurer sa relance et de satisfaire les besoins liés à l'ère numérique. Il souhaitait cesser d'offrir un service de livraison de documents papier aux bibliothèques et tendre vers une infrastructure électronique offrant à l'utilisateur final des fonctions de recherche et de récupération de documents électroniques à la volée. L'ICIST voulait aussi procéder de manière adéquate afin de planifier et de mettre en œuvre une architecture d'entreprise solide. Auparavant, les projets technologiques étaient réactifs, c'est-à-dire qu'ils découlaient des requêtes ponctuelles des clients ou qu'ils étaient réalisés de façon désordonnée à partir des exigences d'information perçues. Une des composantes essentielles de la solution a été la décision d'opter pour une AOS. Ainsi, l'accent a été mis sur les services qui pouvaient être utilisés simultanément dans plus d'une application à la fois. La plupart des applications sont donc devenues une série de services au fonctionnement commun plutôt qu'une application de type «boîte noire» difficile à intégrer ou avec laquelle il est impossible de communiquer. Dorénavant, ces services pourraient être utilisés de concert avec les applications des usagers, leur intranet et leur ordinateur de bureau, plutôt que simplement avec les applications ou sur le site Web de l'ICIST. Si suffisamment de bibliothèques (y compris l'ICIST) adoptaient une AOS, les usagers pourraient se servir du site Web de leur bibliothèque de quartier afin d'avoir accès à des services adaptés, lorsque leur bibliothèque locale considérerait que ces services sont pertinents[10].

Les avantages commerciaux de l'AOS

Le type d'architecture varie d'un système d'exploitation, d'une application, d'un système logiciel et d'une infrastructure des applications à l'autre. Puisque certaines applications déjà existantes assurent le fonctionnement de processus d'affaires actuels, le fait de repartir à zéro en vue de bâtir une nouvelle architecture est exclu. Les entreprises doivent réagir rapidement aux changements du marché, faire preuve d'agilité et tirer profit des investissements déjà consentis relativement aux applications et à l'infrastructure des applications afin de respecter les nouvelles exigences du marché et de soutenir de nouvelles interactions avec leurs clients, leurs partenaires et leurs fournisseurs. L'AOS, à cause de son couplage lâche, permet aux entreprises d'offrir de nouveaux services ou de mettre à jour les services existants de façon granulaire. Ainsi, les commerces peuvent satisfaire aux nouvelles exigences du marché, offrir la possibilité de recourir aux services par l'intermédiaire de divers canaux et de présenter l'entreprise existante ainsi que les applications actuelles sous forme de services, ce qui préserverait les investissements consentis en infrastructure des TI (*voir la figure 12.5*). Voici les concepts techniques clés de l'AOS :

- les **services** – des tâches commerciales ;

- l'**interopérabilité** – la capacité, pour plusieurs systèmes informatiques, d'échanger des données et des ressources, même lorsque ces systèmes proviennent de fabricants différents ;

FIGURE 12.5

Intégration de l'AOS

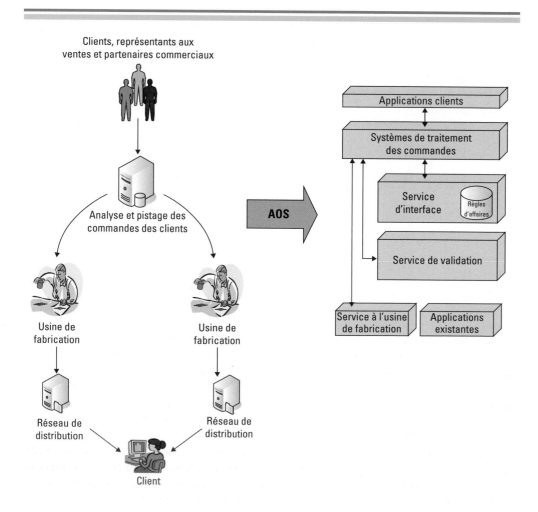

- le **couplage lâche** – le type d'assemblage qui permet une jonction de services faite sur demande, en vue de la création de services mixtes, ou un désassemblage de ces services en leurs composantes fonctionnelles[11].

Au cœur de l'AOS se trouvent les services. Il s'agit tout simplement de tâches commerciales comme celle qui consiste à procéder à une enquête de crédit lors de l'ouverture d'un dossier pour un client potentiel. Il est important de souligner que les services de l'AOS font partie d'un processus d'affaires. Comme on le mentionne dans la section précédente, les services s'apparentent aux logiciels. Toutefois, lorsqu'il s'agit de décrire l'AOS, il faut éviter de penser à un logiciel ou à une TI et plutôt réfléchir à ce que l'entreprise accomplit au quotidien. Ensuite, il suffit de séparer ces processus d'affaires en tâches commerciales ou en composantes reproductibles.

L'AOS constitue la base technologique des services qui ne touchent pas uniquement les logiciels et le matériel informatique, mais également les tâches commerciales. Il s'agit d'un modèle utilisé pour développer un type d'application logicielle plus flexible qui favoriserait le couplage lâche des éléments d'un logiciel. Le tout se fait en réutilisant les investissements consentis en technologie d'une manière nouvelle et plus utile, et ce, dans l'ensemble de l'organisation. L'AOS est basée sur des normes qui assurent l'interopérabilité, l'agilité et l'innovation afin de générer davantage de valeur d'affaires pour ceux qui mettent ces principes en application.

L'AOS aide les entreprises à devenir plus agiles en faisant correspondre leurs besoins d'affaires aux capacités des TI qui contribuent à la satisfaction de ces besoins. Le marché crée des exigences en matière de TI, et l'AOS permet à l'environnement informatique de respecter ces exigences de façon efficace et efficiente. L'objectif de l'AOS est d'aider les entreprises à appliquer une stratégie axée sur la réutilisation et la flexibilité afin de réduire les dépenses de l'entreprise (développement, intégration et entretien), d'accroître ses revenus et de lui procurer un avantage concurrentiel durable grâce à la technologie.

Il est important de noter que l'AOS est évolutive. Bien que les résultats qu'elle obtient soient révolutionnaires, elle s'appuie également sur bon nombre de technologies déjà présentes sur le marché, notamment les services Web, les technologies transactionnelles, les principes orientés par les données, le couplage lâche, les composantes et la conception orientée objet. Un atout important de l'AOS est que les technologies utilisées forment déjà un tout grâce aux normes, aux interfaces bien conçues et aux engagements organisationnels pris dans le but de réutiliser des services essentiels plutôt que de tenter de réinventer la roue. En outre, l'AOS n'est pas uniquement axée sur la technologie, mais également sur la façon dont la technologie et le commerce s'unissent pour atteindre un objectif commun de flexibilité.

Depuis les dernières décennies, les entreprises sont de plus en plus complexes. Des facteurs tels que les fusions, les réglementations, la concurrence à l'échelle mondiale, l'externalisation et les partenariats ont entraîné une augmentation spectaculaire du nombre d'applications qu'une entreprise donnée peut avoir à utiliser. Or, ces applications ont été mises en œuvre sans qu'une grande attention soit portée aux autres applications avec lesquelles elles devraient éventuellement partager des données. Ainsi, de nombreuses entreprises tentent de conserver des systèmes d'information qui coexistent sans que ceux-ci aient été intégrés.

L'AOS peut également aider les entreprises à résoudre toute une gamme de problèmes d'ordre commercial (*voir le tableau 12.1 à la page suivante*)[12].

Comme on l'a définie précédemment, l'interopérabilité correspond à la capacité, pour plusieurs systèmes informatiques, d'échanger des données et des ressources, même lorsque ces systèmes proviennent de fabricants différents. De nos jours, les entreprises ont recours à une variété de systèmes, ce qui a donné lieu à un environnement hétérogène. Cette disparité a rapidement engendré un manque d'interopérabilité. Cependant, puisque l'AOS est basée sur des normes ouvertes, les entreprises peuvent bâtir des solutions portables et interopérables à partir des fonctions des systèmes spécialisés existants, auparavant isolés, et ce, quel que soit l'environnement dans lequel ces systèmes évoluent.

Une partie de l'intérêt de l'AOS réside dans le fait que cette architecture est fondée sur le principe du couplage lâche des services. Ce concept correspond à l'aisance avec laquelle on peut relier, sur demande, les services en vue d'offrir un service mixte, ou les scinder tout aussi facilement pour rendre ses composantes fonctionnelles indépendantes.

TABLEAU 12.1 | Problèmes d'ordre commercial et solutions apportées par l'AOS

Problème	Solution
<ul><li>Les employés qui travaillent à distance sont incapables de consulter les données sur les clients.</li><li>Le téléphone et le télécopieur sont utilisés pour obtenir les données provenant des autres divisions de l'entreprise.</li><li>Les données sur les clients sont consignées sur papier.</li><li>L'accès aux dessins de conception est difficile.</li></ul>	Intégrer les données pour que celles-ci soient plus accessibles aux employés.
<ul><li>Les coûts de traitement des appels des clients sont élevés.</li><li>La concordance des déductions et des rabais apparaissant sur les factures est compliquée à établir.</li><li>Des délais de plusieurs heures sont nécessaires avant de savoir si le client est admissible à un programme ou à un service donné.</li><li>La rotation du personnel est élevée, ce qui entraîne une embauche et des frais de formation excessifs.</li></ul>	Comprendre la façon dont les processus d'affaires interagissent afin de gérer de façon plus efficace les coûts administratifs.
<ul><li>On assiste à une diminution de la loyauté de la clientèle en raison d'erreurs de facturation.</li><li>Les appels des clients qui cherchent à connaître le statut de leur commande sont mis en attente.</li><li>La mise à jour rapide des données sur les clients est irréalisable.</li><li>Le service est de piètre qualité.</li></ul>	Améliorer la fidélisation de la clientèle et offrir à celle-ci de nouveaux produits et services par l'entremise d'une réutilisation des investissements existants.
<ul><li>Une perte de temps est attribuable à la nécessité d'établir une correspondance entre les diverses bases de données.</li><li>Les procédures sont manuelles.</li><li>Il est impossible de détecter les défauts liés à la qualité dans les premières étapes du cycle de production.</li><li>Le pourcentage de rebut et de remise en fabrication est élevé.</li></ul>	Améliorer la productivité des employés grâce à une intégration et à une connectivité plus efficaces.

Le couplage lâche permet de s'assurer que les données techniques telles que la langue, la plateforme, etc., sont séparées du service. On peut donner l'exemple de la conversion monétaire. De nos jours, toutes les banques possèdent une foule de convertisseurs qui présentent des taux différents, et les données sont rafraîchies à divers moments. En créant un service commun de conversion en couplage lâche avec toutes les autres fonctions bancaires qui nécessitent une certaine conversion, les taux, le moment de les rafraîchir et l'échantillonnage peuvent être consolidés afin d'assurer le traitement des conversions monétaires le plus efficace possible. Un autre exemple est la gestion du numéro de client (ou identifiant du client). La plupart des entreprises ne se réfèrent pas au numéro de client et ignorent donc qui sont leurs clients et ce que ces derniers achètent. Créer un numéro de client unique, mais séparé des applications et des bases de données, permet un couplage lâche entre le service d'identification des clients et les données et applications sans avoir à se soucier de la nature de l'information ou de son emplacement.

La différence entre les interactions traditionnelles, voire rigides, et les services à couplage lâche est simple. Avant la transaction, les éléments fonctionnels (services) de l'AOS sont dormants et dissociés. Ensuite, lorsqu'un processus d'affaires est lancé, ces services interagissent momentanément entre eux. Ils interagissent suffisamment longtemps pour effectuer leur partie du processus, puis ils retournent à leur état de dormance et ne sont plus reliés aux autres services avec lesquels ils viennent d'interagir. La fois suivante où le même service doit être effectué, il se pourrait bien que ce soit à l'aide d'un processus différent dont les services d'appel et de destination diffèrent aussi.

Une bonne façon de comprendre ce concept est d'utiliser l'analogie du système téléphonique. À l'aube de l'utilisation répandue du téléphone, les opérateurs devaient littéralement brancher un fil afin d'établir une connexion semi-permanente qui permettait à deux personnes d'entrer en communication. Les interlocuteurs étaient alors unis par un lien rigide. De nos jours, si vous prenez votre cellulaire et le collez à votre oreille, vous n'entendez rien, il n'y a pas de connexion. Mais lorsque vous saisissez un numéro de téléphone, puis que vous appuyez sur «Composer», le processus est enclenché. S'ensuit alors une connexion souple dont la durée correspond à celle de votre conversation. Lorsque vous fermez l'application, votre téléphone cellulaire redevient dormant jusqu'à ce qu'une autre connexion soit établie par une autre personne. Voilà pourquoi le fait de posséder un million d'abonnés, pour une compagnie de téléphone, ne signifie pas qu'elle doive supporter un million de connexions, mais bien un certain nombre de connexions simultanées dans une période donnée. Cette approche est bien plus flexible et dynamique[13].

Les services Web

Une recherche effectuée par Gartner Inc. a révélé que les problèmes d'application sont la principale cause d'indisponibilité et qu'ils sont responsables de 40 % des heures d'indisponibilité enregistrées annuellement ainsi que de 32 % des coûts afférents. L'architecture des applications détermine la façon dont ces dernières sont intégrées et liées entre elles. Les percées dans les technologies d'intégration, principalement les services Web et les systèmes ouverts, offrent de nouvelles façons de concevoir des architectures d'applications plus agiles et plus réactives qui génèrent le type de valeur dont les entreprises ont besoin. Avec ces nouvelles formes d'architecture, les services d'information peuvent maintenant développer de nouvelles compétences commerciales plus rapidement, à moindre coût et en utilisant un vocabulaire compréhensible[14].

Les services Web promettent d'être la prochaine grande frontière dans le domaine de l'informatique. Les **services Web** comprennent un répertoire des ressources procédurales et des données sur le Web qui obéissent à des normes et à des protocoles communs afin que différentes applications puissent partager des données et des services. La principale utilisation des services Web a trait à l'intégration des diverses applications (*voir la figure 12.6*). Avant leur apparition, les organisations éprouvaient des problèmes d'interopérabilité. Or, si un système de fabrication est en mesure de communiquer avec un système de livraison (de partager des données), il existe alors une interopérabilité entre les deux. L'ancienne façon d'atteindre cette interopérabilité consistait à développer des modules d'intégration spécialisés. De nos jours, les entreprises peuvent avoir recours aux services Web pour exécuter cette même tâche.

FIGURE 12.6

Services Web

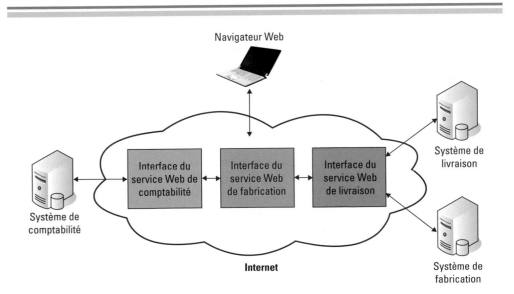

Aux États-Unis, l'énorme architecture d'entreprise de Verizon comprend trois entreprises distinctes: GTE, Bell Atlantic et NYNEX. Chacune d'elles possède son propre système complexe. Pour trouver le dossier d'un client, dans une des trois entreprises, Verizon se fie à son moteur de recherche appelé «Spider». Ce dernier équivaut au Google de Verizon et permet à l'entreprise d'être florissante.

Spider contient un service Web de données sur les clients qui est d'importance vitale. Ce service encapsule les règles opérationnelles, ce qui permet à Spider d'accéder plus facilement au bon référentiel lorsqu'il recherche des données sur un client. Chaque fois qu'un nouveau système est conçu et qu'il doit être lié aux données sur les clients, il suffit que le développeur réutilise le service Web qui est relié aux dossiers des clients. Étant donné que ce service Web de Verizon fait partie de l'architecture de l'entreprise, l'équipe de développement est en mesure de concevoir de nouvelles applications en moins d'un mois plutôt qu'en six mois[15].

Les services Web englobent toutes les technologies utilisées pour transmettre et traiter les données d'un réseau, plus particulièrement les données d'Internet. Il est plus facile de considérer un service Web unique comme un logiciel qui exécute une tâche précise. De plus, cette tâche est rendue accessible à tout utilisateur susceptible d'en avoir besoin. Par exemple, un service Web de dépôt pour un système bancaire pourrait permettre aux clients de déposer de l'argent dans leur compte bancaire. Il pourrait être utilisé par l'employé de la banque, un client à un guichet automatique ou un client qui effectue une transaction en ligne à partir d'un navigateur Web.

L'exemple du dépôt illustre bien l'un des principaux avantages du modèle de service Web dans le développement d'applications. Nul besoin pour les développeurs de repartir à zéro chaque fois qu'ils veulent ajouter une nouvelle fonction. Le service Web est en fait une partie d'un code de logiciel réutilisable. Ainsi, un développeur peut rapidement concevoir une nouvelle application à l'aide de plusieurs de ces parties de code. En outre, les deux parties principales d'un service Web sont les événements et les services.

Les événements ont des fonctions équivalentes, en technologie, à des yeux et à des oreilles dans le monde des affaires. Ils décèlent les menaces et les bonnes occasions, puis avertissent les bonnes personnes qui peuvent intervenir de manière appropriée. Lancés par les entreprises de services financiers et de télécommunication, les événements nécessitent l'utilisation de systèmes d'information en vue de surveiller un processus d'affaires relativement à un événement important comme une rupture de stock dans un entrepôt ou une dépense très élevée qui est portée à la carte de crédit d'un consommateur, et d'avertir de manière automatique les acteurs qui sont en mesure d'intervenir. Par exemple, un système de contrôle du crédit avertit automatiquement le chef du Service du crédit et «gèle» le compte bancaire lorsqu'il traite une dépense de 7 000 $ portée à une carte de crédit dont la limite est de 6 000 $.

Les services s'apparentent davantage aux logiciels qu'aux projets de codage. Ils doivent rejoindre un large public et pouvoir être réutilisés afin d'avoir une incidence sur la productivité d'une entreprise. Les premières formes de services ont été intégrées à un échelon trop bas dans l'architecture d'entreprise pour être dignes d'intérêt (par exemple, des services simples comme l'impression ou la sauvegarde). La nouvelle génération de services se trouve à un échelon supérieur. Il s'agit notamment des services de vérification de la solvabilité, d'information sur le client ou de traitement des paiements. Ces services représentent un processus d'affaires utile. Par exemple, le service de vérification de la solvabilité n'est pas uniquement intéressant pour les programmeurs qui souhaitent en utiliser le code dans une autre application, mais aussi pour les gens d'affaires qui désirent insérer ce dernier dans divers produits (comme un prêt automobile ou une hypothèque) ou entreprises.

L'astuce pour mettre en place des services est de trouver le parfait degré de granularité. La société T-Mobile conçoit des services en commençant au degré le plus bas, puis elle progresse vers des degrés de plus en plus élevés en évitant de concevoir des services que personne n'utilise. L'entreprise a d'abord élaboré un service Web d'envoi de messages, puis d'envoi de messages textes, un service Web qui achemine des messages dans un format particulier à divers appareils, dont les cellulaires et les téléavertisseurs.

Aux États-Unis, les architectes d'entreprise de la société Lydian Trust ont conçu un service Web de notation financière utilisée dans diverses unités commerciales lors des demandes de crédit. Ce service effectue une recherche des notations financières des principales agences d'évaluation du crédit. À un certain moment, les serveurs d'une de ces agences sont tombés en panne. Le service Web de Lydian Trust ne pouvait donc plus établir de connexion. Puisque la connexion entre le serveur et le système était en couplage lâche, ce dernier était paralysé. Ce service Web n'étant pas conçu pour effectuer plus d'une action, pendant que le système attendait une réponse du serveur, des centaines de demandes de crédit ont été mises en attente.

Les responsables des prêts de la Lydian Trust ont dû travailler toute la nuit pour s'assurer du traitement de toutes les demandes dans les 24 heures, une politique de l'entreprise. Si les clients n'ont jamais souffert de cette panne, on ne peut en dire autant des employés. Tout système devrait être conçu pour pouvoir gérer certains événements, ou leur absence, sans que les activités globales soient interrompues. Par la suite, le service Web de notation financière a été modifié de manière à envoyer automatiquement un courriel au superviseur chaque fois qu'un retard se produit[16].

La virtualisation

La **virtualisation** est le cadre dans lequel les ressources matérielles d'un ordinateur sont segmentées en de multiples environnements d'exécution. Il s'agit d'une façon d'augmenter l'utilisation des ressources physiques en vue de maximiser les investissements consentis en matériel informatique. En général, ce processus est effectué à l'aide d'un logiciel de virtualisation. Ce dernier s'exécute à partir de l'unité physique qui émule plusieurs éléments du matériel informatique.

Dans un environnement virtualisé, les fonctions logiques du stockage et des éléments du réseau informatique sont séparées de leurs fonctions physiques. Les fonctions de ces ressources peuvent ensuite être distribuées de façon manuelle ou automatique afin de satisfaire les besoins changeants et les priorités d'une entreprise. Ces concepts peuvent être mis en application dans toute l'entreprise, des ressources du centre de données aux PC et aux imprimantes.

Grâce à la virtualisation, les individus, les processus et la technologie travaillent de concert et sont plus efficaces à un niveau de service supérieur. Étant donné que la capacité peut être distribuée de manière dynamique, le surdimensionnement chronique est corrigé, et l'architecture des TI est simplifiée (*voir la figure 12.7*).

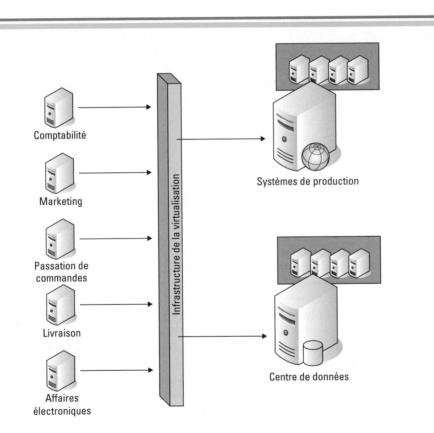

FIGURE 12.7

Architecture de la virtualisation

Même les éléments les plus simples, par exemple le partitionnement d'un disque dur, sont considérés comme de la virtualisation, car à partir d'un disque dur physique, on peut créer deux disques logiques distincts. Un appareil virtuel muni d'un système d'exploitation différent, tel que Windows sur un Mac, est un autre exemple de virtualisation. En effet, les appareils, les applications et les utilisateurs peuvent interagir avec l'appareil virtuel comme s'il s'agissait d'une ressource logique unique.

Qu'est-ce qu'un appareil virtuel?

La **virtualisation d'un système** (souvent appelée «virtualisation de serveur» ou «virtualisation du poste de travail», selon le rôle du système) correspond à la capacité de présenter les ressources d'un seul ordinateur physique comme si ces dernières étaient réparties dans plusieurs ordinateurs distincts («appareils virtuels»), chacun ayant sa propre unité centrale de calcul, son interface réseau, sa capacité de stockage et son système d'exploitation.

La technologie de l'appareil virtuel a été mise en œuvre pour la première fois au cours des années 1960, dans les macroordinateurs, afin de partitionner ces appareils dispendieux en domaines distincts, de sorte qu'un plus grand nombre d'utilisateurs et d'applications puissent les utiliser. Les serveurs de PC courants sont devenus de plus en plus puissants au cours de la dernière décennie. La virtualisation est maintenant utilisée avec les postes de travail et les blocs-notes électroniques dans le but de leur offrir les mêmes avantages[17].

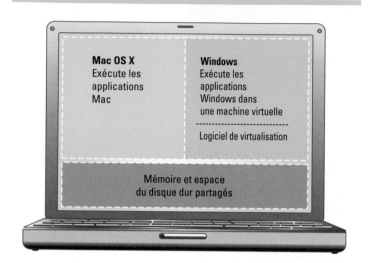

L'utilisateur perçoit les appareils virtuels comme des ordinateurs distincts, chacun possédant une identité de réseau, des capacités d'autorisation et d'authentification de l'utilisateur, une version et une configuration du système d'exploitation, des applications ainsi que des données qui lui sont propres. Le matériel informatique est semblable dans tous les appareils virtuels: si la taille et le nombre des ressources électroniques peuvent différer, celles-ci permettent aux machines virtuelles d'être portables, c'est-à-dire indépendantes du type de matériel informatique des systèmes sous-jacents.

La figure 12.8 présente un aperçu de ce à quoi ressemble la virtualisation sur un Mac.

Les avantages commerciaux de la virtualisation

La virtualisation ne constitue en aucun cas une nouvelle technologie. Les macroordinateurs offraient déjà la possibilité d'exécuter divers systèmes d'exploitation il y a plus de 30 ans. Cependant, plusieurs tendances ont remis la virtualisation sous le feu des projecteurs, notamment la sous-utilisation du matériel informatique, le manque d'espace dans les centres de données ainsi que la hausse des coûts de l'électricité et des frais d'administration. En 2008, aux États-Unis, l'Environmental Protection Agency a révélé que les centres de données consomment 61 milliards de kilowattheures. Il s'agit là de plus ou moins 1,6 % de la consommation totale d'électricité des Américains, pour une valeur totale d'environ 4,5 milliards de dollars. Selon la tendance actuelle, la consommation d'électricité à l'échelle des États-Unis continue de grimper, ce qui fait de l'efficacité énergétique une priorité absolue[18]. D'ailleurs, en septembre 2011, l'entreprise Google a annoncé qu'elle consommait suffisamment d'électricité pour subvenir aux besoins de 200 000 foyers.

La principale tendance concernant la virtualisation se fait jour dans la sous-utilisation du matériel informatique. Gordon Moore, dans le numéro d'avril 1965 du magazine *Electronics*, a été le premier à formuler ses observations sur la puissance de calcul des processeurs qui ont donné naissance à la loi de Moore. Lorsqu'il a décrit la puissance de calcul accrue, il a affirmé: «La complexité des coûts minimaux pour les composants a augmenté d'environ un facteur de deux chaque année.» Cela signifie que chaque année (en fait, la plupart des gens estiment que le cadre temporel est plutôt de 18 mois), pour un processeur d'une taille donnée, deux fois plus de composants individuels peuvent être insérés dans un morceau de silicone de taille semblable. En d'autres mots, chaque nouvelle génération de puce possède une puissance de traitement deux fois plus élevée que la génération précédente, et ce, pour le même prix.

La loi de Moore démontre ainsi que les besoins en virtualisation et que le rendement vont en s'accroissant – le degré d'amélioration en soi augmente avec le temps en raison d'une croissance exponentielle de la capacité de chaque nouvelle génération de processeur. Or, c'est à cette croissance exponentielle que sont attribuables les avancées extraordinaires en informatique[19].

De nos jours, de nombreux centres de données possèdent des appareils qui n'utilisent que de 10 à 15 % de leur capacité de traitement totale, ce qui correspond à une inutilisation de 85 à 90 % de la puissance de l'appareil. D'une certaine façon, la loi de Moore n'est plus pertinente aux yeux de la plupart des entreprises, étant donné que celles-ci ne peuvent tirer profit de la puissance toujours croissante à laquelle elles ont accès.

En outre, la loi de Moore ne se limite pas à permettre la virtualisation, elle la rend en quelque sorte obligatoire. Autrement, une quantité toujours croissante de puissance informatique serait gaspillée chaque année.

Une deuxième tendance en virtualisation porte sur les centres de données qui manquent d'espace de stockage. Depuis les 25 dernières années, le monde des affaires a connu d'énormes changements. Vers la fin des années 1980, la grande majorité des processus d'affaires étaient exécutés sur un support papier. Les systèmes informatisés se limitaient alors à une prétendue automatisation de la zone de préparation des données : paie, comptabilité, etc. Heureusement, grâce à la progression soutenue de la loi de Moore, cette époque est révolue. Les processus d'affaires, les uns après les autres, ont été intégrés dans les logiciels, puis automatisés afin de passer de la version papier à la version électronique[20].

L'essor d'Internet a accéléré de façon exponentielle cette transformation. Maintenant, les entreprises désirent communiquer avec leurs clients et partenaires en temps réel, et elles peuvent le faire à l'aide de la connectivité mondiale que propose Internet. Évidemment, cette situation a fait en sorte d'accélérer l'informatisation des processus d'affaires.

Le tout premier Boeing 787 Dreamliner est sorti du hangar à peinture le 6 août 2011. Il a été conçu et fabriqué d'une manière radicalement nouvelle. Boeing et tous ses fournisseurs ont utilisé un logiciel de conception assistée par ordinateur (CAO) pour créer leurs parties respectives de l'appareil. Au cœur de toute discussion portant sur le projet se trouvaient les plans élaborés à l'aide de la CAO. Ce logiciel a permis de procéder aux contrôles sur les modèles informatisés plutôt que selon la méthode traditionnelle qui nécessite la construction de prototypes physiques, ce qui a accéléré l'achèvement de l'avion d'au moins une année[21].

Le projet Dreamliner a généré des quantités phénoménales de données. À lui seul, l'entrepôt de données des plans du projet présentait 19 téraoctets de données. L'effet net d'un tel projet et de projets semblables menés dans d'autres entreprises est qu'un nombre effarant de serveurs ont été mis en service au cours de la dernière décennie, ce qui a posé un problème d'ordre immobilier, car les entreprises ont manqué d'espace pour loger leurs centres de données[22].

La virtualisation, en offrant la possibilité d'héberger plusieurs systèmes hôtes dans un seul serveur physique, a permis aux organisations de reprendre une partie de l'espace que celles-ci avaient cédé à leurs centres de données. Ce faisant, les entreprises évitent les coûts associés à la construction d'un plus grand centre de données. Il s'agit là d'un avantage notable de la virtualisation, car les centres de données entraînent des coûts de construction se situant dans les dizaines de millions de dollars.

L'augmentation en flèche du prix de l'électricité accentue encore la tendance à la virtualisation. Les dépenses liées au fonctionnement des ordinateurs sont élevées, et de nombreux appareils dans les centres de données présentent un faible taux d'utilisation. Il en ressort que la capacité de la virtualisation à réduire le nombre de serveurs physiques permettrait de réduire de façon significative les coûts énergétiques globaux pour les entreprises. Puisque la réduction de la consommation d'électricité dans les centres de données constitue un enjeu majeur, les sociétés d'énergie mettent sur pied des programmes de virtualisation afin de relever ce défi.

Ces tendances permettent d'expliquer pourquoi la virtualisation représente une technologie qui arrive à point nommé. La croissance exponentielle de la puissance des ordinateurs, l'informatisation des tâches, l'augmentation des coûts liés à l'alimentation en électricité d'une multitude d'ordinateurs et les dépenses élevées relatives au personnel qui gère tout cet équipement sont autant de facteurs qui indiquent le besoin criant de trouver une manière moins onéreuse d'exploiter les centres de données. En fait, ce besoin est maintenant vital, car si l'on se fie aux tendances énoncées précédemment, il s'avère que les coûts liés aux méthodes informatiques traditionnelles deviennent prohibitifs.

La virtualisation permet aux gestionnaires des centres de données de mieux utiliser les ressources informatiques, ce qui ne serait pas le cas dans la situation contraire. De plus, la virtualisation permet à l'entreprise de maximiser les investissements consentis en matériel informatique. Les plateformes sous-utilisées et la prolifération de serveurs (ce qui est présentement la norme) pourront devenir chose du passé. Ainsi, en virtualisant un grand nombre de systèmes dans quelques serveurs d'entreprises hautement extensibles et fiables, les entreprises pourront réduire de façon substantielle les coûts liés à l'achat, à l'entretien et à l'espace requis pour leur matériel informatique.

Les autres avantages de la virtualisation

Les bénéfices de la virtualisation dépassent l'unification des serveurs, un avantage décrit dans la section précédente. Le déploiement rapide des applications, l'équilibrage de charge dynamique ainsi que la reprise après sinistre simplifiée s'ajoutent à la liste des avantages de la virtualisation. En effet, cette technologie permet de réduire les délais associés aux tests et au déploiement des applications à quelques heures seulement, alors que ces tâches nécessitent en général quelques jours ou quelques semaines. Comment est-ce possible? La virtualisation permet aux utilisateurs de tester et de certifier les logiciels de manière isolée, mais aussi dans le même environnement que celui de leur travail.

Sous toutes ses formes, la virtualisation représente une technologie de rupture, mais elle est nettement avantageuse. Les entreprises la choisissent d'ailleurs pour un certain nombre d'avantages réels et importants qu'elle offre. Le plus grand incitatif, soit la continuité des activités, s'avère très intéressant. Néanmoins, de nombreux autres avantages en découlent, par exemple la flexibilité et l'agilité accrues, l'unification des serveurs et la diminution des frais administratifs.

Les autres avantages de la virtualisation comprennent toute une gamme d'atouts sur le plan de la sécurité, lesquels découlent de l'établissement d'un environnement informatique centralisé: l'amélioration de la gestion des niveaux de service (c'est-à-dire la capacité à gérer l'attribution des ressources en fonction des niveaux de service pour des applications et des utilisateurs professionnels en particulier), la capacité à faire fonctionner plus facilement les systèmes existants, l'augmentation de la flexibilité dans l'affectation du personnel et la diminution des coûts liés aux logiciels et au matériel informatique.

Afin de réduire ses dépenses, Bell Canada a recours à des serveurs virtuels. Un serveur virtuel emploie le matériel informatique d'un appareil physique; ainsi, il en a l'apparence et peut offrir les services et la capacité de divers serveurs. Avant d'opter pour cette technologie, Bell Canada éprouvait de la difficulté à gérer de façon centralisée des serveurs éloignés géographiquement. De plus, tous ces serveurs étaient sous-utilisés. Les serveurs virtuels offraient donc une solution à ce problème, car ils permettent à plusieurs serveurs éloignés sous-utilisés de fonctionner à partir d'un seul ordinateur physique qui remplit ses fonctions avec une capacité bien plus élevée. Ainsi, le fait de disposer d'un serveur physique plutôt que d'en avoir plusieurs réduit les coûts, étant donné qu'un seul serveur doit être entretenu, mis à jour et sécurisé. De plus, un moins grand nombre de serveurs est requis pour traiter la même charge de travail[23].

Le calcul distribué

Lorsque vous allumez une lampe, le réseau électrique envoie la quantité exacte d'énergie électrique dont vous avez besoin, et il le fait immédiatement. Les ordinateurs et les réseaux peuvent maintenant faire de même grâce au calcul distribué. Le **calcul distribué** constitue un agrégat de ressources de calcul, de stockage et de réseau géographiquement dispersées qui sont coordonnées pour offrir un rendement accru, un service de meilleure qualité, une utilisation plus conviviale et un accès plus facile aux données.

Le calcul distribué rend possible la virtualisation de l'informatique distribuée et des ressources de données, par exemple la capacité de traitement, de la bande passante du réseau et de stockage en vue de créer une seule image du système. Ce faisant, les utilisateurs et les applications jouissent d'un accès direct à une vaste gamme de capacités des TI. La virtualisation de ces ressources donne lieu à un traitement et à un stockage de données que l'entreprise peut utiliser en vue d'accroître son efficacité. En outre, elle aide à générer un avantage concurrentiel durable en simplifiant la conception de produits et en permettant de se concentrer sur le cœur de métier, soit l'activité première de l'entreprise. Avec le temps, le calcul distribué favorise la création d'organisations virtuelles et de services Web évolués à mesure que les partenariats et les collaborations jouent un rôle de plus en plus important dans le renforcement de chacun des maillons de la chaîne de valeur.

Les utilisations possibles du calcul distribué sont nombreuses. Celui-ci est notamment employé dans le monde créatif des films d'animation. D'ailleurs, DreamWorks Animation a eu recours au calcul distribué dans bon nombre de ses films les plus populaires, dont *Fourmiz*, *Shrek*, *Madagascar* ainsi que *Dragons*. Le troisième opus de la série *Shrek* a nécessité plus de 20 millions d'heures de travail informatique (comparativement à 5 millions pour le premier et à 10 millions d'heures pour le deuxième *Shrek*). Au plus fort de la production,

DreamWorks a employé plus de 4 000 ordinateurs pour son calcul distribué, ce qui a permis à la maison de production de terminer certaines scènes du film en quelques jours ou en quelques heures plutôt qu'en plusieurs mois. Grâce à la puissance accrue du calcul distribué, les dessinateurs d'animation de DreamWorks ont pu rendre plus réaliste le mouvement de l'eau, du feu et des scènes de magie (*voir la figure 12.9*). En outre, le calcul distribué permet aux entreprises de travailler plus vite et de manière plus efficace, ce qui ajoute un avantage concurrentiel et donne la possibilité de réaliser des économies[24].

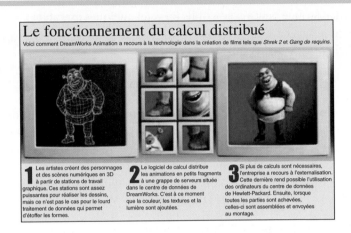

FIGURE 12.9

Utilisation du calcul distribué pour donner naissance à *Shrek*

Les avantages commerciaux du calcul distribué

Au cœur du calcul distribué se trouve un ensemble ouvert de normes et de protocoles (par exemple, Open Grid Services Architecture – OGSA) qui assure la communication entre divers environnements hétérogènes et dispersés géographiquement (*voir la figure 12.10*). Or, grâce au calcul distribué, les organisations peuvent optimiser leurs ressources informatiques et sous forme de données, les mettre en commun pour créer des charges de travail de grande capacité, les distribuer dans l'ensemble des réseaux, puis favoriser les collaborations.

FIGURE 12.10

Virtualisation du calcul distribué

Google, la mystérieuse et extrêmement fructueuse entreprise qui exploite le moteur de recherche du même nom, dont la valeur s'élève à 29,2 milliards de dollars, est une des marques les plus reconnues au monde. Pourtant, l'entreprise traite sélectivement l'information de sa nouvelle architecture de gestion, celle-ci étant basée sur l'un des plus imposants systèmes de calcul distribué existant. Google fonctionne grâce à des centaines de milliers de serveurs (selon une estimation, ce nombre s'élèverait à plus de 900 000) formant des milliers de grappes de serveurs logées dans des dizaines de centres de données situés aux quatre coins du monde. L'entreprise possède des centres de données en Irlande, en Virginie et en Californie. De plus, elle en a récemment ouvert un nouveau à Atlanta et en a construit deux de la taille d'un terrain de football à The Dalles, en Oregon. Puisque Google a dispersé ses serveurs et ses centres de données, l'entreprise est capable de fournir un rendement plus élevé à ses utilisateurs internationaux[25].

Le calcul distribué va bien au-delà de la puissance de calcul brute. En effet, les environnements d'exploitation actuels doivent être plus résilients, flexibles et intégrés que jamais. Partout dans le monde, les organisations bénéficient grandement de la mise en œuvre de grilles informatiques dans des processus d'affaires qui revêtent une importance critique, et ce, dans le but d'en tirer profit sur le plan commercial et technologique. Voici quelques avantages commerciaux que procure le calcul distribué :

- l'amélioration de la productivité et de la collaboration entre, d'une part, les organisations virtuelles et, d'autre part, leurs ressources informatiques et sous forme de données ;

- la création d'organisations virtuelles par des services et des entreprises largement répartis sur le plan géographique, ce qui leur permet de partager des données et des ressources ;
- la création d'architectures opérationnelles robustes, infiniment flexibles et résilientes ;
- l'accès instantané à de considérables ressources informatiques et sous forme de données ;
- la rentabilisation des investissements consentis en capital, ce qui permet d'assurer une utilisation et des coûts optimaux relativement aux capacités informatiques[26].

De nombreuses organisations ont commencé à reconnaître les principaux secteurs dans lesquels le calcul distribué peut s'avérer utile. En voici quelques exemples :

- les services financiers – l'exécution de modèles financiers longs et complexes en vue de prendre de meilleures décisions ;
- les études supérieures – les recherches avancées à fort pourcentage de données ou de calculs ;
- les services techniques – par exemple, dans le domaine de l'automobile et de l'aérospatiale, pour le travail de conception collaboratif et les essais à fort volume de données ;
- le gouvernement – la collaboration et l'agilité tant dans les ministères civils que dans les ministères militaires ou autres agences ;
- les jeux en ligne massivement en mode multijoueur – le remplacement des jeux en ligne à serveur unique par des jeux dans un monde virtuel persistant.

Étant donné le besoin inéluctable d'information en tout temps et en tout lieu, les environnements de calcul distribué sont en plein essor et sont devenus si importants qu'ils sont souvent présentés comme étant la solution informatique la plus puissante du monde.

L'informatique en nuage

Quarante-neuf pour cent des cadres supérieurs perçoivent l'informatique en nuage comme un outil qui a transformé leurs stratégies d'affaires. C'est ce que révèle IDG Enterprise dans son rapport intitulé *Cloud computing trends and future effects report*, paru à la fin du mois de juin 2013. Les coûts liés à l'utilisation du nuage informatique grimpent, et bien que le sondage ait indiqué que les directeurs financiers ne sont toujours pas convaincus que l'informatique en nuage représente une dépense valable, les entreprises y voient certains avantages. Voici quatre autres conclusions que révèle le sondage :

1. Parmi les 51 % de cadres supérieurs qui restent :
   a) 40 % ont demandé aux employés du Service des TI d'évaluer ce que l'informatique en nuage peut apporter à leur entreprise ;
   b) 5 % ne considèrent pas l'informatique en nuage comme une possibilité ;
   c) 6 % ignorent où ils se situent.
2. Les quatre principaux avantages d'investir dans l'informatique en nuage sont :
   a) la continuité des activités d'affaires (43 %) ;
   b) la plus grande flexibilité pour réagir aux changements que connaît le marché (40 %) ;
   c) la rapidité de déploiement (39 %) ;
   d) l'amélioration du soutien ou du service à la clientèle (38 %).
3. Les quatre principaux avantages des applications en nuage sont :
   a) l'accélération de la génération de valeur pour l'entreprise grâce à un accès aux données et aux applications importantes (56 %) ;
   b) l'utilisation de ces applications comme source d'innovation en TI (56 %) ;
   c) l'amélioration de la collaboration entre les employés (54 %) ;
   d) l'augmentation de l'agilité des TI (54 %).
4. Le faible coût total de possession constitue l'argument de vente le plus important de l'informatique en nuage[27].

Imaginez un instant une entreprise cyclique qui se spécialise dans la vente de décorations d'Halloween. Songez à la variation de ses tendances de vente et de ses commandes selon la période de l'année. La majorité des ventes de cette entreprise ont lieu en septembre et en octobre ; les ventes et l'utilisation de son système pendant les 10 autres mois de l'année sont relativement faibles. L'entreprise ne souhaite pas investir dans l'achat de serveurs encombrants et onéreux sur lesquels il s'accumulera de la poussière 10 mois par année, et ce, uniquement pour pouvoir répondre à la demande élevée durant les mois de septembre et octobre. L'informatique en nuage représente donc la solution idéale pour cette entreprise, car elle lui donnera accès à la puissance informatique qui était jadis réservée aux grandes entreprises. Les petites et moyennes entreprises n'ont donc plus à consentir d'énormes investissements en capital pour se munir des mêmes systèmes puissants que possèdent les grandes sociétés.

Vous avez probablement déjà utilisé la technologie de l'informatique en nuage. Les services de messagerie électronique gratuits comme Live et Gmail sont autant d'exemples d'applications en nuage où vous vous servez d'un navigateur Web sur un appareil client pour consulter et gérer vos courriels. L'application de messagerie électronique est installée dans le nuage et est exécutée à partir de celui-ci, c'est-à-dire depuis un serveur régi par un tiers comme Google ou Microsoft. Les données utilisées par l'application, soit vos courriels, sont également stockées sur un serveur. Vous pouvez donc avoir accès à tous vos messages à partir de n'importe quel appareil (par exemple, votre ordinateur portable, le PC de vos parents ou un ordinateur dans un café), car le programme et les données qu'il contient se trouvent sur un serveur dans le nuage informatique. Les applications en nuage les plus récentes proposent des services de stockage et de synchronisation qui s'apparentent à ceux qu'offre Microsoft OneDrive ou qu'on trouve dans une suite bureautique comme Google Docs ou Microsoft Office 365.

Selon l'agence américaine National Institute of Standards and Technology (NIST), l'informatique en nuage représente un modèle d'accès au réseau qui est omniprésent, pratique et sur demande. Elle se caractérise par un bassin partagé de ressources informatiques configurables (par exemple, les réseaux, les serveurs, l'entreposage, les applications et les services) qui peut rapidement être activé et désactivé au moyen d'efforts minimes en matière de gestion ou d'une interaction minimale avec le fournisseur de services. Par ailleurs, l'informatique en nuage offre de nouvelles façons d'avoir accès à de l'information, de l'entreposer, de la traiter et de l'analyser, outre le fait de relier les gens et les ressources partout sur la planète grâce à une simple connexion internet. Comme l'illustre la figure 12.11, les utilisateurs ont accès au nuage à partir de leur ordinateur personnel ou d'un appareil portable qui utilise un logiciel client (tel un navigateur Web). Pour ces utilisateurs individuels, le nuage semble être une application, un appareil ou un document personnel, un peu comme si

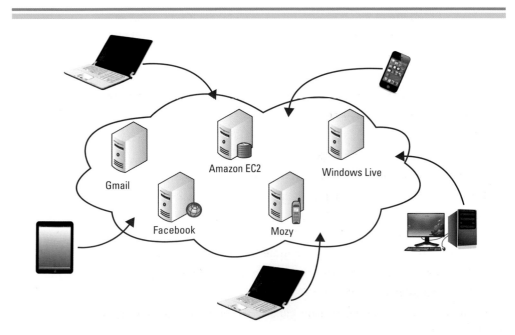

FIGURE 12.11

Exemple d'informatique en nuage

vous versiez tous vos logiciels et tous vos documents dans le nuage et que vous n'aviez besoin que d'un appareil pour accéder à votre contenu. Adieu aux disques durs, aux logiciels et à la puissance de traitement, car tout se trouve maintenant dans le nuage, tout est transparent aux yeux de l'utilisateur. Ce dernier n'est donc plus lié physiquement à un seul ordinateur ou à un réseau unique. Il peut avoir accès à ses programmes et à ses documents où qu'il soit, au moment où il le souhaite. Imaginez que votre disque dur se trouve dans le nuage et que vous pouvez avoir accès à tout votre contenu ainsi qu'à vos programmes à partir de l'appareil de votre choix, où que vous soyez sur la planète. Le plus beau dans tout cela est que si votre appareil tombe en panne, si vous le perdez ou qu'on vous le vole, vos données sont toujours dans le nuage, en sécurité et accessibles en tout temps.

Dans l'informatique en nuage, une **multilocation** signifie qu'une instance unique d'un système est utilisée par plusieurs clients. Dans le nuage, chaque client est qualifié de « locataire », et plusieurs locataires peuvent avoir accès à un même système. Ainsi, une multilocation permet de réduire les coûts opérationnels liés à la mise en œuvre d'énormes systèmes, étant donné que les coûts sont partagés par plusieurs locataires. Ce concept s'oppose à celui de location simple, où chaque client ou locataire doit acheter un système individuel et l'entretenir. Selon l'approche de multilocation, le fournisseur n'a besoin de mettre à jour son système qu'à un seul endroit, alors que dans la location unique, il doit procéder à la mise à jour du système dans toutes les entreprises qui l'ont acheté. Le tissu du nuage (*cloud fabric*) correspond au logiciel qui est à l'origine des avantages que présente l'informatique en nuage, notamment la multilocation. Le tisserand du nuage (*cloud fabric controller*) surveille et dimensionne les ressources du nuage, tout comme un administrateur de serveur dans une entreprise. En outre, le tisserand du nuage dimensionne les ressources, équilibre les charges, assure la gestion des serveurs, met les systèmes à jour et s'assure que tous les environnements sont disponibles et fonctionnent adéquatement. Le tissu du nuage fait en sorte que les données et les applications des entreprises possèdent les sept caractéristiques d'une infrastructure agile : accessibilité, disponibilité, maintenabilité, portabilité, fiabilité, extensibilité et convivialité. À cet égard, la figure 12.12 présente les avantages de l'informatique en nuage.

Le nuage offre aux entreprises une disponibilité, une fiabilité et une accessibilité accrues, le tout à l'aide d'un accès Internet haute vitesse. Quant à la flexibilité, à l'extensibilité et à la rentabilité, il s'avère que l'informatique en nuage devient une option de plus en plus valable pour les entreprises, que celles-ci soient petites ou grandes. Grâce au nuage, il vous suffirait, par exemple, de vous procurer une seule licence pour un logiciel comme Microsoft Office ou Outlook à tarif réduit et vous n'auriez pas à vous casser la tête avec l'installation du logiciel sur votre ordinateur ou avec sa mise à jour. Le risque de manquer de mémoire n'existe plus, car le matériel informatique est contenu dans le nuage, de même que le logiciel. Vous n'avez qu'à payer pour accéder à l'application. Le principe est identique à votre service de téléphonie. Vous payez uniquement à l'utilisation du service et vous n'avez pas à acheter l'équipement qui transmet votre appel à l'autre bout du monde. Vous n'avez pas non plus à vous soucier de

FIGURE 12.12

Avantages de l'informatique en nuage

Libre service sur demande	Accès global au réseau	Multilocation
Les utilisateurs peuvent accroître leur espace de stockage et la puissance de traitement au besoin.	Il est possible d'accéder aux données et aux applications à partir de n'importe quel appareil.	Les clients partagent un bassin de ressources en informatique.

Élasticité rapide	Mesure des services
L'espace de stockage, la bande passante du réseau et la puissance de calcul peuvent être augmentés ou réduits sans délai pour une extensibilité optimale.	Les clients peuvent surveiller leurs transactions et mesurer leur utilisation des ressources.

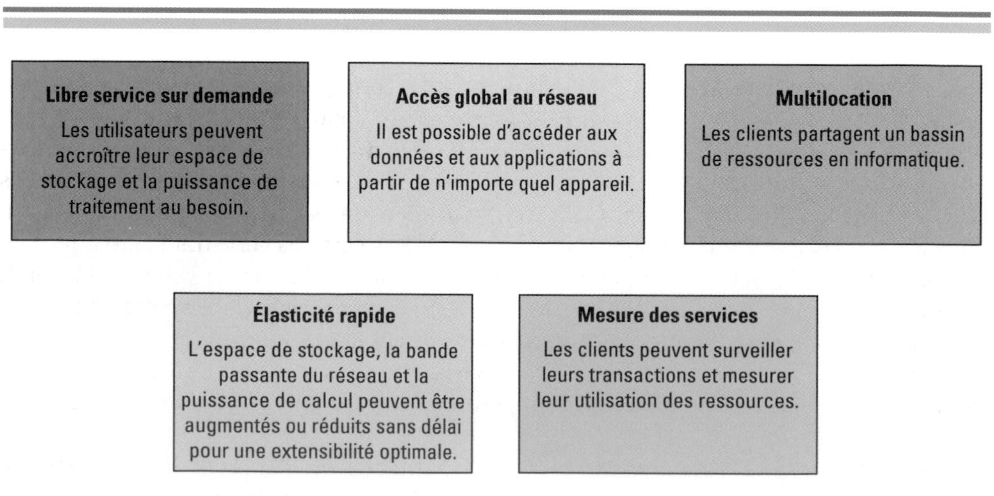

l'extensibilité du système, car ce dernier gère automatiquement les charges de pointe, lesquelles sont réparties parmi les systèmes du nuage. Comme d'autres ressources d'informatique en nuage sont toujours disponibles, les entreprises n'ont plus à acheter un système qui sert à effectuer une tâche rare qui nécessite une énorme puissance de traitement (par exemple, la préparation des déclarations de revenus pendant la période des impôts ou l'accroissement du nombre de transactions possibles à l'occasion de certaines fêtes). Si une entreprise nécessite une plus grande puissance de traitement, celle-ci est disponible en tout temps et à des conditions avantageuses. En effet, avec l'informatique en nuage, les individus comme les entreprises paient uniquement pour les services dont ils ont besoin, au moment et à l'endroit où ils en ont besoin, de la même façon qu'on utilise de l'électricité qu'on paie ensuite. Autrefois, les entreprises devaient investir des millions de dollars en matériel informatique, en logiciels, en pièces d'équipement pour les réseaux afin de mettre en œuvre de lourds systèmes comme ceux de gestion de la paie ou des ventes. Maintenant, un utilisateur de l'informatique en nuage peut accéder simplement au nuage et demander une licence pour une application du genre. Il n'a donc pas besoin de dépenser pour du matériel informatique, des logiciels ou la création d'un réseau. Et à mesure que l'entreprise croît et que l'utilisateur souhaite que ses employés aient accès au système, ce dernier n'a qu'à acheter d'autres licences. Ainsi, plutôt que d'exécuter un logiciel sur un ordinateur ou un serveur local, les entreprises peuvent maintenant faire appel au nuage pour allier des applications logicielles et du stockage de données en profitant d'une grande puissance de calcul. En outre, l'informatique à la demande propose un modèle de revenus facturé à l'utilisation semblable au service d'électricité ou de gaz mesuré au compteur. Or, bon nombre de fournisseurs de services d'informatique en nuage présentent une infrastructure d'informatique en nuage à la demande. À cet effet, les modèles de prestation de services sont présentés à la figure 12.13.

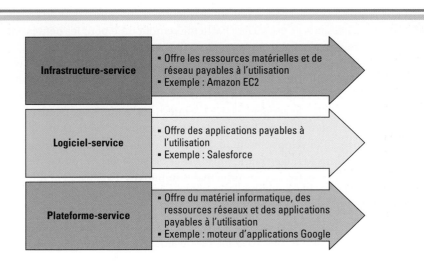

FIGURE 12.13

Modèles de prestation de services d'informatique en nuage

L'**infrastructure-service** offre du matériel de mise en réseau, notamment des serveurs, des ressources réseaux et de l'espace de stockage par l'entreprise de l'informatique en nuage. Le tout est payable à l'utilisation. Avec l'infrastructure-service, le client loue le matériel informatique et fournit ses propres applications et programmes personnalisés. Les clients économisent, car ils n'ont pas besoin d'acheter des serveurs dispendieux, ce qui constitue un avantage non négligeable étant donné que certains serveurs coûtent plus de 100 000 $. Généralement, le client paie selon son utilisation du service, comme il le ferait pour un service public comme l'électricité ou le gaz. L'infrastructure-service constitue une solution rentable pour les entreprises dont les ressources informatiques varient en fonction de la demande. Ce concept est appelé «extensibilité dynamique», ce qui signifie que l'infrastructure du système d'information peut être augmentée ou réduite selon les exigences requises.

Actuellement, l'infrastructure-service la plus populaire est l'Amazon Elastic Compute Cloud, Amazon (EC2) ou tout simplement EC2. L'EC2 propose une interface Web à partir de laquelle les clients peuvent charger et faire fonctionner leurs propres applications sur un ordinateur Amazon. Les clients gèrent eux-mêmes leur environnement d'exploitation, donc ils peuvent créer des services, les exécuter et les interrompre à leur guise. C'est d'ailleurs pour cela qu'Amazon qualifie son système d'« élastique ». L'infrastructure-service représente le choix idéal pour les entreprises dont les projets sont à prédominance de recherche et qui doivent traiter de grandes quantités de données à intervalles irréguliers, comme celles qui évoluent dans le domaine scientifique ou médical, par exemple. Les services d'informatique en nuage permettent aux entreprises de réaliser de grandes économies et de procéder à des tests et à des analyses impossibles à réaliser sans avoir accès à une infrastructure supplémentaire très onéreuse.

Le **logiciel-service** offre des applications payables à l'utilisation par l'entremise de l'informatique en nuage. Avant l'apparition du logiciel-service, les entreprises dépensaient des montants faramineux en mise en œuvre ainsi qu'en personnalisation d'applications spécialisées afin de répondre aux exigences commerciales. Or, bien des applications s'avéraient difficiles à implanter, leur entretien était onéreux et leur utilisation complexe. Pour les fournisseurs de services d'informatique en nuage, la convivialité représentait donc le principal moteur de l'intérêt et de la réussite de cette technologie.

Le logiciel-service présente nombre d'avantages, le principal étant les précieuses économies qu'il permet de réaliser. En effet, le logiciel est payable à l'utilisation uniquement, sans coût initial. Ainsi, les entreprises bénéficient immédiatement de l'avantage qui consiste à réduire leurs dépenses d'investissement. Elles bénéficient également d'une grande extensibilité et flexibilité, car elles peuvent essayer de nouveaux logiciels en location. La société Salesforce est un des fournisseurs de logiciel-service les plus populaires. Cette entreprise a conçu et proposé une application d'automatisation de la force de vente qui convient parfaitement au représentant qui automatise certaines fonctions, dont le repérage de clients éventuels et les prévisions financières. En outre, tirer profit de la puissance du logiciel-service permet aux entreprises d'accéder à une infrastructure sécuritaire à grande échelle ainsi qu'à tout le soutien nécessaire, ce qui s'avère particulièrement utile pour les petites entreprises ou celles qui démarrent et disposent de ressources financières limitées.

La **plateforme-service,** quant à elle, propose le déploiement de systèmes en entier. Elle comprend le matériel informatique, les ressources réseaux ainsi que les applications. Le tout est également payable à l'utilisation. La plateforme-service représente la solution idéale, car elle laisse le fournisseur de services régler les questions complexes relatives à l'achat, à la gestion ainsi qu'à l'entretien du logiciel de développement Web. Dans le modèle de la plateforme-service, le développement, le déploiement, la gestion et l'entretien sont autant d'étapes réalisées dans le nuage par le fournisseur de services, ce qui permet à l'entreprise de concentrer ses ressources sur ses principales initiatives d'affaires. Par ailleurs, toutes les composantes du développement d'un système, y compris le logiciel de création et le matériel informatique nécessaire pour le faire fonctionner, se trouvent dans le nuage. Ainsi, la plateforme-service permet aux entreprises de réduire leurs frais d'exploitation et d'accroître leur productivité en leur offrant les avantages suivants sans coût initial :

- une sécurité accrue ;
- un accès au contenu de partout, en tout temps ;
- la gestion de l'information centralisée ;
- une collaboration facile avec les partenaires, les fournisseurs et les clients ;
- une commercialisation plus rapide à moindre coût.

Une des plateformes-services les plus populaires est le moteur d'application de Google, qui conçoit et déploie des applications Web à l'intention des entreprises. Le moteur d'application de Google est facile à développer, à entretenir et à adapter aux besoins croissants de l'application Web de l'entreprise. Ce moteur d'application est gratuit, il propose une limite de stockage standard ainsi qu'une puissance de traitement et une utilisation du réseau qui sont suffisantes pour pouvoir accueillir une application Web d'environ cinq millions de pages vues par mois. Lorsqu'un client dépasse ces valeurs de base, il peut payer un supplément pour accroître la capacité et la performance de son application Web. Cette solution permet donc aux petites entreprises de réaliser d'énormes économies si ces dernières ne disposent pas d'un capital initial suffisant pour acheter le matériel informatique et les logiciels nécessaires à la création de ses applications Web. Pensez-y un instant, une entreprise formée de deux personnes peut avoir accès aux mêmes ressources informatiques que Google! C'est tout à fait sensé sur le plan commercial. Par ailleurs, quel que soit le modèle d'informatique en nuage choisi, quatre environnements s'offrent à l'entreprise : le nuage public, le nuage privé, le nuage communautaire et le nuage hybride (*voir la figure 12.14*).

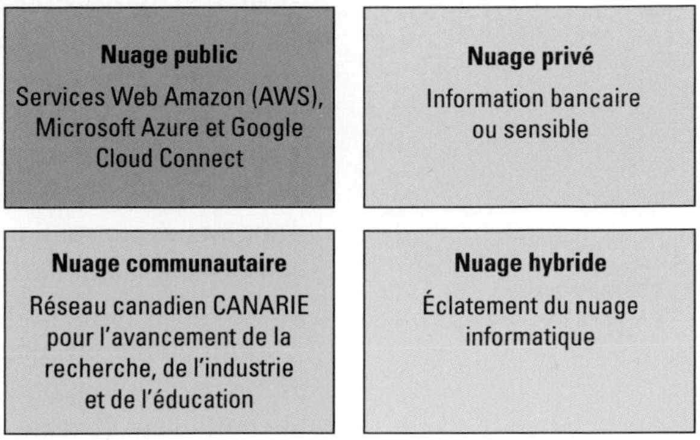

Le **nuage public** assure la promotion des applications massives, mondiales ou à l'échelle de l'industrie offertes à la population en général. Dans le nuage public, les clients n'ont jamais à redimensionner, à gérer, à mettre à jour ou à remplacer un logiciel ou le matériel informatique. Les coûts sont établis d'une manière semblable à ceux des services publics, c'est-à-dire que le client ne paie que pour les ressources qu'il a utilisées. Voici quelques exemples d'environnements publics : les services Web d'Amazon (AWS), Microsoft Azure et Google Cloud Connect.

Le **nuage privé** n'est offert qu'à un seul client ou à une seule organisation. Il peut être installé ou non dans les locaux du client. Le nuage privé constitue la meilleure solution dans le cas des organisations gouvernementales pour qui la sécurité des données et la confidentialité revêtent une importance capitale. Les nuages privés sont bien plus coûteux que les nuages publics, car les coûts ne sont pas répartis sur plusieurs clients.

Le **nuage communautaire,** quant à lui, dessert une communauté dans laquelle les modèles d'entreprise de même que les exigences en matière de sécurité et de conformité sont les mêmes. Les nuages communautaires commencent à faire leur apparition dans les industries fortement réglementées telles que les services financiers et les entreprises pharmaceutiques.

Le **nuage hybride** comprend au moins deux nuages privés, publics ou communautaires. Cependant, les nuages fonctionnent séparément et ne sont reliés que par la technologie qui assure la portabilité de leurs données et de leurs applications. Par exemple, une entreprise pourrait avoir recours à un nuage privé pour les applications d'importance capitale qui contiennent des données sensibles ainsi qu'à un nuage public pour les autres données. L'utilisation conjointe d'un nuage privé et d'un nuage public constitue un exemple de nuage hybride. L'éclatement du nuage informatique survient lorsqu'une entreprise emploie sa propre infrastructure pour une utilisation normale et fait appel à l'informatique en nuage lorsqu'elle doit s'adapter dans une période de pointe afin de s'assurer qu'une utilisation accrue du système n'entraîne ni ralentissement ni faille.

Le déploiement d'une infrastructure d'un système d'information dans le nuage informatique change pour toujours la façon dont les SIG d'une organisation sont conçus, déployés, entretenus et gérés. Passer à l'informatique en nuage constitue un changement fondamental d'un monde physique à un monde logique, ce qui enlève toute pertinence à la notion de serveur individuel dans lequel sont stockées des applications et des données. Il en résulte que les organisations et les services informatiques doivent changer leur perception des SIG et des nouvelles occasions d'affaires pour bénéficier d'un avantage concurrentiel.

Il existe de nombreux avantages pour les organisations à passer à l'informatique en nuage. Premièrement, les employés ont accès aux applications et aux données à partir de n'importe quel appareil client muni d'une connexion Internet. Deuxièmement, les économies réalisées sont appréciables. En effet, l'informatique en nuage élimine le besoin d'acheter des logiciels et des licences d'utilisation pour leurs applications. Elle réduit également le nombre d'employés nécessaires à l'installation du logiciel dans les ordinateurs et les portables du personnel. De plus, l'informatique en nuage réduit le besoin, pour l'entreprise, de se procurer des appareils clients puissants, étant donné que la majeure partie de la puissance de traitement réside dans le serveur et non dans l'appareil. En outre, les organisations n'ont plus besoin d'investir autant dans la mémoire numérique et dans les serveurs pour stocker leurs données et faire fonctionner leurs applications, car tout cela est offert dans le nuage. De cette façon, les entreprises qui optent pour l'informatique en nuage évitent bien des dépenses d'investissement, car elles louent, en quelque sorte, des applications et de l'espace de stockage auprès d'un tiers. Donc, grâce à cette approche, les organisations consomment des ressources sous forme de services et ne paient que pour celles qu'elles utilisent.

FIGURE 12.14

Environnements d'informatique en nuage

Nuage public	Nuage privé
Services Web Amazon (AWS), Microsoft Azure et Google Cloud Connect	Information bancaire ou sensible

Nuage communautaire	Nuage hybride
Réseau canadien CANARIE pour l'avancement de la recherche, de l'industrie et de l'éducation	Éclatement du nuage informatique

Toutefois, l'informatique en nuage ne présente pas que des avantages. Un des inconvénients de cette approche est la perte de maîtrise des applications utilisées. L'entreprise est à la merci du fournisseur de services qui est libre de modifier comme il l'entend le logiciel ainsi que la disponibilité de ce dernier. Autre désavantage, les données sont hébergées physiquement sur les serveurs du fournisseur et non sur un serveur que possède l'organisation. Donc, les organisations doivent avoir suffisamment confiance en leur fournisseur de services informatiques en nuage ainsi qu'en la confidentialité et en la sécurité des données que ce dernier peut leur offrir. Bon nombre de cadres hésitent d'ailleurs à profiter des avantages de l'informatique en nuage en raison du manque de maîtrise des données et des renseignements de leur entreprise. Autre question pertinente : à qui appartiennent réellement les données stockées dans le nuage ? À l'entreprise ou au fournisseur ? En théorie, le fournisseur peut refuser l'accès de l'entreprise aux données de celle-ci.

Malgré ces inconvénients, Gartner Inc. prévoit que l'informatique en nuage deviendra l'approche informatique présentant la croissance la plus forte avec une taille du marché projetée d'une valeur de 210 milliards en 2016. En outre, des éditeurs logiciels tels que Salesforce, Microsoft et Google offrent tous des applications logicielles dont l'infrastructure est basée sur l'informatique en nuage. Une des plus connues est certainement Google Docs, une suite bureautique comportant des applications comme des tableurs, des calendriers et des logiciels de traitement de texte.

Sachez que l'informatique en nuage est intimement liée au calcul distribué. Dans le calcul distribué, des ordinateurs en réseau ont accès aux ressources des autres ordinateurs du réseau de l'entreprise et peuvent les utiliser. Pour ce qui est de l'informatique en nuage, cet accès est réservé aux autres ordinateurs du nuage (et non aux appareils clients qui ont accès au nuage)[28].

RETOUR SUR LA MISE EN CONTEXTE

L'informatique en nuage au Canada

5. Expliquez les avantages liés au fait d'opter pour une architecture d'informatique en nuage.
6. Expliquez les principaux incitatifs opérationnels de l'informatique en nuage.
7. De quels avantages commerciaux les entreprises canadiennes pourraient-elles bénéficier si elles optaient pour le calcul distribué ?
8. De quels avantages commerciaux les entreprises canadiennes pourraient-elles bénéficier si elles optaient pour la virtualisation ?

RÉSUMÉ

L'objectif du présent chapitre était de vous donner un aperçu détaillé des types d'architecture d'entreprise et des diverses activités entourant l'entretien et la maintenance réguliers de l'architecture d'une organisation. Il faut noter que bien des organisations accordent de nos jours une attention particulière à leur architecture d'entreprise, étant donné que cette dernière constitue les fondements qui soutiennent les systèmes d'information. De plus, l'architecture d'entreprise fait partie intégrante de la stratégie d'entreprise générale et de l'avantage concurrentiel de l'organisation. Plus particulièrement, le présent chapitre aborde les sujets suivants :

■ L'architecture d'entreprise et la façon dont les préoccupations mondiales risquent d'augmenter le nombre de défis que pose la gestion de l'architecture d'entreprise.

L'architecture d'entreprise correspond à l'ensemble des plans qui précisent de quelle façon une organisation veut constituer, déployer, utiliser et partager ses données, ses procédés et ses biens en TI. En outre, une architecture d'entreprise présente des avantages commerciaux dont la normalisation des systèmes matériel et logiciel à l'échelle de l'entreprise, la réduction des coûts, la réutilisation des ressources en TI et l'accélération de l'élaboration de nouveaux systèmes. Par contre, des facteurs politiques et culturels augmentent la difficulté de mettre en œuvre de façon réussie une architecture d'entreprise complexe sur le plan technique au sein d'organisations internationales.

■ Les caractéristiques de l'infrastructure agile d'un système d'information de gestion (SIG).

L'infrastructure agile d'un SIG correspond à l'ensemble formé du matériel, des logiciels et de l'équipement de télécommunications qui constitue la base sur laquelle s'appuie une organisation pour atteindre ses objectifs. L'infrastructure doit être accessible, disponible, maintenable, extensible, fiable, portable, conviviale et elle doit offrir un rendement intéressant.

■ La valeur commerciale d'une architecture orientée services (AOS).

Une AOS est une approche, en architecture des TI de gestion, qui tend à intégrer les activités d'affaires en tant que tâches ou services répétables et interreliés. Ces services communiquent entre eux en vue de créer une application logicielle fonctionnelle. Les avantages d'une telle architecture résident dans le fait que celle-ci permet aux entreprises d'offrir de nouveaux services ou de mettre à jour les services existants de façon granulaire et de surmonter les problèmes d'incompatibilité entre les logiciels ou les ressources informatiques.

■ L'environnement virtuel et ses avantages commerciaux.

Dans un environnement virtualisé, les fonctions logiques du système informatique sont séparées de leurs fonctions physiques. Cet environnement permet donc une utilisation plus efficace des ressources et une maximisation des investissements consentis en ressources TI.

■ Les avantages commerciaux du calcul distribué et de l'informatique en nuage.

Le calcul distribué constitue un agrégat de ressources géographiquement dispersées qui sont coordonnées pour offrir un rendement accru et un service de meilleure qualité. Le calcul distribué permet aux organisations d'optimiser leurs calculs; il permet de répartir la charge de travail entre les diverses ressources géographiquement dispersées. L'informatique en nuage est un type d'informatique client-serveur où les applications et les données sont disponibles dans Internet, et où les clients légers disposent d'une utilisation minimale d'un logiciel, par exemple un navigateur Web, pour avoir accès aux applications ainsi qu'aux données dont ils ont besoin. Cette architecture offre un accès pratique et bon marché à un contenu disponible par l'entremise de n'importe quel appareil muni d'une connexion Internet.

ÉTUDE DE CAS 12.1

La virtualisation à la Commission de la sécurité professionnelle et de l'assurance contre les accidents du travail de l'Ontario

Cette étude de cas illustre comment une infrastructure virtuelle peut profiter aux opérations d'une organisation.

Le rôle de la Commission de la sécurité professionnelle et de l'assurance contre les accidents du travail (CSPAAT) de l'Ontario, située à Toronto, est de promouvoir la santé et la sécurité au travail. La commission offre également aux travailleurs et aux employeurs de cette province un système de rémunération. En 2009, la CSPAAT a lancé un projet appelé « Tolérance zéro, pour que cessent les décès, les blessures et les maladies en milieu de travail » (*Road to Zero, the elimination of all workplace fatalities, injuries and illnesses*). Afin de soutenir ce projet, la CSPAAT a offert des prestations d'invalidité, a facilité le retour au travail des victimes et a mis en œuvre des programmes éducatifs en vue d'aider les entreprises à améliorer leurs pratiques en matière de sécurité dans le milieu de travail.

La CSPAAT développe, crée et entretient un logiciel qui traite environ 340 000 déclarations par année et dont dépendent plus de 4 300 employés. En outre, 200 membres du personnel comptent sur ce logiciel pour offrir des programmes de sécurité en milieu de travail.

Le centre de données de la commission héberge environ 200 serveurs dont le taux d'utilisation s'élève approximativement à 12 %. Or, le centre de données arrive à saturation, et la commission doit réduire ses dépenses afin d'investir les fonds disponibles dans un programme de prévention des blessures. Il fallait donc que la commission intervienne.

À partir de 2007, la CSPAAT a commencé à envisager la virtualisation comme une possible solution à son problème de stockage ainsi que pour se préparer à son changement de mission de 2009. En 2007, l'objectif était de virtualiser 35 % du centre de données pour atteindre 50 % en 2008 grâce à la mise en œuvre d'un environnement virtuel de Microsoft. Selon la commission, cette mise en œuvre entraînerait une économie immédiate de 300 000 $ sur les coûts d'autorisation d'exploitation ainsi que de meilleurs résultats.

Les dirigeants jugent que cette amélioration des résultats découlerait des autres avantages de la virtualisation, notamment le dimensionnement rapide des environnements d'essai et de développement, la libération d'espace dans le centre de données et l'augmentation de l'efficacité de ce dernier en faisant passer le taux d'utilisation de 12 à 70 %. Des mesures immédiates ont également été prises pour réduire le nombre de serveurs physiques de 25 à 35 %.

La commission croyait fermement qu'une plus grande efficacité du centre de données, une réduction du nombre de serveurs et une amélioration de la cohérence de l'interface utilisateur permettraient de réduire les coûts associés au centre de données. En effet, une plus grande cohérence de l'interface utilisateur donnerait la possibilité de réduire les coûts de formation du personnel ainsi que de réaliser des économies grâce à un mode de gestion du cycle de vie efficace. De plus, la CSPAAT a affirmé que les développeurs étaient en mesure de mettre à jour rapidement son logiciel, ce qui améliorerait le service des demandes de règlement ainsi que le programme de sécurité des travailleurs. La CSPAAT a poursuivi ses démarches en 2013 avec la virtualisation de sa mémoire à l'aide d'une solution de stockage centralisé homogène[29].

Questions

1. Examinez les sept caractéristiques de l'infrastructure agile d'un SIG et classez-les selon leur effet possible sur la CSPAAT.

2. Quelles précautions la commission devrait-elle prendre pour s'assurer que son environnement virtuel est sécuritaire à 100 % ?

3. Si la CSPAAT opte pour une virtualisation complète de son centre de données, quelles autres préoccupations que celles qui concernent la sécurité devra-t-elle prendre en compte ?

4. Expliquez comment le centre de données a favorisé la nouvelle mission de la commission.

5. De quelle façon la CSPAAT pourrait-elle tirer profit de l'informatique en nuage ou du calcul distribué pour pousser sa stratégie d'entreprise plus loin ?

ÉTUDE DE CAS 12.2

Pandora et sa boîte à musique

Cette étude de cas montre de quelle façon une infrastructure informatique adéquate peut profiter à une organisation.

Napster a été un des premiers fournisseurs de musique en ligne. De nombreuses autres entreprises ont tenté légalement de se lancer sur le marché de la musique en ligne, mais la plupart ont connu peu de succès. Toutefois, la webradio Pandora est l'exception qui confirme la règle. Pandora offre à ses utilisateurs la possibilité de choisir des artistes ou des genres musicaux à partir desquels ils se créent des listes d'écoute personnalisées. Selon l'évaluation des suggestions de pistes semblables de Pandora par les utilisateurs, le site « comprend » les préférences musicales des auditeurs et se sert de ces renseignements afin de créer pour chacun d'eux une expérience musicale unique. De plus, Pandora dirige ses auditeurs vers un contenu personnalisé offert par ses annonceurs dans le contexte du programme *Promoted Stations*.

Le Music Genome Project (MGP) se trouve au cœur de Pandora, un jukebox informatisé qui compte plus de 700 000 œuvres musicales provenant de 80 000 artistes. De nouvelles pistes sont ajoutées chaque jour à ce jukebox. Chaque sélection faite dans le MGP est classée selon des centaines de caractéristiques, dont le nom de l'artiste, le genre musical, la mélodie, l'harmonie, le rythme, la forme, la composition et les paroles. Par exemple, si quelqu'un recherche une chanson présentant un certain rythme ou veut connaître les paroles d'une chanson, Pandora est en mesure de trouver l'information. L'entreprise compte 50 employés dont l'unique tâche consiste à écouter et à analyser de la musique en vue d'attribuer à chaque piste plus de 400 caractéristiques.

Allier l'informatique à la connectivité

Pandora est l'exemple parfait de l'informatique en nuage en raison de trois tendances principales :

1. L'informatique et la connectivité peuvent maintenant s'unir sans devoir être liées à un seul emplacement. Il

s'agit là d'une des forces de rupture les plus importantes de l'ère moderne qui redéfinira le modèle d'entreprise pour les décennies à venir.

2. Internet mobile est maintenant omniprésent.

3. L'accès à des ordinateurs bon marché qui bougent sans arrêt – les téléphones intelligents – permet à des logiciels sophistiqués de remplir des tâches complexes de façon mobile.

Pandora planifie de façon stratégique de toucher un public large et international en s'incorporant à toutes sortes d'appareils électroniques munis d'une connexion Internet qui pourront accéder directement à ses services grâce à l'informatique en nuage. Ainsi, l'offre musicale de Pandora est maintenant intégrée dans tous les appareils, de la télévision LED aux lecteurs Blu-ray en passant par les cadres numériques. Les clients peuvent donc écouter Pandora dans leur lecteur Blu-ray, leur iPod, leur iPhone, leur BlackBerry et bientôt dans leur voiture, car Pandora sera installée sur certains modèles.

L'équipe Pandora imagine pouvoir entendre Pandora partout et permettre aux utilisateurs de créer jusqu'à 100 stations musicales où les possibilités sont pratiquement infinies. Depuis la fondation de l'entreprise en 2000, plus de 50 millions d'auditeurs se sont créé un compte sur le site Pandora, nombre auquel plusieurs milliers s'ajoutent tous les jours. L'abonnement de base est gratuit et comprend une pause publicitaire ou deux à l'occasion. Les membres ont droit à 40 heures d'écoute de leurs stations personnalisées par mois. Au-delà de ce nombre, ils peuvent bénéficier d'un nombre d'heures d'écoute illimité pour 0,99 $ par mois. Dans le but d'aller encore plus loin, les membres peuvent se créer un compte Pandora One pour 36 $ par année, ce qui donne droit à un nombre d'heures d'écoute illimité, aucune publicité ainsi qu'un son d'une plus grande qualité que celui qui est offert avec les autres abonnements. Le moteur de l'entreprise est sans contredit sa précieuse clientèle, mais également la solide infrastructure de son système d'informatique de gestion, qui favorise la croissance de Pandora, ses opérations ainsi que la réalisation de ses profits. Jusqu'à présent, les investissements de Pandora relativement à son infrastructure ont donné d'excellents résultats, outre le fait d'avoir donné lieu à des occasions futures. L'entreprise peut maintenant développer de nouvelles applications qui soutiennent leurs principales fonctions plus rapidement que jamais. Et puisque Pandora se trouve dans le nuage, son infrastructure agile est accessible, disponible, maintenable, portable, fiable, extensible et conviviale et, qui plus est, elle satisfait les besoins de sa clientèle toujours croissante[30].

Questions

1. Énumérez les façons dont l'infrastructure agile a permis de soutenir Pandora.

2. Expliquez les raisons pour lesquelles Pandora pourrait souhaiter établir un plan de reprise après sinistre et un plan de la continuité des activités.

3. Appliquez le concept d'informatique en nuage au modèle d'entreprise de Pandora.

4. Expliquez de quelle manière Pandora pourrait tirer profit du calcul distribué.

5. Évaluez le recours à la virtualisation pour favoriser la croissance de Pandora dans le respect de l'environnement.

ÉTUDE DE CAS 12.3

Le US Open soutient l'architecture orientée services

Cette étude de cas montre de quelle façon une organisation peut mettre l'AOS au profit de ses activités commerciales.

Le US Open est un championnat de tennis commandité par la United States Tennis Association (USTA), un organisme à but non lucratif comptant plus de 665 000 membres. La totalité des revenus est ensuite investie dans la promotion de ce sport. Au dernier dénombrement, plus de cinq millions de personnes ont regardé le tournoi en ligne.

La USTA a conçu un système de pointage intégré spécialement pour le US Open qui permet de recueillir des données provenant de tous les terrains de tennis, de les stocker, puis de les faire parvenir au site officiel du championnat (www.usopen.org). La capacité du système à distribuer immédiatement de façon simultanée 156 millions de données actualisées illustre bien comment la USTA a su tirer profit de l'AOS pour atteindre des objectifs. Ce type d'architecture a permis à l'association de se servir du système qu'elle possédait déjà pour satisfaire davantage les besoins de ses clients et de ses partenaires et pour mieux s'aligner sur ceux-ci.

Par exemple, durant toutes les parties, les arbitres utilisent un appareil précis qui leur permet de suivre le pointage. Cet appareil alimente une base de données qui répertorie tous les pointages du tournoi. À partir de là, les données sur le pointage, qui changent constamment, sont acheminées vers de nombreux serveurs auxquels il est possible d'accéder à partir du site Web du US Open. Ainsi, lorsqu'un visiteur se rend sur la page Web au www.usopen.org, puis clique sur le lien « Live Scores », il peut voir le tableau des résultats des 18 terrains, qui est mis à jour en temps réel. Ce tableau est ensuite utilisé pour présenter instantanément le pointage sur les pages « On Demand Scoreboards » (tableau des résultats sur demande) et « Matches in Progress » (parties en cours) du site.

Le pointage et les statistiques peuvent également être consultés et comparés en un instant avec les US Open précédents et les championnats s'y apparentant. De plus, l'AOS contribue au soutien de l'intégration des données et des statistiques qui ont trait au tournoi, notamment le nombre de points de chaque joueur en comparaison avec les résultats présents et passés de leurs concurrents.

Relier toutes les données du tournoi entre elles et présenter le pointage en temps réel nécessite une infrastructure sophistiquée à laquelle il doit être possible d'accéder facilement. De plus, elle doit être simple à comprendre pour les membres de la USTA, car bon nombre d'entre eux ne sont pas des spécialistes des TI. La USTA en est aux premières étapes de l'AOS, et son site Web sera bientôt en mesure de répondre aux besoins d'un nombre croissant d'amateurs de tennis des quatre coins du monde.

Le US Open constitue le plus important événement sportif annuel, et son site Web se classe parmi les cinq sites Web d'événements sportifs les plus consultés. Année après année, le site connaît une augmentation de son trafic de 62 %

et compte 5 millions d'utilisateurs différents, 27 millions de visites et 79 000 tableaux de pointage simultanés en temps réel. Comme l'AOS est extensible et flexible, elle peut facilement répondre aux exigences du site www.usopen.org en perpétuel changement et du lourd trafic prévu, étant donné les 27 millions de visites sur le site, d'autant plus que chaque visiteur passe près d'une heure et demie sur le site[31].

Questions

1. Examinez les sept caractéristiques de l'infrastructure agile d'un SIG et classez-les selon leur effet possible sur le site Web www.usopen.org.

2. Quelles sont les préoccupations de la USTA au sujet de la sécurité relativement à l'interopérabilité entre la base de données du tournoi et son site Web ?

3. Comment la USTA pourrait-elle tirer profit de la virtualisation ?

4. Expliquez l'avantage de l'intégration des données du tournoi au site Web de la USTA.

5. Pourquoi une augmentation soudaine de l'utilisation du serveur pendant le US Open risquerait-elle d'être catastrophique pour la USTA ?

6. Pourquoi le couplage lâche constitue-t-il un élément essentiel à l'architecture de la USTA ?

MES DÉCISIONS D'AFFAIRES

1. L'achat d'un ordinateur

Dell se spécialise dans la personnalisation d'ordinateurs. Rendez-vous sur le site de Dell à l'adresse www.dell.ca. Accédez à la page où vous pouvez personnaliser un ordinateur portable ou de bureau. Tout d'abord, cliquez sur un système déjà offert et notez son prix, la vitesse de son processeur, sa mémoire vive, les particularités de son moniteur et la capacité de mémoire. Ensuite, personnalisez le système : augmentez la vitesse du processeur, ajoutez de la mémoire vive, optez pour un moniteur plus grand et de meilleure qualité et choisissez une capacité de mémoire plus grande. Quelle différence de prix y a-t-il entre les deux ? Quel système correspond le mieux à votre budget ? Quel système offre la performance et la capacité dont vous avez besoin ?

2. Les cellulaires munis d'une connexion Internet

Lorsqu'on classe les ordinateurs selon leur taille pour une utilisation personnelle, on s'en tient aux tablettes, aux ordinateurs portables ainsi qu'aux ordinateurs de bureau. Il existe toutefois d'autres variantes, notamment le

téléphone intelligent et l'ordinateur ultraportable comme le Netbook. Dans le contexte du présent projet, vous devez former un groupe de quatre personnes que vous subdiviserez en deux équipes de deux. Invitez la première équipe à effectuer une recherche sur les téléphones intelligents, leur capacité et leur prix. Demandez à cette équipe de formuler une recommandation d'achat en fonction de ces deux critères. Invitez la seconde équipe à faire de même, mais pour l'ordinateur ultraportable. Comment l'avenir se dessine-t-il ? Nous débarrasserons-nous un jour des ordinateurs portables et de bureau encombrants pour choisir des appareils moins dispendieux et d'une plus grande portabilité comme les téléphones intelligents et les ordinateurs ultraportables ? Expliquez votre réponse.

3. Les ordinateurs des petites entreprises

De nombreux types d'ordinateurs sont à la disposition des petites entreprises. Servez-vous d'Internet pour trouver trois vendeurs d'ordinateurs portables ou de bloc-notes électroniques qui conviendraient à une petite entreprise. Pour chaque vendeur, cherchez le modèle le plus onéreux et le plus économique et produisez un tableau afin de comparer les appareils. Le tableau doit décrire les éléments suivants :

- le processeur ;
- la mémoire ;
- le disque dur ;
- le lecteur optique ;
- le système d'exploitation ;

- les logiciels utilitaires ;
- l'application logicielle ;
- le soutien technique.

Quel ordinateur recommanderiez-vous à une petite entreprise qui recherche : a) un ordinateur portable bon marché ? b) un ordinateur portable haut de gamme ?

NOTES DE FIN DE CHAPITRE

1. Giest, Michael. (2014, 7 mars). Time for consumers to think local for cloud computing: Geist. Repéré le 6 mars 2015 à www.thestar.com/business/2014/03/07/time_for_consumers_to_think_local_for_cloud_computing_geist.html ; Maimona, Mashoka. (2013, 11 juin). Canadian businesses still searching for silver lining in cloud: IDC-Telus report. Repéré le 18 mai 2014 à http://business.financialpost.com/2013/06/11/canadian-businesses-still-searching-for-silver-lining-in-cloud-idc-telus-report/?__lsa=e724-1981 ; Brooks, Andre. (2014, 15 mai). SAP takes business analytics to the cloud. Repéré le 6 mars 2015 à www.itworldcanada.com/article/sap-takes-business-analytics-to-the-cloud/93354
2. McGeever, Christine. (2000, 22 mai). FBI database problem halts gun checks. Repéré le 6 mars 2015 à www.computerworld.com/s/article/45101/FBI_Database_Problem_Halts_Gun_Checks
3. Repéré en novembre 2005 à www.cio.com
4. Businessweek: Innovation. Repéré le 15 février 2008 à www.businessweek.com/innovate/
5. The New media: Between revolution and repression—Net solidarity takes on censorship. (2011, 10 mars). Repéré le 7 mars 2015 à http://en.rsf.org/the-new-media-between-revolution-11-03-2011,39764.html ; Internet enemies. (2011, mars). Reporters sans frontières. Paris, France ; Businessweek: Innovation, (s.d.). Repéré le 15 février 2008 à www.businessweek.com/innovate/
6. Businessweek: Innovation. (s.d.). Repéré le 15 février 2008 à www.businessweek.com/innovate/
7. *Ibid.*
8. O'Reilly, Tim. (s.d.). Open source paradigm shift. Repéré le 7 mars 2015 à http://tim.oreilly.com/articles/paradigmshift_0504.html
9. Torode, Christina. (2011, 31 août). A manufacturing-floor look at Ford's bring-your-own-device program. Repéré le 7 mars 2015 à http://searchcio.techtarget.com/news/2240074296/A-manufacturing-floor-look-at-Fords-bring-your-own-device-program ; Torode, Christina. (2011, 1er septembre). Securing and supporting a bring-your-own-device program at Ford. Repéré le 7 mars 2015 à http://searchcio.techtarget.com/news/2240074385/Securing-and-supporting-a-bring-your-own-device-program-at-Ford
10. Anthony, Stephen Kevin. (2008). Implementing service oriented architecture at the Canada Institute for Scientific and Technical Information. *The Serials Librarian*. (55)1-2, p. 235-253.
11. Slama Dirk et Paluch, Robert. (s.d.). Key concepts of service-oriented architecture. Repéré le 4 janvier 2008 à www.csc.com/cscworld/012006/web/web002.html
12. *Ibid.*
13. Achieving a single customer view. (s.d.). Repéré le 12 janvier 2008 à www.sun.com
14. Schonfeld, Erick. (2003, janvier). Linux takes flight. *Business 2.0.* p. 103-105.
15. Looking at the new. (2005, mai). *Information Week*.
16. Fontana, John. (2004, 10 mars). Lydian revs up with Web services. *Network World*.
17. VMware—History of virtualization. (s.d.). Repéré le 23 janvier 2008 à www.virtualizationworks.com/Virtualization-History.asp
18. Glanz, James. (2011, 8 septembre). Google details, and defends, its use of electricity. Repéré le 11 mars 2015 à www.nytimes.com/2011/09/09/technology/google-details-electricity-output-of-its-data-centers.html ; EPA report to congress on server and data center energy efficiency. (s.d.). Repéré le 11 mars 2015 à www.energystar.gov/ia/partners/prod_development/downloads/EPA_Report_Exec_Summary_Final.pdf
19. Krill, Paul. (2005, 24 mai). Impending death of Moore's law calls for software development changes. *InfoWorld*.
20. *Ibid.*
21. Boeing, ANA roll out the first 787 Dreamliner that will enter into service. (2011, 6 août). Repéré le 31 août 2011 à http://boeing.mediaroom.com/index.php?s=13&item=1633
22. Thomas, Geoffrey. (2007, juin). Seeing is believing. *Air Transport World*. p. 54.
23. Repéré le 13 avril 2010 à www.vmware.com/files/pdf/customers/06Q3_cs_vmw_Bell_Canada_English.pdf
24. Switch on the benefits of grid computing. (s.d.). Repéré le 12 mars 2015 à h20338.www2.hp.com/enterprise/downloads/7_Benefits%20of%20grid%20computing.pdf ;

Talking to the grid. (s.d.). Repéré le 12 mars 2015 à www.technologyreview.com/energy/23706/; Tech update: What's all the smart grid buzz about? (s.d.). Repéré le 12 mars 2015 à www.fieldtechnologiesonline.com/download.mvc/Whats-All-The-Smart-Grid-Buzz-About-0001

25. Google announces fourth quarter and fiscal year 2010 results and management changes. (2011, 20 janvier). Repéré le 12 mars 2015 à http://investor.google.com/earnings/2010/Q4_google_earnings.html; Miller, Rich. (2009, 14 mai). Who has the most Web servers? Mise à jour en août 2011. Repéré le 19 septembre 2011 à www.datacenterknowledge.com/archives/2009/05/14/whos-got-the-most-web-servers/; Google groans under data strain. (s.d.). Repéré le 30 janvier 2008 à www.byteandswitch.com/document.asp?doc_id585804

26. Joch, Alan. (2004, 27 décembre). Grid gets down to business. *Network World*.

27. Repéré le 14 août 2013 à www.forbes.com/sites/louiscolumbus/2013/08/13/idg-cloud-computing-survey-security-integration-challenge-growth/; repéré le 14 août 2013 à www.idgenterprise.com/report/cloud-research-2013; IDG Enterprise. (2013). Cloud computing. Repéré le 19 août 2013 à www.computerworld.com/pdfs/editorial/2013IDGEnterpriseCloud.pdf

28. Lynch, Merrill. (2008, 5 août). The cloud wars: $100+ billion at stake. *Merrill Lynch Report*; Gartner Research. (2008, décembre). Predicts 2009: Cloud computing beckons. *Gartner Research Report*; Strickland, Jonathan. (s.d.). How cloud computing works. Repéré le 12 mars 2015 à http://communication.howstuffworks.com/cloud-computing.htm

29. Workplace Safety and Insurance Board. (2008, 9 octobre). Repéré le 25 septembre 2011 à www.microsoft.com/casestudies/Case_Study_Detail.aspx?CaseStudyID=4000002824; Storage strategy helps organization manage data growth. (2013). Repéré le 12 mars 2015 à www.flexity.ca/wp-content/uploads/CaseStudies/flexity_WSIB_CaseStudy%20final.pdf. Safety board uses virtualization to stop server sprawl, support test environment. (s.d.). Repéré le 24 mai 2014 à www.techrepublic.com/resource-library/casestudies/safety-board-uses-virtualization-to-stop-server-sprawl-support-test-environment/

30. Malik, Om. (2010, 12 janvier). Pandora: Streaming everywhere on everything. *Bloomberg Businessweek*. Repéré le 12 mars 2015 à www.businessweek.com/technology/content/jan2010/tc20100112_584610.htm; repéré le 12 mars 2015 à www.pandora.com/about; Pandora introduces promoted stations. (2014, 10 mai). Repéré le 12 mars 2015 à http://press.pandora.com/phoenix.zhtml?c=251764&p=irol-newsArticle&ID=1928168&highlight

31. Repéré le 28 janvier 2008 à www.usopen.org; US Open and SOA. (2006, 6 septembre). Repéré le 12 mars 2015 à www.ibm.com/developerworks/community/blogs/SOA_Off_the_Record/entry/us_open_and_soa2?lang=en; Benefit the U.S. Open SOA technology. (2012, 19 mai). Repéré le 24 mai 2014 à www.databaseskill.com/3159836/

A

Accessibilité (*Accessibility*) Caractéristiques des différents niveaux qui définissent ce à quoi l'utilisateur peut accéder, ce qu'il peut consulter ou exécuter lorsqu'il utilise un système d'information.

Accessibilité du Web (*Web accessibility*) Possibilité de naviguer sur le Web pour les personnes présentant un handicap visuel, auditif, physique, vocal, cognitif ou neurologique.

Accord sur les niveaux de service (*Service level agreement [SLAs]*) Accord qui définit les responsabilités spécifiques du fournisseur de services et établit ce que va recevoir le client.

Affaires électroniques (*E-business*) Activités d'affaires menées par Internet, qui comprennent non seulement les achats et les ventes, mais aussi les services offerts à la clientèle et la collaboration avec des partenaires d'affaires.

Agent intelligent (*Intelligent agent*) Système d'information, fondé sur le savoir et visant un objectif précis, qui accomplit des tâches spécifiques au nom de ses utilisateurs.

Agent intermédiaire (*Intermediary agent*) Logiciel ou entreprise qui offre une infrastructure commerciale pour mettre en contact les vendeurs et les acheteurs.

Ajout d'extras (*Features creep*) Ajout, par les développeurs, d'éléments supplémentaires qui ne faisaient pas partie des exigences initiales.

Algorithme génétique (*Genetic algorithm*) Système d'intelligence artificielle qui imite le processus évolutionniste de survie de l'entité la mieux adaptée, afin de générer des solutions toujours meilleures à un problème donné.

Altération de paquet (*Packet tampering*) Altération du contenu d'un paquet de données pendant son déplacement par Internet ou altération de données dans un disque dur après la pénétration dans un réseau.

Amélioration des processus d'affaires (*Business process improvement*) Effort visant à comprendre et à mesurer un processus administratif en vue d'en améliorer le rendement.

Analyse axée sur l'objectif (*Goal-seeking analysis*) Analyse qui établit les intrants nécessaires pour atteindre un objectif, comme un niveau de production souhaité.

Analyse de sensibilité (*Sensitivity analysis*) Étude de l'impact que des modifications apportées à une (ou plusieurs) partie d'un modèle ont sur d'autres parties de ce modèle.

Analyse des réseaux sociaux (*Social networking analysis [SNA]*) Processus de mise en correspondance des contacts (personnels ou professionnels) d'un groupe, en vue de déterminer ceux qui se connaissent mutuellement et ceux qui travaillent ensemble.

Analyse du panier de consommation (*Market basket analysis*) Analyse qui porte, entre autres, sur des sites Web et des données issues des lecteurs optiques d'étiquettes, afin de connaître le comportement d'achat des clients et de prévoir leurs comportements futurs, grâce au repérage d'affinités parmi les produits et services que les clients choisissent.

Analyse par permutation d'axes (*Slice-and-dice*) Examen de l'information effectué selon différentes perspectives.

Analyse par regroupement (*Cluster analysis*) Technique servant à diviser un ensemble d'informations en groupes mutuellement exclusifs, de sorte que les membres de chaque groupe sont le plus près possible les uns des autres et que les groupes différents sont le plus loin possible les uns des autres.

Analyse par simulation (*What-if analysis*) Analyse mesurant l'impact, sur la solution proposée, d'une modification apportée à un postulat.

Analyse prédictive (*Forecast*) Prédictions faites à partir d'une information en série chronologique.

Analyse statistique (*Statiscal analysis*) Analyse quantitative de données comportant des tâches comme des corrélations d'information, des répartitions, des calculs et des analyses de variance.

Analytique d'affaires (*Business analytics*) Utilisation des techniques itératives et méthodiques pour explorer les données d'une organisation, en mettant l'accent sur l'analyse prédictive, appliquée et statistique.

Application composite (*Mashup*) Voir **Application composite Web (*Web mashup*)**.

Application composite Web (*Web mashup*) Site Web ou application Web qui utilise du contenu provenant de plus d'une source pour créer un service entièrement nouveau.

Apprentissage en mobilité (*M-learning*) Méthode d'enseignement fondée sur l'emploi de dispositifs informatiques portables sans fil, pour faciliter la mobilité et l'apprentissage électronique sans fil.

Approvisionnement en ligne ou électronique (*E-procurement*) Achat et vente de biens et services entre des entreprises par Internet.

Architecte d'entreprise (*Enterprise architect*) Personne experte en technologies qui connaît bien l'entreprise, fait preuve de diplomatie et constitue le lien important entre les technologies de l'information et l'entreprise.

Architecture d'entreprise (*Enterprise architecture [EA]*) Ensemble des plans précisant de quelle façon une organisation va constituer, déployer, utiliser et partager ses données, ses procédés et ses biens en technologies de l'information.

Architecture des applications (*Applications architecture*) Architecture qui détermine de quelle façon les applications s'intègrent et se lient les unes aux autres.

Architecture des données (*Data architecture*) Organisation des données qui indique la façon dont les données importantes, comme les dossiers de la clientèle, sont conservées et protégées, ainsi que l'endroit où elles le sont.

Architecture orientée services (*AOS*) (*Service-oriented architecture [SOA]*) Approche, en architecture des technologies de l'information de gestion, qui tend à intégrer les activités d'affaires en tant que tâches ou services répétables et interreliés.

Assistant magasineur (*Shoppind bot*) Logiciel qui scrute plusieurs sites Web de vente au détail et compare l'offre de tous les détaillants, y compris les prix et la disponibilité.

Assistant numérique (*Personal digital assistant [PDAs]*) Petit ordinateur portatif qui peut effectuer la transmission de communications entièrement numériques.

Attaque par déni de service (*Denial-of-service attack [DoS]*) Attaque qui submerge un site Web sous un très grand nombre de demandes de service afin de le ralentir ou de le paralyser.

Attaque par déni de service distribué (*Distributed denial-of-service attack [DDoS]*) Attaque issue de multiples ordinateurs qui submergent un site Web avec un très grand nombre de demandes de service pour le ralentir ou le paralyser.

Attitude envers l'utilisation du portail (*Attitudes toward using the portal*) Ensemble des valeurs, des perceptions et des croyances d'un utilisateur final au sujet de l'utilisation d'un portail.

Attribut (*Attribute*) Voir **Champ (*Field*)**.

Authentification (*Authentication*) Méthode de confirmation de l'identité d'un utilisateur.

Automatisation de la force de vente (*Sales force automation [SFA]*) Système qui retrace automatiquement toutes les étapes du processus de vente.

Autorisation (*Authorization*) Processus permettant à une personne de faire ou de posséder quelque chose.

Avantage concurrentiel (*Competitive advantage*) Avantage résultant du fait que la clientèle d'une organisation accorde une plus grande valeur à son produit ou service qu'au produit ou service similaire d'un concurrent.

Avantage du précurseur (*First-mover advantage*) Situation qui permet à une organisation de hausser fortement sa part du marché parce qu'elle est la première à offrir ses produits ou services avec un avantage concurrentiel.

B

Bande passante (*Bandwidth*)   Différence entre la fréquence la plus haute et la fréquence la plus basse qui peuvent être transmises par un seul moyen de communication ; mesure de la capacité d'un moyen de communication.

Bannière publicitaire (*Banner ad*)   Petite publicité sur un site Web qui annonce les produits et services d'une autre entreprise, généralement une autre entreprise électronique.

Basculement (*Failover*)   Mode opérationnel de secours dans lequel les fonctions d'une composante d'ordinateur (comme un processeur, un serveur, un réseau ou une base de données) sont assurées par des composantes de système secondaires lorsque la composante primaire cesse d'être disponible par suite d'une panne ou d'un temps de maintenance planifié.

Base de données (*Database*)   Endroit où est conservée l'information sur divers types d'objets (stocks), d'événements (transactions), de personnes (employés) et de l'endroit (entrepôts).

Base de données multidimensionnelle (*Multi-dimensional data-bases*)   Structure multidimensionnelle optimisée pour l'interrogation et l'analyse de données qui est présente dans les entrepôts de données.

Besoin fonctionnel (*Business requirement*)   Ensemble détaillé d'exigences opérationnelles auxquelles le système doit satisfaire pour être efficace.

Biométrie (*Biometrics*)   Processus d'identification d'un utilisateur fondé sur un trait physique, comme les empreintes digitales, l'iris de l'œil, le visage, la voix ou l'écriture.

Bluetooth (*Bluetooth*)   Norme en vigueur dans le monde des télé-communications, qui définit de quelle façon des téléphones cellulaires, des ordinateurs, des assistants numériques et des tablettes peuvent être facilement interreliés au moyen d'une connexion sans fil à courte portée.

Braqueur informatique (*Cracker*)   Pirate informatique ayant des intentions criminelles. Aussi appelé « chapeau noir ».

Bureau de gestion de projets (*Projects management office*)   Section d'une entreprise qui supervise tous les projets organisationnels.

C

Calcul distribué (*Grid computing*)   Agrégat de ressources de calcul, de stockage et de réseau géographiquement dispersées qui sont coordonnées pour offrir un rendement accru, un service de meilleure qualité, une utilisation plus conviviale et un accès plus facile aux données.

Canular (*Hoaxe*)   Moyen d'attaquer un système informatique par la transmission d'un faux virus, auquel est rattaché un véritable virus.

Capacité (*Capacity*)   Production maximale qu'un système d'information peut offrir.

Carte à puce (*Smart card*)   Dispositif, de la taille d'une carte de crédit, qui contient des technologies intégrées, capables de stocker de l'information, et de petites parties de logiciel effectuant un traitement limité.

Catalogue électronique (*Electronic catalogue*)   Catalogue qui présente à la clientèle de l'information sur des biens et services offerts à la vente ou aux enchères par Internet.

Censure Internet (*Internet censorship*)   Tentatives gouvernementales de contrôler le trafic Internet en vue d'empêcher les citoyens d'un pays d'accéder à un certain contenu.

Centre commercial virtuel (*E-mall*)   Regroupement de diverses boutiques virtuelles qui sert de voie d'accès à un visiteur pour accéder à d'autres boutiques virtuelles.

Centre d'appels (*Contact centre [call centre]*)   Centre où des représentants du service à la clientèle répondent aux questions de la clientèle et règlent des problèmes par l'entremise de différents points de service.

Chaîne d'approvisionnement (*Supply chain*)   Chaîne englobant toutes les parties engagées, directement ou indirectement, dans la fourniture d'un produit ou d'une matière première.

Centre de secours immédiat (*Hot site*)   Endroit séparé et entièrement équipé où une entreprise peut s'installer immédiatement après une catastrophe et reprendre ses activités.

Chaîne de valeur (*Value chain*)   Représentation d'une organisation sous la forme d'une suite de processus, chacun ajoutant de la valeur au produit ou service offert à chaque client.

Champ (*Field*)   Caractéristique ou propriété d'une table. Aussi appelé « attribut » ou « colonne ».

Chapeau blanc (*White-hat hacker*)   Personne qui tente, à la demande des propriétaires d'un système, de repérer les vulnérabilités de ce dernier et d'en éliminer les lacunes.

Chapeau noir (*Black-hat hacker*)   Personne qui entre sans autorisation dans le système informatique de certains utilisateurs et y furète ou vole et détruit de l'information.

Charte de projet (*Project charter*)   Document publié par l'instigateur ou le promoteur d'un projet qui autorise officiellement la création du projet et confère au directeur du projet l'autorité nécessaire pour affecter des ressources de l'organisation aux activités liées à ce projet.

Chef de la protection des renseignements personnels (*Chief privacy officer [CPO]*)   Personne chargée d'assurer l'utilisation légale et éthique de l'information au sein d'une organisation.

Chef de la sécurité (*Chief security officer [CSO]*)   Personne chargée d'assurer la sécurité des systèmes de technologies de l'information et de mettre au point des stratégies et des moyens de protection contre des attaques de virus et de pirates informatiques.

Chef de projet (*Project manager*)   Personne experte en planification et gestion de projet qui définit et produit le plan du projet et qui s'assure que tous les jalons-clés d'un projet sont atteints dans les délais prévus.

Chemin critique (*Critical path*)   Voie allant du début à la fin et passant par toutes les tâches qui ont une importance cruciale pour l'achèvement le plus rapide possible d'un projet.

Chèque électronique (*Electronic cheque*)   Mécanisme d'envoi d'un paiement à partir d'un compte de chèques ou d'épargne.

Cheval de Troie (*Trojan-horse virus*)   Virus qui se cache dans un autre logiciel, généralement sous la forme d'une pièce jointe ou d'un fichier téléchargeable.

Classe d'entité (*Entity class*)   Voir **Table (*Table*)**.

Classification (*Classification*)   Distribution par classes des éléments d'un ensemble prédéterminé.

Clé étrangère (*Foreign key*)   Clé primaire d'une table qui apparaît comme un attribut dans une autre table et qui offre un lien logique entre les deux tables.

Clé primaire (*Primary key*)   Champ (ou groupe de champs) qui identifie exclusivement une entité donnée dans une table d'une base de données.

Clic publicitaire (*Click-through*)   Dénombrement des personnes qui visitent un site et cliquent sur une publicité qui les redirige vers le site de l'annonceur.

Code malicieux (*Malicious code*)   Code qui comprend diverses menaces, comme des virus, des vers informatiques et des chevaux de Troie.

Code source libre (*Open source*)   Programme dont le code source est mis à la disposition des utilisateurs ou d'autres développeurs pour qu'ils puissent l'utiliser ou le modifier selon leurs besoins.

Collaboration non structurée (*Unstructured collaboration [information collaboration]*)   Collaboration qui comprend l'échange de documents, le partage de tableaux blancs, l'utilisation de forums de discussion et l'envoi de courriels.

Collaboration structurée (*Structured collaboration [process collaboration]*)   Participation commune à des processus administratifs, comme le déroulement du travail, dans le cadre de laquelle le savoir est intégré sous forme de règles.

Colonne (*Column*)   Voir **Champ (*Field*)**.

Commanditaire de direction (*Executive sponsor*)   Personne ou groupe qui fournit les ressources financières pour la réalisation d'un projet.

Commerce électronique (*E-commerce*)   Achat et vente de biens et services effectués par Internet.

Commerce électronique consommateur-entreprise (C2B) (*Consumer-to-business [C2B]*)   Désigne la vente d'un produit ou d'un service par un consommateur à une entreprise par Internet.

Commerce électronique de détail (*Business-to-consumer [B2C]*)   Voir **Commerce électronique entreprise-consommateur (B2C) (*Business-to-consumer [B2C]*)**.

Commerce électronique entreprise-consommateur (B2C) (*Business-to-consumer [B2C]*)   Qualifie toute entreprise qui vend ses produits et services aux consommateurs par Internet.

Commerce électronique interconsommateurs (*C2C*) (*Consumer-to-Consumer [C2C]*) Désigne des sites offrant surtout des biens et services pour aider les consommateurs à interagir ensemble dans Internet.

Commerce électronique interentreprises (*B2B*) (*Business-to-business [B2B]*) Qualifie les transactions commerciales que des entreprises effectuent avec d'autres entreprises dans Internet.

Commerce mobile (*Mobile commerce [m-commerce]*) Achat de biens et services effectué au moyen d'un dispositif sans fil par Internet.

Communications asynchrones (*Asynchronous communications*) Communications où le message et la réponse n'arrivent pas en même temps, tel que le courriel.

Communications synchrones (*Synchronous communications*) Communications qui se produisent en même temps, tel que la messagerie instantanée.

Compétence de base (*Core competency*) Fonction de gestion ou point fort d'une organisation dans lequel celle-ci est meilleure que tous ses concurrents.

Composante de base de la planification des ressources d'une entreprise (*PRE*) (*Core ERP component*) Composante traditionnelle présente dans la plupart des systèmes de PRE et surtout axée sur les activités internes.

Composante de la PRE en comptabilité et en finances (*Accounting and finance ERP component*) Composante qui assure la gestion des données comptables et des processus financiers au sein d'une entreprise, par exemple le grand livre général, les comptes fournisseurs, les comptes clients, l'établissement du budget et la gestion de l'actif.

Composante de la PRE en gestion de la production et des ressources de production (*Production and materials management ERP components*) Composante réunissant les divers éléments de la planification et de l'exécution de la production, comme la prévision de la demande, l'ordonnancement de la production, la comptabilité du coût de revient des commandes et le contrôle de la qualité.

Composante de la PRE en ressources humaines (*Human resources ERP components*) Composante qui recueille les données relatives au personnel, dont la paie, les avantages sociaux, la rémunération et l'évaluation du rendement, et qui assure leur conformité aux prescriptions juridiques de multiples administrations et autorités fiscales.

Composante élargie de la PRE (*Extended ERP component*) Composante surnuméraire qui satisfait les besoins d'une organisation non couverts par les composantes de base et qui est surtout centrée sur les activités externes.

Composition prédictive (*Predictive dialling*) Exécution automatique d'un appel téléphonique sortant qui, lorsqu'une personne répond, est transmis à un agent disponible.

Comptoir de données (*Data mart*) Endroit qui contient un sous-ensemble d'information sur des entrepôts de données.

Confidentialité (*Confidentiality*) Assurance que les messages et l'information sont disponibles uniquement pour les personnes qui sont autorisées à en prendre connaissance.

Confidentialité de l'information (*Information privacy*) Droit juridique ou volonté générale des individus, des groupes ou des organismes de déterminer eux-mêmes la quantité d'information à leur sujet qui est communiquée à autrui, ainsi que le moment où elle l'est.

Connaissance (*Knowledge*) Les compétences, l'expérience et l'expertise, combinées à l'information et à l'intelligence, qui constituent les ressources intellectuelles d'une personne. Les connaissances permettent à cette personne d'agir et de prendre des décisions à partir de l'information dont elle dispose.

Connaissance explicite (*Explicit knowledge*) Connaissance tirée de tout ce qui peut être documenté, archivé et codifié, souvent à l'aide de systèmes d'information.

Connaissances tacites (*Tacit knowledge*) Connaissances non formalisées que possède une personne.

Conseil de contrôle du changement (*Change control board [CCB]*) Conseil responsable de l'approbation ou du rejet de toutes les demandes de modification.

Contrainte d'intégrité (*Integrity constraint*) Règle qui assure la qualité de l'information.

Contrainte d'intégrité de règles d'affaires (*Business-critical integrity contraint*) Contrainte qui impose l'application de règles opéra-tionnelles ayant une importance vitale pour le succès d'une organisation et qui exige souvent plus de discernement et de connaissances qu'une contrainte d'intégrité relationnelle.

Contrainte d'intégrité relationnelle (*Relational integrity constraint*) Règle d'application des contraintes de données fondamentales.

Contrainte d'un projet (*Project constraint*) Facteur spécifique qui peut limiter les options possibles pour la réalisation d'un projet.

Convivialité (*Usability*) Degré auquel il est facile, efficace et satisfaisant d'apprendre le fonctionnement d'un système d'information et de l'utiliser.

Copie de sauvegarde (*Backup*) Copie identique des données d'un système.

Coupe-circuit (*Kill Switch*) Dispositif qui permet à un directeur de projet de mettre fin à un projet avant son achèvement.

Couplage lâche (*Loose coupling*) Type d'assemblage qui permet une jonction de services faite sur demande, en vue de la création de services mixtes, ou un désassemblage de ces services en leurs composantes fonctionnels.

Courbe du coût de reprise après sinistre (*Disaster recovery cost curve*) Courbe qui illustre les coûts, pour une organisation, de la non-disponibilité d'une information et d'une technologie, d'une part, et de la durée de la reprise après un sinistre, d'autre part.

Cryptage (*Encryption*) Brouillage de l'information qui lui donne une autre forme pouvant être décryptée seulement à l'aide d'une clé ou d'un mot de passe.

Cryptage à clé publique (*Public key encryption [PKE]*) Système de cryptage qui comprend deux clés : une clé publique mise à la disposition de tous et une clé privée réservée uniquement au destinataire.

Cube (*Cube*) Terme courant qui représente une information multidimensionnelle.

Cyberconférence (*Web Conferencing*) Combinaison de technologies audio, vidéo et de partage de documents servant à la création d'une salle de réunion virtuelle.

Cyberintimidation (*Cyberbulling*) Phénomène englobant les menaces, les remarques négatives et les commentaires diffamatoires transmis dans Internet ou affichés sur un site Web.

Cyberlogistique (*E-logistics*) Moyen de gestion du transport et du stockage des biens.

Cybermarché (*Electronic marketplace [e-marketplace]*) Communauté d'affaires interactive offrant un espace commercial central où de multiples acheteurs et vendeurs peuvent s'engager dans des activités d'affaires électroniques.

Cybermédiaire financier (*Financial cybermediary*) Entreprise numérique qui facilite les paiements effectués par Internet.

Cybermédiation (*Cybermediation*) Création de nouveaux types d'intermédiaires qui n'auraient pu exister avant l'avènement de l'entreprise numérique, y compris des sites de magasinage comparatif comme Kelkoo et des services de regroupement de comptes bancaires comme Citibank.

Cybermilitant (*Hactivist*) Personne qui a des motifs philosophiques et politiques de s'introduire de force dans un système et qui vandalise souvent des sites Internet en guise de protestation.

Cyberterroriste (*Cyberterrorist*) Personne qui cherche à nuire à autrui ou à détruire une information ou un système vital, et qui utilise Internet comme une arme de destruction massive.

Cybervandalisme (*Cybervandalism*) Dégradation électronique d'un site Web existant.

Cycle de vie de l'élaboration de systèmes (*CVES*) (*Systems development life cycle [SDLC]*) Durée du processus général de mise au point d'un système d'information, qui va de la planification et de l'analyse à la mise en œuvre et à la maintenance.

D

Darwinisme numérique (*Digital Darwinism*) Principe selon lequel les organisations incapables de s'adapter aux nouvelles demandes qui leur sont adressées ne pourront survivre en cette ère d'information et sont vouées à l'extinction.

Débit (*Throughput*) Quantité d'information qui circule dans un système par seconde.

Déchet électronique (*E-waste*) Ancien équipement informatique.

Décision non structurée (*Unstructured décision*) Décision stratégique prise dans une situation où il n'existe aucune procédure ou règle pouvant orienter les décideurs vers le bon choix.

Décision semi-structurée (*Semi-structured décision*) Décision de gestion qui survient dans des situations où quelques processus établis contribuent à l'évaluation des solutions potentielles, mais pas assez pour aboutir à une décision précise recommandée.

Décision structurée (*Structured décision*) Décision opérationnelle qui apparaît dans les situations où les procédés établis offrent des solutions potentielles.

Délai d'analyse (*Analysis latency*) Espace de temps entre le moment où des données deviennent disponibles et le moment où l'analyse est terminée.

Délai de la décision (*Decision latency*) Temps nécessaire à un être humain pour comprendre les résultats d'une analyse et définir une action appropriée.

Délai des données (*Data latency*) Temps nécessaire pour préparer des données en vue de leur analyse (c'est-à-dire pour extraire, transformer et nettoyer des données et les placer dans une base de données).

Démarche logique (*Logical view*) Démarche des utilisateurs qui accèdent d'une façon logique à l'information afin de satisfaire leurs besoins organisationnels particuliers.

Dépendance (*Dependency*) Relation logique entre les différentes tâches d'un projet ou entre une tâche d'un projet et un jalon.

Dérive des objectifs (*Scope creep*) Accroissement de la portée d'un projet.

Désintermédiation (*Disintermediation*) Processus par lequel une entreprise effectue directement en ligne ses ventes à sa clientèle et supprime ainsi certains ou tous les intermédiaires.

Détaillant (*Retailer*) Boutique ou magasin, exploité à l'extrémité de la chaîne d'approvisionnement, qui achète des biens ou des produits à des fabricants ou à des importateurs et qui vend ensuite aux consommateurs de plus petites quantités de ces biens ou produits à des prix plus élevés, afin de couvrir ses dépenses et de dégager un profit.

Détection d'association (*Association détection*) Détection qui révèle l'ampleur des relations entre des variables, ainsi que la nature et la fréquence de ces relations dans l'ensemble des données.

Développement itératif (*Iterative development*) Série de très petits projets qui a servi de fondement à de multiples types de méthodes agiles.

Développement par l'utilisateur final (*Self-sourcing*) Mise au point d'un système par les personnes qui vont l'utiliser (les utilisateurs finaux).

Dévoiement (*Pharming*) Action de rediriger vers un faux site Web les demandes transmises à un site Web légitime.

Diagramme de Gantt (*Gantt chart*) Diagramme à barres simples qui décrit les tâches d'un projet en fonction d'un calendrier.

Dimension (*Dimension*) Attribut particulier de l'information.

Directeur de la GRC (*CRM manager*) Personne dans une organisation qui est responsable du bon état constant de la gestion des relations avec la clientèle de cette organisation.

Directeur des systèmes d'information (*Chief information officer [CIO]*) Personne chargée de superviser toutes les utilisations des systèmes d'information et de veiller à l'alignement stratégique des technologies de l'information avec les objectifs de l'entreprise.

Directeur des techniques informatiques (*Chief technology officer [CTO]*) Personne chargée d'assurer le débit de traitement, la vitesse, la précision, la disponibilité et la fiabilité des technologies de l'information dans une organisation.

Disponibilité (*Availability*) Moment où des systèmes sont accessibles à un utilisateur.

Disponibilité du système (*System availability*) Nombre d'heures pendant lesquelles un système est mis à la disposition des utilisateurs. Ce nombre est souvent présenté en pourcentage sur une année.

Distribution automatique d'appels (*Automatic call distribution*) Procédé par lequel un commutateur téléphonique dirige les appels entrants vers les agents disponibles.

Données (*Data*) Faits bruts qui décrivent les caractéristiques d'un événement.

Données en temps réel (*Real-time data*) Données immédiates et à jour.

Données sur le parcours de navigation (*Clickstream data*) Données indiquant la configuration exacte de la séance de navigation d'un consommateur sur un site.

Données transactionnelles (*Transactional data*) Données englobant toute l'information contenue dans un seul procédé administratif ou une seule unité de travail, qui servent d'abord à faciliter l'exécution des tâches opérationnelles quotidiennes.

Données volumineuses (*Big data*) Ensemble de données qui sont recueillies auprès de diverses sources, dont les fournisseurs, les clients, les concurrents, les partenaires et les industries. Les technologies d'intelligence d'affaires analysent les données volumineuses pour reconnaître des modèles, des tendances et des relations en vue de prendre des décisions stratégiques.

Droit à la vie privée (*Privacy*) Droit d'une personne de ne pas être dérangée, d'exercer son contrôle sur ses effets personnels, y compris ses informations numériques, et de ne pas être observée sans son consentement.

Droit d'auteur (*Copyright*) Protection juridique accordée à l'expression d'une idée, comme une chanson, un jeu vidéo et certains types de documents exclusifs.

E

Échange de données informatisé (*EDI*) (*Electronic data interchange [EDI]*) Format standard d'échange de données de gestion.

Échange informatisé de documents financiers (*Financial EDI [financial electronic data interchange]*) Processus électronique standard servant au paiement d'achats entre entreprises.

Éditeur d'application composite (*Mashup editor*) Outil logiciel d'édition utilisé pour les applications composites.

Effet coup de fouet (*Bullwhip effect*) Effet qui se produit lorsqu'une information biaisée ou inexacte de la demande d'un produit s'amplifie lorsqu'elle passe d'une entité à la suivante dans la chaîne d'approvisionnement.

Élimination durable des technologies de l'information (*Sustainable IT disposal*) Mise au rancart sûre de biens utilisés pour les technologies de l'information, lorsqu'ils ont atteint la fin de leur durée de vie.

Émetteur hyperfréquence (*Microwave transmitter*) Émetteur qui envoie dans l'atmosphère (ou l'espace extra-atmosphérique) un signal destiné à un récepteur hyperfréquence.

Enchères inversées (*Reverse auctions*) Type de vente aux enchères dans laquelle des enchères de plus en plus basses sont sollicitées par des organisations souhaitant offrir le produit ou service voulu à un prix toujours plus bas.

Enregistrement (*Record*) Données relatives à chaque entité dans une table. Aussi appelé « instance ».

Enregistreur de frappe (*Hardware key loger*) Dispositif électronique qui enregistre la frappe des touches sur leur trajet entre le clavier et la carte mère.

Entité (*Entity*) Personne, endroit, chose, transaction ou événement au sujet duquel de l'information est stockée.

Entrepôt de données (*Data warehouse*) Collection logique d'information (provenant de nombreuses bases de données opérationnelles) qui étaye les activités de l'analyse opérationnelle et les tâches liées à la prise de décisions.

Entreprise brique et mortier (*Brick-and-mortar business*) Voir **Entreprise traditionnelle (*Brick-and-mortar business*)**.

Entreprise clic et mortier (*Click-and-mortar business*) Voir **Entreprise électronique et traditionnelle (*Click-and-mortar business*)**.

Entreprise électronique et traditionnelle (*Click-and-mortar business*) Entreprise exploitée dans un lieu matériel et dans Internet.

Entreprise traditionnelle (*Brick-and-mortar business*) Entreprise exploitée dans un lieu physique sans connexion Internet.

Entreprise virtuelle (*Pure-play [virtual] business*) Entreprise active seulement dans Internet, sans disposer d'un point de vente physique.

Estimation (*Estimation*) Détermination des valeurs d'un comportement variable continu et inconnu ou d'une valeur future possible.

Étalonnage (*Benchmarking*) Processus de mesure continue des résultats d'un système, qui compare ces résultats au rendement optimal de ce dernier (les valeurs cibles) et détermine les mesures et les procédés à utiliser pour améliorer ces résultats.

Éthique (*Ethica*) Principes et normes qui orientent le comportement des individus à l'égard d'autrui.

Éthique de l'information (*Information ethic*) Principes moraux concernant la création, la collecte, la duplication, la distribution et le traitement de l'information, ainsi que le développement et l'emploi des technologies de l'information.

Étiquette d'identification par radiofréquence (*RFID tag*) Balise qui comprend une micropuce et une antenne.

Exploration de données (*Data mining*) Voir **Forage de données (*Data mining*)**.

Extensibilité (*Scalability*) Caractéristique indiquant dans quelle mesure un système peut s'adapter à une hausse des demandes.

Externalisation (*Outsourcing*) Arrangement grâce auquel une organisation fournit un ou des services à une autre organisation parce que celle-ci a décidé de ne pas le faire elle-même.

Externalisation à l'étranger (*Offshore outsourcing*) Recours à des organisations situées dans les pays en développement pour la rédaction de codes et la mise au point de systèmes.

Externalisation continentale (*Nearshore outsourcing*) Accord de sous-traitance conclu avec une entreprise établie dans un pays proche.

Externalisation nationale (*Onshore outsourcing*) Action de traiter avec une autre entreprise au sein d'un même pays pour obtenir des services.

Externalisation ouverte (*Crowdsourcing*) Forme la plus courante d'intelligence collective qui existe à l'extérieur d'une organisation ; elle est basée sur la sagesse du groupe

Extraction, transformation et chargement (*ETC*) (*Extraction, transformation, and loading [ETL]*) Processus qui permet d'extraire de l'information située dans des bases de données internes ou externes, la transforme au moyen d'un ensemble courant de définitions d'entreprise et la stocke dans un entrepôt de données.

Extranet (*Extranet*) Service d'Intranet qui est mis à la disposition d'alliés stratégiques (comme des clients, des fournisseurs ou des partenaires).

F

Facilité d'entretien (*Serviceability*) Rapidité à laquelle un tiers peut entretenir un système d'information pour s'assurer que ce dernier répond aux exigences du consommateur ou respecte les conditions d'un contrat, notamment en ce qui a trait à la fiabilité de ce système, à sa maintenabilité ou à sa disponibilité.

Fenêtre-pub d'entrée (*Pop-up ad*) Fenêtre de publicité apparaissant au-dessus de la page Web visitée au moyen du navigateur.

Fenêtre-pub de sortie (*Pop-under ad*) Fenêtre de publicité du navigateur que les utilisateurs voient seulement après avoir fermé la page Web consultée.

Fiabilité (*Reliability*) Caractéristique d'un système qui fonctionne bien, sans défaillance et donne une information exacte.

Filtrage de contenu (*Content filtering*) Utilisation, par une organisation, de logiciels qui filtrent les contenus afin de prévenir la transmission non autorisée d'une information.

Flux de travail (*Workflow*) Définition de toutes les étapes ou les règles opérationnelles, du début à la fin, qui sont nécessaires à l'exécution des processus administratifs.

Forage de données (*Data mining*) Processus d'analyse de données visant à extraire de l'information que ne procurent pas les données brutes elles-mêmes.

Format RSS (*Real simple syndication [RSS]*) Famille de formats de fils de nouvelles utilisés pour la syndication de contenu Web indexant le contenu des sites afin d'être utilisé dans un autre contexte.

Fossé ou fracture numérique (*Digital divide*) Situation dans laquelle ceux qui ont accès à la technologie sont très avantagés par rapport à ceux qui n'y ont pas accès.

Fournisseur d'applications en ligne (*Application service provider [ASP]*) Entreprise qui offre à une organisation un accès en ligne à

des systèmes et à des services associés qui, autrement, devraient être installés dans le système informatique de cette organisation.

Fournisseur de services en ligne (*Online services provider [OSP]*) Entité qui offre une large gamme de services uniques, comme sa propre version d'un navigateur web.

Fournisseur de services Internet (*FSI*) (*Internet services provider [ISP]*) Entreprise qui offre à des individus et à d'autres entreprises un accès à Internet et à d'autres services connexes, comme la construction de sites Web.

Fournisseur de services Internet sans fil (*Wireless Internet services provider [WISP]*) Fournisseur de services Internet qui permet aux abonnés de se connecter à un serveur à partir de points d'accès sans fil au moyen d'une connexion sans fil.

Fournitures d'entretien, de réparation et d'exploitation (*matières indirectes*) (*Maintenance, repair, and operations [MRO] materials [indirect materials]*) Matériel qui est nécessaire au fonctionnement d'une organisation, mais qui n'est pas lié à ses activités commerciales primaires.

Frais de changement de fournisseur (*Switching costs*) Coût qui peut rendre les consommateurs réticents à changer de produit ou de service.

Fraude au clic (*Click-fraud*) Recours abusif aux modèles de revenu que sont le paiement au clic, le paiement à l'appel et le paiement à l'action, sous la forme de clics répétés sur un lien en vue de hausser les frais ou les coûts pour l'annonceur.

Fraude au clic de la concurrence (*Competitive click-fraud*) Crime informatique que commet un concurrent ou un employé mécontent lorsqu'il fait augmenter les coûts de référencement payant d'une entreprise en cliquant à répétition sur le lien de l'annonceur.

G

Générateur de listes de clients (*List generator*) Générateur qui compile l'information sur la clientèle à partir de sources variées et qui la segmente en vue de différentes campagnes de marketing.

Géolocalisation par satellite (*GPS*) (*Global positioning system [GPS]*) Ensemble de 24 satellites bien espacés qui ont été placés en orbite autour de la Terre et qui permettent aux individus munis d'un récepteur au sol de repérer précisément leur position géographique.

Gestion analytique de la relation client (*Analytical CRM*) Gestion des activités du service marketing et de l'analyse stratégique incluant tous les systèmes ne traitant pas directement avec la clientèle.

Gestion de la chaîne d'approvisionnement (*GCA*) (*Supply chain management [SCM]*) Gestion des flux d'information entre les maillons d'une chaîne d'approvisionnement, en vue d'en maximiser l'efficacité et la rentabilité totales.

Gestion de la chaîne de vente (*Selling chain management*) Gestion qui applique la technologie aux activités menées durant le cycle de vie d'une commande, de la demande à la vente.

Gestion de la production (*Production management*) Ensemble de toutes les activités que les gestionnaires accomplissent pour aider une entreprise à produire des biens.

Gestion de la relation client (*GRC*) (*Customer relationship management [CRM]*) Gestion de tous les aspects des relations des clients avec une organisation, qui vise à accentuer leur loyauté et leur fidélité et à accroître la rentabilité de l'organisation.

Gestion de la relation employé (*Employee relationship management [ERM]*) Activité de gestion centrée sur les relations entre une organisation et son personnel.

Gestion de la relation fournisseur (*Supplier relationship management [SRM]*) Gestion axée sur le maintien de la satisfaction des fournisseurs, grâce à l'évaluation et au classement de ces derniers pour différents projets, ce qui optimise le choix des fournisseurs.

Gestion de la relation partenaire (*Partner relationship management [PRM]*) Méthode axée sur la satisfaction des vendeurs, qui consiste à gérer les relations avec les revendeurs et les partenaires d'alliance afin d'offrir à la clientèle un réseau de ventes optimal.

Gestion de projet (*Project management*) Application de connaissances, de compétences, d'outils et de techniques pour la réalisation d'activités visant à satisfaire aux exigences d'un projet.

Gestion des connaissances (*Knowledge management [KM]*) Mise en contexte de l'information disponible favorisant les actions et les décisions efficaces.

Gestion des événements de la chaîne d'approvisionnement (GECA)
(Supply chain event management [SCEM]) Gestion qui permet à une organisation de réagir plus rapidement pour régler les problèmes touchant la chaîne d'approvisionnement.

Gestion des opérations (GO) (Operations management) Gestion des systèmes ou des processus qui convertissent ou transforment des ressources (y compris les ressources humaines) en biens et services.

Gestion des processus d'affaires (Business process management [BPM]) Gestion qui intègre tous les processus administratifs d'une organisation en vue de les rendre plus efficients.

Gestion du changement (Change management) Ensemble de techniques qui facilitent la définition, l'évolution et la gestion globale de la conception et de la mise en œuvre d'un système.

Gestion du changement organisationnel (Organizational change management) Voir **Gestion du changement (Change management)**.

Gestionnaire des connaissances (Chief knowledge officer [CKO]) Personne chargée de la collecte, du maintien et de la répartition des connaissances d'une organisation.

Gestion opérationnelle de la relation client (Operational CRM) Gestion axée sur le traitement traditionnel des transactions pour faciliter le déroulement quotidien des activités ou le fonctionnement des systèmes de guichet qui traitent directement avec la clientèle.

Gestion sociale de la relation client (Social CRM) Utilisation des techniques et technologies relatives aux médias sociaux qui permettent aux organisations de nouer des liens avec leurs clients.

Gouvernance des données (Data governance) Gestion d'ensemble de la disponibilité, de la convivialité, de l'intégrité et de la sécurité des données d'une entreprise.

Gouvernance des technologies de l'information (IT governance) Ensemble de procédés et de processus qui assurent l'utilisation efficace et efficiente des technologies de l'information pour permettre à une organisation d'atteindre ses objectifs.

Gouvernement électronique (E-government) Méthode fondée sur le recours à des stratégies et à des technologies qui transforme l'action gouvernementale grâce à l'amélioration des services donnés et de la qualité de l'interaction des citoyens-consommateurs avec toutes les instances gouvernementales.

Granularité (Granularity) Degré de précision caractérisant des données ou de l'information.

Graphique de la méthode de programmation optimale (PERT [Program Evaluation and Review Technique] chart) Modèle de réseau graphique qui illustre les tâches propres à un projet et les relations entre ces tâches.

Groupement par affinités (Affinity grouping) Détermination des éléments qui vont ensemble.

H

Hameçonnage (Phishing) Technique permettant d'obtenir des renseignements personnels en vue de perpétrer un vol d'identité, généralement au moyen de faux courriels.

Hausse de privilège (Elevation of privilège) Processus par lequel un utilisateur déjoue un système pour l'amener à accorder des droits sans autorisation, généralement dans le but de compromettre ou de détruire ce système.

Haute disponibilité (High availability) Caractéristique d'un système ou d'une composante qui est constamment opérationnel pendant une longue période de temps.

Hypothèse d'un projet (Project assumption) Facteurs considérés comme vrais, réels ou certains en l'absence de preuve ou de démonstration.

I

Identification par radiofréquence (IDRF) (Radio frequency identification [RFID]) Technologie fondée sur l'emploi de radio-identifiants actifs ou passifs, prenant la forme de puces électroniques ou d'étiquettes intelligentes qui peuvent stocker des identificateurs uniques et relayer cette information à des lecteurs électroniques.

Indicateur-clé de performance (ICP) (Key performance indicator [KPI]) Mesure et objectif liés à des facteurs opérationnels, tactiques ou stratégiques.

Information (Information) Données converties dans un contexte pertinent et utile.

Information analytique (Analytical information) Information qui englobe toutes les données transactionnelles sommaires ou agrégées dont l'objectif est de soutenir l'exécution des tâches d'analyse de plus haut niveau.

Information en série chronologique (Time-serie information) Information horodatée rassemblée à une fréquence particulière.

Information en temps réel (Real-time information) Information immédiate et à jour.

Informatique en nuage (Cloud computing) Type d'informatique client-serveur disponible dans Internet, dont le terme « nuage » sert de métaphore pour le terme « Internet ».

Infrastructure agile d'un système d'information de gestion (Agile MIS infrastructure) Ensemble formé des matériels, des logiciels et de l'équipement de télécommunications qui constitue la base sur laquelle s'appuie une organisation pour atteindre ses objectifs.

Infrastructure-service (Infrastructure as a Service [IaaS]) Service offrant du matériel de mise en réseau, notamment des serveurs, des ressources réseau et de l'espace de stockage par l'entreprise de l'informatique en nuage. Le tout est payable à l'utilisation.

Ingénierie collaborative (Collaborative engineering) Moyen qui permet à une organisation de réduire les coûts et le temps requis pour la conception d'un produit.

Ingénierie sociale (Social engineering) Utilisation des aptitudes sociales pour manipuler des individus afin qu'ils révèlent les paramètres d'accès ou d'autres renseignements utiles au manipulateur.

Initié (Insider) Utilisateur légitime qui emploie de façon indue, volontairement ou accidentellement, son accès à l'environnement et qui cause un incident nuisant à une entreprise.

Innovation (Innovation) Introduction de méthodes ou d'appareils nouveaux.

Instance (Instance) Voir **Enregistrement (Record)**.

Intégration (Integration) Méthode qui permet à des systèmes distincts de communiquer directement ensemble.

Intégration en amont (Backward integration) Envoi automatique, à tous les systèmes et processus en amont, de l'information entrée dans un système donné.

Intégration en aval (Forward integration) Processus selon lequel l'information entrée dans un système donné est automatiquement envoyée à tous les systèmes et processus situés en aval.

Intégrité des données (Data integrity) Mesure de la qualité des données.

Intelligence artificielle (IA) (artificial intelligence [AI]) Domaine de recherche visant à doter les systèmes informatiques de certains traits de l'intelligence humaine, comme la capacité de raisonner et d'apprendre.

Intelligence d'affaires (Business intelligence) Applications et moyens technologiques qui servent à rassembler de l'information, à assurer l'accès à celle-ci et à l'analyser pour soutenir la prise de décisions des gestionnaires.

Interactivité (Interactivity) Mesure des interactions des visiteurs d'un site avec la publicité cible.

Interface de programmation d'applications (Application programming interface [API]) Ensemble de routines, de protocoles et d'outils servant à la création d'applications logicielles.

Intergiciel (Middleware) Type de logiciel situé entre plusieurs applications logicielles et assurant leur connectivité.

Intergiciel d'intégration d'applications d'entreprise (Enterprise application integration [EAI] middleware) Intergiciel qui regroupe des fonctionnalités couramment utilisées, comme la fourniture de liens préétablis menant à des applications d'entreprise populaires, ce qui réduit le temps nécessaire à la mise au point de solutions intégrant des applications en provenance de multiples vendeurs.

Intermédiaires (Intermediaries) Agents, logiciels ou entreprises qui apportent une infrastructure d'échange pour mettre en contact les vendeurs et les acheteurs.

Internalisation (Insourcing [in-house development]) Approche courante fondée sur le recours à l'expertise professionnelle disponible au sein d'une organisation, dans le but de mettre au point et de maintenir les systèmes de technologie de l'information de cette organisation.

Internet (*Internet*)   Réseau public mondial de réseaux d'ordinateurs qui transmet de l'information entre ces réseaux au moyen de protocoles informatiques communs.

Interopérabilité (*Interoperability*)   Capacité, pour plusieurs systèmes informatiques, d'échanger des données et des ressources, même lorsque ces systèmes proviennent de fabricants différents.

Intranet (*Intranet*)   Partie internalisée d'Internet, à l'abri de tout accès de l'extérieur, qui permet à une organisation d'offrir uniquement à son personnel un accès à l'information et aux logiciels d'application.

J

Jalon de projet (*Project milestone*)   Date-clé à laquelle un certain ensemble d'activités doivent être accomplies.

Jeton d'authentification (*Token*)   Petit dispositif électronique qui modifie automatiquement les mots de passe des utilisateurs.

Journal de serveur (*Server log*)   Site qui comprend une ligne d'information pour chaque visiteur et qui est généralement disponible sur un serveur Web.

K

Kiosque (*Kopsl*)   Système informatique publiquement accessible qui a été configuré pour permettre un furetage interactif en matière d'information.

L

Langage de balisage extensible (*Extensible markup language [XML]*)   Langage de balisage pour des documents contenant une information structurée.

Large bande (*Broadband*)   Connexion Internet à haute vitesse qui permet la transmission de données à une vitesse supérieure à 200 kilo-octets par seconde, comparativement à la vitesse maximale de 56 kilo-octets par seconde qu'offre une connexion traditionnelle par ligne commutée.

Logiciel contrefait (*Counterfeit software*)   Logiciel fabriqué pour ressembler à la version authentique qu'il imite et vendu comme s'il s'agissait de cette version.

Logiciel de détection d'intrusion (*Intrusion detection software [IDS]*)   Logiciel qui recherche des récurrences dans l'information et le trafic sur le réseau pour pouvoir repérer les attaques et réagir rapidement afin de prévenir tout dommage.

Logiciel de travail en groupe (*Groupware*)   Logiciel qui favorise l'interaction et la dynamique de groupe, y compris l'inventoriage, l'ordonnancement et les vidéoconférences.

Logiciel d'enregistrement de frappe (*Key logger [key trapper] software*)   Programme installé sur un ordinateur pour enregistrer toutes les frappes au clavier et tous les clics de souris.

Logiciel espion (*Spyware [sneakware or stealthware]*)   Logiciel caché dans un logiciel gratuit téléchargeable, qui retrace les activités en ligne, exploite l'information stockée dans un ordinateur ou utilise l'unité centrale ou la mise en mémoire de l'ordinateur pour effectuer une tâche à l'insu de l'utilisateur.

Logiciel publicitaire (*Adware*)   Logiciel générant des publicités qui s'installent elles-mêmes dans un ordinateur lorsqu'une personne télécharge un autre programme provenant d'Internet.

Logiciel-service (*Software as a Service [SaaS]*)   Service offrant des applications payables à l'utilisation par l'entremise de l'informatique en nuage.

Logique floue (*Fuzzy logic*)   Méthode mathématique employée pour le traitement d'une information imprécise ou subjective.

Longue traîne (*Long tail*)   Extrémité d'une courbe de ventes courante.

M

Maintenabilité (*Maintainability*)   Rapidité à laquelle un système d'information peut s'adapter à tout type de changement, tant en ce qui concerne l'entreprise que l'environnement ou le commerce.

Marketing viral (*Viral marketing*)   Technique qui amène des sites Web ou des utilisateurs à transmettre un message de marketing à d'autres sites Web ou utilisateurs, ce qui favorise une croissance exponentielle à la visibilité et à l'effet de ce message.

Menace de nouveaux entrants (*Threat of new entrants*)   Menace forte lorsque l'entrée dans un marché est facile pour de nouveaux concurrents, mais faible lorsque d'importantes barrières entravent leur entrée.

Menace de produits ou services substituts (*Threat of substitute products or services*)   Menace forte lorsque les solutions de rechange à un produit ou un service sont nombreuses, mais faible lorsqu'elles sont peu nombreuses.

Messagerie instantanée (*MI*) (*Instant messaging [IM, IMing]*)   Type de service de communications qui permet à une personne de créer un salon de clavardage privé pour communiquer en temps réel avec une autre personne dans Internet.

Mesure d'efficacité des systèmes d'information (*Effectiveness IS metric*)   Mesure de l'impact des systèmes d'information sur les activités et les procédés administratifs, y compris la satisfaction de la clientèle, les taux de conversion et les hausses des ventes à prix ordinaire.

Mesure d'efficience des systèmes d'information (*Efficiency IS metric*)   Mesure du rendement des systèmes d'information eux-mêmes, dont leur débit, leur vitesse et leur disponibilité.

Méthode agile (*Agile methodology*)   Méthode qui vise à satisfaire la clientèle par la livraison rapide et continue de composants logiciels exploitables, mis au point par itérations, et dont le point de conception s'appuie sur des exigences minimales.

Méthode de gestion par sprints (*Scrum methodology*)   Méthode selon laquelle de petites équipes produisent de petites pièces de logiciels livrables à l'issue de sprints, soit des périodes de 30 jours, afin d'atteindre l'objectif fixé.

Méthodologie (*Methodology*)   Ensemble de politiques, de procédures, de normes, de procédés, de pratiques, d'outils, de techniques et de tâches que des personnes emploient pour résoudre des problèmes techniques ou administratifs.

Méthodologie de conception participative (*Participatory design [PD] methodology*)   Approche utilisée en conception de systèmes qui fait appel à la participation active des utilisateurs pour la conception, dans le cadre de laquelle les utilisateurs sont les experts et les membres du personnel chargé de la mise au point des systèmes sont les instructeurs ou les animateurs.

Méthodologie de développement rapide d'applications (*Rapid applications development [RAD] [rapid prototyping] methodology*)   Méthode axée sur la participation des utilisateurs à la construction rapide et évolutive de prototypes fonctionnels d'un système, en vue d'accélérer le processus. Aussi appelée « prototypage rapide ».

Méthodologie de programmation extrême (*Extreme programming [XP] methodology*)   Méthode de fractionnement d'un projet en très petites phases, qui fait en sorte que les développeurs ne peuvent pas passer à la phase suivante avant d'achever la phase en cours.

Méthodologie du processus unifié rationnel (*Rational Unified Process [RUP] methodology*)   Méthode offrant un cadre pour la subdivision de la mise au point d'un logiciel en quatre éléments logiques.

Méthodologie en cascade (*Waterfall methodology*)   Processus séquentiel par activités dans lequel chaque phase du CCES se déroule de façon séquentielle, de la planification à la mise en œuvre et à la maintenance.

Modèle d'affaires électroniques (*E-business model*)   Approche orientant les affaires électroniques menées dans Internet.

Modèle de base de données en réseau (*Network database model*)   Moyen souple de représenter des objets et leurs relations.

Modèle de processus à venir (*To-Be process model*)   Modèle qui illustre les résultats de l'apport d'améliorations au modèle de processus actuel.

Modèle de processus d'affaires (*Business process model*)   Description imagée d'un processus qui illustre la suite de ses tâches constitutives et qui est mise au point pour favoriser l'atteinte d'un objectif spécifique selon un point de vue bien précis.

Modèle de processus tel quel (*As-Is process model*)   Modèle qui représente l'état actuel de l'activité ayant été définie, sans améliorations ou modifications spécifiques apportées aux processus existants.

Modèle des cinq forces (*Five forces model*)   Modèle qui aide à déterminer l'attrait concurrentiel relatif d'une industrie.

Modèle hiérarchique de base de données (*Hierarchical database model*)   Modèle dans lequel l'information est structurée comme un arbre pour permettre sa répétition au moyen de relations parent-enfant, sans qu'elle soit assortie d'un trop grand nombre de relations.

Modèle physique (*Physical view*)   Stockage physique d'information sur un dispositif de stockage matériel, comme un disque dur.

Modèle relationnel de base de données (*Relational database model*)   Modèle de base de données qui stocke des données sous la forme d'enregistrements dans des tables reliées par des contraintes d'intégrité relationnelle afin d'en faciliter l'écriture et d'en limiter la redondance.

Modélisation des processus d'affaires (*Business process modelling [or mapping]*)   Création d'un diagramme de flux détaillé, d'un diagramme de déroulement du travail, d'un diagramme de cas d'utilisation ou d'un diagramme de processus qui montre les intrants, les tâches et les activités d'un processus de travail selon une séquence structurée.

Multilocation (*Multi-tenant*)   En informatique en nuage, signifie qu'une instance unique d'un système est utilisée par plusieurs clients.

Mystification (*Spoofing*)   Contrefaçon de l'adresse de retour dans un courriel, de sorte que celui-ci semble provenir d'un utilisateur autre que le véritable envoyeur.

N

Nettoyage de l'information (*Information cleansing [scrubbing]*)   Processus d'élimination et de correction ou de rejet d'une information incohérente, incorrecte ou incomplète.

Non-répudiation (*Non-repudiation*)   Disposition contractuelle qui assure que les participants au commerce électronique ne nieront pas (ne répudieront pas) leurs activités en ligne.

Nuage communautaire (*Community cloud*)   Nuage informatique desservant une communauté dans laquelle les modèles d'entreprise de même que les exigences en matière de sécurité et de conformité sont les mêmes.

Nuage hybride (*Hybrid cloud*)   Nuage informatique comprenant au moins deux nuages privés, publics ou communautaires. Cependant, les nuages fonctionnent séparément et ne sont reliés que par la technologie qui assure la portabilité de leurs données et applications.

Nuage privé (*Private could*)   Nuage informatique qui n'est offert qu'à un seul client ou organisation et pouvant être installé ou non dans les locaux du client.

Nuage public (*Public cloud*)   Nuage informatique qui promeut les applications massives, mondiales ou à l'échelle de l'industrie offertes à la population générale.

O

Objectif d'un projet (*Project objectives*)   Critère quantifiable qui doit être respecté pour que le projet soit considéré comme un succès.

Observation (*Shadowing*)   Processus de transfert de connaissances dans lequel des membres du personnel moins expérimentés observent des membres plus expérimentés pour mieux connaître de quelle façon ceux-ci accomplissent leur travail.

Organisation internationale de normalisation (*ISO*) (*International Organization for Standardization [ISO]*)   Organisation non gouvernementale créée en 1947 pour favoriser la mise au point de normes mondiales en vue de faciliter l'échange international de biens et services.

Outils de forage de données (*Data mining tools*)   Techniques variées servant à déterminer la présence de récurrences et de relations dans de gros volumes d'information et à en déduire des règles qui prédisent des comportements futurs et orientent la prise de décisions.

P

Parcours de navigation (*Clickstream*)   Information enregistrée au sujet d'un client durant une séance de navigation dans Internet, qui comprend les sites Web visités, la durée des visites, les publicités vues et les achats effectués.

Pare-feu (*Firewall*)   Matériel ou logiciel qui protège un réseau privé grâce à l'analyse de l'information qui entre dans le réseau et qui en sort.

Partenaires d'alliance (*Alliance partners*)   Organisations concurrentes coopérant, afin de mieux rivaliser avec d'autres concurrents.

Partenariat d'information (*Information partnership*)   Coopération entre des organisations qui décident d'intégrer leurs systèmes d'information pour offrir à leurs clients le meilleur de leurs connaissances.

Partie prenante d'un projet (*Project stakeholder*)   Individu ou organisation qui est activement engagé dans un projet ou dont les intérêts pourraient être mis en cause par suite de l'exécution ou de l'achèvement d'un projet.

Performance (*Performance*)   Rapidité avec laquelle un système effectue une certaine procédure ou transaction (selon la mesure d'efficience de la vitesse et du débit).

Personnalisation (*Personalization*)   Action d'un site Web qui, après avoir accumulé assez d'information sur ce qu'une personne aime et n'aime pas, peut faire des offres plus susceptibles de plaire à cette personne.

Personnalisation de masse (*Mass customization*)   Capacité d'une organisation à donner à sa clientèle la possibilité d'adapter ses produits et services aux demandes spécifiques de celle-ci.

Phase d'analyse (*Analysis phase*)   Analyse des besoins fonctionnels des utilisateurs finaux et définition plus précise des objectifs d'un projet selon les fonctions et les activités spécifiques du système visé.

Phase de conception (*Design phase*)   Phase comportant la description des caractéristiques et des activités souhaitées pour un système, y compris les affichages, les règles opérationnelles, les diagrammes de processus, le pseudocode et d'autres éléments de documentation.

Phase d'élaboration (*Development phase*)   Phase de formation d'un système effectif à partir de tous les documents de conception détaillés provenant de la phase de conception.

Phase d'entretien (*Maintenance phase*)   Phase qui comporte l'apport de modifications, de corrections, d'ajouts et de mises à jour afin que le système utilisé continue d'atteindre les objectifs opérationnels visés.

Phase de mise en œuvre (*Implementation phase*)   Phase d'entrée en fonction d'un système qui permet aux utilisateurs de réaliser des opérations commerciales avec ce système.

Phase de planification (*Planning phase*)   Phase comportant l'établissement d'un plan de haut niveau et la détermination des objectifs en vue de la réalisation d'un projet.

Phase d'essai (*Testing phase*)   Phase durant laquelle tous les éléments d'un projet sont rassemblés dans un cadre d'essai spécial pour détecter la présence d'erreurs et de bogues, vérifier l'interopérabilité et s'assurer que le système satisfait à toutes les exigences opérationnelles définies dans la phase d'analyse.

Piratage de logiciel (*Pirated software*)   Utilisation, duplication, distribution ou vente non autorisées d'un logiciel protégé par le droit d'auteur.

Pirate informatique (*Hacker*)   Personne experte en informatique qui se sert de ses connaissances en la matière pour envahir les ordinateurs de nombreuses autres personnes.

Pirate informatique adolescent (*Script kiddy [script bunny]*)   Individu qui trouve un code à pirater dans Internet et qui pénètre dans un système pour l'endommager ou y répandre des virus.

Place de marché électronique interentreprises (*Business-to-business [B2B] marketplace*)   Service Internet qui met en contact un grand nombre d'acheteurs et de vendeurs.

Place de marché électronique privée (*Private exchange*)   Marché interentreprises dans lequel un acheteur affiche sa demande et ouvre ensuite les enchères à tout fournisseur qui souhaite faire une proposition.

Plan de projet (*Project plan*)   Document officiel et approuvé qui sert à la gestion et au contrôle de l'exécution d'un projet.

Plan de reprise après sinistre (*Disaster recovery plan*)   Processus détaillé qui est prévu pour récupérer de l'information ou rétablir un système informatique après un sinistre, comme un incendie ou une inondation.

Plan de sécurité de l'information (*Information security plan*)   Plan qui précise la façon dont une organisation va mettre en œuvre la politique de sécurité de l'information.

Planification collaborative de la demande (*Collaborative demand planning*)   Méthode qui aide les organisations à réduire leur investissement dans les stocks, tout en accentuant la satisfaction de la clientèle grâce à la disponibilité des produits.

Planification de la capacité (*Capacity planning*)   Planification qui détermine les futurs besoins infrastructurels en technologies de l'information en vue de l'acquisition de nouveaux équipements et de la hausse de la capacité du réseau.

Planification de la continuité des activités (*Business continuity planning*) Plan prévoyant de quelle façon une organisation va récupérer et rétablir en une période prédéterminée, après une catastrophe ou une longue perturbation, une ou des fonctions cruciales ayant été partiellement ou entièrement interrompues.

Planification des ressources d'une entreprise (*PRE*) (*Enterprise resource planning [ERP]*) Planification qui intègre tous les services et toutes les fonctions d'une organisation en un seul système d'information (ou en un ensemble intégré de systèmes d'information), afin que le personnel puisse prendre des décisions après avoir visualisé les données globales de cette organisation au sujet de toutes ses activités.

Planification et contrôle des opérations (*PCO*) (*Operational planning and control [OP&C]*) Activité liée aux procédures utilisées couramment pour accomplir le travail, y compris l'ordonnancement, le dénombrement des stocks et la gestion des processus.

Planification stratégique (*Strategic planning*) Planification à long terme portant entre autres sur la taille du bâtiment, l'emplacement et les procédés qui seront utilisés.

Planification tactique (*Tactical planning*) Planification axée sur la production de biens et services la plus efficiente possible, dans l'application du plan stratégique.

Plateforme-service (*Platform as a Service [PaaS]*) Service proposant le déploiement de systèmes en entier qui comprend le matériel informatique, les ressources réseaux ainsi que les applications. Le tout est offert par l'entremise de l'informatique en nuage et est également payable à l'utilisation.

Politique antipourriel (*Anti-spam Policy*) Politique selon laquelle les utilisateurs d'un service de courriel évitent d'envoyer des courriels non sollicités (pourriels).

Politique de confidentialité de l'information (*Information privacy policy*) Énoncé des principes généraux concernant la confidentialité de l'information.

Politique de confidentialité du courrier électronique (*Email privacy policy*) Énoncé qui indique dans quelle mesure des courriels peuvent être lus par des personnes autres que leurs destinataires prévus.

Politique de l'entreprise (*Corporate policy*) Dimension de la responsabilité sociale qui renvoie à la position que prend une entreprise sur des questions sociales et politiques.

Politique d'utilisation éthique de l'informatique (*Ethical computer use policy*) Énoncé des principes généraux qui orientent le comportement des utilisateurs de l'informatique.

Politique de l'information (*Information politic*) Ensemble des efforts humains déployés pour la gouvernance et la gestion de l'information organisationnelle.

Politique de sécurité de l'information (*Information security policy*) Énoncé des règles assurant le maintien de la sécurité de l'information.

Politique d'utilisation acceptable (*PUA*) (*Acceptable use policy [AUP]*) Politique qu'un utilisateur doit accepter de respecter s'il veut disposer d'un accès à un réseau ou à Internet.

Politique d'utilisation d'Internet (*Internet use policy*) Énoncé des principes généraux encadrant l'utilisation appropriée d'Internet.

Politique relative aux médias sociaux (*Social media policy*) Énoncé des lignes directrices régissant les communications en ligne des employés d'une entreprise.

Politiques électroniques (*E-policies*) Politiques et procédures qui traitent de l'utilisation éthique des ordinateurs et d'Internet dans le milieu des affaires.

Portabilité (*Portability*) Capacité d'une application à fonctionner sur divers appareils ou plateformes logicielles, notamment divers systèmes d'exploitation.

Portail (*Portal*) Site Web qui offre une vaste gamme de ressources et de services, comme le courriel, des groupes de discussion en ligne, des moteurs de recherche et des cybercentres commerciaux.

Portail d'entreprise (*Enterprise portal*) Interface de navigateur Web centralisé qui est utilisée au sein d'une organisation pour y promouvoir la collecte, le partage et la diffusion de l'information.

Portail d'entreprise horizontal (*Horizontal enterprise portal*) Portail d'entreprise qui intègre et réunit de l'information à partir d'applications multiples situées dans l'ensemble de cette entreprise.

Portail d'entreprise vertical (*Vertical enterprise portal*) Portail d'entreprise axé sur des fonctions de gestion ou des applications spécifiques, comme la comptabilité ou le service des achats.

Porte dérobée (*Backdoor program*) Virus qui se fraye un chemin dans un réseau en vue d'attaques futures.

Portée de l'information (*Information reach*) Caractéristique désignant le nombre de personnes avec lesquelles une entreprise peut communiquer à l'échelle mondiale.

Portée d'un projet (*Project scope*) Caractéristique définissant le travail qui doit être achevé pour que soit livré un produit doté des caractéristiques et des fonctions spécifiques prévues.

Portefeuille numérique (*Digital wallet*) Entité réunissant un logiciel et de l'information : le logiciel assure la sécurité de la transaction, et l'information comprend le paiement et les renseignements sur la transaction (par exemple, le numéro et la date d'échéance d'une carte de crédit).

Pourriel (*Spam*) Courriel non sollicité.

Pouvoir des clients (*Buyer power*) Degré de latitude d'un acheteur, qui est important lorsque celui-ci peut choisir parmi de nombreux vendeurs, mais limité lorsque ces derniers le sont peu.

Pouvoir du fournisseur (*Supplier power*) Pouvoir fort lorsque les acheteurs doivent choisir parmi peu de fournisseurs, mais faible lorsque les fournisseurs sont nombreux.

Présentation et paiement électroniques des factures (*PPEF*) (*Electronic bill presentment and payment [EBPP]*) Système qui transmet les factures par Internet et offre un mécanisme d'utilisation facile (comme cliquer sur un bouton) pour les payer.

Processus d'affaires (*Business process*) Ensemble standardisé d'activités qui permettent l'exécution d'une tâche spécifique, comme le traitement de la commande d'un client.

Processus de transformation (*Transformation process*) Processus souvent qualifié de technologie de base, notamment dans les entreprises manufacturières, qui représente la transformation effective d'intrants en produits.

Processus liés à l'entreprise (*Business facing processes*) Processus invisibles pour le consommateur externe, mais essentiels à la gestion efficace de l'entreprise ; ils comprennent la définition des objectifs, la planification quotidienne, l'évaluation du rendement, les récompenses et l'affectation des ressources.

Processus lié aux clients (*Customer facing process*) Processus relatif aux produits ou services que reçoit la clientèle externe d'une organisation.

Production (*Production*) Création de biens et services à l'aide des facteurs de production : matière première, main-d'œuvre, capital, entrepreneuriat et savoir.

Produit livrable d'un projet (*Project deliverable*) Élément ou résultat mesurable, tangible et vérifiable qui est produit pour l'achèvement d'un projet ou d'une de ses parties.

Programme d'associés (*programme d'affiliation*) (*Associate program [affiliate program]*) Programme par lequel des entreprises peuvent générer des commissions ou des redevances à partir d'un site Internet.

Programme de fidélisation (*Loyalty program*) Programme par lequel une entreprise récompense des clients en fonction du volume de leurs achats auprès d'une organisation spécifique.

Programme renifleur (*Sniffer*) Programme ou dispositif qui peut sonder des données transmises au sein d'un réseau.

Project Management Institute (*PMI*) Institut qui met au point les procédures et les concepts nécessaires pour étayer la profession de gestionnaire de projet.

Projet (*Project*) Démarche temporaire entreprise en vue de créer un produit ou service unique.

Propriété intellectuelle (*Intellectual property*) Travail créatif intangible qui acquiert une forme matérielle.

Protocole (*Protocol*) Norme qui précise le format des données et les règles à suivre lors de leur transmission.

Protocole de sécurité SSL (*Secure socket layer [SSL]*) Protocole qui établit une connexion sûre et confidentielle entre un client et un serveur et qui chiffre l'information avant de l'envoyer par Internet.

Protocole de transfert hypertexte (*HTTP*) (*Hypertext transport protocol [http]*) Norme Internet qui régit l'échange d'information dans Internet.

Prototypage rapide (*Rapid prototyping*) Voir **Méthodologie de développement rapide d'applications (*Rapid application development methodology [RAD]*)**.

Prototype (*Prototype*) Représentation ou modèle de travail à petite échelle des besoins d'un utilisateur, ou conception proposée pour un système d'information.

Publicité interactive (*bannière publicitaire*) (*Online ad [banner ad]*) Encadré placé dans une page Web qui sert souvent à présenter des publicités.

R

Réalité virtuelle (*Virtual reality*) Environnement produit par ordinateur qui peut représenter un monde simulé ou imaginaire.

Recherche de solutions communes (*Joint problem solving*) Processus de transfert de connaissances dans lequel un expert et un novice travaillent activement ensemble pour accomplir une tâche ou résoudre un problème, dans le but de transmettre le savoir de l'expert au novice.

Redondance des données (*Data redundancy*) Duplication de données ou stockage des mêmes données dans de multiples endroits.

Refonte des processus d'affaires (*Business process reengineering [BRP]*) Analyse et refonte du déroulement du travail au sein des entreprises et entre elles.

Regroupement (*Clustering*) Groupement d'une population hétérogène de dossiers en un certain nombre de sous-groupes plus homogènes.

Réintermédiation (*Reintermediation*) Insertion d'un nouvel acteur dans la chaîne de valeur qui augmente la performance de celle-ci.

Réponse vocale interactive (*Interactive voice response [IVR]*) Réponse qui invite les clients à se servir d'un téléphone à clavier ou de mots-clés pour naviguer ou donner de l'information.

Reprise (*Recovery*) Capacité de relancer un système après une défaillance ou une panne ; permet l'accès à la copie de sauvegarde des données.

Réseau (*Network*) Système de communications, d'échange de données et de partage de ressources qui résulte du lien établi entre plusieurs ordinateurs et de l'application de normes, ou de protocoles, afin que ces derniers puissent fonctionner ensemble.

Réseau à valeur ajoutée (*RVA*) (*Value-added network [VAN]*) Réseau privé, offert par une tierce partie, servant à l'échange d'information grâce à une connexion de grande capacité ayant des fonctions de traitement comme la messagerie vocale ou les liaisons bancaires.

Réseau étendu (*RE*) (*Wide area network [WAN]*) Réseau couvrant une grande aire géographique, comme une région, une province ou un pays.

Réseau local (*RL*) (*Local area network [LAN]*) Réseau conçu pour relier un groupe d'ordinateurs situés à proximité les uns des autres, comme dans un immeuble de bureaux, une école ou une maison.

Réseau métropolitain (*RM*) (*Metropolitan area network [MAN]*) Grand réseau informatique qui couvre généralement toute une ville.

Réseau neuronal (*Neural network [or articicial neural network]*) Secteur de l'intelligence artificielle qui vise à imiter le fonctionnement du cerveau humain.

Réseau privé virtuel (*RPV*) (*Virtual private network [VPN]*) Moyen d'utiliser l'infrastructure de télécommunications publique (exemple : Internet) pour offrir un accès sécurisé au réseau d'une organisation.

Responsabilité sociale (*Social responsibility*) Type de responsabilité qu'une entité, qu'il s'agisse d'un gouvernement, d'une entreprise, d'une organisation ou d'un individu, a envers la société.

Responsabilité sociale de l'entreprise (*Corporate social responsibility*) Dimension de la responsabilité sociale qui va de l'embauche de travailleurs issus des minorités à la fabrication de produits sécuritaires.

Revendeur (*Resellers*) Entreprise ou individu qui achète des biens et des produits en vrac dans le but de les revendre à profit.

Richesse de l'information (*Information richness*) Profondeur et ampleur de l'information transférée entre des clients et des entreprises.

Rivalité entre concurrents existants (*Rivalry among existing competitors*) Rivalité qui est forte lorsque la concurrence est vive dans un marché, mais qui est faible lorsque la concurrence est plus faible.

S

Salle blanche (*Cold site*) Lieu séparé ne comportant aucun équipement informatique, où le personnel peut se rendre après une catastrophe.

Satellite (*Satellite*) Gros répéteur hertzien en orbite autour de la Terre qui contient un ou plusieurs transpondeurs chargés de détecter une partie spécifique du spectre électromagnétique, d'amplifier les signaux entrants et de les retransmettre à la Terre.

Sécurité de l'information (*Information security*) Notion large englobant la protection de l'information contre son utilisation indue, accidentelle ou intentionnelle, par des personnes situées à l'intérieur ou à l'extérieur d'une organisation.

Sécurité matérielle (*Physical security*) Protection tangible qu'offrent des alarmes, des gardes, des portes ignifuges, des clôtures et des chambres fortes.

Service (*Service*) Tâche opérationnelle.

Service basé sur la localisation (*SBL*) (*Location-based service [LBS]*) Service de contenu sans fil qui fournit des données, situées à un emplacement, à des utilisateurs mobiles qui se déplacent d'un endroit à l'autre.

Service d'architecture orientée services (*SOA services*) Tâche opérationnelle, telle que la vérification de la cote de crédit d'un client potentiel qui veut ouvrir un nouveau compte.

Service Web (*Web service*) Service comprenant un répertoire des ressources procédurales et des données sur le Web qui utilise des normes et des protocoles communs afin que différentes applications puissent partager des données et des services.

Site Web dynamique (*Data-driven Web site*) Site Web interactif constamment maintenu à jour et au fait des besoins de sa clientèle, au moyen d'une base de données.

Stratégie axée sur la compétence de base (*Core competency strategy*) Stratégie qu'utilise une organisation qui décide de se concentrer spécifiquement sur ce qu'elle fait de mieux (sa compétence essentielle) et qui établit des partenariats et des alliances avec d'autres organisations spécialisées pour appliquer les procédés administratifs non stratégiques.

Surveillance des SIG sur les lieux de travail (*Workplace MIS monitoring*) Surveillance exercée sur les activités du personnel ; permet de mesurer des facteurs tels que le nombre de frappes au clavier, le taux d'erreurs et le nombre de transactions traitées.

Système d'aide à la décision (*SAD*) (*Decision support system [DSS]*) Système qui modélise des données et de l'information pour aider des directeurs, des analystes et d'autres professionnels des affaires, pendant le processus de prise de décisions, afin d'élargir les objectifs analytiques.

Système d'analyse de GRC (*CRM analysis system*) Système qui aide une organisation à répartir sa clientèle en catégories, comme celles des meilleurs clients et des pires clients.

Système de collaboration (*Collaboration system*) Ensemble d'outils fondés sur les technologies de l'information qui soutient le travail de différentes équipes en facilitant le partage et la circulation de l'information.

Système de gestion de bases de données (*SGBD*) (*Database management system [DBMS]*) Logiciel au moyen duquel des utilisateurs et des programmes d'application interagissent avec une base de données.

Système de gestion du contenu (*Content management system [CMS]*) Système offrant des outils pour gérer la création, le stockage, la mise à jour et la publication d'informations dans un milieu de travail collaboratif.

Système de gestion de la distribution (*Distribution management system*) Système qui coordonne le processus de transport de biens, à partir du fabricant jusqu'aux centres de distribution et au consommateur final.

Système de gestion des connaissances (*Knowledge management system [KMS]*) Système qui permet la saisie, l'organisation et la diffusion de connaissances (c'est-à-dire un savoir-faire) au sein d'une organisation.

Système de gestion des contacts en GRC (*Contact management CRM system*) Système qui préserve les coordonnées de la clientèle et repère des clients potentiels pour des ventes futures.

Système de gestion des contenus numériques (*SGCN*) (*Digital asset management system [DAM]*) Système qui, bien qu'il soit semblable à la gestion des dossiers, traite généralement des fichiers binaires plutôt que des fichiers textes, comme les fichiers multimédias.

Système de gestion des possibilités de ventes en GRC (*Opportunity management CRM system*) Système axé sur les possibilités de ventes qui cherche de nouveaux clients ou entreprises pour réaliser de futures ventes.

Système de gestion des ventes en GRC (*Sales management CRM system*) Système qui automatise toutes les phases du processus de ventes et qui aide ainsi chaque représentant commercial à coordonner et à organiser tous ses comptes.

Système de gestion d'inventaire (*SGI*) (*Global inventory management system* [*GIMS*]) Système permettant de localiser, de suivre et de prévoir le déplacement en amont ou en aval de tous les biens et les composants dans la chaîne d'approvisionnement.

Système de gestion du changement (*Change management system*) Système regroupant un ensemble de procédures pour documenter une demande de modification et définir les mesures nécessaires à l'étude de la modification, en fonction de son impact prévu.

Système de gestion du contenu Web (*SGCW*) (*Web content management system* [*WCM*]) Système qui ajoute un niveau à la gestion des documents et des biens numériques et permet la publication de contenus tant dans des intranets que sur des sites Web publics.

Système de gestion du flux de travail (*Workflow management system*) Système qui facilite l'automatisation et la gestion des procédés administratifs et contrôle le déroulement du travail selon le procédé concerné.

Système de gestion d'une campagne (*Campaing management system*) Système qui guide les utilisateurs au cours d'une campagne de marketing et qui effectue des tâches comme la définition, la planification, le calendrier et la segmentation d'une campagne, ainsi que l'analyse du succès obtenu.

Système de gestion du flux de travail fondé sur la messagerie (*Messaging-based workflow system*) Système qui envoie les attributions de tâches par un système de courriel.

Système de gestion électronique de documents (*SGED*) (*Document management system* [*DMS*]) Système qui permet la saisie, le stockage, la distribution, l'archivage et la disponibilité électroniques de documents.

Système de gestion du flux de travail fondé sur les bases de données (*Database-based workflow system*) Système qui stocke des documents dans un emplacement central; envoie une demande automatique aux membres d'une équipe lorsque c'est à leur tour de se connecter pour travailler sur la partie du projet qui leur est attribuée.

Système de gestion et de contrôle des stocks (*Inventory management and control system*) Système qui contrôle et rend visible le statut des articles faisant partie des stocks.

Système de libre-service Web (*Web-based self-service system*) Système qui permet à la clientèle de se servir du Web pour trouver des réponses à ses questions ou des solutions à ses problèmes.

Système de planification de la chaîne d'approvisionnement (*PCA*) (*Supply chain planning* [*SCP*] *system*) Système utilisant des algorithmes mathématiques avancés pour améliorer le débit et l'efficience de la chaîne d'approvisionnement, tout en réduisant les stocks.

Système de planification de la demande (*Demand planning system*) Système qui génère des prévisions de la demande au moyen d'outils statistiques et de techniques de prévision.

Système de planification des besoins matières (*PBM*) (*Material requirements planning* [*MRP*] *system*) Système qui, à partir des prévisions de ventes, veille à ce que l'équipement et les pièces nécessaires soient disponibles au moment et à l'endroit voulus dans une entreprise spécifique.

Système de planification du transport (*Transportation planning systems*) Système qui retrace et analyse le déplacement des biens et des produits pour assurer la livraison des produits finis au bon moment, au bon endroit et au coût le plus bas.

Système de prévisions de GRC (*CRM predicting system*) Système qui aide une organisation à prévoir le comportement de la clientèle, comme le repérage des clients qui risquent de mettre fin à leurs relations avec cette organisation.

Système de production de rapports de GRC (*CRM reporting system*) Système qui aide une organisation à identifier ses clients à travers d'autres applications.

Système de télécommunications (*Telecommunication system*) Système qui assure la transmission de données dans des réseaux publics ou privés.

Système de traitement des appels (*Call-scripting system*) Système d'accès à des bases de données d'entreprise qui dépistent des questions ou des sujets similaires et qui en génèrent automatiquement les détails à l'intention du représentant du service à la clientèle, qui peut ensuite les transmettre au client.

Système de traitement des transactions (*STT*) (*Transactions processing system* [*TPS*]) Système administratif de base qui agit au niveau opérationnel (commis et analystes) dans une organisation.

Système d'exécution de la chaîne d'approvisionnement (*ECA*) (*Supply chain execution* [*SCE*] *system*) Système automatisant le fonctionnement des différents maillons de la chaîne d'approvisionnement.

Système d'information (*SI*) (*Information system* [*IS*]) Ensemble d'outils informatiques que les personnes utilisent pour travailler avec de l'information et qui comblent les besoins d'une organisation en ce qui a trait à l'information et à son traitement.

Système d'information de gestion (*SIG*) (*Management information system* [*MIS*]) Système qui planifie, met au point, active et maintient les matériels, les logiciels et les applications en technologies de l'information que des personnes utilisent pour atteindre les objectifs d'une organisation.

Système d'information géographique (*Geographic information system* [*GIS*]) Système conçu pour utiliser de l'information pouvant être affichée sur une carte.

Système d'information pour dirigeants (*SID*) (*Executive information system* [*EIS*]) Système d'aide à la décision spécialisé pour les hauts dirigeants d'une organisation.

Système d'information stratégique (*Business-driven information system*) Système mis en place pour étayer la stratégie concurrentielle d'une entreprise.

Système en temps réel (*Real-time system*) Système qui donne de l'information en temps réel en réponse à des demandes d'information.

Système existant (*Legacy system*) Technologie informatique plus ancienne qui demeure en usage même lorsque des systèmes plus récents sont disponibles.

Système expert (*Expert system*) Programme de consultation informatisé qui imite le mode de raisonnement qu'utilisent les experts pour résoudre des problèmes épineux.

Système fonctionnel (*Functional system*) Système d'information qui dessert un seul service d'entreprise, comme la comptabilité.

Système intelligent (*Intelligent system*) Application commerciale variée de l'intelligence artificielle.

Système ouvert (*Open system*) Terme général désignant les matériels et les logiciels non exclusifs en technologies de l'information qui sont rendus disponibles grâce aux normes et aux procédures régissant le fonctionnement de ces produits, ce qui en facilite l'intégration.

T

Table (*Table*) Collection d'entités similaires. Aussi appelée « classe d'entité ».

Tableau de bord numérique (*Digital dashboard*) Outil qui intègre l'information issue de multiples composantes, l'adapte aux préférences individuelles et la représente sous forme visuelle pour faciliter l'analyse et la visualisation.

Tableau de bord prospectif (*Balanced scorecard*) Système de gestion (et pas seulement un système de mesure) qui permet à une organisation de clarifier sa stratégie et sa vision des choses et de les traduire en actions.

Tablette électronique (*ou tablette*) (*Tablet computer* [*or tablet*]) Ordinateur portatif plus volumineux qu'un téléphone cellulaire ou un assistant numérique, muni d'un écran tactile plat intégré, qu'on utilise surtout en touchant l'écran.

Technologie de continuité (*Sustaining technology*) Technologie produisant un bien amélioré que les consommateurs désirent acheter, comme une voiture plus rapide ou un lecteur de disque dur ayant une plus grande capacité.

Technologie de l'information (*TI*) (*Information technology* [*IT*]) Acquisition, traitement, stockage et diffusion d'information vocale, imagée, écrite et numérique par un ensemble microélectronique de dispositifs informatiques et de télécommunications.

Technologie de l'information durable (*TI « verte »*) (*Sustainable ["green"] IT*) Technologie de l'information dont la fabrication, la gestion, l'utilisation et la mise au rebut minimisent les dommages causés à l'environnement, ce qui représente une responsabilité cruciale de toute entreprise.

Technologie de rupture (*Disruptive technology*) Nouvelle façon de faire les choses qui ne satisfait pas initialement les besoins de la clientèle existante.

Teergrubing (*Teergrubing*) Démarche antipourriel selon laquelle l'ordinateur récepteur lance une attaque de représailles contre l'envoyeur d'un pourriel en l'inondant de courriels.

Télématique (*Telematic*) Réunion de l'informatique et des technologies des télécommunications, dans le but de transmettre de l'information avec efficience par l'entremise de vastes réseaux pour améliorer les activités commerciales.

Téléphone intelligent (*Smartphone*) Appareil qui réunit les fonctions d'un téléphone cellulaire et d'un assistant numérique.

Témoin (*Cookie*) Petit fichier qui est déposé sur un disque dur par un site Web et qui contient de l'information sur la clientèle et ses activités dans Internet.

Temps de réponse (*Response time*) Temps nécessaire pour répondre aux interactions de l'utilisateur, comme un clic de souris.

Tolérance aux pannes (*Fault tolerance*) Caractéristique d'un système informatique dans lequel une composante ou une procédure de secours peut remplacer, immédiatement et sans interruption de service, une composante tombée en panne.

Traçabilité électronique (*Electronic tagging*) Technique d'identification et de suivi des biens et des personnes au moyen d'outils technologiques, comme l'identification par radiofréquence et les cartes à puce.

Trafic de site Web (*Web trafic*) Volume de transmission mesuré au moyen d'un grand nombre de critères, comme le nombre de pages vues, le nombre de visiteurs uniques et le temps moyen passé à regarder une page Web.

Traitement analytique en ligne (*OLAP*) (*Online analytical processing [OLAP]*) Analyse d'une information résumée ou agrégée provenant de données d'un système de traitement des transactions, et parfois d'une information externe originaire de sources industrielles extérieures, qui vise à créer de l'intelligence d'affaires en appui à la prise de décisions stratégiques.

Traitement des transactions en ligne (*OLTP*) (*Online transactions processing [OLTP]*) Saisie de données relatives à des transactions ou à des événements qui est effectuée au moyen de systèmes d'information, dans le but de traiter ces données selon des règles opérationnelles définies, de stocker ces données et de mettre à jour les données existantes pour mieux refléter la nouvelle information.

Transaction électronique sécurisée (*Secure electronic transaction [SET]*) Méthode qui assure la sécurité et la légitimité des transactions effectuées.

Typosquattage (*Typosquatting*) Problème survenant lorsqu'une personne enregistre des variations volontairement mal écrites de noms de domaine bien connus. Ces variations piègent parfois des consommateurs qui font des erreurs de frappe lorsqu'ils inscrivent une URL.

U

Unité fonctionnelle stratégique (*Strategic business units [SBUs]*) Entreprise formée de plusieurs entreprises autonomes, qui se retrouve généralement au sein d'un grand conglomérat.

Utilisation équitable (*Fair dealing*) Dans certaines situations, utilisation légale d'un objet protégé par le droit d'auteur.

V

Valeur ajoutée (*Value-added*) Terme désignant la différence entre le coût des intrants et le prix de vente des produits.

Valeurs cibles (*Benchmarks*) Valeurs de base que le système cherche à atteindre.

Veille stratégique (*Environmental scanning*) Acquisition et analyse d'événements et de tendances dans le milieu extérieur d'une organisation.

Vendeur (*Dealer*) Agent qui vend des produits ou des services au nom d'une entreprise ou d'une organisation, notamment dans l'industrie de l'automobile.

Vente croisée (*Cross-selling*) Vente de produits ou services supplémentaires à un client.

Vente incitative (*Up-selling*) Hausse de la valeur d'une vente.

Ver informatique (*Worm*) Type de virus qui se répand non seulement d'un fichier à l'autre, mais aussi d'un ordinateur à l'autre.

Virtualisation (*Virtualization*) Cadre dans lequel les ressources matérielles d'un ordinateur sont segmentées en de multiples environnements d'exécution.

Virtualisation d'un système (*System virtualization*) Capacité de présenter les ressources d'un seul ordinateur comme si elles résidaient dans plusieurs ordinateurs distincts (« appareils virtuels »), chacun ayant sa propre unité centrale, interface avec le réseau, capacité de stockage et son système d'exploitation virtuels.

Virus (*Virus*) Logiciel créé dans une intention malicieuse pour causer des perturbations ou des dommages.

Virus et ver informatique polymorphes (*Polymorphic virus and worm*) Virus et ver informatiques qui changent de forme à mesure qu'ils se propagent.

Visibilité de la chaîne d'approvisionnement (*Supply chain visibility*) Caractéristique qui permet de visualiser tous les maillons en amont et en aval de la chaîne d'approvisionnement.

Visioconférence (*Video conference*) Ensemble des technologies des télécommunications interactives qui permettent à des personnes situées dans des endroits éloignés d'interagir simultanément grâce à des transmissions vidéo et audio bidirectionnelles.

Visualisation de données (*Data visualization [information aesthetic]*) Capacité de visualiser des données afin que l'information soit communiquée avec clarté et efficacité.

Vitesse de la transaction (*Transaction speed*) Quantité de temps nécessaire pour l'exécution d'une transaction.

Voix sur IP (*VoIP*) (*Voice over IP [VoIP]*) Communication vocale transmise sur des lignes téléphoniques au moyen d'une technologie TCP/IP.

Vol d'identité (*Identity theft*) Contrefaçon de l'identité d'une personne qui est effectuée à des fins frauduleuses.

Vol du nom d'un site Web (*Website name stealing*) Méfait que commet un individu qui, se faisant passer pour l'administrateur d'un site, transfère la propriété du nom de domaine de ce site au propriétaire d'un autre site.

W

Web 2.0 (*Web 2.0*) Ensemble de tendances économiques, sociales et technologiques qui forment collectivement la base de la deuxième génération d'Internet, c'est-à-dire un moyen plus distinctif et plus avancé se caractérisant par la participation des utilisateurs, l'ouverture et des effets de réseau.

Web 3.0 (*Web 3.0*) Terme qui désigne l'évolution de l'utilisation et des interactions Web entre plusieurs voies séparées, qui comprennent la transformation du Web en une base de données, l'accès au contenu à l'aide de multiples applications hors navigateur, l'optimisation des technologies d'intelligence artificielle ou le Web sémantique.

Web sémantique (*Semantic Web*) Extension évolutive du World Wide Web, dans laquelle le contenu Web peut être exprimé non seulement en langage naturel, mais aussi dans un format pouvant être lu et utilisé par des agents logiciels, ce qui leur permet de repérer, partager et intégrer plus facilement l'information.

Wi-Fi (*Wireless fidelity [Wi-Fi]*) Moyen de relier des ordinateurs à l'aide de signaux radio.

Wiki (*Wikis*) Outil Web de collaboration qui facilite l'ajout, la suppression ou la modification du contenu en ligne par les utilisateurs.

WiMAX (*WiMAX*) La Worldwide Interoperability for Microwave Access est une technologie de télécommunications visant à fournir des données sans fil de grandes distances et de diverses façons, qui vont de liaisons point à point à un plein accès mobile de type cellulaire.

World Wide Web (*WWW*) (*World Wide Web [WWW]*) Système hypertexte mondial qui se sert d'Internet comme moyen de transport.

Z

Zoom arrière (*Consolidation*) Activité comportant l'agrégation d'informations, qu'il s'agisse de simples résumés ou de groupements complexes d'informations interreliées.

Zoom avant (*Drill-down*) Technique qui permet aux utilisateurs de visualiser des données détaillées relatives à une information.

SOURCES ICONOGRAPHIQUES